三國志演義古版匯集

柳存仁敍署

陳翔華 主編

三國志演義古版匯集

北京藏湯賓尹校本通俗三國志傳

合編本（上）

國家圖書館出版社

圖書在版編目(CIP)數據

北京藏湯賓尹校本通俗三國志傳:合編本/陳翔華主編.—北京:國家圖書館出版社,2010.9

ISBN 978－7－5013－4410－9

Ⅰ.①北… Ⅱ.①陳… Ⅲ.①章回小說－中國－明代 Ⅳ.①I242.4

中國版本圖書館 CIP 數據核字(2010)第 169005 號

責任編輯:殷夢霞　李强

ISBN 978-7-5013-4410-9

9 787501 344109 >

書名　北京藏湯賓尹校本通俗三國志傳:合編本(上、下)

著者　陳翔華　主編

出版　國家圖書館出版社(原北京圖書館出版社)

(100034 北京市西城區文津街 7 號)

發行　010－66139745,66175620,66126153

66174391(傳真),66126156(門市部)

E－mail　btsfxb@nlc.gov.cn(郵購)

Website　www.nlcpress.com→投稿中心

經銷　新華書店

印刷　河北三河弘翰印務有限公司

開本　787×1092 毫米　1/16

印張　100

版次　2010 年 9 月第 1 版　2010 年 9 月第 1 次印刷

書號　ISBN 978－7－5013－4410－9

定價　1200.00 圓

三國志演義古版匯集編輯委員會

主編

陳翔華　中國國家圖書館

編輯委員（按姓氏筆劃順序）

金文京　日本京都大學

周兆新　北京大學

馬泰來　美國普林斯頓大學

馬蘭安　澳大利亞墨爾本大學

陳慶浩　法國科學研究中心

殷夢霞　國家圖書館出版社

盧慶濱　英國倫敦大學

顧問

柳存仁　澳大利亞國立大學

『三國志演義古版匯集』已刊目錄

書名	出版年	定價
西班牙藏葉逢春刊本三國志史傳（全二冊）	二〇〇九年八月	九八〇圓
北京藏黃正甫刊本三國志傳（全二冊）	二〇〇九年十二月	一二〇〇圓
日本藏夏振宇刊本三國志傳通俗演義（全三冊）	二〇一〇年六月	一八〇〇圓
北京藏湯賓尹校本通俗三國志傳：合編本（全二冊）	二〇一〇年九月	一二〇〇圓

三國志演義古版匯集序

陳翔華

《三國志演義》是一部具有世界影響的中國古代小説名著，不僅一直深獲中國廣大民衆的喜愛，而且在域外也大受歡迎和得到很高的評價。這部小説首次梓行的第五十一個年頭就遠傳到國外，歐洲彼岸的西班牙王國在公元十六世紀中葉便已入藏了一部很早刊刻的『加像』本。現存於世的明代以及清代初期的刻本三十多種，而亞歐美諸國所藏就有二十多種，不少是中土久佚或前所寡聞的珍稀版本。至今，域外諸國還已將這部小説的通行本翻譯成十多種文字出版，而且日本、韓國等一些亞洲國家又將之改編成電影、電視連續劇及動畫片上映，使婦孺諸輩也能直接感知於視聽，因此傳播日臻擴大，影響更加深入。

國外知識界對《三國志演義》，也予以十分積極的評價。日本作家吉川英治在上世紀三十年代編譯日文本小説《三國志》時，明確地指出這部小説構思之雄偉，所寫活動場面之廣闊，『世界古典小説均無與倫比』（編譯本自序）。前蘇聯、日本等國多部大百科全書也都有中肯的介紹。法國《拉魯斯大百科全書》還説：『在歷史小説中，《三國志演義》是最著名的一部』；美國《新哥倫比亞大百科全書》在述評中指出，《三國志演義》是描寫英雄業績的『一部早期的杰作』；英國《卡史斯頓大百科全書》則稱之爲史詩般的作品。

近年來，中國以及澳大利亞、日本、俄羅斯、美國、英國、加拿大、韓國等學者又陸續進行某些層面的開掘與探索，已取得了可喜的學術成果。但是，由於年代的久遠，資料的分散和欠缺，研究工作受到一定的局限，有些方面尚有待於繼續深入。以下僅就涉至《三國志演義》版本的有關問題，談談某些拙見，以求正於方家。

一

《三國志演義》（或稱《三國志傳》）[二]的編撰者羅貫中，名本，東原（今山東省東平縣）人，一説太原或杭人。元末明初杰出的俗文學作家。有小説、雜劇多種，其中以《三國志演義》一書最爲卓著。

在歷史上，從羅貫中的編撰成書以前，到《三國志演義》文字的陸續刊刻，完整的三國故事傳播形態大體上經歷了三個重要階段。

野史評話階段： 羅貫中以前或其相近年代，除軼聞瑣記與片斷傳説外，已經生成具有一定規模的叙事性作品。例如元代中葉刊刻的《三國志平話》與後來翻刻本《三分事略》，以及還有研究者認爲當出自元代而『重刊』於明成化年間的《花關索傳》等。這些叙事作品的特點是：第一，具有首尾完整的情節結構，描寫較多的人物形象（其中以蜀漢方面集團的人物爲主體）。第二，在故事内容上，真假相羼雜。明庸愚子指出，羅貫中成書前，『前代嘗以野史作爲評話』（《三國志通俗演義序》）。所謂野史評話，就是『講史』（陶宗儀《輟耕録》記元代講史伎藝人『胡仲彬乃杭州勾闌中演説野史者』）。伎藝人的講史，『大抵真假相半』（《都城紀勝》、《夢粱録》）。『大抵』者，約其指也。《三國志平話》的基本情節安排大體上還合乎歷史發展的順序，有的事件也有一定的歷史依據，但有不少虚擬和想象，如孔明殺曹使、諸葛亮死後令司馬懿不得與蜀漢争鋒等等。至於説唱詞話《花關索傳》則更爲虚誕。第三，在民間流傳，語言頗俚俗。庸愚子還説：這種野史評話，多『令瞽者演説，其間言辭鄙謬，又失之於野，士君子多厭之』。

傳抄階段： 今見最早的文獻記載，是明弘治七年甲寅（一四九四年）的庸愚子（金華蔣大器）《三國志通俗演義序》。當時，庸愚子所看到并爲之作序的就是傳抄本。庸愚子指出：第一，這部小説的編撰者是『東原羅貫中』。第二，同野史評話相比較，羅貫中小説『事紀其實，亦庶幾乎史』。所謂『庶幾乎史』，即接近於歷史，但當然并不等同。也就是可以説，《三國志演義》書中仍然保留有野史評話的傳説成分。第三，叙事的語言，『文不甚深，言不甚俗』，也介於史書與評話之間。第四，在文人中廣泛傳抄，『士君子之好事者，争相謄録，以便觀覽』。

從書成到首次版刻間，這部長篇小説便已由稿本産生出很多傳抄本。庸愚子説，當時讀者『争相謄録』。其『争相』的結果，傳抄本不會止有一部而當有好幾部。這一百多年來，輾轉反復的傳抄而出自衆人之手，其間難免諸多舛互訛奪以及增删修改。例如所見最早梓行的明嘉靖元年壬午（一五二二）修髯子《引》刊本，其卷二十一《孔明秋風五丈原》有云『後尹直贊孔明曰』并引録《贊》辭一首。按此《贊》乃見明尹直（一四二七至一五〇七後）《名相贊》卷之二『蜀漢』，題《丞相武侯諸葛公孔明》。尹直字正言，江西泰和人。景泰五年（一四五四）進士，官至兵部尚書，加太子太保。孝宗弘治帝即位，『令（其）致仕』。弘治九年他還上表，『冀召對。帝却之。正德（一五〇六至一五二一）中卒』（見《明史》本傳）。《名相贊》卷前有著者引言，署『弘治甲子春二月初吉』、『七十八翁澄江居士尹直正言引并書』。『弘治甲子』即弘治十七年（一五〇四），此時他已『致仕』還鄉多年。可見《名相贊》成書比庸愚子爲傳抄本《三國志通俗演義》撰序晚了整整十年，其贊孔明辭當非羅貫中原書所有，顯然是庸愚子撰序以後的傳抄者擅自添加羼入的。

版刻階段：關於這部小説版刻的最初記載，見於修髯子（關西張尚德）《三國志通俗演義引》。此《引》以答客問的形式，説是書『以俗近語檃栝成編』，使人了然於『是是非非』，『裨益風教，廣且大焉』。客者隨即提出：這部長篇小説『簡帙浩瀚，繕本甚艱[二]，請壽諸梓，公之四方，可乎！』於是，以前『簡帙浩瀚』的手抄『繕本』，從而便有了梓刻。由此可知，《三國志演義》首刻年代乃在修髯子撰《引》之時。今見三種明刊本存録修髯子《引》，但其所署撰年却有兩種不同的説法。一爲嘉靖元年壬午（一五二二）説，見上海圖書館藏本（北京人民文學出版社一九七五年據以影印的主要底本）。卷前《引》末署『嘉靖壬午孟夏吉望關中修髯子書於居易草亭』。一爲嘉靖三十一年壬子（一五五二）説，見日本名古屋市蓬左文庫藏明夏振宇刊本卷前《引》末署『嘉靖壬子孟夏吉望關中修髯子書於居易草亭』。此『嘉靖壬子』説，又見明萬曆間周曰校刊本卷前所署。按『嘉靖壬午』與『嘉靖壬子』，年份的天干『壬』字相同，而其地支『午』與『子』兩字不同，時間却相差了三十年。故此，其間必有一誤。

考修髯子《引》刊本的首刻時間，應在嘉靖元年。據記載，明武定侯郭勛在嘉靖十年至十六年間編印《大明英烈傳》時，刊刻過《三國志通俗演義》等（見本文下節）。而今見修髯子《引》明白無誤地指出其撰《引》前只有抄本，正由於『繕本甚艱』，因此才『壽諸梓』以『公之四方』。可見修髯子《引》刊本的首刻時間只會在『武定板』之前，而不可能如夏振宇刊本、周曰校刊本所署的嘉靖三十一年。

再看書目著録。最早著録《三國志通俗演義》一書的，是明高儒《百川書志》。其卷六史部野史類記此書『晋平陽侯［相］陳壽傳，明羅本貫中編次』云云，與上海圖書館藏本卷端題署大體相同。高儒著録的内容提要，也是參考庸愚子《序》與修髯子《引》而撰成的。修髯子説：『史氏所志，事詳而文古，義微而旨深』，通常讀者展卷『鮮不便困睡』；而這部小説『以俗近語，隱括成編』，使人『入耳而通其事，因事而悟其義』。高儒則概括而换言之説：羅氏小説『非史氏蒼古之文，去瞽傳詼諧之氣』，而『非俗非虚』，使讀者『易觀易入』云云。高儒顯然是讀過修髯子《引》的，而其所著録亦當爲此書首刻本。《百川書志》是百川子高儒的家藏書目，修成時間見自序所題『大明庚子歲嘉靖夏五月端陽日書於志道堂之楹』[三]。按『庚子歲』即嘉靖十九年（一五四〇）。由此著録而知，《三國志通俗演義》既然在嘉靖十九年以前已經入藏於涿州高儒的書齋志道堂，則其刊印時間必先於此。上文已提及，標示這部小説首刻時間的修髯子《引》的撰年有兩説。假設修髯子《引》撰於嘉靖三十一年的話，那末《三國志通俗演義》首刻則比嘉靖十九年成書的《百川書志》要晚十二年；倘若如此，高儒是無從著録於他的家藏書目的。只有修髯子《引》撰於嘉靖元年而首刻之，即比《百川書志》要早十九年出書，高儒才能入藏并加以著録。

以上可見，經過傳抄階段的羅貫中《三國志演義》，始刻於明嘉靖元年壬午無疑，而盡管現存所題修髯子《引》刊本未必都是此年印行的。

二

嘉靖元年以後，明代官私家紛紛競相争刻《三國志演義》。

嘉靖、隆慶年間刊本，今所知見的存書或著録，有：

第一，嘉靖元年壬午（一五二二）修髯子《引》刊本（下或略稱爲嘉元序刊本）二十四卷，上海圖書館、甘肅省圖書館以及原北平圖書館（舊存）等處藏。諸藏本不一定都是首刻初印本，即有的是，但也有的其母本或祖本乃出嘉元序刊本。北京人民文學出版社一九七五年配補修版而成所稱嘉元序刊《三國志通俗演義》的影印本，其實是一個不可視同於原藏的凑合本[四]。

又，上海涵芬樓一九二九年影印本，書名作『明弘治本三國志通俗演義』。按涵芬樓曾借日本文求堂田中所藏本，後又購得前半部配補之，乃影印成全書。因底本缺嘉靖元年序而僅存弘治序，影印本遂誤題作『弘治本』。經比勘而見，其刻板形式、行款、字體等俱同上海藏本，内容上除卷十六《玉泉山關公顯聖》對關羽被俘受戮的文字加以删減重寫外，其餘正文與夾注幾乎相同。所謂『據明弘治本景印』的原底本，其實是嘉元序刊本的後印本。

第二，嘉靖二十七年戊申（一五四八）元峰子《序》刊本十卷（存八卷：卷一、二、四至九），葉逢春刊，西班牙馬德里愛斯高里亞爾修道院藏。（下略稱爲葉逢春刊本，或西班牙藏本）。此本卷前有《三國志傳加像序》，末署『時嘉靖二十七年歲次戊申春正月下浣之吉，鍾陵元峰子書』。上圖下文，是今見最早的《三國志演義》『加像』本。

第三，武定侯郭勛府刊本。明晁瑮《寶文堂書目》卷中子雜類著録《三國志通俗演義》，下有小字註云：『武定板』。按『武定板』，即嘉靖間武定侯郭勛府刊本。勛爲明開國功臣郭英之後，正德三年（一五〇八）襲封。『嘉靖十年間，刑部郎中李瑜議進誠意伯劉基侑祀高廟，位次六王。至是武定侯郭勛欲進其立功之祖英於太廟，乃倣《三國志》俗説及《水滸傳》爲《國朝英烈記》』（明刊本《皇明通紀述遺》卷十）。至嘉靖十六年，郭勛『乃疏乞祀英廟廡』，『上是勛言，進英祀』（見同前）。嘉靖十八年閏七月，『進封郭勛翊國公』（明刊本許重熙《憲章外史續編》卷三），不再稱『武定侯』了。可見『武定板』當刊刻於嘉靖十年（一五三一）以後數年間，最遲不晚於嘉靖十六年（一五三七）十二月[五]，要比葉逢春刊本早些時候。

第四，都察院刊本。明周弘祖《古今書刻》上編著録都察院刻書有『《三國志演義》』等。按周弘祖，嘉靖三十八年（一五五九）進士，曾官福建提學副使等。周氏主要活動於嘉、隆間，故疑都察院刊本當成於嘉靖或隆慶年間。（孫楷第《中國通俗小説書目》卷二，疑此書爲『嘉靖刊本』。）

第五，經廠刊本。明劉若愚《酌中志》卷十八《内板經書紀略》記載明内府經廠庫内所藏司禮監刊本的板片中，有『《三國志通俗演義》廿四本，一千一百五十葉』。按司禮監所屬經廠刻書用工，嘉靖十年核查定額爲刊字匠三百十五名、刷印匠一百三十四名、表背（裝訂）匠二百九十三名及紙匠、墨匠等共一千二百七十五名，當時刻印圖書很多。經廠刊本《三國志演義》當成於嘉靖或稍後時間。按王重民以爲涵芬樓景印的底本『即此本』（《中國善本書提要》子部十四小説類），但不知是否。

此外，明《文華殿書目》著録有《三國志通俗演義》（見清阮葵生《茶餘客話》卷十六），不知即司禮監經廠刊本否？

到萬曆二十年（一五九二），明代著名出版家與通俗小説雜著編纂家余象斗談及坊刻本。他在其所刊《批評三國志傳》的封面識語中説：『《三國》一書，坊間刊刻較多』，同時又在《三國辯》中指出：『坊間所梓《三國》何止數十家矣，全像者止劉、鄭、熊、黄四姓。』這裏提供了非常重要的信息，很值得我們注意。

（一）余象斗當時所説坊刻本『何止數十家』，刊板極其繁富，而今我們對此幾乎無所知悉或知之甚少。現存此前的坊刻本，有確切年代可考的有葉逢春刊嘉靖二十七年序本和周曰校萬曆十九年刊本兩種，而這兩種早於萬曆二十年又帶有插圖的坊本，却還都没有納入余象斗的計數之内。（按余氏説全像本，『止劉、鄭、熊、黄四姓』）《三國辯》所説『何止數十家』云云當非虚言，再加上葉、周二氏所刻，更見民間刊刻此書之風很盛。

（二）余象斗所知見的《三國志演義》坊刻本并非俱出於萬曆年間，其中有些肯定在前朝已經刊板了。《三國辯》談及出刊『全像』本的鄭氏宗文堂、熊氏種德堂、黄氏仁和堂、劉氏愛日堂，都是建陽書林的刻書世家[六]。余象斗説，鄭氏宗文堂刊本『人物丑陋，字亦差訛，久不行矣』；又説劉氏愛日堂刊本『其板雖無差訛，士子觀之樂然，今板已蒙，不便其覽矣』。按諸『全像』本如果刊刻於萬曆元年，到余象斗所見時不過二十年，當不至於『今板已蒙，不便其覽』，或稱之『久不行矣』。由此可以推知，其刻板當在以前，上溯乃至隆慶或直達嘉靖間。

（三）已經出現了删節整理本。余象斗指出，黄氏仁和堂『全像』本，『紙板雖新，内則人名、詩詞去其一分』。

也就是説，這個刊本所描寫的人物和引述的詩詞，比原本要少些。究竟是仁和堂的删節還是此前底本的削減，今已不得其詳了。

總之，嘉靖以來刊板繁多，而其中盡管不少失佚或不見於著録，但當時也已經出現了修改本和『全像』本。

三

所見《三國志演義》的明代以及清代初年刻本，都經過了加工修改，并不完全是羅貫中原著的初始面目，盡管其中也程度不等地保存有原來的文字。而且版刻早的刊本也未必都比後刻者更接近於羅氏原書，如果這些後刻者真正來自『古本』或『舊本』。

在明代，《三國志演義》的刻本存在着『古本』、『舊本』文字以及『新舊本』共同的文字。

先説『古本』文字。例如《三國志演義》寫劉備冒風雪往訪諸葛亮未遇時，所聽到黄承彦『口誦』（一作『口頌』）《梁父吟》一詩的詞句，諸明刊本就有『古本』與非古本（即新本）的文字异同。今將萬曆十九年周曰校刊本《三國志通俗演義》（下略稱周曰校刊本）卷四記載《梁父吟》詩及其後考證『古本』的文字，抄録於下：

一夜北風寒，萬里彤雲厚。空中亂雪飄，改盡山川舊。仰面觀太虛，想是玉龍鬥。紛紛鱗甲飛，頃刻遍宇宙。白髮銀絲翁，豈懼皇天佑。騎驢過小橋，獨嘆梅花瘦。［考證］古本作盛感皇天佑。

周曰校刊本指出此《梁父吟》第十句，『古本』文字則不同，乃作『盛感皇天佑』。其實，差异還不止於此句。現將所見刊行年代可識别的明刻本，表列其中《梁父吟》相關异同處，以考『古本』與非古本的文字。

所見明刻本中《梁父吟》相關异同比照表

版本	刊行時間	句數	第三句	第九句	第十句	備注
嘉元序刊本	嘉靖元年	十二句	空中亂雪飄	白髮銀絲翁	豈懼皇天漏	黄承彦『口誦』
葉逢春刊本	嘉靖二七年	十句	長空雪亂飄	白髮老衰翁	盛感皇天佑	黄承彦『口頌』
周曰校刊本，	萬曆一九年	十二句	空中亂雪飄	白髮銀絲翁	豈懼皇天佑	黄承彦『口誦』
余象斗刊本	萬曆二〇年	十句	長空雪亂飄	白髮老衰翁	盛感皇天佑	黄承彦『口頌』
熊清波刊本	萬曆二四年	十句	長空雪亂飄	白髮老衰翁	盛感皇天佑	黄承彦『口念』
黄正甫刊本	天啓三年	十句	長空雪亂飄	白髮老衰翁	盛感皇天佑	黄承彦『口歌』

以上可見：（一）就《梁父吟》第十句而言，葉逢春刊本、余象斗刊本、熊清波刊本、黄正甫刊本以及未入上表的湯賓尹校本、劉龍田刊本等俱作『盛感皇天佑』，如周曰校刊本注釋（『考證』）的提示，這些正是『古本』文字。而通常被認爲今存最早的嘉靖元年序刊本等此句則作『豈懼皇天漏』，却反是經過改易的非古本（即新本）文字。周曰校刊本此句末三字雖與古本相同，但其首兩字『豈懼』同嘉元序刊本，亦非俱是古本。（二）古本《梁父吟》共十句，而非古本却增衍至十二句。全書的關鍵在於第十句。余象斗刊本等第十句『盛感皇天佑』，意乃由紛飛的瑞雪聯想到預兆着的豐年即將來臨，老翁黄承彦於是深深感懷上天的神『佑』。全詩至此，意已盡止，不必再畫蛇添足，因而只有十句。但是，嘉元序刊本第十句改作『豈懼皇天漏』。按『皇天漏』乃喻紛飛的大雪。全句只説不畏隆冬雪寒，詩意不能已，故據前後文再補添『騎驢過小橋，獨嘆梅花瘦』作

結，便有了十二句。至於夏振宇刊本、周曰校刊本等情形雖不盡相同，但也都襲用了嘉元序刊本或其母本的末兩句，成十二句。

（三）此詩第十句誠然是『古本』與非古本文字最重要區别之所在，但是其他詩句也并非没有异同。例如第九句，葉逢春刊本、余象斗刊本等作『白髮老衰翁』，文字質樸直白，亦當爲『古本』文字；而嘉元序刊本、周曰校刊本則潤色爲『白髮銀絲翁』，便雅馴得多了。又如第三句，葉逢春刊本、余象斗刊本作『長空雪亂飄』，而嘉元序刊本、周曰校刊本作『空中亂雪飄』。諸如此類，由於意思差别不太大，所以明刻本註釋無需一一揭示，以免繁複。

其次，説『舊本』。今見三種明刻本的注釋，指出當時還存在『舊本』《三國志演義》。嘉元序刊本卷十二《張永年反難楊修》寫張松詐稱《孟德新書》乃戰國時無名氏作，蜀中小童亦能暗誦。楊修辯駁之，説：『丞相秘藏之書，雖已成帙，未傳於世。汝於蜀中小兒暗誦如流，何相欺乎！』曹操聽楊修説張松的記誦，以爲『古人與吾暗合』，於是『遂令扯碎其書（《孟德新書》），燒之』。其下還特加雙行小字夾註，指出：『舊本（《三國志演義》）「書」作「板」，差矣』云云[七]。嘉元序刊本這裏提出了『舊本』與非舊本的异同，這些文字的基本意思在夏振宇刊本、周曰校刊本中都可以看得到。現將葉逢春刊本、余象斗刊本所寫的楊修辯駁，曹操聽到楊修説張松記誦後的反應，及其下的小字夾註，以與嘉元序刊本、夏振宇刊本（周曰校刊本此處文字俱同）相比照：

版本	楊修辯駁	曹操反應	小字夾注
葉逢春刊本	修曰：『丞相秘藏之書，雖已刊板，未曾傳播於世。（下略）』	曹曰：『莫非古人與吾暗合否！』遂命破板燒之。	至今此書（《孟德新書》）不傳於世。
余象斗刊本	修曰：『丞相秘藏之書，雖已刊板，未曾傳播於世。（下略）』	操曰：『莫非古人與吾暗合否！』遂命破板燒之。	至今此書不傳於世。
嘉元序刊本	修曰：『丞相秘藏之書，雖已成帙，未傳於世。（下略）』	操曰：『莫非古人與吾暗合歟！』遂令扯碎其書，燒之。	柴世宗時方刊板。舊本『書』作『板』，差矣。今《孫武子》止有魏武帝註。
夏振宇刊本	修曰：『丞相秘藏之書，雖以成帙，未傳於世。（下略）』	操曰：『莫非古人與吾暗合否！』遂令扯碎其書，燒之。	〔考證〕《孟德新書》不可考，今《孫子兵法》有魏武帝註，疑即此書。至柴世宗時方有刊板。舊本《三國志》。

由此而見，在嘉靖、萬曆間，《三國志演義》已存在着『舊本』與非舊本。這裏區别的關鍵在於《孟德新書》是不是板刻的印刷品。正如嘉元序刊本的小字註所指出：『舊本「書」作「板」』。（夏振宇刊本與周曰校刊本這裏的『考證』文字漏脱此句，但其意思與嘉元序刊本完全相同〔八〕。）按今姑勿論『刊板』的起源，但是從歷史上看，曹操那個時代還没有産生雕板印刷術則是可以肯定的。所以，非舊本將有關文字修改作『雖已成佚』、『遂令扯碎其書燒之』，而『舊本』或以『舊本』爲母本、祖本的後刻本仍然保存原來的『雖已刊板』、『遂命破板燒

之』。

在所見諸明刻本中，除上表列出外，保存這些『舊本』文字的還有湯賓尹校本、熊清波刊本、劉龍田刊本、朱鼎臣輯本、黄正甫刊本等；而已加修改過的非舊本，則還有周曰校刊本、李卓吾評本、鍾伯敬評本等。

上表所見的非舊本註文，都是針對『舊本』而言的。非舊本的這裏註文，包含有兩重意思。其一是指出『舊本』正文『刊板』、『破板』的錯誤，説明與非舊本的异同（已見上文叙説）。其二是關於《孟德新書》的流傳問題。『舊本』小字註云：『至今此書不傳於世』。（湯賓尹校本因正文『破板燒之』，而小字註云：『致令此書不傳於世』，稍异。）而非舊本小字註則對之，却認爲此書未必『不傳』。嘉元序刊本説：『今《孫武子》止有魏武帝註』，夏振宇刊本與周曰校刊本説：『今《孫子兵法》有魏武帝註，疑即此書』。按非舊本小字註當自有據。今見《隋書》經籍志三著録：『《孫子兵法》二卷，吴將孫武撰，魏武帝註』，『《孫子兵法》一卷，魏武、王凌集解』。又，《宋史》藝文志六兵書類著録：『魏武帝註《孫子》三卷』。這些著録當爲非舊本小字註所參考。

從這些小字註中，我們也可以不難地看到某些版別文字生成的先後。在這裏，葉逢春刊本、余象斗刊本等不僅正文保留『舊本』文字，而且其小字註文也比嘉元序刊本早。嘉元序刊本是通常被稱爲最早的刻本，今見所藏如果不是經過遞修後印的話，這裏的正文與小字註却爲什麼反出於晚刻數十年的葉逢春刊本、余象斗刊本之後呢？這是因爲在傳抄與刻印過程中，嘉元序刊本經過了很大的修改和過度的整理，而余象斗刊本等雖也有所整理，但是較多的保留『舊本』、『古本』的原有文字。

再次，説『新舊本』。夏振宇刊本卷十一《姜維洮西敗魏兵》寫蜀大將姜維伐魏而背洮水布陣，魏雍州刺史王經引『十員牙將』出，乃回顧諸將説：『姜維驍勇，汝四將可戰之也。彼若退動，便可追擊。』於是，『四將左右而出，來戰姜維』。在王經所下達的口頭命令中，當説到『汝四將可戰之』時，下有註釋：

［考證］傳內四將，新舊本皆不載姓名。及考三國志史傳，乃有姜維在洮水殺了魏將張明、花永、劉達、朱芳等一十餘人，蓋即此四人也。

夏振宇刊本的這條註文，在周曰校刊本中也可以找得到。這兩種明刻本所説的『新舊本』，即爲《三國志演義》新本與舊本。無論是新本還是舊本，都没有寫出王經部屬『四將』是誰？不過只在這一點上相同，而其實正文的具體表述却又有所异同。今取數處可見舊本文字的余象斗刊本，與存有若干新本文字的夏振宇刊本相比較：

余象斗刊本	夏振宇刊本
於是蜀兵皆在洮水列成陣勢。姜維出馬與魏將打話，門旗裏工經引數十騎牙將而出。經問曰：『今天下已成鼎足之勢，汝等長時出寇，此心不成，庶無耻也。』維曰：『司馬師無故廢主，理宜問罪，何況是仇敵乎！敢死者出馬。』經回顧諸將曰：『蜀人背洮水而來鬥敵，此軍必敗。敗則背水投於水矣。姜維勢勇，汝等四將，何［可］併力戰之。維若一走，便可追擊。』言未畢，左右四員猛將四般軍器，來戰姜維。	此時蜀陣背洮水布列。姜維出馬，搦魏將答話。王經引十員牙將出而問曰：『魏與吳蜀已成鼎足之勢，汝累入寇，此真不識時務也。』維曰：『司馬師無故廢主，鄰邦理宜問罪，何況是仇敵之國也。敢死戰者出馬。』經回顧諸將曰：『蜀兵背水爲陣，敗則皆歿於水矣。姜維驍勇，汝四將可戰之也。（下有『考證』，已見上文所引，此處從略）彼若退動，便可追擊。』四將左右而出，來戰姜維。

上表所見，余象斗刊本寫『王經引數十騎牙將而出』，湯賓尹校本與此相同；而夏振宇刊本作『引十員牙將』，嘉元序刊本、周曰校刊本同。按夏振宇刊本、周曰校刊本都有註文『考證』，説姜維在洮水殺魏將張明等

『二十餘人』。既然姜維殺魏將『二十餘人』，那末王經出陣所引不當只有十將，否則還不够爲姜維所殺。可見夏振宇刊本等此處難以信從。而魏將在洮水被殺十餘人，部分將領又扈從主將王經敗退到狄道城，兩數相加，故余象斗刊本等説當初出陣時，『王經引數十騎牙將而出』。這樣，就自然而合理得多了。

總之，由上而可見：

第一，《三國志演義》某些明刻本的註釋，提出了當時已經存在的『舊本』（見嘉元序刊本、夏振宇刊本、周曰校刊本）、『古本』（見周曰校刊本）、『新舊本』（見夏振宇刊本、周曰校刊本）問題。『古本』當即爲『舊本』。故而明刻本可以極其粗略地分爲『舊本』系統與『新本』系統，盡管其間有時還存在着交錯影響，也并不那樣十分單純。

第二，『舊本』文字生成時間早。嘉元序刊本通常被認爲是最早的刻本，其註釋就已提到『舊本』，可見『舊本』當先於此書而生成於傳抄階段，盡管經過修改而正式雕板印行的時間却要到晚很多年以後。（按非舊本也自另有據以整理的母本，嘉元序刊本的母本在傳抄時就當有很大的修改。）

第三，文本上的歧异。從今見極其有限而不完整的新本註釋提示中，可以看到新本（或其母本）所進行的工作：（一）訂正舊本謬誤，（二）修改舊本文字等等。其實，新本註釋未曾提示的，其與舊本間還存在有大量的歧异。諸如段目、分段，以及人物形象、故事情節與細節文字描寫等，也都存在着種種差别。當然，由於各自所進行的不同整理，諸新本間與諸舊本間也有异同。

至於明刻本中的關索以及其他人物故事情節描寫的諸多异同，情况比較複雜，遠非三言兩語可以交代清楚的，這裏就不加叙説了。

四

現存《三國志演義》諸明刻本，都并非羅貫中當初編撰的原始面目，而是在以後的傳抄與版刻過程中，經過了衆多整理者反復進行程度不一的修改，有的甚至作過很大的變動。但是，這些刻本又都保留有原書的若干文字。因此，從紛雜繁複的版本中，通過仔細深入審慎的比勘，逐句逐段地鑒别其真僞，去探索與勾勒羅貫中原作的某些文字和細節，然後集腋成裘，或可使我們得見接近於羅貫中所編撰的原書。盡可能多地了解和把握諸明刻本與清初刻本，是開展良好研究工作的前提和基礎。由此而發，則可以避免『痴人説夢』與『瞎子摸象』現象的産生，也才可能把《三國志演義》及羅貫中的研究工作不斷地推向縱深的發展。

爲此，我們擬將流散在海内外而不便尋見的諸珍稀本或有一定價值的明清刻本，盡力搜羅，予以會編成《三國志演義古版匯集》合正編與外編約計三十餘種，陸續影印出版，來滿足國内外學者的研究需要。

爲避免混淆而易於辨識，今對收入《三國志演義古版匯集》的版本重新進行統一的命名。新題名通常包括三個部分：（一）收藏地，在國外的則題『某國藏』，在國内的則題『某（市）藏』；（二）刊行者（此書版的刊行人如可考見則逕題之，而盡量少取堂名，因有的堂號爲多人通用）或整理者或刊刻年代；（三）書名（如首卷題名有殘缺脱漏則酌參他處）。例如題《西班牙藏葉逢春刊本三國志史傳》、《北京藏湯賓尹校本三國志傳》等。

《匯集》的籌劃和編輯工作，得到海内外許多著名學者的支持。北京大學教授周兆新、日本京都大學教授金文京、法國科學研究中心教授陳慶浩、澳大利亞墨爾本大學教授馬蘭安等先生，都給予大力協助。尤其是德高望重的國際著名漢學家柳存仁教授，聞訊而稱道『兹事體大』，盛贊這是一項『光芒四射』的工作，慨然允任顧問一職。今春，柳翁以九十二歲高齡在澳大利亞彼岸揮毫爲《匯集》書名題簽，表現了很大的熱誠和支持。對於他們以及其他諸多學者與單位的關心和幫助，在此一併表示衷心的感謝。編輯出版工作中，當有不足之處，敬請方家和讀者不吝批評指正。

二〇〇八年四月屬稿，歲杪改畢於望京東園。

註釋

［一］羅貫中這部小説的書名，諸明刊本卷端除附加詞外，或題『三國志傳』，或題『三國志通俗演義』，或題『三國志』，或題『通俗演義三國志史傳』，或亦題『三國志演義』等等。考小説史，其正式書名乃依傍陳壽《三國志》史書而來。明熊清波刊本《序》也指出：『《三國志》一書，創自陳壽，……羅貫中氏又編爲通俗演義，使之明白易曉，而愚夫俗士，亦庶幾知所講讀焉。』這是時人的共識。故知這部小説的原名不當删落『志』字而作『三國演義』，否則有悖於羅貫中的旨趣，也不合中國古代小説發展的史實。至於清劉廷璣因不滿『每見前人有書盛行於世，即襲其名，著爲後書副之，取其易行，竟成習套』，大大指斥這部小説『竊取陳壽史書之名』而爲之名，乃貶稱爲『《三國演義》』（《在園雜志》）。其實，劉廷璣心中十分清楚，這部小説原書名正是具有『三國志』這三個字的。至於某些書坊有時爲減省文字而稱『三國』、『通俗演義』、『三國演義』等等，以及或有偶脱『志』字的刊誤，但都不是正式命名，故其别處則又作含『三國志』三字的書名。可參見拙作《羅貫中原著書名不作『三國演義』説》，載《三國志演義縱論》，文津出版社，二〇〇六年。

對於羅貫中的這部小説，今姑依通稱而以名之《三國志演義》爲便。

［二］見日本名古屋市蓬左文庫藏明夏振宇刊本《三國志傳通俗演義》卷首修髯子《引》。按『繕本甚艱』，上海圖書館藏本《三國志通俗演義》與原國立北平圖書館藏周曰校刊本《三國志通俗演義》作『善本甚艱』。按此處非指珍貴難得之本（『善本』），乃謂抄寫（『繕』）工作非常艱難。這部『簡帙浩瀚』的小説，此前只有『謄録』（庸愚子《序》），所以修髯子因其抄繕工作繁重而説『繕本甚艱』。故此處文字，以夏振宇刊本爲是。

［三］見清葉德輝《觀古堂匯刻書》所收《百川書志》，木刻本。按高儒自序共兩篇，此引文見於前序。後三日（當爲五月初八）又作再序，謂其搜書『鋭意訪求，或傳之士大夫，或易諸市肆，數年之間，連床插架』。於是『次第部帙』，編撰書目乃『六年考索，三易成編，損益古志，大分四部』。由此不妨推度，至明嘉靖十三年，高儒的藏書大體上已成規模，并對所藏本進行了研究和著録。其志道堂不知何時入藏《三國志通俗演義》、《忠義水滸傳》，不排除嘉靖十三年已經搜羅到手，但最遲不會晚於嘉靖十九年。

［四］人民文學出版社影印此書，以上海圖書館藏本爲主要底本，『上圖』藏本中殘破和字迹模糊的部分，則以甘肅省圖書館藏本相應的書葉配補。影印時，還對原藏本有些書葉進行修版，并删除後人的批改文字。故此影印本不可視之同於原藏本。本文以下略稱此爲人文影本。

［五］還可參見明沈國元《皇明從信録》卷三十，以及明許重熙《嘉靖以來註略》（又名《憲章外史續編》）卷二、三等。按郭勛因劉基配享太廟而欲其

祖郭英亦入廟從祀，遂編刊小説《國朝英烈記》。果然此書『傳説宮禁，動人聽聞』，乃一如所願，并且一年多後他自己也由武定侯進封爲翊國公。其《英烈記》是倣效《三國志演義》、《水滸傳》的寫法而爲之，故『武定板』《三國志演義》等刊刻當在其編撰《英烈記》之稍前時間。

［六］鄭氏宗文堂爲建陽元代老鋪，今存嘉靖三年《新刊蔡中郎伯喈文集》有木記『嘉靖甲申孟冬月宗文堂鄭氏新刊』。熊氏種德堂爲著名刻書家熊宗立晚年及其後人書坊，今存成化五年《類證陳氏小兒痘診方論》有木記『成化己丑熊宗立種德堂刊』。黄氏仁和堂，今存天順二年《大學章句》有木記『大明天順戊寅黄氏仁和堂刊』。建陽劉氏乃歷史悠久、名肆衆多的刻書大家族。因宣德間刊本《書傳大全通釋》木記作『守中書堂』刊，而卷三題下作『劉氏日新書堂重刊』，王重民説：『劉氏日新堂開設在元，此又題作守中書堂者，疑入明以後，子孫分其業，又各立堂名故。』（《中國善本書提要》經部二書類）按余象斗所説劉氏愛日堂，疑亦日新堂後人分其業之所立堂名也。

［七］周兆新《舊本〈三國演義〉考》已先我關注此條註釋文字，并加以論述。見其《三國演義考評》，北京大學出版社，一九九〇年。

［八］參見拙作《北平舊藏周曰校刊本三國志通俗演義》，載《三國志演義縱論》，文津出版社，二〇〇六年。

北京藏湯賓尹校本通俗三國志傳紀略

金文京

《三國志傳》二十卷二百四十段，明湯賓尹校本。中國國家圖書館藏有二本，內容相同，而字體和部分文字有差異，實為同書不同兩種版本。今權稱為甲乙本，分别述之。

一、甲本

首有序，已殘缺殆盡，僅存幾個字而已；次有『新刻湯先生校正三國志傳姓氏』，前面三葉亦殘缺已甚；次有『新刻湯先生校正三國志傳目錄』，附載『全漢總歌』；次為本文，首題『新刻湯學士校正古本按鑑演義全像通俗三國志傳卷之一』，次署『平陽陳壽史傳』、『東原羅貫中編次』、『江夏湯賓尹校正』。版式上圖下文，版框高二十到二十點七釐米不等（上面約四點七釐米為插圖。《姓氏》部分較高，達二十一點七釐米），寬約十二點四釐米。上圖兩旁各有四言題句。下文每半葉十五行，行二十五字，注小字兩行。版心單魚尾，上題『全像三國志傳』，下標卷數和葉碼。卷八末、卷十九首均闕二葉；卷二十末亦闕一葉。卷一第七葉錯排到第十七葉之後。部分版面顯然是後來的補刻，已非原刻面貌（詳後）。

此書雖然沒有標出刊行者姓名、堂號，其上圖下文版式為典型的建陽刊本，且內容上也屬於建陽繁本系統，有花關索故事、周靜軒詩，與余象斗本、聯輝堂本等該系統的其他版本文字基本相同，卻有一些不見於其他版本的特色。

（一）關於校正者湯賓尹

此書(以下簡稱湯本)每卷都題有『湯學士校正』或『湯先生校正』，卷一首也標出『江夏湯賓尹校正』，其實大為可疑，當出於書商偽托。證據如下：卷一首題中，『新刻湯學士校正古本』九字與下面『按鑑演義全像通俗三國志傳卷之一』字跡有明顯的不同，疑為後人挖改。以下各卷部分題目也有同樣的痕跡。沒有挖改痕跡者，或許為全部補刻。此其一。卷一『江夏湯賓尹校正』七字的位置，在第一回回目《祭天地桃園結義》的直下。按一般小說書本體例，第一行是書題，第二行以下標出作者或校正者、刊行者的姓名，然後改行才寫回目。而此本竟將回目和校正者姓名寫在同一行內，是不合常例的。推其原因，原書大概只有『平陽陳壽史傳』、『東原羅貫中編次』兩行，後來有人要補上『江夏湯賓尹校正』，卻已經沒有空間，只好刻在回目下面。此其二。按湯賓尹不是江夏人，是出偽托者的杜撰。此其三。

湯賓尹①，字嘉賓，號霍林、睡庵。安徽宣城人。生於隆慶三年(一五六九)，早年師事萬曆八年(一五八〇)的會元蕭良有，亦得知於同鄉沈懋學，娶沈姪女為妻，沈懋學是萬曆五年(一五七七)的狀元，也是當時的聞人。萬曆二十二年(一五九四)考上南京鄉試，二十三年會試成為會元，殿試則第二名榜眼(狀元是朱之蕃)。之後歷任翰林院編修、諭德、右庶子兼翰林院侍讀。三十八年(一六一〇)出任南京國子監祭酒，三十九年被旨免官，令為冠帶閒住，以後不再回官，不知死於何年。

湯賓尹是晚明政壇的有名人物，是反對東林黨的宣黨黨魁，在當時熾烈的黨爭之中扮演過重要角色。當時眾議嘩然的萬曆三十八年科舉弊案也是他引起的，這也就是他被免職的直接原因。與此同時，他做為科舉名人，在當時的商業出版書尤其是科舉參考書當中經常見到他的名字。據目前所知，標為湯賓尹著、編、輯、評、

① 關於湯賓尹以及他和商業出版的關係，請參看金文京《湯賓尹與晚明商業出版》(胡曉真主編《晚明與晚清的文學藝術——世變與維新》，台北『中央研究院』文哲研究所籌備處，二〇〇二)。

閲、校等書不下四十種，絕大部分是建陽書商所刊。其大部分的標名也應是書商的僞托，如日本東京大學東洋文化研究所藏《新鋟評林旁訓薛湯二先生家藏酉陽搜古人物奇編》一書（萬曆四十七年刊），同書遼寧省圖書館藏本則稱《新鋟評林旁訓薛鄭二先生家藏酉陽搜古人物奇編》（萬曆三十七年刊）。按刊刻年代遼寧藏本當是原著，東京藏本的『湯』字當爲後人擅改。由此可見湯賓尹在當時書林中名聲之大。此本《三國志傳》也當是其中之一。

這些標有湯賓尹名字的書中，能知刊刻年代最早的是萬曆二十三年書林光裕堂鄭名世所刊、湯賓尹著《四書衍明集註》；最晚的則是萬曆四十七年刊、潘之恒著、湯賓尹校《漪游草》。湯本既稱『湯學士校正』，當爲湯賓尹任職翰林院時即萬曆二十三年至三十八年之間所刊。如三十八年出任國子監祭酒之後，應稱湯太史，不該稱湯學士。

（二）關於小字雙行夾注

湯本文字上最大的特點乃爲：別的版本在正文中一些重要人物首次出現時，順便介紹其人履歷、背景等處，湯本皆改爲小字雙行夾注來處理，且往往上面標有參考、補遺、訂正、攷證、補證、發明、參證、補略等文字。例如：曹操首次出現時（卷一《劉玄德斬寇立功》），余象斗本等皆云：『爲頭閃出一英雄，身長七尺……官拜騎都尉，沛國譙郡人也，姓曹，名操，字孟德，乃漢曹參二十四代孫。』然後介紹曹操家世及其少時的種種趣聞。而湯本則云：『爲首一英雄，身長七尺……官拜騎都尉，姓曹，名操。』下面《參考》：『按曹操，字孟德，沛國譙郡人也，乃漢曹參二十四代孫』云云，一直到『今因黄巾賊起，拜騎都尉』，都是小字雙行的夾注。過去有些學者認爲此種夾注的方式才是羅貫中原本的做法，後來都被改爲大字正文。這種説法恐怕不確。如前面介紹曹操一節中，『沛國譙郡人也』一句於余象斗本在『姓曹，名操』的前面；湯本則在夾注中。如果夾注在先，改爲正文的話，似不必將『沛國譙郡人也』一句挪到前面。而如果正文在先，改為夾注的話，因『沛國譙郡人也』屬於注解性文字，把它移到夾注中，較為合理。由此而推，應是湯本把正文改為夾注，而不是相反。

湯本做這樣的處理，主要的原因大概是為了縮短篇幅，以便降低成本，這也符合明代建陽商業出版的一般趨向。湯本雖屬於繁本系統，比諸别的繁本如余象斗本，文字較為簡略，如卷二《鳳儀亭呂布戲貂蟬》的開頭，余象斗本等都作：『呂布當街撞着王允，心中大怒，罵曰：「老賊怎敢戲我？」』，到湯本就縮成：『呂布怒罵不休』僅六個字。可以說是繁本中的簡本。夾注方式也應是這種縮短篇幅策略之一環。

除此之外，當初羅貫中原本，大概考慮到讀者不熟悉人物履歷，乃不憚其煩地介紹其背景。後來由於一來是歷史知識之普遍，再則讀者水平之提高，很多讀者對人物的底蘊已經相當熟悉了，覺得這些介紹性的文字是多餘的，甚至隔斷了故事的敘述，妨礙讀書的興趣。而夾注方式正符合這些讀者的要求，因為熟悉夾注内容的讀者可以跳過去不看。總之，這也不外乎是小説普及的過程中必然發生的變化之一。而這種變化也反映到湯本的分回方式(見後)。

後來的《精鐫合刻三國水滸全傳》(即《英雄譜》)的《三國》部分也有夾注，與湯本相同，但夾注的數量要比湯本少得多，其中應有承襲關係。

(三)分回方式之不同

前面所說的夾注方式，其實除了人物履歷、背景的說明之外，還有一些情節也同樣處理。而這種情節性的夾注又與湯本的分回方式密切相關。如卷二《鳳儀亭呂布戲貂蟬》中，董卓看到呂布與貂蟬私會，激怒之下，便奪呂布手中之戟追趕呂布。接下來，此回末段部分到下回《王允定計誅董卓》的開頭部分，在余象斗本等繁本系統和湯本之間存在著較大的差異。請看下面對照表(文中《補遺》所述，原為小字雙行)：

余象斗本卷二	湯賓尹本卷二
《鳳儀亭呂布戲貂蟬》： 卓趕出園門，一人飛奔前來，與卓胸膛相撞。卓倒於地，不知性命如何？	《鳳儀亭呂布戲貂蟬》： 卓趕出園門，李儒飛奔（『飛奔』二字殘缺，據别本補）前來，與卓相撞。卓跌倒在地。李儒扶卓起再拜曰：『儒為社稷計撞倒恩相，死罪死罪。』 《補遺》：　按卓尋布時，李儒到相府。從人言曰：『太師大怒，去尋呂布。』李儒荒入，正遇呂布，呼曰：『太師殺我。』儒急入救止，正與卓相撞（『撞』字漫漶，據别本補）。
《王允定計誅董卓》： 元來李儒到相府見從人言曰：『太師大怒去尋呂布。』儒荒忙入時，見呂布奔走曰：『太師殺我。』儒急奔入，正和董卓門口撞倒。儒急扶卓起，至書院中再拜曰：『儒實為社稷之計撞倒恩相，死罪死罪。』 ……儒謝而出，卓入後堂……	『不知太師何事怒趕溫侯？』卓曰：『叵耐逆賊今番又戲吾愛姬。吾要殺之。』儒曰：『恩相錯矣。昔日楚莊王……太師所為正類此也。』儒拜謝而出。 《王允定計誅董卓》： 卓見儒出，遂入後堂……

兩相比較，余象斗本（其實，嘉靖本、葉逢春本也一樣）說：『一人飛奔前來』，故意不說撞倒董卓者是誰，然後以『不知性命如何？』來結束。至下回《王允定計誅董卓》才說明原來撞倒者就是李儒。而湯本卻說穿了

李儒的名字，且把李儒和董卓的對話都放在此回之内，下回《王允定計誅董卓》則由『卓見儒出，遂入後堂』開始。這兩種分回方式的孰先孰後，則不待説明可知，就是余象斗本等的方式應該是原來的，湯本把它改過來。而湯本《補遺》内容便是余象斗本下回開頭的文字，也就是説，湯本把原來的正文改為夾注，搬到前一回去了。之所以這樣做，顯然是改動分回格局所致。

余象斗本的這種做法，就是在一回的末段故意引起小事件，卻不説明其原委，用『不知如何，且看下回分解』等文字結束，至下回才説明原來如此如此，這就是章回小説敘述策略的常套。這種章回小説的策略，原本來自説話人的技巧，其目的不外乎是為了吸引聽衆、讀者的興趣持續到底。而湯本破壞了此一章回小説傳統的分回方式，究其原因，大概是隨著章回小説的發展，讀者對此類策略司空見慣，看多生膩，失去原有的新鮮感所致，也就是小説普及所帶來的必然後果。至黄正甫本、叡山文庫本等簡本系統，此一趨向更加明顯，如前面李儒撞倒董卓一節，在簡本的《王允定計誅董卓》開頭，就云：『李儒到相府，知其根由，忙奔入園，誤將董卓撞倒。』寥寥幾字一筆帶過。在此一意義上看，湯本的分回方式可以説是介於繁本過渡到簡本的中間階段。

湯本這種分回格局的改動在全書不只一處，卻集中在前半，到後半幾乎沒有。這意味著湯本編者改動分回格局的努力沒能貫徹到底，中途而廢了。

（四）關索故事的改變

《三國志演義》的版本系統，根據關索故事之有無，可分為四種①。第一：嘉靖本、葉逢春本這兩種早期版本都沒有關索故事。第二：余象斗本等建陽繁本系統有關索故事。即關羽在荆州時，忽有其子名花關索者偕

① 參看金文京《再論〈三國志演義〉版本系統與花關索、關索故事之關係》（《中國古代小説研究》第二輯，人民文學出版社，二〇〇六）。

母親及妻子來尋父（卷九《關索荆州認父》），之後隨劉備出征四川（卷十至十二），劉備平定四川後，被命鎮守雲南（卷十三《劉玄德進位漢中王》），最後病死在雲南（卷十四《劉先主興兵伐吴》）。此一系統的關索故事基本上與成化本説唱詞話《花關索傳》吻合。第二：熊清波本等建陽簡本系統以及周曰校本等江南系統的版本有另一關索故事。即諸葛亮征南時忽有關羽第三子白來投見（卷十五《孔明興兵征孟獲》）。之後追隨諸葛亮一起作戰，也無甚顯功，後來又無緣無故地消失，對此卻無任何交代。建陽簡本和江南本雖是同一内容，卻有詳略之别。第四：《精鐫合刻三國水滸全傳》的《三國》部分，底本合用了第二系統和第三系統的版本，以致出現兩種關索故事的混亂現象，可視為例外。

湯本雖然屬於建陽繁本系統，卻與别的繁本有所不同之處。按繁本系統之中，劉備西征四川時，關平和關索都從軍（卷十《龐統獻策取西川》），湯本也如此。接著龐統在落鳳坡被射死時，别的繁本系統版本（因余象斗本有闕，兹以聯輝堂本為例）中，劉備派關索前往荆州報知龐統戰死的噩耗（卷十一《落鳳坡亂箭射龐統》），諸葛亮就使關羽、關平留守荆州，親率張飛、關索等諸將赴四川救援劉備（卷十一《張翼德義釋嚴顔》）。不過，劉備派往荆州的使者既然是關索，那麼，關平理應跟著劉備留在四川，無法陪關羽一起留守荆州了。嘉靖本、周曰校本等别的版本當中，劉備所派的使者是關平，而不是關索，自無此一矛盾。顯然，繁本系統把原來的使者關平改為關索，致此破綻。這可視為繁本系統插增關索故事的鐵證。而湯本與别的繁本不同，使者卻是關平。兹引用聯輝堂本和湯本的相關部分如下：

聯本——玄德修了書，交關索分付：『你與我往荆州取軍師去。』關索領了書，辭玄德投荆州來。

湯本——玄德寫了一封書，教關平分付：『你與我往荆州，請取軍師去。』關平領了書，辭別自往荆州來。

這大概是湯本的編者發現有此矛盾，參照别本改正的結果，而并不是湯本内容為繁本原來的面貌，别的繁本都把使者由關平改成關索。理由如下：聯輝堂本敘述諸葛亮離開荆州時的情況就說：『文官馬良、伊籍、白朗、麋竺，武將麋芳、廖化、關平、周倉，一班兒輔佐雲長，同守荆州。先發精兵萬餘交張飛同關索部領，取條大山路殺奔巴州抄雒城之西。』而湯本在此處沒有關索的名字，只說：『張飛部領，取條大路。』可是到卷十二《張飛關索取閬州》，關索仍然與張飛一起作戰。關索既然沒有跟張飛同征，萬無能與張飛一起作戰之理。這也是個矛盾。可見湯本改過一般繁本的矛盾，卻顧此失彼，產生了另一矛盾。因此，湯本不可能是繁本原來的面貌。而湯本在此處的上述處理，又與湯本的補刻情況有關。

（五）補刻情況

湯本很多地方能看到有補刻的現象，已非原刻時的面貌。最明顯的是卷十一第十一葉到第十六葉的部分。此一部分的插圖，線條笨拙，圖像粗糙，與別的部分插圖風格完全不類。且下文的字體也比之別的版面的字較小，也有明顯的差異，顯然都是後來的補刻。插圖中『馬孟起殺姜敘老母』、『馬超入漢中投張魯』（第十一葉）、『馬岱箭射魏延左臂』（第十二葉前半）、『李恢說馬超降玄德』、『馬超城下招劉璋降』（第十三葉）、『劉璋納印綬降玄德』（第十四葉前半）諸葉所畫的圖象均與下文的內容不合，實為下回《楊阜借兵破馬超》以下的內容。其中『馬孟起殺姜敘老母』與『馬超入殺姜敘老母』（第二十一葉前半）、『劉璋納印綬降玄德』與『劉璋齎印綬降玄德』（第二十六葉前半）各為重複；『李恢說馬超降玄德』（第二十四葉後半）也重複，卻圖像不同，巧拙懸殊，這些當是補刻時疏忽所致。

值得注意的是，上面所說的派往荆州使者由關索改為關平的部分，恰恰被包括在補刻的範圍之內。由此可知，關平做為使者的內容恐怕不是原書所有，而很可能是補刻時的改正。

這些補刻現象足以證明湯本在當時不僅銷路頗佳，且是長期暢銷的商品，以致版面隨毀隨補。總而言之，湯本版本情況很複雜，是繁本系統中的一箇特殊例外，在研究《三國志演義》版本問題上，具有重要價值。

二、乙本

乙本僅存序文一葉半，已殘缺殆盡，僅能認出二十九個字（甲本則僅存一葉十四個字）；《姓氏》六葉，前面三葉已嚴重殘損；《目錄》三葉較完整；卷一共三十一葉，雖有部分殘缺，大致完整；卷二共三十一葉，最後二葉殘損已甚。卷三以下全闕。版式與甲本相同。此書原出於黄山市，二〇〇七年歸中國國家圖書館所藏。下面將詳述與甲本不同之處。

（一）文字異同

乙本和甲本文字、字形基本上一致。只是乙本簡體字用得較多，甲本則以繁體為主。而文字不同的地方有四種情況：第一，乙本錯而甲本對，占絕大多數；第二，甲本錯而乙本對，只有四處；第三，甲乙本都錯，共有七處；第四，甲乙本各為異文，是研究兩本關係的關鍵所在（具體情況參看附表）。

乙本的錯字大部分集中在版框四周，尤其是版心前後。這意味著：第一，乙本絕不是原刊本，而是一種粗劣的覆刻本；第二，它所用的底本可能已經四周漫漶不清，以致抄寫刻版所用底本的人據以隨便臆補，發生錯字。例如：卷一第八葉後半第十五行，乙本作：『封劉焉為益州牧，就封西川王，封劉琬為幽州牧。』劉焉既封為益州牧又封西川王，很荒唐。看甲本則作：『封劉焉為益州牧，就討西川狂寇。劉虞為幽州牧。』是正確的。導致此一錯誤的過程大概是：先把『討』字因形似誤讀為『封』字，然後把『狂寇』兩個字誤讀加以臆度改為『王封』。除非所用底本漫漶不清，不可能發生這種可笑的錯誤。

至於甲乙本各為異文的情況值得仔細檢討，在此舉出四個例子。

第一，《姓氏》的首題，乙本作：『新訂湯先生校正三國志傳姓氏』；甲本則：『（新？）刻湯先生校正三國志傳姓氏』。『訂』和『刻』都不能說是錯誤。

第二，卷一第三十一葉後半第三行：

甲本：『操於席上言曰：……據守倉廒、寨驤、大谷。』

乙本：『操於席上言曰：……據守倉廒、塞轘、大谷。』

此處『塞轘』和『寨驤』兩字之差，牽涉到較為重要的問題。各本同一地方的文字如下：

聯輝堂本：據守倉廒，寨驤、大谷

余象斗本：據守倉廒，寨驤、大谷

葉逢春本：據守倉廒，寨驤、大谷

黃正甫本：據守廒倉，寨天下、大谷。

嘉靖本：據廒倉，塞轘轅、太谷

周曰校本：據廒倉，塞轘轅、太谷。

前面四種是建陽系統的版本，除黃正甫本以外都作『寨驤』，跟甲本相同；嘉靖本和周曰校本作『塞轘轅』，來自《三國志》卷一武帝紀：『據敖倉，塞轘轅、太谷。』是正確的。乙本雖然脫了『轅』字，卻保留了『塞轘』兩字，與嘉靖本系統符合，當然不能說是錯字。

第三，卷一第三十一葉後半第十一行『劉表』夾註，乙本作：『結交漢末名士』。甲本則：『結託漢末名士』。按文義『結交』比『結託』更恰當。而跟前面情況一樣，建陽系統的版本都作『結託』，與甲本一致，嘉靖本系統作『結交』，與乙本相同。

第四，卷二的首題：

甲本：新刻湯先生校正古本按鑑演義三國志傳卷之二

乙本：新刻楊先生校正古本按鑑演義三國志傳卷之二

『湯』和『楊』一字之差，卻牽涉到此書來源的關鍵問題，待後文詳論。

(二)插圖

乙本的插圖一般來説比甲本較簡略，畫面背景的很多點綴如屏風上的圖畫或後面樹木、雲紋之類都沒有。甚至左右兩邊的小題也有錯字。不過，有一個地方值得注意。

卷二第十七葉後半的插圖描畫馬超用槍刺殺王方，正文説：『王方欺超年幼，横刀躍馬，逕來迎敵，戰到數合，刺王方於馬下。』乙本的插圖中，左邊王方手拿長刀欲砍馬超，卻被馬超一槍刺中。而甲本左邊的王方手裏沒有武器，只作逃奔狀，是不符合正文情節的。

(三)朱筆加點、校字、眉批、描畫

乙本全書用朱筆加標點之外，也有部分字句加以旁圈，有些錯字也用朱筆在字上加以改訂。甚至在插圖中朱筆補畫細節或補寫字，版框上面寫眉批。下面就一一列出，以供參考：

一、卷一第十五葉前半『未知性命如何』下面補寫『且看下回分解』。且插圖『董卓設宴挾衆大臣』中左邊人物的桌布上寫『董卓』，中間人物的左旁寫『袁紹』。

二、卷一第十九葉前半插圖『曹操刺卓詐言獻劍』左旁呂布腳下畫了兩個人的臉。

三、卷一第二十葉後半插圖『曹操拔劍殺呂伯奢』右邊寫『操』字，中間寫：『伯奢死于奢』。下面正文區空白處寫：『深喜城外』等十幾個字，可惜潦草不能讀。

四、卷二第八葉前半插圖『允命貂蟬歌舞勸卓』，中間王允臉上補畫鬍子。

五、卷二第十三葉前半『呂布持戟搠死董卓』，左邊呂布身上寫『無父漢』，版框上面寫：『從前……父……』，也不能讀。（……表示不能讀）

六、卷二第十四葉前半插圖『王允設宴大會群臣』，版框上寫：『此宴何等創快』，下面回目『李傕郭汜寇長安』下寫『長安』。

七、卷二第十四葉後半插圖『王允令人捉獲伯皆』上寫：『此一著使差了……然沒……』，下面『静軒有詩歎曰』左旁寫：『静軒有詩歎曰』。

八、卷二第十五前半插圖『赤兒殺牛輔奪金寳』，左邊寫『寳金』，版框上横寫：『孫……顧記……重王……步……』。

九、卷二第十七葉前半插圖『馬宇等保奏馬韓』，放在桌上的紙條中補寫『天下太平』。

十、卷二第十七葉後半插圖『馬超斬李蒙王方』上面寫：『突□何益』。

十一、卷二第二十五葉前半版框上批：『殺父何事可責人情耶』。

十二、卷二第二十五葉後半插圖『劉玄德送别趙雲』上寫：『雲已心服矣』。

另外，也有一些字用墨筆改或補寫，例如：卷一第二十九葉後半『（八字）云：受命於天既壽永昌』、『（春）秋時卞和往遊於（荆山）』、『秦始皇即位』等字，都因原本殘缺用墨筆補寫。這些朱筆、墨筆究竟何時何人所為，雖不得而知，從中也可以窺見古人閲讀小説的具體情况，應是研究小説史的珍貴資料。

（四）湯先生還是楊先生

前面已經説明所謂湯賓尹校正出於偽托，下面的問題就是湯先生和楊先生。甲本卷二首題仍然標：『湯先生校正』，而乙本卻作：『楊先生』。對此，大概只有兩種解釋。第一，楊先生是湯先生的誤刻。第二，原來是楊先生，後來僞托湯賓尹，而把楊字改刻湯字時，乙本或它的底本一時疏忽就漏了卷二的首題，沒有改過來。兩者必居其一。

關於第一個解釋，上面已經説過，乙本的四周本來有很多魯魚錯字，湯和楊又是形似字，所以此一解釋是完全可以成立的。

至於第二個解釋，則比較複雜。如果原來是楊先生的話，那麽這個楊先生到底是誰？按目前所能知道的明刊本《三國志演義》版本之中，標出狀元、會元之類科舉高檔人物名字的，除湯賓尹校正本之外，還有兩種：一是《新鍥音釋評林演義合相三國志史傳》，萬曆三十一年（一六〇三）忠正堂熊佛貴刊，翰林九我李廷機校正（日本叡山堂文庫藏）。李廷機是萬曆十一年（一五八三）的會元、榜眼，地位跟湯賓尹等同，而且當時的商業出版書籍當中，標出李廷機名字的書，數量也不亞於湯賓尹。另一是《新刻京本全像演義三國志傳》，萬曆四十八年（一六二〇）書林與耕堂費守齋刊，雲間木天館張瀛海閲（日本東北大學藏）。張瀛海，名以誠，號瀛海，是萬曆二十九年（一六〇一）的狀元。這兩本書中的李廷機和張以誠大概也都是僞托的。

按書商出書，冠以狀元名稱以期推銷，始自南宋，諸如《張狀元孟子傳》（張九成）、《王狀元集百家注分類東坡先生詩》、《王狀元集百家注編年杜陵詩史》（王十朋）、《標題徐狀元補注蒙求》（徐子光）、《陸狀元集百家注資治通鑑詳節》（陸唐老）、《許狀元節序故事》（許尚）、《吟牕雜録》（舊本題狀元陳應行編）等等，其例頗多，而這些大部分可能也是僞托的。此一風氣到了晚明更加盛行。

關於楊先生，最合適的人物筆者認為是萬曆三十二年（一六〇四）的會元、狀元楊守勤。既然有楊守勤前一期的狀元張以誠的《三國志傳》，那麽，僞托下一期狀元楊守勤的《三國志傳》也不足為怪。何況也有標出楊守勤稱為楊先生的書，萬曆刊《鼎刻楊先生注釋孔聖家語》四卷，楊守勤注題（日本内閣文庫藏）就是。還有萬曆間熊沖宇所刊《新刻楊會元直傳詩經講意懸鑑國風》（復旦大學圖書館藏）也標楊守勤纂著。楊守勤當上狀元之後，宦途卻不顯達，很可能不久就去世了。後來因楊守勤去世，有人改用在商業出版界顯赫一時的湯賓尹的名字，也是合乎情理之事，所以此一假設也似乎同樣可以成立。而此一假設果能成立的話，那麼，此書刊刻、改刻的年代應在楊守勤當上狀元的萬曆三十二年之後，湯賓尹成為南京國子監祭酒的萬曆三十八年之前。

（五）《三國志演義》在通俗文學當中的特殊地位

在此附帶要提及《三國志演義》在當時戲曲、小説之類通俗文學當中的特殊地位。前文已經説過，《三國志演義》標出狀元、會元一類人物的版本有三種（如果包括楊守勤的，就有四種），這在當時的通俗文學之中是絶無僅有的。其他通俗文學作品所標出的人物諸如李卓吾、袁宏道、湯顯祖、陳繼儒、鍾惺等等基本上都是文人，並不是科場上出過風頭的人物。相反地，標以狀元、會元一類人物的書，幾乎都是科舉的參考書，《三國志演義》是唯一的例外。這就意味著在當時人的心目中《三國志演義》是與衆不同的另類小説。

後來《三國志演義》也出現了諸如李卓吾、陳眉公（繼儒）、鍾伯敬（惺）等文人評本，這些雖然都是僞托的，其所代表的意義無非是《三國志演義》由另類小説歸到一般小説範疇的轉變。清初毛宗崗評本可以説是此一潮流的最後成果。

（六）小結

乙本和甲本是屬於同一系統的不同版本，不過，它們之間並没有前後直接的繼承關係。乙本是個很粗糙的覆刻本，錯字很多，卻有些部分具有與甲本不同的特色。也因此，甲本絶不可能是乙本的底本。兩書的關係毋寧説是屬於同一系統多種版本當中互為並行的兩種版本。换句話説，我們判定這兩種版本關係的時候，不得不假設屬於同一系統而現在已經佚失的多種版本的存在，做為前提。此一假設給我們一個啟發，就是現存的《三國志演義》版本已經很多，不過當時流傳的版本可能遠遠超過現存的數量，即使是同一個版本，當時可能存在多種不同的覆刻、翻刻本。

乙本是個粗糙的本子，而正因為它粗糙，卻在版本研究上提供了不少線索，彌足珍貴。

附録：甲本、乙本比對表

（1a 1 表示第一葉前半第一行。『○』的是正確的字，加『×』者為誤字。）

□姓氏

1a 1 甲本：（新？）刻湯先生校正三國志傳姓氏　乙本：新訂湯先生校正三國志傳姓氏

2a 1 甲本：太守（○）　乙本：（王洪）大守（×）

2b 12 甲本：西平人（○）　乙本：明元郭皇后叡次妻，廣平人（×）

2b 13 甲本：臣紀（○）　乙本：臣記（×）

2b 14 甲本：殘闕　乙本：夏侯淵 生子名（下脫懋）

3b 12 甲本：太守（○）　乙本：辛昭 雁門大守（×）

4a 3 甲本：管輅善相十（應作卜）　乙本：同甲本

4a 10 甲本：臨洮人（○）　乙本：董卓 臨兆人（×）（按聯輝堂本作兆）

4b 14 甲本：字仲謀（○）　乙本：太皇帝 名權 字作謀（×）

5a 1 乙本：會稽王 起王申（×）　甲本：起壬申（○）

5a 1 甲本：　太平二比　乙本：　同（當作止）

5a 7 甲本：　瑯琊人（○）　乙本：　王夫人郎耶人（×）

5b 7 甲本：　魯肅東城（脱人）　乙本：　同甲本

5b 13 甲本：　建安中郎將　乙本：　駱統　官至？（不是建字）安中郎將　（按聯輝堂本作建威郎中。當作建忠中郎將）

6a 3 甲本：　細陽人（○）　乙本：　呂範　絲（？）陽人（×）

□目錄

1a 8 甲本：　李傕郭玘殺樊稠　乙本：　同甲本（按當作李傕郭汜，聯輝堂本同誤）

1b 9 甲本：　郭加遺計定遼東（×）　乙本：　同甲本（×）（按當作郭嘉，聯輝堂本作嘉）

3b 11 甲本：　高祖談笑入咸陽（○）　乙本：　高祖談笑人咸陽（×）

□卷一

1b 11 甲本：　方者乃將軍之稱也（○）　乙本：　方者乃將軍之稱范（×），

2b 15 甲本：　伯□（×）　乙本：　相（墨塗）通了（×）（按當作怕遲了）

3a 1 甲本：　面如重棗（○）　乙本：　面如童棗（×）

4a 14 甲本：　殘闕　乙本：　炉植（×）（按下頁寫盧植）

5a 1 甲本：　中（？）風　乙本：　卒出風（×）

5 甲本：　為郎（○）　乙本：　為即（×）

8 甲本：　領兵追（兵追兩字小字兩行從左橫寫）襲（○）　乙本：　領第襲（×）

5b 9 甲本：　臨洮人也（○）　乙本：　董卓臨兆人也（×）

8a 圖右題 甲本：　張飛入館（○）　乙本：　眾飛入館（×）

13 甲本：　殘闕　乙本：　司穴（×）（當作穽穴）。

8b 5 甲本：　何不容侍耶（○）　乙本：　河不容侍（朱筆改為朕）耶（×）

15 甲本：　封劉焉為益州牧就討西川狂寇劉虞為幽州牧（○）　乙本：　封劉焉為益州牧就封西川王封劉琬為幽州牧（×）

9b 5 甲本：　袁安之孫（○）　乙本：　表安之孫（×）

10b 6 甲本：　殘闕　乙本：　晉曰（朱筆改為進）

13a 1 甲本：　是時中平六年　乙本：　此是中平六年（按聯輝堂本作此時中平六年）。

1 甲本：　殘闕　乙本：　無（無朱筆改作忽）見（×）

14a 圖題　甲本：　殘闕　乙本：　『李儒勸卓勿殺丁原』（×）（『丁原』當作『蔡邕』）

8 甲本：　五原郡（○）　乙本：　五原即（×）

13 甲本：　陳留郡（○）　乙本：　陳留縣（×）

15b 12 甲本：　願以父待之（×）　乙本：　願以父待之（×）（按待應作侍）

16b 15 甲本：，太后去服候勑（○）　乙本：　太后去服误勁（×）

18a 15 甲本：　漫漶，似為扈字（○）　乙本：　跋為（朱筆改為扈）（×）

18b 1 甲本：　殘闕　乙本：　知不聽聞（×）（按嘉靖本作如不聽聞）

2 甲本：　殘闕　乙本：　未敢王（朱筆改為主）舉（×）（按嘉靖本作輕，是也）

20a 6 甲本：　天色向晚　乙本：　天色向（墨筆改為將字）晚

20b 9 甲本：　桓溫公（×）　乙本：　桓溫公（×）（按當作桓溫云。聯輝堂本、嘉靖本作桓溫說）

11 甲本：　狼心狗幸　乙本：　狼心狗幸。（按聯輝堂本同，嘉靖本幸作行，是也）。

21a 11 甲本：　妙才（○）　乙本：　淵字早（墨筆改為妙）才（×）（按聯輝堂本作姣才、嘉靖本作妙才）。

21b 10 甲本：　知今博古（○）　乙本：　知今傳古（×）

15 甲本：　喬瑁字克儒（○）　乙本：　喬瑁字克需（左旁朱筆加人字旁）（×）（按聯輝堂本作克儒，嘉靖本作元偉，是也。形似之誤。）

22a 7 甲本：　比平太守（×）　乙本：　北平太守（○）

11 甲本：　北平太守（○）　乙本：　北平大守（×）

23a 2 甲本：　操言曰（○）　乙本：　操曹曰（×）

23b 8 甲本：　祖茂（○）　乙本：　祀茂（×）

24a 5 甲本：　大喊（○）　乙本：　大敢（×）

14 甲本：　背劈華雄（○）　乙本：　皆劈華雄（×）

25a 14 甲本：　雲長押盞施威武　乙本：　雲長托盞施威武（×）（按聯輝堂本作雲長押盞施英武。嘉靖本作雲長停盞施英武）

26b 13 甲本：　戰不到呂布（×）　乙本：　同甲本（×）（按聯輝堂本、嘉靖本作戰不倒呂布）

14 甲本：　黃鬃馬　乙本：　同甲本（按聯輝堂本作黃鬃馬，嘉靖本作黃驃馬）

27b 12 甲本：　孫堅（○）　乙本：　係堅（×）

28b 5 甲本：伍瓊（○） 乙本：位（朱筆改為伍）瓊（×）

15 甲本：焦土又教（○） 乙本：焦上（朱筆改為土）文教（×）

29a 1 甲本：往長安去了（○） 乙本：生長安去了（生字左邊朱筆加亻，即往字）（×）

30b 13 甲本：今天授主公（×） 乙本：今天授主公（○）

31a 1 乙本：表紹（×） 甲本：袁紹（○）

8 甲本：使於萬箭之下（×） 乙本：同甲本（×）（按當作死於萬箭之下）

31b 3 甲本：據守倉廒，寨驤、大谷 乙本：據守倉廒，塞轘、大谷

11 甲本：結託漢末名士 乙本：結交漢末名士

12 甲本：江夏八俊（○） 乙本：江夏八浚（×）

12 甲本：同郡張儉（○） 乙本：同群張儉（×）

13 甲本：貌姿甚偉（○） 乙本：貌咨甚偉（×）

32a 5 甲本：袁紹（○） 乙本：表紹（×）

7 甲本：汝若要吾准信（×） 乙本：汝若要吾聽（？）信（聽字殘，字上朱筆寫聽字）（○），（按聯輝堂本、嘉靖本作汝若要吾聽信）

□卷二

1a 1 甲本：新刻湯先生校正古本按鑑演義三國志傳卷之二 乙本：新刻楊先生校正古本按鑑演義三國志傳卷之二

1b 1 甲本：嫉妒焉（○） 乙本：嫉妒馬（？）（×）

2a 1 甲本：特來(○)　乙本：持來(×)

2b 15 甲本：聞(○)　乙本：鬭(×)

3b 11 甲本：史官罵名(○)　乙本：史官開名(×)

12a 3 甲本：吾若登基(○)　乙本：可若登基(×)

14 甲本：淳(○)　乙本：享(×)

13a 15 甲本：日月清爭(×)　乙本：日月清爭(×)(按當作清淨)

16a 6 甲本：特來(○)　乙本：持來(×)

17b 8 甲本：生擒在脇下(○)　乙本：生擒在馬下(×)

15 甲本：內應已泄(○)　乙本：內應已逮(×)

18b 15 甲本：作前驅(○)　乙本：作司(紅筆改為前)驅(×)

19a 2 甲本：四方之士(○)　乙本：門方之士(×)

7 甲本：二十九歲(諸本都作二十九歲)(○)　乙本：二十五(?)歲(×)

11 甲本：聞名久矣(○)　乙本：聞召久矣(×)

12 甲本：見操(○)　乙本：貝操(×)

20a 2 甲本：威鎮山東(○)　乙本：威鎮出東(×)

13 甲本：無人揪採(○)　乙本：無人揪採(×)

20b 1 甲本：方丈(○)　乙本：方文(×)

7 甲本：問罪(○)　乙本：問異(紅筆改為罪)(×)

15 甲本：投陳留（○） 乙本：伐陳留（紅筆改為投）（×）

21a 1 甲本：陶謙（○） 乙本：陶諫（×）

21b 7 甲本：北海（○） 乙本：比海（×）

22b 13 甲本：東海（×） 乙本：東（紅筆改為北）海（×）

13 甲本：比非鄉党（○） 乙本：北非鄉党（×）

24b 7 甲本：欲殺之（○） 乙本：欲設之（×）

26a 11 甲本：疲困（○） 乙本：疲因（×）

15 甲本：官並授騎都尉 乙本：官並為騎都尉

26b 圖左題 甲本：劫呂布寨（○） 乙本：卻呂布寨（×）

7 甲本：步軍二萬人（○） 乙本：步軍三萬人（×）

28b 7 甲本：出屯山陽（○） 乙本：出屯出陽（×）

15 甲本：可為從事（○） 乙本：可為從車（×）

29b 14 甲本：陣前搦箭（×） 乙本：陣前搦戰（○）

北京藏湯賓尹校本通俗三國志傳（合編本）目次

上册

卷之三

卷之四

卷之五

卷之六

卷之七

卷之八

卷之九

卷之十

卷之十一

卷之十二

卷之十五

卷之十六

卷十七

卷之十八

卷之十九

卷之二十

通俗三國志傳（殘存兩卷本）目録　按正文編次

卷之一

卷之二

北京藏湯賓尹校本通俗三國志傳

全二十卷本

（上原缺）

錢非綫逆者

寺東天

[illegible]湖先生校正三國志傳姓氏

起漢靈帝戊申歲至晉世宗庚子歲止首尾總計

東漢二帝共五十三年

[illegible]諱宏[illegible]

尚文 南鄭人官至[illegible]

彭羕 字永年廣漢人 官至江陽太守

劉琰 字威碩魯國人 官至車騎將軍

鐔陵 字仲邈南郡枝江 人官至梓潼太守

李[illegible]

魏延 字文長義陽人 官至前將軍征西

王連 字文儀南陽人 官至江陽太守

[illegible]字[illegible]尚[illegible]蜀郡成
[illegible]人官至長史
[illegible]字[illegible]梓潼人
[illegible]官至諫議大夫
許慈字仁篤南陽人
官至大長[illegible]
[illegible]字思[illegible]

[illegible]洪字季休武陽人
官至蜀郡太守

杜瓊字伯瑜蜀郡成
都人官至大[illegible]

孟光[illegible]

[illegible]詩字公[illegible]
[illegible]官[illegible]
司[illegible]

[illegible]年十[illegible]爲元[illegible]郡[illegible]縣人[illegible]

明元郭皇后 西平人

[illegible]次妻

明悼毛皇后 河[illegible]

臣紀

夏侯惇 字元讓沛國譙縣人官至大將軍[illegible]忠侯七子二孫皆封關內侯[illegible]

夏侯淵[illegible]

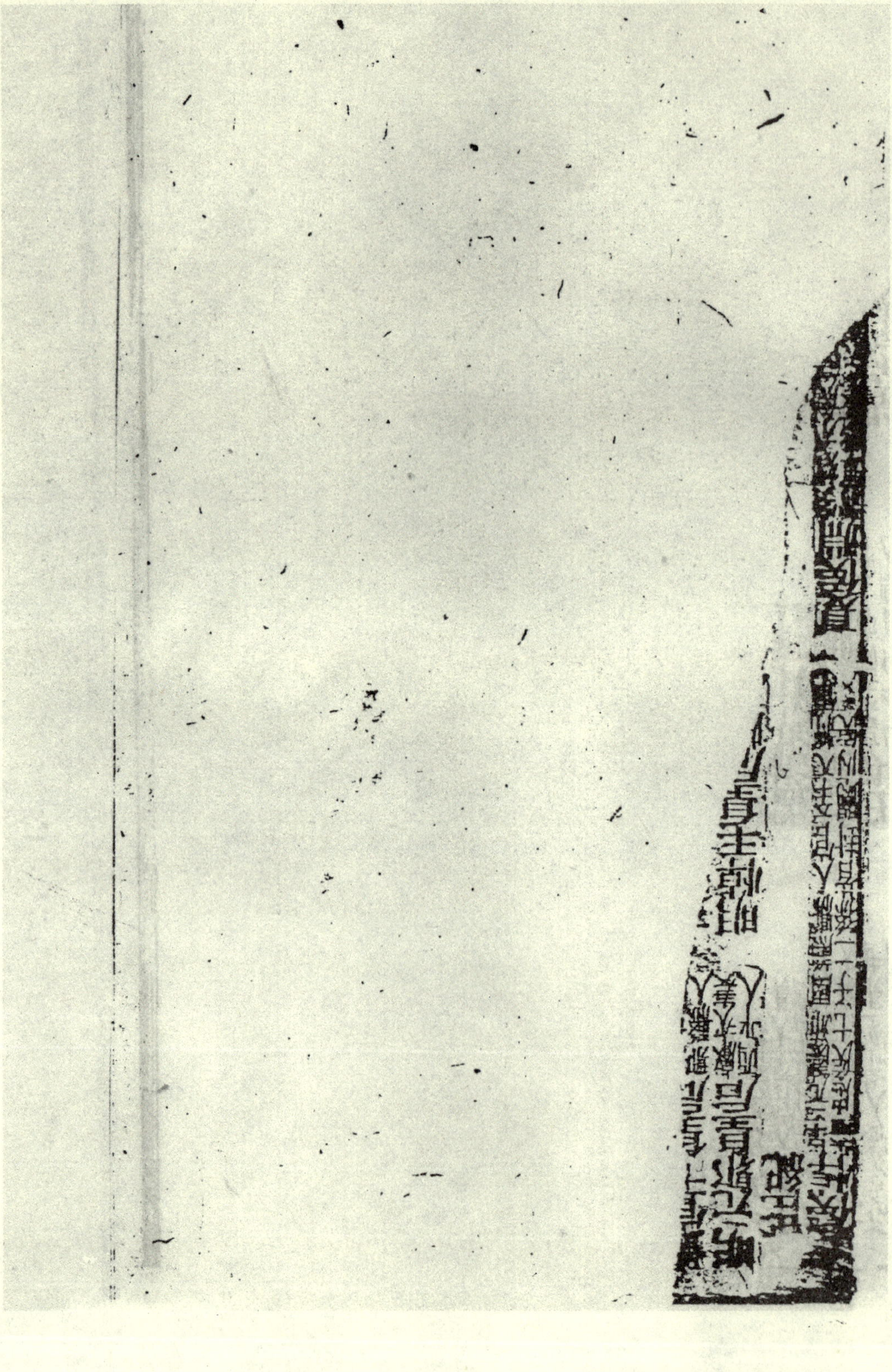

曹仁字子孝操從弟拜大司馬謚忠侯生子泰

曹真字子丹操族子生子名爽

曹植字子建操次子封陳留王生子名志

荀攸字公達彧之姪

曹洪字子廉操從弟生子名馥

夏侯尚字伯仁淵從子也生子名玄

曹熊字子

曹休字文烈操族子

高堂隆[illegible]陰人官至常侍

辛昭字子贊安平[illegible]人官至鴈門太守

胡質字文德楚國壽春人官至征東將軍

王陵字彥雲太原祁人官至太尉

郭淮[illegible]官至[illegible]

王基字伯輿東萊[illegible]人官至征南將軍

毋丘儉字仲恭河東人官至鎮東都督

諸葛誕[illegible]

鄧艾字士載義陽人官至太尉

杜夔字公良河南人官至軍謀參大樂事

管輅字公明平原人官至少府丞善相十

武帝生二十五男

卞后生丕彰植熊　尹氏生矩　劉氏生昂鑠　王氏生幹　環氏生沖據宇　孫氏生上彪勤

杜氏生袞林　李氏生整京乘　秦氏生玹峻　劉氏生棘　周氏生均　趙氏生茂　宋氏生徽

文帝生九男

甄氏生叡　李氏生協　潘氏生蕤　朱氏生鑒　仇氏生霖　徐氏生禮　蘇氏生邕

張氏生貢　宋氏生儼

別傳

董卓字仲穎隴西臨洮人官至太將軍

劉表字景升山陽高平人官至成武侯

臧洪字子源廣陵射陽人官至東郡太守

公孫度字升濟遼東人官至永寧鄉[illegible]

張[illegible]無字武城[illegible]官至[illegible]

鍾會字士季潁長社人官至司徒

朱建平沛國人無字術至五官將善相

華佗字元化沛國譙人善醫

周宣字孔和樂安人官至中郎為太史

袁紹字本初汝南汝陽人官至太將軍

呂布字奉先五原郡人官[illegible]

[illegible]人官

袁術字公[illegible]官

張邈字[illegible]人

陶謙字恭祖官至[illegible]

張燕無字官[illegible]

附傳

韓皓　史奐　曹純　[illegible]　賈詡　何晏
丁謐　畢軌　李勝　[illegible]　婁圭　孔融
鍾毓　王肅　董遇　[illegible]　孫曉　劉劭
楊沛　杜恕　杜預　臧覲　張泰　張敏　徐幹　陳琳　阮瑀
劉禎　繁欽　路粹　丁儀　丁廙　楊修　荀緯　應璩　阮籍
桓威　吳質　潘勖　王象　繆襲　仲長統　蘇林　韋誕　孫該
夏侯惠　杜摯　裴秀　李傕　胡威　令狐愚　陸伶　鄧泰
王弼　徐恕　棧潛　郭汜　袁譚　袁尚　伍孚　逢紀　祖授　田豐
權醜　辛評　陳溢　蒯良　蒯越　蔡瑁　邯鄲淳　鄧忠　傅選
丁原　陳宮　陳珪　公孫淵　陳登　徐璆　文欽　文鴦　文虎

吳國帝紀　右四主共五十九年

武烈皇帝 姓孫名堅字文臺吳郡富春人也孫武子之後壽三十七獻帝封為破虜將軍孫權黃武元年謚為帝

長河桓王 名策字伯符堅之子前為討逆將軍後謚帝

太皇帝 名權字仲謀策之弟在位三十年壽七十一歲起壬寅號黃武七己酉改黃龍三壬子改嘉禾六戊午改赤烏十三辛未改太元一止

會稽王名亮字子明權之少子在位六年壽十六歲起壬申號建興二甲戌改五鳳二丙子改太平二比

景帝名休字子烈權之第六子在位六年年二十起戊寅號永安六癸未止

烏程侯名皓字元宗孫和之子在位十七年壽四十二歲起甲申號元興一乙酉改甘露一丙戌改寶鼎三己丑改建衡三壬辰改鳳凰四丙申改天冊一丁酉改天紀四庚子止降晉封爲歸命侯

后妃列傳

孫堅夫人吳氏吳郡人權之母　吳主權謝夫人會稽山陰人孫登之母　徐夫人吳郡富春人琨之女

潘夫人會稽人權之妻　步夫人淮陰人權妃生二女　王夫人琅琊人孫和之母

全夫人尚之女　朱夫人朱據之女　滕夫人太常滕胤族女

何姬丹陽句容人和之妻　滕夫人女胤之妻

宗室紀

孫靜字幼臺堅之弟　孫賁字伯陽羌之子官至征虜將軍　孫皎字叔朗靜之子

孫瑜字仲異靜之子官至奮威將軍　孫輔官至平南將軍

孫奐字季明皎之弟官至揚威將軍　孫韶

孫翊字叔弼權之弟官至丹陽太守

孫桓字叔武河之子官建武將軍

孫峻字子遠

[illegible]峻[illegible]

臣紀

劉繇字正禮東萊牟平人官至武威將軍

張昭字子布彭城人官至輔吳將軍

步騭字子山淮陰人官至將軍臨相侯

程秉字德樞南頓人官至太子太傅

周瑜字公瑾廬江舒城人官至將軍領南太守

程普字德謀北平土垠人官至盪寇將軍

蔣欽字公奕九江壽春人官至昭武將軍

徐盛字文嚮琅琊莒人官至安東太守

朱治字君理丹陽故鄣人官至毗陵侯

朱桓字休穆吳郡吳人官至前將軍青州牧

虞翻字仲翔餘姚人官至騎都尉

駱統字公緒會稽人官至建安中郎將

朱據字子範吳郡人官至驃騎將軍

顧雍[illegible]

張紘字子綱廣陵人官至長史

闞澤字德潤會稽山陰人官至太子太傅

魯肅字子敬臨淮東城官至橫江益州牧

黃蓋字公覆零陵人官至偏將軍

甘寧字興霸巴西臨江人官至折衝將軍

潘璋字文珪東郡發干人官至振威將軍

朱然字義封朱治姊之子官至右司馬右軍師

周泰字幼平九江下蔡人官至奮威將軍陵陽侯

陸績字公紀吳郡吳人官至偏將[illegible]

陸瑁字子璋陸遜之弟官至[illegible]

陸遜字伯言吳郡吳人官至丞相

諸葛瑾字子瑜琅琊人官至宛陵侯

嚴畯字曼才彭城人官至尚書令

薛綜字敬文沛郡人官至太子太傅

呂蒙字子明汝南人官至南郡太守武陵侯

韓當字義公遼西人官至昭武將軍

凌統字公績餘杭人官至偏將軍

丁奉字承淵廬江安豐人官至司馬將軍

呂範字子衡汝南細陽人官至大司馬

陳武字子烈廬江松滋人官至偏將軍

張溫字惠恕吳郡吳人官至太子太傅

吳粲字孔休烏程人官至太子太傅

陸抗字幼節績之孫遜之子官至偏將軍毗陵侯

賀齊 字公苗山陰人官至後將軍

周魴 字子魚陽羨人官至後將軍

陸凱 字敬風吳郡人官至大僕射

吳範 字文則會稽上虞人官至太史令

趙達 官至太史丞 河南人

王蕃 字永元廬江人官至散騎中常侍

華覈 字永先吳郡武進人官至中書丞

全琮 字子璜錢唐人官至大司馬左將軍

劉琼 字子翰山陰人官至前將軍

胡綜 字偉則汝南人官至大將軍領左執法

諸葛恪 字元遜瑾長子官至大將軍太傅

滕胤 字承嗣北海劇人官至衛將軍

樓玄 字承先沛郡人官至大司農

韋曜 字弘嗣吳郡雲陽人官至僕射高陵亭侯

呂岱 字定公廣陵人官至大司馬

潘濬 字承明武陵漢壽人官至太常

是儀 字子羽北海營陵人官至尚書僕射

劉惇 字子仁平原人官至太史令

濮陽興 字子元陳留人官至丞相

賀邵 字興伯會稽山陰人官至中書僕射高陵亭侯

附傳

劉基　士徽　士燮　吳景　徐真　徐琨　徐麟　張承

張梯　顧邵　顧譚　顧承　諸葛融　步闡　張玄

張尚　裴玄　唐固　薛綜　薛瑩　陳表　朱績　朱異

呂據　虞紀　虞中　虞聳　虞昺　陸宏　陸禕　徐詳

劉讚

（下原缺）

新刻湯先生校正三國志傳目錄

第一卷

第二卷

第三卷

第四卷

第五卷

第六卷

第七卷

第八卷

諸葛亮舌戰群儒　諸葛亮智激孫權　諸葛亮智說周瑜　周瑜定計破曹操
周瑜三江戰曹操　群英會智服蔣幹　諸葛亮智伏周瑜　黃蓋獻計破曹操
闞澤密獻詐降書　龐統智進連環策　曹孟德橫槊賦詩　曹操三江調水軍

第九卷

七星壇諸葛祭風　周公瑾赤壁鏖兵　曹操敗走華容道　關雲長義釋曹操
周瑜南郡戰曹仁　諸葛亮一氣周瑜　諸葛亮傍掠四郡　子龍翼德各得郡
關索荊州認關羽　孫仲謀合肥大戰　周瑜定計取荊州　玄德智娶孫夫人

第十卷

錦囊計趙雲救主　諸葛亮二氣周瑜　曹操大宴銅雀臺　諸葛亮三氣周瑜
諸葛亮吊哭周瑜　耒陽張飛薦龐統　馬超興兵取潼關　馬孟起渭橋大戰
許褚大戰馬孟起　馬孟起步戰五將　張松反難楊修　龐統獻策取西川

第十一卷

趙雲截江奪幼主　曹[illegible]　[illegible]斬楊懷高沛　黃忠魏延大爭功
落鳳坡箭射龐統　[illegible]　[illegible]捉張任　楊阜借兵破馬超
葭萌關張飛戰馬超　[illegible]　[illegible]　曹操[illegible]

諸葛亮四擒孟獲　諸葛亮五擒孟獲　諸葛亮六擒孟獲　諸葛亮七擒孟獲

第十六卷

孔明秋夜祭瀘水　孔明前上出師表　趙子龍大破魏兵　諸葛亮智取三郡

諸葛亮智伏姜維　孔明祈山破曹真　孔明大破鐵車軍　司馬懿智擒孟達

司馬懿計取街亭　孔明智退司馬懿　孔明揮淚斬馬謖　陸遜石亭破曹休

第十七卷

孔明後上出師表　諸葛亮兩出祁山　孔明遺計斬王雙　諸葛亮三出祁山

孔明智敗司馬懿　司馬懿入寇漢中　諸葛亮四出祁山　孔明祁山布陣圖

諸葛亮五出祁山　木門弩射張郃　諸葛亮六出祁山　孔明運木牛流馬

第十八卷

孔明火燒木柵寨　孔明秋風五丈原　死諸葛走生仲達

武侯遺計斬魏延　司馬懿破公孫淵　司馬懿謀殺曹爽

司馬懿父子　塘吳魏交兵　孫峻謀殺諸葛恪

第十九卷

姜維計困司　退旗兵　姜維洮西敗魏兵

[illegible]陵谷[illegible]　[illegible]銓死節　姜維長城戰鄧艾

孫綝廢主[illegible]　南闕弑君　姜伯約棄車大戰

第二十卷

姜伯約洮陽大[illegible]　鍾會鄧艾取漢中　姜維大戰劍門關

鑿山嶺鄧艾襲[illegible]　蜀後主輿櫬出降　鍾會鄧艾大爭功

姜維一計害三賢　[illegible]後受魏禪　羊祜病重薦杜預　王濬智取石頭城

全漢總歌

一從混沌分天地　清濁剖闢陰陽氣　開天立教治乾坤　伏羲神農[illegible]黃帝
少昊顓頊及高辛　唐堯虞舜相傳繼　夏禹治水定[illegible]　殷湯[illegible]德行仁義
成周歷代八百年　戰國縱橫傳十二　七雄戈戟亂如麻　始皇一統纔二世
高祖談笑入咸陽　平秦滅楚登龍位　惠帝懦弱呂后權　文景[illegible]天下治
聰明漢武學神仙　昭帝芳年棄塵世　霍光廢立昌邑王　孝宣登基[illegible]
元帝成帝孝哀帝　王莽篡位朝廷廢　大哉光武復中興　明章二帝合天意
和殤安順桓靈平　沖質兩朝皆早逝　漢家氣數至桓靈　炎炎紅日將西墜
獻帝遷都社稷危　兇起初分天地碎　劉曹孫號蜀魏吳　萬古流傳三國志

新刻湯學士校正古本按鑑演義全像通俗三國志傳卷之一

平陽　陳　壽　史傳

東原　羅貫中　編次

江夏　湯賓尹　校正

祭天地桃園結義

後漢桓帝崩靈帝即位時年十二歲朝廷有大將軍竇武太傅陳蕃司徒胡廣共相輔佐至秋九月宦官曹節王甫弄權竇武陳蕃謀誅機謀不密反被曹節王甫所害宦官自此得權建寧二年四月十五日帝會群臣於溫德殿中方欲坐忽狂風大作見一條青蛇從梁上飛下約長二十餘丈蟠於椅上靈帝驚倒武士急慌救起文武互相推倒於丹墀者無數須臾不見此蛇大雨大雹降下冰雹到半夜方住東都城內壞却房屋數千餘間建寧四年二月洛陽地震又海水泛溢登萊沂密盡被大浪捲掃居民入海。[illegible]京時有反者熹平五年改為光和雌雞化雄。[illegible]溫德殿中七月虹見於玉堂五原山岸[illegible]此時中常侍張讓趙忠段珪曹

人把握朝綱天下官員皆出其[illegible]是宦官出入無忌府第依宫院蓋造中[illegible]鉅鹿郡有一人姓張名角有弟張梁張寶張角初是个不第秀才因往山中採藥遇一老人碧眼童顏手執藜杖喚角至洞中授書三卷名太平要術喚符以道爲念代天宣化普救世人若萌異心必獲惡報角拜求姓名老人曰吾乃南華老仙化陣清風而不見角得此書曉夜攻習能呼風喚雨號爲太平道人中平元年正月內疫氣流行張角散施符水稱大賢良師講符救病者無有不應令患者親詣座前自說已過角爲懺悔以求福利角徒弟五百餘人雲遊四方救病續後徒衆極多角立三十六方分布天下（方者乃將軍之稱也）大方萬餘人小方六七千人各立渠帥散處訛言蒼天已死黃天當立歲在甲子天下大吉令衆人取白土於各家門上及州城縣鎮宮觀寺院門上皆書甲子二字青幽徐冀荆揚徐兖豫八州之人家家侍奉大賢良師張角名字角遂使其心遣大方馬元義暗賫金帛結交中涓封諝以爲內應角

張角惑民

從己謀一夜

與弟梁寶商議曰至難得者民心也今民心已順若不乘勢取天
下誠為萬代之可惜梁云正合吾機一面遣下黃旗約會三月初
五一齊舉事遣弟子唐周馳書報封諝唐周逕赴朝中告變帝急
召大將軍何進調兵先擒馬元義斬之次收封諝等一千人下獄
張角聞知事發星夜起兵自稱天公將軍張寶稱地公將軍張梁稱
人公將軍召百姓云今漢運數將終有大聖人出汝等皆宜順天
從正以樂太平四方百姓裹黃巾從張角反者四五十萬遂州過
縣放火劫人所在官吏望風逃竄何進奏帝火速降詔令各處備
禦討賊立功一面遣中郎將盧植皇甫嵩朱雋各引兵五萬分三
路討之却說張角一軍前犯幽燕界分校尉鄒靖來見幽州太守
劉焉（焉字君郎江夏竟陵人也漢魯恭王之後）焉問靖曰黃巾生發侵及境界將
如之何（[illegible]）[illegible]曰天子有詔令各處討賊明公何不招軍以助國用
焉然[illegible]張掛招募義兵量才擢用時榜文行到涿
縣[illegible]英雄那人不好讀書只愛走馬喜音
樂[illegible]怒不形於色好交游天下豪傑素

劉備看榜

[illegible]遇張飛

有[illegible]耳垂肩雙手過膝面如冠玉唇若塗朱[illegible]玄德中山靖王劉勝之後漢景帝[illegible]昔劉勝之子劉貞漢武帝元狩六年[illegible]封爵[illegible]酎金之罪而削侯職玄德祖劉雄父[illegible]兄曾[illegible]爲吏早卒玄德事母至孝家貧販屨織蓆[illegible]爲業[illegible]所居屋角有一株桑樹高五丈餘遙望見童童如小車蓋[illegible]甚往來者皆言此樹非凡[illegible]士李定云此家必出貴人玄德幼[illegible]與鄉中小兒戲於樹下曰我爲天子當乘此羽葆車蓋叔父[illegible]故勿妄言滅吾門年十五母使行學與同宗劉德然遼西[illegible]稍爲友德然父元起見玄德家貧常資給之元起妻云[illegible]各自一家何能常爾元起曰吾宗中有是兒非常人也中平元年涿郡招軍時劉備年二十八歲立於榜下看畢長歎一聲而回背後一人厲聲言曰大丈夫不與國家出力何故長歎玄德回顧見其人身長八尺豹頭環眼燕頷虎鬚聲若巨雷勢如奔馬玄德見此人形貌異常遂與同入村中問其姓名其人曰某姓張名飛字翼德世居涿郡頗有莊田賣酒屠豬專好結義天下壯士卻纔見公看榜何故長嘆玄德曰我本漢室宗親姓劉名備字玄德今聞黃巾賊起刼掠州縣有心要掃除此輩以扶社稷恨力不能爾飛曰正合吾機吾有莊客數人同舉大事飛遂邀玄德入店飲酒正飲間見一大漢下馬入店[illegible]酒來我待進城投軍伯[illegible]

了玄德見其人身長九尺三寸髯長一尺八寸面如重棗唇若抹
硃丹鳳眼臥蠶眉玄德見其相貌魁偉就邀同坐問其姓名其人
曰某姓關名羽字雲長河東解良人也因本處豪霸倚勢欺人被
吾殺之逃難江湖數年矣今聞招募義士破賊欲往應募玄德遂
以己志告之三人大喜同到張飛庄上共議天下之事飛曰我庄
後有一小園桃花盛開明日可宰白馬祭天烏牛祭地三人結生
死之交如何三人大喜次日於桃園中列下金銀紙燭宰烏牛白
馬祭獻天地三人焚香再拜而誓曰念劉備關羽張飛雖然異姓
結為兄弟同心協力救困扶危上報國家下安黎庶不求同年同
月同日生只願同年同月同日死皇天后土以鑒此心背義忘恩
天地共戮誓 [illegible] 拜玄德為兄關羽次之
為弟祭 [illegible] 聚鄉中英雄
就 [illegible] 足可乘
客

山
酒　二十
將官　鐵一千
玄德求下　二斤青龍偃下
張飛造丈八口　身衆五百求見鄒靖引見
太守劉焉三人參拜　玄德說是宗派焉云既是漢室
宗親但奏功勳必當重用　恐玄德爲奸人報黄巾賊程遠志哨
近涿州人馬五萬劉焉令鄒靖劉備爲先鋒前去破敵玄德與關
羽張飛飛身上馬來幹大功怎生取勝

劉玄德斬寇立功

玄德兵至大興山下與賊相遇將陣勢擺開玄德出馬左有關羽
右有張飛大罵反賊何不早降程遠志大怒遣副將鄧茂出馬張
飛睁環眼挺矛刺中鄧茂心窩翻身落馬而死後人讚翼德曰
欲致勇震三分國　先試衝鋼丈八矛
程遠志見折了鄧茂拍馬舞刀直取張飛關羽舞刀直出程遠志

見了心膽俱碎措手不及被關羽一刀斬爲兩段後人讚雲長曰

雄憑立國安邦手　技試青龍偃月刀

衆賊見程遠志被斬皆倒戈卸甲投降者不計其數斬首數千級大勝而回劉焉親自迎接賞勞三軍次日馬報青州太守龔景被黃巾圍城將陷乞賜救應玄德曰願往救之劉焉令鄒靖將兵五千同玄德往救玄德與關張至青州逕見賊人皆披髮以黃絹抹額畫八卦文爲號賊衆見救兵來分兵混戰玄德兵寡不勝退三十里下寨玄德與關張曰賊衆我寡必出奇兵方可取勝乃令關羽引兵伏山左張飛引兵伏山右鳴金爲號齊出救應次日玄德鄒靖引兵鼓譟而進賊衆大戰如潮湧到玄德便退賊衆乘勢追趕過山玄德軍一齊鳴金左關羽右張飛兩軍齊出玄德軍回三路掩殺[illegible]青州城下太守龔景亦率民兵出城助[illegible]州之圍太守龔景犒軍畢鄒靖[illegible]曰戰于廣宗盧植[illegible]何軍馬不敢[illegible]

勅[illegible]自回玄德與關張[illegible]中施禮畢植問玄德行藏[illegible]日聽調時盧植連勝張角幾陣[illegible]許玄德曰我聞張角在此張梁張寶在潁川與皇甫嵩朱儁厮殺你可領本部軍馬前去勦捕玄德與關張星夜投潁川來時皇甫嵩朱儁領兵與賊大戰賊敗走退入長社依草結營嵩儁四面圍定商議曰賊在此依草結營除非用火攻可勝儁曰候大風起可施此計遂令軍士每人帶草一把是夜大風驟起約至二更一齊放火嵩儁引兵出殺賊寨風起火焰賊衆四散奔走殺到天明張梁張寶引敗軍奪路而走前面遇着一彪人馬截住去路爲首一英雄身長七尺細眼長髯[illegible]謀出衆笑晉文齊桓無匡輔之才論趙高王莽少縱橫之策官拜騎都尉沛國譙郡人

操〔考證〕按曹操字孟德沛國譙郡人也乃漢相曹參二十四代孫[illegible]曹嵩本姓夏侯氏[illegible]

[illegible]

劉備逢盧

植在檻車

操自幼好飛鷹走犬遊蕩無度与叔父毋言于嵩嵩常加責讓操生一計一日見叔父來詐倒於地敗面喎言叔父問之操曰卒中風耳叔父言于嵩嵩撫地歸家嵩驚問曰叔父言汝中風今已愈乎操曰自來無此病但失愛于叔父故見罔嵩亦以為然自後叔父但有操之過失嵩并不聽因此得恣意遊蕩時人未之奇也惟有喬玄一見操指操曰天下將亂非命世之才不能濟此能安之者其在君乎南陽何顒見操言漢室將亡安天下者必此人也汝南許劭有知人之名操往見之問曰我何如人劭曰子治世之能臣亂世之奸雄也操聞言大喜年二十舉孝廉為郎除洛陽北部尉初到任四門各設五色棒十餘條有犯禁者不避豪貴皆責之靈帝所愛小黃門蹇碩叔提刀夜行操拿住就棒責之由是內外莫敢犯之威名頗震後作頓丘令因黃巾賊起拜為騎都尉時操引兵五千來潁川助戰正遇張梁張寶敗走在攔殺一陣斬首萬餘級梁寶死戰得脫操見嵩儁二人賞勞畢復令操領兵追襲操欣然而去卻說玄德引關張來潁川至時賊已敗散玄德見嵩儁言盧植事嵩曰張梁兄弟勢窮力乏必投廣宗依張角去玄德夜即往廣宗勿得遲慢玄德遂引軍復回路逢三百餘人護送一輛檻[illegible]植[illegible]公惠大驚問其緣故植曰我圍張角將次可[illegible]上道小黃門左豐來探[illegible]我[illegible]宗之賊極容易破[illegible]代我取我回京

廷自有公論汝當可……之了關羽曰盧中郎已靈……之德遂引兵北回行到二日忽聞山後喊聲大震玄德引三人縱馬上高岡望之見漢兵大敗賊旗號上大書天公將軍玄德曰此必張角也可速戰之三人飛馬而出角軍大亂趕退五十餘里救了董卓回寨三人拜見卓問曰見居何職玄德對以白身卓甚輕之不與賞賜張飛怒曰我等親身血戰救了這厮倒欺人如無物吾不殺之難解怨氣提刀欲殺董卓〔殺董卓〕（按董卓字仲穎隴西臨洮人也官拜河東太守帶領中郎將自來傲物以故張飛欲殺之耳）

張飛安喜鞭督郵

關羽急抱住玄德叱之曰他是朝廷命官汝今殺之將欲反耶飛曰若在卓部下聽令吾必去矣玄德曰吾三人生死共處安可棄也不如仍投朱儁儁與玄德合兵一處待之甚厚是時曹操跟皇甫嵩討張梁大戰于曲陽朱儁與玄德進討張寶寶引賊衆八九萬屯於山後儁令玄德爲先鋒寶令副將高升出馬搦戰張飛縱

馬與升戰不三合一刀刺高升墜馬張寶就馬上仗劍作法風雷大作黑氣中無限人馬自天而降玄德軍大亂被張寶殺敗一陣玄德來見朱儁儁曰此妖術也來日可宰豬羊血以辟其法次日張寶搖旗擂鼓引軍挑戰玄德令關張引軍伏於兩山上令五百軍准備豬羊血并穢物聽候分撥已定玄德引軍出戰交鋒之際張寶作法平地風雷大作人馬自天而下玄德撥馬便走張寶人馬趕來一聲砲響伏兵將穢物齊潑但見空中紙人草馬紛紛墜地風雷砂石頓息張寶見解了法急引兵退山後左關羽右張飛背後玄德三路掩殺賊兵大敗張寶奪路而走玄德飛馬趕來一箭射中張寶左臂寶帶箭逃入陽城堅守不出朱儁引軍圍月餘不下差人打探皇甫嵩消息人回報云皇甫嵩連勝董卓連敗朝廷[illegible]時張角[illegible]張梁[illegible]王首衣冠塟之皇甫[illegible]角梟首送京朝廷加嵩為車騎[illegible]往朱儁聽說催軍攻打[illegible]方使人奏功於朝正

往……衆十餘萬望風燒
护……急領首前至宛城趙弘
遣……從辰至午賊衆不退朱雋自
精鉄騎三千……急回玄德從背後趕殺賊敗入城雋
西南圍定城中糧絶韓忠使人乞降雋不許玄德曰昔高祖得天
下為能招降納叛明公何不容忠雋曰時勢不同耳昔項秦之際
天下大亂民無定主故招降以勸來今海內一統惟黃巾造逆
若容其降無以勸善非良策也玄德曰今西面圍賊乞降不得
必然死戰莫若去東南之圍盡力攻打西北賊急必棄城而走無
心戀戰賊可擒也雋即命撤東南軍馬併力攻打西北韓忠果引
軍棄城而走雋率兵掩殺刺死韓忠趙弘孫仲復引賊衆與雋交
戰雋見弘勢大引軍暫退弘乘勢復奪宛城雋正欲攻打忽正東
一彪人馬竟到雋寨為首英雄生得廣額濶面虎體狼腰姓孫名
堅【參考】按孫堅字文臺吳郡富春人也乃孫武子之後年十七歲時為縣吏與父同船家至錢塘正遇海賊奪玉等十餘人劫取商人財物方到岸分贓行人皆阻不敢進船堅曰此賊可擊
之父曰非汝所能圖也堅提刀上岸揚聲大叫東西指……

賊以爲節兵盡衆財物[illegible]由是郡[illegible]
務[illegible]後會稽縣賊許昌造反自稱陽明皇帝聚衆數萬[illegible]
上同[illegible]遣精兵千人合會州郡依之斬許昌并其子許韶刺史臧[illegible]
上表奏孫堅功勞除堅爲鹽瀆丞又除爲盱眙丞又爲下邳丞[illegible]
時堅見黃巾賊起聚集鄉中少年及淮泗勇士一千五百餘人前
來助戰朱儁接見大喜便令堅攻打南門玄德打北門朱儁打西
門留東門與賊走是日孫堅先登城斬首二十餘級賊衆奔潰趙
弘直取孫堅堅奪弘搠刺死趙弘孫仲引衆突出北門正逢玄德
被玄德一箭射中孫仲翻身落馬朱儁大兵掩殺斬首數千級降
者無數南陽數郡皆平朱儁班師還京封車騎將軍河南尹儁保奏
劉備孫堅等功堅有人情除別郡司馬上任去了惟玄德聽候日久不得除
授鬱鬱不樂上街閑行正值張鈞車到玄德攔住訴說功績鈞大
驚入朝奏帝曰昔張角造反皆由十常侍[illegible]民非親不用非
[illegible]不[illegible]南郊遣使布告天下有
功[illegible]帝曰張鈞欺主可令武士
[illegible]是破黃巾有功者不
[illegible]之[illegible]功如[illegible]理會遂

33

[illegible]到安喜縣涖任[illegible]後三人食寢則同玄德[illegible]已郡差督郵至縣祭訪[illegible][illegible]迎接見督郵到荒忙下馬施禮督郵於[illegible]上微以鞭梢回答關張氣填胸臆到館驛安下督郵問曰劉縣[illegible]是何根腳玄德告以是中山靖王之後歷說破黃巾功勞督郵大喝曰亂道你詐稱皇親虛提功績目今朝廷正要淘這等人汰濫官汙吏爾玄德喏喏而退縣吏稟曰督郵作威無非要些賄賂玄德曰我與民秋毫無犯那得錢物與他次日督郵捉縣吏勒[illegible]文書交指玄德害民玄德自往見之被當任不肯依從玄德回[illegible]心中悶快快卻說張飛飲了數盃悶酒乘[illegible]過館驛前過見衆老人在門前痛哭飛問其故老人曰督郵欲勒縣吏誣陷劉縣尉我等欲入苦告被門吏趕打張飛大怒滾鞍下馬逕入館驛後[illegible]見督郵坐於廳上將縣吏縛倒在地飛大喝害民賊認得我[illegible]督郵急與左右救下被張飛揪住頭髮拖至廳前馬樁上縛住[illegible]

繫馬椿也飛攀柳條鞭督郵兩腿打折柳條十數枝玄德聽得縣前噪嚷問左右答曰張將軍鞭督郵在縣前扁打玄德荒出驚問其故飛曰此害民賊不打死等甚督郵曰玄德公救命玄德喝張飛住手關公曰兄長建下許多大功只得縣尉之職又被督郵如此無禮吾想枳棘非鸞鳳所棲不如殺督郵棄官歸鄉別圖大計玄德取印綬掛於督郵之頸責之曰據汝害民本當殺汝吾有所不忍還官印綬吾已去矣玄德與關張連夜回涿縣民解放督郵督郵將印綬回郡定州太守動文書申聞行移各處文捕捉玄德三人見事急載老母徙代州投劉恢恢見玄德乃漢室宗親乃藏匿在家十常侍趙忠等差人問破黃巾將士索取金帛不從者奏罷官職皇甫嵩朱儁皆不從趙忠等奏帝曰皇甫嵩朱儁二人並無寸功宣[illegible]二人官爵封趙忠為車騎將軍張讓等十三[illegible]列為司徒此二十人皆常侍是時[illegible]區星及各處盜起表直[illegible]一日帝在後園與

士
陛下臣漢天下危在旦夕
危急陶曰四方盜賊
讒退不省禍在即矣十常侍皆
免冠跣臣等不能活矣頭乞性命歸田里悉將
家產以助軍資帝曰汝家亦有近侍之人何不容侍即喚武士推
劉陶出斬之陶大呼曰臣死不足惜可憐漢天下四百餘年到此
休矣推至宮門司徒陳眈喝住不得下手我入保奏天子
何進謀殺十常侍
陳眈還入奏帝曰劉諫議何罪賜死帝曰毀謗大臣冒突朕躬眈
曰天下之民皆欲食十常侍之肉陛下敬之如父母十常侍身
無寸功皆封列侯而封諝結連黃巾欲為內亂陛下今若不省漢
社稷休矣帝曰封諝之事不明十常侍豈無一二忠臣予陳眈以
頭觸階而諫帝怒命與劉陶同下獄是夜俱謀殺之並忠差人以
孫堅為長沙太守討區星堅曰五十日平江夏報捷奏封堅為烏
程侯封劉焉為益州牧劉虞為幽州牧各

曹操勸進

勿誅宦官

陽張舉張純劉焉到西川斷路阻隔閉倉賑濟民感其恩代州

劉恢薦玄德於劉虞爲太守令玄德與劉焉毋丘儉爲先鋒[illegible]

戰連勝數陣張純兇暴專一鞭撻士卒帳前數人一齊心變刺殺

張純將頭換降張舉勢窮自縊而死漁陽平劉虞表奏劉備大

功朝廷赦鞭督郵之罪除下密丞後遷高唐尉公孫瓚表陳玄

德前功封爲別部司馬守平原縣令平原頗有錢糧軍馬玄德重

整舊日氣象朝廷封劉虞爲太尉中平六年四月帝病篤欲立

太子協爲帝中常侍蹇碩揣知帝意乃出奏曰若欲立協必先誅

何進以絕後患帝從之降詔宣大將軍何進入宮商議托以後事

發殿 [illegible]

進到宮[illegible]是時欲誅其後必不可入宮進大驚急

歸私[illegible]校尉曹操曰宦官之勢起

於中[illegible]安帝其身進叱曰汝

小[illegible]靈帝殿十四日今

少帝即位

百官山呼

爭[illegible]患即立太子協為以教[illegible]豫不決謂曹操曰何賊司隸[illegible]作兵五千斬關入內冊立新君盡誅閹賊進曰誰敢與吾正君討官掃清朝廷以安天下吾之願也袁紹（按袁紹字本初汝南汝陽人漢司徒袁安之孫袁逢之子四世三公門多故吏）何進大喜遂點御林軍五千紹披掛入宮何進引何顒荀攸鄭泰等大臣三十餘員相繼而入就靈帝柩前扶太子辯即位百官山呼已畢袁紹入捉蹇碩碩引軍出對敵紹提劍直取蹇碩碩走入御園花陰下轉過中常侍郭勝一刀砍翻蹇碩剁頭而去餘衆皆降紹謂何進曰中官結黨今日可乘勢盡誅之張讓等知事急慌入告何太后曰始初設謀陷害大將軍者蹇碩也非干臣等之事今大將軍信袁紹之言欲誅臣等望娘娘憐憫宦能扃奏何太后曰卿等勿憂我當保之傳旨宣何進入宮太后密謂曰我與你出身寒微非張讓等焉能得到此今蹇碩既已伏誅汝又欲盡誅宦官此事切不可行何進聽太后之言出班衆官曰蹇碩設謀害吾可滅其族餘者

何后設宴

請勸董后

勿問袁紹曰斬草不除根後終有患進曰吾意已決汝等多言者斬衆皆默然何太后命進錄尚書事餘皆封官爵董太后與張讓商議曰何進之妹始是我擡舉他今日他孩兒即位內外臣僚皆他心腹我將如何讓奏曰娘娘可臨朝聽政封太子協為王加國舅董重大官用臣等參預國事可圖何進矣次日董后設朝垂簾聽政封協為陳留王董重為驃騎將軍張讓等共預朝政一月之間朝廷大事並聽董后區處何后見董后專政於宮中設宴請董后赴席酒至數巡何后捧盃勸董后曰我等婦人參預朝政非其所宜昔日呂后因握重權宗族皆被誅戮今我等宜深居九重朝廷大事任大臣商議此國家之幸也願垂聽焉董后怒曰汝荒淫妒忌酖殺王美人今日汝子為君倚兒何進之勢輒敢亂言吾勅驃騎[illegible]之掌耳何后亦怒曰吾以好言相勸何不遜之[illegible]進入內告其事情進出與三公[illegible]道州郡專載財利不宜臨[illegible]國舅董重府第追索

何苗解冤

上力散張讓等見董后
舞陽君令早晚以善言於
辛六月內何進遣人酖殺董后
此至于文陵進托病不出袁紹入見進曰張
三公酖殺董后欲謀大事乘此時不誅閹官後必爲
議等
竇武欲誅內寵機謀不密反受其殃今三公部曲將吏皆
英俊名士事在掌握此天授之時不可失也進曰且容商議左右
密報張讓讓等告報何苗苗受賄賂多乃入奏何后曰大將軍輔
佐新君不行仁慈專務殺伐今國家無事又欲誅十常侍此取亂
之道也后納其言少頃進入見太后言欲誅宦官太后曰中官統
領禁省漢家故事先帝新棄天下汝欲誅殺舊臣非重宗廟也進
內無決斷不言而出袁紹問曰大事若何進曰太后不容奈何紹
曰可召四方英雄之士勒兵到京盡除閹豎此時不容太后不從
進曰此計大妙兇得我違太后之意主簿陳琳曰不可俗云掩
其目往捕燕雀是自欺也今將軍總掌帳要高下任心欲誅內官

[illegible]欲徵兵

如鼓烘爐燎毛髮耳欲徵兵于外衆人皆曉各懷一心必生[illegible]
何進曰此懦夫之見也曹操此事至易進問曰孟德有何高見
董卓議立陳留王
操曰宦者古今皆有但近代最盛君欲治罪當以元惡付獄吏[illegible]
矣何必召外兵乎欲盡誅之事必敗矣進怒曰孟德亦懷私意[illegible]
退而言曰亂天下者必進也進竟降詔遣人投各道去了[illegible]
朕闕後絕亂常不可無誅害國傷時[illegible]彌久切惟[illegible]
等濫叨寵榮恣生狂逆不思報本之恩復造滔天之惡[illegible]
一門皆貴心怒者九族誅戮今諸侯於內力挾天子於[illegible]上
[illegible]咸思殄滅朕素知卿等必懷忠義戮力[illegible]
[illegible]之偏詔書到日火速奔行[illegible]
[illegible]將軍[illegible]第[illegible]東郡太守喬瑁第[illegible]
[illegible]刺史丁原第四路前將軍[illegible]
[illegible]
呈得詔大喜統領大軍二十萬自[illegible]

召[illegible][illegible]上表

李傕郭汜張濟樊稠四[illegible]
奉詔中間必有暗昧何不[illegible]
董卓喜令儒作表表曰
之不正者皆由常侍張讓等侮慢天常[illegible]
操王命[illegible]子兄弟占據州郡京畿腴田皆屬讓等致使綿氣[illegible]
蒸盜賊蜂起臣前奉詔討賊於扶羅將士饑乏不肯渡河皆[illegible]
欲請京師先誅閹豎以除民害臣[illegible]趙鞅興晉陽之[illegible]以至新安臣聞揚湯
止沸不如去薪潰癰雖痛勝於養毒臣[illegible][illegible]臨[illegible][illegible]之[illegible][illegible]
鳴鐘鼓以入洛陽請除讓等[illegible]社稷幸甚天下幸甚矣
何進將表示大臣尚書鄭泰進曰董卓豺虎也若引入京必食
人矣盧植亦諫曰董卓面善心狠當有不仁之心若入禁庭必生[illegible]
亂不如早遣之國庶免後患進叱之曰汝等懦夫也[illegible]上彼食[illegible]
祿泰謂植曰何公不聽吾言則亡矣皆[illegible][illegible][illegible]亦[illegible][illegible]
朝中大臣去者大半進使人[illegible]卓於澠池[illegible][illegible][illegible]知各路[illegible][illegible]
眾常侍議曰此何進之謀也我等不先下手皆[illegible][illegible][illegible]

誘入殺之讓遂入告何后曰今大將軍[illegible]
娘娘垂憐乞賜臣等歸田養老免死望娘娘太后曰汝等可詣大[illegible]
軍府下謝罪讓曰若到相府必無生矣望娘娘宣大將軍入宮[illegible]
釋其事太后乃降詔宣進入宮議事進得詔便行主簿陳琳諫曰此
詔必是十常侍之謀切不可去去必有禍進不聽袁紹曰形[illegible]
露將軍尚欲入宮若不早決事必變矣曹操曰先當詔出十常[illegible]
然後可入進笑曰吾掌天下兵權十常侍敢待何如紹曰公[illegible]
執要去我等可引甲士輔助以防不測袁紹與操選精兵五百
其弟袁術領之袁術（袁術字公路紹異母弟也舉孝廉授折衝校尉虎賁中郎將）當日紹[illegible]
兵五百列青瑣門外紹與操百餘人送進至長樂宮前黃門傳[illegible]
旨云太[illegible]入禁宮深處商議國事侍兵不得輒入袁紹[illegible]
[illegible]嘉德殿門張讓等迎而罵曰董后何
[illegible]乃屠戶小輩我等薦之天子以
[illegible]言欲尋出路見宮門盡閉
曰漢室傾危天數終

諫

難兄宮中受勦餘

兄進出大喊曰請將軍回府

之謀反已伏誅矣其餘盡皆赦

傷正義誅惡黨者來助戰進部將吳

邑闕書[illegible]刺闕而入樊陵許相出殿呼曰不得無禮紹

立斬[illegible]忠程曠夏惲郭勝走上翠華樓紹就樓下放火四人

跳下[illegible]而剁做肉泥宮中火焰張讓段珪曹節侯覽與[illegible]

太子及[illegible]王從複道走時盧植棄官未去亦持戈立於閣下見

段珪擁逼何后過呼曰段珪逆賊敢劫太后盧植挺身便走植追

救太后吳匡遇何苗出匡大呼曰何苗同謀殺兄領斬殺之蘇

苗被匡砍為粉碎紹令軍士將閹賢無分大小盡皆殺之多有無

人救滅宮中火張讓段珪擁逼少帝及陳留王劫出北門而走宮

紹請何太后權攝大事分兵追尋少帝張讓段珪與帝奔走至北邙

天已昏黑約至二更喊聲大舉後面河南中部掾閔貢大叫張讓休走

[illegible]段珪[illegible]投河而死[illegible]於河邊相抱而[illegible]

八[illegible]將[illegible]時陳留王曰宜速歸路不可戀此帝曰路暗奈何
見流螢成群光芒照耀陳留王曰此天助吾兄弟也二人以衣
結一步一跌隨螢火而行出有詩歎曰亂[illegible]王師
社稷傾危孰爲持 後逐流螢尋路[illegible] 漢家天子[illegible]
二帝走至五更行過山崗見一庄[illegible]
見而問曰二少俊是誰 陳留王應曰吾兄[illegible]
亂逃難到此庄主大驚拜曰臣乃先朝司徒崔[illegible]
見十常侍弄權遂隱於此扶二帝入庄進食[illegible]
今往段珪開天子何在[illegible]
懸頭于馬[illegible]
詳殺引[illegible]

曰來者何人敢驚聖駕
陳留王向前叱曰汝乃何人
劫駕耶或來保駕耶卓曰特來
[illegible]何不下馬卓大驚下馬拜於道左
[illegible]太后俱各痛哭失聲
與[illegible]董卓[illegible]入城[illegible]行衛市[illegible]百姓[illegible]惶不安[illegible]
帝王[illegible]何進已死多[illegible]
後紹[illegible]縱橫朝綱必有異志紹曰朝廷新定未可輕動[illegible]兵
歸信見[illegible]不從引本部兵向泰山去董卓將何進之兵盡歸帳下
私與李儒曰吾欲廢帝立陳留王何如儒曰不就此時行事遲則有
變矣來日於溫明園中大會百官有不從者斬之則君威之盛
在今日矣卓大喜便令排筵於溫明園請百官設宴次日乾
騎遍請公卿懼卓皆到酒至數巡卓[illegible]曰今有大事
衆皆傾耳而聽卓曰今天子懦弱不可以[illegible]
詔曰[illegible]浮[illegible]不可爲[illegible]

46

李儒勸卓

爲弘農王立陳留王爲天子你意大臣以爲何如衆官默然[illegible]

刺史丁原字建陽出曰不可你乃何等之人敢發此語天子乃先帝

嫡子又無過惡安敢言廢吾料汝懷逆謀久矣吾豈能容耶

呂布刺殺丁建陽

卓大怒叱之曰朝廷大臣尚不敢言汝何等之人[illegible]多言援劍

欲斬之李儒見呂布手執畫戟立于丁原之後[illegible]飲

宴不可以談國政來日向都堂公議未遲[illegible]去

呂布執戟跟丁原[illegible]

[illegible]

董卓大敗

按鑑[illegible]一人躍馬往來卓問曰此乃何人

儒曰[illegible]為勇猛卓潛退入圍百官因此得還衣

日丁原[illegible]引兵出敵見呂布頂束髮金冠披百花戰

袍擐唐猊鎧[illegible]帶[illegible]騎一疋衛陣多馬持方天畫戟往來

跳騎[illegible]若天神卓心驚驟丁原綏馬直出指卓罵曰此時不幸

閹官弄權萬民塗炭爾外州刺史於國無半箭之功焉敢亂言

廢立[illegible]挺戟殺來丁原麾兵一掩卓大敗而回卓聚眾

議曰呂布非常人也吾若得之何慮天下哉中郎將李肅出曰主

公勿憂[illegible]足知其人勇而無謀見利忘義某往說之

來降卓大[illegible]以何而進肅曰聞主公有赤兔馬一[illegible]

須將此馬[illegible]結其心布必反丁原來投主公也卓問李儒

儒曰主公欲取天下何惜一馬卓欣然與之更與金千兩[illegible]

玉帶一條李肅齎禮投呂布寨來伏路[illegible]

長歎而去隱於上谷司徒王

允再聽約束於是百官皆散卓

李肅獻赤兔馬

人相訪軍士入報布令喚入肅入拜曰賢弟別來無恙布曰[illegible]何人也肅曰某乃故人李肅也布致敬曰久不相見今居何職肅曰見任虎賁中郎將聞賢弟忠勇欲贈名馬一疋名曰赤兔日行千里渡水登山如履平地布交牽來看見那馬渾身似火炭般赤無半根雜毛頭至尾長一丈蹄至項高八尺嘶喊咆哮有騰空入海之狀呂布見了大喜史官有詩讚馬云

奔騰千里蕩塵埃　渡水登山紫霧開
掣斷絲韁搖玉轡　火龍飛下九天來

布謝曰兄與此龍駒布將何報之肅曰某為義氣而來豈望報乎布置酒相待酒酣肅曰肅與賢弟少會令尊多得會來此馬亦不可說布曰兄醉矣布之先人棄世多年安得與兄多會肅[illegible]曰[illegible]兄之[illegible]刺史耳布惶恐曰布在丁建陽處亦[illegible]取功名如拾芥何[illegible]言良[illegible]

丈夫安能
[illegible]古八級各二人從一原首級大呼
已殺之從吾者從不從者去董中散去大半布提
董卓卓出迎呂布布獻丁原首級卓慮手入帳
官[illegible]肯尋計兩也布納卓坐拜問布今棄
卓先下拜曰卓身[illegible]勞其歡飲而散[illegible]文
喑後明頭以父待之卓大喜以[illegible]
得呂布重馬其勢越大自領前將軍事封弟[illegible]為[illegible]
封呂布為騎都尉中郎將都亭侯李儒勸卓[illegible]之計卓於
省中設宴會集公卿令呂布將甲士千餘侍衛左右是日太傅袁

董卓議宴

隗與百官皆到禮反數巡卓按劍曰天地爲大君臣次之所以爲
治今皇帝闇弱難奉宗廟吾依伊尹霍光故事廢帝爲弘農王立
陳留王爲君你諸大臣意下何如群臣莫敢對袁紹應聲出曰昔
太甲不明伊尹放之昌邑有罪霍光廢之今上富於春秋未有不
善汝欲廢嫡立庶將欲反耶卓叱之曰竪子天下事在我今爲
之誰敢不從將謂我之劍不利也紹亦拔劍曰汝劍雖利吾劍獨
不利乎兩個在筵上抵對未知性命何如

　　廢漢君董卓弄權

卓欲殺紹蔡邕止之曰事未有定不可妄殺袁紹提劍長揖百官
而出懸節東門奔冀州卓謂袁隗曰汝姪無禮吾看汝面不欲
[illegible]罪尊君何如隗曰太尉見者是也卓曰敢阻大議者
[illegible]等命寛罷卓召侍中周毖校尉伍瓊議
周毖曰紹恐懼出奔非有他志今購
[illegible]收豪傑英雄
[illegible]患矣

立陳留王

……不能就朝堂

守而喜謗之甚也

九月朔請帝陞嘉德殿大會文武不到者

者卓掣劍在手曰少帝闇弱全無威儀不可以掌

天下奉宗廟社稷今有策文可當殿宣讀命李儒讀策曰

孝靈皇帝不究高宗眉壽之祚遂棄天下嗣子皇帝承紹大統

海內仰望太平而帝天資輕佻威儀不恪居喪慢惰忘哀如故

凶德彰露淫穢發聞黷瀆神器汙辱宗廟皇太后教無母儀統

政荒亂永樂太后暴崩衆論惑焉三綱之道天地之紀而乃有

闕那之大者陳留王協聖德偉茂規矩儼然有死喪之表居喪

哀戚言不及邪有成周之懿休聲美譽天下共聞宜承鴻業以

奉宗廟廢皇帝爲弘農王太后還政應天順人以慰生靈之望

李儒讀畢卓叱左右扶少帝下殿解其印綬北面稱臣少帝號

百官悚然卓呼太后去服候勅太后哽咽羣臣含悲尚書丁管

怒高叫曰賊臣董卓敢爲欺天之謀而廢賢明之主不若與公[illegible]死揮手中象簡直擊董卓卓大怒喝武士牽出斬之管至死罵[illegible]絕口神色不變靜軒先生有詩贊曰

董賊潛懷廢立圖　漢家宗社委丘墟

滿朝臣宰皆囊括　惟有丁管是丈夫

卓請陳留王登殿群臣呼萬歲畢卓令扶何后并弘農王[illegible]隨侍唐貴妃及宮女二人[illegible]改[illegible]不名入朝不趨劍履上殿[illegible][illegible]

[illegible]少帝淚下[illegible]偶見雙燕飛入[illegible]吟詩一首云

嫩綠凝煙裊　裊雙飛燕

洛水一條青　陌上人稱羨

遠望碧雲深　是吾舊宮殿

何人仗忠義　洩我心中怨

董卓[illegible]是日得此詩來呈[illegible]

[illegible]帶武士十人[illegible]

帝大駭儒執鴆酒與帝曰春日融和董太
師相進也帝曰壽酒勿疑太后曰既云壽酒當
盡儒怒曰汝不欲飲耶呼武士持短刀白練於前曰汝不
飲此二般唐妃跪告儒曰妾代帝飲願相公饒其母子儒
叱曰量汝何等可代王死儒舉盃與太后曰汝可先飲后搥胸大
罵何進無能之賊接引董卓入京致有今日之禍儒催逼帝至急
帝曰容吾與母相別大慟而作歌曰

天道易兮我何安　棄萬乘兮退守藩
為臣逼兮命不久　勢將去兮空淚潸

唐貴妃抱帝大哭而作歌曰

皇天將崩兮后土頹　身為帝姬兮命不隨
生死殊路兮從此畢　奈何煢速兮心中哀

三人大哭李儒叱曰太尉立等回報汝等俄延望誰救耶太后大
罵董卓國賊逼我母子天必誅之汝等助其為虐必當族滅李儒
大怒直扯太后下樓帝抝李儒衣服唐妃向前攔住一團扭與武
士絞死唐妃鴆酒灌殺少帝史官詩曰

太后飛身下玉樓　唐妃素練繫咽喉
君臣被辱傷嗟歎　灑淚江山自此休

伍孚藏刀

陽還報卓卓命[illegible]毀之自此每夜入宮奸淫宮女臥宿龍牀禁庭公主盡皆淫之嘗引一枝軍出城外到陽城時當二月社民賽社男女畢集卓引軍圍住將男子盡殺之掠其婦女財物萬件都裝在車上懸頭千餘顆于車下連軫還都先使人報董太尉殺賊大勝而回各城門外焚燒其頭以婦女財物盡散與宿帳軍士越騎校尉伍孚字德瑜見董卓殘暴太甚群臣莫敢奈何孚乃于朝服內披小鎧藏短刀候董卓入朝孚迎到閣下掣出短刀直刺董卓卓力大兩手摳住呂布便入揪倒伍孚卓問曰誰教汝反孚睜目罵曰汝非吾君吾非汝臣何反之有汝亂國篡位罪惡盈天今吾已死恨不能車裂汝戮於市以謝天下董卓大怒命呂布將出剮剮之孚至死罵不絕口史官詩曰

漢末忠臣說伍孚　沖天豪氣世間無
朝堂殺賊名猶在　萬古堪稱大丈夫

卓自此出入常帶劍披甲武夫前後圍繞却說袁紹在渤海知……齎密書來呈王允其書曰……恣兇入亂禁宮非亦不法公反忍其暴虐

議誅卓

……報國之臣者今集兵練馬欲圖篡……公相食祿在朝當秉國之如有不臣便即當奉命……事告請宜思忖王允苦思無計一日於侍班閣內見先朝舊臣皆在王允請曰今日老夫賤降晚間煩列公到舍小酌眾官皆曰必來祝壽允當晚就後堂設宴燈燭熒煌公卿皆到允細視皆漢朝舊臣心中暗喜酒至半酣王允舉盃大哭眾官曰司徒貴降何故發悲允曰今日非老夫賤降要與列公聚會恐董卓生疑故推賤降吾哭者哭漢天下也昔高祖提三尺劍斬白蛇起義兵子孫傳四百餘年不想喪於董卓之手吾等捨死無益於國眾官皆掩面而哭車騎校尉曹操撫掌笑曰滿朝大臣夜哭到明明哭到夜還能哭死董卓否允大怒責之曰汝祖宗食漢祿四百年不思報本反欲從賊汝去告董卓吾等雖死亦漢家鬼操曰非笑別事笑諸大臣無一計殺董卓操雖不才略施小計可殺董賊頭懸之都門以謝天下王允離席問曰孟德有何高見[illegible]

曹操設謀殺董卓

曹操曰近日進身董卓者實有意圖之今日妄廢君主必共商議操聞司徒有七寶刀一口願借操入相府刺殺之雖死無恨王允曰孟德果有是心漢天下幸甚操設誓於允前允取寶刀與操其刀長一尺餘金鑲寶飾極有鋒利次日官皆散操佩寶刀逕至相府問丞相出來否人指云丞相在書院內操入見卓坐於牀上呂布侍立于側卓曰孟德來何晚操曰馬瘦行遲卓謂布曰昨西涼進到良馬吾兒去選一疋來賜與孟德操思曰董卓合休矣欲拔刀刺又恐卓有力不敢下手卓胖大不耐久坐遂倒身而臥轉面向內操又思曰此賊當死急掣寶刀在手恰待要刺卓仰面看衣鏡中照見操拔刀在背後急回身曰孟德何為時布已牽馬至閣外操惶遽乃持刀跪下曰操有寶刀一口獻上恩相卓接視之果寶刀也遂遞與呂布收了操解鞘付布[illegible]之卓引操看馬操拜謝曰願試[illegible]卓[illegible]而去布謂卓曰恰纔曹操似有行刺之狀[illegible]卓[illegible]疑之忽李儒至卓以其事告之儒曰操無[illegible]

奔走回鄉

…[illegible]開[illegible]

至[illegible]處恰纔騎[illegible]……矣如操便來則免慨乃若推托不來便

…[illegible]五口四五人往[illegible]多[illegible]回覆云曹操

…門吏問之操云[illegible]他有緊

公至[illegible]縱馬向上公李[illegible]停……鹿逆[illegible]而太守大怒曰吾知此

重用汝之人欲害吾今[illegible]……形[illegible]分星夜便拿此賊[illegible]

任着千金賞萬戶侯[illegible]……有[illegible]令[illegible]使知曹[illegible]直

奔蕭郡路經中年縣過井縣者見之曰此必是[illegible]

汝何姓那裏來處[illegible]曰我覆姓皇甫從[illegible]來把[illegible]朝廷[illegible]捕捉

曹操你的服色[illegible]操正顏對同眾人[illegible]了此是[illegible]操[illegible]至縣提見縣

令操[illegible]曰我是[illegible]人縣令曰我在洛陽求名認得汝汝如何隱賴

且把監下來日[illegible]解萬戶侯我做千金賞分與衆人把縣人[illegible]了

酒肉皆散當晚[illegible]令取出曹操于後院問之曰我聞曹[illegible]待汝甚

厚何故自取其禍操曰燕雀安知鴻鵠哉既拿住便當解去請賞

何必多問縣令曰你休小覷我我有冲天之志奈何未遇其主耳

操曰吾乃漢[illegible]曹參之後祖宗以食祿四百餘年不思報本與[illegible]

何異吾屈身事董賊者實欲爲國家除害耳今事不成乃天意也
縣令曰孟德此行將欲何往操曰吾歸鄉里發矯詔詔天下諸侯共
興兵誅之吾之願也縣令聞之親釋其縛扶之上
坐再拜曰公乃忠義士也吾棄官相從問其姓名縣令曰吾
姓陳名宮老母妻子皆在東郡[illegible]公要去易爲共謀大事是
夜陳宮與操各乘一馬持劍出城三日至成皋天色向晚操以鞭指村
深處言曰此間有吾父結義兄弟呂伯奢在此可往問信并問家
信若何宮曰最好二人到庄入拜伯奢伯奢曰我聞朝廷移文急
你甚緊汝父已避陳留去了賢姪如何到此操將前事細說
一番伯奢拜謝陳宮曰小姪不得使君曹氏滅門矣言罷與操曰
賢姪相陪使君寬懷安坐我家無好酒容往西村沽一樽以待使君
言訖上驢去了操坐久聞莊後有磨刀之聲操與宮曰伯奢非吾至
親此去可疑當竊聽之二人潛步入草堂後但聞人語曰縛而殺
之操曰不先下手必遭擒矣與宮拔劍直入殺死男女八口搜至
廚下見縛一猪欲殺之靜軒有詩斷曰　夜深[illegible]敲人咨

曹操拔劍

殺呂伯奢

[illegible]遺奇舊蹤　一念誤將良善戮　方知曹操是奸雄

陳宮曰孟德誤殺好人矣操曰可急上馬二人行不數里見呂伯奢驢鞍前鞽懸酒二瓶手抱木瓜而來伯奢問曰賢姪何故便去操曰被[illegible]之人不可久住伯奢曰吾已分付[illegible]宰一豬相[illegible]何爭此一宿操不答策馬便行不到數步操拔劍復回大叫曰[illegible]叔叔來者何人伯奢回頭看時操將伯奢砍於驢下陳宮曰適[illegible]誤耳今何故也操曰伯奢到家見殺死多人[illegible]禍矣宮曰知而故殺大不義也操曰寧使我負天下人休教天下人負我陳宮默然〔此句〕[illegible]

[illegible]當夜二人行數里月下敲門投宿[illegible]操先睡了陳宮尋思曰我以曹操為好人棄官跟他不想是個狠心狗行之徒留之必為國家之害拔劍欲殺曹操

曹操起兵殺董卓

陳宮臨欲下手復思曰我為國家[illegible]到此殺之不義[illegible]棄之宮插劍入鞘連夜投[illegible]不見[illegible]

曹操招兵

天下英雄

我說這兩句言語恐我不仁義棄我而去[illegible]
夜到陳留尋見父親說知上件事欲散家資招集義兵父言資少恐
不成事此間有衛弘曾舉孝廉疏財仗義其家巨富得相助事
可圖矣操置酒拜衛弘到家告曰今漢家無主董卓專權欺君害
民天下切齒欲匡扶社稷恨力不足見公乃忠義之士故來相求
告之衛弘曰吾有心久矣恨無英雄之人既孟德有大志願將家資
相助操大喜先發矯詔馳報各道然後召集義兵豎起招兵白旗上書
忠義二字是日應募之士如雨駢集有一人從東而來投
明公討董卓操問之其人曰某陽平衛國人也姓樂名進字文謙
操大喜遂留於帳下是日夏侯惇與兄夏侯淵各引壯士三千
來投[illegible]
[illegible]不數日操從
弟曹仁曹洪各引兵千餘來助[illegible]操大喜於軍中調練軍
馬一人於操前大呼曰願從將軍以誅國賊操問之其人曰某姓
李名典字曼成山陽鉅野人也操大喜留在帳前衛弘盡出家財

操作檄文

□告各路

置辦衣甲器械，本方送糧米者，不可勝計。操招有壯士五千屯於

任吾名，袁紹得操諸八衆，謀士田豐、沮授、許攸、審配、郭圖，武將顏

良、文丑等，引兵三萬，離渤海來與操會。明操作檄文，達諸郡。檄曰：

操等謹以檄文佈告天下：董賊欺天罔地，滅國弒君，穢亂禁宮，

殘害生靈，狼戾不仁，罪惡充積。今操奉天子密旨，大集義兵，欲

掃清華夏，剿戮群兇。望興仁義之師，來赴忠烈之會，扶持王室，

拯救黎民。檄文到日，速可奉行。

曹操檄文去後，各鎮諸侯，盡皆起兵。

第一鎮 愛友賤豪傑，結納英雄，後將軍南陽太守袁術，字公路

第二鎮 潤論高談，知今博古，豫州刺史孔伷，字公緒

第三鎮 貧通諸子，博覽九經，冀州刺史韓馥，字文節

第四鎮 孝弟仁慈，虛己待士，兗州刺史劉岱，字公山

第五鎮 疏財仗義，揮金似土，河內郡守王匡，字公節

第六鎮 賑窮救急，志大心高，陳留太守張邈，字孟卓

第七鎮 惠及諸人，聰明有學，東郡太守喬瑁，字元偉

第八鎮心直元亮秀雅文華山陽太守袁遺字伯業
第九鎮有智多謀識能文濟北相鮑信字允成
第十鎮高門宗派好客禮寬仁北海太守孔融字文舉
第十一鎮武藝超群威儀出眾廣陵太守張超字孟高
第十二鎮仁義著于德性溫良徐州刺史陶謙字恭祖
第十三鎮威震羌胡名聞四海西涼太守馬騰字壽成
第十四鎮聲如巨鐘姿貌偉長北平太守公孫瓚字伯珪
第十五鎮隨機應變臨事勇絕上黨太守張楊字稚升
第十六鎮英雄蓋世剛勇絕倫烏程侯長沙太守孫堅字文臺
第十七鎮四世三公門多故吏祁鄉侯渤海太守袁紹字本初

諸侯軍馬多少不等，各領文官武將投洛陽來。却說北平太守公孫瓚（瓚，遼西令支人也）領兵一萬五千人，起發路從平原縣經過。正行之間，遙望見桑林中有數騎來迎瓚，視之乃玄德也。瓚問曰：賢弟何故在此？玄德曰：舊日蒙兄保舉為平原縣令，聞故[illegible]見與……乃問曰：此二位莫非同破黃巾者乎？玄德曰：然也。瓚曰：有何職

玄德歎曰關羽為馬弓手張飛為步弓手瓚曰今董卓作亂天下諸侯共往誅之賢弟可棄微官一同討賊力扶漢室若何玄德曰願往張飛曰當時若容我殺了此賊免有今日之事關羽曰事已至此收拾便行玄德關張引十數騎同公孫瓚來且說那一路諸侯先到乃富春人官拜長沙太守孫堅也其人身長八尺英雄蓋今橫跨三江威伏六郡後人有詩贊曰

誰道江南少將才　明星夜夜照吳臺
欲誅董卓安天下　為首長沙太守來

曹操接着孫堅相見請與眾諸侯陸續皆到各自安營連接二百餘里操乃宰牛殺馬大會諸侯商議進兵之策太守王匡曰今奉大義必立盟主眾聽約束然後進兵互相推讓操曰袁本初四世三公門多將吏可為盟主紹再三推讓眾皆曰非本初不可紹紹方應允次日築壇三層遍佈五方旗幟上建白旄黃鉞兵符將印請紹登壇紹整衣佩劍登壇焚香再拜而言曰漢室不幸皇綱弄權毒流萬姓綱常廢絕社稷傾危今紹等共倡大義集此群凡在同盟齊心戮力以盡臣節倘有背盟違者天人共誅之

華雄願代

呂布出兵

靈同照鑒讀誓畢衆皆歃血爲盟壇下將士踴躍歡聲[illegible]
已盟畢下壇衆扶紹升帳各施禮畢依次列爵而坐操言曰
今日既立盟主各聽調遣同扶天下勿以強弱計較紹曰吾雖[illegible]
衆之心遂答推戴我爲盟主有功必賞有罪必罰國有常刑各宜
遵守衆皆曰惟命是聽紹曰吾弟袁術總督糧草應付諸營勿使
有缺不知那位肯爲前部先鋒直抵汜水關挑戰其餘各據
險要以相策應孫堅挺身出曰堅雖不才願爲前部紹曰文臺勇
烈可稱此職遂即本部人馬連夜殺奔汜水關把
關將士差流星馬往洛陽相府告急董卓自專大權之後每日
飲宴更深方散李儒接得告急文書逕來稟卓卓大驚急聚衆將
商議卓曰今有袁紹聚各路軍馬在關前衆將有何妙策呂
布進曰父親勿慮兒視關外諸侯如草芥且兒親領兵盡斬其首
懸於都門卓大喜曰吾有奉先高枕無憂言未絕背後一人高
聲曰割雞焉用牛刀不勞溫侯親往吾斬衆諸侯之首如探囊
取物耳卓視其人身長九尺虎體狼腰豹頭猿臂關西

人也姓華名雄卓大喜加為驍騎校尉撥馬步軍五萬同李肅胡軫趙岑連夜飛奔汜水關來卻說眾諸侯內有濟北相鮑信尋思孫堅為前部若幹入功都不顯我等暗撥其弟鮑忠先將馬步軍三千逕從小路直到關下搦戰華雄引鐵騎五百飛下關來大喝賊將休走鮑忠急待退避華雄手起刀落斬鮑忠於馬下生擒將校極多華雄上關報捷令人將鮑忠首級來相府報功董卓重賞加為都督令其後往迎敵孫堅領四將直至關前搦戰（堅所領四將第一員右北平土垠人也使一條鐵脊蛇矛第二員黃蓋字公覆零陵人也第三員韓當字義公遼西令支人也第四員祖茂字大榮吳郡富春人也使雙刀）孫堅披爛銀鎧裹赤幘橫古錠刀騎花鬃馬指關上而罵曰助惡匹夫何不早降華雄副將胡軫曰吾頭下關必斬孫堅華雄其兵三千出關迎敵堅見胡軫出馬卻欲出戰程普飛馬挺矛直取胡軫鬥不數合程普刺中胡軫咽喉死于馬下直殺上關關上矢石如雨孫堅引兵回至梁東屯住使人於袁紹處報捷就於袁術處催糧時有人對袁術曰孫堅乃江東之猛虎若打破洛陽殺了董卓正是除狼而得虎也今不可與糧彼軍

華雄縱馬

追趕孫堅

必敗細聽之不勝糧草細作報上關來說孫堅軍缺食[illegible]華雄商議曰我引一軍下關從小路襲孫堅寨後汝引兵半夜到堅寨首尾夾攻堅必成擒矣雄從教軍士飽食一頓披掛下關是夜月白風清及到堅寨將已是半夜鼓譟直進堅荒忙披掛上馬正遇華雄兩人鬪不數合寨後李肅軍到大喊放火孫堅軍人無食四邊亂竄堅撥回馬走程普黃蓋韓當各不相顧止有祖茂跟數十騎跟定突圍而走背後華雄趕來孫堅勒回馬又戰十餘合堅詐敗雄趕來堅連放兩箭被華雄躲過盡氣力放第三箭用力太猛折了寶弓縱馬穿林而走祖茂曰主公頭上赤幘射目雄望之必不捨可脫下與某戴之堅與茂就馬上換盔分兩路而走華雄見赤幘者投東去了引軍從東追趕孫堅走小路得脫祖茂被華雄追趕得緊將赤幘掛於人家火燒柱上自己躲於林後華雄看見赤幘四面圍箭射之方知是計遂向前取赤幘華雄縱馬追尋祖茂茂於林後手擡雙刀背劈華雄雄大喝一聲砍祖茂於馬下殺收兵上關程普黃蓋韓當尋見孫堅再收拾人馬屯劄堅見折了

鄉人祖茂傷感不已。却說袁紹丹帳，流星馬報說孫堅失折一陣。紹大驚曰：不想文臺敗於華雄之手。請衆諸侯商議，都皆會集。紹曰：前日鮑將軍之弟不遵調遣，擅自進兵，以致殺身，損將。今日文臺又然。吾等挫動銳氣。衆諸侯默然。紹舉目遍觀，見公孫瓚背後三人，各貌異常，都自冷笑。紹問曰：公孫太守背後何人也？瓚指玄德曰：此乃自幼同舍兄弟，平原縣令劉備是也。曹操曰：莫非破黃巾劉玄德乎？瓚曰：然也。瓚令玄德拜見袁紹，遂將玄德功細說一遍。紹曰：既是漢室宗派，取坐將來。令階下坐。備曰：小縣令安敢有坐。紹曰：吾非敬汝爵職，敬汝帝室之胄。於國多勞耳。玄德拜謝，坐於階下末席。議間又報華雄用長竿挑孫太守赤幘，直來寨前大罵搦戰。紹曰：誰敢去戰此賊？袁術驍將俞涉曰：小將願往。紹喜，便交俞涉出馬。不多時報來：俞涉與華雄戰不三合，被華雄斬了。衆諸侯大驚。太守韓馥曰：吾上將潘鳳可斬華雄。紹急令喚至。潘鳳應聲而出，手提大斧上馬去。不多時，飛馬來報：潘鳳又被華雄斬之。衆皆失色。袁紹歎曰：可惜吾上將顏良文丑未至

關雲長疋

馬斬華雄

得一人在此豈放華雄施威武哉汝衆諸侯許多將士無言
人可斂華雄耶衆官嘿然忽階下一人厲聲曰小將願往斬華雄
之頭獻於帳下衆視之其人身長九尺三寸髯長一尺八寸丹鳳
眼臥蚕眉面如紅棗聲似銅鐘立於帳下紹問何人公孫瓚曰此
玄德之弟關羽也紹曰現居何職瓚曰跟隨玄德充馬弓手袁術
大喝曰汝欺吾衆諸侯無大將耶量一弓手安敢亂言與我亂棒
打出曹操急止之曰公路息怒此人既出大言必有大勇試教出
馬如其不勝責之未遲紹曰不然使一弓手出戰必被華雄恥笑
操曰據此人一表非俗華雄安知他是弓手關羽曰如不勝請斬
某頭操教釃熱酒一盃與關羽飲了上馬關羽曰酒且斟下去便來
出帳提刀飛身上馬衆諸侯聽得寨外鼓聲大振如天摧山崩衆
皆失驚正欲使人探聽鸞鈴響處馬到中軍雲長手提華雄頭擲
於地上其酒尚溫史官有詩贊曰　威鎮乾坤第一功

轅門畫鼓響鼕鼕　雲長停盞施威武　酒尚溫時斬華雄

衆諸侯皆大喜玄德背後轉出張飛大叫曰俺哥哥殺了華雄不

就這時殺入關去活捉董卓更待何時綽矛欲出搶關畢竟何如

虎牢關三戰呂布

張飛便要上馬袁術大怒喝曰俺是朝廷大臣尚自謙遜量一縣令手下小卒敢在此耀武揚威都與我趕出帳去曹操曰得功者賞何分貴賤袁術曰既然汝等用一縣令我迴避便了操曰豈可以一言而誤大事耶命公孫瓚且帶玄德關張回寨衆官皆散操暗使人齎牛酒來慰三人却說華雄手下敗軍報上關來李肅忙寫文字申聞董卓卓急聚李儒呂布等商議儒曰今折了上將華雄賊勢浩大皆是袁紹爲盟主以聚衆紹叔袁隗見爲太傅倘或裏應外合深爲不便可先除袁隗然後分領大軍剿捕卓然其說喚李傕郭汜領兵五百圍住袁隗家不問老小盡皆誅絕將袁隗頭去關外號令董卓遂起大軍二十萬分兩路而來一路令李傕郭汜領兵五萬把汜水關不要廝殺卓自將十五萬同李儒呂布樊稠張濟取虎牢關（此關被這兩關夾[illegible]離洛陽五十里[illegible]）卓兵至到關上令呂布領兵三萬去關前扎住大寨卓自屯關上流星馬探聽得報入袁紹大寨來紹

呂布刺方

悅于馬下

聚衆商議操曰董賊屯兵虎牢關截俺諸侯中路分其形勢可當兵一半迎敵紹乃分王匡喬瑁鮑信袁遺孔融張揚陶謙公孫瓚八路諸侯往虎牢關迎敵操引一枝往來救應使八路諸侯知會各自起軍河內太守王匡引兵先到呂布聽得有軍來欣然上馬領精兵三千飛奔來迎王匡列成陣勢勒馬門旗下看見呂布出陣頭戴嵌寶束髮金冠体掛西川紅錦百花戰袍身披獅子吞頭連環鎧甲腰繫縧蠻帶帶猊寶刀手提畫桿方天戟坐下嘶風赤兎馬往來驅驟王匡見了心中惶惶回頭問曰誰敢出戰陣中一將縱馬挺鎗而出匡視之乃河內名將方悅兩騎相交戰無五合被呂布一戟刺于馬下王匡便勒馬入陣呂布挺戟直衝過來匡軍大潰四散奔走布往陣中如入無人之境背後喬瑁袁遺一軍皆至來救王匡呂布方退三處各折人馬退三十里下寨八路軍馬都到一處商議言呂布英雄無人可敵已憂慮間忽報呂布搦戰八路諸侯各自上馬歸本寨盡分八隊布列山前遙望呂布一簇軍馬綉旗招颭先來衝陣張楊陣中首將穆順挺鎗去迎呂布[illegible]

起一戟刺穆順於馬下八路諸侯心膽俱裂北海太守孔融部將武安國驟馬出曰吾受文舉十年大恩何不以死報之撣五十斤鐵鎚飛馬而出呂布揮戟抱馬而來與安國戰到十合布一戟刺着安國手腕安國棄鎚於地而走八路諸侯一齊吶喊呂布迴衝公孫瓚軍瓚掉鐵鎗直迎呂布布揮畫戟來戰兩合瓚奔回馬落慌而走呂布驟赤兎馬趕來那馬日行千里飛走如風看看趕上公孫瓚將畫戟望瓚後心便刺傍邊一將圓環眼倒豎虎鬚挺丈八蛇矛飛馬大叫三姓家奴休走燕人張飛在此呂布棄了公孫瓚便戰張飛二將撤神威鬬戰呂布八路諸侯一齊吶喊關雲長見張飛鎗法漸漸散亂呂布越添精神張飛性起大喊一聲八路諸侯見張飛戰住呂布行往陣勢出馬在門旗下看兩將戰到五十合不分勝負雲長把馬一拍舞八十二斤青龍刀來戰呂布三疋馬丁字廝殺又戰到三十合兩員將戰不過呂布劉玄德看了心中暗想我不下手等待何時掣雙股劍驟黃鬃馬刺斜裏便砍呂布三個圍住呂布轉燈兒般廝殺八路人馬

呂布拖戟

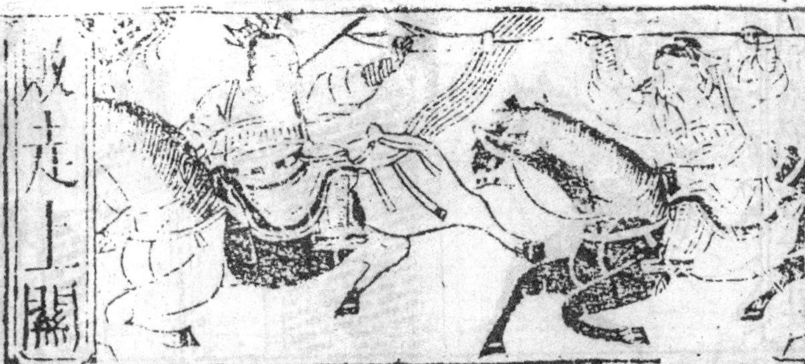

敗走上關

都看得呆了呂布架隔遮攔不住倒拖畫戟飛馬便走三箇那裏肯捨拍馬趕來八路軍兵喊聲大震一齊掩殺呂布軍馬望關上奔走玄德關張死隨定呂布古人曾有篇古風單道著玄德關張三戰呂布之處詩曰

漢室天數當桓靈　炎炎紅日將西傾　奸臣董卓廢少帝
劉協懦弱魂夢驚　曹操移檄傳天下　諸侯各路皆起兵
議立袁紹爲盟主　誓扶王室定太平　溫侯呂布世無比
雄才四海誇英偉　護軀銀鎧砌龍鱗　束髮金冠簪雉尾
參差寶帶獸平吞　錯落錦袍飛鳳起　龍駒跳踏起天風
畫戟熒煌射秋水　出關搦戰誰敢當　諸侯膽裂心惶惶
踴出燕人張翼德　手持蛇矛丈八鎗　虎鬚倒豎翻金線
環眼圓睜起電光　酣戰未能分勝負　陣前惱起關雲長
青龍寶刀燦霜雪　鸚鵡戰袍飛蛺蝶　馬蹄到處鬼神嚎
目前一怒應流血　梟雄玄德掣雙鋒　抖擻天威施勇烈
三人圍繞戰多時　遮攔架隔無休歇　喊聲震動天地翻
殺氣迷漫牛斗寒

張飛欲上

關擒董卓

呂布力窮尋走路　遥望家山拍馬還　倒拖畫桿方天戟
亂散銷金五色旛　頓斷絨縧回赤馬　翻身飛上虎牢關
玄德關張直趕呂布到關下張飛擡頭見山関上面風颭動青羅
傘蓋張飛大叫関上必是董卓擒呂布何足為慮不如先拿
董賊便是斬草除根拍馬上関來擒董卓畢竟如何

　董卓火燒長樂宮

張飛拍馬走到關下關上矢石如雨遂不能進八路諸侯共請玄
德關張賀功報入袁紹帳中紹大喜遂移檄孫堅令急進兵堅連
夜引程普等直到袁術寨中相見按劍畫地曰董卓與我無仇今
憤不顧身冒矢石而決戰者上為國家討賊下為將軍家門報仇
將軍却聽讒言不付糧草致令取敗將軍何安術惶恐遂斬進讒
言之人以謝孫堅正飲酒間人報堅曰關上有兩騎馬至寨中要
見將軍堅辭術回寨喚來問時乃是董卓愛將李傕堅曰汝來何
為傕曰丞相所敬者惟將軍耳今特使傕來議親事丞相有女欲
配將軍之子但有宗族子弟盡令保上皆為郡守刺史庶幾不失

李傕說卓　遷都長安

人才堅大怒曰董卓逆天無道蕩覆王室吾欲盡夷九族以謝天下則吾安肯與逆賊結親也吾不斬汝當速去獻關備若遲悞粉骨碎身李傕抱頭鼠竄回見董卓說孫堅如此無禮李儒曰今溫侯新敗兵無戰心不若引兵回洛陽遷帝于長安以應讖謡近日街市童謡曰東頭一箇漢西頭一箇漢鹿走入長安方可無斯難此言正應丞相旺在長安臣思之西頭一箇漢乃應漢祖旺於一西都長安一十二帝東頭一箇漢乃應光武旺於東都洛陽亦一十二帝天運合回丞相遷都長安方可無虞矣董卓大喜遂引呂布星夜回洛陽商議遷都聚文武於朝卓曰漢室東都二百餘年氣數已衰吾觀氣色在長安吾欲奉鑾輿西幸汝等各宜促裝司徒楊彪曰關中殘破零落無故捐宗廟棄皇陵恐百姓驚動天下動之甚易安之甚難望丞相鑒察卓怒曰汝欲阻國家之大計耶太尉黃琬出曰楊司徒之言是也往者王莽篡逆更始赤眉之時焚燒長安盡為瓦礫之地更兼人民流移百無一二今棄宮室而就荒地非所宜也卓曰關東賊起天下播亂長安有崤函之險更兼

眾將諫卓

不可遷都

隴右木石磚瓦廣有不須一月可成宮室官府汝等再休亂言司空荀爽諫曰丞相若遷都百姓皆危矣董卓大怒曰吾爲天下之計豈惜小民哉荀爽曰民爲邦本本固邦寧若使遷都民不聊生天下亦危卓曰亂道即日罷黃琬楊彪荀爽爲庶民卓出上車一人跪于車前尚書周毖校尉伍瓊卓問有何事毖曰今聞丞相欲遷長安故來諫耳卓大怒曰我始聽汝二人保用袁紹今日反者皆是汝等一黨若不斬絕必生後患命武士推出都門斬首自此莫不垂淚李儒曰今錢糧缺少洛陽富戶極多若是袁紹等宗黨今若抄估其家必得巨萬卓大喜即差鐵騎五千遍拿洛陽富戶頭上插旗上寫反臣逆黨殺千家盡斬於城外取其家貲獲不分俵與軍一邊着李傕郭汜盡驅洛陽之民數百萬口前赴長安每隊間軍一隊互相拖押死於溝壑者不可勝數又縱軍士淫人妻女奪人糧食號哭之聲震動天地有起身遲者斬於火焚居民房屋盡燬帝并皇族上車縱火燒宗廟官府長樂宮庭盡爲焦土又差呂布發掘先帝并后妃陵寢取其金寶軍士乘勢掘取官民

曹操引兵

追趕董卓

寶緣董卓裝載金銀玩好之物數千餘車徑長安去了守隘將趙岑獻了汜水關孫堅驅兵先入洛陽玄德關張殺入虎牢關眾諸侯各引兵入先說孫堅飛奔洛陽遙望火光連天黑雲鋪地二三百里並無雞犬之類堅先救宮中火眾諸侯都到各於荒地屯住軍馬曹操詣袁紹曰今董賊西去正可乘勢追趕本初按兵不動何也紹曰諸軍疲乏進之無益操曰董賊焚燒宮室劫遷天子宇內振動莫知所歸此天亡之時也一戰天下定矣諸侯何疑而不進紹曰諸侯皆言不可輕動曹操大怒曰豎子不足與謀乃自引兵萬餘并夏侯惇夏侯淵曹仁曹洪李典樂進星夜進發來追董卓卓走行之間滎陽太守徐榮引軍出接李儒曰丞相新棄洛陽防有追者可交徐榮屯於滎陽城外山塢之傍若有追兵放將過來待我這里截住掩殺令後來者不敢望長安卓喜賞賜徐榮便令伏兵又令呂布引精兵斷後正行之間曹操一軍看看趕上呂布笑曰不出李儒所料也將人馬擺開曹操出馬大叫逆賊好生劫天子百姓呂布笑曰背主懦夫豈足為道夏侯惇挺鎗躍馬

衝出呂布與惇戰不數合李傕令一軍從側邊殺來操急令夏侯淵迎敵西邊喊起來郭汜又引軍殺到操急令曹仁迎敵三路軍馬勢不可當夏侯惇抵敵呂布不住飛馬同陣呂布引鐵騎掩殺操軍大敗連夜走滎陽敗殘軍馬各自逃生部從聚得四五千人衆將都到呂布軍不趕操軍就荒山脚下造飯時約一更月明如晝軍士尚未得飯山邊四面喊聲大起徐榮伏軍盡出曹操急上馬奪路而走轉過山坡正撞徐榮被榮一箭射中曹操肩背曹操帶箭逃命轉過草坡兩箇伏在草中見操馬來二鎗齊發曹操翻身落馬〻中二鎗死倒二卒擒住曹操揪下草坡正危急間忽見曹洪躍馬而到兩刀砍死兩個步軍扶起操將箭瘡痛裂昏倒在地操曰吾死於此矣弟可速去洪曰主公上馬洪願步行操曰賊兵趕上汝將奈何洪曰寧可無洪不可無主公操曰吾若再生皆汝之力也洪脫去衣甲拖刀跟曹操赴馬走約四更將分後面喊聲不絕人喊趕來曹操與洪正走前面一條大河後面追兵漸近操曰命已至此不可復活洪曰主公下馬脫去袍鎧洪負主公渡

水洪皆着曹操慌過大河已得上岸後軍已到隔河放箭洪扶操
帶水而走方始天晚約走二十餘里土岡下只聽喊聲起處[illegible]
從上流頭渡河一彪人馬趕來不知曹操性命如何

袁紹孫堅奪玉璽

徐榮趕到正待要擒曹操夏侯惇夏侯淵引數十騎到大喝勿傷
吾主徐榮挺鎗來迎夏侯惇交馬數合惇刺殺徐榮於馬下殺散
餘兵隨後曹仁李典樂進各引軍尋到見了曹操一憂一喜同回
河內再聚軍馬卓軍自往長安却說衆諸侯分屯洛陽孫堅救滅
宮中火焰屯兵於宮內堅扎住帳房於建章殿基上堅令軍
士掃除宮庭瓦礫但是卓開掘陵寢盡皆閉塞於太廟基上草創殿
宇三間令諸侯立列代神位宰太牢祀之祭畢皆散是夜星月光
輝皎堅按劍露坐於建章殿階下仰觀天文見紫微垣
中白氣漫漫堅歎曰帝星不明賊臣亂國萬民塗炭京城一空言
訖淚如雨下有軍士指曰殿南有五色毫光上衝天道堅看之果
見五色毫光照人眼目下指尋之見毫光起於井中堅喚軍士點

堅令軍士 入井取璽

起火把下井打撈撈起一婦人尸首雖久其尸不爛宮樣粧束項
下帶一錦囊用紫線繫祇取開看時內有硃紅小匣鎖開
金鎖見一玉璽方圓四寸上鐫五龍交紐傍缺一角以黃金鑲之
上有篆文八字云受命於天既壽永昌堅得璽乃問程普普曰此
傳國璽也此璽是春秋時楚人卞和於荊山之下見鳳凰棲於石
上載而進之楚王解之果得玉秦始皇二十六年令良工琢為玉璽
李斯篆八字於其上云受命於天既壽永昌名曰傳國璽始皇巡
狩至洞庭湖風浪大作舟船將覆始皇急投玉璽於水風平浪靜
至三十六年始皇巡狩至華陰有人持璽遮道與從者曰持此還
祖龍言訖不見此璽復歸于秦始皇崩子嬰將璽獻於漢高祖後
至王莽篡逆元后丟印於井欄上去其一角以金鑲之光武得此
寶於宜陽傳位至今近聞十常侍作亂劫少帝出北邙回宮失此
寶今天授主公必有登九五之分此處不可久留宜速回江東別
圖大事堅曰吾足知此寶正須汝合來日詐疾辭眾回軍商議已
定令勿泄漏如違者斬數中一軍是袁紹鄉里無由進身連夜偷

孫堅辭袁紹

二人相併

出營寨來報袁紹紹厚賜留之次日孫堅來辭袁紹曰堅抱小疾回長沙調養特來辭公紹笑曰吾知汝疾乃害傳國璽耳堅失色曰本初何故出此言紹曰今舉義兵討賊爲漢朝天下玉璽乃天子之寶既獲得當對眾諸侯留於盟主之處候誅了董卓復歸朝廷汝何匿之而歸必思反耶堅曰寶何在吾處紹曰建章殿井中之物何在堅曰吾本無之汝來逼我將欲反耶紹曰早將出來免致生禍堅指天誓曰吾若果得玉璽不將出來令吾使於刀箭之下眾諸侯曰文臺如此說誓想必無此事紹喚軍人出曰打撈之時有此人堅大怒拔劍立斬軍人紹曰你斬軍人乃欺我也紹亦拔劍來殺孫堅堅掣劍迎之紹背後顏良文丑拔劍相助堅後程普黃蓋韓當掣刀在手眾諸侯一齊攔住曹操曰相勸解此等大事人義今當同仇相併則眾人勢離孫堅上馬回寨收拾拔寨離洛陽而去袁紹聞知大怒曰得寶而去將欲自歸耶遂寫書一封差人連夜送與荊州刺史劉表交就路上截而奪之比及差人起程人報曹操追董卓滎陽大敗而回紹令

蒯越蔡瑁

孫堅[illegible]

人迎操會衆諸侯置酒與操解悶操於席上言曰吾興大義爲國除賊諸君既仗義而來吾始欲使勃海引河內之衆臨孟津酸棗諸將固守成臯據敖倉塞轘轅太谷制其險要袁將軍率南陽之兵屯丹析入武關以震三輔深溝高壘勿與賊戰益爲疑兵示天下形勢以順誅逆可立定也今持疑不進大失天下之望竊爲將軍耻之紹等無言可對既而宴罷操見紹等各懷異心料不成事自引軍投揚州去了公孫瓚與玄德曰袁紹無能爲也久必有變吾等且歸遂拔寨北行到平原縣令玄德爲平原相自回北地兗州刺史劉岱問東郡太守喬瑁借糧瑁推辭不與岱引軍突入瑁營殺了喬瑁盡降其衆袁紹見衆人各自分散紹亦引軍拔寨離洛陽投關東去了却說荊州刺史劉表字景升山陽高平人也[illegible]

[illegible]當時看了袁紹書說孫堅[illegible]其路而奪之[illegible]表令蒯越蔡瑁[illegible]

[illegible]孫堅[illegible]

覓元出處爲璽[illegible]開口劉表使[illegible]將[illegible]斷路越曰汝從漢
傳國璽而歸淡出留下堅怒曰汝何人敢來攔截諸本是黃蓋挺
鎗便出蔡瑁舞刀相迎戰到數合黃蓋提鞭將蔡瑁後面護心鏡打
缺一半瑁撥回馬走孫堅乘勢殺過界口山後轉出劉表孫堅就
馬上施禮曰景升何故信袁紹之書相逼迫之久劉表曰汝匿
傳國寶將欲反漢耶堅曰吾若有此物死於刀箭之下表曰汝若
要吾准信將隨軍行李任吾搜之堅曰汝有何能敢小覷我拍馬
衝進劉表便退堅趕去黃昏左側兩山後伏兵齊起背後蒯越蔡
瑁趕來將孫堅圍在垓心未知性命若何且聽下卷分解

趙子龍盤河大戰

却說孫堅當晚被表圍住得程普韓當黃蓋死戰得脫折兵大半孫堅連夜奔回江東劉表回書報紹自此孫堅與袁結冤却說袁紹屯兵河內缺糧食冀州牧韓馥遣人送糧給之逢紀說紹曰大丈夫縱橫天下何待人送糧冀州錢糧廣盛將軍何不取之紹曰未有良策紀曰可暗使人持書與公孫瓚令瓚進兵取冀州韓馥無謀之輩必請將軍領州事就中取事唾手可得紹大喜即發書與瓚約取冀州平分瓚喜即日興兵紹又令人報韓馥馥荒聚荀諶郭圖商議荀諶曰公孫瓚率燕代之衆長驅而來其鋒難當兼有劉備關張之助冀州指日休矣今袁本初智勇過人名將極廣乃當世之豪傑也將軍可請本初同治州事彼必厚待將軍覷公孫如兒戲耳韓馥即差別駕關紀去請袁紹長史耿武諫曰袁紹乃孤客窮軍仰我鼻息譬如嬰孩在股掌之上絕其乳哺可立餓殺奈何欲以州事委之此謂引虎入羊群耳馥曰吾乃袁氏故

顏良進兵　丑斬耿武

才德又不如本初古人尚擇賢者而讓位諸君何嫉妬焉眾皆
曰冀州依舊職而去者三十餘人獨耿武關紀伏於城外以待
袁紹數日紹至二人拔刀而出欲殺袁紹紹將顏良斬耿武文
丑斫死關紀紹入冀州以馥爲奮威將軍安民用賢以田豐沮受
許攸逢紀分掌軍務盡奪韓馥之權馥欲悔之手下無一人矣紹
兼老小單馬投陳留太守張邈公孫瓚知袁紹已得冀州遣弟公
孫越來見袁紹說分土地紹曰可請汝兄自來吾別有商議越辭
歸行到五十里道傍湧出一彪人馬稱是董丞相家將亂箭射死
公孫越越從人逃回見瓚道越已死瓚大怒曰汝教我起兵攻韓
馥汝就裏取事今又詐作董卓家將射死吾弟此冤如何不報遂
起本部兵馬殺奔冀州來紹知其來亦引軍出迎二人會於盤河
之上紹軍河東瓚軍橋西瓚攔立馬於橋上大呼曰背義之徒
如何不見紹亦乘馬至橋指瓚曰韓馥無才將冀州讓吾汝何不
平耶瓚曰昔日洛陽以汝忠義推爲盟主今之所爲此狗彘也尚
有何面目立於人世耶紹大怒令文醜出戰公孫瓚與文醜戰

子龍遇

救公孫瓚

十合瓚大敗走入陣文丑追趕過橋跑入陣中往來衝突殺倒
將四員接戰被文丑鎗刺一將落馬三將奔走公孫瓚望山谷而
逃文丑驟馬厲聲高叫快下馬受降瓚披髮縱馬轉過草坡其馬
失蹄瓚墜於馬下文丑急撚鎗來忽草坡左側轉出一將身無鎧
甲拍馬拈鎗直取文丑公孫瓚得脫扒上坡去看那少年與文丑
戰到五六十合勝負未分瓚部下救軍已到文丑撥馬去了那少
年也不去趕公孫瓚忙下坡問曰將軍姓甚名誰其人曰某常山
真定人也姓趙名雲字子龍瓚曰公自何來救我一命雲曰某本
袁紹轄下之人今見袁紹無匡救之才特來相投不期於此相見
瓚曰聞貴州之人皆願傾心以投袁紹公何獨回心向某也雲曰
方今天下洶洶民在倒懸雲願從仁義之主以安天下瓚大喜遂
同雲歸寨整頓甲兵次日分色白馬二千疋哨到界橋紹退二十
里扎住寨瓚分大隊步兵二萬餘盡過界橋布成陣勢瓚將馬軍分
作兩隊列於步軍之側勢如兩翼左右馬五千疋多半皆是白馬
後考瓚多與羌胡戰盡選白馬為先鋒號為白馬義兵羌胡但見白馬便走因此白馬故多紹令顏良文

丑爲先鋒各引弓弩手一千分作左右又令麴義引弓手八百步兵一萬五千列於陣中袁紹自引兵數萬於後接應瓚初得趙雲未知心腹令其另引一軍在後瓚遣大將嚴綱爲先鋒瓚自引中軍立於橋上豎大紅綉金帥字旗於馬前從辰時擂鼓到巳紹軍不進麴義號令弓弩手皆坐於遮箭牌下令其勿動嚴綱鼓噪納喊直取麴義中軍義見綱軍到一聲砲響八百弓弩齊發綱急待回麴義勸馬舞刀斬嚴綱於馬下瓚軍大潰左右欲救被顏良文丑軍一齊射住中軍並起直殺到界橋邊麴義馬到先斬把橋將砍倒紅綉旗公孫瓚戰麴義不退回馬下橋而走麴義引軍直趕到後軍被趙雲一鎗刺麴義於馬下趙雲一騎飛入麴義軍中左衝右突如入無人之境公孫瓚復引軍殺回紹軍大敗東西亂竄趙雲在前公孫瓚在後殺入寨來紹正與田豐在馬上呵呵大笑公孫瓚無謀之輩正逢趙雲衝到面前田豐荒對紹曰矢石如雨主公宜於空牆中躲避紹以兜鍪撲地大呼曰大丈夫願臨陣鬪死豈可入牆中而求活乎於是眾軍聞言齊心並[illegible]回雲[illegible]不入

後面袁紹大隊掩至瓚急召雲回陣左顏良右文丑中袁紹三路
併殺趙雲保瓚殺透重圍復到界橋紹驅兵趕過界橋瓚兵落水
死者不計其數袁紹追瓚過橋將到五里山背後閃出一彪人馬
飛奔而來大喝曰吾乃平原劉玄德探知故友與你相爭特同二
弟前來助戰袁紹聞言驚得魂飛天外寶刀絲韁盡皆墜脫而逃

孫堅跨江戰劉表

衆將死救袁紹去了公孫瓚收軍歸寨玄德關張動問了畢瓚曰
若非玄德救助幾乎狼狽交與趙雲相見玄德甚相愛敬便有不
捨之意却說袁紹輸了一陣堅守不出兩軍相拒月餘有人至長
安報說此事李儒來見董卓曰袁紹與公孫瓚皆當今豪傑見在
盤河斷殺宜假天子詔差人往和解之二人感德必順太師矣卓
曰善衆老拔卓自回長安師稱太師位居諸侯王之上出入乘金花皂蓋車卓次日奏知天子便
差太僕馬日磾太僕卿趙岐齎詔往關東來飛馬報知袁紹紹出
迎於百里再拜奉詔次日紹移書告瓚瓚回書曰朝廷既差馬太
傅趙太僕代我兩家和解各天幸也紹得書大喜次日馬趙二人

到瓚營又還數日而回瓚奏玄德爲平原相朝廷准奏瓚班師回
趙雲與玄德別雲嘆曰某前日謂公孫瓚乃當世英雄今觀所爲
袁紹等耳玄德曰將軍且堅心事之相見有日洒淚而別却說袁
術在南陽聞袁紹新得冀州遣一使特來求馬千疋紹不與一疋
術大怒自此兄弟不睦又遣一使往荊州問劉表借糧二十萬斛
表亦不與一粒術恨之乃密遣人謂孫堅曰昔日奪印截路乃吾兄
袁紹之謀也今紹又與表相議起兵襲取江東吾甚不忍焉公可速
興兵取荊州吾當與汝夾攻劉表二仇可復汝得荊州吾取冀州
也切勿遲悞堅得書曰叵耐劉表昔日斷吾歸路今不乘時報恨
又待何年聚帳下程普黃蓋韓當等相議程普曰袁術多詐言不
可信吾欲報仇豈望袁紹相助乎於是黃蓋先來江邊安排戰船
五百餘隻多裝軍器糧草尅日興師江中細作探知來報劉表表大
驚聚文武商議曰今孫堅起兵欲報舊恨奈何謀士蒯良曰不必
憂慮可令黃祖部領江夏之兵爲前驅主公率荊襄之衆作後援
堅跨江涉湖而來安能用武乎表然其言令黃祖設備

弩射孫堅

便起大軍。却說孫堅臨登程，其弟孫靜引諸子列於馬前而諫曰：今董卓專權，天子懦弱，海內大亂，各霸一方。江東方始稍寧，以小恨而起重兵，非所宜也。願兄詳之。堅曰：非汝所知也。吾誓縱橫天下，濟世安民，有仇不報，豈可坐守而待死乎？遂不聽諫。長子孫策願隨父同往。堅曰：此子自幼英氣過人，可隨我。引兵，權與翊保守江東，帶策上船，前奔樊城。【參考】孫堅有四子，皆是吳夫人所生。長子名策，字伯符；次子名權，字仲謀；三子名翊，字叔弼；四子名匡，字季佐。吳夫人之妹爲孫堅次妻，亦生一男一女：男名朗，字早安；女名仁。堅又過俞氏，一子名韶，字公禮。孫弟名靜，字幼臺。却說黃祖領弓弩手伏在江邊，布精兵爲後。祖見船傍岸，亂箭俱發。堅令諸軍不可妄發一箭，只伏於船中，來往誘之。一連三日，黃祖軍中箭皆放盡，孫堅所得之箭十餘萬。當日正值順風，堅令衆軍一齊發箭，岸上支吾不住。程普、黃蓋分左右直入黃營，於中殺進，三面夾攻，祖兵大敗，棄樊口，走往鄧城。堅令黃蓋守住船隻，大軍望鄧城進發。黃祖引軍出迎，孫堅引衆將出門旗之下。當日孫策提鎗立馬於父之側。黃祖令張虎、陳生出馬。【參考】張虎，江夏人；陳生，襄陽人。這二人當初亦在江夏，後降劉表，表以爲上將。張虎手撚鋼叉而出，堅回頭

孫堅令程普戰蔡瑁

曰誰斬此賊韓當應聲而出兩馬相交戰三十餘合勝負未分陳生見張虎力怯飛馬挺鎗出陣孫策在後傍望見扯弓搭箭射中陳生面門應弦落馬張虎見陳生墜地措手不及被韓當一刀削去半箇天靈程普縱馬直來陣內捉黃祖祖棄却頭盔戰馬雜於步軍內逃生孫堅掩殺敗軍直至漢水之上一面教黃蓋船隻放入漢江黃祖敗見劉表說孫堅勇猛勢不可當表慌請蒯良商議良曰黃祖兵敗挫動銳氣兵無戰心只可深溝高壘以避其鋒潛地令人求救於袁紹此圍可解蔡瑁曰子柔(蒯良字)之言非也兵臨城下豈可束手而待死某雖不才願請一軍出戰劉表許之蔡瑁引軍離城列於峴山之下孫堅長驅而進蔡瑁出馬堅令程普迎敵蔡瑁與普交戰數合瑁大敗而走堅驅兵殺進蔡瑁逃入襄陽蒯良言瑁不聽良策以致大敗按軍法當斬劉表以新娶其妹不肯加刑人報孫堅圍定襄陽蒯良令緊守城池焉告急文書令人去投袁紹却說孫堅打城數日不下忽一日狂風驟起將軍中帥字旗竿吹折程普逕到帳中見堅言曰當此帥字旗竿吹折

呂公領計

埋伏山林

於軍不利可以班師堅怒曰吾累戰累勝取襄陽只在旦夕豈可因風吹斷旗竿而罷兵耶韓當曰此旗乃軍之主亦不可輕易堅曰風乃天地呼吸之氣方今隆冬朔風暴起折斷旗竿何足為怪吾平生用兵不信此等異事只理攻城蒯良入對劉表曰吾夜觀星象見一將星欲墜地以分野度之必應孫堅身上表紹書已寫就王公問誰敢突圍而出表問之健將呂公出曰吾願往良曰汝既敢去可多帶馬軍能射者直奔峴山若有人來趕汝可分百人上山尋石準備百人帶弓弩伏於林中但有追兵到時不可逕走迤邐引到埋伏之處矢石俱發若能取勝放起連珠砲城中便出接應如無追兵不可放砲趲程而去呂公聽計拴束軍馬良調遣四門總號接應當夜黃昏時分開東門放呂公人馬出城孫堅在帳中聞喊聲急上馬領三十餘騎趕到東南角上問軍士說有一彪人馬殺奔峴山而去堅不報諸將自引三十騎趕來呂公已於山林叢雜去處上下埋伏堅馬快單騎獨出望前軍不遠堅大叫休走呂公勒馬來戰詐敗入山堅拍馬追趕只見山上石子亂下

孫堅峴山

林中亂箭俱發堅體中箭腦漿迸流人馬皆死於峴山之下壽考孫堅時年三十七歲時漢獻帝初平三年辛未十一月初七日也呂公放起連珠號砲城中黃祖蒯越蔡瑁各引兵殺入江東寨內諸軍大亂黃蓋聽得喊殺大振引水軍殺來正迎黃祖交馬兩合生擒黃祖過去程普保着孫策正逢呂公程普縱馬挺鎗刺呂公於馬下兩軍戰至天明各自收軍孫策至漢水方知父被亂箭射死屍首被劉表軍士擡入城請賞孫策痛哭幾絕諸將悲號策曰父屍在於彼處安得回鄉殯塟黃蓋曰今已活捉黃祖在此若得一人去說將黃祖換主公屍首可也言未畢軍吏桓階出曰某與劉表有一面之舊願令便行策令桓階上馬階到城見劉表具說其事表云屍首吾已用棺木盛貯在此可速放黃祖還吾各各罷兵再休侵犯桓階拜謝欲行蒯良出曰可斬桓階吾用一計令江東諸軍片甲不回

司徒王允說貂蟬

劉表問計何如蒯良曰方今孫堅已喪江東無毛堅子皆幼不能為事可乘此時大進軍兵江東一鼓可得若[illegible]

蔡邕當面言諂

言諂董卓

養成氣力荊州之大患也表曰吾有黃祖在彼營中安忍棄之

曰捨一無謀之輩而取萬重之士此大丈夫之所爲也表曰吾與黃祖心腹之交捨之不義遂將孫堅之屍換回黃祖孫策迎接靈柩罷孝回江東葬父於曲河之原錄歸江東招賢納士四方賢士漸漸投之却說董卓聞孫堅已死喜曰吾心腹一患已除也自此董卓自號尚父出入僭天子儀仗封弟董旻爲左將軍鄠侯兄子董璜爲侍中總領禁軍不問宗族長幼皆封列侯受金紫或差二十五路人夫築郿塢與長安城郭一般周圍九里[illegible]（按郿塢距長安二百六十里內蓋宮室倉庫屯積二十年糧食選民間美貌女子二十以下者八百人充作婢妾堆金積玉綵帛珍珠不知其數卓嘗曰吾事成當雄據天下不成守此足以養老）省臺公卿但見卓出皆拜於車下朝廷大臣蔡邕委用（此乃蔡邕之薦也）一日御史中丞皇甫嵩拜卓卓曰義真今日伏我乎（嵩字義真）嵩曰安知明公位至於此卓曰鴻鵠固有遠志但燕雀自不知耳嵩曰昔日嵩與明公皆是鴻鵠不意明公變爲鳳凰耳卓大笑曰義真伏我乎嵩曰明公所爲天下皆懼豈獨嵩乎卓家屬在郿塢或回之時公卿皆拜送於橫門之外於路大施帳幔

筵席上董

卓殺張溫

與公卿聚飲一日北地招安降士數百人到卓令將降士列於座前或斷其手足或鑿去眼睛或斷其舌以大鍋煮之皆未死於卓几前反覆掙命百官戰慄卓談笑自若百官告散卓曰吾發反心者何怕之有數日太史院奏卓曰昨夜觀氣中天三台大臣有災卓於省臺大會百官酒至數巡呂布逕入卓耳邊言不數句卓嘆曰原來如此即命於座上腦揪司空張溫下堂百官失色卓曰太史昨言大臣有災原來應在此人身上不多時侍從將盤托張溫頭入獻卓令呂布勸酒毋一人面前將頭呈過百官面面相覷卓笑曰諸君勿驚張溫結連袁術欲圖害我使人將書錯下在吾兒奉先處吾故斬之汝等頗吾吾不相害眾官唯唯而散司徒王允回府尋（字子師太原祁人[illegible]）思席間之事行坐不安步入後園仰天垂淚立於荼蘼架側[illegible]沉吟忽聞有人在牡丹亭畔長吁短嘆允潛步窺之乃府中歌伎美女貂蟬也〔[illegible]考〕（按貂蟬自幼選入允家允見其聰[illegible]教以歌舞吹彈[illegible]）（不知[illegible]二十[illegible]）允聽良久大喝曰賤人有私情耶貂蟬大驚跪於允前曰賤妾安敢有慕私情允曰汝不慕私情何荼蘼在此

王允命貂蟬

貂蟬行計謀

長嘆貂蟬曰容妾伸肺腑之言允曰汝勿隱匿當實告我貂蟬曰
妾賤軀自幼蒙大人恩養作親女相待妾雖粉骨碎身莫報大人之
之德也妾見大人兩眉不展必有國家大事妾今晚又見大人行
坐不安妾故長歎不想大人窺見倘有用妾之處萬死不辭允以
杖擊地曰誰想漢天下却在汝手耶允令貂蟬到閣中允叱去侍
妾交貂蟬端坐允扣頭便拜貂蟬伏地曰大人何故下拜賤妾允
曰汝可憐漢朝天下生靈言訖淚如泉湧貂蟬曰適間賤妾曾言
但有使令萬死不辭允曰百姓有倒懸之急君臣有累卵之危非
汝不能救也貂蟬再三拜問允曰賊臣董卓將欲篡位朝中文武
無計可施董卓有一義兒呂布勇冠三軍董卓恃為手足但二人
皆酒色之徒今欲用連環之計將汝許嫁呂布然後復獻董卓汝
就中間他父子分顏令布殺卓以絕大惡漢室重興皆汝力也不
知汝意何如貂蟬曰大人將妾獻到彼處妾自有道理允曰事若
漏洩我當滅門矣貂蟬曰大人勿憂妾若不報大人厚恩死在萬
刃之下世世不復人身允再拜謝次日王允令匠人將寶珠嵌一

允將貂蟬

許配呂布

金冠遣人密送與呂布布大喜候朝退逕到王允宅致謝允料布必來備酒餚候布果至允接入後堂讓之高坐布曰布乃相府一將佐耳司徒乃朝廷元老何故錯敬允曰方今天下英雄惟將軍耳允非敬將軍職位實敬將軍才德也布大喜曰布早晚皇司徒於天子處保奏允曰將軍言者差矣允望將軍於太師前提携終身不忘大德布大笑暢飲允叱左右皆退只留侍妾數人勸酒允曰喚孩兒出來與將軍把盞少刻二丫環引貂蟬到席前再拜布問何人允曰小女貂蟬也無可以敬將軍當出妻獻子貂蟬與布把盞布目不轉睛允推醉曰孩兒可與將軍痛飲幾盃我一家全靠將軍哩布請貂蟬坐允曰將軍吾之恩人孩兒傍坐無妨蟬飲數盃允大笑曰老夫欲將小女送與將軍爲妾還肯納否布稱謝曰願當犬馬之報允曰早晚選一良辰送至府中布大喜頻以目視貂蟬貂蟬亦以秋波送情允曰本欲留將軍止宿誠恐太師生疑故不敢耳布謝允而回允至夜與貂蟬曰此計若就社稷之福也吾還請太師[illegible]亦以歌舞之貂蟬應諾次日允在朝堂

允命貂蟬

歌舞勸卓

見董卓左右都無呂布亦不在允拜言曰允欲屈太師車騎到舍小酌未知尊意若何卓曰司徒乃國之老臣既然有請來日當赴允歸家畢陳設饌內外各設幃幙次日人報太師來到允具朝服迎入拜於堂下卓命扶上賜坐於側允曰太師盛德伊尹周公莫能及也卓大喜進酒奏樂卓至半酣允請入後堂卓令甲士休進允奉觴稱賀曰允自幼頗習天文夜觀天象漢家氣數已盡太師盛德振於天下當代漢而王以合天心卓曰吾安敢望此允曰自古無德讓有德豈過分乎卓笑曰果天命歸我司徒當為元勳允再拜稱謝堂中點起畫燭允進曰教坊之樂不足供奉鈞顏有草舍女、樂敢承應乎卓曰深感厚意允教放下簾櫳貂蟬於簾外歌曰

原是昭陽宮裏人、驚鴻宛轉掌中身　只疑飛過洞庭春
按徹梁州蓮步穩　好花風裊一枝新　畫堂香暖不勝春

又詩曰、

紅牙催拍燕飛忙　一片行雲到畫堂
眉黛促成遊子恨　臉容初斷故人腸　榆錢不買千金笑
柳帶何須百寶粧　舞罷隔簾偷目送　不知誰是楚襄王

呂布大怒　殺王允

舞罷卓命近前貂蟬入簾內再拜卓曰此女何人允曰樂童貂蟬卓問能唱否允命貂蟬執檀板低謳一曲云

一點櫻桃啟絳唇　兩行碎玉噴陽春　丁香舌吐衠鋼劍　要斬奸邪亂國臣

卓稱賞不已允命貂蟬把盞卓問曰青春幾何貂蟬答曰賤妾整年二旬卓笑曰真神仙中人也允再拜曰老臣欲將此女獻上未審肯容納否卓曰美人見惠何以報德允曰此女得侍太師其福不淺卓曰尚容致謝允見天色已暮令備氈車先送貂蟬到相府允後亦送董卓至府卓命允回離府行不數步遙見呂布半醺半醉正與王允相撞布就馬上一把揪住毛允衣襟手掣寶劍指允言曰汝既以貂蟬許我今又送與太師何相戲耶

鳳儀亭呂布戲貂蟬

呂布怒罵不休王允急止之曰此非說話之處同到草舍敘明布隨允到家坐定允曰將軍何故怪老夫耶布曰有人報我說汝將氈車送一女入府非貂蟬而何允曰將軍元來不知布曰我豈知就裡允曰昨日太師在朝中對老夫道我有一件事明日來我家

呂布入府　竊窺貂蟬

允因此準備小宴等候太師今日到家合飲酒間說道我聞你有一女字貂蟬已許我奉先我恐你不准成特來相問老夫見太師之命怎敢少違隨引貂蟬拜見公公太師曰今日良辰可送在吾府中我明日作一大宴配與奉先以助一笑將軍細思太師親臨老夫安敢阻滯布曰布一時錯見來日自當負荊允曰小女有些粧奩首飾來日何到將軍府下便當送至布謝而去當夜卓娶貂蟬次日至午蟬未起呂布在府前打聽絕不見動靜逕入堂中問諸侍妾侍妾對曰夜來太師與新人共寢至今未起布潛入卓臥房後窺之貂蟬起於窗下梳粧忽見窗外池中照見人影頭戴束髮冠偷眼視之見呂布立於池畔貂蟬蹙雙眉故作憂愁之意復以香羅頻拭淚眼布竊視良久始出忽時未得其實少刻復入卓起坐中堂見布來問曰外面無事乎布曰無事布侍立卓側偷目竊望見繡簾內一人往來須臾微露半面以目送情布知是貂蟬神魂蕩漾卓見布語言不順遂曰奉先無事可退布出心中愈疑到家妻見布情緒不樂問曰你今日莫非被太師所責來布曰太

卓怒呂布　李儒勸解

師安能制伏哉妻不敢開布自此心在貂蟬身上每日逕進府堂不得一見董卓自納貂蟬被色所迷月餘不出理事卓有小疾貂蟬衣不解帶曲意奉承卓心愈喜一日卓睡布立於床前貂蟬於床後探身望布以手指心布以頭點而答之貂蟬又以手指董卓強擦眼淚布心如醉卓朦朧見布動靜回身視之見貂蟬立於屏風後卓大怒叱布曰汝敢窺吾愛姬耶喚左右逐出今後不許入堂布大慚懷恨而歸府中人報與李儒儒忙入見卓曰太師何事責奉先卓曰竊吾愛姬吾故逐之儒曰太師何以小過責溫侯如其心變大事去矣卓曰奈何儒曰來日喚入多賜金帛以好言慰之自然無事卓次日令人喚布入堂卓曰我昨日病中心神恍惚失言責汝汝勿記懷今後休離吾左右隨賜金十斤錦二十疋布曰大人見責何敢恨焉自此再入堂中容無禁忌卓疾愈每日入朝呂布必執戟乘馬前導直至殿前卓帶劍上殿布執戟立於堦下百官拜伏丹墀拱聽約束朝罷布仍持戟乘馬引卓還朝布一日引卓進內堦略立片時見卓與獻帝共談暗召布即提戟上馬

鳳儀亭呂

布戲貂蟬

逕投相府繫馬門傍提戟入尋貂蟬蟬見布來忙曰你可去後園鳳儀亭邊等我我從後來也（卓府後有鳳儀亭之處）布纔提戟逕往亭下良久見貂蟬分花拂柳而來果然如月宮仙子泣謂布曰我雖非王司徒親生女司徒待我如子一見將軍即以妾許配妾平生之願足矣誰想太師起不仁之心將妾淫污恨不得死耳今見將軍表明此心此身既污不可復事英雄願死君前以絕君念言畢手攀曲欄望荷池便跳呂布慌抱住泣曰我知汝心久矣恨不能共語貂蟬曰妾今生不能與君為妻願相期於後世布曰我今生若不能得汝為妻非世之英雄也貂蟬曰妾度日如年願君憐而救之布曰我在內庭偷空而來恐老賊見疑今當速回待我思忖一計共你團圓提戟欲出貂蟬牽其衣曰妾在深閨聞將軍之名如雷灌耳以為當世一人誰想懼怕老賊如此想妾負無見夫面之期矣言訖淚如雨下兩個戀住不忍相離董卓在殿上回顧不見呂布心下甚疑辭帝回府忽門吏曰溫侯何在吏稟曰溫侯入後堂卓入後入後園見布

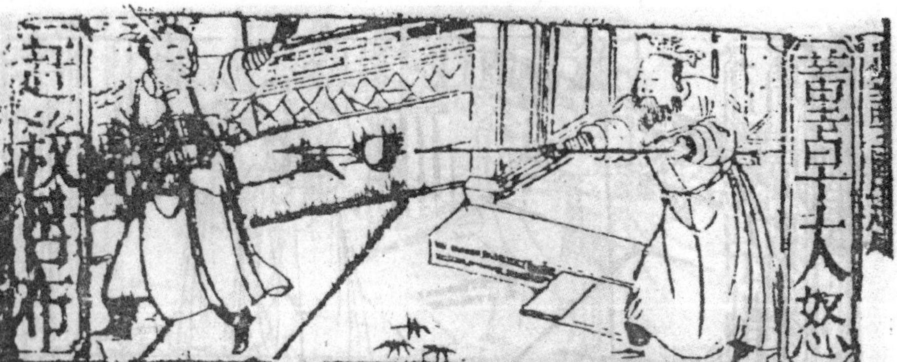

與貂蟬在鳳儀亭下卓走至跟
奪布手中戟呂布便走卓趕來刺不
再趕布已走離五十步卓趕出園門李儒
跌倒在地李儒扶卓起再拜曰儒為社稷計撞倒恩相死罪死罪
補遺按卓奔布擲今儒到府的人言卜太師大怒去尋呂布正與卓撞儒荒入正遇呂布呼曰太師殺我儒急入救此
不知太師何事怒赶溫侯卓曰叵耐逆賊今番又戲吾愛姬吾誓
殺之儒曰恩相錯矣昔日楚莊王夜宴諸侯令愛姬勸酒忽風起
燭滅座下一人手扯愛姬愛姬手絕其人冠上纓告知莊王莊王
曰酒後耳取金盤一面盡絕諸侯纓然後秉燭名其會曰絕纓會
竟不知戲愛姬者何人也後莊王被秦兵圍住見一大將殺入垓
中救出莊王其人身帶重傷王問之其人曰臣蔣雄也昔日絕纓
會上蒙大王不殺之恩故來報答太師何不效絕纓之事就此機
會以貂蟬賜與呂布布必感恩盡命以報太師矣卓回嗔作喜曰
汝可說與呂布吾以貂蟬賜之儒曰昔日漢高祖以黃金二萬斤
賜陳平遂興[illegible][illegible]今日太師所為正類此也儒拜謝而出

是卓大驚
於草中卓拾戟
前來與卓相撞卓

104

卓入命嫁布

貂蟬一不從

王允定計誅董卓

卓見儒出遂入後堂喚貂蟬問曰汝何與呂布私通耶貂蟬曰妾遭溫侯乃太師之子甚相敬重誰想今日提戟入內欲淫姦妾妾正避後園這廝提戟趕到鳳儀亭邊妾欲投荷池而死被他抱住正在生死之間得太師來救了性命卓曰我欲將汝賜與呂布何如貂蟬曰妾身已侍貴人今欲與呂布妾寧死不辱遂掣壁間寶劍欲自刎卓慌奪劍擁抱曰吾戲汝耳貂蟬哭倒卓懷曰此必李儒之計儒與布厚故設此謀卓曰吾安能捨汝耶貂蟬曰只恐太師不與妾為主卓曰吾寧捨命保汝貂蟬曰久居此處必被呂布之害卓曰我明日和你歸郿塢去快樂貂蟬曰可居否卓曰郿塢中有三十年粮食門外列數百萬甲兵成事則汝為貴妃不成則亦為富室之妻也慎勿憂慮貂蟬拜謝次日李儒入見曰今日良辰可將貂蟬送與呂布卓變色曰汝之妻肯送與呂布乎儒曰恩相自酌量卓被婦人所惑卓曰婦人安能惑我切勿多言言則必斬李儒嘆曰我等皆死於婦人之手矣卓命遂出李儒只今收拾軍馬

便還郿塢百官拜送呂布於稠人中眼望氈車貂蟬在車中望見呂布虛掩其面如哭泣之狀布亦緩轡於土岡上望氈車而遠歎卓車從已遠王允至布後拍其背曰溫侯何故發悲耶布曰吾爲公女耳允佯驚曰許多時尚未送與將軍布曰老賊自寵幸已久允掩其面曰禽獸之所爲也布將上項事情逐一告允允曰同到敝處商議布隨允到宅中下馬允引布入於密室置酒相待布怒轉加王允曰太師淫吾之女奪將軍之妻誠爲天下笑端非笑太師笑允與將軍耳允老瘺無能不足道也可憐將軍蓋世之英雄耳布氣倒于地允急救之曰老夫失言將軍息怒布曰誓殺老賊以雪吾恥允急止之曰將軍言勿妄發恐累老夫九族布曰大丈夫生於天地之間豈能鬱鬱久居人下允曰以將軍之才過韓信百倍信尚爲王將軍豈可久作溫侯耶布曰吾欲殺老賊奈是父子之道恐惹人議論允大笑曰將軍自姓呂卓自姓董擲戟之時豈有父子耶布奮然曰非司徒言之則布險被老賊之誤矣允曰將軍匡漢乃忠臣也青史傳名不朽將軍扶卓乃反臣也史官載名

王允[illegible]

議誅董卓

萬代布拜曰布意已決司徒勿疑允曰秖恐事或不成反招大禍布拔刀刺臂出血爲誓允謝曰漢祚得延皆將軍之賜也天子已有明詔將軍懷之勿泄布慨然領諾允即請僕射士孫瑞司隷校尉黄琬商議士孫瑞曰今上有疾新愈可遣一能言者往郿塢請卓議事伏兵於朝門内引入誅之此上策也琬曰何人可去瑞曰布同郡騎都尉李肅近日好生怨卓不陞用今此人去卓必不疑允遂請呂布共議布曰昔日說布殺丁建陽亦此人也今若不去吾先斬之遂使人密請肅至布謂之曰前者兒說布殺丁原而歸董卓今卓不仁上欺天子下虐生靈罪惡貫盈人神共戮汝可傳天子詔往郿塢去宣卓入朝如見司徒伏兵齊下手力扶漢室汝意若何肅曰吾久欲除老賊恨無其耳今天賜也遂折箭爲誓允曰汝若幹成事甚麽官做不得李肅引數騎到郿塢令人入報天子有詔卓召教肅入來李肅入而拜之卓曰天子有甚詔肅曰天子病體新痊欲會文武於未央殿將天下讓與太師故有此詔肅知此事飛馬來賀王上卓曰王允如何肅曰王司徒已差

卓辭母入

長安即位

人俏受禪毫干係僕射已草天詔只等主上到來卓大笑曰吾
夜得一夢一龍罩身今日得此喜報時不可失即命排駕回京臨
曰願主上垂拱萬年肅之子孫亦蒙榮矣卓曰吾若登基汝為執
金吾肅拜謝稱臣卓臨行辭貂蟬曰吾當許汝為貴妃今番定
矣貂蟬拜謝卓入辭母母曰吾兒何往卓曰兒去長安受漢禪
母親早晚為皇太后也母曰我近日骨肉驚恐恐非吉兆卓曰
為萬代之國母豈不預有驚報卓曰吾心腹人所見甚明卓出郿
塢數千軍兵遮擁行至三十里車忽折一輪左右扶卓步行
逍遙王面馬來卓整衣上馬又行不到十餘里馬咆哮嘶吼
轡頭卓問肅曰車折輪馬斷轡若何肅曰應太師紹漢登基而棄
新也卓曰吾心腹人所見極明卓行至次日忽然狂風四起昏霧一
蔽天卓問肅曰此何祥也肅曰主上將登龍位必有紅光紫霧
壯天威耳卓曰吾心腹人所見極明卓至城外百官出迎
琬士孫端淳于瓊皇甫嵩賢伏道拜臣言天子來日會百官
有推戴之議卓令百官回朝卓入朝呂布在

呂布持戟

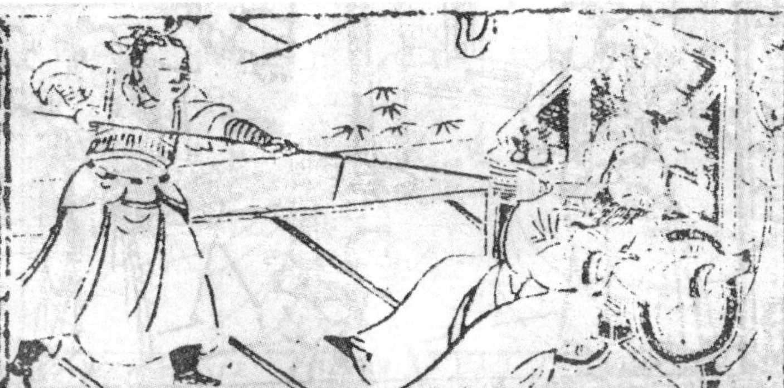

刺死董卓

來日當齋戒沐浴入城以承萬載不磨之業卓曰吾登九五汝當總督天下兵馬布謝就宿帳前是夜聞數十小兒於郊外作歌風吹歌聲入帳歌曰千里草何青青十日卜不生歌罷聲相悲切卓喚李肅問曰童謡主何吉凶肅曰亦只是言劉氏滅董氏興之意卓曰肅之言是也次日清晨擺列入城卓見一道人青袍白巾執一長竿上縛布一丈大書呂字卓問肅曰此道人何意肅曰心狂之人也呼軍士拖之道人倒於地上肅令拖在一壁車進內前群臣各具朝服迎謁於道李肅手執寶劍扶車而行到北掖門軍兵盡當在門外獨有御車二十餘人同入卓見王允士孫端各執寶劍立於殿門卓大驚問肅曰持劍者何意肅含糊應以他事王允大呼曰反賊至此武士何在兩傍轉出百餘人擁戈刺卓不入鎧（恐人暗算常穿細鎧甲兩臂故刺不入）戈傷其臂董卓墮車大呼曰呂布何在布在車後厲聲應曰有詔討賊一戟直透咽喉李肅割頭在手布仗戟執詔大呼曰奉詔討賊臣董卓餘皆不問內外將吏皆稱呼萬歲[illegible]（按卓死時年五十四歲漢獻帝初平三年壬申月二十二日此冊後載董卓日月清爭微風不動）

史官有詩歎曰　董卓遷都蕩主憂　生靈滚滚喪荒坵
大奸斃骨筋猶動　燃臍脂髓血尚流　郿塢追魂慧李肅
宮門聚合有盈笑　奸雄一旦死戈矛下　一直到如今罵不休

又一絕句詩歎云　董卓奸雄古無　豈知天意有榮枯
宮門一怒逆天戮　萬姓歌歡滿道途

康節先生有詩歎曰　董卓無知擅大權　焚燒宮闕廢陵原
兩朝帝主遭磨障　四海生靈盡倒懸　力斬亂臣憑呂布
舌誅逆賊是貂蟬　世間造惡終須報　上有分明不老天

呂布曰卓賊欺君皆李儒也誰可去擒李肅應聲願往忽朝門外報道李儒家奴自已綁儒送來王允曰卓賊家屬俱在郿塢誰去誅殺呂布願往允令皇甫嵩李肅全呂布領兵飛奔郿塢董卓心腹將李傕郭汜張濟樊稠在塢內守把聞卓已死呂布領兵來四個慌忙領軍棄郿塢投西涼州而去呂布到郿塢先取貂蟬送回長安皇甫嵩曰內有八百良家子女驅作一處其餘但是董卓家屬不分老幼盡皆誅斬卓母年九十餘亦出告曰乞饒一命言者

王允設宴　大會群臣

未了頭已落地宗派被誅者一千五百餘人收得塢內所藏金
三萬斤銀九萬斤錦繡綾羅綺玩好之物堆積如山倉厫米粮八百
萬石允令一半納庫一半犒賞軍士號令卓尸於通衢（卓屍肥胖看尸軍士以火置卓臍中以爲燈光明照達旦膏流滿地）百姓過者手擲卓之頭至於粉碎將李
儒綁在市上百姓爭啖其肉內外老幼踴躍歌舞於道男女貧者
盡賣衣貨酒相慶曰我等今後得卧方帖席也卓弟旻兄子璜等
皆懸首於城市但是卓門下阿附者皆下獄死王允會大臣設
太平宴於都堂忽人報曰有一人伏卓尸而哭允大怒曰長安士
庶皆相慶賀是何人敢如此喚武士擒來須臾擒至畢竟是誰人

李傕郭汜寇長安

衆視之大驚乃侍中蔡邕也允叱之曰董卓國賊幾亡漢室汝受
漢重恩不思協力誅賊反傷悼之邕伏罪曰邕雖不智猶識大義
古今安危耳所厭聞豈當背國而向卓也狂贅之詞謬出於口身
雖不忠願黥面刖足繼成漢史滿坐公卿皆惜邕之才盛力救之
太傅馬日磾謂允曰伯喈曠世逸才多識漢事當續成後史爲一

王允令人

捉獲伯皆

代大典且邕忠孝素著若以從罪殺之恐失士望允曰不然昔孝武不殺司馬遷使作謗書留於後世方今國祚中衰戎馬在郊不可令佞臣執筆在幼主左右既無益於聖德復使吾黨蒙其訕議日磾退而言曰王公其無後乎善人國之紀也制作國之典也滅紀廢典其能久乎允不聽遂將邕下獄縊死時士大夫聞邕死識與不識盡皆流涕[illegible]也靜軒有詩歎曰

董卓專權肆不仁　侍中何自竟亡身
當時諸葛隆中卧　安肯偷生事亂臣

却說李傕四人逃居陝州使人上表求赦王允曰卓之跋扈皆此四賊助之大赦天下獨不赦這一枝軍馬使人回報傕曰求赦不得各自逃生謀士賈詡曰諸君若棄軍單行則一亭長能縛君耳不若誘陝西軍士殺入長安與董太師報仇事濟奉國家以攻天下若其不勝走亦未遲傕等遂流言於西州曰王允欲洗淨此方之人人皆信從不及半月聚衆十餘萬分四路殺奔長安路逢卓婿牛輔引兵五千欲爲丈人報仇李傕遂使輔爲前驅[illegible]王允

赤兒殺牛　輔奪金寶

聽知西京兵來請呂布商議布曰司徒放心量此鼠輩何足慮哉
遂引李肅將兵出迎肅曰某願當先討賊呂布令捷之前進至與
牛輔相戰輔敗走肅贏一陣當夜二更牛輔來劫李肅寨肅軍亂
竄敗走三十餘里折軍大半來見呂布布大怒曰汝敢挫吾銳氣
立斬李肅懸頭軍門肅已死三軍畏呂布法嚴皆有變心布自負
其勇輕撻士卒軍心已離次日呂布出戰牛輔大敗而走牛輔喚
心腹人胡赤兒商議曰我素知呂布驍勇必不能敵不如暗藏金
珠棄了敗軍而去胡赤兒應允是夜輔與赤兒隨行三人各帶金
珠棄營而逃將渡一河赤兒欲謀金珠殺死牛輔將頭來獻呂布
從人出首胡赤兒謀殺牛輔奪其金珠布怒將赤兒等盡誅遂引
軍前進正遇李傕軍馬布觀傕等如無物驟馬直衝傕軍大敗退
二十里守住山口請郭汜等商議傕曰呂布雖勇猛却無智謀不
足爲慮我列軍谷口每日誘他厮殺郭汜可引兵抄出布後日夜
攻擊效彭越惱楚之法鳴金進兵擂鼓退兵呂布兩下不能相顧
張濟樊稠却分兵兩路逕取長安呂布首尾救應不迭必然大敗

李傕郭汜

大亂長安

衆用其計却說呂布勒兵到山下李傕引軍下山搦戰布忿怒衝殺過去傕退走上山山上矢石如雨布軍不能進陣後郭汜領兵殺來布急回鼓聲大震汜軍已退鑼聲響處布謂郭汜收軍正欲來與李傕對敵郭汜在背後大刀濶斧殺來呂布回兵來敵汜又擂鼓收軍去了日夜被郭汜在背後惱亂李傕在前面不時撕戰呂布進退不得長安城中飛報呂布曰今有張濟樊稠兩路兵殺到無人可敵布急領軍回背後李傕郭汜殺來布軍多有損傷李郭者因此呂布失勢比及到長安城中四下軍兵圍定曉夜攻打呂布引軍衝出一鼓賊起都從李傕軍中投拜布心甚憂國及十日董卓部下李蒙王方獻了城門四路軍馬一齊擁入呂布左衝右突當攔不住引數百騎驟馬青瑣門外布呼王允曰賊兵勢大急切難敵請司徒上馬同出關去別圖良策允曰若蒙社稷之靈安國家者吾之願也若不獲已則奉身以死朝廷幼主恃我而已臨難苟免吾不爲也努力謝關東諸君以國家爲念布勸王允死不肯去但見各門火焰沖天布帶家小引原騎飛奔投袁術去了李

傕郭汜縱兵殺人放火淫人妻女無所不爲太常种拂、家奴數十人與賊死戰被其射死太僕魯馗大鴻臚周奐城門校尉崔烈越騎校尉王頎皆死於國難賊兵圍繞內庭至急近侍請天子上宣平門止亂李傕郭汜等望見黃蓋與軍士同呼萬歲獻帝倚樓問曰卿兵不候宣詔輒入長安欲何爲也李傕郭汜奏曰董太師乃陛下社稷之臣王允設謀殺之臣等特來報仇非敢造反但見王允臣便退兵王允在帝側聞知奏曰臣本爲社稷之計事已至此臣請見二賊以解國難帝徘徊不忍允自宣平門樓跳下大呼曰王允在此李傕拔劍叱之曰董太師有何罪汝謀殺之允曰董賊之罪彌天亘地受誅之日長安士民皆相慶賀豈得無罪郭汜大怒曰太師有罪我等何罪不蒙赦也將允殺於樓下史官詩贊曰

王允運機籌　奸臣董卓休　心懷安國恨　眉鎖廟堂愁
英氣冲霄漢　忠心貫斗牛　至今魂與魄　猶遶鳳凰樓

王允被害宗族數千人盡斷於市城中老幼知者無不下淚李傕尋思到這裡不殺天子奪取漢朝更待何時二人仗劍欲殺漢帝

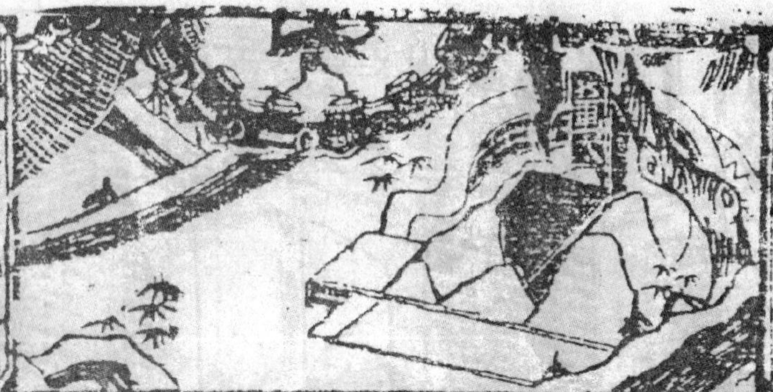

雷震卓墓　開棺見屍

李傕郭汜殺樊稠

張濟樊稠曰今便殺之衆諸侯不服且留爲手腳衆諸侯入關先去手足然後殺之天下自然屬我等也李郭從之按兵不退縱容軍士擄掠帝在樓上謂李郭曰王允已死軍馬如何不退李郭曰雖已報仇未蒙恩赦衍隨降赦軍又不退帝又問李郭曰臣等有力扶漢室未蒙陽爵帝曰任卿所欲何官李傕寫定勤要如此官品帝從之封李傕爲車騎將軍池陽侯領司隸校尉郭汜爲後將軍美陽侯同秉朝政俱假節鉞（假節鉞者即代天子任其行事也）樊稠爲右將軍萬年侯張濟爲驃騎將軍平陽侯領兵屯弘農李蒙王方各爲校尉衆人方始謝恩禁住劫掠李郭尋董卓尸首得些少皮肉用香木雕成卓形大設祭祀倫陳功德盛貝棺槨用王者衣冠還葬郿塢臨葬之夜大雷霹靂震開卓墓提卓尸出棺傍爲粉碎李傕收拾再葬是夜又復如此三葬皆發苴無天地神明乎李郭既掌大權殘害百姓史官有詩歎曰　建讓訴及卓文搏

諸侯還以卓爲名九州鼎沸肯誅卓卓死何曾息罷兵

馬宇等保

奏封馬韓

二賊分布心腹侍帝左右看其動靜如不順已者斬之慶日如
年朝廷官員並由李郭陞降李郭宣朱儁爲太僕卿同領朝政一
日探馬報曰自西一路人馬約有十餘萬飛奔長安而來李郭探
知乃是西涼州太守馬騰補遺（騰字壽成伏波將軍馬援之後扶風茂陵人也）并州刺史
韓遂領兵來當日馬韓二人密使人入長安結納侍中馬宇諫議
大夫种脩中郎將劉範三人約爲內應三人密奏封馬騰爲征西
將軍韓遂爲鎮西將軍動其討賊郤說李傕等商議賈詡曰馬韓
二軍遠來利爲速戰若深溝高壘堅守拒之不過百日彼兵糧盡
自然遁去郤引兵追之二將可擒矣李蒙王方出曰此非好計願
借精兵萬人立斬馬韓之頭獻於麾下賈詡曰若戰必敗李蒙王
方曰吾二人若敗願納六陽會首詡曰如汝得勝吾亦輸汝首級
各納下軍令狀詡曰長安之西二百餘里地名盩厔周山險路
峻可以屯兵張樊二將軍堅壁守之令李王領兵於此迎敵長安
城中應付錢糧李郭遂點兵一萬五千付李王二人欣喜而去離
長安二百八十里札住大寨西涼州兵到兩下擺開陣勢馬韓引

馬超斬李蒙與王方

轡而出見李蒙王方在門旗下馬騰大罵曰反國之賊誰去擒之騰長子馬超在陣中飛出面如琢玉眼若流星虎軀猿臂彪腹狼腰手挺長鎗坐騎駿馬（騰次超字孟起時年十七歲）出陣交鋒王方欺超年幼搶刀躍馬迎來迎敵戰到數合刺王方於馬下超亦勒馬回陣李蒙見搠死王方一騎馬從超背後來（特來）趕超已知故意俄延蒙舉鎗搠入來超一躲閃在側邊李蒙搠個空馬奔入來兩鞍相並被超挾過馬去軍士無主望風奔逃馬韓殺散軍士將李蒙斬首示衆乘攻勝（既殺王方勒馬回陣李蒙從後趕來馬騰大叫有人在後一聲未絕李蒙早被馬超生擒在馬下而回此是馬超第一場）史官有詩贊曰

威鎮西京立大功　渭橋六戰最英雄
未歸蜀郡扶先主　先斬王方共李蒙

西京兵得勝直過盩口下寨李郭聞知李蒙王方被殺方信賈詡有先見之明重用其計只理緊守任其呼罵並不出戰果然馬騰軍未及兩月糧食俱乏商議回軍長安城中馬宇家僮告早外通馬韓欲謀內應李郭大怒盡收馬宇种輯劉範三家老小皆斬於市將三顆首級來馬韓營前號令馬騰韓遂見糧盡軍荒內應已泄

不如早退一面退軍李傕教張濟一軍趕馬騰樊稠一軍趕韓遂分兵起身前軍已遠後軍不曾隄防被張樊兩枝兵一次軍趕來西涼州兵馬大敗趕在後死戰張濟不敢去追樊稠盡力趕韓遂至陳倉韓遂勒回馬對樊稠言曰故鄉之人何無情耶樊稠亦勒馬言曰上命不可違也韓遂曰天地反覆未可知也吾與汝同州之人今爲國家而來雖與汝有小失後尚圖大會萬一有不如意還可相見乎樊稠回心拍馬向前與韓遂耳語而別樊稠收軍回寨馬韓回西涼州去了李傕兄子李別跟樊稠見稠和韓遂耳語回報其叔曰樊稠追韓遂到陳倉被韓遂以鄉人稠便立馬與遂共語不知說甚但見意愛甚密李傕大怒便欲興兵討樊稠賈詡曰目今人心未寧頻動刀兵深爲未便但設一宴請樊稠張濟賞功就席間擒而斬之李傕即遣人請張濟樊稠二將欣然赴席酒將半闌李傕曰韓遂漏書來言樊稠欲造反何不擒下稠大驚急色口未及言刀斧手出斬稠於案下張濟驚伏於地傕扶起曰樊稠欲圖害吾故先下手殺之君乃吾心腹人何驚懼即遂將樊稠

曹操濟北

大敗賊衆

操與濟會濟解催同弘農去後人有詩云　龍爭虎鬬互爭雄休

朝若貪朋莫袞讐　遍互相吞何日了　天教催子殺樊稠

李傕以賈詡爲尚書僕射（詡字文和武威人也後爲魏太尉）臨李郭自賊退馬騰韓遂

帝莫敢興兵詡諫李郭行仁義禮賢士李郭從之獻帝始得寧

時黃巾又起聚衆百萬頭目不等殺兗州刺史劉岱劫掠良民太

僕朱儁保舉一人可破群賊李郭問儁曰衛要之地非世英雄莫

能擒也今黃巾猖獗誰可安之未知公所舉者誰也

曹操興兵報父仇

朱儁曰要破山東群賊必須得曹孟德方可李傕道今在何處儁

曰自楊州募兵濮陽討賊攻于毒於武陽擊匈奴於內黃皆獲全

勝見領兵於東郡權州事可差人命曹孟德領兗州牧使討山東

群寇可刻日而定也李傕大喜星夜差人賞賜命東郡太守曹

操濟北相鮑信一同破賊操領了聖旨會合鮑信一同點兵擊賊

於壽陽鮑信殺入重圍被賊所害尸首不知何處操追趕賊兵直

到濟北降者數萬操因得賊兵以爲前驅兵馬到處無不降伏百餘日

聞操招安降兵三十餘萬男女百萬餘口選擇精銳者號爲青州兵其餘百姓盡令屯田曹操自此威權日盛四方之士歸投者多是時初平三年冬十二月操使人去長安報捷李傕加操爲鎮東將軍操馳表稱謝操在兗州招納賢士有荀彧荀攸叔姪二人來投拜操一見彧遂與之談當世急務彧對答如流操大喜曰吾之子房也以彧爲行軍司馬以其姪攸爲行軍教授操得此二人朝夕講論不輟（按彧字文若潁州潁陽人避濟南相荀昱之子人稱王佐之才時年二十九歲舊從袁紹見紹非成事之人因）（此彧之姪攸字公達亦海內名士何進拜爲黃門侍郎見董卓專權棄官歸鄉里今與叔同事曹操）荀彧勸操卑禮厚幣四方求賢操納之彧曰某聞劉岱有一賢士姓程名昱字仲德身長八尺美鬚髯清骨目乃河東東河人也其才勝某十倍岱亡今日不知何在操曰吾亦聞名久矣遂遣人於鄉中究問知其在於山中讀書操以安車拜請昱至見操操大喜昱謂荀彧曰某孤陋寡聞公何錯薦公之鄉中有一大賢何不薦於明公彧曰是誰昱曰潁川陽翟人也姓郭名嘉字奉孝彧遽然曰吾幾忘却遂啟操徵聘郭嘉至兗州與操共論天下之事操曰使吾成大事

夏侯惇引

典韋見操

者必此人也嘉亦對人曰此眞吾主也郭嘉薦劉曄操一見大喜（劉曄字子陽乃光武嫡派子孫淮南阜陵人也智勇全備十三歲與母報仇殺死人頭祭父二十餘歲任揚州席上所死劉曄賢名雅流）曄薦滿寵（字伯寧山陽人）呂虔（字子恪武城人）二人操遂請爲軍中從事之職滿寵呂虔共薦毛玠（毛玠字孝先陳留平丘人舊投劉表見表不明遂投于曹操）操請爲刑曹時有一將引軍數百來投姓于名禁字文則泰山鉅平人也操見其弓馬熟閑武藝出衆命爲典軍司馬夏侯惇見操每日稱于禁之能遂引一將來見操視其人形貌魁梧身材雄偉驚問曰此何人也惇曰此人陳留巴吾人也姓典名韋舊跟張邈與帳下人不和手殺數人逃於山中射獵逐虎過澗昇進問之即典韋也收在軍中久矣今見主公誇邊將材某故獻上操曰此人一貌非俗必有勇力惇曰幼年爲友人劉氏報仇殺李永全家提頭出市無人敢近所使兩枝鐵戟重八十斤飛馬刺人如同無物操令韋試之韋挾戟驟馬上下如飛操愕然曰眞天神也吾若早知肯流落乎時帳下一面大旗風吹欲倒衆人扶之典韋叱退衆人一手擎旗竿立於風中操曰乃古之惡來也（惡來紂王幸臣）

命爲帳前都尉（都尉官名）解身上錦袍及雕鞍駿馬以賜之自此曹操勢大威鎮山東文官武將扶助左右共圖進取謀士有荀彧荀攸程昱郭嘉文武兼全有劉曄毛玠滿寵呂虔樂進李典武將有夏侯惇夏侯淵曹仁曹洪于禁典韋部下之人更有不可勝錄者稱兵共三十萬一應錢粮皆任峻管領（峻字伯達河南中牟人）曹操領大軍屯札兗州乃遣泰山太守應劭往瑯琊郡迎父曹嵩（嵩[illegible]）劭帶從者百餘人取曹嵩及操弟曹德等一家老小四十餘口帶百餘輛望兗州進發道經徐州徐州太守陶謙知操勢大意欲結識無由得謙（謙字恭祖[illegible]）聽知操父經過遂出郭迎接再拜致意大設筵會住了兩日謙差部將張闓領五百兵護送謙送出郭而回曹嵩行到華費間（華費皆縣名）大雨驟至投一古寺安歇寺僧邀嵩於方丈安頓張闓軍馬札於兩廊兩濕衣裝衛人皆怨張闓喚從人於靜處商議曰我（[illegible]）是黃巾餘黨今在陶謙處無人揪採你們隨着曹嵩若欲得富貴今夜三更只推有賊把曹嵩一家老小殺了取其財物同往山中落草卻不是好衆皆應允是夜曹嵩在方

曹操興兵

爲父報讐

文中忽聞喊聲大振曹德提劍出看被搠死於法堂曹高引一妾奔入方丈後欲過牆縣避妾肥胖不能出口縣於廁中皆被亂軍所殺應劭得脫引數人投奔袁紹張闓殺曹高一家取了財物放火燒寺與五百人走往淮南去了內有逃得命的軍士飛報曹操操聽知全家被殺哭倒於地靜軒先生有詩曰

曹操奸雄世所誇　曾將呂氏殺全家
如今闔戶遭人殺　天理循環報不差

夏侯惇救起曰此是陶謙令人如此可以問罪操切齒曰殺父之仇如何不報吾欲踏平徐州方雪此恨留荀彧程昱總領三萬人守鄄城東阿范縣三縣令夏侯惇于禁典韋為先鋒操令但得城池盡皆殺戮以雪父仇時陳宮為東郡從事知操起兵報仇欲殺百姓星夜來見曹操操想舊日之情請入共坐宮曰聞明公起軍報尊人之仇所到盡殺百姓某特來求解且陶謙乃仁人君子非好利之輩中間必有緣故且百姓與明公無仇殺之不祥望三思後行宮甚操怒曰汝昔棄我而去今何面目相見陶謙殺吾一家誓剮其心以祭汝與陶謙有舊故來說我軍宮歎然而出又焉敢

陶謙領兵

迎敵曹操

留太守張闓二待宮爲上賓

卻說曹操大軍到處雞犬不留陶謙在徐州聞曹操起兵報仇仰天哭曰我獲罪于天致使徐州之民受此大難又聞操先殺徐州四下州縣百姓以報徐州之勢謙大驚張闓逆賊貪圖財物害了令尊總聚衆商議曹豹曰既操兵至豈可束手待死某願助使君破之衆官皆云豹言是也陶謙不得已引軍出迎謙見操軍到將士如霜湧起靈旛二首一書曹嵩名爵一書曹德靈魂大展報仇雪恨二旗列成陣勢曹操縱馬出陣身披素白令民揚鞭大罵無端賊徒敢殺吾父陶謙亦於馬上欠身施禮云謙本意結好明公故命張闓護送不期賊心不改致有此事實不干陶謙之故望明公原情而恕之操大罵老賊尚敢亂言誰可生擒此賊享祭靈魂夏侯惇應聲而出陶謙慌走入陣惇趕來曹豹挺槍相迎二馬相交忽狂風大作飛砂走石軍中旗旛皆括倒曹豹敵不住夏侯惇自馬便走兩軍皆亂操急收軍屯住陶謙收士卒入城謙曰吾觀曹操勢大難敵吾當自縛前去操營請其剖割救徐州一郡百姓之命言未絕見一人進前曰府君久鎮

糜竺二請往

北海求救

徐州人民感德今曹操兵至雖廣來必便能入城府君堅守[illegible]

某雖不才願施小策交曹操死無葬身之地眾人大驚[illegible]

[illegible]

陶謙求糜竺問解救之策竺曰某當親往北海郡投托孔融令

兵來救援更得一人往青州田楷處求救二路軍馬往外夾攻

必退兵矣謙大喜遂寫書二封命陳[illegible]往青州[illegible]

竺往北海謙[illegible]

[illegible]

管亥與太史慈大戰

請人見融問曰彼人此行必有事焉竺出陶謙書言曹操兵圍甚急望乞明公垂救融曰吾與陶恭祖有莫逆之交子仲又親到此如何不去只一件曹孟德與我無仇甚厚先遣人送一書解和如其不然隨即起兵竺曰曹操倚仗兵威必不以義為重融交一面點起軍馬一面差人送書忽報賊頭管亥領賊十餘萬飛奔而來孔融大驚點人馬出城相迎管亥出馬曰吾知汝北海糧廣可借一萬石米便退軍不然打破城池老幼不留孔融叱曰吾乃大漢之臣守大漢城池豈有糧米應付賊乎管亥大怒直取孔融融將宗寶挺鎗出迎戰不數合被管亥砍於馬下孔融兵敗入城管亥四面圍城孔融累日折一員上將心中鬱悶登城遙望賊勢浩大倍添憂惱忽見城外一人提鎗躍馬殺入賊陣直到城下大叫開門孔融不識其人不敢開門賊將趕到城邊那員將回身連搠十數騎下馬賊衆奔開門樓接到城內其人下馬棄鎗拜見孔融融問其姓名曰某東萊黃縣人也覆姓太史名慈字子義老母重蒙恩顧某昨自遼東回家省親聞金鼓之聲知是賊

太史慈平原見玄德

寇臨城老母曰孔北海未嘗識汝曾惠賜於我今日有難何不去救
之故來報府君養母之恩融[illegible]
[illegible]融重待太史慈贈與衣甲馬匹
曰願借兵一千出城殺賊融曰汝雖英雄賊眾不可輕出慈再三
門老母感德特遣慈來如不能解此圍慈亦無顏見母矣願決一
戰融曰吾聞平原劉玄德乃當世英雄若請他來內外夾攻此圍
自解慈曰府君修書慈當急去融喜修書付慈慈收了擐甲上馬當
執飽食嚴裝城門開處一騎飛出近濠賊將數十騎來戰慈
搠三人下馬透圍而出管亥知有人出城料是求救令數百人趕來
四面圍定慈倚住弓箭射死十數人賊皆退回太史慈得脫星夜
投平原縣入見玄德禮畢孔融書玄德看了問曰子何人也慈曰
某東海太史慈也與融親非骨肉非鄉黨特以名志相好有
分憂共患之意今北海被圍危在旦夕以君有仁義之名能救人
之急故令慈冒刃突圍來求救君備乃斂容答曰孔北
海知世間有劉備耶乃與關張點精兵三千人望北海郡

孔融請玄

德同解圍

進殺曹豹見救軍到引兵來迎見玄德軍少心中不慣得乃[illegible]於陣前玄德引關張出馬罵曰無端逆寇敢犯大漢城池管亥慈商量太史慈却待向前關羽驟馬迎管亥數合之中斬[illegible]於馬下張飛太史慈殺入賊陣盡擊城上孔融望見太史慈[illegible]到城邊亦驅軍突出群賊大敗降者無數餘黨潰散孔融迎接玄德入城中大設筵宴相待糜竺在座孔融指謂玄德曰前者張闓殺曹嵩今曹操縱兵大掠徐州特來求救玄德曰吾知陶恭祖乃誠實君子今受此無辜之冤孔融曰今操不仁倚強欺弱殘害百姓過勸廟彼君公乃漢室宗親何不同融往救徐州之難玄德曰備非推辭奈兵微將寡不敢輕動孔融曰某與陶恭祖一面之交尚自傾城救之公乃當世豪傑何不仗義耶玄德曰請文舉先行容備去公孫瓚處再借三五千人馬隨後便至融曰公切勿失信玄德曰公以備爲何等人也孔融糜竺拜謝融交糜竺回報某便收拾起程太史慈拜謝曰慈奉母命前來赴難今幸無虞前日揚州刺史劉繇與慈同鄉有書來召不得不去容圖再會融以金帛

劉玄德問　孫瓚借兵

相酬慈不肯受歸見母母曰我喜汝已報孔北海也慈遂同往揚州去了却說玄德投北地來見公孫瓚備言借兵救徐州事瓚曰曹操與汝無冤何故替人出力備曰某去以言解之瓚曰操倚勢安肯聽善言耶玄德曰備已許人豈可失信瓚曰借汝馬步二千玄德曰更借子龍一行瓚許之玄德引本部三千人馬在前子龍二千軍隨後投徐州來却說糜竺回報陶謙言孔北海又請劉玄德同來陳登亦報青州田楷領兵來救謙心少安孔融田楷兩路軍馬惧怯曹操遠遠依山結寨未敢輕進操見兩路軍到亦分了軍勢不敢向前攻城却說劉玄德軍到入見孔融融曰曹操足智多謀行軍或進或退且觀其動靜然後出戰玄德曰但恐城中無粮難以久待備留子龍關羽領四千軍在文舉部下相助備與張飛殺奔曹營逕投徐州與恭祖商議孔融大喜會田楷為犄角之勢首尾相連左孔融右田楷中間關羽子龍領四千軍兩處救應是日玄德披掛上馬領一千兵張飛挺矛在前飛馬殺入曹營伏路[illegible]而迎正行之間寨內一聲鼓[illegible]

何處呂布往那裏去張飛追更不行話回取于禁來知勝負如何

呂布奔濮陽去訖

于禁與張飛戰至數合玄德掣雙股劍來助于禁敗走張飛追殺到徐州城下城上望見紅旗白書大書平原劉玄德陶謙急令開門迎接玄德入城設宴相待謙見玄德語言如鐘心內大喜急命麋竺取徐州牌印讓與玄德玄德曰公何意也謙曰今天下擾亂奸雄並起權公乃漢室宗親正當力扶漢室老夫無德無能願父不係公名閥海宇乃世之豪傑可領徐州謙自當表奏望公勿辭玄德伏地曰備雖漢朝苗裔功微德薄今任平原亦不稱職今爲大義而來公何故道此莫非疑備有吞併之心耶若舉此意皇天不祐謙將牌印再三推讓玄德堅不肯受玄德曰今操兵至此無人解紛備作一書去操若不從斷殺未遲遂差人齎書達操却說操與衆將議取徐州之策人報徐州下戰書操拆緘觀之乃劉備書也書云

備昔關外得拜鈞顏各天一方不及趨侍近者尊父曹公因張闓不仁恭祖誠實君子聞之驚裂冀望明公俯察衷情回百萬雄

兵掃天下大患匡主濟民社稷幸甚天下幸甚願明公垂察焉操看畢大罵曰劉備何人敢以書勸我況中間又有譏諷意可斬來使即便攻城郭嘉曰主公息怒劉備遣此書者先禮後兵故也主公亦以好言答之以慢備心然後進兵城可破也操回嗔作喜曰吾慨劉備久不相見既以書來容我裁答款留來使商議回書忽流星馬飛報曰呂布自出武關去投袁術術拒而不納投袁紹紹納之共破張燕於常山布自為得志傲慢紹手下將士紹欲殺之布去投張揚揚納之龐舒在長安城中私藏呂布妻小送還呂布李傕郭汜知之遂斬龐舒寫書與張揚令殺呂布布棄張揚去投張邈陳宮說邈曰今英雄並起天下分崩君以千里之衆當四戰之地撫劍顧眄足為人傑而反受制於人不亦鄙乎今曹操東征兗州空虛呂布乃當世英雄之士若迎之共取兗州觀天下形勢亦機應變霸業可圖矣張邈大喜遂迎呂布起兵襲取兗州今呂布踞兗州以據濮陽止有鄄城東阿范縣三處賴荀彧程昱設計定計守住其餘郡縣皆休矣曹仁累戰不勝特此告急操見書大驚

陶謙設宴　請孔融等

州何失使吾無家可歸郭嘉曰主公正好賣個人情與劉備以退
軍去復兗州先致天下恥笑操然之即時答書與備書云
操累世名家父遭荼毒若不報故勸兵問罪於陶謙欲圖
滅其族以雪大冤玄德公以帝室之胄兼文武之才遠書來懇
我以天下之重操敢不從命即日班師回守略此以闊別圖後會
曹操拔寨皆起且說來使回徐州入城見謙呈上書劉言操退兵
謙大喜差人請孔融田楷關羽等赴城大會眾官謙請玄德於高
座玄德再三推辭酒至數巡謙曰老夫年邁精力衰之二子不肖
不堪當國家重任玄德公帝室之胄德廣才高可領徐州老夫乞
閒養老備曰孔文舉令備以義之故來救徐州今却據守此城人
不知者以為大不義也糜竺曰今漢室陵夷海宇顛覆建功立業
正在此時徐州殷富戶口百萬使君不可辭也玄德曰此事決不
敢當陳登進曰陶府君誠意剛公勿辭備曰袁公路四世三公海
內所歸近在壽春何不以州與之陳登曰袁公路驕奢非治亂之
主今以徐州之地馬步十萬上足匡君下足守境使君可以聽從

劉玄德送
別趙子龍

孔融曰袁術塚中枯骨豈憂國治家者今白之事君當受之玄德
堅執不肯謙抱玄德而哭曰君若捨而去吾死不瞑目關羽曰既
使君雅意兄且權領州事張飛曰將牌印來我收了不由哥哥不
肯備曰汝等陷我於不義也言訖掣劍欲自刎趙雲奪了佩劍謙
曰如公不從此間有一近邑名曰小沛玄德若肯念我可屯小沛
以保徐州始終救援台意若何玄德從之席散趙雲辭去玄德不
忍相離更留二日孔融田階各引兵回玄德與子龍臨岐尚不忍
捨子龍拜伏於地曰雲終不敢忘公顧戀之德也灑淚上馬而去
玄德與關張至小沛修葺城池招諭居民卻說操引軍投兗州來
曹仁接着言呂布勢大已占濮陽等處惟鄄城東阿范縣三處得
荀彧程昱設計守住操曰吾料呂布有勇無謀不足慮也郭嘉曰
主公亦不可欺敵呂布知曹操回兵令副將薛蘭李封曰汝可領
兵一萬堅守兗州吾去破操二人應諾陳宮知之急入諫曰將軍
棄兗州將欲何往布曰欲屯兵濮陽以成鼎足之勢宮曰非也薛
蘭李封必守兗州不住此去正南一百八十里泰山路險可伏

陳宮說布　伏兵戰操

兵萬人在彼操與兖州已失必然從間道而進待其過半一擊可擒矣昔韓信欲破趙兵渡井陘口李左車說陳餘曰今韓信兵離遠鬭其鋒不可當今井陘之道車不能方軌騎不得成列粮食必在其後願假奇兵三萬人從間道絕其輜重足下深溝高壘勿與戰彼前不得鬭退不得還不十日兩將之頭可致麾下否則必為所擒矣餘曰吾常義兵不用詐謀奇計不聽左車之言遂被韓信破之擒趙王歇今日伏兵泰山正用斷粮之計將軍察焉布曰吾屯濮陽別有良謀汝豈知之遂令薛蘭守兖州而行操兵至泰山道險郭嘉曰若此處有伏兵當如之何操曰布無謀之士故令薛蘭守兖州自往濮陽安得此處有伏耶令曹仁引軍圍兖州吾進兵濮陽攻呂布人報操兵至近陳宮說布曰今操兵遠來疲困利在速戰不可養成氣力意難退也布曰吾匹馬縱橫天下何愁操也俟彼下定寨柵吾自擒之操次日領眾將出陣立馬於門旗下遙望呂布當先出馬左有陳宮右有高順上首張遼下首臧霸張遼字文遠雁門馬邑人臧霸字宣高泰山……又有郝萌曹性成廉

魏續宋憲侯成六將率軍五萬鼓聲大震呂布出馬操指布言曰
吾與汝從來無仇何故奪吾州郡布曰漢家城池諸人有分偏爾
合得何人去擒曹操側臧霸縱馬而出操命樂進出迎戰到三十合
勝負未分夏侯惇拍馬便出助戰張遼接住廝殺呂布性起挺戟驟一
冲出陣來夏侯惇樂進皆走布掩殺曹軍大敗布自收軍操輸一陣
寨請謀士等商議于禁曰某今日上山觀望濮陽之西布有一寨
約無多軍彼謂我敗必不準備今夜可引兵劫之若得布寨兩下
夾攻破布必矣操從其言帶曹洪李典毛玠呂虔于禁典韋六將
選馬步軍二萬人連夜從小路進發卻說布寨中勞軍陳宮曰西
寨是個緊要去處倘或曹操襲之奈何布曰今日輸了一陣如何敢
來宮曰操極善用兵須防他攻其無備布撥高順魏續侯成來守
西寨卻說操將兵到西寨果然兵少四面殺入奪了寨將至四更
順兵方到操自引人馬來迎戰至天明直西鼓聲大震人報呂布
軍已到操棄寨而走布飛馬趕來于禁樂進雙敵呂布不住操望
北而走山後一彪軍出左有張遼右有臧霸操使呂虔曹

之不利操望西而走忽迎郝萌曹性成廉宋憲攔住去路眾將併死戰操在先衝陣箭如飛蝗無計可脫忽典韋提戟飛來一面大叫主公勿慮下馬割住双戟取短戟十數挾步行當敵而去布軍能射者數十騎近前典韋飛戟刺之立殺十餘人眾皆奔走典韋復回飛身上馬挾二鐵戟衝殺郝曹成宋四將不能當抵各自逃去典韋殺退敵軍救出曹操後人讚云

濮陽城外顯功勳　鐵戟雙提八十斤
典韋救主傳天下　勇猛當先第一人

典韋救了曹操眾將隨後歸寨天色將晚背後呂布驟馬提戟趕來大叫曹賊休走此時人困馬乏面面相覷各欲逃生

陶恭祖三讓徐州

操正在危急之際得夏侯惇引一彪生力軍來接住布大戰黃昏大雨如注各自收軍操重賞典韋加為領兵都尉陳宮謂布曰城中富戶田氏家僮千百可令田氏詐脩密書與操言呂布殘暴不仁今欲移兵黎陽只有高順在城可連夜進兵某當內應操若來誘引入城四門放火外設伏兵操雖有經天緯地之才不能脫也

布然其計密令田氏行計田氏乃使人逕到操寨下書云布已往黎陽城中空虛萬望速來當為內應城上插白旗書一義字便是暗號操喜曰天使吾得濮陽也重賞來人命回一面起兵劉曄曰布雖無謀陳宮多計只恐使田氏行反間實操曰如此設疑必誤大事劉曄曰此亦當防分軍三隊兩隊伏城外接應一隊入城操曰此見甚是（時興平元年歲在甲戌九月二十一日）兵至濮陽城外見城上西門角有義字白旗一個操暗喜是日城門開處侯成高順引軍出戰操使典韋迎之二人敵典韋不過退入城去數內有軍人乘勢過陣見上密書言今夜初更城上鳴螺為號便可進兵某自獻門操撥侯惇李典樂進典韋四將入城黃昏飽食上馬李典曰主公且在城外容某等先入城去操曰吾不自往誰肯向前遂當先引軍直約初更聽見城上吹螺數聲西門上火把燎亂城門大開吊橋放[illegible]操爭先拍馬而入直至州衙前不見一人操知是計撥回馬大叫退兵一聲砲響西門烈火冲天典韋手執雙戟在操馬前[illegible]殺[illegible]如雷東巷轉出張遼西巷轉出臧霸交攻擁殺操[illegible]

呂布濮陽

大戰曹操

轉出郝萌曹性又殺一陣操急走南門高順侯成攔路典韋衝殺高順侯成倒走出城典韋殺離吊橋回頭不見操復翻身殺入城撞着李典問王公何在典曰吾亦尋覓不見韋曰汝出城催救軍我入去尋李典出城韋殺將入來又尋不見再殺出城壕邊撞着樂進進曰王公何在韋曰往復兩遭尋覓不見進曰同殺入去救主兩個到門道邊城上火砲滾下樂進馬不能入韋衝烟突火又殺入去凡此三遭卻說操見四面人馬截來出不得南門再轉北門火光中見呂布挺戟躍馬來用戟在操盔上一擊問曰曹操何在操急指曰前面騎黃馬者是也布棄了操縱馬去趕前面的曹操撥回馬望東門而走正逢典韋韋大呼曰南門已崩急出東門韋殺到門傍火焰甚急遍地通紅韋用戟撥開飛馬突火教操到門邊城樓上崩下梁木打着操馬後蹄操用手托梁木被倒於火中鬚髮盡皆燒燬韋到壕邊正逢夏侯淵兩個又跑入城救王淵抱操於馬上韋殺條大路而走兩軍在城外戰到天明操回寨中衆皆拜問操曰誤中匹夫之計吾必報之郭嘉曰計可速

伏兵馬陵

大敗呂布

操曰然使人去報呂布言操已死布必來攻伏兵於馬陵山中馬陵是姜太公娶妻馬氏之地候兵半渡擊之布可擒也嘉曰真良策也於是令軍中詐發喪言操已死又揚謠言至濮陽說操被火燒傷殞命回寨身死布即點兵殺奔馬陵山下一聲號砲伏兵四起呂布死戰得脫敗回濮陽兩邊各不進兵是年蝗蟲四起禾稼食盡關東一境一石穀值五十萬錢人民相食操糧盡引軍回鄄城屯札蓋是歲荒布亦引兵出屯山陽就食自此二處罷兵卻說陶謙在徐州病重請糜竺議事竺曰操棄徐州而去爲呂布襲兖州之故及兼今歲大荒以此罷兵來春必至矣府君前讓位與玄德者府君那時無恙今病沉重可就而與之謙使人請玄德商議軍務備令關張到徐州謙請入卧內謙曰老夫病篤朝夕難保萬望公以漢家城池爲重受此牌印老夫死亦瞑目矣備曰君有二子何不付之謙曰長子商次子應吾非仕官之器只可歸農老夫死後望公教誨切勿令掌王事備曰某隻身安能掌許大城池謙曰某舉北海孫乾字公祐可爲從事以輔佐公謙又與糜竺曰玄德當世人傑公

玄德陳祭

品祭陶謙

也汝當喜事之備尚推托謙以手指心而死衆官舉哀畢推玄德領州事備固辭徐州百姓哭拜於地曰使君若不領此郡我等死於賊讐之手也因此玄德領徐州牧糜竺孫乾輔之陳登爲幕官盡召小沛軍馬入城出榜安民一面安排喪事（按謙六十三歲）玄德與大小三軍盡皆掛孝大設祭儀於靈柩前作文以祭之文曰

嗚呼使君膺受懿德允武允文賦性剛莊守以温仁今舒及盧遺愛在民牧幽莅徐寸當是均攘撥妖寇睚侯不寧惟帝念績爵命以彰既淑且懷啟土課勣遂升上將受號東郡除垂國既社稷是扶降年不永奄忽云殂五郡生靈心裂膽孤哲人萎矣誰可式行追思罔及仰觀蒼穹嗚呼哀哉伏惟尚饗

史官有詩贊曰

徐州刺史陶恭祖　聖世巍巍棟梁材
柱國有心扶漢日　愛民無政立堯階
知人知已勤三讓　盛德芳名遍九垓
好樂不除身已喪　忠良聞說痛傷懷

祭畢塟于黄河之原將陶謙遺表申奏朝廷玄徳在郯城聞陶謙已死劉備領徐州牧人怒曰吾冤未報汝不費半箭之功坐得徐州

典韋刺殺 黃巾劉辟

吾必先殺劉備後戮謙尸以雪先君之冤即傳號令就日興師

曹操定陶破呂布

操欲起兵吞徐州荀彧諫曰昔高祖保關中光武據河內皆深根固本以制天下進可勝敵退可堅守故雖有困敗而終濟大業今將軍之兗州是亦將軍之關中河內也今若取徐州不得將軍將安歸乎今陶謙雖死以事有與劉備城中之民必為劉備死守也棄此而取徐州是棄本而就末也願將軍熟思之操曰公言極是但今年軍士缺糧奈何荀彧曰不如東取陳地使軍就食更汝南潁川黃巾餘黨何儀黃劭等劫掠州郡多有金帛糧食此等賊徒又容易破可取其錢糧以養三軍操大喜留夏侯惇曹仁守鄄城操自引軍先取陳地次及汝潁黃巾何儀黃劭知操兵到引衆來迎遇於羊山操令典韋出馬何儀令副將劉辟接戰戰不三合典韋一戟刺劉辟於馬下乘勢趕過羊山下寨次日黃劭自引軍來陣圓處黃劭副將何曼步行出陣手提鐵棒于陣前搦戰操令李典出馬[illegible]亦提刀步出兩個[illegible]

来分洪詐敗何曼趕來洪用拖刀計砍中何曼大腿死于波
塲李典飛馬出陣生擒黃劭掩殺賊衆盡奪其器械粮食降者甚
多何儀勢孤引數百騎望葛陂而走正走之間山背後撞出一壯
士身長八尺腰大十圍截住去路只一合活捉何儀其餘皆下馬
受縛盡驅入葛陂塢中却說操令典韋追趕何儀也到葛陂一聲
喊起壯士湧出韋問曰汝等亦黃巾耶壯士曰黃巾數百盡被我
擒在塢中韋曰何不獻出壯士曰你若贏得我手中寶刀我
便獻之韋大怒挺戟向前入戰從辰至午勝負不分各自少歇壯
士又出搦戰韋出馬相迎從申戰到黃昏各自馬乏少歇韋軍士
飛報操操荒引衆將來看操次日壯士又出搦戰操見其人
親若凛神威風糾糾心中暗喜囑付典韋許敗韋出陣戰至三十
合詐敗回陣壯士趕到陣前韋詐敗引軍退操令五里外掘
下陷坑安伏鉤鐮手次日再令典韋引百餘騎搦戰壯士果出韋
略戰數合回馬便走壯士趕至陷坑連人和馬盡落坑內鉤鐮手
縛至中軍見操操叱退軍士親解其縛令坐問其鄉貫姓名壯

我譙國譙縣人也姓許名褚字仲康遭天下亂聚宗黨千人以禦賊不時有賊犯境吾衆堅守之一日群賊數萬至吾令四面皆堆石子吾飛石擊之無不中賊驚退去又一番賊至吾塢中無粮草吾將耕牛與賊換米米已送到塢中賊來取牛被吾雙手掣二牛尾倒行百餘步賊大驚不敢取牛而去因此保守此處無事操曰吾聞大名久矣還肯降否褚曰願引宗族數千盡降操即拜許褚爲都尉賞勞甚厚後人有詩讚曰

天下瓜分漢欲亡　四方豪傑盡鷹揚
譙坡許褚投降後　自此何愁呂布強

將何儀黃劭斬訖汝潁悉平班師回山東興平二年夏四月曹仁全夏侯惇接見操言探馬報說兗州薛蘭李封軍士皆出劫掠城邑空虛可乘得勝之兵一鼓而下操遂引軍逕奔兗州薛蘭李封只得引些少人馬出戰兩陣列開許褚願請一戰以報主公不殺之恩操喜令褚出戰李封使畫戟來迎交馬數合許褚斬李封於馬下薛蘭急退走至吊橋邊李典攔住薛蘭回馬望鉅野而走被呂虔一箭射於馬下軍皆潰散操復得兗州程昱曰請便進兵取濮陽操即令

典韋新爲先封夏侯惇夏侯淵爲左軍李典樂進爲右軍操領
中軍于禁呂虔劉合後兵至濮陽時呂布差衆將皆出自欲引兵
出迎陳宮諫曰操兵來勝而來其鋒正銳可待諸將會集然後出
戰呂布曰吾世之英雄誰敢近我不聽宮言引兵出陣横戟躍馬
大罵操賊殺吾愛將許褚便出鬪二十合不分勝負操令典韋出
陣夾攻左二夏右李樂六員將殺得呂布遮攔不住田氏在城上
見呂布敗了急令人拽起吊橋不放呂布入城田氏大呼曰吾已
降操矣布大罵引軍奔定陶而去陳宮等殺開血路引老小奔走
出城操入濮陽赦田氏舊日之罪劉曄曰呂布今往定陶可引兵
圍之不可少容操令劉曄守濮陽遂自引兵到定陶時張超等盡
在城中高順張遼臧霸侯成皆出遶打糧未回陳宮勸布斂兵死守
連日不戰操引軍退四十里下寨劉麥爲糧細作報入定陶呂布
引軍徑出將近曹寨見左邊一望林木茂盛恐有伏兵不敢向前
而回操謂諸將曰布疑林中有伏兵耳可將旌旗數面虛插林中直
西一帶長堤無水可伏精兵料曰布必來燒林堤中兵出以斷其

呂布敗走

路逢陳宮

從布可擒矣操寨中只留鼓手五十人擂鼓村中男女吶喊今布不敢進却說呂布回見陳宮曰曹操詭計極多不可輕敵布曰吾用火攻可破伏兵遂留陳宮高順守城布次日引大隊軍來還見林中有旗驅兵四面放火却無一人欲投寨中鼓聲大振疑惑不定寨後一處軍出呂布趕來砲聲響處堤內伏兵盡出夏侯惇典李樂六將驟馬殺來呂布料敵不過落荒而走從將成廉被樂進一箭射死布兵三停去二敗卒回報陳宮宮料城難守與高順保着老小棄定陶而去操將得勝之兵連夜殺入城中勢如劈竹張邈自刎三族盡滅張邈投袁術山東一境盡皆屬操却說呂布正走路逢眾將皆回宮亦尋着布曰軍士雖少尚可破曹再整軍來未知勝負何如

全像三國志二卷 終

呂布與玄

德說情由

刻古本演義三國志卷之三

李傕郭汜亂長安

興平二年夏四月曹操大破呂布於徐州布收聚敗殘軍馬欲再來與操決雌雄陳宮曰今操勢大未可與爭鋒先取安身之地再戰未遲布曰今當何往宮曰近聞劉玄德新領徐州可往投之養成氣力別有良圖布信其言逕投徐州軍士報玄德玄德曰布乃當今英雄之士可出郭往接糜竺曰呂布虎狼也不可容留則傷人矣玄德曰前者若非布襲兗州怎解此郡之禍[illegible]徐州亦布之力也若要徐州昔當相讓何況布無此心乎張飛曰哥哥心腸忒好雖然如此也須提備玄德引關張數千出三十里接着呂布並馬入城至公廳上講禮畢布曰[illegible]誅董卓之後又遭李郭之變飄零關東[illegible]力取徐州布因此襲兗州以分其勢何乃反遭[illegible]之機累及張邈將來與使君共扶漢室未審尊意若何玄德曰陶府君新逝無人管領因此令備權攝州事今幸得將軍至此無德合讓有德備願納印請將軍受

之呂布徘徊欲樓見玄德背後關張各有按劍之意遂笑曰吾量布一勇之夫何能作州牧乎玄德又讓陳宮曰強賓不壓主請使君勿疑遂設宴相欵收拾宅院安下次日呂布回請玄德關張諫曰前日呂布有僭徐州之意今請[illegible]玄德曰吾以善心待人人必不負於我遂與關張同行布飲酒半酣請玄德於後堂納玄德於床上坐令妻女拜之玄德再三謙讓布扶玄德曰賢弟受禮張飛瞋目大叱曰我哥哥是金枝玉葉你是人家奴怎敢呼我哥哥作兄弟你來我和你鬬三百合玄德喝令關公勸抱張飛出又陪呂布話曰劣弟酒後狂言兄勿見責布默默無言須臾席散布送玄德出門張飛躍馬橫槍大叫呂布我和你鬬三百合玄德[illegible]張飛去了次後呂布來辭玄德要行玄德曰此間有一小沛[illegible]昔日屯扎之處將軍莫嫌窄狹權于此歇馬如何[illegible]如缺則備應付布謝玄德自引軍馬投小沛安身去了玄德[illegible]張飛都說曹操平了汝潁山東功奏[illegible]將軍費亭侯[illegible]真帝李傕自為大司馬郭汜自為大將軍[illegible]行朝[illegible]人專政言太尉

李傕點軍

去殺郭汜

楊彪大司農朱儁暗奏獻帝云目今曹操擁屯馬步精兵四十餘萬謀臣武將數百員若得此人扶持社稷剿殺奸黨天下幸甚獻帝泣曰朕被傕汜二賊欺凌久矣觀其行事甚如董卓朕行坐不安無計可除言訖大哭楊彪曰臣有一計先令二賊自相殘害然後詔曹操引兵掃清奸黨以安萬姓帝曰如何令二賊自相殘害彪曰臣今老妻入郭汜府於汜妻處獻反間計二賊必自疑也獻帝親書密詔付楊彪彪令夫人入郭汜府告是妻曰郭將軍與李司馬夫人有染其情甚密汜妻自怪見經宿不歸却有此事故一日汜欲往傕府筵席妻曰傕性難測今二雄不並立倘酒食有毒將奈何汜不信晚間傕府送食來汜妻令二妾埋毒於內方始獻入汜便欲食妻曰食自外來豈可便食與犬試之犬立斃汜自此疑傕一日傕會於朝堂邀汜還家飲酒大醉而歸半夜肚腹攪痛妻曰必中毒急令絞糞汁灌之一吐方定汜大怒曰吾與汝共圖大業今日無罪貴汝便害我不如先發免遭毒手整點本部甲兵意欲殺傕傕心腹人飛報消息傕怒曰郭阿多安敢如此（阿多汜小名也）點起

本部軍兵來殺郭汜兩家合兵數萬長安城中民遭塗炭帝后膓皆餓不免於饑寒靜軒先生有詩嘆曰

光武中興興漢世　上下相承十二帝　桓靈無道宗社墮
閹宦擅權為叔季　無謀何進作三公　欲除社鼠招奸雄
豺獺雖驅虎狼入　西州逆豎生淫凶　王允赤心托紅粉
致令董呂成矛盾　渠魁殄滅天下寧　誰知李郭心懷憤
神州荊棘爭奈何　六宮饑饉愁干戈　人心既離天命去
三雄割據分山河　後王規此存兢業　莫把金甌等閑缺
生靈糜爛肝腦塗　剩水殘山多怨血　我觀遺史不勝悲
今古茫茫嘆黍離　人君當守包桑戒　太阿誰執全綱維

伏皇后淚滿衣襟李傕殺退郭汜移帝駕至郿塢使校尉監之天子在塢内外斷絕内侍皆有饑色帝令人問傕求米五斛牛肉五斤欲賜左右傕怒曰朝晡上飯何用米爲也[illegible]意與腐肉糟米皆臭不可食帝罵曰直如此相欺之甚也侍中楊彪急奏曰[illegible]之人[illegible]

李傕郭汜

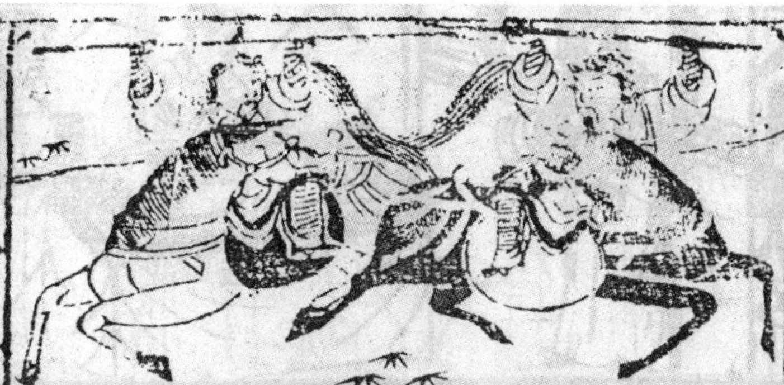

自相廝併

駕幸黃城以舒其忿願陛下忍之可也帝低頭無語淚溼龍衣左右忽報一路軍馬鎗刀耀日金鼓振天前來救駕帝教打聽是誰報曰乃郭汜也帝心轉憂悶內賊殺起處李傕軍也到兩邊擺開李傕出馬鞭指郭汜曰我待汝不薄何謀害我也汜曰汝乃反賊吾來誅汝傕曰不須多言我二和你鬭併輸贏的便把皇帝去郭汜李傕兩箇戰十餘合勝負未分太尉楊彪拍馬大叫曰司馬將軍皆少停老夫請衆官與二位和解傕汜聞說乃各自還營楊彪朱儁會合官僚六十餘員先到郭汜營中勸和汜將官僚盡皆監下衆官曰欲何為耶汜曰李傕劫得天子偏我劫不得公卿彪曰一人劫天子一人質公卿此何理也汜拔劍欲殺之中郎將楊密勸住乃放楊彪朱儁其餘都監在營內彪與儁曰為社稷之臣不能扶君救主空生於天地之間耳言訖相抱而哭二人昏絕於地以此成病兩邊每日廝殺死者無數李傕平生喜左道妖術常使女巫擊鼓降神於營帝每日啼哭侍中楊琦密言曰臣觀賈詡事李傕中心未嘗忘君陛下何不召之正說之間賈詡至帝乃

屏去左右號哭拜謝詡伏地曰臣不勝誅矣帝曰卿若肯救漢室
垂救朕一命詡曰臣心未嘗不如此也陛下勿言臣自圖之帝謝
賈詡出少刻李傕入見帝腰帶寶劍手提鐵鞭帝面如土色內侍
皆帶劍環立於帝側傕曰郭汜不仁欲謀聖上若非臣則
陛下亦被虜矣帝拱手稱謝傕曰陛下這聖主也遂出外問諸將
曰內侍帶劍交於帝側莫非有害吾之心故賈詡曰軍中不可不
帶劍耳傕笑入帳中而罷其時帝命僕射皇甫酈去和解兩邊酈
持詔先到汜營說汜汜曰如李傕放出天子我便送公卿還長安
酈却來見李傕曰今天子以某是西涼人乃令勸二公汜亦奉
詔公意若何傕曰吾有敗呂布之功輔政四年三輔清淨天下共
蒙其福郭阿多乃盜馬虜矣何敢與吾等耶必誅之君乃西京人
觀吾方略士衆勝郭阿多否彼劫公卿所爲不義而吾劫欲向郭
阿多李傕有膽量自知之矣酈曰不然昔有窮后羿恃其善射不
思患難以致滅亡董太師之強君所自見呂布受恩而反圖之此
乃易所無益也今將軍爲上將仗鉞持節子孫宗族皆荷寵榮

[illegible]楊奉李[illegible]勸傕

皇甫酈

敢你今郭汜劫公卿將軍挾至尊[illegible]為輕重耶李傕大怒[illegible]
鞘曰天子使你辱我先斬汝頭後殺天子此大丈夫之志也

楊奉董承雙救駕

李傕欲殺皇甫酈傕將都尉楊奉諫曰今郭汜未除而殺天子則
汜興兵有名諸侯皆為之助也賈詡亦勸傕怒乃息詡遂推皇甫酈
出酈大呼曰李傕不奉詔命欲殺漢君自立侍中胡邈止之曰李
傕待公不薄何如此之妄言恐於身不利酈叱之曰胡邈汝之才
也汝為朝廷輔弼之臣何如此之佞也我累世[illegible]臣死
之當然為國家被傕所殺乃天命也[illegible]不絕[illegible]之[illegible]皇甫
酈回西京李傕之徒大半是西京之兵[illegible]說
曰天子如你等忠義者從還鄉後必有重賞諸人皆怨李傕文
[illegible]酈言傕不忠不義所以勇士并羌人[illegible]去傕知酈去大怒
差虎賁王昌追之昌知酈忠義之士不追回報傕曰酈去遠矣賈
詡勸帝加傕官爵封為大司馬大將軍傕大喜曰此皆鬼神之力
也厚賜諸巫不賞軍士騎都尉楊奉大怒與宋果曰吾等出死入

張濟請漢

帝回弘農

生身冒矢石反受其罪也宋果曰何不殺賊臣以救天子奉國

汝於中軍放火為號吾當引兵內應是夜王更漏泄宋果先被擒

之奏引軍入不見號火李傕却自引軍就寨中殺到四更去不能

勝引一彪軍去了李傕自此軍勢漸衰更兼郭汜常來攻擊死

者積屍如山見識不可[illegible]流星馬報說張濟統領大軍自陝西

來到各自差人[illegible]使人往李傕郭汜兩處和解如不從

者引兵擊之傕汜皆懼允從濟上表請天子東幸弘農[illegible]

喜曰朕思東都久矣今乘此得還乃萬幸也詔[illegible]

軍開府庫進糧食酒肉供給百官[illegible]

行遷[illegible]

橋時值秋天金風驟起[illegible]

叢聲問曰既何人也[illegible]

不得無禮[illegible]

既云有天子[illegible]

[illegible]

楊奉董承雙救駕

已我正欲劫駕偶人剛壞以阻大事汝如何放他過去。○濟曰暴不知將軍之意汜怒曰如此誤我大事命斬二將起軍來天子將到華陰縣汜在背後大叫車駕休動獻帝聞之泣曰離狼穴又逢虎口侍臣皆大哭忽聽一聲響亮山後擁出一面大旗上書大漢楊奉四字領一千餘軍殺奔而來後楊奉自歸李傕傕死兵於終南山中至此帶來保駕汜令崔勇迎敵大罵楊奉無義之賊奉大怒回顧陣中曰公明何在一將手執大斧飛馬而出一合斬崔勇於馬下殺入陣中汜軍大潰退走二十餘里楊奉收軍來見天子帝撫奉手曰卿救朕躬當鋒將軍奉頓首拜謝帝又問斬賊者何人奉曰河東楊郡人也姓徐名晃字公明遂引徐晃見帝帝慰勞之楊奉保駕前至華陰縣段煨具衣服飲膳供給天子是夜就於楊奉營中郭汜至天曰再整軍馬殺奔奉營徐晃當先殺散賊兵郭汜八面圍來將天子與楊奉營困在垓心帝曰賊眾今番休也正危急間忽聽東南角上喊聲大作賊眾奔潰徐晃乘勢殺出內外攻擊汜兵大敗此人來見天子乃是國舅董承也引千餘軍特來保駕帝哭訴前事

奏曰陛下免憂臣與楊將軍擒殺此賊以清天[illegible]嵩若弘[illegible]
却說郭汜兵敗遇見李傕言楊奉董承救駕往弘農[illegible]若到山東
都必須告天下諸侯共伐我等三族皆不能保矣傕曰[illegible]張濟
屯長安未敢遠動不如合兵殺至弘農殺了漢君共分天下何[illegible]
汜曰兄長肯相攜帶小弟一并聽命因此二人合兵趕來所過[illegible]
邑劫掠一空楊奉董承知賊兵遠來同兵與賊戰於東澗[illegible]凡官人
符策典籍一應御用之物盡皆拋棄被傕汜軍士掠去殺死甚多
傕汜軍盡入弘農奉承二人保駕走陝北傕汜分兵趕來奉承
一面使人與傕汜陪話一面密使人傳詔往河東詔故白波帥李樂
韓暹胡才三人各[illegible]三處軍
馬聞詔皆赦罪賜官並來救駕[illegible]此兵來與楊奉等會合再取弘農[illegible]
汜所到之處盡劫百姓老弱者殺之壯者充軍臨陣令民兵在前號敢死軍[illegible]
上傕汜令軍士將衣服等物從棄於道李樂等軍見是金寶之物[illegible]
百姓見衣服爭往取之失於隊伍傕軍四面擊李樂等軍大敗胡才被[illegible]
亡所殺楊奉董承大敗不能保駕北走背後傕汜引兵趕來奉[illegible]

李樂舟救　帝后避難

賊追甚急請天子皇后棄車駕行到岸邊李樂尋得小船一隻作渡船時天氣嚴寒帝與后皆抱持圍閣夫人岸邊岸高不得下船後面賊兵驟至伏完曰可解馬轡連接拴縛帝腰放下船內皇后兄伏德曰我於亂軍中拾得絹十疋可連接爲衛行伍校尉尚弘多方令弘以絹抱帝負之下船伏德負皇后下船李樂使劍於船頭行未得渡者爭扯船傍纜李樂盡砍於水中砍下手指船中無數岸上哭聲不絕帝后既渡岸北楊奉尋牛車一輛是晚至陽城帝后絕食宿於瓦屋中野老進粟飯帝后共食粗糲不能下嚥次日封李樂爲征西將軍韓暹爲征東將軍帝上牛車欲行忽見太尉楊彪太僕韓融到哭拜帝前帝后亦痛哭不止韓融曰傕汜二賊頗信臣言臣捨命去説二賊罷兵陛下善保龍體融説罷去了楊彪請天子權於安邑縣幸駕車駕至安邑爲無高房帝后居於茅屋中四邊旋插荊棘爲籬與大臣議事於茅屋之下諸將士伏於籬邊互相鎮壓以爲觀笑諸將或打死百官宮人內侍有不從者輒於帝前毆罵故意送濁酒粗食與帝帝勉強納之奄韓暹

令[illegible]從[illegible]出臨[illegible]二百餘名位校尉御史[illegible]不及以
繩[illegible]侍[illegible]兵始渡[illegible]內[illegible]皆飢餓荒百姓皆
食[illegible]死者遍地河內太守張楊[illegible]貢給天子河東太守
王邑[illegible]綿帛以衣之自此得活董承楊奉[illegible]議幸洛陽宮殿欲奉
車駕還東都李樂不從董承曰洛陽乃建都之地安邑小可地道
如何[illegible]車駕李樂曰汝等奉[illegible]去我在此承奉收拾[illegible]李
樂[illegible]人結連李傕郭汜一同[illegible]劫駕董承楊奉[illegible]知李樂[illegible]連
夜護[illegible]駕[illegible]李樂[illegible]急追[illegible]大叫曰車駕[illegible]行李傕郭汜
既[illegible]心[illegible]李樂[illegible]曰此乃李樂在陣[illegible]命徐晃迎
正[illegible]李樂[illegible]徐晃[illegible]李樂於[illegible]
守[illegible]楊奉[illegible]食[illegible]迎天子於[illegible]
兵[illegible]入洛陽見市井[illegible]
居之[illegible]是歲大荒[illegible]改[illegible]為建安元
年洛陽居民[illegible]百姓[illegible]食[illegible]
尚書郎以下盡出城採[illegible]饑死[illegible]

後賢有詩讚曰：

血流芒碭白蛇亡，赤幟縱橫遊四方。
秦鹿走逐興社稷，楚騅推倒定封疆。
子孫懦弱奸雄起，氣數凋零盜賊狂。
看到二京遭亂處，鐵人無淚也悽惶。

遷鑾輿衛陽求救

太尉楊彪奏曰前蒙手詔宣曹操未曾發遣今操屯兵山東兵強將足備可宣入朝以輔王室帝曰朕既有詔節便差人去說曹操車駕還洛陽聚謀士商議荀彧曰昔晉文公納周襄王而諸侯景從漢高帝為義帝縞素而天下歸心近自天子蒙塵將軍首興義兵徒以山東擾亂未遑遠赴今鑾輿旋轉東京荒蕪誠因此時奉主上以從人望大順也秉至公以服天下大略也扶弘義以致英雄大德也四方雖有逆節其何能爲若不早定使英雄生心後慮無及矣操大喜正欲發兵忽有詔至操待使單一同進發前往洛陽人報李傕部大隊人馬殺奔洛陽來帝大驚楊彪曰不如往投曹操楊奉韓暹欲出戰董承曰今城郭不完兵甲不多戰如不勝奈何人報傕汜軍近董承保駕后望山東而進行不[illegible]

夏侯惇與曹洪面君

令但見塵埃蔽日金鼓喧天人馬來到帝后戰慄不能言又見一騎飛奔而來帝視之乃往山東使者帝問來軍何人使者曰曹將軍聞知李傕郭汜犯洛陽遣夏侯惇領將兵五萬先來保駕大隊隨後亦到帝心稍安少頃夏侯惇領許褚典韋至駕前面君而言曰介冑之士不拜請以軍禮見天子皆呼萬歲帝曰卿等鞍馬驅馳朕無可賜正言論間侍臣又報正東有一路軍到惇請伯馬觀之回奏曰陛下放心乃曹將軍之弟曹洪與副將李典樂進引步軍已到惇引曹洪見帝帝曰卿何來洪奏曰臣兄恐夏侯惇孤力又差臣倍道而來協助破賊帝曰曹將軍乃朕之社稷臣也傕汜領兵長驅而來帝令夏侯惇分兵迎之惇與曹洪分作兩翼併力一擊賊兵大敗斬首萬餘級遂請鑾輿還洛陽宮惇與洪屯兵城外次日曹操引軍來到入見帝拜于殿下帝宣上殿問勞畢操奏曰臣蒙陛下恩賜思報無門傕汜雖惡臣有精兵四十萬討之無有不克陛下善保龍體以社稷為重帝封操為司隸校尉錄尚書事操謝恩畢卻言傕兵離洛陽五十里下寨傕汜知操兵遠來議欲速戰賈詡

帝遣宣董昭

帝詔召操

曰不可操有數十萬之衆文武不計其數不若卻早投降以求爵祿傕怒曰汝敢滅吾銳氣命斬之衆將勸免是夜賈詡單馬逃去次日傕汜引兵來迎操令許褚與曹仁典韋領三千鐵騎於傕汜營中衝突三遭方纔布陣傕兄子李暹李別立馬陣前操問曰汝何人也二人尚未及對許褚飛馬過去先斬李暹李別大驚倒撞下馬褚亦斬之手提二頭回陣操拊許褚背曰卿真吾之樊噲也操令夏侯惇與曹洪左右衝陣操自中間鼓聲響處三軍一齊進兵傕汜大敗操親掣劍押陣連夜追趕剿滅李傕郭汜望西而逃曹操班師回洛陽楊奉韓暹商議曰今曹操成功必掌大權如何容得我等不若奏天子只做趕傕汜爲名引本部兵東屯大梁[illegible]而變候此二人要去帝留不住帝遣使齎節詔操入宮議事操聞使至請入相見其人眉清目秀飄然有神仙氣象操思曰東都大荒[illegible]官僚皆有飢色何此人獨極精神問曰公何養而能調理如此對曰某食淡二十餘年矣操曰君居何職賢姓尊名對曰某舉孝廉官封正議郎濟陰定陶人也姓董名昭字公朗舊從袁紹張楊

今日天子故來相親操曰聞名久矣幸今相逢遂置酒相待密
人□□□ 操遙望東南大小不知何人操欲令人追之董昭曰此
乃□□□□□□明公之敵引兵望大梁而去不可追之操問□人
何如昭曰無謀之輩不足慮也操又問曰催汜此去若何昭曰催汜
此去如虎之無牙爪鳥之無羽翼也不久皆成擒耳操曰請問朝
廷大事若何昭曰明公興義兵以除暴亂輔翼王室此五霸之功
也以下諸將人人異意未必服從今若輔佐事勢不便惟有移駕
幸許耳然朝廷播越新還舊都今復移駕不壓衆心夫行非常之
事乃有非常之功願將軍其勝者行之操大笑曰此孤之本志也濟
曰楊奉在大梁大臣在朝倘有變將奈何昭曰以書與奉以安
其心大臣聞之必曰京師無糧欲駕幸許都且許都近魯陽轉
運糧食稍得無缺乏之憂大臣聞此必欣然從也操大喜曰願公早
晚相從若有不可行者教之昭曰當厚報昭拜謝而從操欲遷都必尚
[illegible] 侍中太史令王立與宗正劉艾曰自去春太白
犯鎮星於斗牛過天津熒惑逆行與太白會於天關金火交會

曹操令許褚

戰徐晃

必有新天子出吾觀大漢氣數終矣晉魏之野必有興者王立又曰言於帝曰天人有去就五行不常盛代火者土也承漢天下者魏也能安天下者曹也可委任曹氏以應之而已操聞之使人告立曰知公忠於朝廷然天道高遠慎勿多言操以立言告荀彧彧曰漢朝以火德王天下故兩都皆興今主公土命也許都屬土到彼必興火能生土正合董昭王立之言操意遂決次日見帝奏曰東京廢弛不可脩葺更兼轉運糧米艱辛臣觀許都地近魯陽城郭宮室錢糧民物足備可以駐鑾輿臣排辦已定請陛下登輦群臣懼操之勢莫敢言不可者即日帝與百官盡發洛陽行不數程忽聞喊聲大舉楊奉董承引軍攔路徐晃出馬大叫曰汝欲劫駕何往操見晃神威糾糾暗暗稱奇命許褚出馬與晃交鋒戰至五十合不分勝負操鳴金收軍下寨謂諸將曰吾觀徐晃真良將也不忍以力併之若思一計誘而降之奉暹何足憂也從事滿寵進曰主公勿憂某與徐晃有一面之交今晚扮作小卒偷入晃營説之來降若何操大喜即說滿寵扮作小卒雜於隊中偷入晃中軍

帳前見晃燈下觀書寵徑入晃驚曰故人安樂否晃視之良久曰莫非山陽滿伯寧乎寵曰然也[illegible]曰何故到此寵曰吾在曹將軍處為從事今日偶見故人陣上耀武吾甚惜之故不避死來諫以公之英雄何故屈身於楊奉[illegible]之徒乎曹將軍力扶漢室拯救生靈今日陣前不忍交戰特令寵故遣寵來公何不背暗投明晃歎曰固知奉等非立業之人奈曾相隨已久不忍相捨寵曰豈不聞良禽擇木而棲賢臣擇主而事知其不可而事之非丈夫也晃謝曰願聽公言寵曰何不就殺奉暹而去以為進見之功晃曰以臣殺主大不義也吾不為之寵歎曰真義士也遂引數騎隨滿寵來降曹操軍士急報楊奉自引千餘騎追之大叫徐晃休走忽見山上火把齊明曹操大叫曰吾等多時奉賊休走一聲砲響伏兵四起圍住楊奉韓暹引軍來救被操兩邊夾攻奉暹兵敗多降曹操奉暹勢窮投袁術以圖安身

呂布月夜奪徐州

却說操得徐晃為將大喜班師[illegible]到許都[illegible]立太廟社[illegible]

省院衙門修成郭府庫封董承等爲列侯賞功罰罪並聽曹操處置操自封爲大將軍武平侯以荀攸爲軍師荀彧爲侍中尚書令郭嘉爲司馬祭酒劉曄爲司空曹掾任峻毛玠爲典農中郎將都督錢糧程昱爲東平相屯兵范城董昭爲洛陽令滿寵爲許都令夏侯惇夏侯淵曹仁曹洪皆爲將軍呂虔李典樂進徐晃皆爲校尉許褚典韋爲騎都尉其餘將士各各封官自此大權皆歸曹操操出入常帶鐵甲軍數百朝中大臣有事先禀操然後敢奏操既定大事乃設一宴請諸文武計議曰朕今頼諸公扶助已尊王室位至三公所憂者袁紹袁術耳但未有隙不可圖之劉備見領徐州近日呂布被吾殺敗投奔於備備養在小沛二人若共起兵吾心腹之大患也公等有何計除之許褚曰願借其精兵五萬斬劉備呂布之頭獻於丞相（攷證：操此時只是大將軍之職後至建安三年方纔改爲丞相）荀彧曰將軍雖勇不如用謀許都新定未可造次動兵某有一計名曰二虎競食計操曰何謂也彧曰譬如嚴下一對餓虎從來爭食嚴上投肉下去其虎必爭二虎競爭一虎必死一虎既死此虎亦可

張飛擎劍

欲殺呂布

誅矣今劉備雖領徐州未得詔命可特命封備正授徐州牧仍附
密書一封與備令其殺布事成劉備亦可翦除不成呂布必殺備矣
此名二虎競食之計操曰然即差使封劉備為鎮東將軍宜城亭
侯正授徐州牧并付密書郤說玄德聞帝遷都於許正欲遣賀忽
報天使至出迎到郡拜受恩命已畢設宴相待坐間取出私書玄
德看了曰此事尚容商議席散安頓天使於館驛玄德與關張麋
竺孫乾共議關張曰呂布無義之人兄殺之何礙玄德曰他人勢
窮投我殺之不義飛曰好人難做玄德喝退張飛次早人報呂布
來劉玄德令請入呂布曰聞知朝廷送恩命至特來相賀玄德謙讓
拜張飛援劍欲殺呂布布大驚曰我與翼德無冤何故只要殺我
張飛曰曹丞相道你是無義之賊令我哥哥殺汝玄德喝退張飛
請布入後堂將操書與布看布曰此是操賊令我兄弟不和玄德
曰兄長勿憂備決無此心錢粮缺少備當應付布拜謝備留布早
膳送出城外布別關羽曰何故不殺呂布玄德曰此是曹丞相疑
我與呂布併在一處使我兩家厮併他卻坐觀成敗於中取事乃二

德奉

伐袁術

雄不並立之計也羽曰然飛曰我只殺了此賊以絶後患玄德曰非丈夫之所爲也次日送使回附書復操曰容緩圖之使回見操言備不肯殺呂布操請荀彧曰此計不成奈何彧曰又有一計名曰驅虎吞狼計操問之彧曰可遣人於袁術處問安就報術言玄德上表要取南陽却使術起兵攻備又明降詔令劉備起兵討袁術兩兵相併呂布必生異心此乃驅虎吞狼計也操遂先發人往袁術處次遣使領詔到徐州劉備聞天使到出郭迎接詔書令玄德起兵討袁術玄德領旨糜竺曰又是操之計也玄德曰雖是操計王命不敢違也遂點軍馬起程孫乾曰可先定守城人數玄德曰二弟誰可守城關羽曰弟願守把玄德曰我早晚欲與雲長議事豈可相離張飛曰小弟願守玄德曰汝酒後鞭撻士卒不從人諫吾却不放心張飛曰弟今後不打士卒諸般聽從人諫糜竺曰只恐言不應口張飛曰吾跟哥哥許多年何嘗失信汝敢料吾耶玄德曰弟既如此吾不放心請陳元龍爲軍師早晚令吾弟少飲酒休要失事玄德分付了領軍三萬望南陽進發却說袁術聽知

張飛設宴

大會群僚

劉備上表欲吞南陽大怒曰編席織履之徒何敢占據六郡與諸侯同列哉乃令上將紀靈領兵十萬殺奔徐州兩軍並會于盱眙玄德軍少從山下寨【攷證】按紀靈乃山東人也使一口三尖刀重五十斤手下職術過人靈輪刀出陣大罵劉備小輩何敢侵我州郡玄德曰吾奉詔討汝反賊紀靈大怒拍馬舞刀來戰關公出馬相迎與靈戰二十合靈喝少停關公問靈背部將荀正出馬交馬三合一刀劈荀正于馬下玄德麾兵殺進紀靈退保淮陰溪口並不交戰常來偷劫營寨皆被玄德殺敗兩邊相拒勝負未分却說張飛自送玄德登程民訟並委陳元龍軍机自行掌管飛乃設一宴請各官赴席張飛於筵上言曰哥哥分付我少飲酒今日與衆弟兄一醉明日禁酒幫助我保守城池酒把到陶謙故將曹豹跟前豹告曰從來大戒不會飲飛曰我要汝吃一盞豹懼只得強飲一盞張飛遍把各官盡飲大醉又起把盞曹豹曰委不能飲飛曰恰纔飲了何故許也豹苦推不飲飛曰違我將令可打一百背花陳登曰不可劉使君曾說甚來飛曰汝文官只管文事休來管我豹曰看我女婿之面饒

過這次飛曰誰是汝丈夫豹曰呂布是也飛大怒曰汝說呂布來諕我麼棄不打汝借汝背打呂布諸將苦勸又住打了五十背花衆官告罷皆散曹豹歸家痛恨張飛連夜差人賫書與呂布曰玄德今往淮南可乘飛醉來取徐州布即請陳宮商議宮曰有此機會不可錯失只居小沛何日崢嶸布從之引五百騎全陳宮高順望徐州進發布到城下却纔四更城上並不知覺布到城下叫門云劉使君有使命至軍士報與曹豹豹到城上令軍士開門布得入城喊聲大振張飛醉倒府中左右急報慌忙披掛綽矛上馬出府迎着呂布酒醉不能戰布知飛勇亦不來追飛殺出東門曹豹見飛一人遂引數騎來趕飛見豹大怒挺矛來戰豹敗走飛趕至河邊一矛刺死於水中飛招士卒出盡投淮南而去布入城中安撫居民另撥一軍把守玄德宅門諸人不許輒入兄弟之備也却說張飛直到盱眙見玄德說呂布夜襲徐州衆皆失色玄德曰嫂嫂安在飛曰皆陷於城中玄德默然關羽曰你當初守城之時兄長分付甚麼今日城池又失嫂嫂又陷汝尚有何面目

失徐州

來見玄德

來見兄長死亦恨遲張飛聞言惶恐無地自容所佩劍自刎玄德急向前抱住曰諺云兄弟如手足妻子如衣服吾三人桃園結義誓同生死今日雖失城池小事安忍令兄弟中道而亡呂布擄吾家小必不相害容後設計救援衆皆大哭一場喚會戲紀靈之事

孫策大戰太史慈

却說袁術知呂布襲了徐州遂差人許呂布糧五萬斛金銀五百錠綵段一千疋令夾攻劉備布喜令高順領兵五萬餘襲玄德後玄德知之乘夜棄盱眙而走思東取廣陵高順見紀靈言溫侯令其來助戰就索所許之物靈曰公且回容某回見主人卻將相送順回見布曰術言待捉了劉備那時相送布大怒欲起兵伐術陳宮曰術居壽春兵多糧足未可便圖不如請劉備還小沛養成羽翼令備為先鋒那時先取袁術後圖袁紹可縱橫天下矣布用其言暗使人去取玄德却說玄德回兵至廣陵又被袁術劫中寨折兵大半于路逢布使者得其書大喜便投徐州來關張曰呂布無義之人不可准信玄德曰人既以好心待我我不必疑也

遂行將至徐州布恐玄德疑先使人送老小還甘夫人見玄德具言呂布撥兵把門每常使妾送物供給未嘗缺乏玄德謂關張曰吾知呂布非無義人也當入城謝之飛恨布不往保玄德家小先往小沛布見玄德謂之曰非吾奪汝城池恐張飛在此恃酒害人吾故來代守將徐州處讓再三玄德曰吾欲讓兄久矣遂飲宴罷還屯小沛關張不悅玄德曰守分待時可也布使人送糧米絹帛與玄德又表玄德爲豫州刺史却說袁術大宴將士于壽春人報孫策征廬江太守陸康得勝而回術喚入問勞已畢令預坐飲宴〔考證〕按孫策字伯符父孫堅死之後居江東禮賢下士後因陶謙與策母舅丹陽太守吳景不和策移家居曲阿自己往投袁術術甚愛之常嘆曰使術有子如孫郎死復何憂因表策爲懷義校尉引兵伐涇縣大帥祖郎得勝術見其勇復令策攻陸康亦得勝而回策席散歸寨見術不陞已官心中大悶自思父如此英雄獨霸江東到我十不及一不覺放聲大哭忽朱治自外入大笑曰伯符何故如此汝父在日多曾用我今有何事不決不與我言而自苦也按朱治字君理丹陽故鄣人孫堅舊將策曰吾傷不能繼父之志也治曰君何不問袁公路借兵往江東以救令舅吳景爲名復取舊業

策將玉璽與術當兵

久居人下非丈夫也正商議間忽袁術謀士呂範倏然而入曰公等所謀吾已知之吾有壯士百餘願助伯符孫策大喜按呂範字子衡汝南細陽人也[illegible]三人共議呂範曰只恐公路不肯借兵策曰吾將先父傳國玉璽權爲質範曰術亦有心久矣文曰策入見袁術哭拜將下術問其故策曰父仇未報母舅吳景被揚州刺史劉繇追逼至急策母弟及家小皆在曲河必被劉繇所害欲問伯父借兵數千拯母救舅恐伯父不信以先父所遺玉璽權爲質當袁術聞有玉璽大喜取而視之曰吾非要汝玉璽權留在此我借汝精兵三千馬百餘疋平定之後速遣同還汝名微難掌大權吾表汝爲折衝校尉行寇將軍領兵便行策拜謝遂得兵馬帶領朱治呂範舊將程普黄蓋韓當前行正行之次見一彪軍到當先一將是策下馬策視之乃故人周瑜也【補證】周瑜字公瑾廬江舒城人也漢太尉周景之後洛陽令周異之子初孫堅討董卓時移家舒城瑜與孫策同年結爲兄弟瑜少策二月拜策爲兄策與瑜升堂拜母有無通共瑜叔周尚爲丹陽太守因往省叔到此與策相遇策大喜曰吾得公瑾大事濟矣遂將借兵事訴說一遍瑜曰願效微力瑜又曰將軍欲成大業知江東有二張乎

策曰不知也瑜曰彭城張昭字子布博覽羣書善明天文陶謙曾聘不就又廣陵張紘字子綱深明九經貫通諸子二人避亂隱於此處將軍可請見之策乃親到其家一見大悅拜張昭爲長史兼撫軍中郎將張紘爲參謀正議校尉商議攻擊劉繇繇知孫策渡江屯兵歷陽名地〔補遺〕劉繇字正禮東萊牟平人漢宗室親太尉劉寵之姪[illegible]兵[illegible]壽春被袁術追逼過江東故來[illegible]彭[illegible]下[illegible]張英四將商議張英曰某引一軍屯於牛渚名地縱有百萬之兵亦不能過矣言未畢太史慈高聲曰某願爲前部先鋒[illegible]太史慈自[illegible]北海圍之[illegible]繇曰汝未可爲大將只在吾左右張英引兵千牛渚積糧十萬于邸閣策兵至牛渚令黃蓋出馬搦戰張英出馬與黃蓋相敵戰未數合張英陣後大亂寨中又有人放火英急退兵被孫策乘勢掩殺英等棄了牛渚望深山而逃寨後放火的兩員將領百餘人札縛于馬來見孫策策問之其人曰某姓蔣名欽字公奕九江壽春人也此一位姓周名泰字幼平九江下蔡人也吾二人遭亂聚眾於楊子江劫掠爲食久聞令尊乃江東

策謁祠祝
于光武廟

豪傑，又知將軍招賢納士，相投。策大喜，用爲行軍校尉，盡得牛渚邸閣糧食軍器，又收降卒四千餘人，遂進兵神亭嶺。張英敗回劉繇，欲斬之，薛禮、笮融勸免，劉繇令笮融屯兵秣陵城，自近神亭嶺南下寨，策在嶺北下寨。策問土人曰：「嶺上有光武廟，今還在否？」土人曰：「廟已頹毀，無人祭祀。」策曰：「吾夜夢光武邀我相見，當造禱之。」張昭曰：「不可。嶺南便是劉繇寨柵，倘有伏兵，奈何？」策曰：「天神祐我，吾何懼焉。」遂披掛綽鎗上馬，黃蓋等共十三騎隨策上嶺燒香。到廟前，策下馬入殿，祝曰：「倘策能於江東興復故父之業，即當重修廟宇，四時享祭。」祝畢，出廟上馬，顧眾將曰：「吾欲過嶺觀看劉繇寨柵。」眾將皆阻不住，遂同上嶺，南望村林。伏路小軍飛報劉繇，云：「孫策領數騎過嶺來，偷看營寨。」劉繇曰：「必是孫策誘敵之計，不可追之。」太史慈大叫曰：「此時不捉，何待？有膽氣者跟我來！」諸將皆不動，一小將曰：「真猛將也！吾可助之。」拍馬跟去。卻說孫策看了半晌，回身行至北山坡下，只聽得嶺上大叫：「孫策休走！」策回頭視之，見兩騎飛奔下來，策將十三騎一字擺開，策綽鎗立馬待之。太史慈劉

厲聲問曰那箇是孫策策笑曰我便是你兩人齊來[illegible]力捉你
非英雄也史慈曰便是你眾人都上也不怕你驟馬挺鎗[illegible]
策策亦提鎗來迎約鬭五十餘合不分勝負程普等暗暗稱奇入
史慈見孫策鎗法無半點滲漏慈回馬詐敗欲引入深山捉他策
趕慈暗喜不入舊路却轉過山背後慈回頭喝曰你若是好漢和
你併個你死我活策叱之曰走的不算男子漢兩個又鬭三十合
慈暗忖曰這廝有十二個從人便活捉得他也奪去了再引一程
令這廝沒處尋方可捉他又詐敗策大叫休走又趕到一平川之
地慈又撥回馬兩個再戰個五十餘合策一鎗搠來慈閃過挾住
慈一鎗去策也挾住兩個只一挾都滾下馬馬不知走往那里去
了兩個棄鎗揪住廝打慈三十歲策二十一歲兩個戰袍扯得粉
碎策掣慈身上佩劍慈掣策頭上兜鍪轄策使劍斫慈慈使盔遮
架忽山後喊聲起處劉繇救軍千餘人到慈死揪住不放手策正
慌却得程普十二騎到兩邊攏殺慈始放手慈當中討一疋馬一
條鎗孫策亦搶得馬一疋共十四騎與慈一千餘軍混到神亭嶺

下喊聲大振周瑜引軍到與劉繇合戰風雨驟至兩邊各自收軍

孫策大戰嚴白虎

却說次日孫策引大隊軍馬到劉繇引軍出迎兩陣完處孫策把鎗挑太史慈劍於陣前令衆軍大叫不是走得快險些斫了頭劉繇將孫策兜鍪挑於陣前亦令軍士大叫曰孫策頭已所在此兩（史官評曰孫策若論輸嚴當以失盔論為輸）太史慈出馬搦戰孫策欲出程普曰不須主公勞力某自擒之程普出馬太史慈曰汝非敵手只叫孫策自來程普大怒挺鎗直取太史慈交馬十餘合劉繇急鳴金收軍慈曰正欲擒賊因何收軍繇曰吾聞松滋（地名）人陳武已引周瑜入襲曲河吾家基業已失不可久停宜往秣陵會薛禮笮融軍馬急來接應太史慈跟

劉繇退軍張昭曰周公瑾已取曲河彼軍無戰心今夜正可劫寨孫策然之分兵殺入劉繇太敗太史慈獨力難加引數騎投涇縣去了劉繇與謀士許子將投秣陵安身孫策又得陳武太喜拜為校尉令作先鋒攻薛禮（按陳武字子烈身長七尺黃面赤鬚形容古怪）陳武引數千騎當先入陣斬首五百餘級薛禮閉城不出孫策攻打

孫策活捉

于糜回陣

下忽人報劉繇與笮融去襲牛渚策大怒提兵逕奔牛渚兩軍陣對繇出馬孫策大罵曰吾今到此爲何不降劉繇背後于糜挺鎗直出策挺鎗相迎交馬數合孫策活捉于糜撥馬回陣樊能見于糜被捉遂挺鉄槍背後趕來陣上大呼背後有人暗算孫策回頭猛見樊能大喝一聲聲如巨雷樊能大驚墜馬而死策到門旗下撇了于糜已被夾殺被策夾死一個喝死一個時人呼爲小霸王劉繇笮融大敗奔投劉表後劉繇笮融後來在山中劫掠被衆民所殺孫策回兵秣陵親到壕邊招諭薛禮投降張英暗放一箭射中孫策左腿翻身落馬衆將急救回營拔去箭鏃鏃音族箭頭鉄也將藥敷貼策曰可詐作吾中箭身死軍中舉哀拔寨齊起暗伏奇兵薛禮來追擒之必矣衆遂詐稱孫策已死連夜拔寨而起薛禮聽知與張英陳橫殺出城來剛趕入寨背後伏兵湧出策大喝曰孫郎在此衆軍盡拜於地張英被陳武搠死陳橫被蔣欽射死薛禮被亂兵所殺一路皆平却說太史慈聚精壯二千人欲爲劉繇報仇未進兵徑來與周瑜商議定擒太史慈之策令曰縣守西北南三門各門離五十里外埋伏軍馬只留東門放走

策親解　太史慈縛

是夜太史慈衝出背被亂箭射死陳武登城放火慈見火起急上馬投東門而走孫策趕至三十里而回慈走至五十里外人困馬乏蘆葦中絆倒太史慈馬生擒解入大寨策親釋其縛請入並坐慈曰敗將請誅策曰吾知子義真丈夫也劉繇蠢輩不能用爲大將致有此敗慈遂請降策戲之曰子識神亭時乎若公是時獲我還相害否慈答曰未可量也策大笑曰今日之事當與公共之願進教誨慈曰敗軍之將不可與論策曰韓信昔者求謀於廣武君曉歸也策今決疑于公公何辭焉慈曰州軍新破士卒離心倘若分散難以再聚某欲自往收集以歸明公若何策曰誠所望也明日午邊望回慈應諾而去諸將曰太史慈去必不來策曰子義襄中名士豈肯負義也衆皆未信次日慈引千餘人來衆皆歎服策聚衆江東愛民禮士人但呼策爲孫郎初聞其至老幼驚奔官吏逃竄及策治軍嚴肅雖犬不動民心大悅競持牛酒來迎策以金帛答之歡聲遍野策下令曰凡劉繇舊軍願相從者並除門戶不願者賞發粮米各自歸家江南軍民歸附饒心聲勢大振策迎母叔

張紘諫策

遣弟孫權與周泰守宣州策領兵進取吳郡時嚴白虎據吳郡自稱東吳德王遣嚴輿王昱烏程鄒太守守關策兵至白虎令弟嚴輿出戰與陳兵竹馬子楓橋策便欲出張紘諫曰夫主將乃三軍之司命類足下重天命副人望不宜輕出令上下危懼策謝曰先生之言如金玉但恐將士不用命是故以身先之隨遣韓當出馬求交戰將欽陳武各駕小舟從河內殺進橋裡飛身上岸嚴輿退走入城韓當殺到城下孫策水陸並進圍住吳城三日策引衆到閶門外招諭城上一裨將手倚護梁着罵城外大罵太史慈拈弓搭箭射中其人之手釘於護梁群賊救了入見嚴白虎曰城下有人如此神箭白虎大驚商議求和次日使嚴輿出城來見孫策策請入寨中飲酒策問輿曰汝兄求和欲何如也輿曰欲與將軍平分江東策大怒曰鼠輩何敢與吾等飛劍斫之輿讀手而倒割頭付從者問白虎料敵不過棄城而走策進兵追襲如破竹黄蓋去擒王昱太史慈攻打烏程射死鄒太守數州皆平白虎走餘杭於路劫掠被土人凌操引鄉兵殺敗望會稽而逃

策引兵渡江白虎聚衆於西津渡口策麾兵奮擊大
破之連夜趕至會稽太守王朗引兵救白虎郡吏虞翻曰孫策仁
義之師白虎乃暴虐之衆可擒白虎以獻孫策順天命也朗不聽
翻長歎而歸翻字仲翔會稽餘姚人也朗與白虎陳兵於山陰之野孫策引兵
迎之程普黃蓋各出奇兵應之大破白虎於山陰朗走海隅白虎
走餘杭一人引兵迎接白虎於路白虎大喜是夜飲於帳中那人
斫殺白虎領兵來接孫策策問之其人曰某會稽餘姚人氏姓董
名襲字元代策大喜拜爲別部司馬東路皆平以叔孫靜爲守令
策治爲郡太守收兵回江東人報山賊竊發來犯宣城忽然半夜
攢至周泰身無寸甲掣刀殺賊無數賊首躍馬逕取周泰破泰被
傷鎗拖下馬來奪了鎗馬殺條血路救權出圍賊退後周泰身被
十二鎗瘡發將死策大驚董襲曰某曾與海寇相持身遭數箭得
會稽虞翻爲一賢士醫半月即愈策曰虞翻莫非虞仲翔乎襲曰
然也策令張昭作書就請虞翻爲功曹翻至見策策曰某不敢以
郡吏相待特[illegible]先生求前[illegible]之人以醫周泰翻曰[illegible]

乃術國親也游藝江東姓華名佗字元化業命論至禮爲上
賓從視周泰傷曰將鍼藥敷之不滿月而愈策大喜遂進兵剿賊江
南皆平孫策分將守把隘口將父舊日將寶璽上一等令人結好
曹操遂致書袁術欲取玉璽袁術暗欲稱帝推托不還呂亮何如

呂奉先轅門射戟

却說袁術聚衆大將商議曰孫策借吾軍馬起事今盡得江東用
兵十萬吾欲吞之若何大將曰策據有長江兵精糧足未易圖也
術又曰劉備乘此我欲報之何如大將曰劉備屯兵小沛雖
然易取呂布虎據徐州前次許他糧米金帛今可送還以結其心
使按兵不動備可擒擒備之後隨圖呂布此二患先除一患之
計袁術大喜便遣司馬韓胤齎書到徐州見呂布布觀書云
伏聞皇叔劉漢代傾危將軍神挈天之手立蓋世之功竊見劉
備圖施詐術傷心懷不仁累欲興兵伐之將軍切勿救援曰畢[illegible]
[illegible]紅錦[illegible]甲副綿黃金聊表寸心伏維鑒察
呂布得書大[illegible]而回袁術遂遣紀靈爲將雷薄陳蘭爲副

副起兵十萬殺奔小沛探馬飛報玄德急聚關張商議張飛欲引
兵出迎孫乾曰量小沛糧慳兵少如何敵得袁術可求救于呂布
飛曰他如何肯來乾曰如其不來棄小沛徒投曹公飛曰吾豈懼
人焉可走玄德曰乾言是也即修書差人往徐州呂布覽其書云
伏念備在小沛容身實賴雲天之庇今袁術欲報私仇遣紀靈
引兵到縣非將軍莫救望提一旅之師以解倒懸之急幸甚
呂布曰兩處書到一邊來救一邊教我休救奈何陳宮曰劉
備乃人傑也今雖受困久必縱橫爲將軍之患請休救之布曰術
若破備則北連泰山諸將吾亦在術圈中不得不救也遂點兵起
程却說紀靈當馬長驅大進已到沛縣東南下寨玄德只有五千
人馬亦結營寨野關張便欲出戰玄德阻之人報呂布引百餘騎
於縣西南下寨紀靈知呂布引兵救劉備急令人致書與布云
聞丈夫之心意在專一周尚赴鼎鑊之烹紀信就焚車之慘
夔若溫侯既受袁氏禮物復納劉備投言非丈夫所爲乞斬劉
備亦爲一舉之機共圖王霸之業觸鬥一言以決去就幸甚

布設宴請[illegible]

布觀書[illegible]曰[illegible]真不怨恨於吾乃遣人請紀
靈[illegible]長[illegible]可[illegible]術必有異心玄
[illegible]玄德曰吾今解汝
[illegible]玄與張飛[illegible]關張侍立人報紀靈到
玄德入寨欲避之布曰特請汝二人會議勿疑慮玄德承知
其意心中不安紀靈下馬入寨見玄德在坐身便回布前扯
住紀靈覺曰今日欲殺靈耶布曰非也靈曰莫非殺大耳兒耶布
曰亦非也玄德布之弟也今被將軍所困故來救之靈曰若如此
必殺靈也布曰吾有此舉布平生不好合鬬惟好解鬬靈曰何謂
解鬬布曰吾有一法能解兩家戰鬬布請入帳與玄德相見二
人心各不穩布居中靈在左玄德在右酒至數巡布曰你二家看
我面俱各罷兵玄德不語靈曰吾奉主公之命提十萬雄兵專捉
劉備如何罷得張飛聞之[illegible]曰[illegible]吾[illegible]少觀汝輩如兒戲
汝[illegible]哥哥[illegible]各[illegible]斷殺未遲布
[illegible]我請[illegible]解和安[illegible]不[illegible]遂張飛要

厮殺布怒交取戟來提戟在手紀靈玄德都皆失色布令左右將
戟立於轅門之前覷弓執箭在手與紀靈玄德曰轅門與中軍帳
約有一百五十步遠吾一箭射中戟小枝你兩家各各罷兵如射
不中任汝回寨安排厮殺有不從吾言者吾併力殺之眾皆應允
玄德暗禱射得中布令將看酒一人一金鍾布捲起袍袖搭箭拽弓
叫聲着正是弓開如秋月行天箭去似寒星墜地一箭正中畫
戟小支將士一齊聲喝采後有詩讚曰　昔日將軍解國時
轅門射戟[illegible]師　轅門射戟如明月　一點寒星中小枝
後賢有詩讚呂布曰　溫侯神箭世間稀　獨向轅門來解圍
落日果然欺后羿　號猿直欲勝由基　虎筋弦響弓開處
雕翎羽箭到時　豹子尾搖穿畫戟　雄兵十萬脫征衣
又有詩讚呂布責玄德詩曰　呂布當年脫備危
萬里華夷敬公威　早知大耳全無信　悔向轅門射戟枝
又詩讚天祐玄德詩曰　變亡誰是賽豪楊
休說當年有紀綱　射戟但知能呂布　誰知天祐漢中主

呂布見射中畫戟小枝謂紀靈玄德曰此天不容汝兩家廝殺也今日盡醉來朝各自罷兵紀靈曰溫侯之言當聽會禀回去主人不信布曰吾有作書回之紀靈求書先回布謂玄德曰非吾則弟危矣玄德拜謝次日三處軍馬皆回紀靈回見袁術言呂布射戟解圍之事袁術大怒曰呂布受我許多禮物詐以射戟爲名反爲劉備吾自提兵討之紀靈曰主公不可造次呂布世之英雄兼有徐州若布與備首尾相連不易圖也靈聞布有一女主公可爲公子求親於布布若有女在此必殺劉備此乃疏不間親之計術從之即日遣韓胤詣徐州求婚胤到徐州見布曰袁將軍敬慕將軍欲求令愛爲婚永結秦晉之好布入見其妻嚴氏言袁術求親事嚴氏曰吾聞公路欲早晚爲天子吾女後日有國母之望可便許之布意遂決受其聘禮款待韓胤安歇於館驛次日陳宮逕往驛中見胤曰誰人獻此疏不間親之計意在取劉備之首乎胤驚曰貴如此竊公台爲恕宮曰吾亦有心殺備久矣奈溫侯不從此事若遲必被他人識破吾入見溫侯便令送女就婚何如胤拜

□珪諫布　韓胤被休親

謝曰胤感再生之德袁公路聞之亦感厚恩矣宮乃入見布曰聞
將軍之女已許公路此正合宮意徐州可保永久也未知何時還
親布曰未擇日宮曰結親者已交定聘良晨自古天子一年諸侯
半年大夫三月庶民一月布曰公路早晚爲皇帝當用天子例宮
曰不可方今天下遍相征伐將軍威鎮四海今與公路結親諸侯
嫉妬者多若選吉日半道伏兵必爲大患今趂諸侯未知可送公
主到壽春公路自能擇日成親布喜曰公臺之言是也入告嚴氏
嚴氏曰若非公臺幾誤吾女布乃安排香車寶馬令宋憲魏續同
韓胤送女前去鼓樂喧天沛令陳珪在家養老聞鼓樂之聲問左
右何事對曰呂奉先女嫁袁公路珪問誰爲媒對曰韓胤爲媒珪
曰此疏不間親之計也必害玄德遂扶病見布布曰大夫何來珪
曰聞將軍死其將來弔喪布曰大夫何故出此言珪曰聞將軍與
袁術結親此取死之道也前者袁術以金帛送將軍欲殺劉備將
軍以戟解之術今求親欲公女爲質隨後便來取劉備首級後求
協助公必允之早晚造反公乃反賊親屬也布驚曰陳宮誤我多

呂奉先興兵攻小沛

與張遼領軍五千迎一取女同歸大軍陳宮曰汝欲令我受萬世之罵名也吾聞然前一珪曰可令人申袁術云粧奩未辦若完便自送來術將韓胤監押差人解韓胤到許都操必大喜也布曰容吾思之人報玄德在小沛招軍買馬未知何意布曰爲將本分事也言論間宋憲魏續至拜稟布問曰我差汝二人買馬當得幾疋宋憲曰買得好馬三百餘疋回至沛縣界首被劉備弟張飛詐扮作賊劫去馬一百五十疋布大怒即起兵攻劉備未知可如

曹操興兵擊呂布

呂布親奔沛城玄德慌上馬引兵出迎還禮布曰兄長何故起兵布罵曰我轅門射戟救汝大難汝何敢奪吾馬疋玄德曰備使人買馬安敢奪兄之馬布曰汝使張飛奪我一百五十疋尚自抵讓張飛挺矛出曰我奪了你馬你便發怒你奪我哥哥徐州却說不第布曰環眼賊累次欺吾布挺戟與張飛酣戰一百餘合未分勝負玄德見布軍四面圍來恐有疎失急鳴金收軍布分兵四面圍定玄德喚張飛曰不合奪他馬惹起事端馬却何在飛曰都寄各處寺

劉玄德奔

投曹丞相

院玄德使人往各處討馬匹送還求其罷兵布欲從之陳宮曰今不殺劉備後必為患布遂圍城甚急玄德與糜竺商議竺曰曹操所恨者呂布也不如棄城投操借兵破布此為上策玄德曰誰可殺開此圍飛曰弟願當先玄德令飛在前關某在後自居中保護老小是夜大開西門衝戰却從北門而走正遇宋憲魏續被張飛殺退兩將後面張遼趕來關某敵住沛縣人馬只領得一半出來至布見玄德去了亦不來趕令高順守小沛自回徐州却說玄德到許昌城外下寨使孫乾見操言被呂布追趕特來相投操曰玄德吾弟也可請入城後自有委用之處次日玄德留關張孫乾入拜曹操操命扶起以賓禮相待玄德訴呂布之事操曰布乃無義之輩吾與賢弟併力誅之設宴相待至晚送出荀彧曰劉備有英雄之志今不早圖後必有患操不答彧出郭嘉入操曰荀彧勸我殺劉備何如嘉曰不可主公起義兵以除暴亂恭禮求賢猶恐不至劉備以英雄歸之若殺之是以名害賢也如此則智士自疑而主公誰與定天下乎夫除一人之患以阻四海之望安危之機不可不察

賈詡引張繡降曹公

操喜曰君言正合吾意次日奏請以備領豫州牧程昱曰觀劉備有雄才終不爲人之下不如早圖之操曰吾今收英雄若殺一人而失天下之士此愚者之見與吾同也遂與玄德兵三千糧萬斛使往豫州之任進兵屯沛招集原散之兵玄德至豫州令人會操滅呂布操正欲起兵忽流星馬報曰張濟自關中引兵劫掠被箭射死濟兄子張繡自領其衆用賈詡爲謀士結連劉表屯兵宛城欲犯許都奪駕操欲興兵討之又恐劉備被呂布所攻必侵許都荀彧曰此事極易呂布無智之士見利必喜可差人加官進賞令其與備和好布必大喜不思遠圖矣操曰善遂差奉軍都尉王則齎官誥并解和書徑往徐州却說曹操引兵十五萬分作三隊進討張繡建安二年正月半後操兵至淯水紮下寨賈詡勸繡曰操勢大莫敵不如舉衆投降繡從之使賈詡見操操見詡對答如流喜之欲用爲謀士詡曰昔從李傕得罪天下今從張繡言聽計從不忍棄也操甚惜之次日引張繡見操操待之甚厚操移兵入屯宛城繡每日大設筵席請操操一日醉入寢所回顧左右曰此城中有歌

操與鄒氏

帳中取樂

妓否兒子曹安民知其意乃進曰小侄昨晚窺見一婦十分美麗問之乃張濟之妻也便令安民帶五十甲兵取之須臾取到視之果然美麗操問曰夫人姓甚答曰妾乃張濟之妻鄒氏也操曰夫人識我否鄒氏曰久聞丞相大名今夕幸得瞻拜操曰吾特爲汝故准張繡之降不然則滅汝一門矣鄒氏謝曰濟感丞相再生之恩操曰今日得見夫人乃天幸也今宵願同衾枕隨吾還都必以夫人爲正室鄒氏拜謝是夜同宿帳中鄒氏曰若久住城中繡必生疑惹人議論操曰吾來日移於城外寨中安歇操又恐文武議論乃令典韋領親軍二百人巡帳前安歇諸人非奉呼喚不許直入違者斬因此內外不通操每日與鄒氏取樂不想歸期家人密報張繡繡大怒曰吾以操行仁義之兵所爲如此辱吾之甚也便請賈詡商議詡曰此事未可走泄泄之則吾等休矣來日操若升帳議事將軍可如此如此次日操出繡告曰某兵新降多有逃去乞移屯中軍操許之繡乃分爲四寨數日之內操得典韋帳前有一典韋使兩[illegible]戟重八十斤急難近傍繡想

典韋失雙戟

胡車兒盜戟

前有一部曲名胡車兒負五百斤能日走七百里乃異人也見
繡不樂問其故繡以其告胡車兒曰臨期主人請典韋飲酒灌醉
待其跟去先盜其戟此人必無用也繡甚喜準備甲兵弓箭告示
各寨至期俱從繡令買酒請典韋赴席慇懃相待灌得十分大醉
送回車兒乘黑雜在軍從內直入大寨盜去雙戟是夜操和鄒氏
飲酒忽聞寨外人語馬嘶操使人觀之回報曰是張繡軍巡更無
乃不疑時近二更忽報後寨發喊報草車上火起操曰必是軍人
不小心勿得驚動又報四下火起操急喚典韋韋已醉倒在帳中
夢中聽得喊殺之聲急起來尋雙戟不見但聞敵軍已到轅門無
數馬軍各挺長鎗殺入寨口典韋奪得步軍腰間刀向前砍死二
十餘人馬軍方退步軍兩邊殺進鎗如蘆葦典韋身無寸甲上下
數十鎗猶自大叫死戰刀砍缺不堪用韋棄之雙手撇兩箇人頭
奮擊群賊無一人敢近寨門但遠遠以箭射之箭如雨至韋猶死
據寨門但聽得賊兵已從寨後殺入皆長鎗送刺韋金瘡迸裂血
流滿地而死死已半晌無人敢從前門而入史官有詩讚云

曹操乘大

宛馬而走

守護中軍帳　英雄獨典韋　猿臂持雙戟　虎軀掛鐵衣
閒風皆膽裂　望影總魂飛　淯河身戰死　千古顯神威
典韋死後賊兵割頭傳看尚猶驚駭却說曹操得典韋當住前門
乃上大宛馬（後此馬名絶影）一日行千里　從後門走出只有曹安民步隨直走
到淯河邊操臂中箭馬中三箭安民被後軍砍死操得絶影馬奮
波過河後人詩歎曰　孟德好雄世莫同　南陽張繡逞英雄
賊殺大振三更急　烈焰爭飛滿寨紅　曹或逃亡隨敗走
曹公絶影恨飄蓬　神駒躍水衝波過　堤畔尚存舊馬蹤
其馬上岸被射一箭中眼而死（至今水邊有絶影之跡在宛陵地面）長子曹昂以馬
與父昂被亂箭射死操路逢諸將說得典韋救命張繡分兵追趕
操前部夏侯惇所領青州兵劫擄人民平虜校尉于禁將本部於
路勦殺安撫鄉民青州兵路逢曹操哭拜於地言于禁造反趕殺
自己軍馬操大驚後面夏侯惇許褚李典樂進都到操言于禁造
反令夏侯惇整兵迎之禁乃令射住陣腳鑿塹安營左右曰今丞
相已到何不急去分辯如何先立營寨恐丞相責罰不便禁曰今

賊追兵將至若不先準備何以拒敵分辯小事退賊後去告未遲
營方畢張綉軍掩至于禁當先出寨迎敵綉急退于禁向前令諸將各引
兵擊之綉兵大敗追殺百餘里綉引敗兵投劉表安身操遂收兵
于禁入見備言青州兵劫掠大失民望故殺之操曰不告吾先
下寨何也禁將前事告說一遍操曰淯水之難吾甚狼狽將軍能
整兵討賊堅壘不動雖古之名將何以加之賜于禁金印封為壽
亭侯深責夏侯惇治兵不嚴之過（[illegible]城被 關羽水淹七軍正因此一節誤）
之操令班師回許都操曰吾折長子愛姪猶可獨痛號泣典韋也諸
將曰吾公愛士過于親子誰不悅服却說王則齎詔到徐州令出
迎封布為平東將軍特賜印綬又將曹操書與布書中言國無
好金吾姑取家藏金以鑄印國無好紫綬自取所帶者以表寸
心留與劉備和好共滅袁術惟恐袁術見重待王則怒報袁
術使又至布問之使言袁王早晚即帝位立太子催皇妃早赴淮
南布怒曰反賊敢如此斬了來使便令陳登齎謝表解韓胤同王
則赴許都來見曹操操知呂布絕了袁術婚奏命進表表曰

十四

臣自誅董卓又傕汜亂徙身山東本欲迎駕知曹操忠誠奉駕
往許臣前與操鬪今操保護陛下於內臣爲外將若以兵隨恐
生嫌疑是以待罪徐州進退未敢自專近承天寵曲頒恩命愧
受感領倘有征討之命臣雖萬死不辭臣不勝感激禱謝之至
布答操書十分欽敬謹操大喜遂斬韓胤于市陳登密見操曰呂布
虎豹也輕於去就宜早圖之操曰吾知呂布狼子野心汝父子爲
我謀之登拜諾操賜陳珪粮二千石登爲廣陵太守操曰東方之
事便以相托令登暗領士衆以爲內應登回徐州見布言父增祿
甚爲郡守布大怒曰不與我求徐州牧汝父子教我協從曹操絕
婚公路你父子俱貴顯我所求並無一獲吾被汝父子所賣耳拔
劍欲斬登登笑曰將軍何不明也吾見曹公以將軍譬如養虎當
飽其肉不飽則將噬人公曹公笑曰吾待溫侯譬如養鷹天下狡
兔未息不可先飽飽則颺去布問誰爲狡兔曹公曰江南孫策
冀州袁紹壽春袁術荊州劉表益州劉璋漢中張魯布擲劍歎曰
曹公知我也人報袁術軍分七路取徐州呂布大驚如何迎敵

袁術遣將七

路下徐州

袁術七路下徐州

袁術在淮南，地廣糧多，又得孫策玉璽，遂議稱帝，大會群下，術曰：吾聞高祖乃泗上亭長，撫漢四百年基業，今氣數已盡，海內鼎沸。吾家四世三公，應天順人，以登九五，汝諸公卿各效忠良。主簿閻象曰：不可。昔日周自后稷至於文王，積德累仁，三分天下有其二，以服事殷。明公雖然奕世克昌，未若有周之盛；漢室雖微，未有商紂之暴。此事決不可行。術曰：吾袁姓出於陳，陳乃大舜之後，以土承火，應運之次，又有天賜玉璽，若不爲君，背天道也。吾意已決，多言者斬。遂建號仲氏，立臺省等官，乘龍鳳輦，祀南郊，立馮方女爲后。後宮美麗數百，衣皆錦綉，器盡珠玉，飲食俱是奇珍美味。立子爲東宮，差使催取布女爲妃，却聞斬許韓胤，布已受征東將軍印誠。術大怒，遂拜張勳爲將，領大軍二十萬，分七路往徐州：第一路大將張勳居中，取徐州；第二路上將喬蕤居左，取小沛；第三路上將陳紀居右，取沂都；第四路副將雷薄居左，取瑯琊；第五路副將陳蘭居右，取碣石；第六路降將韓暹居左，取下邳；第七路降將楊奉居

陳珪說布

商議敵術

右取浚山分撥已定起程術命兗州刺史金尚為太尉監運七路錢糧尚不從術殺之以紀靈為七路都救應使術自引三萬軍與李豐梁剛樂就接應七路軍馬呂布使人探聽回報急召陳珪父子商議陳宮曰陳珪父子巧言以媚朝廷仕求爵祿今日移禍於將軍可斬其頭以獻袁術其軍自退布大怒令人捉下陳珪父子珪笑曰何如此之懦也吾觀七路之軍如七堆腐草耳布曰汝看有何計破之免汝死罪珪曰七路首將是誰布一一說了珪曰將軍共有兵多少布曰五六萬人珪曰我以逸待勞四面分兵應之無不勝也呂布曰汝以言覓我將欲逃乎珪曰珪家俱皆在將軍掌中走往天上去倘將軍肯從老夫之言徐州可保無事布曰你試言之珪曰術用楊奉韓暹此其所以取禍彼二人烏合之衆謀無素定我以奇兵戰之勝之必矣陳登曰非止保徐州袁術亦可擒也布問其故登曰暹奉二人舊乃漢臣因懼曹操走奔袁術術必輕之若修尺書與二人以為內應改書約備使為外應必擒袁術矣布曰你親到楊韓處下書看何如登遂行先差人許都上表

陳登說韓暹

楊奉內應

致書玄德然後令陳登引數騎於下邳道上接韓暹[illegible]引登入見暹曰汝是呂布之人來此何幹登曰我乃大漢公卿何爲呂布之人也久聞將軍有保駕之功乃英雄之士今却從袁術反賊豈正猶舍明珠而就泥瓦棄良玉而就頑石不忠不義之名萬古於萬代豈因一時之陪而貽千古之羞其爲將軍耻之且袁術多疑久後必害將軍將軍欲歸漢恨無門路耳登呈呂布書云布聞二將軍全大駕立盖世之功偶因一時之間言以致失身於僞[illegible]鼎[illegible]去邪從正同誅逆賊共佐皇朝書奇勛於竹帛[illegible]青縑伏祈照察韓暹曰[illegible]與楊奉兩路幾兵擊之但看火起爲號温侯以兵應之[illegible]布曰退已[illegible]布即令高順進小沛擊紀[illegible]張遼臧霸出瑯琊[illegible]薄宋憲魏續出碣石陳[illegible]大道敵張勳各與兵一萬餘者守城先說呂布出城[illegible]勳排呂布对手退三十里令四下兵應是夜望見火起[illegible]兵自亂退分兵處放火爲號呂布乘勢一擊張勳敗

呂布得勝

走布趕到天明撞紀灵救應兩軍卻欲交鋒暹奉兩軍殺出紀大
敗奔潰布引軍追殺山背一彪軍出鼓旗金爪銀鉞黃越白旄黃
羅銷金傘蓋下袁術渾身金甲腕懸兩刀立馬陣前大罵呂布殺
父逆賊背主家奴布大怒挺戟向前來殺袁術副將李豐挺鎗迎
戰不三合傷手棄鎗而走梁剛樂就突出接戰呂布袁術引中墜
出後軍未戰先走三軍大敗布搶奪衣甲馬疋無數袁術敗軍走
不反數里山後一彪軍出截住去路未知是誰

○曹操會兵擊袁術

當先一將出馬乃雲長也大叫反賊休走術慌落荒而逃雲長趕來
紀靈引軍敵住袁術收拾敗軍回淮南而去呂布得勝邀暹奉回
徐州設宴管待諸將布保韓暹為沂都牧楊奉為瑯琊牧商散各
謝而歸雲長辭去次日布與陳珪商議欲留一軍在徐州珪曰不
可可使韓楊二人據山東不出一年則山東皆屬將軍也布曰然
次日重勞二軍遂二將權於沂瑯屯札以候恩命登問父曰何不
留韓楊在徐州為殺呂布之本珪曰不然倘二人協助呂布[illegible]

袁術差人

問策借兵

布添牙爪也卻說袁術屯軍馬在其大半收遣道人往江東陸處
策借兵報仇孫策怒曰汝僭稱帝號背反朝廷斷吾乎吾齊并袁人
也吾欲加兵問罪豈肯助爾逆賊乎即作書以絕之書云
策聞上天垂司過之星聖王建敢諫之鼓設非謬之闕急箴起
之言何哉凡有所長必有所短近聞建議復欲追遵前圖設其
必爾民何望乎卓暴白舉義天下嚮應者以其奉上也董卓肆虐
立屈陵寢故諸州郡邑聲罪致討卓賊既斃幼主東顧俾保傅
宣命欲令諸將振旅於河北奔曹操放毒東徐劉表稱亂南
公孫瓚焦依北燕劉繇決力江滸張魯肆橫關內劉備負强淮
南是以奠承王命戰守竭矣也今備孫既破操等疲敝不來此
時合謀討逆於欲自取失海內民望一也昔成湯伐桀以夏多
罪武王伐紂以商有罪此二王雖有聖德不遭其時亦無由興
今聖主非有惡德徒以春秋尚少脅於强臣若無大過而奪之
懼未合於衆心二也卓賊雖云後現猶未敢廢主自與然
天子不有桀紂之暴誰敢攘簒而奪之且以中士希戰之兵當

邊地勁悍之虜所以可得而勝者以彼亂我治彼逆我順也昔旦當世之紛亂欲大舉以臨之恐未能勝適足趣禍三也天下神器不可妄干必須天贊人爲湯有白鳩之祥武有赤烏之瑞高祖應五星聚之符世祖兆神光之徵皆因民困于桀紂之暴苦于秦莽之苛故能安去無道以成其志今天未見有授命之兆而欲一旦遽登尊號未之或有四也天子之貴四海之富誰不欲焉義不可勢不得耳陳勝項籍隗囂公孫述之徒皆南面稱孤然莫之或濟帝王之位不可横冀五也幼主岐嶷必能中興若能除其偏去其蠹致主成周之盛自受旦奭之美誠所望於曩前也縱幼主有故猶宜推其宗室之賢以紹漢統使書名青史爲衆安國舍此不爲而爲其難者非智者之所爲六也五世爲相論權勢固宜與均當繼祖考之志以報漢恩若曰天下之人非故吏則門生孰不從我四方之國非吾匹則吾役誰敢違我蓋乘累世之盛起而取之向背之機不可不察七也所貴爲明哲者能合機變慮成敗若以推固之勢離心之事檢于數

曹孟德興

兵伐袁術

之力以生叛離之心公議不容明哲不處八也世人咸(小注)率逢非類什曾把合以悅所事之人而以財力土地感服縱有後伸同其說今來實無之不可不三思九也九者尊前所見之餘耳(小注)前陳一得之愚幸乞留神察聽(小注)使齎回書見袁術術看罷大怒曰黃口孺子敢以文字誡我我必代之楊大將等諫方止却說曹操在許都思慕典韋爲立祠堂四時祭以少牢養其子典滿在府封爲中郎將忽報孫策使至比前所獻禮物尤多(小注)觀其書意遂欲南征又探得袁術之糧劫掠陳地操遂點衛出師(小注)令曹仁守許都餘皆從征起兵三十七萬(小注)輜重一千輛時建安二年秋九月操遣人會孫策呂布劉備之兵劉備引兵迎操(小注)獻二首級操問曰此乃何人之首玄德曰此韓暹楊奉之首也操問何以得之玄德曰此二人在鄆州沂都近縱軍士劫掠人民備詐設宴請其議事席間擲盃爲號關羽張飛各殺一人今將獻請罪操曰爲國家除害何得爲罪遂合兵到徐州呂布出迎操撫慰之令爲左將軍

待還都別換印綬布喜謝操令玄德為左呂布為右自居中軍令
夏侯惇于禁為先鋒袁術知操兵到遣大將橋蕤引兵五萬出壽
春界口迎敵夏侯惇與蕤交戰數合蕤敗死術軍無主大敗回城
探馬飛報孫策發船江邊來攻西面呂布領將來攻東面劉備引
關張來攻南面曹操自領大軍來攻北面袁術慌聚文武商議謀
將曰目今水旱絕收軍皆缺食四邊驟至何以迎敵不如守城休
戰彼兵糧盡必變陛下統御林軍渡淮一者就熟二者且避其鋒
術用其言留李豐陳紀梁剛樂就四人各封上將領兵十萬守壽
春術盡載庫藏金寶及二十萬人過淮躲避卻說操軍十七萬日費
糧浩大況諸郡荒旱人皆相食操催軍進戰李豐等閉門不出操
軍相拒月餘糧盡遣人問孫策借糧米應付十萬斛人多不敷支
散管糧官任峻部下倉官王垕覷數目入稟操曰兵多糧少當
如之何操曰可以小斛散之權收一時之急垕曰倘軍怨若何操
曰你只以小斛分散吾自有法則操使人各寨暗聽之各寨皆曰
丞相欺眾也說者紛紛皆有變心操遂召之入[illegible]

操斬李陳

□樂四將

言粮不如斂為[?]招王垕入曰吾欲問汝借一物以壓眾心汝[illegible]
妻子吾自養之汝勿以為慮垕曰何物操曰欲借汝頭以示眾耳[?]
曰垕實無罪操曰吾亦知汝無罪汝若不死三十萬兵皆心變矣[?]
垕再欲言操早呼刀斧手推出斬之懸頭竿上出榜曉諭曰王垕盜
竊軍粮故用小斛支散謹按軍法因此[illegible]過三十萬軍一齊無怨
史官評云操雖然是奸[?]後[?]一人[?]數萬人分散此操之善用許謀[?] [illegible] 操知粮盡令三軍如三日
不得城者皆斬操親督戰諸將[?]土填濠而過忽見兩牙將到城
邊見城上矢石如雨兩人懼怯走回操掣劍親斬於城下大小軍
士無不戰慄盡皆向前軍威大振城上皆失色是夜先上城者
操傳令賞銀錢分賞眾軍入城李豐陳紀梁綱樂綝皆被綁至操令
皆斬于市焚燒造宮室殿犯禁之物操欲進兵渡淮攻袁術荀彧
諫曰此間數郡荒旱若更進兵尚未見勝欲退恐難不如暫回許都
來春麥熟糧足方可圖也操狐疑未決忽探馬飛報張繡作亂托
劉表為助南陽諸縣復反曹洪出戰連敗數陣恐許都有失遣人
報急回操備書與孫策跨江陳兵以疑劉表使不敢妄動自往征張

曹丞相興

兵伐張繡

繡操復令劉備呂布結爲兄仲使相救助令玄德仍屯沛城操密謂玄德曰吾令汝屯兵沛城正是掘坑待虎也汝與陳珪父子共議勿令有失吾等你音信自來接應備許諾操引軍回許都人報段煨殺李傕伍習俱將首級並三族俱已解到操令分于各門處斬傕汜之首相傳號令人民大歡操請天子會集文武作太平宴席封段煨爲盪寇將軍伍習爲殄寇將軍各引兵鎮守長安二人謝恩而去操奏張繡侵掠州郡興兵伐之天子親排鑾駕送操出師時建安三年夏四月操留荀彧守許都大兵進發操於路見麥已黃民懼兵至皆逃操集諸將及村中父老守境官吏告之曰吾奉天子明詔討叛安民方今麥熟之時不得已而起兵凡大小將校踐倒麥者斬首搶擄財物者誅王法無親各宜遵守先使人於路佈告勿得驚移妄動百姓俱各拜迎稱頌盛德軍士經過盡皆以手扶麥而過只怕麥倒在路操正行之次於麥中驚起一鳩馬咆哮入麥田踐踏畝餘操隨即喚行軍主簿議罰主簿曰丞相之令誰敢不從操曰吾自令自犯何以服眾吾遂佩劍自刎眾急救

曹操割髮　以服軍心

之郭嘉曰古者春秋之義罰不加尊丞相豈可自戮操曰既然
有此義吾暫記過乃割髮擲地曰髮權當吾首衆軍悚然皆遵
此乃操用心術之處 於民秋毫無犯後人有詩斷曰　十萬貔貅十萬心
一人號令衆人禁　拔刀割髮權爲首　方見曹瞞智詐深
却說張繡知操兵到急報劉表使爲後應乃引雷敍張先二將出
迎令賈詡守南陽陣勢擺開張繡出馬指操曰汝假仁義之徒
與禽獸無異操怒令許褚出馬繡令張先迎敵不三合褚斬先於
馬下繡兵大敗操驅兵趕至南陽繡走入城堅閉不出操攻城城
上砲箭如雨城壕闊水勢難近操令軍士運土并布袋袋土并柴
把相繼塡壕將白梯近城觀看三日令軍於西門北角上堆土袋柴
新就那里登城繡問賈詡詡曰某已料定可將計就計操必敗走
決勝負賈詡[illegible]
繡問何如詡曰某見操自遶城觀看三日他見東南城角有新舊
二色之土鹿角朽爛意在此處進城却虛去西北角上堆土詐爲
聲勢瞞我兵去守西北今夜他必乘黑在東南入城曰聞可擬曰

曹操淯河

享祭典韋

姓穿號衣虛守西北令精兵銜枚盡伏東南屋內夜間令西北百姓吶喊任他扒城一聲砲響伏兵殺進必破操矣繡即令百姓穿號衣在西北吶喊城外望見西北盡是軍馬報入中軍操曰中吾計也預備扒城器具日間故意聚兵西北吶喊攻城當晚操自引精兵于東南角上扒過壕去裡面悄靜只聽一聲砲响南城缺內火把齊明操兵殺入兩下伏兵盡起背後張繡驅兵殺來東南二門精兵突出操兵大敗壕內人皆填滿至五更繡收兵不趕操折去兵五萬呂虔于禁俱各被傷賈詡差人令劉表起兵絕操歸路表欲起軍人報孫策屯兵湖口蒯良曰策屯湖口是操令其爲疑兵也今不乘其敗起兵剿滅後必爲患表遂令黃祖緊守隘口進兵安眾一面會合張繡繡知表兵起同賈詡引軍襲安眾操軍退至穰城到淯水操於馬上大哭眾將問故操曰吾思去年此處折了典韋不容不哭也眾皆下泪操令宰牛殺馬於淯河之上享祭典韋及子曹昂姪安民與絕影馬并將士亡於此地者曹操再拜痛哭扑倒在地眾皆救醒大小軍校無不下淚忽哨馬差人報

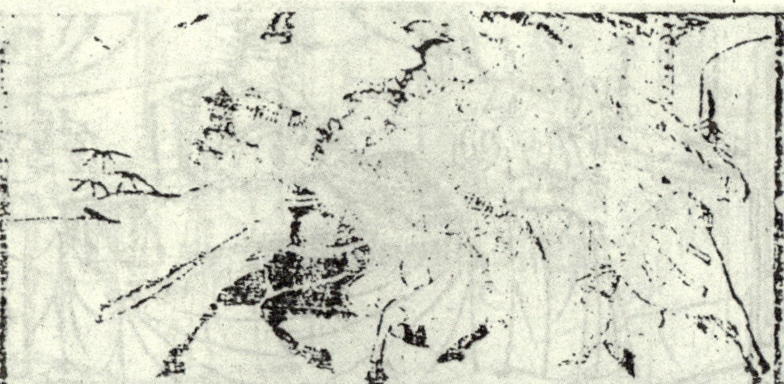

劉表助張繡屯兵安衆以絕歸路操答書曰賊來追我計分
吾到安衆破繡必矣劉表兵已據險要張繡隨後趕來
操令衆軍黑夜鑿險開道伏兵天明表繡見操兵少疑其遁
去兩軍俱入險擊之操縱伏兵出表繡之兵大敗操于安衆隘外
下寨表繡各整敗兵相見表曰何期中操奸計繡曰容再圖之表
繡屯於安衆荀彧知袁紹意欲興兵犯許差人逓書報操書云
近日探得袁紹興兵紹曰將軍今統維師兵精糧足操已
南征正宜乘虛總兵奉迎天子遍動詔書號令海内此爲上策
今若不取維恐紹已變之但遲疑未決請公親還都又作
風處表繡孫瓚之疾不足憂也望丞班師勿悞大事
操得書簡日回兵細作報張繡繡欲追之賈詡曰不可追則必
敗劉表曰若不追之失此機會二人引兵趕上二十餘里操回兵
接戰繡表大敗而還至半路遇賈詡繡曰不用公言致有此敗詡
曰可再進之一人勝也繡曰今已大敗何能再勝詡曰兵勢有變
如此不勝斬吾首繡信之表不肯從繡自收敗兵追擊操兵大

賈詡勸繡

州大勝

敗盡棄衣甲器仗而走繡遂望追趕忽山後一彪軍截住中路繡忙收軍回安衆設宴酬謝賈詡表問曰吾以精兵追退軍公曰必敗以敗兵擊勝兵公曰必克公言何其驗也詡曰將軍雖善用兵非操對手操軍新敗必令大將斷後以防追兵吾兵雖精彼亦銳故知必敗操既勝之後必引大將先去以理國內之事後軍雖勇亦非將軍之敵故雖敗兵而戰必勝也二人服其高論詡勸表回荊州繡守穰城以爲唇齒却說操知後軍必敗再引衆將回來正逢敗軍告操曰若非這一路車馬截住中路我等皆被擒矣操忙問曰是何人也其人札鎗下馬來見曹操操曰將軍何人也其人曰某姓李名通字文達家居江夏平春爲破黃巾有功官拜裨將威中郎將近守汝南聞丞相破張繡劉表將來救應操大喜賞勞畢加爲裨將軍封建功侯守護汝南西界以防表繡通拜謝而去

夏侯惇拔箭啖睛

却說操回許都入見天子奏孫策有功封爲討逆將軍賜爵吳侯遣使賫詔過江東令策攻劉表操回府有賊問曰丞相到安

郭奉孝陳

十勝十敗

何以知其必敗操曰吾遺吾歸路而又與吾死戰此孫子之忌也是以知其勝也荀彧拜伏而服郭嘉入曰項聞袁紹使人致書於丞相欲借糧益兵以伐公孫瓚操笑曰吾聞紹欲攻許都今聞吾回却欲借兵圖公孫瓚吾有紹書其中意極驕傲因謂嘉曰袁紹無狀吾將討之恨力不及且嘉曰劉項不敵公所知也項羽雖強終被高祖之擒惟智勝也嘉竊料之紹有十敗公有十勝紹雖強無能爲也紹繁禮多儀公體任自然此道勝一也紹以逆動公奉順以率天下此義勝二也漢末政失於寬紹以寬濟寬故不懾公糾以猛而上下知制此治勝三也紹外寬內忌用人多疑所任惟親戚子弟公外簡易而內機明用人無疑惟才所適此度勝四也紹多謀少決失在後事公得策輒行應變無窮此謀勝五也紹因累世之資高議揖讓以收名譽之上好言飾外者多歸之公以誠待人不爲虛美以儉率下賞功不吝士之忠正有才者皆願爲用此德勝六也紹見人飢寒形於顏色其所不見慮或不及此乃婦人之仁公於小事或有所忽至於大事慮無不周其所不見亦加以

荀文若陳

操有四勝

恩也仁勝七也紹大臣爭權讒言惑亂公御下有道浸潤不行此明勝八也紹是非不分公所是者進之以禮非者正之以法此文勝九也紹好虛勢不知兵要公能以少克眾用兵如神士卒恃之敵人畏之此武勝十也公有十勝之德紹何敢望也操笑曰如卿所言孤何以當彧曰若此紹可圖矣嘉曰徐州呂布實心腹之患今乘紹遠征公孫瓚可先取呂布掃蕩東南然後圖紹未晚若使當紹則布必引兵寇許都為禍不淺也操然之遂召荀彧入後堂問曰汝知袁紹動靜乎彧曰今日有使至不知何事操以紹書令彧觀之彧看畢曰紹欲討大不遜也操曰吾欲討之恨力不及耳彧曰古之成敗者苟有才者雖弱必強無才者雖強易弱劉項強弱足以見矣紹外寬內忌任人多疑公明達不拘惟才是使度勝之也紹遲鈍少決失在事後機公能斷大事應變無窮謀勝之也紹御軍寬緩法令不立士卒雖眾其實無用公法令既明賞罰必行士卒雖寡皆自效死[illegible]勝之也紹憑藉世家好名飾智虛譽之士或皆歸之公以至[illegible][illegible]行己以儉無[illegible][illegible]不吝賞士頗從德勝也

也以四時輔天子以號征伐誰敢不從袁紹之輩何能為哉操曰
依公之言紹可伐矣[illegible]呂布在徐州常自不仁若伐袁紹
布必乘虛[illegible]不如以書安紹之心[illegible]以驃騎官許以賜[illegible]兵與彼為事於
公孫瓚[illegible]中原之地[illegible]有其六然後紹可一舉而
擒也操撫掌[illegible]孝之[illegible]智者合符節雖張良陳平不
過是也遂議東征呂布[illegible]使人討會劉備為應待其回報
然後動兵次日表請加紹為大將軍太尉兼督冀幽并泗四州操
書付紹云公可討公孫[illegible]當應之厚遣其使而回紹喜議進兵
攻瓚不在話下却說陳[illegible]曰劉備常宴陳珪父子而共將軍
將軍不可不防布[illegible]吾不看
舊日之面[illegible]不白久必受殃矣待棄
之又恐人笑[illegible]地面巡哨見有使命抄
小路而來宮[illegible]宮是呂布帳下之人慌
忙失色宮[illegible]來見呂布布問之使曰曹
丞相差來劉豫州處下[illegible]書今得回書不知何事布令放他去宮

布令高順

攻打沛城

曰其中必有謀可發緘視之布看書大驚其書言云
今奉丞相嚴命敢不夙夜用心呂布乃虎狼也奈備兵微寡
不敢妄動望丞相大興王師則備謹嚴兵整勿穎聽指麾
呂布大罵曰操賊焉敢如此遂斬使者先遣陳宮結連太行山賊
首孫冠吳敦尹禮昌豨東取兗州數郡高順張遼取沛城攻劉備
宋憲魏續西取汝潁布在中三路救應卻說高順兵到小沛玄德
急聚眾商議孫乾曰可告急於操玄德曰誰人可去簡雍出曰某
願往（簡雍字憲和玄德同鄉人有辯才特爲幕賓）玄德令雍行整頓守城器具玄德守
南門孫乾守北門關羽守西門張飛守東門糜竺與弟糜芳守中
軍保護老小（糜竺有一妹嫁玄德爲次妻玄德與竺有郎舅之情故令其守家眷）玄德在城上謂高
順曰溫侯何故加兵順答曰汝共曹操通連欲害吾主是天敗
尚敢抵諱玄德不應高順與張遼分兵攻打關羽謂張遼曰汝一
表非俗何故陷身於賊部下乎張遼低首不語相拒終日並無戀
言亦不令軍士打城關羽使人探聽西門消息人報張飛殺高順
[illegible]篤[illegible]馬出城廝殺關羽見張[illegible]兵[illegible]到東門見張飛在城外

和張遼斷後張遼見羽引手馬而去飛欲追趕[illegible]遼喚入城[illegible]飛曰張遼懼我而走下欲擒之哥哥如何[illegible]我回來羽笑曰張遼武藝不在汝下是吾見[illegible]曰說他須有歸順之心今見吾來敢拒馬而去非懼汝也飛[illegible]曹不出戰玄德亦使人誡飛休見攻城不下自來督戰玄德於城上曰非備之罪曹丞相傳天子詔命以書見示不合不答告曹[illegible]三[illegible]心[illegible]圍住不令攻打布同徐州差逢萌往淮南見袁[illegible]許[illegible]備曰若要吾信可送女來亦遲疑未决却說陳[illegible]說呂布斷使圍城之事操聚謀士議曰吾不慮袁[illegible]張[illegible]在後未敢動兵故問表繡許敗不敢生心[illegible]准泗必有豪傑應之今乘其初叛眾心[illegible]之[illegible]布差夏侯惇呂虔李典爲先鋒操與眾謀士[illegible]至徐州高順知許都救兵到報呂布布先[illegible]同高順迎敵曹軍玄德見高順退去知是曹[illegible]到[illegible]出城只留孫乾守城糜竺守家眷[illegible]軍下三個寨中玄德左關羽右張飛[illegible]

曹性發箭

射夏侯惇

說夏侯惇挺鎗搦戰高順出馬大罵夏侯惇大怒交戰五十合高
順敗走惇縱馬趕去順遶陣而走惇盡力追趕曹性拈弓搭箭一
箭中惇左目惇拔箭脫出眼睛大叫曰父精母血不可棄也納於
口中啖之不趕高順回馬直取曹性一鎗中其面門死於馬下史
官有詩贊夏侯惇曰　鬪躍展土夏侯惇　鏖戰叢中敵萬軍
拔箭去睛拈一目　啖睛怒氣憶雙親　忠心力把黎民救
雪恨平將逆賊吞　孤月獨明堪比論　至今功績照乾坤
夏侯惇殺了曹性縱馬便回高順却從背後趕來呂布軍到一齊
趕殺曹兵大敗夏侯淵殺開大路救兄而走呂虔李典收住敗軍
退兵五十里下寨高順引兵回見呂布未知勝負何如

全像三國志傳卷之三

呂布領兵

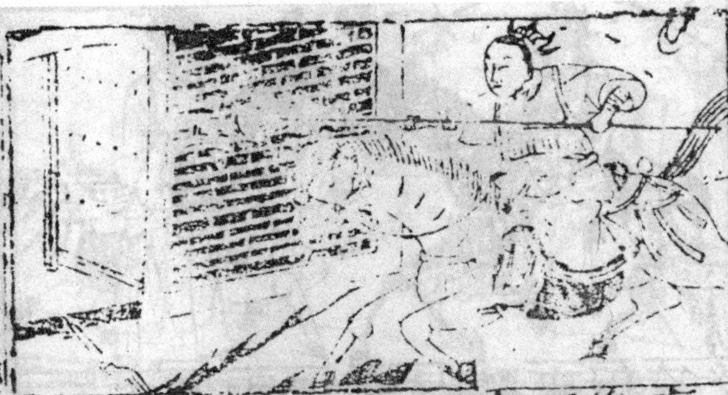

殺進沛城

呂布敗走下邳城

高順令張遼擊張飛自擊關公關張出迎玄德分兵救應布從背
後殺來關張敗張飛保玄德引數騎復回沛城呂布趕來玄德急喚
開門放下吊橋呂布乘勢趕入把門約當走玄德到家不及匹馬
穿城出西門逃難布先到玄德門首糜竺出跪馬前言曰玄德將
軍常言也吾聞大丈夫不殺人之妻子與將軍爭天下者曹公也
玄德向敢忘轅門射戟解圍之恩玄德一飯未嘗忘也呂布曰
吾與玄德舊交安得害其妻小汝可引老小去徐州舊宅中住賜
汝口糧但有登門者斬之糜竺保老小往徐州安置
呂布令高順守沛城自往兗州去與張收拾些小人馬往山中屯
扎卻說玄德正行後孫乾趕至二人計說一番玄德曰吾二弟
存亡不知何處去好孫乾曰不若可投曹公以圖後計玄
德依言[illegible]根到處聞是玄德皆進飲食忽一夜投
獵戶劉安家投宿聞豫州牧至安遍尋野味不得殺其妻以食之玄

德問是何肉安曰此狼肉也天曉玄德入後院取馬見殺其妻於廚下盡割臂上之肉玄德方知之痛傷不已欲同安去安辭有老母在玄德謝了遂取路出梁城忽見大隊軍到玄德迎之乃操兵至玄德直到中軍拜操訴說失沛城并二弟陷老小之事操亦下淚軍至濟北夏侯淵接操入寨言見惇了一目卧病未痊操臨卧處視病令先回許都調理忽人報呂布令陳宮結連太行山群寇至犯兗州操令曹仁引軍十萬打沛城自提二十萬兵到山東破陳宮兵近蕭關孫觀吳敦尹禮昌豨四將領兵三萬攔敵（四人行此號先鋒）急令呂布順操令許褚迎戰四將抵敵不住四散走了操乘勢掩殺至觀等敗入蕭關令人飛報呂布時布在徐州正欲行沛城高順來告急布令陳珪守徐州同陳登去珪謂登曰昔日曹公所托布將敗可力圖之登曰外面之事兒自爲之倘呂布敗回可與竺堅守休放布入兒自有脫身之計珪曰布老小在此必然死矣布曰徐州四面受敵操必死攻先思退路可將錢糧在此邳下邳倘被圍急下邳有糧可救布曰元龍（陳登）之言是也即依

陳登哄陳宮

宮等棄關

續將所隻遣隊草寇能前併老小屯下邳城布與登往救蕭關
孫觀等欲獻關恐不可信托某先往以觀其心登先到關見
曰溫侯怪汝等不肯向前宮曰操兵勢大未可輕敵吾只緊守
隘口溫侯守住沛城至矣登見操軍逼在關下是夜連寫三封
書拴在箭尾射下關去次日登辭陳宮曰關上無妨吾見溫侯
救沛城飛馬來見布曰孫觀等皆欲獻關某已約陳登為內應但
處可黃昏殺去布曰非公則吾中計也先令登來與宮舉火為號
登先到關哄宮曰曹兵抄小路已入關恐徐州有失公等急回宮
遂引衆人棄關而回登就山上放起火來呂布乘黑殺來陳宮軍
與布軍自相掩殺背後曹兵殺到臧霸孫觀四散而逃布到天明
方知是中計急與陳宮回至徐州城上亂箭射下糜竺在城上叱
曰你奪吾主公城池今應還吾主公布大怒曰陳登安在宮曰主
公尚執迷而問逆賊乎布回沛城至半路卻逢張遼高順軍到言
驚問之順曰陳登來報某言主公被圍令某等來救宮曰又是
此賊之計布怒曰吾誓殺此賊進兵小沛曹仁軍已入城了布號

與玄德

入城

下大驚陳登曰吾本漢臣安肯從叉賊耶布轉怒聞背後喊起張飛殺到布使高順迎之順敵不住敗走呂布來敵張飛正鬬之間關外曹軍殺到呂布引軍東走人困馬乏又逢關羽截住去路布與羽交戰背後張飛赶來布衝開奔走下邳侯成引軍接入關張入寨中見玄德哭拜於地隨操入徐州糜竺接見言家眷無虞玄德大喜陳珪父子叅拜曹操操設宴大勞諸將操居中玄德在左陳珪在右筵散操加陳珪食邑登爲伏波將軍商議起兵攻打下邳程昱曰布今只有下邳一城可分兵四面緩緩而進若逼太急必死戰而投袁術矣一徙接術其勢又大急難擒獲淮南徑路必須能者守之外當袁術內防呂布兄山東孫觀臧霸之徒未服亦宜謹之操曰山東諸路吾自當之淮南徑路玄德當之玄德曰將軍將令安敢少違操分兵各路守把玄德留簡雍糜竺在徐州自帶關張孫乾取淮南徑路來襲下邳呂布以下邳內有錢糧外有泗水自謂無憂陳宮曰操兵初到乘其寨栅未定以逸擊勞無不勝也布曰吾屢敗不可輕出待其來攻一擊皆落泗水中

之計策已定賞中矣陳宮大笑而出操下寨已定領諸將乘虜益
到城下以鞭指布而叫之操曰近聞奉先結親袁術吾故領
兵至此實爲術也術有反逆大罪汝有討卓之功若能倒戈投降
共扶王室不失封侯之位若執迷不省城破之後玉石俱焚悔之
晚矣布曰丞相且退尚容商議陳宮罵操曰奸君之賊尚欺他人
耶一箭射中麾蓋操恨曰吾誓殺汝遂引兵去呂布曰曹丞相容
吾自首呈當長拜于明公陳宮變色曰逆賊曹操何等明公今自
若降如雞子投石豈可得全布怒欲殺陳宮未知性命何如

白門樓曹操斬呂布

高順張遼諫曰公台忠義之言願主公詳之布笑曰吾戲耳願公
教我拒操之策宮曰只恐將軍不從耳布曰公之良言安有不從
宮曰操遠來勢不能久若將軍以步騎屯於外宮與眾將守
於內若攻將軍宮出攻其背若來攻城將軍追擊其後不旬日操
軍食盡可一擊而破此犄角之勢也布曰公言極善布收拾戎
裝嚴氏曰君欲何往布曰陳宮教我犄角之勢如此如此嚴氏曰

昔操待宮如子猶舍而來今將軍厚宮不過於操而欲委全城與妻子孤軍遠出若一旦有變妾豈得爲將軍之妻哉布曰夫人所見與我甚同遂不出宮入見布曰操軍四面圍至若不蚤出必受其困布曰吾思遠去不如堅守宮又曰近聞操粮少遣人往許都去取早晚將至將軍引兵截其粮此計最善布曰公言是也又入見嚴氏曰曹操運粮將至我出斷之便回嚴氏泣曰將軍自出斷粮必令陳宮高順守城我聞順宮素不和睦如有失挫將軍立於何地乎願君自作主張勿被宮等所誤妾昔長安已爲將軍所棄賴龐舒藏妾幸得與將軍相見今又棄妾也言罷而哭布入告貂蟬貂蟬曰願將軍以妻妾爲重慎勿輕出布乃出告陳宮曰細作言操粮至詐也操多詭計吾未敢輕動宮長歎而出曰吾死無葬身之地矣靜軒先生有詩斷曰

奸雄曹操併中原　社鼠城狐棄寨垣
莫笑温侯無決斷　丈夫多感婦人言

布終日只與嚴氏貂蟬飲酒謀士許汜王楷入見布問曰二公有何計汜曰今袁術在淮南聲勢大振舊曾許女爲婚

袁術不肯

[illegible]救布

罷何不求救術兵一至內外攻擊操必破矣布大喜修書遣許汜王楷同行汜曰須得一軍衝開前方可行布交張遼在前郝萌在後二更後二遼殺出城去已出隘口郝萌領軍跟楷汜去張遼回關中攔路各有戒防之心尚未交戰郝萌順引軍接遼入城却說汜楷到淮南見袁術呈上書術曰前日殺吾使命絕吾婚姻今復相問何也汜曰此是操用間諜計以致如此望明公詳之術曰汝今若不被操所困亦不肯許吾婚汜曰明公不救布布必敗布若敗明公安得獨存術曰奉先反覆無信可送女來吾當領國救之汜楷辭回到玄德寨邊汜曰日間不可過夜半吾二人當先汝可斷後至夜正行間張飛攔路交馬一合生擒郝萌過去汜楷得脫太叫開門高順救入張飛解郝萌往操寨供說求救袁術許女為婚操交斬於軍門告示各寨如有走透呂布將士者斬首玄德分付關張曰我等正當淮南要路倘有疎失主法無親二弟須宜小心關張應諾却說汜楷見布言術先要得見婚便當領國起兵布曰如何送去汜曰非將軍不可布必又張遼侯成引三千軍安排一輛

關羽張飛

大戰呂布

小軍待我親送百餘里與你二人自去次日天晚布用甲包裹其女於背時約二更乘赤兎馬持畫戟當先張遼侯成跟後行到玄德寨邊雲長當住大叫呂布休走戰不十合布刺斜便走張飛玄德各引一軍迎敵呂布雖勇女縛在背恐傷其女不肯突圍後面徐晃許褚殺來布見軍多只得退回下邳玄德等收軍回寨却說操圍城兩月不下忽報河内張楊出兵東市欲救呂布被其將楊醜殺之將來投丞相又被眭固殺之國投大城去了操聚衆將曰吾北有馬騰之憂東有綉表之患袁紹袁術時時吾思使吾食不甘味幸是張楊自滅不然亦爲大害意欲舍布回許都何如荀攸急止之曰不可呂布勇而無謀陳宮有智布不能用今累戰累敗銳氣自衰三軍以將爲主主衰則軍無奮志作急攻之布可擒也郭嘉曰吾有一策勝如二十萬軍布雖勇不能逃矣荀攸曰莫非決沂泗之水而淹之嘉曰然操曰可差五百軍決兩河之水諸軍皆居高原坐視水淹下邳殺軍役欄獻飛報呂布布曰吾有赤兎馬渡水如登平地吾何懼哉遂日與妻妾痛飲美酒以待天時布因酒色過傷

布責侯成

衆將告免

瘦神消減取鏡照之大驚曰吾被酒色傷矣自今斷酒飲者斬
時侯成有馬十五匹被後槽人盜去侯成知之趕上奪回諸將
與校之諸將釀酒與成作賀成未敢飲先擡五斛獻布曰托將軍
虎威追得失馬衆將以酒相賀成先奉微意布大怒曰吾禁酒汝
醞酒你衆人同謀伐我耶推出斬之高順等入告布曰理合斬首
看諸將面打一百衆皆告打了五十成歸盡棄其酒宋憲魏續
皆來探視成哭曰非公等則吾死矣憲曰彼只以妻子爲重視我
等如草芥續曰軍圍城外水遶壕邊吾等死無地矣憲曰東門無
水我棄布而逃續曰何不擒布而獻之成曰布所倚者赤兔馬遂
汝二人獻門擒布吾先盜馬去報曹公若何三人商量計策侯成
夜入後槽殺死數人騎馬東走魏續往追成至操寨獻馬備言宋
憲魏續獻門插白旗爲號操即押榜示衆令士卒射入城榜曰
今奉明詔征討呂布如有抗拒大兵者滿門誅戮凡城內人等
上自將校下及庶民獻呂布首級者重加官賞　漢丞相曹示
次日城外吶喊振動天地呂布大驚提戟上城點視責罵魏續走

押呂布陳

宮見曹操

透侯成欲治其罪見白旗插在白門樓上布欲迎敵城外箭如雨
至炮如雷掣從天明攻到日午城外軍退呂布少憩樓上傘蓋遮
縛住張左右盜了劍戟兩個齊上綁倒呂布布急呼左右急續
救把白旗一招大兵齊到城下夏侯淵未肯准信宋續就城上擲
下呂布戟來大開城門一湧而入高順張遼都被圍在西門難出
陳宮被徐晃捉了操差人入城鎮壓不許劫掠良民操與玄德入
城排定刀斧手擁族一干人過來布雖長大被索縛作一塊布叫
曰縛太緊少緩之操曰縛虎不得不緊布曰容伸一言而死操曰
且少寬之主簿王楷曰呂布虎豹也其衆在外不可寬也操曰本
欲少緩主簿不容耳布見侯成宋憲魏續皆立於側布曰吾待汝
等不薄忍反我也憲曰汝聽妻言不用將計安得忘恩布默然操
交先推高順過來操曰汝有何言順終不答操怒交推出斬之押
過陳宮來操曰公臺別來無恙宮曰汝心術不正吾故棄之操曰
吾心不正你何故事呂布宮曰布雖無謀不似你奸雄也操曰你
自稱多謀今何被擒宮推布曰此人若從吾言未必被擒也操曰

公臺下樓

引頸就戮

曰今日之事當何如宮曰不忠不孝死自分也操曰柰卿老母何宮曰吾聞以孝治天下者不害人之親老母存否不在宮也操曰柰卿妻子何宮曰吾聞施仁政不絕人之嗣妻子存否亦不在宮也操有不忍之意宮曰速請就戮以明軍法操垂淚不住揮泪送之宮下樓受刑操將公臺老母妻小回許都相府中恩養怠慢者斬[illegible]也操令盛以棺木還葬許都史官有贊云

生死無二志　丈夫何壯哉　不從金石論　空負棟樑材

輔主真堪敬　辭親實可哀　白門身死日　誰肯似公臺

又詩歎呂布不聽宮言以至於亡詩曰

亞父忠言逢楚霸　子胥剜目遇夫差　白門樓下公臺死　拒諫令人發嘆嗟

又道宮雖不識人忠心凜然萬古誇詩曰

不辨魚蝦不識龍　要誅玄德拒曹公　雖然皆被蒼天罪　一點丹心貫日紅

操出布想玄德曰公為坐上客布為帳下虜不出一言以相寬乎玄德點頭操令押呂布來布曰明公所患者唯布耳布今已伏天下不足憂明公將步令布將騎天下不難定也操顧玄德曰呂布

呂布受刑

于白門樓

欲何如玄德曰明公不見布之事丁建陽董卓乎操點頭布目視玄德曰是兒最無信也操令牽下樓縊之布大罵玄德曰大耳兒不記轅門射戟時耶操大怒張遼大叫曰呂布匹夫何怕死耶遂令將布先縊死然後梟首時建安三年十二月也有詩嘆曰

夜讀三分傳　堪嗟呂奉先　背恩誅董卓　負義殺丁原
倚仗英雄氣　不從忠直言　白門身死日　猶自望哀憐

宋賢有詩笑呂布曰　洪水滔滔淹下邳　當年呂布被擒時
空遺赤兔馬千里　謾有方天戟一枝　縛虎太寬求太儒
養鷹休飽縱休饒　戀妻不納陳宮計　枉罵無端大耳兒

羅隱一絕責劉玄德不留布以防曹操云　傷人餓虎縛休寬
董卓丁原血未乾　玄德既知能咬父　爭如留此害曹瞞

操交押過張遼來操曰這人好生面熟遼曰濮陽廝殺如何忘了操笑曰汝元來也記得遼曰只是可惜操曰可惜甚的遼曰可惜火不燒殺你這國賊操大怒曰敗將何敢辱吾拔劍親自來殺張遼遼引頸就誅忽二人近前來救張遼未知是誰

曹[illegible]德許[illegible]

玄德[illegible]玄德曰此等亦心之人正好容留

狗曰某素[illegible]遂忍義頗以俟命保之操謝鈞曰吾亦知之但虧

之耳親釋其縛乃曰縱殺吾父子亦不記恨[illegible]遂拜為中

郎將賜爵關內侯遣招安臧霸霸亦引兵投降操皆賞賜霸招吳

敢尹禮來降獨有[illegible]稀不肯[illegible]操封霸為琅琊相孫觀等各加官

爵令守青州[illegible]操收[illegible]許都將錢帛犒賞三軍操

班師還許都徐州百姓[illegible]使[illegible]徐州牧操曰使君功

大喜面君再來百姓[illegible]車騎[illegible]東胄領徐州事陳登副

之操大軍還許都請玄德[illegible]左[illegible]院安歇次日操引玄德

朝見玄德拜於殿下操奏前功[illegible]曰卿祖何人也玄德

忍須上帝訝曰卿何故悲傷對曰[illegible]先祖臣乃中山

靖王之後孝景帝[illegible]下玄孫劉雄之孫[illegible]先祖直封涿州陸

城亭侯因家焉臣思辱祖[illegible]世譜譜曰

景帝生十四子第七子封中山[illegible]陸城亭侯貞生沛

侯昂昂生章侯祿祿生沂水侯戀戀生膠水侯憲憲生祖邑侯
舒舒生沂陽侯誼誼生原澤侯必必生潁川侯會會生鄭侯不
疑不疑生東莊郎令雄雄生弘弘不仕備乃弘之子也
帝排世譜乃帝之皇叔也帝請備入殿敘叔姪之禮帝暗思曹操
顓權國家大事皆不由已今得此英雄之叔天指路矣帝詔御宴
待之令操定擬官爵操拜玄德爲左將軍宜城亭侯玄德謝恩出
朝劉曄曰策聞劉備恐無益於主公操曰玄德與吾結拜安肯外
向也曄曰玄德世之傑士非池中物操曰好亦憂三年惡亦憂三
年好惡自有主意於是與玄德出則同輦食則同榻程昱入說操
曰今呂布已滅天下振動可興王霸之業乎操曰朝廷股肱尚多
未可輕舉吾請天子田獵以觀動靜昱曰丞相之見甚是操先選
良馬名鷹駿犬弓矢聚兵城外操入請天子田獵帝曰田獵非正
事也操曰古者帝王春蒐夏苗秋獮冬狩四時出郊以示武於天
下今四海擾攘之時若出田獵其利有四陛下久處深宮神力疲
倦馳騁於弓馬之間與神暢體其利一也耀武揚威以示四方其

帝令玄德

射兔中箭

利二也西陽則生深瀆北近燕其利三也自天子至於公卿可不習射以觀德乎帝依奏命遂選寶雕弓金鈚箭隨鑾駕出城玄德與關張各彎弓插箭穿甲提刀引數騎跟鑾駕出城操騎爪黃飛龍馬引十萬之眾與天子田於許田操令軍士圍遶圍場二百餘里文武百官各帶弓箭一副隨帝所捕之箭各行號頭當日帝到許田玄德迎拜道傍帝曰朕今日看皇叔射獵玄德領命上馬草中趕起一兔帝命玄德射之一箭正中帝皆稱賀玄德拜謝轉過土坡忽荊棘中趕起一頭大鹿衝人而來帝連射三箭不中回顧操曰卿可射之操就借天子雕弓金鈚箭一箭正中鹿背群臣將校皆言天子射中皆踴躍呼萬歲操勒馬遮於天子之前以受之眾皆失色關羽大怒鳳眼圓睜提刀拍馬欲斬曹操玄德搖頭不令關羽不敢動手操獨視玄德玄德稱賀曰恩相神箭世之罕有操笑曰是天子洪福耳就馬上與天子賀罷操就不還雕弓自懸帶之老臣無不嗟訝圍場已罷宴於許田天子促駕回許都各自安歇玄德謂關羽曰汝今日剛

伏完奏帝

密詔乃召董承

獵羆也羽曰欺君之賊舒實難容正欲與國除害兄何止之玄德曰投鼠忌器耳操牙爪極多倘傷天子罪及我等羽曰今日不殺必有後禍玄德曰且宜秘之勿說獻帝還宮哭謂伏后曰朕先受董卓之難後遭李郭之變常人不堪之苦一見曹操以爲社稷之臣今擅國政分毫不由朕躬殿上見之有若芒刺在背圍場上自當萬歲測其此心早晚必奪天下矣伏后曰公卿子孫食漢祿四百餘年豈無一人救患貞以救國難者乎言訖共哭伏后之父伏完自外而入曰汝夫妻休憂我舉一人以安社稷帝曰國丈知許田之事但滿朝之人非操宗族則操門下誰肯盡忠討賊完曰老臣無權難舉此事除是車騎將軍國舅董承可也帝曰國舅[illegible]多赴國難朕躬素知可宣入共議完曰陛下左右皆操心腹倘言一泄爲禍不輕臣有一計可令國舅自然盡力保駕其計何如

董承密受衣帶詔

伏完曰陛下可製新衣一領取玉帶一條可於帶襯內縫一密詔暗賜董承令到家視之必晝夜集帝然之伏完出帝自咬破指

帝諷董承

[illegible]功臣閣

尖以血寫密詔令伏后縫於玉帶紫錦襯內自穿錦袍一領自繫此
帶令內侍宣董承入（董承乃靈帝[illegible]）承見
帝禮畢帝曰朕夜來與后論霸河之苦因思卿舊日之功可伴朕于
宮中閒步散悶帝引承到功臣閣內御覽漢高祖像兩邊繪二
十四帝帝指而問曰此吾祖何人也承曰乃陛下開基高祖皇帝
何爲不識帝曰吾祖起身何地承驚曰陛下戲臣耶聖祖之事安
得不知帝曰卿試言之承曰聖祖起身泗上亭長提三尺劍斬白
蛇於芒碭山起義兵縱橫天下三載亡秦五載滅楚成四百年大漢基
帝歎曰祖父如此英雄子孫如此懦弱何不同也承曰聖祖英
之君不世出也帝指左右二輔佐曰此二相何人也承曰上首留侯
張良下首酇侯蕭何帝曰二人有何功而立於皇祖之側承曰開
基創業實賴二人之功也張良運籌帷幄之中決勝千里之外蕭何
鎮國家撫百姓給餉饋不絕糧道高祖嘗爲人傑帝曰眞社稷臣
也立此配享誠爲相應帝回顧左右較遠謂承曰卿也日當立於
朕側之側承曰臣無寸功何以當此帝曰朕想西都救駕之功未

卷四　九

嘗少息，今敢賜卿此袍此帶，常如在朕左右。遂解袍帶賜之，低[illegible]曰子細觀之，勿負朕意。承拜謝，着袍帶辭帝而出。元來先有心腹人去報操，說帝與董承登功臣閣。操急入內，正逢董承出宮門，操曰國舅何往？承曰：適蒙天子宣賜錦袍玉帶。操曰：有何緣故而賜？承曰：以某西都保駕之功，故賜。操曰：解下帶來借觀。承疑帝有密意，有難色。操令左右解下。操笑曰：果然好帶。就借錦袍一觀。操將袍於日影中照看了，穿在身上，顧左右曰：若何？對曰：稱貴。操曰：與吾穿之，別有何賜？承曰：君恩不敢輕也。操曰：你受此袍帶，莫非其中有謀乎？承急應曰：丞相如要，便當留下。操笑曰：吾戲耳。汝受[illegible]賜，吾何奪之？遂解袍帶付還。承辭操回家，將袍子細番看，並無一物。承思曰：天子以自送吾，以手指我，不見蹤跡，何也？是夜不能寐，尋思尚有玉帶可觀。視其面，乃白玉玲瓏碾成小龍穿花，背有紫錦爲襯。承又未曉其意，放在桌上，兩燈默坐，躊躇尋思，不覺疲倦，伏几而臥。忽然燈花落於帶上，燒着背襯。承驚覺，見燒破一處，微露素絹，隱有血跡。急取刀割開視之，乃[illegible]密詔也。承大驚，密詔曰：

董承與王

子服議事

朕聞人倫之大父子爲先尊卑之殊君臣爲重近者權臣曹操出自閤門濫叨佐輔之臣實有欺罔之罪結連黨伍敗壞朝綱勑封賞罰皆非朕意夙夜憂懼天下將危卿乃國之元臣朕之至親可念祖宗創業艱難糾合忠義之士殄除奸逆于未萌復安社稷再興皇家祖宗幸甚朕亦幸甚血詔付卿慎之勿忽

建安四年春三月　日詔

董承覽畢涕泪交流將詔袖歸書院再三觀看無計可施將詔壓於几上而臥忽侍郎王子服至逕入書院見承睡着袖下壓着詔書微露字跡取而觀之藏於袖中大叫曰睡得着承驚覺不見詔書魂不附體子服曰汝尋何物承默無言可答子服曰汝欲謀曹公吾當出首承泣拜曰君若如此漢室宗族並皆休矣子服曰吾祖世食漢祿怎敢負之吾欲助兄一臂之力共殺國賊承曰兄有此心國之大幸服曰應於詔後同立義狀各捨三族以報漢君承大喜取白絹先書名押號服即書之服曰將軍吳子蘭與我至交吾令其同力滅賊承曰長水校尉种輯議郎吳碩是吾心腹必能顯

我正議間家童報种輯吳碩相探承曰此天助也令服避在屏風後承接入坐定輯曰畋獵回來君懷恨乎承曰雖有怨恨無可奈何碩曰若有人協助吾殺此賊久矣子服從屏後出曰你謀殺曹公國舅便是證見輯怒曰我等死爲忠臣不似汝等賊黨也承歎曰吾等正議此事欲見二公今幸天賜必能如願遂出詔令觀之二人下淚即請書名子服曰待我請吳子蘭來去不多時二人並至子蘭欣然書名承于後堂會飲忽報西涼太守馬騰相探承曰只推吾病不能相見門吏回報騰怒曰我夜來從東華門見賜錦袍玉帶何推病也吾非爲餔啜而來但欲見一面回西涼去何薄情也門吏入言騰怒承曰諸公少待吾出見便來承接入坐定騰曰某爲西番不時入寇特來求泰害患馬今欲回程以國舅元老特來相辭何故推托承曰賤躰沾寒失於不及接騰曰公面帶春色非有病者承不能答騰拂袖而起嘆曰皆非柱石之材承見騰言感動問曰公歎何人非柱石之材騰曰畋獵之事至今吾尚氣恨公爲國之近戚猶然酒色豈得爲皇家柱石也承恐是操使來故意

承與馬騰

等立義狀

騰曰曹公所少[illegible]陳[illegible]同能及[illegible]同[illegible]自是[illegible]為正公取[illegible]
時且自較近[illegible]騰曰[illegible]思之人不足[illegible]論大事承曰請公
看一物方見勳爵邀騰取詔示之騰看畢曰汝若有內事吾願勤
西涼兵為外應承請與諸人相見騰欣然書名遂歃血為盟死生
不負坐上共六人騰曰若得十人大事濟矣承曰眾臣中少有得
忠義兩全之士騰交取鵷行鷺序來看[illegible]指
點下內檢到劉氏宗族乃曰何不共此人商議眾曰此人是誰

論英雄青梅煮酒

騰曰豫州牧劉玄德也承曰此人雖是皇親今與操賊作牙爪安
肯行此事騰曰吾觀玄德有殺賊之心前日圍場中操迎受慶
關羽便欲殺之玄德擺頭令勿近前非不欲也以操牙爪多耳
公試求之必然應允吳碩曰此事不宜太速再容商議眾皆散去
至夜董承懷詔徑往玄德門下玄德出迎請入小閣坐定玄德
問國舅深夜到此必有事故承曰白日乘馬相訪恐操見疑故夜請
見玄德曰[illegible]承曰前日圍場之中雲長欲殺曹公將軍擺

頭退之何也玄德驚曰公何以知之承曰某在公側見之玄德曰自舍弟見操僭越故難容耳承隨言大哭曰朝中若有雲長忠心之人數個何憂不太平耶玄德恐是操使來試探故佯言曰曹丞相治國夫復何憂承變色曰以公乃漢室宗親故剖心以言公何詐也玄德謝曰恐公來相試耳承出詔令觀玄德不勝悲憤見狀上有六人亦書名押號謂承曰備願效犬馬之力報國可宜緩謀不可輕忽承曰尚容再尋三人以圖國賊相辭而去玄德也防操害他就于後園種菜自己澆灌關張曰兄長不留心弓馬以取天下而學小人之事乎玄德笑曰非汝所知也次日關張出城演箭玄德正在澆菜許褚張遼慌入園中曰丞相請皇叔便行玄德驚忙隨二人到相府操正色曰在家做得好事唬得玄德面如土色操執玄德手至後園曰公學圃不易玄德方放心答曰無可消閑耳操仰面大笑曰適見枝頭青青梅因感去年征張繡時諸將言渴吾以鞭虛指曰前有梅林將士聞之口皆生水今日見此又值煮酒正熟同邀賢弟到小亭以賞之玄德隨至小亭見盤貯青梅煮酒

酒至半酣忽然陰雲漠漠驟雨將至從人遙指天外龍挂操
與玄德憑欄觀之操曰玄德知龍變化否玄德曰未知也操曰龍
能大能小能升能隱大則興雲吐霧小則埋頭伏爪隱
介藏身升則飛騰于宇宙之間隱則潛于秋波之內夫龍乃陽物也
隨時變化今春濃陽和龍得其時也與人無異龍得其時則飛昇九
天人得其時則縱橫四海龍可比世之英雄玄德久歷四方必知
當世何人英雄玄德曰備肉眼安識英雄操曰公休謙也雖
不相識亦聞其名願請論之玄德曰若淮南袁公路兵糧足備可
為英雄操笑曰塚中枯骨吾早晚必擒之玄德曰河北袁本初四世
三公門多故吏虎踞冀州[illegible]英雄操笑曰袁紹色厲膽薄好謀
無斷幹大事而惜身[illegible]非英雄也玄德曰劉景升世稱八俊威
鎮九州可為英雄操大笑劉表[illegible]非英雄也玄德曰孫[illegible]
江東領袖氣力方剛乃英雄也操笑曰孫策藉父之名貴口焉
乎非英雄也玄德曰益州劉季玉可為英雄乎操曰劉璋乃守戶
之犬耳何為英雄玄德曰如張繡張魯韓遂等可為英雄否操鼓掌

關張提劍

搶入後園

掌笑曰此皆碌碌小人何足掛齒夫英雄者胸懷大志腹隱良謀有包括宇宙之心吞吐天地之氣方稱英雄也玄德曰誰敢當之操先指玄德後指自曰今天下英雄惟君與操耳言畢玄德匙箸失落操問曰何爲失却匙箸玄德曰聖人云迅雷風烈必變一震之威乃至於此操曰雷乃天地陰陽擊搏之聲何足驚怕玄德曰備自幼懼雷恨無地可避操冷笑以爲無用之人也操雖奸雄今被玄德[illegible]瞞過前賢有詩爲證

綠滿園林春已終　曹劉對坐論英雄
玉盤堆翠青梅滿　金盞飄香煮酒濃
匙箸落時知肺腑　風雷吼後[illegible]
樽前一語嚇奸相　鐵鎖衝開走蟄龍

却說雨止之後關張射箭方回聞從人言玄德被張遼許褚提去關張提劍搶入後園看見玄德在小亭與操對坐遂按劍入鞘操曰二人何來羽曰聞丞相與兄飲酒特來舞劍助樂操知其意笑曰此非鴻門宴安用項莊項伯乎命取酒與二樊噲壓驚關張拜謝須臾席散玄德辭歸以失箸事告二弟關張亦不解玄德曰操之奸雄早晚必使人窺探吾所爲[illegible]欲其知我無用去

匙筯者操指我爲奸雄正欲問答未能適逢雷震只說自雷而落匙筯欲操視我爲小兒必不加害我關張曰兄之高見滿過操矣操次日又請玄德正飲間人報滿寵探袁紹已回操召入問曰汝往打探河北事何如寵曰民物如故公孫瓚與袁紹戰不利退守幽州築城爲圍上建樓高十丈名易京樓積穀三十萬以自守戰士有被紹圍者諸將請救之瓚曰若救一人後之戰者皆望人救不肯死戰因此兵多降袁紹將瓚後求救於張燕約以舉火爲號內應外合送書人被紹擒之至夜紹詐爲張燕兵城外舉火瓚自出戰伏兵四起大敗退入城中被紹穿地道直至瓚所居樓下入瓚無路可走乃先殺妻子後自縊全紹又得瓚軍袁術在淮南不恤將士衆皆背反術使人歸帝號於袁紹紹使人取玉璽術家親自送到見今袁術欲棄淮南往河北若二人協力急難收復丞相作急圖之玄德曰術若投紹必從徐州過備請一軍半路截之術可擒也操笑曰來日奏帝便發程次日同玄德面君令朱靈路招領兵五萬令玄德總督去擒袁術玄德連夜收拾軍馬器

將印催兵起程董承趕到十里長亭送玄德玄德曰公宜忍耐言
此行必有豹變曰當馳書相報承曰公宜掛念勿負帝心二人分
別關張問曰兄今番出征何如此慌速玄德曰吾乃籠中鳥網中
魚此行如魚入大海鳥上青霄不受籠網之羈也操只可同憂不
可共樂萬一心變死無地矣關張遂催軍急行程昱郭嘉考較錢糧
方回聞操已令玄德進兵徐州忙入見曰丞相令劉備進兵何意
操曰欲邀截袁術耳程昱曰昔日令劉備為豫州牧某等已奏丞
相不聽今日又與之兵乃放龍歸海縱虎歸山日後欲治之其可
得乎郭嘉曰備甚得徐州民心關羽張飛皆萬人敵也又為之用
以嘉觀之皆非久任人下者古人有言一日縱敵數世之患今以
兵與之如虎添翼也丞相何不察也操曰吾觀劉備閑時學圃習
後園畫非成事業之人何足憂耳程昱曰學圃者為瞞丞相耳曷
畫者非本情也丞相明燭天下何被劉備瞞過操頓足曰吾果疑
其賊也誰可星夜與吾擒之許褚躍然出曰某只用五百軍擒劉
備關張獻於麾下操即令許褚領五百鐵騎星夜來趕玄德

許褚下馬

□見玄德

關雲長襲斬車冑

却說玄德與關張正行之間只見塵埃滾滾玄德曰必是操兵追至也遂下寨准備許褚下馬入見玄德曰校尉來此何幹許褚曰奉丞相命特請將軍回別有商議玄德曰將在軍君命有所不受况傳丞相一諭乎汝回見丞相替我稟上程昱郭嘉累聞吾取金帛吾衆與之因此結怨故於丞相前以讒言害我故令汝趕來擒吾吾若比無仁義之人就殺汝祭肉况吾感丞相大恩未嘗敢忘汝速回代達丞相褚見關張在傍怒而退回見操將玄德之言細說一遍操喚程昱郭嘉責之曰你們索金帛不從故每每論之此何理也一人諫曰丞相又被他瞞過矣操笑曰彼已去矣追之成怨吾不殺汝汝勿疑也却說馬騰見邊報聲急亦要回西涼去了却說玄德到徐州刺史車冑出迎孫乾糜竺等都來參見玄德回家探視家小一面使人來打聽曹操因不恤將士□□晉友投嵩山去了術勢窮乃作書歸帝號於袁紹書云漢失天下久矣天子懦弱政在權門英雄並起疆宇分崩與割

之末七國分勢無與今符瑞炳詩應言袁氏受命當王兄據有四州民戶百萬以強則無與比論德亦無與比操雖欲扶衰拯弱安能續絕命救已滅乎今納上尊號請兄早即帝位享萬延之世者不可自失機會傳國玉璽續即獻上弟術百拜

袁紹亦有篡國之心故令人召術術乃收人馬載御用之物到徐州界口玄德與關張朱靈路招引軍五萬出迎先鋒紀靈兵至張飛挺槍出馬鬥不十合刺紀靈於馬下敗軍奔走袁術引軍來戰玄德分兵擊之朱靈路招在左關張在右玄德在門旗下責術曰汝反逆無道吾奉明詔討汝若能束手投降引見曹公相饒你罪袁術大罵織蓆販屨小輩焉敢胡談引兵殺來玄德退步左右兵出殺得尸橫如野士卒逃亡無數袁術敗走嵩山又被雷薄陳蘭劫盡糧草玄德又趕來袁術前下無路再回壽春人報壽春已被群盜占了術乃駐兵江亭名也只有一千餘眾時當盛暑糧食盡絕止餘麥三十斛散與士卒家人無食餓死極多術嫌飯粗不能下咽乃令庖人取蜜水止渴庖人曰止有血水安得蜜水術坐於床上大叫

曰袁術到於此乎伏倒床上嘔血斗餘而死時建安四年夏六月
也後人有詩歎云　漢末刀兵起四方　無端袁術太猖狂
不思累世爲公相　便欲孤身作帝王　強暴枉誇傳國璽
驕奢妄說應天祥　渴求蜜水無由得　獨卧空房吐血亡
袁術已死其姪袁胤將靈柩及家屬奔廬江路逢徐璆盡殺之
璆得玉璽赴許都獻操操大喜封璆爲廣陵太守卻說玄德知術已
死遣朱靈路招回許都留下軍馬保守徐州朱灵路招回言玄德
留下軍操欲斬二人荀彧曰權歸劉備二人其柰之何可寫書示
車冑令其就裏圖之操曰此計亦好暗使人來見車冑傳操鈞命
冑隨請陳登商議登曰此亦易耳今劉備出城可引兵伏於甕城邊只
做迎接劉備待劉來一刀斬之冑可城上射住後軍大殺餘衆
冑然之登將車冑伏兵計言事令人飛報玄德元來關張在前邊
得此信雲長曰只索與哥哥知之我有一計可扮作操軍到徐州
引車冑出迎襲而殺之張飛曰倘不出來何如雲長曰又作區處
夜至三更初徐州城下叫城門開城上問是那一路軍馬衆應是

曹丞相將張文遠報知車冑冑請陳登商議登曰若不接應誠恐見疑若夜開門恐有奸細冑上城應云黑夜難以分辨待至天明相見城下云只怕劉備知覺疾速開門看看延至五更城門開車冑騎馬提刀引軍出城大呼文遠何在關羽提刀驟至大喝曰車冑匹夫欲謀殺劉使君耶車冑提戟數合遮攔不住撥馬走回城上陳登亂箭射下車冑遶城而走雲長趕來砍車冑於馬下梟首提回城下大呼曰反賊車冑吾已殺之衆人投降者免死衆皆棄戈羅拜於地雲長提車冑頭去迎玄德具言車冑欲害之事今已斬首在此玄德曰操若來如之奈何將曰吾與張飛當之玄德入徐州張飛誅殺車冑全家玄德曰殺了操心腹之人他如何肯休必然興兵問罪將何以解陳登曰某有一計可拒操兵

曹操興兵戰袁紹

玄德問登求計登曰操所懼者袁紹紹今併公孫瓚虎據冀青幽并四州帶甲百萬文武極多可寫一封書令人遣往紹處求救可敵操矣玄德曰紹雖識此人未曾相見今又新破了他兄弟袁術如何

肯相助登曰此間有一人[illegible]尚書康成高密人也姓鄭
名玄與袁紹世之通家若得此一書紹必相助矣玄德問[illegible]親齎
鄭玄家求書玄欣然書之玄德差孫乾將書徑呈袁紹書云
伏聞漢道陵替奸臣[illegible]國無匡扶之柱石外乏決策之棟梁
賊臣曹操[illegible]社稷顛危生靈塗炭明公世受台輔天下
仰之若大旱之望雲霓如久旱以思天日備與劉玄德協力同
心共立伊周之[illegible]名垂萬代不屬區區之心幸望聽察焉
紹看畢曰玄德[illegible]復何求孫乾曰曹操所使不容不奉公
紹曰玄德傑士也[illegible]敵之紹聚衆商議曰吾欲興兵取許都誅
操保駕諸文武商[illegible]田豐曰（豐字元皓鉅鹿人也）歷年師出倉廩
空虛今宜獻捷[illegible]倫政務興發若不得達然後正名數罪提兵發
陽經營河南續紹[illegible]治農分兵屯據其邊鄙令彼不安我以逸待之不
須三年大事可定也謀士審配進曰（配字正南魏郡人也）不然兵法云十圍
五攻出則必勝以明公之神武御幽冀之雄師進以伐操易如反
掌何必遷延歲月[illegible]後悔也[illegible]沮授曰蓋救亂誅暴謂之義

兵恃衆憑強謂之驕兵且兵出無名事固不成竊為明公慮之言未畢謀士郭圖曰昔武王伐紂猶稱義兵况加兵於操而云無名明公雄略將士思奮若不及早定大業應天之失也語云天與弗取反招其咎此越之所以霸吳之所以亡也能審時勢知應變者謂之豪傑願明公從鄭尚書之請與玄德仗義滅曹上合天心下順民意明公詳之田豐沮授堅執不宜興兵審配郭圖力勸起兵爭論未定許攸荀諶自外而入紹曰許荀二人多有見識請決此事許曰鄭尚書作書令我救劉備破曹操今令我起兵的有勸我莫起兵的二者孰是二人素與田豐不睦以目視之見田豐低頭不語視審配以目送之齊應曰天與不取反受其禍若不動兵操亦到也紹從之令孫乾先回已即隨後起兵乾回報玄德紹令審配逢紀統領田豐荀諶許攸為謀士顏良文丑作先鋒起兵十萬望黎陽進發卻說曹操在許昌人報劉備殺了車胄占據徐州結連袁紹起軍來攻許都操大驚聚衆商議孔融知袁紹動兵來相府見曰紹不可與戰只宜求和操問衆謀士曰戰與和二者

操差劉岱

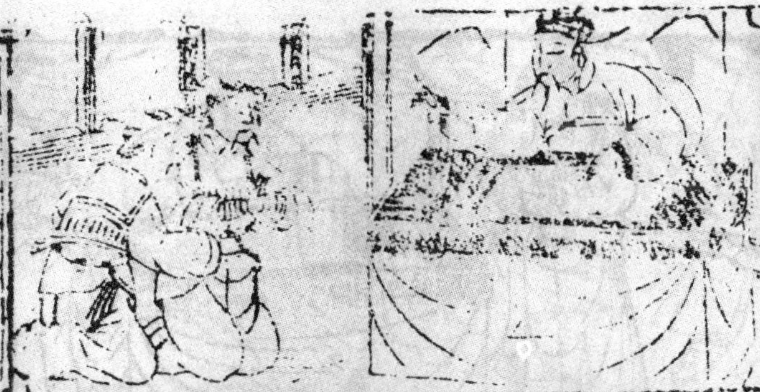

王忠領兵

就打荀彧曰袁紹無用之徒何必求和融曰先生錯矣吾觀袁紹士廣兵強田豐許攸等智謀之士為之謀顏良文丑勇冠三軍總之將其餘文武皆世之名士何以紹為無用也荀彧笑曰公知其一不知其二紹兵雖多立法不整田豐剛而犯上許攸貪而不治審配專而無謀逢紀果而無用其勢不相容必生內變顏良文丑匹夫之勇一戰可擒矣其餘等輩縱有數百何足道哉孔融默然操大笑曰皆不出荀文若之所料耳即差前將軍劉岱後將軍王忠領兵五萬打丞相旗號進徐州擒劉備等引大軍進黎陽拒袁紹程昱曰恐劉岱王忠不稱其職操曰吾亦知非劉備對手權張聲勢分付不可輕進待我破了袁紹却勒兵來破劉備劉岱王忠領兵去了操親自引兵進黎陽各據濟險不戰自八月守至十月元來許攸不平審配領兵相愛又恨紹不用其謀遞相不和紹心疑惑不思進兵操令臧霸引兵守青州于禁李典屯河上操總督大軍屯於官渡操自回許都却說劉岱王忠領五萬兵馬到徐州下寨中軍虛打操認旗只聽河北消息操還許之後差人催

劉岱攻徐州王忠與岱相推不肯去岱曰我是主將忠曰我與你一般名爵使命曰二人拈鬮拈着的便去王忠拈着只得起程領一半兵來取徐州未知勝負何如

關張擒劉岱王忠

玄德知王忠軍到請陳登商議玄德曰袁本初雖屯黎陽謀士不和因此不進黎陽軍中無操認旗此間却有操幔帳未知操實在何處登曰操詭計百出前以河北為重親自監督故不見旌旗令彼欺敵今此間必無曹操玄德曰誰可去探虛實張飛曰弟願往玄德曰汝性燥不可去飛曰便操在也拿來玄德曰操雖漢賊托天子詔征進我若非假便是造反飛曰如此論只索手待他來玄德曰如今本初未見得相助若惡絕了操吾等死無葬身之地矣且知彼知己百戰百勝若不知彼不知己每戰必敗此不易之理也吾料城中糧少軍弱皆非操之敵本初尚未敢動况我等乎雲長曰弟往觀其動靜玄德曰雲長去我却放心於是雲長領三千人馬出徐州迎敵王忠值風雪布陣雲長縱馬而出忠曰丞相到此

張飛詐醉

醉打軍士

爲何不降雲長曰請汝丞相出陣我自有說忠曰丞相怎和你一般
雲長大怒縱馬向前王忠挺槍出迎兩馬相交雲長撥回馬走王
忠趕來雲長大喝一聲驟馬直取王忠忠攔截不住撥回馬走關
公右手提刀左手擒住王忠橫擔回陣關公令將王忠鄉回徐州
押至廳下見玄德玄德曰汝爲何職忠曰見爲後將軍昨奉曹
相差遣虛張聲勢丞相實不在此近曰黎陽已還許都差人督
戰怒實非將軍敵也玄德令解其縛且監下待捉了劉岱又作商
議羽曰爲兄有和解之意故生擒來玄德曰此等之人留之可以
解危飛曰吾亦去擒劉岱來玄德曰劉岱昔爲兗州刺史虎牢關
討董卓亦是一路諸侯不可輕敵飛曰量此輩何足道哉也似二
哥生擒來便了玄德曰只恐壞他性命飛曰若壞了他我便償他
命玄德遂撥三千軍跟張飛去劉岱知王忠被擒堅守不出
張飛連來寨前叫罵數日見岱不出心生一計傳令今夜去劫劉
岱寨日間在帳中飲酒詐醉將軍士一頓打一發綁在地上飛曰待
我上馬把來祭旗令左右故意寬縱被打軍士掙脫逃出逕到劉

張飛捉劉岱見玄德

岱寨報說言飛今晚欲來劫寨飛知其去了遂分兵三路中間只二十餘人去劫寨放火兩路軍看火起爲號劉岱見降卒身體皆傷並聽其說將軍都出寨外埋伏是夜飛令精兵從小路先斷劉岱後中路只二十餘人入寨放火飛兵兩路殺來岱軍自亂岱引敗軍奔走正撞張飛交馬一合生擒劉岱先使人報入徐州玄德謂雲長曰翼德向來粗鹵今亦會用計吾無憂矣玄德親自出迎飛曰哥哥道我粗魯今日何如玄德曰不用言激汝安肯用機謀也玄德見劉岱至慌忙親解其縛遂同入城放出王忠一同款待玄德曰昨因車冑欲害備不得不誅丞相疑備背反故令二將軍來問罪備昔受丞相大恩常思補報將軍到許煩代備分訴誠爲萬幸二人曰深感使君不殺之恩必當力說方便以保使君玄德拜謝次日送劉岱王忠出城盡還原領兵馬行不十里忽張飛攔路大喝曰我哥哥大沒分曉拿住賊臣如何放回挺鎗來倚雲長飛馬大叫不得無禮既然哥哥放了汝如何不遵法令飛曰今番放了下次又來劉岱王忠曰雖丞相盡滅吾三族吾亦不敢來矣

送甘糜夫人往下邳

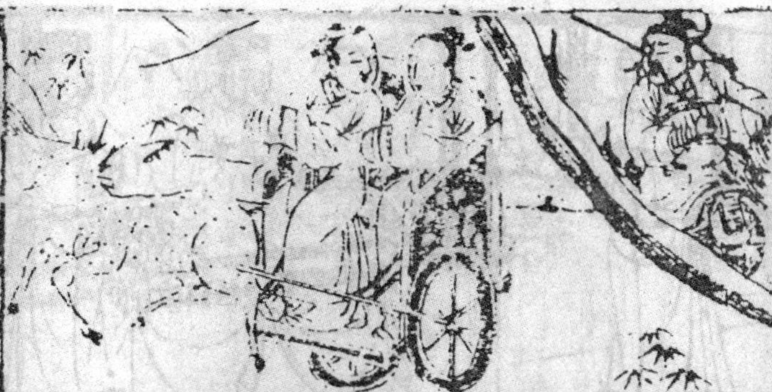

[illegible]將軍知曉飛曰便擬自來也殺他片甲不回[illegible]
頭顱二人抱頭而去孫乾諫玄德曰曹操必然再來徐
州受敵之處不可久居不若分兵屯小沛守下邳以為掎角之勢
以防曹操玄德令雲長守下邳就移甘糜二夫人往下邳孫乾簡
雍等守徐州玄德與飛屯小沛去說劉岱王忠回見操言劉備不
反之事操怒曰辱國之徒推出斬之未知何如
[illegible]操
孔融諫曰二人非備之敵殺之恐將士相怨之操令免死罷爵
操欲自伐劉備孔融曰方今隆冬未可動兵待來春方可劉表
張繡亦可招安操遣劉曄招安張繡曄到襄城先見賈詡陳說操
之盛德詡留之次日見張繡說操遣人招安之事正商議間人報袁
紹使到繡觀其書亦是招安詡問使曰近日興兵破曹勝負如何使對
曰天寒權且罷兵以知將軍荊州有國士之風故相請耳詡曰你可回見
本初道他兄弟尚且不能容而能容天下國士乎扯破其書叱使者出
繡曰方今紹強操弱今毀其書袁紹若到當如之何詡曰不如去

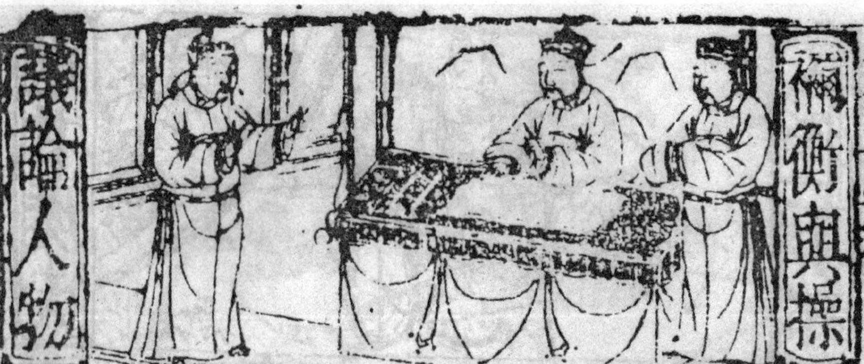

於賈詡繡曰先公之有仇豈肯相容詡曰將軍歸操其便有三夫
曹公奉天子其宜一也袁紹強盛我以少衆從之必不相重曹公
雖弱得我必喜其宜二也曹公有王伯之志必釋私仇以明義於
四海其宜三也繡遂請劉曄相見書答賈詡赴許都降操繡拜伏
堦下操扶起言曰小有過失勿復記心遂封繡爲揚武將軍賈詡
爲執金吾時使到荊州回言劉表懷疑未肯歸順繡曰某作一書
遣一能言之人送去事必諧矣孔融曰某家有一人乃平原人也
姓禰名衡字正平才學極高只是不能容物累欲薦與丞相誠恐
冒瀆此人舊與表交可使他去操使人喚至不令坐衡仰天嘆曰天地
空闊並無一人操曰吾手下有荀彧荀攸程昱郭嘉機深智遠之
士雖張良陳平不可及也武有張遼許褚勇不可當雖岑彭馬武
不可比也呂虔滿寵爲從事于禁徐晃作先鋒夏侯惇天下奇才
曹子孝世間福將安得謂無人物也衡曰公以此數人謂人物吾
已識之荀彧可使弔喪問疾荀攸可使守墳看墓程昱可使關門
閉戶郭嘉可使念賦白詞張遼可使擊鼓鳴金許褚可使牧牛放

禰衡裸体

擊鼓罵操

馬樂進可使取狀讀招李典可使傳書送檄呂虔可使磨刀鑄劍滿寵可使飲酒食糟于禁可使負版築墻徐晃可使屠猪殺狗夏侯惇首稱圓体將軍曹子孝謂要錢太守其餘皆是衣架飯包酒甕肉袋耳操怒曰汝有何能衡曰天文地理三教九流無不通曉上致君堯舜下配德孔顏胸藏治國安邦之才非可與俗子論也張遼掣劍欲斬之操曰吾現朝賀可令充一鼓吏之役衡亦不辭孔融惶恐而退操謂遼曰此人多有虛名今若殺之人謂吾不能容物也衡以汝爲擊鼓[illegible]金石令充鼓吏以辱之建安五年正月朔一操於省堂大宴公卿令衡撾鼓衡舊破衣而入擊漁陽三撾音節殊妙座上客聽之左右喝曰何不更新衣衡脫下破衣裸体而立座客皆掩面衡乃徐徐着褲操曰朝堂之上何太無禮衡曰欺君罔上爲之無禮吾露父母遺体以顯清潔之名操曰汝爲清潔何人汚濁衡曰汝不識賢愚是眼濁也汝不讀書是口濁也不納忠言是耳濁也不通古今是身濁也不容諸侯是肚濁也常懷篡逆是心濁也以吾名士爲鼓吏是猶陽貨害仲尼臧倉毁孟子

欲害作業如此輕人與匹夫也左右欲斬之操曰吾殺豎子[illegible]鼠雀耳令汝往荊州爲使如劉表來降便用汝爲公卿操令文武皆齊會於東門送行衡纔離城荀彧與衆商議如衡來不要起身衡見衆人皆端坐不動放聲大哭荀彧曰汝哭何爲衡曰行於尸柩之間不容不哭衆曰我等死尸你乃無頭鬼耳衆恨而散衡至荊州見劉表言雖頌德實乃譏諷表不喜令去江夏見黃祖人問表曰禰衡譏諷主公何不殺之表曰衡數辱曹操操不殺者絡天下文人之心也故令使於我欲借我手殺之是使我爲害賢也吾今不殺使操知之以吾有見識也禰衡[illegible]時袁紹亦遣使至劉表請文武曰袁本初遣使至曹孟德差禰衡來二者何從中郎韓嵩曰今兩雄相持將軍起乘其弊可也如其不然擇其善者而從之今操善用兵俊賢多歸其勢甚大不若先取袁紹舉荊州以附曹操操必重待將軍此萬全之策也表疑未決謂嵩曰汝且去許昌觀其動靜却作商議嵩曰將軍若能上順天子下附曹操使嵩可也如遲疑未決嵩到京師天子賜嵩一官則天子之臣

臣之故吏耳至若爲天子之命義不負爲將軍死也望三思之勿以負嵩表曰汝往觀之吾再有議嵩到許都見曹操操拜爲侍中零陵令遣回荊州說劉表荀彧曰韓嵩來有微功何加重爵禰衡之相遣而不問何也操曰禰衡辱吾故借劉表殺之韓嵩便加重爵實欲以香餌釣劉表也彧拜服嵩回見表盛稱朝廷之德勸表遣子入侍表大怒曰汝懷二心可斬之嵩大呼曰將軍負嵩嵩何負將軍蒯良曰韓嵩未去先有此言矣表放之人報黃祖殺禰衡表問其故對曰祖與衡飲酒皆醉祖問衡曰許都有何人物衡曰大兒孔文舉小兒楊德祖此外別無人矣祖曰似我若何衡曰汝似廟中之神雖受祭享却無靈驗祖大怒曰汝以我爲土木人耶遂殺之衡罵不絕口胡曾有詩云

黃祖才非長者儔　禰衡珠碎此江頭
今來鸚鵡洲邊過　惟有無情碧水流

劉表亦嗟呀不已因此不殺韓嵩操在許昌知禰衡被害笑曰舌劍反誅自身矣便欲興兵問罪劉表未知何如

孟德三勘吉平

董承吉平

二人對飲

操欲領兵渡江荀彧曰袁紹劉備未平而欲事於江漢猶舍腹心而顧手足也操乃止卻說董承自見玄德去後日與王子服等商議無計可施抑欝感病在家帝知承患病令御醫吉泰泰人也字稱平人只呼吉平當時名醫吉平到董承家調理數日漸可平常見承吁嘆不敢發問時值元宵承留平飲酒至更深承倦就寢忽夢見門吏報曰王子服四人到承慌出接入服曰大事諧矣承曰願聞其故服曰劉玄德起兵五十萬分十路殺來馬騰結連韓遂起西京兵二十萬見今曹操領許都軍馬分頭迎敵城中空虛何不趁五家僮僕可得千餘人今日太府中慶賞元宵可將府圍住突入殺之萬民亦相助矣承曰願從君言遂喚集家奴助戰承遂拈鎗上馬約會俱到門前同時進兵夜至二更眾軍皆到董承手提寶劍縱步直入見操家宴於後堂大叫操賊休走一劍砍去隨手而倒忽然驚覺乃是南柯一夢口中猶罵曹操不止一人向前叫曰汝欲殺曹丞相也承視之乃吉平也承驚懼不能答吉平曰國舅休慌某雖出入操府心存常憤漢分幾憂夢中之語已見國舅悲嘆如有用某之處雖萬死不

遂咬下一指為誓承乃取衣帶詔令平觀之言曰吾因劉備馬騰
二人去了無計可施因此成病平曰操之命盡在我手裡承問其
故平曰操常患頭風痛入骨髓纔一發便召某下藥如早晚有召
只消一服毒藥必然死矣何必動刀兵乎承曰若如此漢家社稷
皆賴君矣吉平辭歸董承暗喜忽步入後堂見家童秦慶與侍妾
雲英在暗處私語承大怒與左右拿下欲斬之夫人勸免各決杖
四十將慶童鎖於冷房慶童懷恨夜扭開鐵鎖跳牆逕奔操府中報
有機密事操喚入問之慶童云王子服吳子蘭种輯吳碩馬騰六人
商議謀害丞相將出白絹不知寫著甚的近日吉平咬指為
誓我也曾見操隱匿慶童於府中次日操詐患頭風召吉平用藥平
大喜暗藏毒藥入府操臥於床平取鐵銚當面煎熬已了平便進
藥操知有毒故意遲延不服平曰乘熱服之少頃即痊操曰汝
既讀儒書必知禮義君有疾飲藥臣先嘗之父有疾飲藥子先嘗你既吾心腹
何不先嘗而後進平曰藥者以治病何必人嘗平知事已漏洩趁走
向前扯住操耳灌之操推傾於地花磚迸裂左右將吉平捉下操笑

曹操拷打

太醫吉平

曰吾嘗有疾特以試汝果有此心執至後堂操曰量汝是一醫人更出入吾門下安肯下藥害我必有人唆你說了那人我便饒汝平厲聲曰汝乃欺君之賊人人皆欲殺你豈獨我乎操再三磨問平怒曰吾自要殺你豈有人使我哉操怒交獄卒痛打皮開肉綻血流滿地操恐打死無證令獄卒牽去將息次日操請各官赴宴董承托病不來王子服等恐疑皆至操於後堂列坐酒至數巡操曰筵中無可為樂將一物來看權與衆官醒酒交獄卒二十人與吾拖來只見一具枷進吉平於階下操曰此人結連惡黨欲謀害曹某今幸天敗請聽口詞吉平怒目罵曰操賊不殺我更待何時操曰吾知非汝主意可速指出免汝死罪平曰你惡過王莽罪深董卓人皆欲啖汝肉何獨我乎操曰吾知先有七人和你共八人矣平只是大罵王子服等面面相覷如坐針氈操見不捉令且牽起操令衆官皆退只留王子服吳子蘭种輯吳碩四人夜宴四人魂不附体立於階下操曰你四人與董承商議不知何事服曰是人請礼樂而已操曰絹中所寫甚的服等皆諱操交喚出慶童

證服曰汝於何處見來慶童曰六人一處畫字如何賴得服曰此賊與國舅侍妾通姦被責誣主不可聽也操曰吉平下毒藥非董承所使為誰服等皆言不知操曰今晚捉來尚可恕服等曰並無此事操叱左右拿下次日引十餘騎投董承家探病承只得出迎操曰國舅近知吉平事否承曰不知操冷笑曰國舅如何不知喚左右牽來與國舅起病承舉手無措須臾二十獄卒推至階下

曹操勒死董貴妃

操曰此人舉王子服等四人吾已收下尚有一人未獲承不敢回操問平曰誰使你毒我平曰有有操曰指出便放汝平曰天使我毒汝逆賊操怒令打身上無容針之處承戰慄不已操又曰你有十指今無一指何也平曰嚼以為誓殺逆賊操交取斷刀來就階截下九指操曰一發截下交汝為誓平曰尚有口可以吞賊有舌可以斬賊操令割其舌平曰勿割我舌我今熬不過只得從實告了操曰如此尚可容殘疾平曰當釋我縛吾自拿出同謀之人操曰釋之何礙平起望闕拜曰吾不能與國除賊亦天數也

曹操盡誅

董承家屬

撞堦而死時建安五年正月望後史官有詩贊曰

奮然忠義膽　應不爲功名　嚼指書曹操　捐軀救董承

有謀親進藥　何恨獨遭刑　至死心如鐵　誰人似吉平

操見吉平已死令帶慶童到操曰國舅認得否承怒曰逆奴元來在此便欲誅之操叱曰他首汝反今來對證何得如此承曰丞相何故聽逆奴之虛詞以誣承也操曰王子服等皆招明白汝尚抵諱乎即令武士捉下便差人徃承房中搜出衣帶詔并義狀操覩了大笑曰鼠賊焉敢如此全家盡皆監下休令走透一人操回府喚荀彧等一班皆入操取詔示之荀彧曰明公今欲何如操曰據此情理吾當廢其君而吊其民擇有德者立之荀彧曰不可明公威服四海蓋有漢家苗裔故也正討有典賞罰有制徃古來今以爲道義操曰吾將董承等五家老小誅之必欲得其實狀以示于衆或曰丞相之意如何操曰不誣以謀反豈得族誅乎或曰事已至此釋之恐難操意遂决連夜收王子服老小明正反逆之罪次曰押赴各門處斬五家老小共者七百餘口操領甲士入宮來殺

操令左右

勒死董貴妃

議貴妃許斛死生有詩歎曰
討逆無成我已亡｜冤魂七尺恨難消｜非因操賊多機變｜只爲天公祚魏朝

妃乃董承之女進獻帝幸之有五月身孕當日帝與伏后議論董承並無音耗不知如何忽見操入帝后大驚操曰董承造反陛下知之乎帝曰朕俱不知操曰忘了破指書詔帝戰慄不能答操叱左右擒下董貴妃操曰一人造反九族皆誅牽出斬之帝告曰董妃有五月身孕望丞相可憐操叱曰若非天敗吾滅門矣妃告曰貶入深宮待分娩後就殺操曰汝欲留逆種與母報仇耶帝與妃曰卿在九泉之下勿怨朕躬淚如雨下操怒曰尚作兒女態耶命牽出縊死于宮門之側操喚近衛將曰但內外不曾宣詔輒入宮門者腰斬守禦不嚴者並同操撥三千心腹人入充羽林軍令曹洪總之操謂謀士曰馬騰劉備亦在數內不可不誅或曰馬騰屯西涼可以手書慰之徐徐引入京師可也劉備於徐州分布犄角亦未可輕敵今袁紹屯兵官渡常欲圖許今若棄紹攻備備若求救於紹紹若乘虛襲許何以當之操疑未決忽郭嘉自外入操

操分兵八五

路取徐州

曰吾欲征劉備奈有袁紹之憂嘉曰劉備新整軍旅衆心未附引兵攻之一戰可擒袁紹雖衆多疑不决不足憂也操遂議東征

劉備匹馬奔冀州

却說起兵二十萬來取徐州孫乾逕到小沛與玄德商議玄德令孫乾求救於袁紹乾至河北見田豐豐引乾見紹紹出見之豐見紹顏色憔悴豐曰主公何故憔悴紹曰吾生五子惟最小者極稱吾意今患疥將死吾有何心用事豐曰目今曹操東征許昌空虛將軍乘虛而入上保天子下安庶民惟明公察之紹曰我亦知如此最好奈我心中恍惚去必不利謂孫乾曰汝回見玄德言倘不如意便來相投豐嘆曰可惜難遇之時而有嬰兒之病失此机會大事去矣乾回小沛見玄德將紹之言訴說玄德曰似此奈何張飛曰哥哥勿憂弟有一計操兵遠來必然困乏當晚與哥哥分兵去劫他寨如何玄德曰此見亦按兵法操兵若到便行此計却說曹操引兵投小沛來正行之間狂風驟起吹折牙旗一面操即喚謀士問吉凶荀彧曰風從何來吹折甚旗顏色操曰風自東南方

張飛與徐晃大交兵

來吹折青紅色牙旗一面操曰此主何事[illegible]
曰適間東南方來旗吹折必主有人劫寨[illegible]
防即分兵九隊留一隊抛立營寨八路分八面埋伏[illegible]
明劉備留孫乾守城自與張飛分兵兩路却說張飛[illegible]
計引輕騎突入操營但見營內無多軍馬四邊火起張飛知是中[illegible]
急便出營外正東張遼正西許褚正南于禁正北李典東南徐[illegible]
西南樂進東北夏侯惇西北夏侯淵八面軍馬團團圍定張飛左
衝右突不出心中慌忙正逢徐晃戰到數合後面樂進殺來[illegible]
條血路而逃只有十數騎欲還小沛大軍截住回路下邳徐州[illegible]
路皆被操引兵當住尋思無路望芒碭山而逃却說玄德[illegible]
門賊幾大振前面夏侯惇殺來玄德引百餘騎突圍而出後面夏
侯淵[illegible]來玄德[illegible]小沛城中火起棄了小沛望徐州而走[illegible]
軍馬漫山[illegible]玄德尋思無路想袁紹之言拍馬望青州而行[illegible]
青州城下叫門門吏來報袁譚譚開門玄德到廳後入城玄德[illegible]
操所趕故來相投譚欵待之發書與紹紹引兵來接玄德玄德

玄德到青

州投袁紹

伏于地曰孤窮劉備久欲尚托今爲曹操所攻想將軍納四[illegible]
士故來投托紹甚敬禮待之却說曹操進兵攻徐州糜竺棄城而[illegible]
入城安民商議取下邳荀彧曰下邳劉備老小所在關羽所守
宜速取之遲則恐爲紹所竊可撥一隊人馬透之若羽出戰可以[illegible]
龍之羽可擒矣操曰吾愛關羽人材武藝欲得爲用郭嘉曰關羽
義氣至重必不肯降可以兵圍之若事危急彼必降矣張遼曰關
羽與某有一面之交某往說之使降丞相若何程昱曰文遠雖與
羽有舊昱觀此人非可以言詞說之某有一計使之進退無[illegible]
用文遠說之關羽自歸[illegible]

[illegible]三國[illegible]卷之[illegible]

新刻湯先生校正古本按鑑演義通俗三國志傳卷之五

張遼義說關雲長

劉玄德兵敗單馬奔冀州投袁紹張飛引數十騎投芒碭山中去了孫乾簡雍糜竺糜芳各自逃難獨有關羽保玄德甘糜二夫人守下邳曹操在徐州責陳珪父子力辨之操怒父子殺車胄之罪陳珪亦辨之操商議取下邳程昱獻計曰雲長有萬人之敵更與玄德義氣深重非智謀不可取之今舊兵皆已投降亦有劉備新招徐州等處之人可遣一心腹人做逃回入下邳見關羽先種禍於城中引關羽出戰詐敗佯輸誘入他處却以精兵截其回路然然後用說可矣曹操用其謀選揀兵七千餘人令引誘徐州降兵數十騎徐出營寨經投下邳來歸關公關公以心腹留而不疑次日夏侯惇為先鋒引五千兵來下邳搦關公戰公不出惇使軍人於城下辱罵公大怒引兵三千出城與惇交鋒惇與公約戰十數合撥回馬走公怒提刀趕惇又戰又走公約趕二十里恐中計提兵便回左徐晃右許褚兩隊軍出公衝開走路前面硬弓數

關羽引兵

屯住土山

百箭如飛蝗公當先用刀撥之箭如雨下公不得過又遇徐晃許褚接戰公殺退引軍前進夏侯惇又來戰公至日晚到一座土山公引軍占住山頭曹操緊二擺住長蛇陣圍定土山公遥望城中火起却說詐降兵舉火爲號曹操自提兵殺入下邳但交連擧烽火以動關公之心關公見下邳火起心中驚惶衝下幾遭皆被亂箭射回人馬皆傷公欲離土山不得捱至天曉再欲整頓衝突下山見一騎上山來公視之乃張遼也公曰文遠欲來相敵耶遼曰非也想故人舊日之情特來相告遂棄刀馬與公入中軍說話二人坐於山頂公曰文遠莫非來說關某也遼曰不然想下邳城當日兄救弟今日安得不救兄耶公曰文遠將欲助吾耶遼曰亦非也公曰既不助我來此何幹遼曰玄德不知存亡翼德未知生死昨夜曹相已破下邳玄德家眷差軍護之驚擾者斬如此相待弟特來報兄公曰如此言特說吾也吾今雖居極地視死如歸汝當速去君當下山死戰遼大笑曰此言豈不爲萬世恥乎公曰吾仗忠義而死安得爲萬世恥耶遼曰兄今盡死其罪有三安得不[illegible]

世恥乎公曰汝且說吾三罪遼曰當初劉使君與兄結義之時誓同生死近使君散於小沛逃遁而去兄今欲死於此地倘若使君復出尋望於兄兄豈不負孤主而背當年之誓其罪一也兄武藝超群深通經史不思與使君匡扶漢室徒欲赴湯蹈火以成匹夫之勇其罪二也上負祖宗下廢其主安得為義其罪三也兄有此三罪弟不得不告公沉吟曰汝說我三罪欲我何如遼曰今四面皆曹相之兵兄知不降必用一死不若且降曹公打聽使君音信知在何處却往尋之一者可保二夫人二者以全其義三者以保其身去三罪而成三便兄宜詳之公曰弟言雖善吾有三事丞相若能從我即當卸甲如其不允寧受三罪而死遼曰丞相寬洪大量何所不容願聞三事公曰一者吾與劉皇叔設盟扶漢吾今只降漢不降曹兄有殺戮不稟丞相二者二嫂在彼處請給養膳一應人等皆不許到門三者但知皇叔去向不分千里便當辭去如不允此三者決不可望我降文遠賢弟急回報張遼遂上馬來見曹操說一要降漢不降曹之事操笑曰吾為漢之元首漢即吾

也此可從之遼又言二要夫人俸給上下人等不許到門操曰吾與皇叔俸內加倍與之何必疑焉張遼又曰但知玄德信音雖遠必去尋之操搖首曰此事却難從之吾養關羽何用遼曰王公豈不聞豫讓眾人國士之論乎劉玄德待雲長不過厚恩耳丞相便以厚恩固結其心何憂雲長之不住也操曰文遠之言甚當吾願從三事張遼再往山中回報雲長公曰雖然如此暫請丞相退軍容我入城見嫂二告之便來降張遼再回見曹操說了曹操傳令交城裏城外盡退三十里荀攸曰不可恐關公有變操曰吾知雲長忠義士也必不失信遂引軍入退關公引殘軍入下邳逕到府中見二嫂甘糜二夫人聽知關公到急出迎之公乃拜哭於地二夫人曰皇叔今在何處公曰不知去向二夫人曰叔何痛哭如此公曰關某出城死戰困在土山人馬皆損將欲盡死奈張遼招安某以三事說之曹操先從放某入城不曾得嫂二言語未敢擅便某思無顏見嫂故垂淚耳甘夫人曰昨日軍入城我等皆以為死誰想毫髮不動一軍不敢入門叔二既已領諾何必問乎只恐

雲長降操　待宴賜袍

久後曹丞相不容去投皇叔公曰嫂〻放心關某身在必當見皇丞相出語為令若有番復誰肯伏焉且麼二夫人曰叔〻自宜裁處凡事不必問俺女流關公拜謝而出遂引十數騎來降操自出轅門相接關公曰敗兵之將深感不殺之恩操曰吾素知將軍忠義之士安肯加害某為漢相公為漢臣雖名爵不等敬公之德耳關羽曰文遠代稟之事望丞相仁慈操曰某出語欲取信於四海安敢背自背耶公曰故主若在關某雖赴水火必往尋之惟恐不及辭伏乞怜憫操曰玄德若在必從公去但恐已於亂軍中無矣且寬心尚容緝聽雲長拜謝[illegible]款待次日操班師回許昌令軍馬先行雲長收拾車仗請二嫂上車親自護送已到許昌操撥一府與雲長居住雲長分一宅為兩院內門撥老軍十人守之關公自居外宅操引關公朝見獻帝〻令操加官操表關公為偏將軍公謝恩歸宅操次日設一宴會衆武士以客禮待關公比及送回撥綾錦白疋金銀器皿俱令關公都送與二嫂關公自到許昌操待之甚厚三日一小宴五日一大宴上馬一提金下馬一提銀及

甘糜夫人

與羽說夢

美女十人以事之雲長將所賜美女盡遣入伏事二嫂金銀段疋錦帛收受抄寫月日歸庫關公三日去走一遭於內門外躬身施禮動問二嫂安樂否二夫人曰不必叔々憂慮叔々自便方敢退回曹操如此重待關公々未嘗喜一日操見雲長所穿綠錦戰袍已舊操度其身品以異錦作戰袍一領賜之雲長受之穿於身內以舊袍遮之操笑曰雲長何如此儉乎雲長曰某非儉也操曰吾爲漢相豈無一錦袍與雲長乎何以舊袍蔽之不亦儉乎公對曰舊袍乃兄劉皇叔所賜常穿體上如見兄面豈敢以丞相之新賜而忘兄長之舊賜乎故穿於其上操嘆曰真義士也曹操口稱其義心中不悦雲長問侍女曰忽報二夫人哭倒在地不知何爲請將軍速入雲長乃整衣跪於門外拜問其事若何

關雲長策馬刺顏良

甘夫人曰我夜夢皇叔身陷土坑之內我與糜氏論之想必於九泉之下矣關公曰夢寐之事此是嫂々心想得夢請勿憂愁公乃自三更辭文偵曹操請關公赴宴公辭操見公有淚各問其故公曰

嫂二恩兄日久斷然不從關某心不慈也操笑而辭之嫂嫂曰
辭公自總其辭言曰生必報國兄兄不然徒爲人也操問曰雲長
髯有數乎公曰約有數百根每秋月約退三五根冬月多以皂紗
囊裹之恐其斷也而操見帝賓客則解之操取法錦二十端作囊賜關
公包髯次日早朝帝見關公以法錦紗囊垂於胸次帝問之公奏曰
臣髯頗長丞相賜囊貯之帝令當殿披拂過於其腹帝曰真美髯
公也因此朝廷呼爲美髯公操見關公得賜未嘗歡喜忽一日操
請公宴臨散操執手送公出府見公馬瘦操曰公馬何瘦公曰賤
軀頗重馬不能稱故瘦操謂左右交備第一騎來須臾牽至身如
火炭眼似銅鈴操曰公識此馬否公曰莫非呂布赤兔馬乎操曰
然也吾未嘗敢騎非公不稱和鞍賜之關公拜謝操怒曰吾屢賜
美女玩好雲長未嘗下拜今賜馬而拜何賤人而貴畜耶關公曰
某知此馬日行千里今幸得之若知兄長下落可一日千里而見
面也操愕然公謝而去靜軒作詩讚曰　威傾三國著英豪
一宅分居氣義高　奸相枉將虛禮待　豈知關羽不降曹

四

張遼探信

回見曹公

操喚張遼曰吾待雲長不薄他懷去心何也遼曰容某試探其情回報次日遼見關公共話訖遼曰薦兄在丞相處不曾落後乎公曰深感丞相厚恩只吾身在此心在兄處遼曰兄言差矣凡人處世不分輕重非大丈夫所為也玄德待兄未必過於丞相何故只懷去念公曰吾知曹公待吾甚厚然吾與劉將軍誓同生死不可背之某終不留此必立功以報曹公然後方去遼曰倘玄德已亡公何所歸乎公曰願從於地下耶遼告退自思曰若以實告曹公恐傷雲長性命若不實告又恐非事君之道喟然嘆曰曹公君父也雲長弟兄也以弟兄之情而瞞君父此不忠也寧居不義不可不忠遂入實告曹操曰雲長意欲與劉備生死同處必不留也操嘆曰事主不忘本天下之義士也此人何時可去遼曰彼言必欲立功以報丞相方去操曰仁者之言也衛或曰若不教雲長立功未必便去操然之卻說玄德在袁紹處日夕煩惱紹曰玄德何故懷憂玄德曰二弟不知音耗妻小陷於曹賊上不能報國下不能全家安得不憂也紹曰吾欲進兵攻許都方春日暖正好

劉備勸紹　興兵伐曹

動兵田豐諫曰曹操既破徐州則許下非復空虛加之操善用兵不如久守以待天時外結英豪內修農事選精銳乘虛迭進救右擊左救左擊右我不勞彼已困憊可坐而取勝也今舍妙策而決成敗於一時恐不如意悔之無及紹問玄德曰田豐勸我固守何如玄德曰許都書生不樂征我坐受俸祿使將軍失大義於天下也紹曰玄德言甚善遂只顧點兵田豐又入強諫紹怒曰汝等輕文弄武使我失其大義豐頓首曰若不聽豐言此行必敗紹大怒欲斬之玄德力勸囚於獄中紹移檄州郡各請相助沮授見田豐下獄乃會宗族盡散家財與之曰今吾隨軍而去勢存則威武不加勢亡則一身不保也衆皆下淚送之紹遣大將顏良爲前部先鋒進攻白馬（今屬滑州白馬縣）沮授諫曰顏良性狹雖驍勇不可獨任紹曰吾之上將非汝可料也大軍進發殺奔黎陽劉延慌告急許昌操急收拾起行關公知白馬告急欲自往遂入相府見操曰聞丞相動兵某乞爲前部立功報効操曰未敢煩將軍遠勞早晚却來相請也關公自退操引兵十五萬分作三隊告急不絕操提

顏良斬魏　續于馬下

軍十萬臨白馬靠土山札住山前平川曠野之地顏良前部精兵十萬排成陣勢操駭然未敢交鋒顧宋憲曰久聞汝乃布之猛將可出戰宋憲欣然領諾綽鎗上馬直出陣前顏良横刀立馬門旗下宋憲遥瞰顏良〻大喝一聲縱馬來取戰不三合斬宋憲於陣前操大驚曰真勇將也魏續曰殺吾同伴願去報仇操許之續提矛逕到陣前大罵顏良〻更不打話交馬一合斬魏續於馬下操曰誰敢當先徐晃便出操交急迎之晃出馬與良戰到二十合敗歸本陣諸將悚然操收軍良亦收軍操見連折二將心中憂悶程昱曰某薦一人可敵顏良操問誰人昱曰非關雲長不可操曰吾恐立功了便去昱曰公相又愛之家疑之何不交取來兩强相併如勝則重用敗則除之操曰善遂差人請關公〻大喜遂辭二嫂〻曰叔〻此去必打聽皇叔音耗公曰某專爲此事急〻要去公上馬提刀從者數人逕至白馬來見曹操〻慰勞畢操曰顏良連日斬吾二將勇不可當特來請將軍商議公曰容某觀其動靜操置酒相待忽報顏良搦戰操引關公上土山觀之見顏良陣四

方八面旗鎗刀戟盔甲有威嚴與關公曰河北人馬如此雄哉公答曰某視之猶土雞瓦犬耳不能驚吠操又指曰中將刻布旌旗人如虎馬如龍何其壯哉關公曰此猶金弓玉矢空有外看不能用也操指麾蓋之下傍刀立馬者即顏良也公亦隨指看之見其人綉袍金甲相觀威風公遍操曰某觀顏良插標賣首如插草賣頭一般某雖不才願於萬軍中取首而獻張遼曰軍中無戲言公曰快牽赤兔馬來奮然上馬提刀跑下土山來到陣前河北軍見如波開浪裂分開兩邊顏良正在麾蓋下見公到來却欲問之馬已至近雲長手提大刀砍良于馬下中軍衆將抛戈棄鼓而走雲長即下馬割了良頭拴於馬項之下飛身上馬提刀出陣如入無人之境顏良兵自亂殺者不可勝數馬疋器械奪到極多關公既殺顏良縱馬上山衆將稱賀公取首獻於操前操曰將軍天威也關公曰某何足道吾弟翼德於百萬軍中取上將之頭如探囊取物操驚顧左右曰今後如遇張翼德不可敵令寫於衣袍襟底以記之顏良辭袁紹時劉玄德曾囑曰吾有一弟乃關雲長也身長九尺三寸髯長一尺八寸面如重棗丹鳳眼臥蠶眉

愛公之綸錦戰袍能使青龍大刀必在曹操處如見可交急來回此處良見關公來只道是來投降故不準備迎敵被斬於馬下望蓋飛鞭騎毒龍　流星飛入萬軍中史官有詩爲証

馬奔赤兎翻紅霧　刀偃青龍扇黑風　虎豹嘻牙山島靜

鳳凰振羽樹林空　歷觀史記英雄傳　誰似雲長白馬功

十萬雄兵莫敢當

又詩分辯云

單刀匹馬刺顏良　只因玄德臨行語　致使英雄束手亡

紹軍敗回半路後見紹曰甚等被一赤面勇將匹馬入陣斬顏良而去因此大敗紹驚曰此人是誰祖授曰此必是玄德之弟關羽也紹大怒曰汝弟斬吾愛將必通謀也喚群刀斧手捉玄德斬之

關雲長延津誅文醜

袁紹欲誅玄德玄德徐曰明公何聽一面之詞而絕向日之情耶且劉備自徐州失散安知雲長何在天下多少同姓共貌者豈得以赤面有即關羽也明公何不詳之袁紹聞玄德之言便責授曰誤聽汝言險殺愛弟遂請玄德上帳議報顏良之仇帳下文醜厲聲進曰顏良將軍是吾弟兄也既被曹賊所害吾安得不雪其恨

文醜玄德

分兵八敵操

按文醜山後人也 袁紹喜曰非汝不能報顏良之仇也吾再與軍十萬問大
軍便起追殺操賊沮授曰行兵之要不可不詳兵且屯延津分
兵官渡若其得勝復過河未晚今若輕舉渡河議有其變眾皆難還
紹怒曰皆是汝等遲緩軍心遷延日月有妨大事豈不聞兵貴神
速授曰上盈其志下務其功悠悠黃河吾其濟矣遂託疾不出玄
德曰備久蒙大恩無可報效欲與文將軍同行一者報明公之德
二者就探雲長的實紹喜喚文醜與玄德同領前部文醜曰玄德
累敗之將於軍不利醜願自往不用玄德紹曰吾見玄德才能汝
可同去醜曰既主公要此人去時某分三萬軍交他為後部兆其
無功可以治罪玄德曰若此最好文醜自引七萬軍先行玄德三
萬軍隨後兆說曹操為雲長斬了顏良加倍欽敬表奏朝廷封雲
長為壽亭侯鑄印送關公文曰壽亭侯印使張遼送去公看了推
辭不受遼曰據兄之功封侯何多公曰功微不堪領此名爵再三
推辭遼齎印回見曹操說雲長推辭不受操曰曾看印來否遼曰
雲長看來操曰吾失計較遂交銷印別鑄印文六字漢壽亭侯之

曹操引兵

迎敵文醜

印耳使遼送去公視之笑曰丞相知吾意也遂拜受之忽聞人報袁紹又差大將文醜渡黃河據延津之上操自引兵迎之軍馬在前糧草在後操傳令糧草作前隊以後軍作先鋒守之又令前部先鋒將皆于後隨呂虔曰糧草在前而兵居後何也操曰糧草在後多被劫掠吾故令在前也虔曰倘遇敵將守糧者又不敢戰必誤大事操曰敵軍到時却作理會虔心疑未決操令糧草輜重沿河漸至延津操在後軍聽得前軍發喊急叫人看時人報河北文醜兵至我軍皆棄糧草而走醜提敗操軍衆皆曰不如退守白馬操急退軍文醜軍又斷其路操軍散亂操以鞭指南阜可避之埋伏人馬齊上土阜操令人馬皆解衣卸甲少歇盡放其馬文醜軍掩至衆將曰賊至矣何可急收馬匹退回白馬荀攸止之曰此正可以餌賊豈可退操急以目視荀攸而笑攸知其意更不復言文醜軍既得軍仗又來搶馬軍士不依隊伍自相雜亂操令軍將一齊下土阜擊之文醜軍大亂【發明】元來過此只爲取物無心厮殺文醜挺身相戰軍士自相踐踏文醜止遏不住撥回馬走操在土阜上指曰文醜河北名將

誰可擒之二將飛馬出去操視之乃張遼徐晃也二將趕去叫文醜休走醜見二將趕到遂拈弓搭箭正射張遼徐晃大叫賊將休放冷箭遼急低頭一箭射中頭盔遼奮怒趕上又被文醜一箭射中戰馬腮上跪下前蹄張遼落地文醜拍馬便回徐晃揮斧接住厮殺兩員將戰到二十合張遼去後徐晃見文醜後軍齊到撥馬便走文醜沿河趕來忽然一將提刀出馬而來乃漢壽亭侯關雲長也大喝一聲賊將休走文醜交馬戰不三合文醜力怯撥回馬遶河而去關公趕上將文醜腦後一刀斬下馬來後人有詩贊曰

誓扼功勳建　須將恩義酬　奮身誅虎豹　用命統貔貅
白馬顏良死　延津文醜休　英雄有如此　不負壽亭侯

曹操在土阜上見關公刀砍文醜大驅人馬掩殺河北軍落水後奪輜重馬匹雲長縱武揚威東衝西突正殺之間劉玄德引三萬軍隨後到前面哨馬探知報與玄德云今番又是紅面長鬚的斬了文醜玄德慌忙縱馬來看隔河望見一簇人馬往來如飛衆指曰此正是也玄德見旗上有漢壽亭侯關雲長七字玄德暗謝天

袁紹劉備

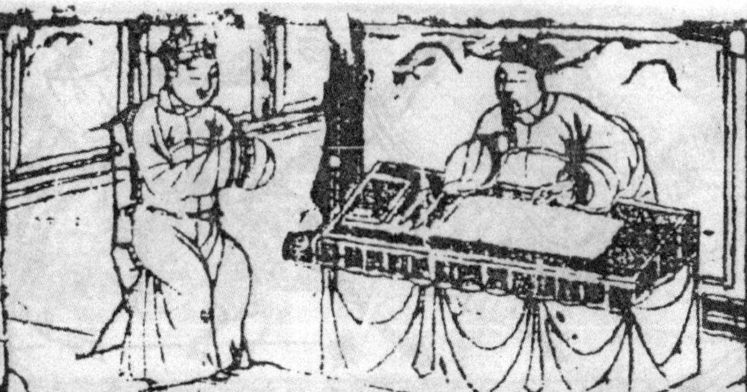

二人議事

地曰元來兄弟果然在操處欲去相見被曹兵大隊湧來只得倣敗軍回袁紹後應退守官渡下寨郭圖審配入見紹曰今番文醜又是關羽殺了紹大怒罵曰大耳兒焉敢如此人報玄德至紹令斬之玄德曰某有何罪紹曰故使關羽又壞吾一員大將玄德曰曹操劉備宛仇備雖潰散必有復仇之日今知備在明公處必協力而攻曹操操特使關羽誅殺二將公知必怒此是曹操借公之手而殺劉備斷絕仇人也惟明公思之（此是玄德梟雄處）紹曰玄德之言是也欲使我成害賢良之名耳喝退左右請玄德上帳坐玄德謝曰明公大恩無可補報欲令一人持書去見雲長使知劉備消息必星夜來到輔佐明公共誅曹操以復顏良文醜之仇若何袁紹大喜曰吾得雲長勝顏良文醜復生也紹令退軍於陽城結營數里按兵不動操令夏侯惇總守官渡隘口操班師回許昌大宴衆官稱雲長之功操與呂虔曰昔日吾以粮草在前者乃餌敵之計惟荀公達知吾心耳衆皆伏其用兵正飲酒間忽報汝南黃巾劉辟龔都甚是猖獗曹洪累戰失利乞撥兵救之雲長進曰關某

孫乾燈下　關雲長

施犬馬之勞以報曹操之恩建此大功未曾重賞何故又欲
征進公答曰關某聞必在顏良陣中一行探其之號寫使于楚
設進爲前將次日使行往袁雲長常有歸劉之心備知消息必
不可令出操曰今次數功皆可不敎臨敵矣雲長領軍望汝南
進發敵軍相迎只在此處當夜營外綁將兩個細作入此人是誰
關雲長因令細作
雲長於燈下看時一人乃孫乾也關公叱退左右問乾曰公
自潰散之後一向蹤跡杳然不知玄德兄在何處乾曰某在徐州
迯難飄泊汝南幸得劉辟龔都收留近聞玄德公在袁紹處欲往
投之未得其便今劉辟龔都意欲攻許昌破曹奉得將軍到此劉辟
特令某爲細作來報將軍來日二陣功與將軍使將軍早奉
二夫人與玄德公相見知玄德在汝南過公曰既兄在袁紹處
吾必星夜而往但恨吾斬紹二將恐今變矣乾曰某約操處賞再
報將軍公曰吾見兄長一面雖死不辭今回許昌便辭曹公矣
當夜送孫乾出寨下禁迯進不敢隨次日關羽領兵出戰龔都迎

敵公曰汝爭何故反背朝廷御曰汝乃背主之人何敢責人耶公曰吾何背主劉玄德在袁本初處汝却從曹操何也公曰[illegible]道稍馬無乃向前襲都便走關公趕去都回身與關公曰故主之恩不可忘也當速至告讓汝一陣公會其意招軍掩殺劉辟詐敗而去雲長得勝班師回許曹操出郭迎接賞勞軍士安待雲長公回參拜二嫂於門外甘夫人曰叔叔兩番出軍曾知哥哥音信否公對曰未也公退二夫人於簾內大哭糜夫人曰想皇叔休矣叔恐我姐妹煩惱故隱不言正哭間一個軍士聽得哭聲於門外言曰夫人休哭主人見在袁紹處夫人曰汝何知之軍士曰跟關將軍出征陣上見說夫人急召雲長責之曰玄德未嘗[illegible]叔今從曹相恩義頓忘舊日之情我不以實告使君姐妹憂愁叔如何要[illegible]就借寶劍斬我姐妹之首解叔之疑得也雲長流淚曰兄受在紹處未敢交嫂嫂知恐內走泄也甘夫人曰叔宜上緊不可緩之公退尋思去計坐立不安却說于禁探得關羽已知劉備在河北矣操令張遼探公遼見關公正悶張遼入賀曰聞兄在陣上知

玄德背信將來負義吾故不來見何異之有遼曰兄言差矣昔管鮑之義可得聞乎公曰管仲言曰吾嘗三戰三退鮑叔不以我爲怯知我有老母也吾嘗三仕三見逐鮑叔不以我爲不肖知我不遇時也吾嘗與鮑叔謀論極困之鮑叔不以我爲愚知時有利不利也吾嘗與鮑叔賈分利多自予鮑叔不以我爲貪知我貧也生我者父母知我者鮑叔此則是管鮑相知之交也遼曰兄與劉玄德交何如公曰吾與劉玄德結生死之交耳生則同生死則同死非管鮑之可比也遼曰吾與兄交何如公曰吾與汝邂逅相遇若遇吉凶則相救遂退難則相扶豈比吾與劉玄德生死之交也遼曰何日玄德在小沛失散何不死戰以報之公曰若此時未知是實若玄德死吾豈獨生今遼曰今玄德在河北兄往尋之否公曰昔日之言安肯負之文遠須道吾意不期後人有詩曰

月缺不改光　劍折不改鋼　月缺魄易滿　劍折復鑄長
勢利壓山岳　難移忠義腸　男兒存死節　可殺不可量

張遼辭關公之言還白操操曰吾自有計留之卻說關公正尋思

陳震持書

見關雲長

間忽報有故人相訪請入公問之曰公何人也對曰某乃袁紹部
下南陽陳震也公大驚喝退左右問之曰先生此行必有所為震
出書一緘度與關公二視之乃玄德書也書云
備嘗謂古之人恐獨身不能行其道故結天下之士以友輔仁
得其友則存失其友則損備與足下自桃園結義之交雖不同
生誓以同死今何中道而割恩斷義君必欲立功名圖富貴願
獻備首級以成全之功書不盡言以待來命
關公哭曰非不欲尋兄柰不知其所某安肯事曹而圖富貴乎震
曰玄德望公淚不曾乾公曰人生天地間無始終者非男子也吾
當日曾對曹公道及此事公已從之吾已報公恩吾來時明白去
亦可明白也吾作書煩公先達兄長辭了曹公便奉二嫂回也震
曰倘曹公不放將軍何如公曰吾寧死豈肯留於此乎震曰公
速回書免致玄德之望關公書云
羽切聞義不負心忠不顧死是大丈夫之志也羽自幼讀書粗
知禮義至於觀羊角哀左伯桃之事嗟張元伯范巨卿之[illegible]

嘗不三嘆而流淚也昔羽守下邳內無積粟外無援兵欲盡死
節奈有二嫂之重未敢斷首負[illegible]死於[illegible]也近在汝南方知
信息須當面辭曹公奉送二嫂回也昔日降漢之時已曾預言
今已有功報之不容不從也忽得兄書視之若喪羽但懷異心
天地可表披肝瀝膽盡在以報筆楮難窮瞻拜有期伏惟照鑒
陳震得書回羽乃入相府見曹操々知來意乃懸迴避牌於門首
公快々而回收拾一輛小車將舊跟二十人早晚等候甘夫人問
曰叔々近日行藏若何公曰只早晚辭了丞相便請嫂々上車甘
夫人曰叔宜上緊勿滯公又往相府辭門首又掛迴避牌連往數
次皆不放參公往張遼家欲言此事遼託疾不出公思曰此是曹
丞相不容吾去大丈夫欲去不決非丈夫也即寫辭書一封書云
漢壽亭侯關羽謹沐浴再拜奉書以聞有天而有地有父而有
子有君而有臣天氣應乎陽地氣應乎陰々陽若順時方可養
育群生而成三綱五常之義也羽生於漢朝少事皇叔劉備誓
同生死前者下邳失據許降丞相所請三事已曾慨然雖為恩

詳羽所以歸焉彼權過逾望實難當只今探知故主劉皇叔見在袁紹軍中身爲寄客使羽旦夕不安三思丞相之恩深如滄海返念故主之意重若丘山去之不易住之實難事有先後當還故家尚有餘恩未報候他日以死答之乃羽之志也謹書告辭幸希釣鑒建安五年秋七月　日書

遂將累受金銀一一封記懸壽亭侯印於廳中平明請二夫人上車遣人於相府下書公上馬提刀護送車行逕出北門門吏當之關公大喝一聲門吏皆退關公出門謂從者曰汝等護車先行但有追趕吾自當之勿驚動夫人從者聲諾望官道進發卻說曹公正論關公事左右報關公有書呈上操看畢大驚曰雲長去矣北門守將報說關羽奪門而去車仗鞍馬二十餘人皆望北行又守府人來說關將軍盡封所賜金銀等物美女十人另房內室壽亭侯印懸於庫內伏事人衆卻不帶去只與舊跟二十人小車一輛隨身行李平明去了衆皆愕然一將挺身出曰某願將三千鐵騎生擒關某獻與丞相衆視之乃陳將蔡陽也未知勝敗如何

關雲長獨行千里

曹操曰事主不忘本天下義士也來明去白天下丈夫也汝等皆可學之平湖府贊關公傳有詩贊曰

剋民恩已報曹公　辭魏歸劉兩盡忠
威鎮許昌謀涉遠　當時義勇有誰同

曹操止退蔡陽程昱曰關羽不辭丞相何如操曰使歸故主以全其義程昱曰丞相能容之諸將皆未平也操曰何也昱曰關羽有三罪以致衆怒且關羽昔在下邳事極來降丞相拜為偏將軍三日一小宴五日一大宴上馬金下馬銀雖建微功即拜壽亭侯之職恩寵極矣一日棄丞相而去不能盡忠其罪一也不得丞相之命諷然便行欲殺門吏不遵國法其罪二也知故主之微言忘丞相之大德亂言冒瀆其罪三也今關羽若歸袁紹是縱虎傷人也不若遣蔡陽趕上誅之絕此後患操曰不然吾昔許之今故追而殺之人皆以我為失信也論曰（曹公知羽不知其心嘉其志不追以成其義其有王霸之才氣遠有於此乎）史官有詩贊曰

功成自合歸玄德　解印封金離許都
一義金銀光照室　為思恩義走長途
人言俊傑千年少

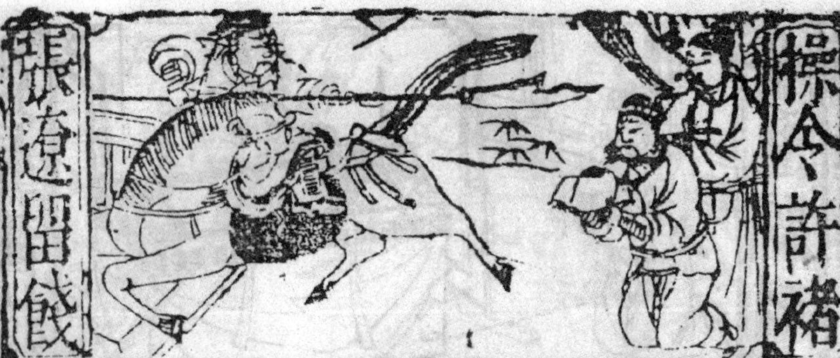

乍道將軍萬古無　不是追兵無鐵騎　曹公元重去時書
又道曹公平生不殺玄德不追關羽詩曰　三國初爭勢未分
獨公謀策最機深　不追關羽令歸主　便是中原伯業心
程昱曰雲長不辭而去終是缺禮操曰吾所賜金帛皆留還吾此
是雲長千金不易其志吾甚敬此等之人昱曰今後爲禍丞相休
怨操曰雲長非負義人也程昱曰彼各爲主豈容人情操曰想雲
長去不遠吾一發結識他先交張遼請住他我與他送行將一盤
金銀爲路費一領綉袍作秋衣久他時想吾程昱曰雲長必不
回曹操曰吾先使張遼請住却說雲長赤兔馬日行千里本趕不
上但傍二嫂之車不敢放轡按住絲韁緩行忽聽背後叫雲長緩
行公自思呼吾字者必不害吾教車仗人從只顧緊行吾自[illegible]當
回頭視之見張遼拍馬而至關公勒住馬曰文遠莫非來擒我耶
遼曰身無寸甲手無軍器何必生疑丞相已言彼各爲主容兄自
去以全其義爲不曾相送故自來也先令小弟請住兄長關公曰
便是丞相鐵騎來吾願[illegible]決一死戰公立馬橋上[illegible]見曹公引[illegible]

許褚進袍　刀挑而去

十餘騎飛奔前來背後爲首是許褚徐晃之徒操見關公橫刀立馬
於橋上令諸將左右擺開關公看見皆無軍器因此放心操曰雲
長何行速耶公馬上欠身施禮曰關羽日前曾稟丞相今故主在
袁紹處不容不星夜去也累次不得參見故拜書告辭封金掛印
納還望丞相勿忘舊日之言操曰吾欲取信於天下安肯負言恐
將軍路缺盤費特具路資相送公曰累蒙恩賜尚有餘資留此黃
金以賞戰士關某途中不勞恩賜操曰別無他意以酬大功萬一
耳關公曰感丞相大恩微勞不足補報異日若相會別當酬之
操嘆而答曰雲長忠義士也恨吾無福不得相從錦袍一領聊表
寸心請將軍下馬接袍過來關公恐操有變不下馬用刀尖挑却
錦袍披於身上勒馬回頭轉身稱謝丞相袍下橋望北而去許褚
曰此人無禮何不擒之操曰彼一人一騎吾二十餘人安得無疑
乎吾言既出不可追之專操自引衆人回於路嘆曰汝等當效雲
長以成萬世之香名也有詩爲證曰

將軍降漢不降曹
千里尋兄意氣豪
送別許都城外路
刀尖挑却錦征袍

關公來趕三十里，又見車仗，雲長正慌，回馬四下尋之，忽見山頭一人高呼雲長且住。公視之，見一少年，黃巾錦衣，持鎗走馬，引百餘軍下山。其人下馬，拜伏於地。雲長恐是詐，勒馬停刀，問曰：壯士願通姓名。其人曰：某襄陽人也，姓廖名化，字元儉，因世亂流落江湖，刼掠自給，聚衆五百餘人。却才同伴杜遠下山，誤將二夫人刼上山。吾問從者，言是劉皇叔夫人，吾問其來意，爲說將軍大德，即拜於地下，欲送下來。杜遠出言不遜，被某殺之，今獻頭與將軍請罪。公曰：二夫人何在？化曰：恐人傷害，留在山中。公交急取下山。須臾，百餘人簇擁車仗到來。公下馬，提刀立於車前，問候曰：嫂嫂受驚，羽之罪也。二夫人曰：若非廖將軍保全，幾被杜遠之辱。公問左右曰：廖化怎生相救？左右曰：杜遠刼去，要與廖化各分一人爲妻。廖化問出根腳，好生拜敬，杜遠不從，已被廖化殺之。關公拜謝廖化。化願以部下人馬護送關公。公思此人是賊，若用爲伴，人必笑，遂辭謝曰：感謝厚意。曾參對曹公懇遇孑單獨行，日後相逢必當重謝。廖化拜送金帛，雲長不受，化自引人伴投山路去了。

雲長投宿

胡華庄上

廖化後來歸蜀大將出神山歸關上將雲長辭曹操贈袍事省與二嫂遂同車仗而行
天晚投一庄安歇庄主出迎問曰來的將軍姓甚名誰關公向前
施禮曰某乃劉玄德弟關羽也老人曰莫非斬顏良文醜者乎公
曰便是老人大喜便請入庄公曰車上有二嫂老人遂喚妻女出
迎甘糜二夫人入草堂關公叉手立於二夫人之側老人請關公
坐公曰嫂在上某安敢坐老人曰公乃異姓何如此之敬也雲長
曰某曾與劉玄德張翼德結義兄弟誓同生死二嫂相從刀兵之
中未嘗敢缺一禮老人曰將軍天下義士也遂交妻女相待二夫
人老人款待關公二問姓名老人曰吾姓胡名華桓帝朝為議郎
致仕歸鄉今有小兒胡班在洛陽太守王植府為從事將軍必從
彼經過就修書小兒與將軍相會公求胡華書遂告以辭曹公之
事胡華感嘆不已當夜歇至次早關公請二嫂上車辭別胡華
投洛陽來前至東嶺關把關之將姓孔名秀是曹操部下在嶺把關[illegible]守把隘口關公同
車仗至嶺軍士報知孔秀孔秀出關迎關公下馬關公下馬與孔秀
施禮秀曰君將何往公曰已辭丞相往河北尋兄劉玄德孔秀曰

關羽殺孔秀于馬下

河北袁紹正是丞相對頭將軍此去必有來文公曰因行慌速不曾討得來文孔秀曰若無來文將軍自住待我差人禀過丞相方可放行公曰汝禀丞相誤我行程秀曰一日不禀且住一日一年不禀且住一年雲長怒曰何無禮也秀曰法度所拘不容不如此當今龍爭虎鬬之時若無文憑枉說英雄雲長曰汝不容我過么乎秀曰汝要過關留下老少實當雲長大怒欲殺孔秀不知何如

關雲長五關斬將

孔秀慌退入關閉門鳴鼓聚軍分布左右綽鎗上馬出關大喝曰汝敢過關么雲長縱馬提刀直取孔秀秀々挺鎗來迎兩馬相交鋼刀起處孔秀落馬死於地下衆軍拜於馬前公曰借汝衆口往許昌告說丞相尚不親自餞行孔秀故相攔截欲殺害吾々故斬之先說二夫人車行過關望洛陽進發先有軍士去洛陽報知太守韓福々々急聚衆商議牙將孟坦曰既無丞相文憑即係私行若不阻當必有罪責韓福曰關羽勇猛難以迎敵顏良文醜尚自被誅以何計擒之孟坦曰先將鹿角攔住關口待他到時小將引軍和

關公刀斬

韓福落馬

他交鋒太守於高阜處暗箭射之乃伏兵士於左右擒之解赴許
都必得重賞人報關公已到韓福引一千人馬擺布關口韓福彎
弓帶箭問來者何人公於馬上施禮曰壽亭侯關羽願借過路韓
福曰汝有曹丞相文否公曰事冗不曾討得韓福曰吾奉丞相
鈞命鎮守故都專一盤詰往來奸細汝無文憑即係逃竄公怒曰
東嶺孔秀被吾斬之汝等當吾欲尋死也韓福曰誰人擒之牙將孟坦
輪雙刀來取關公公拍馬來迎孟坦戰兩合撥回馬走公趕來孟
坦只望引誘關公誰知公馬快若見飛趕上腦後一刀砍為兩段
韓福放箭正射中關公左臂公口咬箭出血流不止飛馬逕取韓
福韓福急退不迭關公刀起砍於馬下係東代出關割帛止住箭
瘡於路不敢久住連夜投汜水關 [illegible]
[illegible] 早有人先報卞喜 喜見關前有一寺名鎮國寺 [illegible]
[illegible] 卞喜就寺中埋伏刀斧手 [illegible] 要害雲長卞
喜離關迎接關公公見喜慇懃下馬相見喜曰將軍名震天下誰
不仰慕今歸皇叔以全大義喜長訴斬孔秀韓福事喜曰將軍殺

普靜師迎公雲

長敘鄉曲

者其也其見丕相曾禀此事關公甚喜同上馬過了汜水關到鎮
國寺前下馬衆僧鳴鐘出迎有一長老名普靜正是雲長同鄉普
靜已知卞喜之意向前來與關公說關公下馬答之普靜曰將軍
離蒲東幾年關公曰近二十餘年矣普靜曰還認得貧僧否公曰
因離鄉多年不曾相識請長老曰貧僧與將軍家只隔一條溪卞
喜見長老說鄉曲只恐走泄叱之曰吾欲請將軍赴宴僧人何多
言也雲長曰鄉人見鄉人安得不叙舊也長老請方丈會茶雲長
曰二嫂在車上可就先獻之長老交取茶先送夫人請公入方丈
以手携擊以目顧盼公知其意喚左右將刀近隨卞喜請於法堂
筵席公見壁衣密布擊劍在手與卞喜曰君請關某無反意也卞
喜曰安有他故公於壁衣中窺見併刀斧手公大喝曰吾以汝
爲好人輒敢如此卞喜知事泄大叫左右下手數人將大者向前
皆被關公砍倒卞喜下堂遶廊而去公取刀步行趕來卞喜暗取
鎚飛擲打公二把刀撥開一刀砍死於廊下公急出來看二嫂早
有軍人遶二園住見公來四散奔走公盡殺之謝普淨曰若非

王植命胡

班燒關羽

吾師救我殺此賊之意[illegible]曰分付借此處歇[illegible]

雲遊後會有期普靜去了[illegible]雲長護送車仗望滎陽而進却說滎陽

太守王植却與韓福是兩親家見殺了雲長未到韓福家先使人通

報了雲長比到滎陽王植使人關口當住關吏問了姓名報王植

王植出關喜笑而相迎雲長說尋兄事植曰將軍於路驅馳夫人

車上勞困暫請入館驛中暫宿一宵來日登途未遲雲長見王植

意甚殷勤遂請二嫂入城驛庭中皆已鋪陳了當王植請赴宴雲

長曰尊嫂在上不敢飲宴植堅請不去酒食皆送至驛中關公見

於路辛苦請二嫂正房歇定從者各自安歇飽喂赤兔馬[illegible]

馬死公亦解甲少歇却說王植密喚從事胡班聽令曰關羽背丞

相而逃又於路殺太守并把關將死罪不輕此人勇猛難敵汝今

晚點一千軍圍住館驛一人一個火把待燒斷外門四圍放火不

問是誰盡皆燒殺今夜三更燒時我亦自引一軍接應胡班領了

言語便去點下各人要火把一束又取乾柴引燒之物先搬於驛

驛門首胡班尋思吾不識關雲長如何模樣當往觀之胡班至驛中

關公斬王

植于馬下

問驛吏曰關將軍何處答曰正廳觀書者是也胡班往觀見公左
手綽髯凭几於燈下看書班看了大驚曰真天人也語言頌高公
問何人胡班入拜曰滎陽王太守下從事胡班雲長曰莫非城外
胡華之子胡班曰華乃班之父也公喚從者取書付班〻看畢嘆
曰險害忠良遂入密告曰王植要害將軍今四面一千火把約二
更放火其今欲開關門將軍急收拾出城雲長大驚慌忙請二
嫂上車雲長披掛提刀上馬盡出驛庭果見軍士各把火把听候
公出城開邊門已欲開公催人伴急行城中胡班放火行不數里
背後人馬趕來當先王植大呼關將休走公勒住馬大喝匹夫吾
與汝無讎何令人來燒我王植飛馬挺鎗來迎公只一合被雲長
一刀攔腰砍為兩段人馬皆散關公不捍自隨車行後知胡班被
王植家人所殺關公催促趲行〻過滑州界首人報劉延知劉延
慌忙引數十騎而迎公馬上欠伸而言太守洲來無恙劉延曰今
欲何往雲長曰辭丞相去尋兄劉延曰玄德在袁紹處袁紹乃
丞相仇人如何容公去公曰昔日曾言定來劉延曰即日渭河渡

關公斬秦

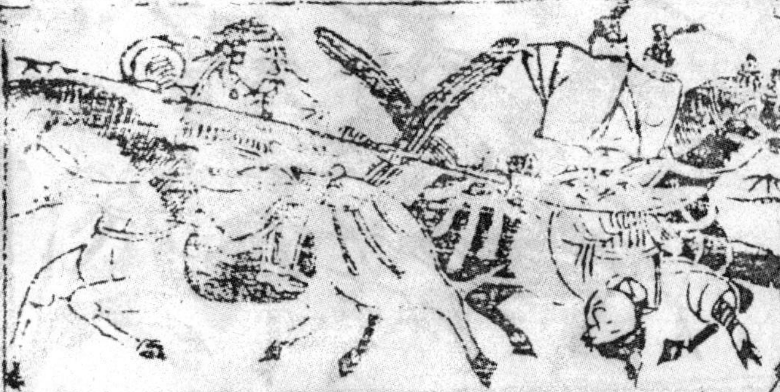

琪為兩段

口關監夏侯惇部下秦琪把守恐不容將軍過渡公曰太守總領船隻若何延曰船隻雖有不敢應付關公曰前者斬顏良文醜亦曾與足下解圍今日求一隻船不付何也延曰夏侯惇將軍知必見罪公知其無用之人遂自催車仗進發秦琪引軍出關問來者何人公曰壽亭侯關羽是也琪曰今欲何往公曰欲投河北尋兄劉玄德去乞借渡船琪曰丞相公文何在公曰吾不受節制有何公文琪曰吾奉夏侯惇軍令守把關隘你便插翅也飛不過去關公怒曰汝比顏良文醜若何琪大怒縱馬提刀直取關公兩馬相交青龍刀起秦琪落馬關公曰當吾者死餘者不必驚走快備船送吾過河軍士急尋船傍岸下船渡過黃河雲長所過關五處斬將六員有詩為證

掛印封金辭漢相　尋兄遙望遠途還
馬騎赤兔行千里　刀偃青龍出五關
忠義慨然沖宇宙　英雄從此定江山
獨行斬將應無敵　今古流傳翰墨間

關公嘆曰吾非欲沿途殺人奈不得已曹公知之必懷痛恨以我為無恩之人也嗟不已正行之間忽見後乾自北而來大叫雲長

孫乾路見

雲長言信

且說公曰自汝南相別消息若何乾曰汝南劉辟龔都遣某結好袁紹請玄德同謀曹操不想河北衆謀士自相妬忌田豐尚囚獄中沮授黜退不用審配郭圖等各自爭權袁紹多疑主持不定知雲長欲回必受陷害某與劉皇叔商議欲先求脫身之計今皇叔已往汝南會合劉辟去三日了想雲長不知落在勾中故遣某於路相迎天幸於此撥見將軍可往汝南與皇叔相會雲長交孫乾拜二夫人問其動靜皆掩面垂泣不投河北逕取汝南正行間背後塵埃起處一彪人趕來當先夏侯惇大叫雲長休走畢竟如何

　　關雲長擂鼓斬蔡陽

夏侯惇趕來雲長令孫乾保車仗勒馬按刀曰汝趕來有失丞相大度惇曰汝於路殺人又斬吾部將吾特來擒汝雲長曰吾未降時曾說應有縱放不須要禀於路守關攔截故斬之惇曰吾爲秦琪報仇挺鎗欲出背後一騎飛到叫不可交戰來使懷中取出公文於馬上大叫曰丞相憐愛關將軍忠義恐關上攔截故遣某將丞相文書遍行諸處也惇曰關某於路殺[illegible][illegible]將丞相知否來者曰

夏侯惇大戰關雲長

未知惇曰活捨將去見丞相自放他關公大怒曰吾懼汝那大叅夫也拍馬輪刀直取夏侯惇二將挺鎗迎兩馬相交約戰二十餘合又一騎飛至大叫曰二將軍罷戰實丞相恐於路阻當關將軍特來告報惇曰丞相知於路殺把關將否使曰未知也惇曰如此不可放去兩將又戰到十餘合又一騎至大叫二將軍少歇惇回陣前問使者曰丞相交擒關羽乎使者曰非也丞相二使誠恐路上人當關將軍故送公文教行惇曰既未知於路殺人必當擒下指揮手下馬軍圍三關住你交走脫看後軍馬又來關公無半分懼怯聲若巨雷大喝欲奮擊向夏侯惇挺鎗來迎背後張遼飛馬而來大叫元讓雲長休得爭鬬二人各勒住馬張遼曰奉丞相公文爲雲長斬了孔秀恐於路有阻特差吾來交於路關隘仍便放行惇曰秦琪是蔡陽外甥蔡陽分付在我處今無罪斬之於理未然遼曰吾見蔡陽自有分解既丞相交雲長去不可廢寬洪之意惇交軍馬退去後人有詩贊曹相云

爲愛英雄越古今　一番誠使意何深

應悲孟德施奸狡　正是牢籠天下心

雲長孫乾　郭常店安歇

張遼曰雲長今往何處公曰兄長不在袁紹處吾今往普天下尋之遼曰未知下落且再回見丞相若何公曰既已告辭安有復回之理文遠回許昌借言請罪二人分別張遼與夏侯惇回去雲長趕上車仗與孫乾說知此事行了數日正值大雨滂沱行裝盡濕遙望山庄關公先往借宿庄主王出迎公言來意庄主曰某姓郭名常久聞大名幸得瞻拜遂置酒相待請二夫人後堂暫歇郭常與關公孫乾於草堂飲酒一面烘衣行李一面喂養馬匹黃昏左側一後生引數人入庄逕進草堂郭常喚曰吾兒來拜關將軍公問之常曰此愚男也公問何來答曰射獵方回常流涕曰老夫世本儒流務農為生止有此子不務本業務遊獵為樂家門之大不幸也公曰方今亂世若使兼文兼武善於弓馬亦可以取功名何不幸也常曰若使肯習武藝亦是有志事是子專務遊蕩無所不為公亦嘆息郭常相陪至更深名止宿郭常辭去關公與孫乾方欲就寢忽聞後院人鬧公提刀視之見郭常子跌倒在地公急問之從者曰此人來盜赤兔馬牽出馬一腳踢倒方知其[illegible]

郭常之子

盜馬被吻

馬庄客盡來強奪因此喧鬧孫乾勸關公殺之公意曰吾得往
天下全仗此馬汝欲盜之是絕吾去路也待殺之郭常奔至告曰
不肖之子爲逆罪合於死奈老妻甚愛此子若殺之則老妻必思
死望將軍寬恕幸甚關公忠義之人思老人先曾實告遂不殺乎
明收拾行裝郭常夫婦拜謝感將軍不殺子之恩公令喚出吾汝
善言慰之常曰原子四更時分又引四個無徒不知何處去了乃
生前之冤孽也公遂請二嫂上車公與孫乾離庄並馬而行行不
到三十里山背後兩馬略有百餘人隨來爲首者頭裹黃巾身穿
袍後面者乃郭常之子也關往去路爲首者大叫曰吾乃天公將
軍張角大方裴元紹也來者快留下赤兔馬放你過去關公大笑
曰狂精匹夫汝從張角爲盜還知劉備兄弟三人名字麼爲首曰
我只聞有個赤面長髯者姓關名雲長不識其面汝何人也公解
開髯視之其人滾鞍下馬腦揪郭常之子拜獻於馬前公問姓名
裴元紹曰某自張角死一向無主權於此處藏伏今早這廝報道
有一客人騎一疋千里馬在我庄上投宿父某強奪却是爺二司

殺此人關公曰吾看郭常相敬甚重不忍殺之就馬前放回而去雲長曰汝不識吾何以知吾名字元超曰離此二十餘里地名新坡有一箇臥牛山山有一關此人姓周名倉兩臂有千斤之力板肋虬髯形容甚醜元是黃巾張寶部下爲將後因寶死嘯聚於山林多曾與某說將軍盛名恨無門相見雲長嘆曰山林之中亦有信義之士爲盜耳今後可去從正勿陷此身裴元超拜謝却欲分別遥望一彪人馬來到元超曰此必是周倉也立馬候之果是周倉﹦﹦一見雲長下馬俯伏於道傍雲長請起曰壯士何處曾識關某倉曰舊隨黃巾張寶曾識尊顏恨失身於賊寇之內不得相隨今日天賜僥倖得拜於此將軍不棄收留周倉爲軍前一小卒早晚執鞭隨鐙死也甘心雲長曰汝隨吾手下之人伴若何周倉曰聽其自便願隨者隨之遂問一聲願皆隨順雲長遂下馬於車前稟問二嫂﹦﹦甘夫人曰叔﹦自離許昌獨行至此歷過多少艱辛未嘗要軍馬相隨前者廖化叔尚却之今次又容爲盜者相從恐惹人議論糜夫人見叔﹦自斟量雲長曰尊嫂之言是也遂回周倉

曰非是寡情柰二夫人未順汝等且於山中寧奈吾暫見兄長必
來相招也周倉頓首而告曰周倉乃一粗鹵匹夫失身為盜今遇
將軍如重遇天日如將軍不吝不欲衆隨都令跟裴元超去某
行跟將軍雖千里不辭也雲長因以此言告二嫂甘夫人曰一二
相隨何妨雲長令周倉撥人伴隨裴元超々々曰哥々跟將軍去
弟亦願隨周倉曰汝若夫人伴皆散汝可權時部領若吾但跟將
軍有住扎處便來取你裴元超快々相別周倉跟雲長望汝南進
發行了數日正行之間遙望相近山城問土居人此何處也土人
答曰此是古城數日前有一將軍姓張名飛引數十騎到此將縣
官趕退此人在古城中招軍買馬積草屯糧聚四五千人到此無
人敢當關公喜曰自徐州失散今已半年誰想弟在此先令孫乾
入城報說交接嫂々却說張飛自芒碭山中飄蕩落草待接河北
去路遙遙古城入縣借糧縣官不肯就殺入去奪了縣治縣官着
逃張飛就此安身忽見孫乾便問其故乾說劉皇叔離了袁紹投汝
南劉辟處會合軍馬今關將軍送二嫂々離了許昌到此請將軍

出郭迎接張飛聽罷隨即披掛綽丈八蛇矛上馬引一千餘人迎出北門雲長望見翼德到聲如巨雷刀付周倉拍馬來迎張飛睜圓環眼倒豎虎鬚聲如雷吼揮矛望雲長便搠雲長大驚慌閃過鎗便叫兄弟如何忘了桃園結義飛喝曰你無義之人有何面目相見雲長曰我如何無義飛曰你順了曹操令爲壽亭侯自享富貴又來賺我〻與你拚个你死我生雲長曰你元來不知嫂〻在此你自請問甘糜二夫人聽得揭車帷呼曰翼德叔〻何故如此飛曰我先殺無義的人請嫂〻入城甘夫人曰雲長叔不得已而降漢不降曹令知哥〻在袁紹軍中千里獨行送我至此你休錯見了張飛曰大丈夫在豈有事二主之理嫂〻休被他瞞過了其夫人曰在下邳時出於無奈飛曰他既降曹有何面目相見雲長曰兄弟休屈了我心蔡陽自特來尋將軍飛喝曰你也胡說他必是來捉我雲長曰我來捉你須要帶軍來飛把手一指兀的不是軍來也雲長回頭果見塵埃起處一彪人馬來到上面風吹動曹操旗號張飛大怒曰尚敢詐否一條矛搠來雲長止住曰兄弟看

斬來將以表吾心曹軍擺開蔡陽提刀走馬立於旗下待見雲長大喝曰汝殺吾外甥秦琪元來却在這里特來拿你捉住你我便為壽亭侯叫聲擂鼓〻〻纔動雲長早到面前刀起處蔡陽頭已落地有詩為証曰

將軍氣槩與天平　匹馬單刀獨自行
千里尋兄恩義重　五關斬將鬼神驚
鼓聲響處人頭落
旗影開時血外橫　堪笑蔡陽無計算
山雞要與鳳凰爭

衆軍便走雲長趕上活揪蔡陽認旗的過來問取消息認旗軍告說蔡陽知將軍斬他外甥要來與將軍交戰丞相不肯差他汝南攻劉辟不想撞着將軍雲長交去張飛馬前告說張飛唱雲長在許昌行止從頭至尾張飛方信其真於二嫂前施禮忽報城南門外十數騎來得甚緊不知何人飛大疑引軍轉城來迎畢竟是誰

劉玄德古城聚義

張飛看時果見十數騎而來見了張飛滾鞍下馬視之乃糜竺糜芳也張飛亦下馬問之竺曰自從徐州失散昆兄弟二人使人遠近打聽知雲長降了曹操王公在於河北並不知將軍在此聞者

張飛迎二

嫂入古城

道上遇見一夥客人言稱有個姓張的將軍如此模樣見今據守古城吾兄弟思量必是將軍故來尋訪張飛曰雲長兄送二嫂今日方至此孫乾亦已知哥哥下落糜竺大喜飛遂迎二嫂入進城衆人解甲請二夫人坐定皆哭拜於堦下張飛卻才備問仔細甘夫人說雲長前後經過之事張飛各言其事乃設宴次日雲長孫乾引數騎逕奔汝南劉辟龔都接着問皇叔下落劉辟曰皇叔到此住了數日再回河北袁紹處商議三日前去了雲長與孫乾曰只做某一番馳驅再往袁紹處走一遭報知皇叔同到古城便了雲長辭了劉辟龔都還古城與張飛說知此事飛欲自往雲長曰有此一城便是我等安身之所汝可牢守古城飛曰汝斬他顏良文醜如何去得雲長曰汝但放心我見機而變收拾二十餘騎隨行雲長喚周倉曰臥牛山裴元紹處有多少人馬倉曰有四百餘人馬有四五十疋雲長曰我等去取兄長你可去臥牛山招此一路人馬於大路來接周倉欣然上馬而去雲長孫乾投冀州來至界首孫乾曰將軍只在此間尋歇泊某入城見皇叔報知便來

脫身之術雲長於道左見一村庄同往覓宿庄上一人出迎雲長實告知庄主曰某小姓關名定久聞將軍大名今得瞻拜如撥雲見天喚二子出拜長子關寧學讀書次子關平學武藝關定留雲長在庄人伴盡藏於家孫乾疋馬迴投冀州入見玄德把上項事說知玄德曰簡雍不在此間可暗請來密室商議簡雍到孫乾相見共議脫身之術雍曰主公明日見袁紹可請親往荊州結連劉表共破曹操主公乘此而去可也雍亦自有脫身之計商議定次日玄德入見紹說曰劉景升鎮荊襄九郡兵粮精足可以結爲脣齒共破曹操紹曰吾遣使往結好了此人不肯相從玄德曰此人是備同宗之兄備往說之必無阻矣紹曰若得劉表勝劉辟多矣遂交玄德行紹又曰近有人說汝兄弟關雲長已離曹操必來冀汝吾欲殺之以雪顏良文醜之恨耳玄德曰顏良文醜比之二鹿耳關羽乃一虎也若失二鹿得一虎足可以拒曹操何故欲殺之紹笑曰吾實愛之故戲言耳玄德出簡雍曰劉玄德此去必不回矣紹曰當如之何雍曰某願同行一以同說劉表二以監住劉備

紹曰甚妙玄德先交孫乾行次日來辭袁紹紹曰恐汝隻力難成吾使簡雍相輔同往玄德與簡雍同辭袁紹上馬出城郭圖入見紹曰劉備前者去說劉辟未見其功今又與簡雍去說劉表此行必不還矣紹曰汝勿多疑簡雍自有見識也郭圖吁嗟而出玄德簡雍二人行出界口孫乾接着共至關定家關公迎門接拜執手啼哭不已關定令二子拜於草堂之間玄德問其家雲長曰此人與弟同姓欲令次子跟弟同去玄德曰幾歲矣關定曰次子關平年十八歲矣玄德曰既是老丈有心令子跟雲長吾弟又無嗣某願求令郎與雲長爲嗣若何關定曰若蒙主盟願聽尊命玄德致謝關平自此拜雲長爲父玄德恐袁紹追之急收拾起行辭關定送了一程雲長交取路投卧牛山來正行之間忽見周倉引數十帶傷軍而來雲長引見玄德怪問其故周倉曰自到卧牛山誰想有一將軍騎馬而來和裴元紹交鋒只一合搠死裴元紹盡數招降了占住山寨周倉到彼招誘人伴止有這幾個過來餘者懼怕不敢擅離某親自與他交戰被他連贏數次身被三鎗因此逕來

趙雲下馬

拜見玄德

專待主公玄德問曰此人模樣如何姓甚名誰倉曰相其雄壯[illegible]
知姓名雲長提刀躍馬前行玄德在後逕投臥牛山來周倉在山
下叫喊那員將全付披掛挺身縱馬引衆人下山玄德揮鞭出馬
大叫曰來者莫非子龍否那員將下馬拜於道傍玄德問其所從
來雲曰自離主公公孫瓚不從諫以致喪身放火自焚袁紹累次
招諭雲雲想紹非成立之人棄而遠投北方後知主公在袁紹處
欲來相投又恐袁紹見怪四海無家無容身之地因從此過裴元
紹下山奪馬某殺之借此安身今聞張翼德在古城恐非真實天
幸得遇主公正應昨夜能夢玄德大喜盡訴前事玄德曰吾一見
子龍便有留戀之情誰想今日相會雲曰雲奔走四方尋主事之
今隨皇叔大稱平生願肝腦塗地無以恨矣即燒山寨部領人衆
隨玄德前赴古城張飛糜竺糜芳出郭迎入各相拜訴二夫人出
言雲長之德玄德感嘆無盡乃殺牛宰馬大作聚義筵會先祭天
地遍勞諸軍衆皆歡悅文武仍舊相聚又添子龍玄德歡喜不勝
連飲數日以慶再見之喜後人有詩曰　當時手足似瓜分

信斷音稀杳不聞　今日古城重聚處　正如龍虎會風雲
周倉馬步軍校四五千人玄德議棄古城去守汝南又値劉辟龔
都遣人相請玄德遂引軍前往汝南屯扎招軍買馬漸自崢嶸却
說袁紹見玄德不回大怒欲引兵伐之郭圖等諫不可劉備乃疥
癬之疾耳曹操乃是對敵不可不先除也劉表不足爲强江東孫
伯符威鎭三江地連六郡謀士有周瑜張昭之輩武將有程普黄
蓋之流粮積五七年甲兵數七萬可遣人結好共破曹操南北相
攻唾手可得紹從之即脩書遣陳震會孫策共破曹操還是如何

孫策怒斬于神仙

先說孫策自覇江東兵精粮足因建安四年爲襲取廬江後復
郡破黄祖敗劉勳聲勢大振張紘詣許都上表云
臣討黄祖以十二月八日到祖所劉表遣將助祖臣以十一日
平旦部領江夏太守行建威中郎將周瑜領桂陽太守行征虜
將軍呂範領零陵太守行蕩寇中郎將程普行奉業校尉韓當
行武鋒校尉黄蓋同時俱進身跨馬臨陣吏士奮激踴躍百倍心

競用命越渡重塹迅疾若飛弓弩並發流矢雨集日加辰時祖
乃潰爛鋒刃所截前無生寇惟祖迸走獲其妻妾男女七人斬
虎郎韓稀以下二千餘級其赴水死者一萬餘人獲船大小六
千餘艘財物山積雖劉表未擒祖夙狡猾爲表爪牙表之鴟張
以祖氣息而祖家屬部曲掃地無餘矣表爲孤特之虜誠爲鬼
尸陛下聖神文武威振天下臣侍罪戰懼謹表奏聞伏望天聲
曹操知孫策強盛乃嘆曰獅兒難與爭鋒也遂以曹仁之女配嫁
孫策小弟孫匡〻留張紘在許昌孫策此時欲爲大司馬曹操不
許策甚恨之常有襲許之心吳郡太守許貢暗遣使上表與漢帝
表云孫策驍勇與項籍相似宜加貴寵召還京師不得不
還若放於外必作後患當速制之貢使渡江被把江守將所獲解
赴孫策〻觀表大怒請貢說話貢至曰汝欲送吾於死地何也貢
辭無此意孫策將出表示之貢無言可對策命武士絞殺之貢家
盡皆逃散有奴客三人要與許貢報仇恨無其便孫策專好射獵
一日引軍會獵于丹徒之西山中趕起一群鹿各爭追射策所騎五

花騮走似飛走山中如登平地正趕之間道傍見三人持鎗帶弓立於竹篠之內策勒馬問之曰汝等何人答曰乃韓當軍士也在此射鹿策方舉轡而行一人撚鎗望策左腿便搠策嚇一聲掣所佩之劍就馬上砍去劍鋒忽墜止存劍靶在手內一人拈弓搭箭射中孫策面頰策就拔下面上箭取雕弓回射放箭之人應絃而倒二人舉鎗向孫策身亂搠大叫曰我是許貢家客特來與主人報仇策別無器械馬上以弓打之二人死戰不退策身被數鎗馬亦帶傷正危急中程普引數騎至將許貢客三人砍為肉泥看孫策時血流滿面此傷至重以帛勒之救回吳會養病令人往尋華佗時已往中原去了止有徒弟在吳命以[illegible]敷貼藥餌說醫者言曰箭頭帶藥毒已入骨可將息一百日勿得妄動以怒氣衝激其瘡難治孫策為人平生性急恨不得三日無事將息到二十餘日忽聞許昌有人來策喚而問之來人曰操每懼主公常嘆曰獅兒難以爭鋒策笑曰操帳下謀士還皆惧吾否來人曰惟有郭加不伏主公策應聲問曰加嘗有何說來人不敢言策怒欲殺

孫策令捉

于吉上樓

之來人只得從實告曰郭加對曹操言曰孫策不足懼也雖有百萬之衆安敢橫行中原性急少謀乃匹夫之勇耳倘有一刺客起便爲強暴之虜耳他日必死於小人之手策大怒曰匹夫安敢料吾射吾者必曹操之謀也吾提兵取許昌以迎漢帝不待瘡可便出議事張昭諫曰醫者說主公百日休動何故以一時之忿自吾千金之軀也策曰匹夫料吾〻實難容吾取中原以彰英雄昭曰待主公瘡可而議之未爲晚矣時值袁紹使命陳震至言欲結外應兩北攻曹共分天下策心甚喜於城門樓上會聚諸將管待陳震正飲酒間忽見衆將下樓竊語紛然策怪而問之左右答曰于神仙於樓下過諸將皆往拜之策起憑欄望之見一道人長八尺鬚髮蒼白面似桃花穿飛雲鶴氅雲履手握藜杖立於當道上過孫策部下諸將下至城中男女皆焚香伏道而拜策大怒曰此妖人也與吾擒來左右皆曰此人寓居東方往來吳會有道〻〻舟夜靜坐日則焚香講道普施符水救人無不應驗汀曰汝等敢違吾令左右不得已下來推于吉上樓

敢[illegible]惑軍心耶于吉對曰貧道瑯琊人也自先朝[illegible]神書於曲陽泉水上皆白素朱書號曰太平清[illegible]治人扶病方術名之曰杞田書縣科有醫藥十三科[illegible]行之惟務代天宣化普救世人未常取毫釐之物安得扇惑即公之軍心耶策曰汝毫釐不取于人衣食從何而得汝即黃巾之徒今若不誅必為國患叱左右斬之張昭諫曰于道人在江東數十年並無過失殺之恐失民望策曰此等村夫吾試實驗何妨眾官皆諫策恨未銷命枷鎖下獄禁之眾官散後皆令入告吳國太夫人夫人喚策入堂言曰吾聞汝將于吉先生下獄此人多曾助軍招福醫護將士不可殺之策曰此乃妖妄之人能以幻術惑眾之心遂使諸將不顧君臣之禮盡皆下樓拜之此與張角無異不可不除吳夫人再三勸之策曰願母親勿聽女流之言兒自有區處策急喚出獄吏取于吉出來獄吏盡皆敬仰在牢中盡去枷鎖事之如父母策使窺之旅帶枷鎖而出策怒盡斬獄吏仍紐手下獄張昭等數十人連名作狀乞保于吉策曰汝皆讀書之人何不達禮昔[illegible]

于吉祈雨

坐于柴棚

日南陽張津爲交州刺史舍前聖典訓廢漢家法律嘗著絳帕
頭鼓琴焚香讀邪俗道書曰將以助出軍之威後被南夷所殺此
等甚無益諸君未悟耳今此人已在鬼籙勿復費紙筆也吾必斬
之呂範進曰某素知于先生能祈風禱雨方今亢旱何不令求雨
以贖其罪策曰吾且看此妖人若何衆保之於獄中取出除去枷
鎖令求甘雨于吉即沐浴更衣辭衆將曰吾求三尺甘雨以救萬
民吾終不免一死諸將曰若有靈驗吾主公必敬也于吉曰氣數
至此不能逃也于吉引繩自縛曝於日中策使人曰若午時無雨
即焚死於此處先令人搬運乾柴堆積於市忽然狂風驟起百姓
觀者何止數千填塞街衢策於鼓樓上看之風起處南北雲生靄
然天心四下雲霧漸合候吏報曰午時三刻策曰空有陰雲而無
甘雨正是妖人也叱左右將于吉扛上柴棚四下舉火焰隨風起
忽有黑烟一道衝起霹靂一聲響處雷電齊發空雨如注頃
刻之間街市成河溪澗皆滿從午時下到未時
仰臥於柴棚上大喝一聲雲收雨住復觀太陽

孫策令軍人斬于吉

扶下柴棚解去繩索便請孫策禮之孫策乘轎云
跪水中不顧衣服策大怒曰雨乃天地之定數妖
手下之人皆心腹之士此爲禍之端也掣劍命左[illegible]衆又力
諫策曰汝等欲從于吉造反衆皆默然叱手下一刀斬首頭落時
一道青氣投東北去策將于吉頭號令街市以禁妖妄是夜風雨
大作及曉不見于吉尸首人報知孫策〻怒欲斬守尸軍士忽見
堂前陰雲中于吉從背而來策取劍斬之忽然昏倒性命如何

孫權領衆據江東

孫策見于吉於陰雲內來取劍砍之自倒於地衆救入臥房昏迷
不省母吳夫人來視疾須臾救醒說于吉之事母曰吾兒屈殺神
仙以致招禍策笑曰吾自十六七跟父出征殺人如麻豈患不知
多少何曾有爲禍之理今殺妖人以絕大禍何足懼哉母曰汝因
不信以致如此可作好事以禳之策曰吾命在天妖人豈能爲禍
也母親勸之不從自今左右暗脩善事以禳之是夜二更策臥于
房內忽然陰風將燈滅而復明燈光之下見于吉立於床前策叱

孫策香爐中見于吉

床頭將息[illegible]忽然自坐大叫曰吾平生誓誅妖妄以靖天下汝為陰鬼何敢近我忽然不見其母聞之轉生憂悶策乃扶病強行以寬母心母見孫策日漸黃瘦轉求修設大醮以禳策過問之乃見母母曰兒自幼從父縱橫四海未嘗見父敬何鬼神母親何故酒後以事之母曰非也此人生天地之間誰不有死但分清濁耳其清英魂不散升天為神濁且幽魄不散入地為鬼聖人嘗云鬼神之為德其盛矣乎又云禱爾于上下神祇鬼神之事不可不信汝屈壞神仙皆無報應吾已令人設醮於郡之玉清觀內汝可親往謝罪自然安矣策不敢違母之命遂上轎至觀道士出迎策心不喜勉強而入觀內道士請策行香策焚香而下拜忽香爐煙起不散結成華蓋上立于吉策怒急離殿宇下廊廡行不數步又見于吉立於前面孫策奪從人所佩劍殺之一人着刃而倒衆視之乃前日下手殺于吉者劍入于腦七竅流鮮血而死策教扛出埋之比及出觀于吉又當於觀門于孫策見之策曰此亦妖人之所也坐於觀前

孫策放火　焚燒道觀

折毀其觀武士上屋揭瓦負墜於地策獨見於吉推之策轉怒交武士一齊放火燒毀觀宇火光中擲之策急歸府又見于吉在府前策乃不歸府第[illegible]三萬軍馬於城外屯扎野營夜宿中軍帳令武士各執長鎗大斧遶帳而立是夜獨見于吉披髮而來策於帳前叱喝過曉如往昔辭次日歸府內城門之上又見于吉不顧而歸府母親見從者盡言其事哭不能已是夜見于吉數十番眼不能合比及天明母至見策極其瘦弱母曰兒形容全換矣策交取鏡照之見形容自失驚顧左右曰面色如此當何復建功立事乎忽見于吉立於鏡中撲鏡大叫一聲金瘡迸裂昏絕於地母交扶入臥房內須臾策醒見金瘡紛碎乃嘆曰吾不能復生矣隨即請張昭等諸將皆入策囑付曰中國方亂夫以吳越之衆三國之固足以觀成敗公等善相吾弟乃取印綬喚弟孫權來臥榻邊曰君舉江東之衆決機於兩陣之間與天下爭衡卿不如我舉賢任能各盡其心保全江東我不如卿汝宜想父兄創業之艱難勿輕易也權拜受印綬策與母曰不孝

男天命已盡不能以奉慈母今將印綬付兄弟望母親朝夕訓之父兄舊人甚勿輕忽母乃痛哭曰恐汝弟年幼不能立事當復如何策曰吾弟勝我十倍江東必然無失但內事不決可問張昭外事不決可問周郎恨周郎不在左右不得相托付也喚諸弟曰吾死之後汝等一聽孫權所使族中有異心者眾皆斬之不得入祖墳喚妻喬氏曰吾與汝不幸中途相別早晚汝妹入見可囑交周郎說知相輔吾弟休負我平生所望拜母通家之義也策又顧交武曰汝等善輔吾弟各全忠義再與孫權曰汝若負功臣吾陰魂于九泉下必不相見言訖而亡年二十六歲史官贊云

獨占東南角　人稱小霸王　運籌如虎踞　決策似鷹揚
威鎮三江靜　名聞四海香　臨終遺大事　隱是識周郎

曾子固詩曰

兵跨三江取戰爭　民連六郡喜安寧
光搖寒日金盔重　血染秋波寶劍腥　眼闊尚嫌天地小
心高不信鬼神靈　誤沐于吉遭閑事　只恨東南落將星

孫策既亡權哭倒於床前張昭曰此非將軍哭時也且周公立法

倘貪不師非欲違悖時不幸也周禮云遇喪事即罷政事時有公
冀作亂倘貪罷嗁而往征之發急於王事不得已也倘貪不師者
爲不得已出師也爲今兒姦雄競逐豺狼滿道乃哀感是顧循閉
門而撰謚未可以爲仁也張昭言罷乃令孫靜理會喪事即改易
孫權之衣服扶出理論軍馬大事權生得方頤大口碧眼紫髯昔
有漢使劉琬入吳見孫家兄仲曰吾偏觀孫氏兄弟雖然才秀各
達然皆祿祚不終惟孫仲謀形貌奇偉骨體不常有大貴之表又
享高壽衆皆不及也孫權既掌江東大事尚匆匆未安人報中護
軍周瑜自巴丘提兵回吳權曰公瑾已回吾無憂矣周瑜守禦巴
丘聽知孫策中箭因此回來將過吳郡聽得策亡星夜趕來奔喪
哭拜於靈柩之前吳夫人出以遺囑之言盡訴周瑜瑜曰某安當
託付之重任乎夫人曰江東之事全仗公瑾惟願不忘伯符之言
則孫氏卑族尚賴矣周瑜拜伏於地曰敢不效犬馬之力繼之以
死乎權入拜謝瑜曰願勿忘兄之言明以訓誨瑜頓首曰願以肝
腦塗地以報相知之恩權曰今承父兄之基業將何策以守之

周瑜薦魯肅

肅見孫權

曰方今英雄並起得人者昌失人者亡須得高明遠見之士爲輔將軍江東自定也權曰公兄有言內事委託張子布外事盡賴公瑾爲之瑜曰子布賢達之士將軍可事之以師傅之禮瑜駑鈍不才恐負倚託之重願薦一人以輔將軍權問是誰瑜曰此人胸懷韜略腹隱機謀幼而喪父事母至孝其家極富大散資財以濟貧乏瑜爲居巢長時將數百人經過因無糧食往來彼助其家有兩囷積谷各三千斛見瑜言即指一囷與之平生好擊財射之引男女渡江見居巢劉子楊欲令其往廬江此人未肯去將軍可速召之乃臨淮東城人也姓魯名肅字子敬權聞大喜遂令周瑜親往請之瑜奉命而往肅問其故瑜謂孫權相招待之意白之肅曰劉子楊久召吾往廬江吾欲就之瑜曰昔馬援答光武書云當今之世非但君擇臣臣亦擇君耳今吾主孫將軍親賢求士納奇錄異吾聞先哲秘論承天運代劉氏者必興於東南推算事勢當定鼎業終成帝基以協天時是烈士攀龍附鳳馳驅之秋吾敬請肅子勿以子楊之言而介意也肅從其言遂同周瑜來見孫權權甚

魯肅薦子瑜見孫權

敬之與之談論終日不倦一日衆官皆散權留肅共飲同榻抵足而臥過夜半權問曰方今漢室傾危四方雲擾孤承父兄遺業思建桓文之功君既惠顧何以佐之肅答曰昔漢高祖區區欲尊事義帝而不能者以項羽爲害也今之曹操可比昔之項羽也將軍何思得爲桓文乎肅曰今之漢室不可復興曹操不可卒除今將軍惟可鼎足江東以觀天下之釁規模如此亦自無嫌何者北方誠多務也因其多務剿除黃祖進伐劉表竟長江所極據而有之然後建號帝王以圖天下此高帝之業也權曰今盡力一方冀以輔漢室耳此言非所及也肅曰人皆可以爲堯舜但恐將軍不肯爲耳權大喜披衣起謝曰願承教誨同享富貴自此權大喜魯肅賜肅老母衣服幃帳居處受用如昔富時肅乃薦一人見孫權其人因漢末避亂於江東治毛詩通四書明左氏春秋事母至孝瑯琊陽都人也覆姓諸葛名瑾字子瑜權甚敬之拜爲上賓瑾勸通袁紹且順曹操後却圖之權用諸葛瑾之言遣陳震還以言絕之曹操知孫策死欲起兵下江南侍御史張紘諫曰乘人之喪而伐

伐之既非古義昔與不幸反佗雜好不知因而封之曹操從其議即封孫權爲討虜將軍領會稽太守就委張紘爲會稽都尉賫勑往江東孫權大喜權既領會稽招賢人禮事張紘薦合肥顧雍（雍字元歎）（元歎上虞吳郡人也乃廣中郎將蔡伯喈從弟其人少言語不飲酒嚴厲正大）權以雍爲會稽丞行太守事卻說陳震回見袁紹說孫策已亡孫權領衆曹操封爲討虜將軍結爲前部矣袁紹大怒遂起冀青并幽四州軍馬五十萬來取許昌未知勝負如何

曹操官渡戰袁紹

袁紹起兵望官渡進發（官渡在鄭州中牟縣北）夏侯惇發書告急曹操急點文武起兵七萬前往官渡迎敵留荀彧守許昌且說袁紹兵臨發田豐又上言曰務宜靜守以待天時若妄興兵必有大禍逢紀譖曰豐公興義之師田豐出不利之言紹欲斬之衆官告免遂囚紐送獄紹曰若破了曹操明正汝罪紹軍至陽武（陽武縣名）下寨沮授曰北兵雖衆而勇猛不及南軍南軍雖精壯而糧草不若北軍南軍無糧利在急戰北兵有糧宜且緩守若能曠以月日則南軍不戰

曹操聚衆　謀士商議

自敗矣紹怒曰田豐慢吾軍心吾以囚之回日必斬汝又敢如是
也此左右鎖禁軍中待吾破曹之後與田豐一體問罪紹前後喜
舊大軍七十五萬安營九十餘里曹操與謀士商議荀攸曰此皇
雖多不必畏也吾兩軍皆精銳之士可以一當十也但利在急戰
若遷延月日糧食不敷軍必散矣曹操曰此言正合吾機點軍前
進此軍一半來迎兩馬相會比軍中審配交撥弩手一萬人伏於
兩翼砲響齊發畫鼓三通袁紹金甲金盔錦袍玉帶立馬陣前兩
勞大將張郃高覽韓猛淳于瓊等旌旗節鉞甚是嚴整大叫請曹
操打話兩軍內門旗開處曹操出馬左右擺列張遼許褚徐晃李
典于禁樂進諸將各持兵器勒馬聽候曹操以鞭指紹曰吾於天
子之前奏請汝爲大將軍總督山後諸郡何以數次反亂耶紹曰
汝託名爲漢相實爲漢賊罪惡彌天甚於王莽董卓尚敢誣人造
反操曰吾今奉詔討汝紹曰吾奉衣帶詔討汝操令張遼出馬張
郃來迎兩將於陣前鬭到四五十合不分勝敗曹操暗暗稱奇許
褚忿怒揮刀縱馬直取高覽挺鎗來迎四員將未見輸贏曹操陣

袁紹壘土山　山勝曹操

內夏侯惇曹洪各引一軍兩將齊出衝北軍陣審配在將臺上見曹軍來又在中放起號砲兩下弩手亂射曹軍望南急走袁紹驅兵掩殺曹兵大敗盡退回官渡紹軍遂近官渡下寨審配曰可撥兵去守渡口曹操寨邊築起土山令軍人下視寨中放箭操必棄此而去若得此隘口許昌可得紹從之於寨內選調生力軍人用鐵鍬土擔皆來曹操寨前壘成土山元來官渡柴柵如城一般週圍築三十餘里旛闊傍有河後有山爲之險要因此難打曹軍見袁軍壘土爲山張遼許褚等皆要出戰却被審配弓弩手當住不能前進十日之內築成土山五十座上立馬櫓分撥一半弓弩手於旗上亂射之曹軍大懼梆子響處矢下如雨曹軍皆蒙楯伏地[illegible]寨中亂氣寨外北軍吶喊而笑曹操怯請謀士商議劉曄曰可作石車破之操令劉曄連夜造發石車數百乘分布營牆內正對土山上山上雲梯候弓弩手皆放箭營內一齊按動砲車石礮大發飛在空雲梯人無躲處擊碎其梯弓弩手死者無數袁軍皆號爲霹靂車袁紹登高觀望審配又獻一計令軍人用

荀彧差人

驰書告操

鉄鍬暗掘地道直透曹營號曰掘子軍營中望見山後又掘土坑
又問於劉曄曄曰此是北軍明不能攻暗掘地道透營而入操曰
何以禦之曄曰營内可掘長塹伏道無用也操連夜差軍掘塹紹
道到塹邊果不能入空費了多少軍力自八月至九月紹軍不退
操軍力疲乏糧意欲棄官渡還許昌持疑未决乃作書遣人來許
昌求救荀彧荀彧回書云
奉承鈞命使决進退之疑愚意於袁紹悉舉其衆於官渡欲與
明公决勝負以至弱當至强若不能制必爲剪除此天下之大
機也且紹布衣之雄耳能聚人而不能用人如昔楚漢在滎陽
之間神武明哲而輔以大順何爲不濟今穀雖少未若楚漢在
滎陽城皐之間也是時劉項莫肯先退者則勢屈公以十分居
一之衆畫地而守之扼其喉而不得進已半年矣情見勢竭必
將有變此用奇之不可失也區區拙見盡竭忠誠惟明公察焉
曹操得書令將士堅守徐晃部將史渙獲得一北軍問其動靜答
曰早晚大將韓猛運糧至軍前接濟先令我等探路徐晃[illegible]其人

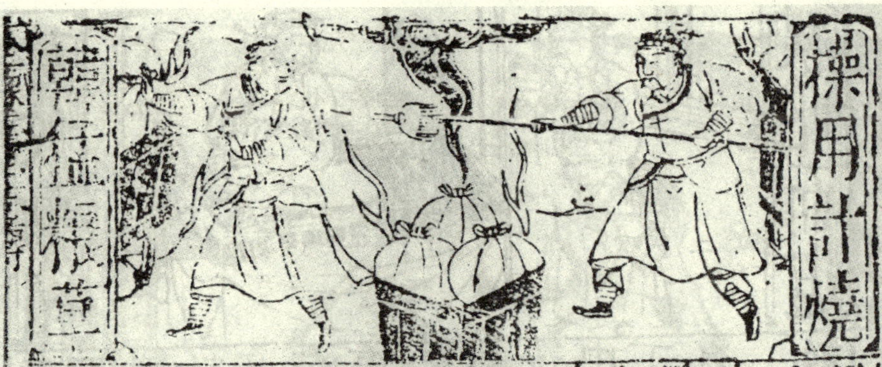

見操言運粮事荀攸曰韓猛倚仗匹夫之勇若遣徐晃引輕騎千斷其粮紹軍自亂操差徐晃帶史渙併火炬先去後使張遼許褚接應六千兵分兩隊行當夜韓猛押粮車正走之間山谷內徐晃三千軍截出韓猛飛馬來戰徐晃兩騎來交史渙殺散人夫放火燒着粮草韓猛當敵不住撥回馬走袁紹軍望見西北上火起敗軍報來有人劫了粮車紹急遣張郃高覽去截大路徐晃燒了粮回正撞張郃高覽郃欲交鋒背後張遼許褚軍到殺散北軍四將回還書操大喜賞勞了却說袁紹敗軍救得些少粮草回寨紹大怒欲斬韓猛衆將勸免打爲小軍審配曰粮乃軍家重事不可不用心烏巢乃屯粮之所必須重兵守之袁紹曰吾已籌定汝可回鄴郡監督粮斛休交軍士缺之汝便速行審配曰軍糧至重不可不如也紹曰吾行兵二十年非不能也汝當蕭何之任亦非小可休交吾優心審配辭去紹令大將淳于瓊部下驍將眭元進韓莒子呂威璜趙叡等引二萬軍守烏巢屯粮之所[illegible][illegible]却說曹操軍粮將盡急發使往許昌交

許攸勸紹　被叱而退

荀彧任峻措辦星夜觧赴軍前接濟使命出寨行不三十里被袁軍抄掠捉見謀士許攸攸字子遠是南陽人也為人多欲少特攸在紹處為謀士攸取操書來見紹曰曹操軍馬盡屯官渡許下必空若分輕軍掩襲許都可奉迎天子以討操ヒ可擒也今操粮食已缺可乘持擊之紹曰曹操詭計極多此書乃誘敵之計攸曰今若不取必為虜矣正勸紹舉兵之際忽有人自鄴郡來呈上審配書先說運粮事後皆說言許攸在冀州取受民間賍濫今其姪輩多科稅粮入已盡收下獄鞫問招証明白表紹大怒曰濫汚匹夫尚敢於吾前獻便利也汝與曹阿瞞有舊情與他行計謀賺吾軍耶本欲便斬汝首又道吾不能容人權且寄頭在項一聲喝退許攸仰天歎曰忠言逆耳豎子不納吾子姪輩已遭審配之害吾有何面目見天下之人乎欲拔劍自刎左右抱住勸曰主何輕死袁紹不納忠言久後必為曹操所擒主與曹公有舊何不背暗投明避殺身之患

曹操烏巢燒粮草

許攸是夜引數個從人步行出營逕投曹寨伏路軍人拿住攸

許攸走馬

奔投曹操

曰我是曹相故人快去報覆言南陽許攸來到軍士慌報入[illegible]方解衣歇息聽得帳前報許攸私奔到寨操大喜跣足出迎遙見許攸許攸撫掌大笑曰子遠來吾事濟矣扶攸入坐先拜於地許攸慌忙扶起曰公乃漢相吾乃布衣何謙遜如此操笑曰子遠是操之故人豈以名爵上下論乎攸曰某有眼如盲屈身袁紹言不聽計不從今特棄之來見故人想無疑焉操曰吾素知子遠[illegible][illegible]有何所疑願聞子遠教袁本初之計攸曰吾教袁紹差輕騎乘虛襲許首尾相攻操大驚曰若袁紹用子遠之言吾寧死無葬身之地今袁紹勢大不可當之願聞破紹之策攸曰丞相軍糧尚有幾何操曰可支半年攸正色曰吾正心相待何相欺也操曰子遠勿嗔尚容再訴軍中糧食可支三月攸笑曰世人皆言孟德奸詐今信然也操亦笑曰兵不厭詐尚容倒露遂附耳低言曰寨中止有此月之糧攸曰休得誑語汝糧已盡操愕然曰何以知之攸取出與或書示之曰此書何人作也操驚問曰何處得之攸告以獲使之說操執手曰子遠念舊日之交情願賜教誨攸曰丞相孤軍而抗大

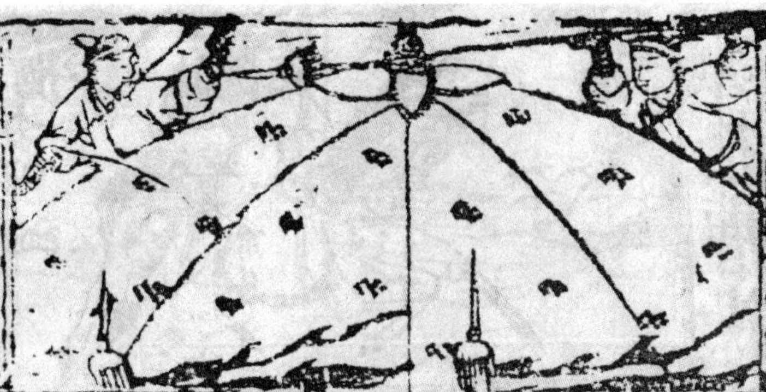

敵不求急勝之方此取敗之道彼有一策不過三日使袁紹百萬
之衆不戰自回丞相還肯聽之乎操大悅攸曰袁紹軍糧輜重盡
在烏巢今撥淳于瓊爲總運督使監之瓊嗜酒而無備之人公選
精兵詐作袁軍問之則曰蔣奇也差來護糧到彼掠其輜重盡燒
其糧食不三日紹軍自散也操大喜置酒宴待留於寨中次日操
自選馬步軍五千人皆扮作北軍旗號張遼等與操曰袁紹屯糧
之所安得無准備丞相未可輕信恐中許攸之計操曰非也許攸
此來吾便知天敗袁紹也方今吾軍糧食不接若不用許攸之計
則坐而待困若許攸有詐安肯留我軍中諸君勿疑操令荀攸賈詡留
待攸與曹洪同守大寨夏侯惇夏侯淵一軍伏於左曹仁李典
伏於右以備不虞又撥張遼許褚在前徐晃于禁在後操自引諸
將居中人啣枚馬勒口黃昏離官渡望烏巢進發是夜星光滿天沮受
與監者曰今夜衆星朗列我欲觀象可引吾出略看出視所
遙觀之忽見太白逆行侵犯斗牛三分受大驚求見袁紹只紹
醉中聽得沮授有密事見報紹喚入問之授曰今夜仰觀天象

太白逆行於柳鬼之間流光射斗牛之分必有敵兵至劫寨於後
烏巢屯糧之所不可不隄備速遣精兵猛將於路巡之免中曹操
之詭紹叱曰汝乃得罪之人敢以妄言惑吾衆單文叱監者曰吾
令汝禁錮因人輒敢放出亂言禍福一劍將監者斬了別喚人牽
祖受去受出歎曰我軍皆亡在旦夕吾尸骸未知落在何地上掩
恨而去是將淳于瓊等醉臥帳中卻說曹操令軍皆束草負薪而
行二更左側前過紹寨紹兵問之應曰大將蔣奇奉命往烏巢護
糧此軍看是自家旗號伏我相推頭不阻當比及到烏巢時四更
已盡操交束草圍上周圍放火大小將卒鼓譟直入淳于瓊宿醉
未醒踏起便問何爲喧鬧早被鉤鎗拖翻睢元進趙叡運糧方回見
屯上火起急來救應見火燄四起操勒兵回戰趙二將皆被斬之
將淳于瓊等數人割去耳鼻截其手指縛於馬上放回紹營以辱
之袁紹聞軍報說正北上火光滿天紹知烏巢有失急召文武較
之張郃進曰某與高覽急去烏巢救火就殺賊軍郭圖曰張郃之
言未是必欲劫糧曹操必然親到操一出寨必空虛縱兵先擊曹

紹令郭圖　領兵劫寨

操營擊操聞之必速還此孫臏圍魏救韓之計也張郃曰言非也曹操用兵多筭若出須內備不虞今若攻曹營不拔吾曹為虜矣烏巢一失將軍大事去矣郭圖曰曹操只顧劫糧豈留兵在寨耶圖請兵去劫曹營袁紹使張郃高覽引兵五萬去劫官渡寨遣蔣奇引軍去救烏巢兵皆去了袁紹不遣人去接應郭說張郃高覽奪路回營袁紹收敗軍歸營淳于瓊耳鼻皆無手指盡落也還寨中紹問敗軍如何失了烏巢軍言將軍醉中因此不能當抵紹怒立斬之郭圖恐張郃高覽回寨証對是非先於袁紹前言曰張郃高覽見將軍兵敗將亡心中歡喜紹驚問曰何如出此言也圖曰郃素有降曹之心去擊曹寨故不用心以致損折士卒紹大怒遣使急召郃覽回寨問罪圖先人報云紹遣人收汝殺之郃覽遇使問曰喚我等如何使曰不知其意覽拔劍斬來使者郃驚曰汝斬使者欲往何處覽曰袁紹為上不寬聽信讒言君等豈肯坐而待死不如去投曹公張郃曰吾亦有此心二人領本部前來降曹夏侯惇曰張郃高覽來降未保虛實操曰吾已知他之心

張郃高覽

投降曹操

開門接入郃覽皆棄戈卸甲拜伏於地操曰若使袁紹肯從二將之言不致有此敗也昔子胥不早去致使身危今將軍來歸正微子去殷韓信歸漢也封張郃為偏將軍都亭侯覽為偏將軍東萊侯郃字儁乂河間鄚人也覽隴西人也操得張郃待之甚厚許攸勸操宜速進兵張郃高覽請為先鋒操許之當夜分軍三路去劫紹寨混戰到天明紹兵折其大半荀攸獻計於操可佯言調撥人馬分路過黃河一路取酸棗去攻鄴郡一路去取河陽斷袁紹歸路以此言達知則袁紹驚懼必分動兵勢一擊可擒紹也操用其謀令打草衆軍四邊揚言故令紹軍聽知軍來寨中報說曹操分兵兩路一路取鄴郡一路取河陽去也紹急遣子袁尚分兵五萬救鄴都遣將辛明分兵五萬救河陽連夜起行曹操使細作打聽知袁紹兵動曹操分大隊軍馬殺出直衝紹營此軍猝動俱無戰鬬之心袁紹單衣幅巾上馬其子袁譚後隨張遼許褚徐晃于禁四員將引一千餘馬軍引來趕紹紹急渡河四下兵合各自爭功紹盡棄圖書車仗金帛而逃紹止引隨行軍八百騎而去操軍追之不及所得遺下

之物不可勝數偽降者盡皆斬之所殺七萬餘人流血盈溝其渡
水死者如麻曹相似紹軍七十萬到此皆休操大獲全勝所得金
帛給賞軍士於圖書中檢出書信一束皆許都及軍中之人暗通
之書荀攸曰可逐一點姓名收而殺之操曰當紹之強孤亦不能
自保況他人乎遂命盡焚之史官有詩贊曰　盡把私書火內焚
寬洪大度播深恩　曹公元行高光志　贏得山河付子孫
沮受被擒曹公素與沮受相識叉放過來相見受至帳前大呼曰
受不降也為軍所執耳操曰本初無謀不聽君計今國家未定當
相與圖之受曰我父母宗族俱命袁氏今受速死為福操曰孤若早
得足下天下不足慮也操厚待之次日在營中盜馬欲歸袁氏操
怒而殺之至死神色不變操歎曰吾殺忠義之士也傷悼終日親
與設祭建墳于黃河渡口立碑曰忠烈沮君之墓史官有詩贊曰
河北多名士　忠貞說沮君　凝眸知陣法　仰面識天文
至死心如鐵　臨危氣似雲　曹公哀志士　尤與建孤墳

三國志卷之五終

袁紹令使　賫劍賜豐

新刊湯先生校正古本按鑑演義三國志傳卷之六

曹操倉亭破袁紹

却說袁紹大敗操趁遝逼襲城中聞紹大敗盡皆膽裂皆曹前接降操皆慰諭之袁紹引八百餘騎走黎陽紹有舊將將義渠迎接紹入黎陽招集流散之衆軍威復振紹還軍夜宿荒山聞哭聲不絕紹私聽之皆曰早不聽田豐之言[illegible]主我等兄[illegible]弟喪受此苦也紹悔恨曰吾不從田豐之言以至兵敗將[illegible]見之次曰逢紀引軍來接紹對逢紀曰吾前不聽[illegible]一敗而歸遂見此人逢紀恨豐[illegible]已漸因譖之曰所聞豐[illegible]知主公兵敗大笑曰不出吾之所料今若再求吾將吾却不[illegible]言矢紹怒曰豎儒怎敢笑吾吾必殺之却說獄中[illegible]田豐曰袁將軍師敗而回必重待於君也豐曰袁將軍外寬而內忌若勝而喜尤能赦之今敗則羞吾不望生矣獄吏不信忽使人賫劍取豐首級獄吏大驚具潤食餉豐豐曰大丈夫生於天地之間不識其主而事之是無智也不識嫌疑而進是不明也宜死何辭遂自刎獄中[illegible]

劉氏勸紹

尚爲後

後人詩云田元皓 天資邁等倫 周朝齊八士 殷室配三仁

直諫于袁紹 忠心救萬民 堪嗟牢內死 黃土盖麒麟

却說袁紹回冀州心煩意亂不理政事其妻劉氏勸其立袁尚爲

後共掌兵權 [illegible]

當夜紹召審配逢紀辛評郭圖四人 [illegible]

入內議曰吾今殘欲立一子爲領民之主長[illegible]

雖然聰明多嫌暴[illegible]子[illegible]

禮賢敬士吾欲立之汝意何如郭圖曰若[illegible]

萬人爭逐一兔一人獲之貪者遂止分定故也立嗣以長[illegible]

逆越長立幼家邦不安今軍勢失措兵歷境又使二公子[illegible]

取亂之道也主公且理迎敵之策勿使內亂紹不決忽報袁熙引

兵六萬高幹引兵五萬各來[illegible]紹大喜[illegible]

州人馬來戰曹操此時撥兵列於河上[illegible]食盡[illegible]

[illegible]見操父老數人[illegible]

少答曰近百歲操曰吾軍驚擾汝鄉[illegible]
遼東人殷馗善曉天文夜宿於此對老漢言黃星現於乾象[illegible]
照此間後五十年當有真人起於梁沛之間天下無敵今以年計[illegible]
之整整五十年袁本初重斂於民民皆怨丞相興仁義之師[illegible]
民伐罪破本初百萬之眾正應殷馗之言兆民可望太平矣[illegible]
曰何老丈所言[illegible]以賜之號令三軍[illegible]
人家雞犬者如殺人之罪[illegible]於是軍民震服人報袁紹[illegible]
之兵有二三十萬前至倉亭下寨操提兵前進次日兩[illegible]成
陣勢操引[illegible]陣前操曰勢窮力盡[illegible]
不思投降[illegible]紹大怒[illegible]曰誰敢出馬[illegible]
於父前[illegible]操指問曰此何人也有識者答曰[illegible]
次子袁尚[illegible]史渙迎之交鋒數合尚回馬[illegible]而
走史渙[illegible]射中史渙左目墜馬而死紹見子[illegible]
得勝揮鞭一指人馬擁出交鋒至西各收軍回寨[illegible]
[illegible]程昱獻十面埋伏之策可擒袁紹操從其計

定了分五隊左一隊夏侯惇右一隊曹洪左二隊張遼右二隊張郃左三隊李典右三隊徐晃左四隊樂進右四隊于禁左五隊夏侯淵右五隊高覽中路先鋒許褚操分撥埋伏已定是夜令許褚進兵偽作劫寨之勢袁紹五寨一齊趕來許褚回軍便走紹趕至天明趕至河上操大呼曰後面阻河退則必死諸軍何不死戰衆軍回身奮力向前許褚連斬十數將紹衆大亂急退軍時操軍趕來一聲鼓響右邊高覽左邊夏侯淵兩軍衝出袁紹一陣紹與三子一彪衝路而走又行不到十里右邊于禁左邊樂進二軍殺出殺得紹軍尸橫遍野血染盈河又行不到數里右邊徐晃左邊李典大殺一陣殺得袁紹棄衣甲而逃措手不及紹令三軍造飯尚未及食右邊張郃左邊張遼透寨而入袁紹慌忙上馬前奔倉皇後面操大隊趕至紹人困馬乏正走之間前面曹洪夏侯惇當住去路紹大呼曰若不死戰必為所擒奮力衝透重圍而逃袁紹父子皆被重傷只存隨從百餘人紹抱三子大哭不覺口吐鮮血昏悶[illegible]

操回兵

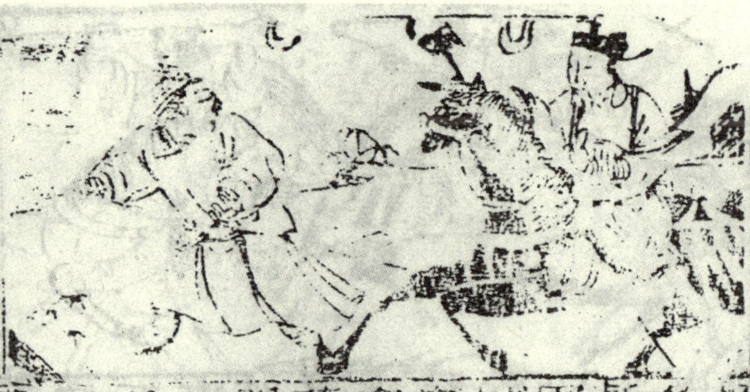

劉備

回本州大起人馬與操再決雌雄譚曰青州兵糧尚多紀再去益糧絕交全辛平郭圖等去恐操入犯境令袁熙回幽州高幹回并州各去收拾人馬俟候計用袁紹自袁尚同譚[illegible]令[illegible]達紀暫[illegible]軍事[illegible]根本[illegible]操[illegible]攻賊[illegible]說操自倉亭大勝袁紹三軍欲寢處備以爲進取細作探知回報言紹臥病在床審配堅守城池袁譚袁熙高幹各回本州衆皆勸操急攻操曰冀州兵糧極廣尚未可破方今禾稼在田民爲邦本本固邦寧若廢民業縱得空城何用正在未決之間忽報劉備得汝南劉辟龔都之衆數萬聽知丞相提兵遠出乘虛去取許都少時荀彧書到亦言此事操留曹洪屯兵河上虛張聲勢自提兵向汝南迎敵劉備

劉玄德敗走荊州

却說玄德探知曹操兵來遂過穰山五十里下寨關羽屯東南角上張飛屯西南角上玄德趙雲屯于正南曹操兵到布成陣勢玄德鼓譟而出操以鞭指玄德曰吾待汝爲上賓何故忘恩背義取之[illegible]曰汝托名漢相實乃漢賊吾乃漢室宗親故討反臣耳操曰

子龍許褚八大戰

子明詔招降討叛汝敢亂言玄德曰汝詔乃虛詐之言吾奉天子密付衣帶詔在此遂誦之操大怒令許褚出馬趙雲挺鎗接戰二人相交三十合未分勝負忽然東南角上關羽領兵衝突而來操欲分兵迎之西南角上張飛引軍殺進三路掩殺操軍遠來疲困不能抵當大敗而走玄德催軍趕二十里方回玄德使人探聽說操兵退五十里玄德曰不意今番挫動操之銳氣關羽曰操奸詐極多恐必有計玄德曰此退即怯戰也何計之有玄德使趙雲搦戰操兵御曰不出玄德心疑忽報龔都運糧至半路被操兵圍住張繡引兵逕取汝南玄德曰雲長所料是也此處滯當吾兵想使人去戰吾恐是後吾家業急令張飛救龔都糧草關羽救汝南劉辟二將去不一日探馬報曰張繡打破汝南劉辟棄城而走關羽亦被困住張飛救龔都亦被困住玄德欲要拔兵回又恐操兵後襲正沒奈何忽人報許褚挑戰想曹欲出玄德曰不可出敵留下氣力今晚棄寨而走至晚令軍士飽食寨中插旗更鼓絡行數里轉過山上火把齊山頭人呼曰承勿在此等候不要走了劉

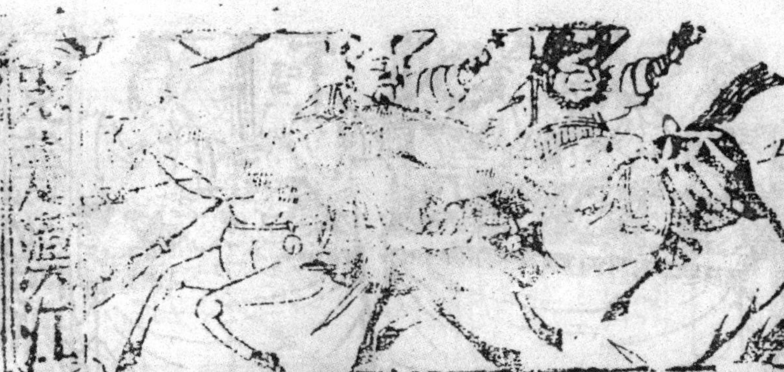

備撫自呼曰劉備快降[illegible]玄德慌尋走路趙雲曰主公
憂但跟雲走[illegible]在前玄德掣劍助戰殺開走路忽遇張遼于
禁李典攔住[illegible]前玄德見勢危迫墜山僻小路拚命逃生走到天
明側首旗出[illegible]僻孫乾糜竺簡雍領殘兵保送老小至玄德問雲長
何在僻答曰[illegible]務重勢不可當卻得雲長背後當住因此得脫
玄德曰二弟與雲[illegible]不知如何僻答曰前去未覓行不數里前面
涌出一彪人馬乃大將張郃也大呼劉備下馬[illegible]玄德卻欲退
後忽背後一彪從山[illegible]內[illegible]出[illegible]玄德進退無路仰天歎
曰天何苦我至于此[illegible]住曰容某死戰救君
僻便來戰[illegible]不三合被[illegible]一刀[illegible]於馬下玄德正慌恰
欲向前[illegible]雲從背後突出[illegible]德大喜子龍乘勢衝
殺張郃正奪路間[illegible]到兩下夾攻殺退張
郃玄德便[illegible]張飛[illegible]救[illegible]都都已被夏侯淵所
殺飛與[illegible]又被徐晃[illegible]圍住雲長尋至殺
又[illegible]報操領大隊趕來玄德及孫乾[illegible]

先行自全關張趙雲且戰且行操見玄德去遠收軍不趕玄德前至漢江土人知是玄德爭進牛酒乃聚飲於沙灘之上玄德酒酣發悲曰諸君王佐之才不幸跟着劉備今備上無片瓦下無卓錐如此困窮誠恐有誤諸君君等何不棄備往投明主以取富貴也關公曰兄長差矣昔高祖項羽共爭天下高祖數敗於羽後九里山前一戰成功開基至今兄等自與兄破黃巾以來或誘或負心志德今發此言恐惹人笑玄德曰吾聞主貴則臣榮主無展足之地恐負諸君耳孫乾曰荊州劉景升乃當世英雄坐鎮九州兵精糧足且與主公皆漢之宗親離此不遠何不往投之玄德曰但恐不容耳乾曰某願先往必令景升出境而迎主公也玄德受乾便行乾至荊州入見劉表禮畢表曰汝從劉玄德何至於此乾曰劉使君與明公俱漢室之冑天下共知今使君欲扶社稷但恨兵微汝南劉辟龔都素無親故亦以死跟之使君新敗欲往江東孫仲謀乾力諫不可投親而投疏公故乾先來明公以禮進見之劉表大喜曰久欲與玄德相會屬無由吾坐鎮九州豈不能容一宗弟此便差人領

表出城

操[illegible]進曰不可不可劉備心術不正曾[illegible]先從呂布後[illegible]曹公近投袁紹皆不克終足見其為人也今若納之必為曹公患兵不如斬[illegible]之首以獻曹公曹公必重待於將軍也孫乾正色曰[illegible]死之[illegible]劉使君雖從三人不行殺父之徒操欺君之賊袁紹[illegible]之士皆[illegible]俗子哉今[illegible]明公漢室宗親[illegible]劉表叱退蔡瑁曰吾意已定何必多言遂[illegible]而出表同孫乾出郭三十里迎接玄德見表拜[illegible]又令關張等各見表同備入荊州連日設宴款待欽說前事[illegible]却說操聽知玄德往投劉表便欲攻之程昱諫曰袁紹未除一旦兵下荊州倘袁紹從北而起[illegible]劉表有劉備之力兩下夾攻大事去矣不如暫回許昌休養兵力待等來春引兵北向先破袁紹將得勝之兵南攻劉表南北之利為如何操曰[illegible]遂[illegible]提兵還許安七年正月曹操商議興師先差夏侯惇滿寵守汝南以拒劉表留曹仁荀彧守許[illegible]餘將士俱向官渡進發却說袁紹自舊歲感吐血之症經

商議攻許昌之策忽報曹操進兵官渡來攻冀州紹曰若候兵臨城下敵之晚矣吾自引軍出迎袁尚曰父親病未全安不可輕出兒願提兵迎敵袁紹許之遂使人往青州取袁譚幽州取袁熙并州取高幹同破曹操未知勝負何如

袁譚袁尚爭冀州

袁尚自斬史渙之後自矜負勇不待袁譚等兵到自引軍數萬出黎陽與曹軍相迎袁尚倚其血氣挺鎗出馬來與張遼交戰戰不三合大敗而走連夜奔回冀州紹聞尚敗回又驚舊病又發吐血一堆昏倒在地救入後堂漸漸不省人事劉夫人急請審配逢紀入議後事紹但以手指尚二人就堂前寫遺言劉夫人曰袁尚可繼大事否紹點頭審配寫之一時吐血斗餘而死宋賢有詩歎曰

累世公卿立大名　少年天下自縱橫　徒誇俊乂三千士
謾有英雄百萬兵　羊質虎皮功莫說　鳳毛雞膽事難成
可憐一種傷心禍　繼姬相傳兩弟兄　紹卒于漢獻帝建安七年夏五月

劉夫人舉哀未及殯將紹在日所寵姬妾五人盡殺之恐怕九

紀[illegible]賞印

復與紹相見髡其面毀其尸袁尚又將寵妾家屬盡收殺之逢紀立袁尚為大司馬大將軍領冀青幽并四州牧馳書報喪譚兵已離青州聞知父死遂與郭圖辛評商議郭圖曰主公不在冀州逢紀必立袁尚為主矣今當速行辛評曰審配逢紀須定機謀若速往必遭其禍袁譚曰宜當何如郭圖曰屯兵城外某親往察之圖入城見尚禮畢尚曰兄如何不來圖曰身有小疾不能相見尚曰父親遺命立我為主加兄為車騎將軍目今曹軍侵境請兄為前部我隨後調兵接應圖曰軍中無人商議乞審配逢紀二人為輔尚曰我早晚欲此二人[illegible]圖曰若如此主公卻不放心尚交一人去二人拈鬮出令拈鬮者逢紀尚即令紀賚印綬前赴譚營紀到營見譚無病心中不安譚問動靜紀言袁將軍遺言立[illegible]為後加主公為車騎將軍今納上印綬譚大怒欲殺逢紀[illegible]曰父命不可違也遂[illegible]之郭圖密諫譚曰目今曹軍在境且未可言尸當逢紀在此待破曹之後卻來爭冀州未遲聖人云小不忍則亂大謀[illegible]遣大將汪昭與操軍對陣操遣徐晃

戰不數合斬汪昭于馬下譚大敗退入黎陽遣人求救于尚尚問審配配曰只可應付些少多則有誤于事遂發兵五千棄操知救兵已到遣樂進李典引兵於半路截殺之譚知只撥五千兵半路又被殺盡逢紀曰吾弟令汝從我何相欺也紀曰容某作書請主公自來譚令作書令人到冀州尚與審配共議配曰前次不爭而去若為操兵在境也破操後必來爭冀州矣今不可發兵借操之力先誅譚則無後患尚從其言不肯起兵使回報譚大怒立斬逢紀欲議降曹有人密報袁尚尚曰譚因之必降曹也既兵共勢冀州危矣遂留審配并大將蘇由守冀州自引軍來黎陽救譚軍中誰敢為大將呂曠呂翔兄弟願去尚與兵三萬先至黎陽尚說尚自引兵來救譚方喜罷降曹之意譚屯城外尚屯城內時袁熙高幹皆引兵至城外分為三隊每日與操相持操兵供未至建安八年春二月操分四路攻打譚兵皆大敗棄黎陽而走操直追至冀州譚尚入城堅守熙幹屯於三十里外虛張聲勢操兵連夜攻打不下郭嘉進曰袁紹廢長立幼今兄弟力拒若緩

袁兄弟急擊之則相救緩之則生爭心不如回兵使其變生而後擊之可一收全功也操曰善遂令賈信守黎陽曹洪引兵守官渡操領兵回許都譚兄弟聞知操兵自退遂相慶賀袁熙高幹各回[illegible]袁譚乃召郭圖辛評議曰我爲長子反不得承祖宗基業尚晚母所出反承大爵奈何郭圖曰主公可勒兵於城詐請袁尚審配二人議事就于席間殺之大事定矣譚從其言別駕王脩諫曰兄弟手足也與人爭鬥自斷右手欲求勝人其可得乎夫棄兄弟而不親天下誰能親乎彼讒人離間骨肉只求一朝之利願主公斬佞臣[illegible]兄弟以禦[illegible][illegible]可橫行於天下矣願主公詳之譚大怒叱退王脩使人去請尚尚與審配商議配曰此必郭圖之計也主公若往必受其害不若乘勢攻之袁尚從之遂引兵出城譚見尚引兵來情知事泄亦引兵出迎尚大罵譚譚亦罵曰汝毒父奪位今又殺兄耶尚怒挺鎗衝來譚大敗走入平原尚亦收兵入城譚與郭圖再議着大將岑璧將兵則往尚自引兵出迎兩陣對圓尚將呂曠搶[illegible]合斬岑璧於馬下譚兵敗入平原審配勸尚一發勒

兵追至平原譚勒兵不出尚四面攻打譚與郭圖議曰城
中兵乏糧少奈何郭圖曰願[illegible]率其衆而來久必不敵不如使
人投曹公來操兵若至必攻冀州顯甫必回兵救之將軍引兵[illegible]
西自斷以北皆爲我有若操兵敗顯甫顯甫之兵必散我取而撫
之以拒曹公曹公遠來糧食不繼必自走矣以此背我之有亦逞
於曹公矣譚曰可用何人爲使郭圖曰辛平之弟辛毗字佐
治爲平原令[illegible]陽翟人能言快語此人可往譚即請辛毗毗欣然領諾譚修書
與毗毗聞操代劉表表令玄德拒之操軍屯於西平辛毗逕到西
平寨中見操備言袁譚納降操乃留毗寨中召衆文武商議程昱
曰袁譚被袁尚攻擊不得已來降不可准信待其兄弟自相併吞
然後可圖荀攸曰劉表方強宜先平之滿寵曰丞相既至此安可
便回也荀攸曰以愚意度之劉表坐據江漢而無四方之志可知
袁氏雄據四州帶甲數十萬今兄弟自相成賊是天假機會可提
兵先滅袁尚後觀其變而除之天下定矣倘若二子更相和睦守
其成業則難圖矣操大喜便邀辛毗飲酒操曰袁譚之降

辛毗曰明公勿問信與詐也但論其勢耳今其兄弟相伐求救於
明公此可知也顯甫敗兵於外譚臣於內兄弟攙越國分爲二連
年相戰甲冑生蟣加之旱乾水溢兵無糧食財乏民困見者知其
必敗以明公之威擊疲敝之寇如疾風之掃秋葉矣天以袁尚付
明公明公不取而代荊州荊州豐饒國富民和二袁相戕亂已
見若待其兄弟改過戰而權矣今因其請救而撫之利莫大焉且
天下之敵莫大於河北得河北則六軍盛六軍盛則天下震天下
震則霸業成矣願明公詳之操喜曰何相見左治之晚也即日回
兵取冀州玄德慮操有計不來赶自回荊州袁尚聞操引兵渡
河急還鄴郡[illegible]大起[illegible]兵馬追尚一聲砲响呂翔呂曠左右
出截住去路[illegible]未知性命何如
[illegible]
袁譚告二將曰吾父在日吾並不曾有慢於將軍今何從吾弟而
相逼也二將聞言皆下馬降譚譚曰勿降我可降曹丞相二將隨
譚見操大喜[illegible]以女與譚爲妻令二呂爲媒封爲列侯讚請操

攻曉謂操曰方今糧食艱難不接我入白溝先通糧道然後進兵攻你且權居平原操帶二呂回黎陽郭嘉曰今操以女許配公意是陽意封二呂爲列侯此是牢籠河北人心終久不容三公也可暗造將軍印與二呂令作內應待操破了袁尚可乘間謀之譚遂令人送印與二呂二呂受印來稟于操操笑曰他送印與汝爲侯吾破尚之後欲使汝爲內應也此小計也吾破尚之後總要擒他豈能害我哉你權受之吾自有道理自此操便有殺譚之心郭說袁尚與審配議曰今曹兵運糧入白溝必來攻打冀州李配曰可檄武安長尹楷屯毛城通上黨糧道令沮鵠守邯鄲以擾曹操令其不敢向冀州主公可急攻平原先絕袁譚之禍然後破曹袁尚大喜留審配守冀州令馬延張顗二將爲後起兵攻打平原譚知尚兵來告急於操操曰吾正待如此必得冀州許攸自許都來見操曰丞相何故坐而不進操曰吾已料定矣遂令曹洪進兵攻鄴操自引軍攻尹楷楷引兵出馬操曰許仲康安在許褚應聲而出出斬尹楷於馬下餘衆潰散操招降者大半又勒兵取邯鄲

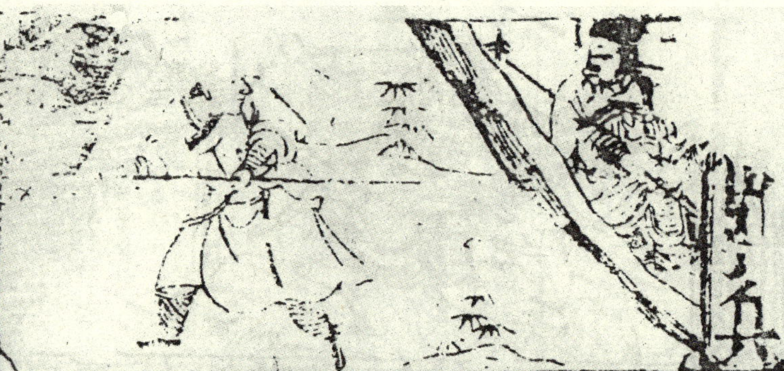

曹操掘地道

亦引兵來迎張遼出馬與鵠交鋒鵠敗走入陣遼赶入取箭射之
應絃落馬衆皆奔散操遂引軍前抵冀州曹洪已近城下操令三
軍攻城四面皆築土山審配亦守甚嚴夜間守將馮禮貪酒誤巡
警配怒打四十責杖馮禮恨之開門降操操問破城之策禮曰突門
內土厚可掘地道而入城可破也操交馮禮引三百人連夜掘地道
而入審配夜夜上城點視當夜見突門角上城外無火配心知是
馮禮引兵從地道而入急命壯士運石擊突中柵門門閉馮禮及
三百人皆死於土內操折了一場退軍一半屯於洹水之上候袁
尚兵回尚聞操破尹楷殺沮鵠大驚急欲回救冀州馮廷曰不
可從大路去大路西操必有伏兵可從西山小路出滏水口去劫
操營必解圍也尚曰吾兄行汝與張顗隨後便來操馬飛報曰袁
尚從小路回兵可激擊之曹洪曰歸師勿掩可以避之且袁尚若
小在城圍必死戰矣操曰尚從大道而來吾固當避今從西山小
路透小滏水界口是天使吾成功也彼若來時必舉火爲號令城
中接應分兵兩路擊之一戰可擒矣卻說袁尚出滏水界口至陽

平昌亭戍相商令軍士堆積柴薪至夜焚燒為號遣主簿李孚直至城下大叫開門審配認是李孚聲音放入城中訴說主公已屯兵在陽平亭等候接應若城中兵動亦舉火為號配令堆草放火以通音信李孚曰城中少糧可揀老弱并殘兵與婦人出降乘其受降時城中兵即出後便以兵繼之配從其議次日城上竪起白旗大書冀州百姓出降人報曹操操曰此是城中無糧令老弱百姓出降就食後必有兵繼出操令張遼徐晃各引兵三千伏於兩邊操自至城下果見城門開處百姓扶老携幼手持降旗操曰吾知百姓在城受苦若不出來就食早晚必餓死矣令於軍後討糧給之約有數萬百姓纔完城中兵突出操將紅旗一招兩下伏兵齊起城中兵敗回操自飛馬赶到橋邊城上放箭操盔上中了一箭險些透頂眾將救回操更盔換馬引眾來攻袁尚三路軍馬一齊擁至袁尚抵敵不住引敗軍退於祁山下寨令人催馬延張顗來接應操令呂曠呂翔去半路招降二將呂曠謂馬延曰袁尚死在旦夕曹丞相寬洪大度敬賢下士何不投降不失封侯之位

決漳河　水淹冀州

馬延張顗隨二呂來降操亦封為列侯次日進兵攻打祁山先使二呂全張顗馬延斷袁尚粮道尚自料祁山守不住連夜退濫口下寨營未定四下火光燭天伏兵盡起人不及甲馬不及鞍敗走五十里遣故豫州刺史陰夔陳琳請降操詐許之連夜令徐晃張遼去劫尚棄印綬節鉞衣服輜重望山谷而逃操回軍攻城許攸曰何不決漳水灌之操然其計先令人於城外掘壕塹周迴四十里審配在城上見操在城外掘壕塹却掘得甚淺配暗笑曰此是欲決漳河水灌城之計若河深可灌如此之淺安能用哉可一越而過是夜操添十倍軍士併力發掘比及天亮廣深二丈引漳河灌之城中水深數尺更兼粮盡軍士皆餓死辛毗在城外用鎗挑袁尚印綬招安城外人民審配大怒將辛毗家屬八十餘口盡斬於城下辛毗號哭不已審配兄子審榮素與辛毗相厚見配殘忍密寫獻門之書拴在箭頭射與辛毗毗將書獻操操下令曰如入冀州不得殺害袁氏一家老小軍民降者免死次日天明審榮大開西門放操兵入辛毗眾將殺入冀州審配知曹兵入城引數騎下城死戰正逢徐晃交

曹丕入紹府

馬一合生擒過來解見曹操操曰汝知開門納吾否審配曰不知操指辛榮曰是你姪所獻配曰小兒不足用乃至如此操曰曩日孤之行寨何弩之多耶配曰恨少恨少操曰汝肯降否配曰不降不降辛毗哭曰家屬八十餘口盡受此賊之害願丞相戮之以祭冤魂配曰吾生爲袁氏臣死爲袁氏鬼不似汝等奸賊讒佞操令斬之臨斬之際叱行刀者曰吾主在北不可面南遂向北受刑詩曰

河北多名士　誰如審正南　命因昏主喪　心與古人參

忠直言無隱　廉能志不貪　臨刑猶向北　降者盡羞慚

操怜其忠義令收葬之大軍入城操長子丕隨軍先入（丕字子桓年方十八歲生于中平四年冬十月生時有青雲一片圓如車蓋覆於其家望氣者觀曰此子貴不可言八歲能屬文其母卞氏乃娼家操納爲妻而生丕）丕逕投袁紹家下馬拔劍而入未將當之曰丞相有命可人不許擅入丕叱退未將直入後堂見劉夫人抱一女而哭丕向前欲殺之未知性命何如

曹操引兵屯營開

曹丕入紹府見其紅光滿身按劍問曰汝何人也答曰妾乃袁將軍

之婦丕曰懷中抱者何人劉氏曰此男婦袁熙之妻甄氏也因熙出鎮幽州甄氏不肯遠行故留於此相伴丕拖近前見披髮垢面丕以衫袖拭其面觀之見甄氏（玉肌）花貌有傾國之色遂對劉氏曰吾乃曹丞相之子丕也願保汝家拔劍坐於堂上衆將誰敢輒入（甄氏乃中山無極人上蔡令甄逸之女生於光和五年十二月丁酉曰其母張氏夢一仙人執玉如意[illegible]以玉衣蓋[illegible]生甄氏三歲喪父相士劉良相之曰此女貴不可言年九歲喜讀書寫字兄曰汝當習女工何用讀書寫字欲作女博士耶甄氏曰不知書何由見成敗將天下亂饑甄氏白母曰世亂人饑不如以穀賑濟親族鄰里衆然皆稱其賢後建安中袁紹娶爲次子袁熙爲妻熙出守幽州留在冀州侍母）操上馬擁衛嚴整入城許攸在馬後縱馬趕前以鞭指城門曰阿瞞汝若不得吾不得冀州也操大笑曰汝言是也（此曹[illegible]名智有處）操至紹府下問曰誰曾入此門去來將對曰世子在內操急喚出欲斬之荀攸郭嘉曰非世子不能鎮此府也操方免之劉氏出拜曰非世子無以保全家也願以女謝之操交喚出甄氏拜於前操視之曰真吾兒婦也（操見其有貴相知是袁熙之妻作如不問遂令曹丕納）（此是曹丕最爲操愛能識貴人也）操既定冀州親往袁紹墓下祭之再拜而哭顧衆官曰吾想昔日與本初共起兵時紹問吾曰若言不輯則方面

何所可據吾曰足下意欲若何紹曰吾欲據河北阻燕代兼沙漠之眾南向以爭天下庶可以濟乎吾答曰吾任天下之智以道御之無所不可此言未嘗忘也今本初已喪吾想此言而流涕也操賜金帛粮斛安紹妻仍下令曰河北居民遭兵革之後盡免今年租賦大事已定寫表申朝操自領冀州牧次日許褚躍馬出東門正迎許攸攸喚褚曰汝等無我安能出入此門也褚大怒曰吾等身冒血戰奪得城池汝安敢誇口攸大罵曰此等皆匹夫耳何足爲道褚大怒拔劍殺之提頭來見曹操說許攸如此無禮某故殺之操曰子遠乃吾舊交相戲耳何故殺之深責許褚令厚葬之此見曹操奸雄處已有殺許攸之心恐人識破此意作詩云之有詩曰 堪笑南陽一許攸 欲憑僥倖傲王侯 不思曹操如熊虎 尤道吾才得冀州 操問冀州誰知戶籍冀民曰騎都尉崔琰數諫袁紹守境紹不從因此託疾在家操遣人聘之崔琰字季珪清河東武人也琰至操命爲本州別駕從事操問曰汝本州戶籍可得三萬人否琰曰今天下分崩二袁兄弟干戈相尋冀方暴露原野未聞王師仁聲宣

袁尚奔投幽州

風俗，寬其愆戾，而計較甲兵第一，豈鄴州士女所望於明公哉？操拜容謝之，待為上賓。曹操使人探袁譚消息，來報掠取甘陵、安平、渤海、河間等處。聞知尚走中山，連夜攻之。尚兵處弱，聞風而走，尚往幽州投奔袁熙。袁譚盡收其眾，欲復冀州。操使人召之，譚不至。操大怒，自統軍進發。袁譚遁抵平原，走保南皮（今河間府滄州）。建安十年春正月，操進兵取南皮。時天氣嚴寒，水路盡凍，糧船不通。操下令差本處百姓敲冰拽船，以代軍士。百姓皆望深山而逃。操大怒，曰：捕得百姓盡斬之。百姓聞知，多有親往營中投首。操曰：若不殺汝等，則吾號令不行；若殺汝等，是吾無仁心也。汝等快往山中藏避，休被吾軍士擒之。百姓垂淚而去（此是操賊奸雄處）。遂進南皮。譚引驍將彭安出城。操出馬，譚曰：吾待汝如兄，你何生異心也？譚[illegible]汝犯吾境界，奪吾城池，反說我有異心，何也？操怒，遣徐晃出馬。譚使彭安相迎。兩馬相交，晃斬彭安於馬下。譚軍敗，入南皮。操軍四面圍住。譚[illegible]使辛評出降。入寨見操，操曰：袁譚反覆不常，吾難准信。看汝[illegible][illegible]評曰：丞相差矣。吾聞主貴臣榮，主憂臣[illegible]

可不回平回見譚詈操不准投降譚叱之曰汝弟見事曹操妄懷二心耶平氣昏於地須臾不醒而死譚悔不及郭圖曰來日盡驅百姓當先軍繼其後與曹操决一死戰譚然其言當夜盡驅南皮百姓使皆執刀鎗聽令次日平明大開城門軍在後驅百姓在前直抵曹寨兩軍混戰自辰至午勝負未分殺人遍地操棄馬上山親自擊鼓將士見之奮力向前譚軍大敗曹洪奮威上陣正遇袁譚舉刀砍於陣中郭圖見陣大亂急馳入城樂進拈弓搭箭射下城壕郭圖人馬俱陷操引兵入南皮當日有一彪軍到乃是袁熙部將焦觸張南操引兵迎之二將皆降操封爲列侯又黑山賊張燕引軍十萬來降操封爲平北將軍操令樂進李典張燕打并州攻高幹操自引兵攻幽州破袁熙袁尚操將袁譚首級號令北門令曰敢有哭者滅三族別駕王修布冠衰服哭於頭下左右拿見操按修字叔治北海營陵人乃青州別駕袁譚參謀諫譚不從知譚必死故來哭操曰汝知吾令否修曰已知操曰汝不怕累及三族耶修曰生受恩命亡而不哭非義也畏死忘義何以立世修受袁氏厚恩若得收葬其尸雖全家受戮

焦觸降曹操

無悵操嘆曰河北義士如此之多可惜袁氏不能用人若能□□則
吾安敢窺此地哉禮修爲上賓郭加曰今袁尚袁熙投烏桓可遣降將
焦觸張南等自攻之可以取也操差焦觸張南呂曠呂翔馬延張
顗各引本部兵分□攻幽州操兵從後接應袁熙袁尚知操前隊皆
是河北降兵一人棄城引兵奔遼西去投烏丸幽州刺史烏
桓觸蕃人也馬爲盟聚幽州衆官歃血爲誓共議背袁向曹
烏桓觸曰吾知曹丞相當世英雄今往從之不遵令者斬別駕韓
珩擲刀於地曰吾受袁氏厚恩今主敗亡智不能救勇不能死於
義缺矣若北面降曹吾不爲也一座皆失色烏桓觸曰夫兵大事
當立大義事之濟否不待一人韓珩既有志如此聽其自便推珩
而出烏桓觸出城人迎曹操操加爲鎮北將軍幽州太守操使
人探樂進李典攻打并州高幹見守壺口關不能下操自勒兵前
往樂李二將接著說幹死拒關隘不能下操聚衆將商議破幹
之策荀攸曰若欲破幹必用詐降計方可操從其言喚降將呂曠呂翔附耳低言
時操欲回兵征剿袁郭加曰袁氏于遼邦有閒無怨表此袁尚因

烏桓之衆助以死之臣以生蹋頓名諱之心恐害非也之傳也
劉表坐談之客耳知自度才不能用之雖虛國遠征公無憂矣操
曰奉孝之言是矣大議論遂起三軍車數千輛出盧龍之塞但見黃
沙漠漠山路崎嶇操有回軍之心問於郭嘉嘉此時臥病車上操
泣曰以吾欲平夷狄使公遠涉艱難以致染病耶嘉曰某感丞相
大恩雖死莫報操曰吾見北地崎嶇意欲回軍若何嘉曰兵貴神
速今千里襲人輜重多難以趨利不如輕兵兼道掩其不備虜可
擒也須得識逕路之人引之操遂留郭嘉於易州養病求鄉導
官以引路人薦袁紹舊將田疇操命喚之疇見操言曰此道秋夏
間有水淺不通車馬深不載舟楫最難行人每有回軍從盧龍口越
白檀之險出空虛之地前近柳城掩其不備蹋頓可一戰而[illegible]
從其言封疇為靖北將軍作鄉導官張遼為次操自押後[illegible]
十二年秋七月出盧龍引張遼前至白狼山却說袁熙袁尚[illegible]
蹋頓等數萬騎迎敵人報知曹操操自登高望之見[illegible]
操與張遼曰虜兵不整便可擊之張遼引許褚[illegible]

曹操祭哭八拜

郭加靈柩

下山奮勇急攻，蹋頓大亂，遼拍馬斬蹋頓於馬下，胡虜降者二十餘萬。袁熙、袁尚引數千騎投遼東去。操收軍入柳城，差人探郭加病。回報加病甚。操大驚，遂遣差數騎以探消息，又報加病九分。操令田疇為柳亭侯，守柳城。疇曰：疇負義逃竄之人，蒙恩全活為幸多矣，豈可賣盧龍之塞以換爵祿哉？必不得已，請效死刎首於前。操乃拜疇為議郎，提操尉單于並八等送納駿馬一萬匹，領軍回時天色寒冷，旱二百里無水，掘地三四十丈方得水。回至易州之時，郭加已死數日，停柩官廨。操往祭之，哭倒於地曰：奉孝死，乃天喪吾也。與諸文武曰：諸君年齒皆孤等輩，惟奉孝至少，吾欲託以後事，不期中年夭折，使吾心腹崩裂矣，吾何望哉。

郭加遺計定遼東

左右將郭加臨死所封之書呈上曰：郭公臨亡親遺此書，令丞相從之，遼東自定。操[illegible]奉孝如此用心，孤何不從。折書觀之，點頭歎想。諸人皆不知其意。次日夏侯惇、眾曰：遼東太守公孫康久不賓伏，今日袁熙、袁尚投之，久必為患，不如乘其未動征之，遼東可得

二袁大敗

矣操笑曰不煩諸公虎威數日間公孫康自送二袁之首至矣眾人皆疑次日又稟云如前言回之諸將不信却說袁熙袁尚引數千騎奔遼東來（操[illegible]何康本遼東襄平人也[illegible]敵將軍公孫度之子）康知袁熙袁尚來投遂聚官屬商議其救公孫恭曰袁紹在日嘗有吞遼東之心今袁熙袁尚兵敗來投遼東此是鳩奪鵲巢之意若容納之必來相圖不如賺入城殺之送頭與曹公曹公必重待於汝康曰只愁曹公乘騎下遼東又不如納之二袁使為前驅可也恭曰操若下遼東必星夜前來如其無意必不動矣可探聽之如曹進兵則留二袁如不動則殺二袁納與曹操康從之先使人去探消息却說袁熙謂尚曰遼東軍兵數萬可與曹操爭衡暫投之却殺公孫氏以奪其城養成氣力可復河北矣尚曰吾揣此心久矣二人入見公孫康留於館舍每日使人相待推病不相見探細人回報曹操屯兵易州無下遼東之意公孫康先伏刀斧於壁帀使人請二袁入見[illegible]畢命坐康使侍者盡皆迴避衛以議論事尚見坐榻無褥時大[illegible]寒尚謂康曰願鋪坐席康瞋目言曰汝二人之頭將行萬里何[illegible]

送二袁頭

公孫[illegible]

有尚大驚康曰何不下手刀斧手擁出就座上砍下二人之頭用木匣盛貯使人星夜送到易州來見曹操時操在易州按兵不動夏侯惇張遼入稟曰如不下遼東可回許都恐劉表生心操曰待二袁之首方始班師衆皆暗笑忽報遼東公孫康遣人送袁熙袁尚首級至衆皆大驚操大笑曰不出郭奉孝之所料重賞其使遂封公孫康為襄平侯左將軍遣使回衆官問曰何為不出奉孝之所料操將郭加書示之書曰今聞袁熙袁尚往投遼東切不可加兵公孫康久畏袁氏吞併往投必疑若以兵臨之彼必併力而迎急不可下若緩之公孫康袁氏必自相圖其勢然也衆皆稱善操引諸官設祭於郭加靈前加年三十八歲從征十一年立多奇功後來史官有詩贊曰

雖云天數三分定
妙算神機亦可圖
若是當年存奉孝
難容西蜀與東吳

操回冀州使人扶郭加柩於許都安葬程昱曰北方大定可建下江南之策操曰吾有此志久矣是夜操宿於冀州樓上憑欄觀天文時荀攸在側操指曰南方旺氣燦然恐未可圖攸曰以丞相之威何

操見金光

得銅雀

所不伏正看間忽見金光從地而起攸曰必有寶其下操令掘之

劉玄德赴襄陽會

操於金光處掘出一銅雀問攸曰此何祥也攸曰昔舜母夜夢玉雀入懷而生舜帝今得銅雀此吉祥之兆也宜作高臺以慶之操大喜遂令作銅雀臺於漳河之上卽日破土斷木燒瓦磨磚計一年而功可成曹植進曰若建層臺必立三座至高者名爲銅雀左邊一臺名玉龍右邊一臺名金鳳作兩條飛橋橫空而上以龍鳳朝銅雀之意須得二年方可成就操喜曰吾兒言者是也他日臺成足以娛老報操收子植字子建極聰明年十歲能善屬文誦讀詩詞論賦數十萬言無一字差錯嘗作文章呈父操曰汝倩人爲也植對曰言出爲論下筆成章當以面試奈何倩人操甚愛之妾劉氏子曹昂征張繡時陣亡卜氏生四子丕植彰熊愛植令在鄴造臺操令張燕守北寨操總得袁紹之兵五六十萬班師回許都議封功臣皆爲列侯郭嘉爲貞侯養其子奕於府中操欲南征劉表荀彧曰官方北征而回便待養成氣力劉表孫權一鼓而下操從之却說玄德自到荊州劉表待之甚厚一日正相聚飲酒忽報張虎陳生造反在江夏搶掠欲取荊州表驚曰二賊又來爲

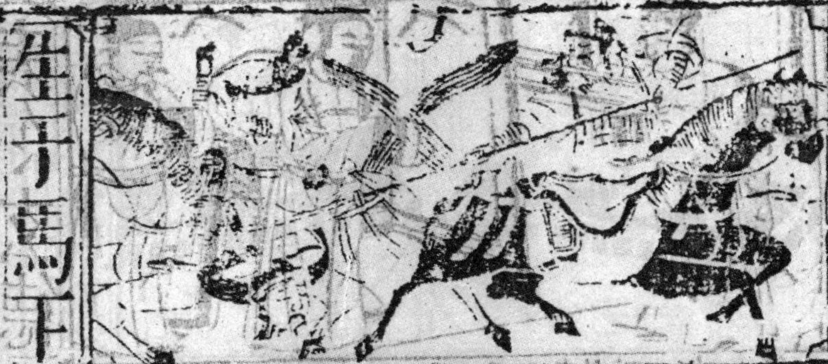

張飛斬張虎生于馬下

過不小玄德曰不須兄長憂心備往收之表大喜隨即點三萬軍令玄德行△八日到江夏張虎陳生引軍出迎玄德引關張趙雲在門旗之下望見張虎所騎之馬極其雄駿玄德曰此必千里馬也言未畢子龍挺鎗出馬逕衝過陣去一鎗刺張虎于馬下就扯住轡頭牽此馬回陳生見子龍奪馬而去隨後來奪張飛大喝一聲挺矛出馬將陳生刺於馬下餘眾潰散玄德招安平復邊境班師回表出郭接入飲宴酒酣表曰吾弟如此雄才荊州有所倚也但南越寇境張魯孫權皆足為憂玄德曰弟有三將可以保之遣張飛守南越之境關羽拒固子城鎮張魯趙雲拒三江當孫權兄何憂哉表大喜欲從其言蔡瑁在側聞之入告蔡夫人曰劉備遣三將巡邊自居荊州久必為患備為人忘恩負義不可同處蔡夫人夜對劉表曰我聞荊州人多為劉備往來容在城中無益不如早遣之表曰吾弟仁德之人汝勿疑焉蔡氏曰誠恐他人不似汝心耳表亦狐疑次日出城點軍見玄德所乘之馬極駿問之乃張虎之馬也表稱賛不盡玄德會意就將此馬送與劉表表大喜騎回城中蒯越見

而問之表曰此劉備所送越曰昔吾兄蒯良善相馬今雖棄世越亦頗曉此馬眼下有淚槽額邊有白點名爲的盧也騎則妨主張虎爲此而亡主公不可乘之表次日請玄德飲宴表曰夜來所惠之馬深感厚恩但賢弟征進可用表還室開敬當還之又曰賢弟久閑恐廢武事去襄陽管下有一縣名新野縣頗有錢粮弟可引本部軍馬於本縣屯札就收錢粮爲用玄德深謝領軍新野縣去表送到長亭酌別之後有一人在玄德前長揖曰豫州不可乘此馬玄德視之乃劉表幕賓伊籍（按籍字伯機山陽人氏）玄德慌問曰此馬何不可騎籍曰昨聞蒯異度對劉荆州言此馬名的盧乘則妨主今特報之玄德曰深感先生見愛但人居世死生有命豈可因一馬而能妨哉籍服其論玄德自到新野軍民皆喜建安十二年春糜夫人降生劉禪是夜有白鶴一隻飛來於縣衙屋上望西飛去守衙之兵皆以爲異臨娩之時天香滿室蓋糜夫人夜夢仰吞北斗有孕故名阿斗此時曹操北征玄德往見荆州說劉表曰方今曹操起中國之兵北征許昌空虛若以荆襄之衆乘虛襲之一舉大事可

蔡氏竊聽

表曰吾坐據九州足矣安可別圖玄德默然表邀入後堂飲酒閒表忽然長歎玄德曰兄何故有不足之意表曰吾心間事難言玄德再欲問時蔡夫人出表無語席散玄德自歸新野日與士大夫談論天下之事建安十二年冬曹操自柳城回玄德甚悔表之不用己策忽劉表遣使至請玄德赴荊州玄德隨使而往劉表請入坐表曰近聞曹操自柳城提兵五六十萬回許昌必有吞併之心昔日不聽君言失此機會玄德曰今天下分裂干戈日起機會豈有盡乎若能應之於後此未足爲恨也表曰吾弟之言甚當相與對飲表忽淚下玄德曰兄有何事不快如此表曰前者欲訴於汝未得其便吾想汝乃宗中骨肉故特告之玄德曰兄有能爲之事備死亦不辭表曰前妻陳氏生子琦雖賢而懦不足立事後妻蔡氏生子琮頗有聰明吾欲廢長立幼又礙禮法吾欲立長今蔡氏族中皆掌軍務彼必生亂因此未下玄德曰自古廢長立幼取亂之道若憂蔡氏權重可除削之不可溺愛而立次也表默然元來蔡夫人素疑玄德但與表講話必竊聽之是時正立屏風後聽得

添喉之玄德自覺語失遂起身如廁見髀肉復生（腿股髀也）潸然流淚不住劉表使人再請入席見玄德淚下表問曰賢弟何故發悲玄德曰備常身不離鞍髀肉皆消今不復騎髀肉復生日月如流老將至矣而功業不建是以悲矣表曰吾聞弟在許昌曹公請弟煮酒共論英雄賢弟盡舉名士操皆不與曾對弟言天下英雄惟使君與操耳操雖有數十萬之衆挾天子而令諸侯猶在吾弟之右何足慮也玄德乘酒興而答曰劉備有基本何慮天下碌碌之輩也表聞之忽然變色玄德自知語失託醉而起歸於館舍劉表雖不出言心中不足史官有詩曰

曹公屈指從頭數　天下英雄獨使君

髀肉因生充感嘆　曾教寰宇不三分

劉表悶悶不已蔡氏曰適間我於屏風後聽劉備之言足見有吞併荊州之意今若不除必爲子孫之患表不答但搖頭而已蔡氏知其意遂召蔡瑁入商議此事瑁曰我聞劉備有過人之志久後必吞荊州可就驛舍殺之卻再告劉荊州未遲蔡氏曰事宜謹密不可造次瑁出點軍尹籍知瑁有害玄德之意連夜來報玄德便離

劉表見詩怒

反詩大怒

荊州玄德曰吾不曾辭劉荊州錯曰若辭必遭蔡瑁之害某與公言之玄德遂上馬未明而行蔡瑁比到館舍玄德已去瑁悔恨至甚遂寫詩一首於壁間逕入見表言備有反意題詩於館舍不辭而去劉表不信親往觀之果見反詩詩曰　困守荊襄已數年　眼前空對舊山川　蛟龍不是池中物　卧聽風雷飛上天

劉表大怒曰誓殺此無義之徒行數步忖曰吾與玄德相處許多時未嘗見作詩此必外人間諜回步將刀刮去此詩棄劒上馬蔡瑁曰軍士已點就可往新野擒劉備表曰未可性急容別圖之劉表見此無奈蔡瑁見表持疑未決乃暗與姐蔡氏商議姐曰汝當重權何必問我至次日與表曰近年成熟會衆官於襄陽就勸聘入馬遊獵今日請主人行表曰吾氣疾作可令二子爲主瑁曰二公子年幼恐失禮節表曰吾令玄德可請待客瑁暗喜中計便差人請玄德赴會却說玄德回至新野自知語失不敢告人忽使至請赴會玄德欲行忽一人進門使君此去必有大災未知言者是誰

劉玄德躍馬躍檀溪

表使二子

迎接玄德

孫乾進曰昨觀王公回來心中不悅恩意在荊州必有事故今請赴會必行詐謀故諫勿往玄德將上項事盡訴關羽曰兄自疑語失劉荊州又無嗔責之意外人之言未可輕信今不去則劉荊州反生疑矣玄德曰雲長之言是也趙雲曰某將軍馬三百人同往可保主公無事玄德大喜即與子龍同赴襄陽比及到來蔡瑁出郭迎接意甚謙敬玄德不疑隨後劉琦劉琮二公子引王粲傅巽文聘王威文武等官出迎玄德見二公子轉無疑忌是日請於館舍安歇趙雲引三百軍圍住保護雲帶甲佩劍行坐不離劉琦曰父親疾作不能行請尊叔待客撫恤各處守牧之官玄德曰既兄有命不敢不從次日人報九郡四十三州縣官員皆到了蔡瑁先請蒯越商議曰劉備世之梟雄久必為荊州之禍可就今日除之蒯越曰恐失民望不可行此蔡瑁曰吾已密領荊州言語在此越曰如此則先須準備瑁曰東門峴山大路吾已使宗弟蔡和引五千軍把住南門外已使蔡中引三千軍把住北門江外已使蔡勳領三千軍把住止有西門前有檀溪阻隔不必守護越曰吾視趙

雲行坐不離恐難下手瑁曰吾已伏五百兵在城内了越曰管是生擒劉備去獻處處求可今日削誅戮可使文聘王威另設一席於外廳以待武將少請住趙雲方可行事瑁曰吾已安排定了當日大設筵會請玄德玄德所乘之馬心甚愛之出入便騎是日騎至州衙繫於後園衆官皆至劉玄德主席二公子兩邊其餘各依次坐趙雲帶劍立於側酒至三巡文聘王威入請趙雲赴席雲推辭不去玄德命去雲出就席蔡瑁已[illegible]桶一般只待半酣號起下手正值伊籍把盞至玄德前以目視之曰請更衣玄德會其意待籍把遍盞推起如廁伊籍已於後園等候須臾玄德至籍言蔡瑁欲害使君今城外東南北皆有軍馬惟西可走使君急宜後遁去勿遲玄德大驚急解的盧馬開後園門飛身上馬不顧從者望西門而走把門者問之玄德曰吾不勝酒力矣當之不住飛報蔡瑁瑁入席不見玄德便點五百軍隨後趕來卻說玄德飛身出西門行不到二里餘前有大溪攔住去路（被此溪名曰檀溪闊數丈水通襄江波甚急）玄德到檀溪無船可渡勒馬再回遙望西門内數百鐵甲軍

玄德驟馬

跳過檀溪

軍隨蔡瑁而出玄德曰吾死矣遂回馬到溪邊回頭看時兵在岸
後玄德縱馬下溪行不數步水勢急馬前蹄忽陷浸到衣襟玄德
加鞭大呼曰的盧的盧今日妨吾乎快可努力言未了那馬忽從
水中湧起一躍三丈飛上東岸玄德如雲霧中起後人有詩單道躍
馬云

襄陽城外接長途　來往行人歎的盧
西岸蹄蹤埋綠草　半灘水影撼青蒲　夜靜月明橫素練
波搖星現散瓊珠　莫誇主有西川分　蓋爲當時得駿駒

又題玄德之福詩云　檀溪流水碧溶溶　過客登臨憶舊蹤
玄德此時因避難　的盧當日果招凶　波開滂躍過三丈
勢欲飛騰到九重　千古且休誇駿馬　分明背上有真龍

蘇學士有古風一篇單詠檀溪事跡有感而賦云
老去花殘春日暮　宦遊偶至檀溪路　停驂遙望獨徘徊
眼前零落飄紅絮　暗想咸陽火德衰　龍爭虎鬬交相持
襄陽會上王孫飲　座中玄德身將危　逃生獨出西門道
背後追兵復將到　一川煙水漲檀溪　急叱征騎往前跳

馬蹄踏碎青琉璃　天風響處金鞭揮　耳畔但聞千里走
波心忽見雙龍飛　西川獨霸真英主　坐下龍駒兩相遇
檀溪溪水自東流　龍駒英主今何在　臨流三歎欲心酸
夕陽寂寂照空山　三分鼎足渾如夢　踪跡空留在世間

玄德躍過檀溪回顧蔡瑁引五百騎隔岸大叫使君何故逃席玄德曰吾與你無讎何相謀害瑁曰吾無此心使君休聽傍人之語玄德見蔡瑁拈弓取箭遂縱馬加鞭而去蔡瑁與諸將曰是何神助也正欲回城忽見趙子龍引三百軍趕來蔡瑁性命如何

劉玄德遇司馬徽

子龍迎見蔡瑁喝問曰吾主何在瑁曰使君逃席不知何往趙雲遍觀軍中並無動靜前望大溪相隔別無去路趙雲曰汝請吾主何故着軍馬圍繞瑁曰九郡四十三縣官僚在此吾為上將豈可不防護也雲曰汝逼吾主何處去了瑁曰吾聽知匹馬出門到此又不見趙雲甚疑惑不定直來溪邊看時只見隔岸一帶水跡引軍四望不見踪跡趙雲再回蔡瑁已入城了雲拿把門軍士問之皆

說飛馬出西門去雲恐內有埋伏不敢入城引軍投新野而歸郭

說玄德渡溪之後如醉如痴望村僻策馬而行見一牧童跨於牛

背口吹短笛而來玄德歎曰吾不如也遂立馬觀之小童亦停牛

熟視玄德曰將軍莫非破黃巾劉玄德麼玄德大驚問曰汝乃村

僻小童安知吾姓名耶小童曰我本不知因常侍師父每有客到

庄時多曾說有一劉玄德身長七尺五寸垂手過膝目能自顧其

耳乃當世英雄今觀將軍如此模樣想必是也玄德曰汝師父姓

甚諱小童曰我師父覆姓司馬名徽字德操道號水鏡先生

潁川人也玄德曰見居何處小童曰兀

的樹林中便是庄也玄德曰吾乃劉玄德也汝可引見師父小童

遂引玄德到庄門下馬闖庄中琴聲甚美交小童且休通報忽聞

琴聲住而不彈一人大笑曰琴韻清幽中忽生殺聲之調必有英

雄竊聽玄德大驚看其人松形鶴骨氣宇不凡年已半百顏色如

童玄德進前施禮衣襟尚濕水鏡曰明公今日幸免大難玄德

訝之小童曰此是劉玄德也水鏡德操叙禮請入草堂分賓

玄德曰偶因經過此處因小童相指得拜尊顏不勝萬幸水
笑曰公休隱諱今日必然逃難至此[illegible]亭
鏡曰吾觀公之氣色已知之矣公[illegible]之
侯公豫州牧水鏡曰今聞將軍大名久矣何故[illegible]之
途耳玄德曰時運不濟命途多蹇所以至此水鏡曰不然[illegible]左
右不得其人耳玄德曰文有孫乾糜竺簡雍之輩武有關張[illegible]張飛
趙雲之流何謂不得其人水鏡曰關張趙雲之流雖萬人之敵非
權變之才孫乾糜竺簡雍之輩乃白面書生非經綸濟世之才[illegible]曰
備恭己下賢亦何不得其人水鏡曰識時務者乃為俊傑玄德曰
請問誰為俊傑水鏡曰且如高帝得張良蕭何韓信之輩光武得
鄧禹吳漢馮異之徒能成王霸之業如此四人為俊傑也玄德曰謂
恐此時無此等人物也水鏡曰孔子云十室之邑必有忠信何見
今時無也玄德曰備愚昧不識願賜指教水鏡曰公聞諸郡小
謠言乎謠曰

八九年間勢欲衰
至十三年無孑遺
到頭天命有所歸
泥中蟠龍向天飛

此謠建安初至于今日八九年間欲衰者建安八年劉景升喪妻前妻便生家亂此始欲衰也十三年無子遺者不久則劉景升逝矣文武零落無子遺也天命有所歸令在將軍也玄德驚而下拜曰劉備安敢當此水鏡曰今天下人才盡會於此將軍可求之玄德曰何人也水鏡曰伏龍鳳雛兩人得一可安天下玄德便問曰伏龍鳳雛何人也水鏡拍手大笑曰好好玄德再問水鏡曰天色已晚聊奉蔬食暫宿一宵來日當言之即時呼童具飲相待留於客房安歇玄德想水鏡之言寢不着約已更深忽聽人扣柴扉而入水鏡問曰元直何來玄德起聽之其人答曰久聞劉景升善善惡惡特往謁之及至相見徒有虛名故回至此水鏡曰善善惡惡乃人之善也何故棄之其人答曰善善而不能行惡惡而不能去是故遺書以別之水鏡叱之曰方今漢室衰微禍亂將生汝懷王佐之才當擇人而事英雄豪傑只在眼前何故謁劉景升也其人言曰先生之言是也玄德聽之大喜暗料此人必是伏龍鳳雛也候天曉求見水鏡問曰昨夜過客是誰水鏡曰小賢何不求之

趙雲領兵

尋見玄德

已往他處玄德求問姓名水鏡曰好好好玄德再問伏龍鳳雛是誰水鏡又只言好好好（好好是名先生）玄德再請水鏡同扶漢室水鏡曰貧道山野之人不堪世用自有勝吾十倍者來助公也公自訪之玄德再問水鏡只言好好正談論間小童來報庄外有一大將軍引五數百圍了庄也玄德大驚還是如何

劉玄德新野遇徐庶

玄德急出視之乃趙雲也玄德方喜趙雲入見曰夜來回縣尋覓不見連夜到此處根問有人指道故尋至此玄德言檀溪之事趙雲便請玄德上馬回縣玄德辭了水鏡與趙雲上馬離庄投新野來行不到二十里一彪人馬來到玄德視之乃張飛關羽也玄德訴說檀溪之事歸到縣中與孫乾等商議乾曰必致書與劉荊州分解此事玄德作書差孫乾至荊州劉表喚入問曰吾着玄德襄陽待客緣何半席而走乾呈上書言蔡瑁欲相謀害故越檀溪得脫表聞之大怒喚蔡瑁入罵曰汝敢害吾弟也瑁抵賴不過交推出斬之蔡夫人出哭求免死表恨不消孫乾告曰若殺上將劉皇

叔再後人敢赴荊州矣表責而釋之使長子劉琦同孫乾來新野請罪玄德大喜設宴相待坐間劉琦忽然墮淚玄德問故琦曰繼母蔡氏常有謀害之意玄德勸以小心盡孝自可無禍次日劉琦辭別玄德送出郭指坐下的盧馬對琦曰若非此馬吾已爲九泉之人矣琦曰非馬之力乃叔父之福也叔姪涕泣相別而去玄德自回忽市上一人葛巾布袍長歌而來歌曰

天地反覆兮火欲殂大廈將崩兮一木難扶四海有賢兮欲投明主聖主擇賢兮却不知吾

歌罷大笑不止玄德聞其言暗思之莫非水鏡所言伏龍鳳雛否遂下馬相見邀入縣衙延之高坐問其姓名其人曰某乃潁上人也姓單名福久聞使君納士招賢欲來投託未敢輒造故作狂歌於市玄德甚敬之單福曰適來使君所乘馬再乞一觀玄德命去至廳下福曰此馬雖有千里之能只是妨主玄德曰已應之矣遂言躍檀溪事福曰此乃救主非妨主也不久必妨有一法可禳玄德曰願聞禳法福曰可先使一親近人乘坐待妨死了那人方可

單福用計　迎敵二呂

乘之旨然無爭玄德曰從者與點湯逐客也福曰吾聞使君遍求賢士不遠千里而來何故逐客耶玄德曰汝初至此不知吾躬行仁義便教作利己方人之事吾故逐之福笑而謝曰吾聞使君素有仁心未能準信故以此言試之玄德謝曰若論仁心豈吾敢當但欲憂國愛民恨未及耳願先生教之福曰愚聞新野之人歌曰新野牧劉皇叔自到此民豐足可見使君愛人恤物之驗也玄德拜單福爲軍師調練人馬却說曹操自回許昌常有取荆州之心故差曹仁李典并降將呂曠呂翔等三萬兵屯樊城就看動靜虛實以爲屏障此時呂曠呂翔稟曹仁曰目今劉備屯新野招軍買馬積草聚粮有謀許之心不可不早圖也吾二人自降丞相之後未有寸功願請兵五千前去取劉備之頭以獻丞相曹仁大喜與二呂兵五千接新野來探馬飛報玄德玄德請單福商議福曰既有軍到可先差關羽引軍從左而出以截來軍中路差張飛引軍右出以斷來軍之後使君引趙雲出中以相迎必然擒將矣玄德大喜先差關張二將去然後自與單福引趙雲領人馬出官道相迎

趙雲斬呂

行不數里呂曠呂翔人馬來到玄德乘馬立於門旗之下大呼曰來者何人敢犯吾境呂曠呂翔曰吾乃大將呂曠也奉曹丞相令特來擒汝玄德大怒使趙雲出馬二將交戰不數合一鎗刺呂曠於馬下呂翔引軍便走玄德縱兵掩殺呂翔走不數里只見塵埃起處爲頭大將乃關羽也大殺一陣折其大半翔奪路而走又行不到十餘里爲首一將燕人張翼德也挺矛躍馬直取呂翔翔措手不及被張飛一矛刺死餘皆潰散玄德大喜重待單福犒勞三軍却說逃脫軍士至樊城見曹仁報呂曠被趙雲殺了呂翔被張飛殺了其餘軍士盡被活捉去了曹仁大驚和李典商議典曰今二將欺敵而亡只宜按兵不動申報丞相知會可起大軍來勦捕此爲上策曹仁曰不然今二將已亡又折了許多人馬量新野小可之地何必經由丞相吾與汝擒滅劉備尚可以功贖罪典曰劉備人傑也不可輕視仁曰汝何怯戰也典曰兵法云知己知彼百戰百勝某非怯戰但恐不能勝劉備也仁怒曰汝懷二心耶典曰某與丞相有年矣豈不能照察李典之心仁曰吾必欲擒劉備各盡

上馬離了樊城渡河投新野而來還是如何

徐庶定計取樊城

却說單福與玄德曰曹仁近在樊城知二將被誅必然盡起本部之兵來取新野玄德曰當何迎之福曰吾料曹仁必盡提兵而來樊城空虛雖隔白河可唾手而得也玄德問計單福附耳低言如此如此玄德大喜預先調撥已定白河邊人報曹仁進兵渡河單福曰今曹仁全師而來此出下策吾必擒曹仁矣遂交趙雲領軍前進兩軍陣勢擺開李典出陣與趙雲交鋒約戰數合李典撥馬走回本陣雲縱馬追趕兩翼軍射住遂各罷兵歸寨且說李典歸見曹仁言趙雲英雄急難抵當不如且回樊城曹仁大怒曰汝未出軍時已怠慢心今又賣陣可以斬之喝刀斧手推轉李典眾將苦告方免曹仁交李典為後軍自引兵為前部次日布成陣勢單福上山觀之與玄德曰主公識此陣否玄德曰不識單福曰此八門金鎖之陣也雖布得是可惜不全玄德問何不全福曰八門者休生傷杜景死驚開也如從生門景門開門而入則

趙雲縱馬　破八門

如從傷門驚門休門而入則帶傷如從杜門死門而入者必亡今八門雖布得整齊只是中間欠主持如從東南角上吶喊而入徑中軍鼓噪助喊殺入中軍曹仁必然退投北走可交趙雲勿趕却突出西南又從西殺北從西門而入正西方景門而入擊之必亂玄德傳令交前軍把住陣脚命趙雲引五百軍從東南而入逕投西出趙雲得令挺鎗驟馬引軍逕投東南角上吶喊而入軍中鼓噪助威雲殺入中軍曹仁逕投北走雲不趕却突出西門又從西殺投東南角來曹仁兵大亂玄德令軍一擊仁兵大敗而退單福命休趕自收軍回寨却說曹仁輸了一陣方悔始信李典請李典商議言劉備軍中必有能者吾布八門金鎖陣趙雲自東南而殺入投西安得無能者耶典曰吾等在此甚是殺賊曹仁曰今晚去劫劉備寨如中且任如若不中可退軍回李典又諫曰惟恐劉備有準備仁不聽李典傳令了當却說單福與玄德在寨中議事忽然風驟起福曰今夜曹仁必來劫寨玄德曰何以敵之福曰吾已預算定了却說曹仁盡起軍士爲前隊李樂[illegible]

曹兵大敗

迴寨比及將至寨內四圍火起燒着寨柵曹仁知有準備急回河
退趙雲從後趕殺將來急棄本寨望白河而走比及到河邊尋舡
河岸上一彪軍殺到為頭大將張翼德也預先伏在那里等
候急去尋舡欲渡張飛軍掩在中軍死戰與徐晃護曹仁下舡渡河
大半水中淹殺了比及到樊城時門城上擂鼓一將引軍殺出乃
關雲長也（先生先使雲長襲了樊城入城）曹仁李典又被雲長截殺一陣失了樊
城投許昌而走於路打聽方知有單福為軍師設謀定計劉玄德
入獲全勝引軍入樊城縣令劉泌出迎玄德安民已定（[illegible]）
（是漢之宗親）劉泌請玄德到家設宴有外甥寇封侍立玄德見其人
品貌軒昂問之劉泌曰此乃吾甥在舅氏依傍學業本寇
氏之子玄德欲得為嗣劉泌欣然從之便命寇封拜玄德
為父改姓劉封玄德帶回令拜張飛為叔雲長曰兄長既已
有子何必用螟蛉久後必有亂玄德曰吾待彼為子彼必待我為父
有何亂焉雲長不悅（此是結冤之處也）玄德乃與趙雲一千軍守樊城領
衆自回新野郡諭曹仁李典回許昌見曹操入拜請罪言損兵折

昱計賺徐母

將之事操曰勝負乃兵家之常劉備如此誰爲謀士曹仁言單福之事操曰不知何所人也程昱笑而言曰非單福也此人少好擊劍中平末年曾與人報仇用白土塗面披髮而走吏問其姓名不曰不言吏縛之於車夜間伴黨解救之乃更名易姓逃於他處於是感激折節尚學與司馬徽爲友此人乃潁川徐庶字元直單福乃更名也操曰徐庶之才比君如何昱曰昱十不及庶之一二操曰惜乎賢士歸於劉備必助羽翼也奈何昱曰徐庶爲人至孝幼喪其父有母在堂見今兄弟徐康已亡母無人養使人賺至許都令作書喚之其子必星夜而至矣操喜便差人去取徐母不一日已到丞相親自相待而對坐與徐母曰近聞令嗣徐元直乃奇才也今在新野助逆臣劉備正如美玉於淤泥之中誠爲可惜今煩大人付筆札與回說都君於天子之前保奏必加重爵操命左右捧過文房令徐母作書母曰劉備何如人也操曰涿郡小輩妄稱皇族外君子而內小人直匹夫也徐母厲聲曰汝何如此之甚也吾久聞劉玄德乃中山靖王之後孝景皇帝閣下玄孫屈身

堯舜之風禹湯之德也安屈身下士恭己待人世之黃童白叟皆
知名真當世之英雄也吾兒輔之得其主矣汝雖託名漢相實
乃漢賊反言玄德為逆臣豈不自恥安可使吾兒背明投暗萬
世之罵名乎言訖拔筆於地取硯便打曹操操大怒叱武士執徐
母斬之性命未知何如

徐庶走薦諸葛亮

曹操欲斬徐母程昱急止之入諫操曰徐母觸忤丞相者欲求死也
丞相若殺之則徐庶必死助劉備以報仇矣不如留之則使徐
庶身心兩處縱使助劉備亦不盡力也且留得徐母昱自有計賺徐庶到此以
輔丞相操然之使送徐母於別室養贍使程昱如親母侍之昱乃
詐言曾與徐庶結為兄弟常常送物必具手啟徐母亦作手啟以答
之昱賺了徐母筆跡字體詐修書一封差一心腹人持書逕投新
野縣尋見徐庶行幕使軍士達知庶知母有家書急喚入問之來
人曰某乃館下走卒奉老夫人言語有書上達徐庶視書曰
近汝弟康喪身自無親正悲愴中不期曹相使人賺到許昌言

汝背反下於縲絏獨賴程昱等力救若得汝降能免吾死如書到日可想劬勞之恩星夜前來以全孝道却圖歸耕故鄉免遭大禍吾今命若懸絲專伺救濟更不多囑

徐庶覽畢淚如迸泉持書來見玄德庶曰某本潁川徐庶字元直為因逃難更名單福昨因荊州劉景升招賢納士特往見之與之論事方知其無用之人也故作書別之寅夜至司馬水鏡庄上訴說其事水鏡深責庶不識主却說劉豫州在此何不事之庶故作狂歌於市以鈞使君幸蒙不棄孤陋即賜重用皆奈老母被曹操奸計因於許昌將欲垂命特書來報不容不去非不欲盡犬馬之勞以事使君奈何慈母被執不得盡其力也今且暫辭尚容再會玄德泣曰子母之道乃天大愛也元直無以備為念而割其天愛待與老太君相見之後再容從聽教庶乃拜謝便欲就行玄德曰再聚一宵來日相餞孫乾[illegible]入見玄德說等曰徐元直乃天下奇才也久還許昌[illegible]盡知我軍中虛實若使北歸曹操操重用之來攻[illegible]勢必危矣望主公苦留休放此去曹操斬其母庶必與母報

作力攻曹操失玄德曰不然使人殺其母吾獨用其子不仁也留之而不使去以絕子母之道不義也吾寧死不爲不仁不義之事衆皆感歎而去玄德請徐庶飲酒半夜庶曰今聞老母被囚雖金波玉液亦不能咽唇也玄德曰聞公之行使備如失左右手也二人相泣坐而待旦諸將已於郭外安排餞行玄德與徐庶並馬至長亭相別玄德舉杯勸庶曰劉備分淺緣薄不得相從先生驥羈望先生善事新主以全孝道庶泣曰庶才微智淺深蒙使君重用今不幸半途而別實爲母之故縱曹操逼勒事之終身不設一謀非不忠也非所願也玄德又曰先生此去劉備亦將遠遁而避世矣庶曰本欲與使君共成王霸之業者以此方寸地也今已失老母方寸亂矣縱使在此無益於事請使君別求大賢以佐之以圖王業何心灰若此玄德曰愚意從之恐天下無比先生者庶曰樗櫟庸才非棟梁也使君可求棟梁以佐之玄德泣謝庶謂諸將曰望諸公善事使君以圖名垂竹帛功列青史休效庶之無始終也諸將皆感傷而別玄德淚如雨下不忍相離又送了一程玄德傳庶

徐庶辭馬而行玄德曰先生此去備心如割庶曰使君保重以圖再會玄德曰天各一方未知相會又在何日不覺又行十里庶辭曰不勞使君遠送庶當星夜而行見老母矣玄德又送十里諸將請回玄德就馬上執庶手淚沾襟袖庶亦掩面哭別玄德立馬看庶與從者數人匆匆而去玄德放聲大哭曰元直去矣吾將奈何凝淚眼而望被林木隔斷玄德以鞭指曰吾欲盡伐此處樹木以望元直也正望間忽見徐庶拍馬而回玄德曰元直莫不無去意乎遂下馬相迎庶曰庶心緒如麻失却一語有一大賢只在襄陽城西二十里地名隆中使君何不見之玄德曰君何不與同來甚好庶曰此人非庶比也使君可往見不可屈致使君如得此人可比周得呂望漢得張良其人每自比管仲樂毅以庶觀之管仲樂毅不及也玄德曰此先生才德若何庶曰某比此人如寒鴉以比鸞鳳耳玄德曰願聞大賢姓名庶曰此人乃瑯琊郡人也漢司隸校尉諸葛豐之後父名珪字子貢為泰山郡丞早喪其父與弟諸均躬耕於南陽嘗好為梁父吟所居之地有一崗名

被叱而退

庶見之曰臥龍岡故自號臥龍先生此人乃當世之大賢也使君急宜往謁見之如此人肯相輔佐何慮天下不定乎玄德曰昔備在水鏡莊上有云伏龍鳳雛兩人得一人可安天下備再問之但言好好而已莫非伏龍鳳雛乎庶曰鳳雛襄陽龐統是也伏龍正是諸葛孔明玄德踴躍大笑曰今日方信伏龍鳳雛之語不期大賢只在目前不得先生一言備有眼如盲也徐庶臨行孔明再別玄德上馬而去玄德聞徐庶之語如醉方醒始悟司馬德操之語引衆回新野便欲甲禮厚幣引關張前去南陽請孔明先說徐庶上馬想劉玄德留戀之情恐孔明不去遂乘馬直至臥龍崗下馬入莊來見孔明孔明問庶曰元直此來必有其故庶曰庶近日事劉玄德爲因老母被曹操所囚馳書來召只得舍而往之曾將孔明薦與玄德望早晚必往見之當展平生之大才不負淑首之所學也孔明聞之作色言曰爾以我爲享祀之犧牲乎拂袖而入所言享祀犧牲者乃知社之牛常以草料喂養不以役使臨明殺之比言徐庶何相輕也庶乃滿面羞慚不辭而退上馬趲程而赴許昌未知後來劉備三顧茅廬求請孔明還是如何

新刻湯先生校正古本按鑑演義通俗三國志傳卷之七

玄德三顧諸葛亮

却說徐庶辭別玄德趲程回許昌操知庶到遂令荀彧等出迎庶入見禮畢操曰公乃高明之士何故屈身於劉備庶曰某幼逃難江湖偶至新野與備相會老母幸蒙慈念不勝愧感操曰令堂在此汝可晨昏孝養人子之道庶拜謝而出急去見母徐母見庶拜於堂下驚問曰汝緣何至此庶答曰近於新野偶得母書星夜至此母怒曰辱子飄蕩江湖近二十年我謂汝隨群儒學業日有進益何期反不如初汝自幼讀書忠孝之道不能兩全汝豈不知操乃欺君之賊劉玄德仁義布於四方吾謂汝事之得其主矣今因一紙偽書棄明投暗自取惡名真匹夫也吾何面目與汝相見焉得徐庶不敢仰視徐母轉入屏風後少時人報曰老夫人自縊死於梁間徐庶荒入救時其氣已絕史官有詩贊曰

賢哉徐母　德被中國　守節無虧　於家有補　教子多方　處身甘苦　氣若丘山　義衡肺腑　贊美豫州　毀凌魏武　不畏鼎鑊

不懼刀斧　惟恐後嗣　死得無所　賢哉賢哉　名留萬古

徐庶哭死復甦曹操使人破木為棺[illegible]拜祭厚葬於城南徐庶居喪操[illegible]陽之操商議南征荀彧[illegible]未可動兵且待春暖可往冀州作一池名曰玄武池於內教[illegible]大進操從之却說劉玄德安排聘禮特往隆中謁諸葛亮忽人報有一先生峩冠博帶道貌非俗來探玄德曰此必是孔明遂整衣冠出迎視之乃司馬德操也玄德大喜請入堂內曰備自別仙顔有失拜訪幸蒙光降大慰平生徽曰近聞徐元直在使君處故欲一會玄德曰近聞操因徐母徐母遣人持書喚回許昌去矣徽曰吾聞徐母大賢要肯持書喚子此必操之計也元直不去其母尚存今去其母必死玄德驚問其故徽曰其母貞烈必羞見其子也玄德問曰元直累薦諸葛亮其人若何徽曰其人瑯琊人也與博陵崔州平潁川石廣元汝南孟公威并徐元直為友此四人常一處學業務談論閒孔明只笑而不答此可見其人之智自負每抱膝長吟指四人曰汝等仕進可至刺史郡守今居隆中號為[illegible]吟每自比管仲樂

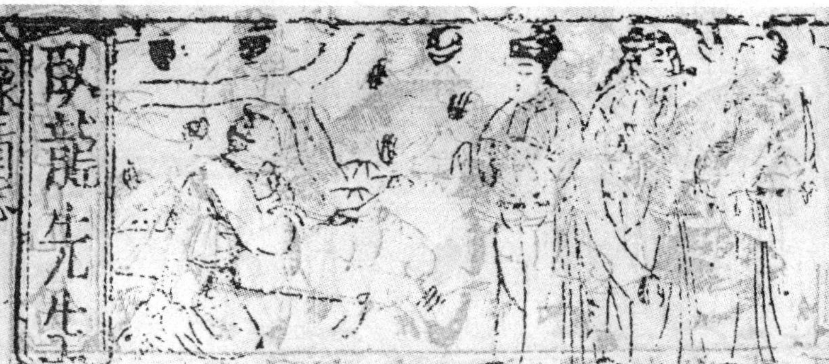

奇才不可量而時有關公在側曰聞管仲曾一匡天下九合諸侯樂毅下齊七十餘城二人皆濟世之名士也明公不必太過徽曰以吾觀之尺可比興周姜子牙開漢張子房也衆皆驚徽謂辭便行玄德堅留不住徽乃仰天笑曰臥龍雖得其主不得其時言訖飄飄而去玄德歎曰真隱居賢士也玄德次日與關張帶從人數十徑往隆中遙見山畔數人耕於田間而作歌曰

蒼天如圓蓋　陸地如棊局　世人黑白分　往來爭榮辱

榮者自安安　辱者自碌碌　南陽有隱居　高眠臥不足

玄德聞歌勒馬問曰此詞何人所作田夫曰乃臥龍先生之所作也玄德問先生在何處田夫指曰西南高岡名臥龍岡林內茅廬者諸葛先生居也玄德遙望臥龍岡景然幽異常後人有讚臥龍詩曰

襄陽城西二十里　一帶高岡枕流水

高岡屈曲壓雲根　流水潺湲飛石髓

勢若困龍石上蟠　形如單鳳松陰裡

柴門半掩閉茅廬　中有高人睡不起

修竹交加列翠屏　四時籬落野花香

床頭堆積皆黃卷

玄德見孔明

徐來座上無凡座　起户蒼猿時獻菓　守門老鶴聽經
囊裡名書藏古錦　壁懸寶劍掛七星　先生廬中獨幽雅
閑來親自勸田稼　專待春雷驚夢回　一聲長笑安天下

玄德來到庄前親扣柴扉童子出問玄德曰新野劉備來訪先生童子曰今早少出不知何處去玄德曰幾時歸童子曰或三五日或十來日玄德怏怏不已關公曰不如歸回却又使人探知[illegible]來未晚玄德囑付童子曰如先生回可言劉備專拜遂上馬回[illegible]野去徐行數里見一人眉秀目秀手姿英偉戴逍遙巾着[illegible]杖藜從山僻小路出來玄德曰此必卧龍先生也忙下馬[illegible]禮曰先生莫非卧龍乎其人曰將軍是誰玄德曰豫州牧[illegible]也其人曰吾乃孔明之友崔州平也玄德曰久聞大名[illegible]坐少請教益二人對坐於地上關張侍立於傍州平曰將軍欲[illegible]孔明何爲玄德曰方今天下大亂欲見孔明求安邦定國之策州平曰公以定亂爲主但恐未明治亂之道也[illegible]

[illegible]

玄德遇州平論治亂

起義兵除秦之亂而入於治至哀平之世二百年太平日久王
莽篡弑又治而入亂光武中興於東都重整漢天下又亂而入
治也光武至今又二百年民安已久故起干戈此乃又治而入亂
也方今禍亂之始未可求定豈不聞天道不足而化爲術術不
足而化爲德德之不足而化爲仁仁之不足而化爲儉儉之不足
而化爲仁義仁義不足而化爲三皇三皇不足而化爲五帝五帝
不足而化爲三王三王不足而化爲五霸五霸不足而化爲四
四夷不足而化爲七雄七雄不足而化爲楚漢楚漢不足而化爲
新室新室不足而化爲黃巾黃巾不足故生曹操孫權與將軍
鼎立相侵奪殺害群生此天理也亦常理也將軍欲見孔明而
斡扶天地經緯乾坤恐不易也玄德謝曰適聞所論頗教多矣
先生同到敝縣若何州平曰山野慵人無意於功名久矣容他日
再見言訖而去關公曰州平之言若何玄德曰隱者之言也其
固然耳爭奈吾乃漢代宗親況得諸公竭力相輔安得不持亂
危坐視傾亡而不救哉關公曰兄意正似屈原屈原雖知懷王

玄德冒雪

訪孔明

明先應身力盡爲宗族之故也玄德曰雲長知我心也遂回新野值隆冬玄德使人去探孔明在否使人回報孔明先生已在庄上玄德便交備馬張飛曰量一村夫使人喚來便了玄德叱之曰汝不聞孟子云欲見賢人以旌不至將殺之見賢不以其道猶欲其入而自閉其門也孔明大賢豈可召乎遂上馬往謁未知見否

劉玄德風雪訪孔明

時建安十二年冬天色嚴寒玄德與關張前赴隆中行至數里天大雪紛紛張飛曰寒天臘月尚不用兵豈宜訪此無益之人且回以避風雪玄德曰吾欲孔明見吾誠意兄弟怕冷先回飛曰死猶不怕何怕冷乎玄德曰汝勿多言相隨共行將近茅舍忽見路傍酒店中一人作歌玄德勒馬聽之歌曰

壯士功名尚未成　嗚呼久不遇陽春　君不見
東海老龍波瀾轉　石橋壯士誰能伸　廣施三百六十釣
風雅遂與文王親　八百諸侯不期會　老龍負舟涉孟津
牧野一戰血漂杵　歌朝誅紂君　又不見

玄德進問

高祖奮跡起草中　長揖鳳顏隆準公　高談大論驚人耳
身雲躍足如超遼　人聞馳騁英雄舞　指麾楚將如鸞[illegible]
又有一人擊桌而歌曰
高皇提劍驅寰海　一定殘基四百載　桓靈未久火德衰
奸臣賊子調鼎鼐　青蛇飛下御座傍　又有妖虹降玉堂
盜賊四方如蟻聚　奸雄六合皆鷹揚　吾儕大笑皆拍手
悶來村店飲村酒　獨善其身儘日閑　何須萬古名不朽

二人歌罷撫掌大笑玄德曰此必是臥龍先生遂下馬入店見二人對坐飲酒上首者白面長鬚下首者奇形古貌玄德曰二公誰者是臥龍先生也白面者曰將軍尋臥龍何幹玄德曰劉備乃漢左將軍豫州牧也見居新野欲求先生問濟世安民之術白面者曰吾乃潁州石廣元此乃汝南孟公威皆臥龍之友也玄德喜曰備隨行有馬乃敢屈二公同往臥龍莊上共話石廣元曰吾等皆山野之徒不省國家之事君請上馬可見臥龍玄德辭二隱士上臥龍岡來到莊門外扣門童子出玄德問曰先生在莊否童子曰

劉玄德拜[illegible]

[illegible]上觀書玄德隨童子入見堂上一人擁爐抱膝而歌曰
鳳翱於萬里兮無竹不棲士伏於一方兮非主不依自耕於隴
畝兮以待天時聊寄傲於琴書兮得意吟詩逢明君於一盻兮
更有何疑展經綸於天下兮開創王基救生靈於塗炭兮到處
平夷立功名於金石兮拂袖而歸
玄德上草堂施禮曰劉備久慕先生無緣拜會昨因徐元直指引
逕到仙庄不遇空回今特冒雪而來得拜尊顏實爲萬幸那少年
慌忙答禮曰將軍莫非劉豫州欲見家兄否玄德驚訝曰先生又
非孔明耶其人曰卧龍乃二家兄也一母所生三人大家兄諸葛
瑾見在江東孫仲謀處爲幕賓二家兄諸葛亮與某躬耕於此某
乃諸葛均也玄德曰卧龍先生今往何處均曰是博陵崔州平相
邀閑遊不在庄上已二日矣玄德曰於何處閑遊均曰或駕小舟
上或訪僧山中或尋朋友於山僻或樂琴書於洞天往來莫測不
[illegible]玄德曰劉備緣分如此淺薄二次不遇大賢玄德又問曰
[illegible]日看兵書可得聞乎均曰不知張飛怒曰

德具 書達孔明

雪戲耍不如一向玄德叱曰汝豈不知春秋乎均曰家兄不在家
敢久留車騎均曰却來回禮玄德曰倘蒙先生鶴駕來臨數日之
後備當又至願借紙筆留書上達以表劉備慇懃之意乃具紙筆
於几案上玄德呵開凍筆具書曰
漢左將軍宜城亭侯領豫州牧劉備拜書歲經兩番相謁仙庄
不遇空回怏怏不已切念備漢朝苗裔忝居皇叔濫當郡之
職伏覩朝廷離亂紀綱崩摧羣雄亂國惡黨欺君備心日夜每
悅仰聞先生仁慈忠義有呂望之才子房之略備敬如神明欲
求一見而不可得容他日齋沐特拜謹此上聞
玄德寫罷遞與諸葛均均送出庄門玄德致慇懃之意均入庄玄
德上馬忽見童子搖手於籬內叫曰先生來也玄德視之見一人
暖帽遮頭狐裘被體騎一蹇驢後有青衣童子背一壺酒踏雪而
來轉過小橋口頌梁父吟一首曰　萬里彤雲厚
長空雪亂飄　改盡山川舊　仰面觀太虛　想是玉龍鬪
紛紛鱗甲飛　頃刻遍宇宙　白髮老衰翁　盛感皇天祐

玄德曰此必是臥龍先生也滚鞍下馬向前施禮曰先生冒寒不易已劉備等候多時那人慌忙下驢進前作揖諸葛均在後曰此乃家兄之岳翁名黄承彥玄德曰適聞所誦之詩極有高妙何人所作承彥曰老夫曾見女夫所作梁父吟記得這一篇却才至橋偶見籬落間梅花感而誦之玄德曰曾見令婿否承彥曰老夫逕來看女婿也（黄承彥乃沔南名士謂諸葛孔明曰聞君擇婦身有醜女黄頭黑色而才堪相配孔明許之時人以為笑樂鄉里為之諺曰莫作孔明擇婦止得黄承彥醜女）玄德辭別黄承彥上馬入到新野正值風雪滿天回望臥龍岡悒怏不已玄德齋戒三日沐浴更衣復往臥龍岡去請孔明關張二將聞之不悅畢竟若何

定三分亮出茅廬

關張諫曰兄長兩次親往茅廬相謁其禮過矣想此人外有虚名而無實學故託辭不見豈不聞古人云以貴下賤無不得以眾下寡無不克兄何惑於斯人之甚也玄德曰不然汝讀春秋豈不聞齊桓公見東郭野人之事桓公乃諸侯也欲見人而尤五返方得一面何况吾欲見諸葛大賢耶

三顧臥龍岡

日三代而下[illegible]矣[illegible]公曰士之微賤者[illegible]者[illegible]輕[illegible]從天子[illegible]節[illegible]者[illegible]

雲長曰兄如此敬賢如文王謁太公也張飛曰哥哥差矣量兄弟
三人縱橫天下論武藝誰奈我何敢將這村夫以為大賢將之甚
也今番不須哥哥去小弟替哥哥去請如不來一條麻索縛將來
玄德叱曰亂道文王為西伯之長諸渭濱謁姜子牙子牙不顧
文王侍立於後日斜不遇子牙却才與之交談乃問[illegible]成周
天下須不曾如此無禮今番休去我自與雲長走一遭玄德曰既
然哥哥要去兄弟合當後隨玄德曰汝若同去不可失禮張飛應
諾於是引數十人往隆中來比及至庄離半里餘下馬步行正遇
諸葛均玄德施禮曰今兄先生在庄上否均曰昨暮方回將軍可
與相見長揖一聲自撥山路而去玄德曰今番能勾見先生也張
飛曰這人無禮便引哥哥去也不妨玄德曰各自有事汝豈知也
來至庄前敲門童子開門而出玄德曰有勞仙童轉報劉備特來
拜見童子曰師父雖然在家草堂上晝寢未醒玄德教且休報分
付關張二人只在門首等着玄德徐步而入縱目觀之見孔明仰

臥於草堂竹榻之上玄德兀然侍立張飛大怒謂雲長曰這先生如此傲人俺哥哥侍立在堦下那廝高臥不起我去莊後放把火看他起也不起雲長急止住飛怒氣不息却說玄德望堂上見先生將欲起來又朝裏壁睡着童子與玄德曰且不可驚覺又立一箇時辰忽見先生覺來口念詩句曰

大夢誰先覺　平生我自知　草堂春睡足　窓外日遲遲

翻身問童子曰不曾有客來否童子曰劉皇叔在此多時孔明起身曰何不早報孔明整衣冠出迎玄德見其人身長八尺面如冠玉帶綸巾披鶴氅眉聚江山之秀胸藏天地之機飄飄然當世之神仙也玄德下拜曰漢室末胄涿郡愚夫聞先生大名如雷灌耳昨當兩造仙莊已留賤名未審覽否亮答禮曰南陽田夫觸事疎賴累蒙將軍光臨不勝愧赧見將軍有愛民憂國之心但恨亮年幼才疎不堪治政有悞下問玄德曰司馬德操之言徐元直之語豈虛謬哉望先生不棄鄙賤曲賜見教孔明曰元直世之高士亮乃一耕夫耳安敢談天下之事二公謬舉矣將軍捨美玉求頑石

石此乃萬人之德曰大古聖賢學成文武之業當立身行道揚名於後世以顯父母此謂孝矣救民於水火之中致君於堯舜之上可謂仁矣備思由得賜教實爲萬幸孔明笑曰將軍既然欲聞愚論盡嘗剖心腹陳其志玄德乃屏去左右起席謝曰漢室傾頹奸臣竊命主上蒙塵孤不度德量力欲伸大義於天下而智術短淺遂用猖獗至於今日志猶未已請問計將安出孔明答曰自董卓以來豪傑並起跨州連郡者不可勝數曹操比於袁紹則名微而衆寡然操能克紹以弱爲強非爲天時亦人謀也今操已擁百萬之衆挾天子而令諸侯此誠不可與爭鋒孫權據有江東已歷三世國險而民富賢能爲之用此可以爲援亦不可圖也荊州北據漢江南盡南海東連吳會西通巴蜀此用武之國而其主不能守此殆天所以資將軍將軍豈有意乎益州沃野險塞千里之國富祖因之以成帝業劉璋闇弱張魯在北民殷國富而不知存恤智能之士思得明君將軍乃帝室之胄信義著於四海攬召英雄思賢如渴若跨有荊益保其險阻外結孫權內修政治天下有變則

命一上將將荊州之軍以向宛洛將軍身率益州之衆以出秦川百姓各簞食壺漿以迎將軍也誠如是則霸業可成漢室可興矣孔明言罷交童子將畫一軸掛於正堂中指而言曰此乃五十四州之圖也西蜀沃野千里地富民肥將軍欲成霸業北讓曹操占天時東讓孫權占得地利將軍可占人和先取荊州爲家後取西川建國以成鼎足之勢然後可圖中原也玄德聞其言避席拱手而謝之曰先生之言雖在茅廬使備撥雲以覩青天但恨荊州劉表益州劉璋此二人皆漢室宗親備不忍奪也孔明曰亮嘗觀星宿劉表不久在人世矣劉璋非立業之人後必歸將軍矣玄德聞言頓首拜謝有詩曰

堪笑南陽美丈夫　願將籌策佐匡扶
片時妙論三分定　一席高談自古無
先取荊州安帝業　後吞巴蜀建皇都
要知鼎足爲形勢　預向茅廬指畫圖

玄德曰備雖名微德薄願先生同往新野興仁義之師共救天下百姓孔明曰亮久樂耕鋤不能奉命玄德泣曰如先生不宜匡救天下休矣言罷淚沾襟袖孔明曰將軍不棄願效犬馬之力

與孔

玄德與關張拜謝獻上幣帛禮物孔明堅辭不受玄德曰此非聘
大賢之禮但表劉備寸心孔明方受劉備等在莊中共宿一宵次
日收拾同出茅廬胡曾先生有詩曰　世間[illegible]茅廬
孔明方此樂耕鋤　[illegible]三顧　思得先生出[illegible]
次日諸葛均回孔明囑付曰吾受劉皇叔三顧之恩不容不出茅
廬汝可躬耕於此以樂天真勿得[illegible]待吾[illegible]成名
遂之日即當隱居於此以樂天平[illegible]玄德與孔明一[illegible]載歸
新野食則同几臥則同榻終日議論天下之事孔明曰曹操於冀
州作玄武池以教水軍必有下江南之意可密令人渡江探聽虛
實[illegible]玄德隨即使人渡江探聽未知如何

孫權跨江破黃祖

建安十三年曹操表孫權為討虜將軍權承父兄基業廣納賢良開
設賓館於吳會令張紘接待諸賓連年以來你我相薦近得彭城
嚴畯字曼才　會稽山陰人闞澤字德潤　沛郡竹邑人薛綜字敬文　汝南南
頓人程秉字德樞　吳郡人朱桓字休穆　吳郡人陸績字公紀　吳郡人張溫

事 會稽義陽人駱統字公緒襄陽人龐統字士元道號鳳雛先生此數人都是江東名士孫權皆禮敬之得武將數人富陽人呂蒙字子明吳郡人陸遜字伯言瑯琊莒人徐盛字文嚮東郡人潘璋字文珪廬江安豐人丁奉字承淵文武數十人相扶建安七年曹操破袁紹差使命往江東令孫權入朝隨質權猶豫不決引周瑜等往吳夫人前議之張昭曰遣赴許昌是操鎖諸侯之法也若留其質一聽所使如不去恐曹操興兵下江東勢必危矣周瑜曰非也昔楚國初分封疆不滿百里既用賢能廣土開境遂據荊州至於南海爵祚發百餘年今將軍承父兄餘資兼六郡地衆糧多將士用命况境內富饒有何逼迫而欲送下質子人送質之後不得不與操相首尾若操命召不得不往極爵不過一侯隨從十餘人車數乘馬數匹豈得南面稱孤哉不如勿赴徐觀其變若曹氏率義兵以正天下將軍事之未晚若為暴亂彼自若不暇焉能害人吳夫人曰公瑾之言是也公瑾與伯符同年大一月耳我視之如子汝其兄事之勿遣子質矣既遷于江南之處正值在北方討賊不暇建安八年十

一月權領[illegible]西伐黃祖戰於大江[illegible]祖大敗[illegible]
凌操輕舟[illegible]入夏口被甘寧一箭射死凌[illegible]
十五歲忽力救父尸而還權見凌統[illegible]收軍[illegible]孫
權[illegible]孫[illegible]大守[illegible]後參謀左右[illegible]二人
[illegible]山賊[illegible]人
[illegible]嬀覽戴員會集[illegible]之嬀
[illegible]吉凶[illegible]今日不可會
[illegible]帶刀[illegible]門[illegible]
[illegible]引軍拿住邊洪明正其罪於[illegible]市二
[illegible]徐氏美貌[illegible]入曰吾與
[illegible]徐氏曰[illegible]未[illegible]日
[illegible]徐氏[illegible]
[illegible]先夫在日[illegible]面
[illegible]

[illegible]當立微計以圖二賊望二將重憶先夫之面時賜哀言語

孫高傅嬰聞之大哭曰吾等平日感府君之恩所以不即死難者

思[illegible]報[illegible]也今見夫人今日之事願效死以報府君耳徐氏乃令孫傅二

將引心腹二十個共成其事孫高二將先使人告知孫權至晦日

孫傅二將伏於幃幙之中徐氏於堂上設祭旣畢乃

除去孝服沐浴薰香濃妝艷飾言笑自若仇覽使人觀之甚喜徐氏

今夜請覽入府堂中飲酒飲旣醉徐氏邀入密室覽乘醉而入徐氏大呼曰孫

傅二將何在二人持刀躍出覽措手不及被砍死於地徐氏即請戴

員赴宴員入府二將擒而殺之徐氏遂穿孝服將[illegible]首級

祭于[illegible]至吳主孫權領兵星夜至丹陽見徐氏將仇已報

二人首級亦斬了不留一個權封孫高傅嬰為大將令守丹陽取

翊妻徐氏歸家養贍江東之人無問老少皆稱徐氏之德後來史

官有詩讚曰　　義節俱全守此身

報仇斬賊計相親　三分多少英雄將　不及東吳一婦人

東吳多虎山皆平伏大江之中戰船七千餘[illegible]

孫權後事

人囑咐賢領江東水陸軍馬建安十二年冬吳夫人病危權入問安夫人[illegible]
人交請張昭周瑜二人至夫人曰我本吳人也幼亡父母[illegible]
[illegible]徙居越中嫁與孫堅生此四子長子孫策將[illegible]
孫權時又夢日入懷日月非常人貴也不幸[illegible]東
基業托付孫權望子布公瑾早晚教訓吾兒[illegible]之
不可不依[illegible]身此[illegible]全之計又囑孫權曰汝[illegible]為
師父之道切不可怠慢吾妹在堂可[illegible]敬汝妹亦[illegible]以擇
佳婿嫁之不可不聽吾言九泉之下不相見矣言訖遂終[illegible]具棺
槨衣衾之美哭泣盡哀葬於父孫堅之高陵張昭周瑜[illegible]依
[illegible]權[illegible]廣德長[illegible]呂蒙入見權曰子明至必有[illegible]蒙曰某
守龍[illegible]日忽見江夏一船傍岸[illegible]黃祖手下驍將甘寧某詢之
寧曰吾本江西臨江人也字興霸頗通諸子少年相聚[illegible]
常帶鈴縱橫於江湖之間人聞鈴聲盡皆避之今聚壯士七百餘人
作伴往來江中劫掠下任官吏也以西川錦作帆幔左右皆披錦
綉時人皆呼錦帆賊所到之處無不接待如不接待即便殺人故

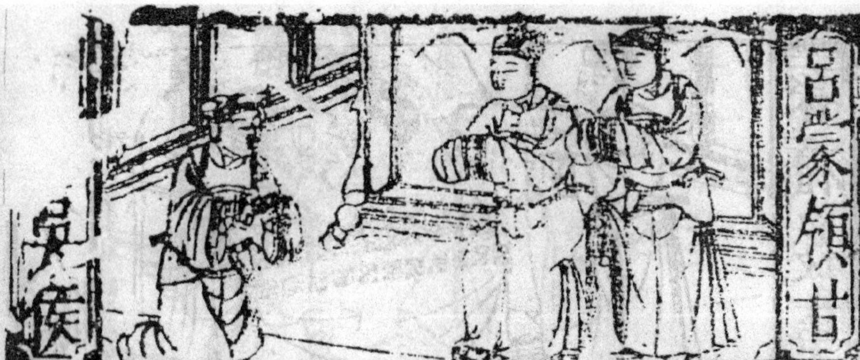

火如鉅交歡再言不相害復悔自新引衆人去投劉表他見表終[illegible]無成遂欲[illegible]投東吳黃祖在夏口不得過乃留依祖祖待之甚薄將軍襲祖時祖已大敗非得甘寧之力救得祖到江夏黃祖只[illegible]用他人今有都督蘇飛要薦甘寧黃祖曰如江之賊不可重用寧遂恨之蘇飛乃置酒邀寧曰吾薦公數次奈主將不能用人生[illegible]何宜自去圖良遇知己寧答曰雖有此志未得其由飛曰吾保汝爲鄂縣長就而時婉轉甘寧因此得過江東欲投將軍誠恐[illegible]前不[illegible]呂蒙曰吾將軍求士如渴安[illegible]仇遂折箭爲誓以保之寧遂帶數[illegible]人過江[illegible]見蒙蒙引至公館鑒孫權大喜曰吾得興霸破[illegible]矣遂令呂蒙引甘寧入見參拜已畢權曰吾得興霸大稱吾心[illegible]有記恨之[illegible]寧[illegible]顧定破黃祖之策寧曰今漢祚日[illegible]將爲篡盜南荊之地山陵形便江川流通誠是國之西勢[illegible]劉表慮計不遠兒子又劣非能承傳基業者當早圖之不可遲於曹操圖之計宜先取黃祖祖今老邁昏愚已[illegible]付[illegible]左右貪[illegible]忿怨[illegible]戰具[illegible]不修今往相攻之可必破矣[illegible]

于船中

論也交周瑜領兵安排船隻戰攻黃祖張昭曰不可恐吳國空虛必致亂甘寧應聲曰居危而憂亂何異于古人乎孫權舉酒勸甘寧曰但興霸當盡力若克祖兵則興霸之功何疑張長史之言乎遂命周瑜為大都督總將水陸軍兵呂蒙為前部先鋒董襲甘寧為副將權自引兵為後隊起兵十萬來拔黃祖細作飛報黃祖慌聚衆商議令蘇飛為主將陳就鄧龍為先鋒盡起江夏之兵以迎之陳就鄧龍各引一大隊橫截江口其餘小船皆屯內港艨艟上各設強弓硬弩千餘張並大索繫定水面東吳兵至蘇飛曰小船鳴鼓先進艨艟上鼓響弓弩齊發軍不能進甘寧與董襲曰事已至此不容不進選小船一百隻每船軍士五十人二十人撐船三十人各披衣甲手執硬刀甘寧董襲各持刀冒矢不避矢石直至艨艟傍邊砍斷大索艨艟縱橫甘寧董襲飛上艨艟砍死鄧龍陳就棄船而走呂蒙跳下小船自舉櫓棹直入船隊甘寧三將放火燒船陳就敗而走陳能急待上岸呂蒙不捨趕到跟前一刀砍翻蘇飛引軍來迎東吳諸將皆要爭功一齊掩殺勢不敵

甘興八霸獻

當祖軍大敗，蘇飛敗走，正遇東吳大將潘璋走馬來到，手腕砍[illegible]
挾蘇飛於馬下，到船中來見孫權。權睜目視之曰：汝等害吾父兄
之賊，就剮尤輕。呼左右做檻車囚之，待捉黃祖一齊回江東發去
祭享。便提三軍不分星夜攻打夏口，活捉黃祖，方始回兵。

諸葛亮遺計救劉琦

時建安十二年春三月，東吳諸將見甘寧功成，各自討捷神威[illegible]
投黃祖。卻說黃祖見江中船隻盡陷，諸將皆休，情知守把不住，棄
了江夏，前望荊州而走，不敢帶多人馬，只有百十騎出東門，只顧
且走。甘寧料道黃祖走荊州，諸將在西門攔截，獨寧離東門十里
車等候。祖正走之間，料得脫了虎口，一聲喊起，甘寧攔路。祖在[illegible]曰
我嘗不曾輕視汝，汝何不肯寧此之？曰：吾從汝數年，多為[illegible]汝
以常人相待，我今容汝哉。黃祖回馬便走，甘寧衝開士卒，直趕將
來，指望活捉黃祖獻功。只聽得路傍喊起，一騎出迎，寧視之，乃程
普也。寧恐普奪了功，慌忙拈弓搭箭，背射黃祖墜馬，趕至身首級
與程普合兵一處，同入江西，來見孫權，獻上黃祖首級。權擲地[illegible]

恨而將之數，將回東吳，祭賽[illegible]命以[illegible]，重賞三軍。張昭曰：孤城不可守也，且回東吳。劉表必來與祖報仇，坐而待之，可以[illegible]敵。表敗，乘勢攻之，荊州得矣。權從其言，遂棄江夏，引軍而回。蘇飛在檻車內，密使人[illegible]甘寧[illegible]將[illegible]白[illegible]。飛若不言，吾豈忘之？[illegible]至吳會，將蘇飛[illegible]梟首[illegible]。往府下叩頭，伏權階下[illegible]。安得效命於將軍麾下哉？今飛之[illegible]。寧之[illegible]以贖飛[illegible]，何[illegible]白[illegible]：飛[illegible]權[illegible]。[illegible]大會文武[illegible]。於[illegible]殺於[illegible]代死。權乃赦之[illegible]。[illegible]今後[illegible]老賊，乃卿先[illegible]之功[illegible]首[illegible]。[illegible]忽見凌統拔劍在手，[illegible]於[illegible]。[illegible]之權[illegible]起身[illegible]。[illegible]勸凌統曰：甘興霸射死卿父，此時各為其主，不容不盡力耳。今日既在一處，便是弟兄，何必記懷舊[illegible]。[illegible]統[illegible]自幼[illegible]父[illegible]恨不[illegible]肝腦塗地以報[illegible]。

[illegible]文今調遣文聘安得不報權與吳官力勸統欲與曹決勝敗權[illegible]都督[illegible]就[illegible]撥五千軍一百隻戰船使甘寧領兵鎮守夏口臨身謝而去東吳自此廣造軍器戰船分兵連路把守江岸家權自引大軍守柴桑郡令江堤周瑜舞陽湖教習水軍以防江北話分兩頭卻說探細人回新野報知劉玄德東吳又新破黃祖將頭祭墓見今屯兵柴桑其餘宗親分守江夏各處隘口未見發江之意玄德正與孔明談話忽報劉表使人來請玄德議事玄德問孔明此行若何孔明曰此是江東新破黃祖故請主公商議必有報仇之策亮與主公同行玄德留關公守新野帶張飛引五百人馬往荊州來玄德與孔明曰今見景升當以何對亮曰先當謝襄陽之罪若令主公征江東切不可允但云容去新野收拾軍馬玄德並聽孔明之言來到荊州留張飛屯兵城外玄德與孔明來見劉表禮畢玄德請罪於階下表曰吾已盡知賢弟被害之事欲斬蔡瑁梟首以勸賢弟玄德曰非蔡將軍之事皆以下人所為劉表曰今江夏失守黃祖喪師今吾請賢弟共議玄德曰[illegible]

羞不能用人以致有失今若欲興兵征曹操北來當復奈何表曰吾今年老多病不能理事賢弟可來輔吾吾死之後弟便爲荆州之主玄德曰兄安敢當此重任兄勿復言孔明目視玄德玄德曰容思良策以保荆州遂辭而去到館驛中孔明曰景升以荆州付主公何却之玄德曰備感景升之恩未嘗答報安忍乘其危而奪之孔明歎曰真仁慈之主也正商議間忽報公子劉琦入見玄德哭拜於地曰繼母不能相容只在旦夕望叔父憐而救之玄德曰此是賢姪家事吾亦無奈玄德求計於孔明孔明曰此家務事難以與聞少時玄德送劉琦出耳語說知來日吾使孔明回拜汝可告知如不言如此如此琦謝而去玄德至五更推腹痛未起孔明去回拜劉琦接入見禮畢請入後堂茶罷琦告曰繼母之不容乞先生一言活命孔明惜恐有漏泄不便欲辭去琦曰先生不言則止何故相棄請入密室共飲數盃琦曰琦有一古書願先生教之孔明曰書在何處琦引孔明登後閣孔明求書觀之琦乃言曰繼母不容請先生一言活命孔明怒便起身見閣口胡梯已去

告曰累求自安之策先生恐他人漏泄今日上不至天下不至地出君之口入琦之耳可以教矣孔明曰疎不可間親新不可破舊欲得之孔明遂言今夜當思之琦曰繼母又不容先生又不教是絕路也願死於君前掣佩劒自刎孔明急止曰已有良策了豈不知春秋時晉獻公先妻生二子長曰申生次曰重耳妻死後愛驪姬姬亦生一子姬常譖於公欲害申生重耳二人忽一日姬請言申生曰昨夢汝母求祭命申生往祭之祭罷申生使人送祭物於公姬將毒藥置其中以供獻公姬來曰物自外來不可便食令喂犬犬果死獻公大怒賜朝典命太子死重耳懼逃竄外邦一十九年方免其難後爲晉文公申生在內而亡重耳在外而安公子何不效重耳乎江夏黃祖新亡缺人守禦何不上言乞屯軍此郡而避其禍耳琦再拜請教之言詩曰

荊州兄弟苦相猜

諸葛一緘口不開

已使片言能救命

至今尤有王樓臺

劉琦取梯送孔明歸館驛以告玄德玄德大喜次日劉琦上言欲守江夏表來請玄德共議玄德曰江夏乃一郡非親人不可守使

兵伐劉備

孫去守許昌之西之事父子掌之[illegible]此之事備領幾兵曰[illegible]
曹操於鄴郡作玄武池以教水軍必有南征之意宜令[illegible]
曰吾已知勿復多慮遂拜許劭而新野今劉備領軍三萬往江夏之緣
守都說曹操廿罷三公之職自爲丞相以毛玠爲東曹掾
崔琰爲西曹掾司馬懿爲主簿[illegible]
[illegible]
議南征夏侯惇進曰劉備在新野每日教練
軍士必爲後患可早圖之操便令夏侯惇爲都督于禁李典爲副
將領兵十萬直到樊城要擒劉備此行若何
諸葛亮博望燒屯
時建安十三年夏六月夏侯惇欲領兵南征荀彧曰劉備在新野
諸葛亮輔翼將軍出去不可輕敵惇曰吾視劉備如鼠耳到彼必
擒之徐庶曰將軍不可輕視劉備今又得孔明如虎傅翅操問曰
孔明何人也庶曰他覆姓諸葛名亮字孔明號臥龍先生上通天
文下曉地理敷韜畧有鬼神不測之機非等閑之輩操曰比

者何庶曰某乃螢火他如皓月庶安能比於諸葛哉此乃勸[illegible]
侯吉叱曰元直之言謬矣吾看諸葛如同草芥何足懼之此番若
不生擒劉備活捉孔明願納首級操曰軍中無戲言惇曰願立軍
令狀操乃收其狀惇以辭别心之望惇忿怒領軍登程却說劉備
自得孔明待之如父雲長翼德不悅曰孔明年幼有甚學識兄敬
之太過又未見他真實玄德曰吾得孔明猶魚之得水也願諸君
勿復多言關張見說不語而退忽一日孔明謂玄德曰明公度劉
州只與劉琮何如玄德曰不及也孔明又曰公自度比曹操若何玄
德曰誠不如也孔明曰既皆不及明公之衆不過數人以此待敵
操兵一至以何迎之玄德曰備深慮也未得其計孔明曰可召民
以充其數亮自教之可待敵也於是招募新野之民得三千餘人
孔明每日教以陣法進退有節忽探馬報曹操差夏侯惇引兵十萬殺
奔新野而來玄德請關張商議軍機玄德曰夏侯惇引兵十萬殺
奔而來如何迎敵雲長與翼德默然不答飛曰哥哥自去便了玄德曰智
憑孔明勇仗二弟何須[illegible]張[illegible]玄德請孔明商議孔明曰今

夏侯惇引十萬之兵何以迎之孔明曰但恐二爺不肯聽令主公若要亮行兵願借劍印玄德只得付之孔明聚集諸將聽令張飛曰臨了令出卻作理會孔明曰博望城離此九十里左有山名曰豫山右有林名安林可以埋伏軍馬雲長可引一千五百軍去豫山埋伏等彼山谷埋伏只看南面火起便可出擊城糧草處盡縱火燒之關平劉封各引五百軍預備引火之物於博望坡後兩邊樹林等動更兵到便可放火已去與城取子龍回令為前部只要輸不要贏回兵馬遲遲退後主公自引一枝軍為中救援聽計而行勿使有失張飛問孔明曰我等皆百里之外埋伏你在何處孔明曰吾只自守縣張飛大笑曰真箇其智也我們都去廝殺你便坐家安然吾不去吾不去孔明曰劍印在此逆令必斬玄德曰豈不聞運籌帷幄之中決勝千里之外兄弟不可逆令張飛冷笑而出與雲長曰我二人且去看他計不應那時卻來問他未遲二人去了眾軍未知孔明本事皆不實伏子龍引軍到孔明傳計子龍聽得去了玄德問曰備若何孔明曰今日引軍去博望坡山下屯住來日黃昏

子龍詐敗

黃昏必到坡下主公便拂走路看火起為號主公便引軍回掩殺
天明罷兵亮與糜竺糜芳引五百軍保縣孫乾簡雍伊籍準備慶喜筵席安
排上功簿發放已定玄德亦疑惑說夏侯惇于禁李典與兵到博
望揀選一半精兵作前隊餘在後隨糧草車行是日秋七月間商
風徐起人馬趲行夏侯惇在前軍望見塵頭起便將人馬擺開問
鄉道官這是那里鄉導官回答前面是博望坡後面是羅口川惇傳
令敎于禁李典押後親自與同宗夏侯蘭護軍韓浩在前兩勢擺
開敵軍到處夏侯惇看了大笑曰徐庶在丞相面前誇諸葛村夫
為天上人今觀他用兵可見也似此等軍馬為前部與吾對敵正
如驅羊與虎鬬也吾在丞相面前誇要活捉諸葛劉備今必應前
言不可停止汝與吾儘遣軍馬星夜趲到新野吾之願也遂自
縱馬向前子龍單出馬惇罵曰劉備忘恩負義之賊你等軍也
正如孤魂隨鬼子龍笑曰汝等隨曹操鼠賊也夏侯惇大怒拍
馬來戰子龍二馬相交數合子龍詐敗退走夏侯惇趕來子龍約
走十餘里回馬又戰數合又走韓浩拍馬向前諫曰趙雲誘敵恐

有埋伏惇曰量此軍只如此雖有十面埋伏吾何懼哉趕到博望坡一聲砲響玄德引軍接應夏侯惇回顧韓浩曰此即埋伏之兵也吾今晚不到新野誓不罷兵催軍前進玄德與子龍當攔不住往後便退天色已晚濃雲密布夏侯惇只顧趕前敗兵文聘從後趕上來于禁李典趕上山谷夾處見兩邊都是蘆葦李典與于禁諫惇曰南道路狹山川樹木叢雜恐防火攻惇省曰文則之言是也却欲回軍只聽得背後喊聲起早望見一派火光兩邊蘆葦中盡皆四面八方火勢漸盛狂風大作人馬自相踐踏死者不計其數夏侯惇冒烟突火而走背後趙雲趕來且說李典急奔回博望城火光中一軍攔路當先乃關公也縱軍大亂奪路而走夏侯惇見糧草車都盡便倫小路而走夏侯蘭韓浩來救糧車正遇張飛攔路交馬一合刺死夏侯蘭韓浩奪路走脫殺到天明方才收軍殺得屍橫遍野血流河渠史官有詩為証

博望燒屯用火攻　綸巾羽扇笑談中
撥雲霧而山川外　烈焰飛來宇宙紅
故教鬼神驚感風　不至夏侯[illegible]勇力
直須驚破曹瞞膽　初出茅廬第一功

却說孔明收買關張二將稱說孔明真英傑也行不數里見軟轝兩邊廣三廖芳侍從擁約有五百軍覷之乃孔明也二將下馬拜於轝前須臾玄德子龍關亞劉封皆至班師回新野有鼓樂旌旗引新野父老出郭迎接遮道拜舞而言曰吾屬全生皆使君得賢人之力也同回至縣孔明曰亮有一計可敵操軍其計如何

獻荊州王燦說劉琮

玄德問計孔明曰新野小縣不可久居近聞劉表病篤借此一郡以爲安身兵糧俱足可以抗拒曹操玄德曰公言是奈備感景升之恩爭忍圖之孔明曰今若不取後悔何及玄德曰寧死不忍作此不義之事衆皆嗟歎却說夏侯惇回至許昌來見曹操自綁縛於階下請罪操令解其縛請問緣故惇言至博望坡下遇敵軍欲盡力去取被諸葛用火攻因此自相踐踏十傷四五操曰汝自幼行兵怎不知狹路用火攻惇曰于禁曾言悔之不及操又問于禁于禁以前言告之操曰文則如此高見堪爲大將矣後來水淹七軍折了[illegible]遂厚賞之操曰吾只憂劉備孫權其餘不足介意不聽

此時掃平江南矣操從之即使傳令起軍五十萬詐呼一百萬曹仁
曹洪為先鋒張遼張郃為第二夏侯淵夏侯惇為第三于禁李典
為第四曹操統文武大將為後隊各引兵十萬又令許褚為折衝將
軍引三千鐵騎為首在先之前所到之處逢山開路遇水疊橋
選日出師荀彧等守許昌選定建安十三年秋七月末旬丙午自
出師時有太中大夫孔融諫曰荊州劉表新亡劉備皆漢室宗親
又不曾侵犯地界逆背朝廷江東孫權虎踞六郡兼有大江之險
不易取也若興無名之師大失天下之望操怒曰劉備頻侮於吾
劉表必為反背安得已耶再諫者斬孔融長歎曰以不仁伐仁安
得不敗時有御史郗慮從人所得傳說遞與郗慮慮常被孔融侮慢
心甚恨之入見曹操曰丞相知孔融反乎操曰公試言之慮曰融
甞常戲侮丞相丞相知之客言一二說其罪丞相下令禁酒融言
天有酒星人有酒德且桀紂曾因好色而亡今世何不禁婚姻融迎
此融之深譏丞相也又常說丞相一日問妲己被武王斬之譏
對曰武王討紂妲己賜周公丞相此時深信之後聞人有云妲己被

可王斬之丞相又問融融曰以今時度之想當初亦如此矣此是孔融看丞相如何人耶又曾與禰衡互相稱揚衡贊融謂仲尼不死融讚衡謂顏回復生禰衡之辱丞相蓋融使之也此者不足論融與劉表劉備陰厚常與暗書往來融又曾對孫權來使謗訕朝廷潛通消息此可見孔融大逆不道之情也操聞之大怒曰御史之言是也可將此賊斬之遂呼廷尉來捉孔融孔融二子正在家奕棋左右急報曰廷尉捉去赴法場二公子何故不走二公子曰安有破巢之下有完卵乎言未畢廷尉又至盡收融家小斬之誅滅其族將融父子尸首掛於市上有京兆脂習抱尸哭曰文舉捨我而死吾何用生有人報操操欲殺之荀彧曰聞脂習常諫孔融曰公剛直太過必為後患乃義人也不可殺之操乃檢之收融父子尸首皆令葬之曹操令軍馬起程次第而行卻說劉表病重使人請玄德託孤（此時尚未知曹操軍來）劉玄德引關張星夜到荊州見劉表表曰吾今命在旦夕今託孤與賢弟我子不才將至零落我死之後賢弟可管荊州玄德曰備當盡心扶助賢姪[illegible]以

歸重任次日人報曹操軍馬到玄德急辭劉表星夜奔回新野孔
明問故玄德乃言託孤之事孔明曰主公不受禍不遠矣小旒劉
表病在危篤又思曹操百萬雄兵欲踏平江夏此變不小商議寫
遺囑令玄德輔其長子劉琦作荊州之主蔡夫人聽得大怒閉上
內門使蔡瑁張允把住外門時長子劉琦知父病篤急離江夏到荊
州探問父病至外門蔡瑁當住曰將軍管江夏爲何擅離倘東吳
兵至奈之奈何汝若入去你父必生嗔怒轉增病症非孝敬也君
宜速回劉琦於門外大哭一場上馬回江夏八月戊申日劉表大
叫數聲而死蔡夫人與蔡瑁張允商議假寫遺囑令次子劉琮爲
荊州之主方舉喪報文武知之此時劉琮年方十四歲頗聰明告
衆人曰吾父棄荊州之地今父辭世吾兄又在江夏更有叔父劉
玄德在新野汝等立我爲主兄與叔父問罪如之奈何衆官未對
階下李珪出答曰公子之言誠善可急發哀書報知江夏就立大
公子爲荊州之主劉玄德同理國事北可以拒曹操南可以敵孫
權此萬全之計也蔡瑁叱曰汝敢亂言以別故主之言也李珪大

罵曰皆是蔡家宗黨送了荊襄九郡寧死不顧乱法度也蔡瑁[illegible]
令推出斬之遂立劉琮為主不報劉琦并玄德知之蔡氏之宗族
並領荊州之兵護送蔡夫人并劉琮前赴襄陽屯扎以防劉琦玄
德之乱就葬劉表於襄陽城東漢陽之原却令治中鄧義守荊州
琮到襄陽軟脚十馬只見飛報說曹操大軍已離許昌逕往襄陽
來也劉琮請蒯越蔡瑁二人商議東曹掾傅巽[illegible]進言曰今故
主新亡大公子在江夏倘若與兵奪荊州此利害一也如今主公
自到襄陽又不報劉玄德他亦與兵問罪此利害二也曹公引百
萬之衆欲平吞江漢此利害三也愚獻一策使荊襄九郡安如[illegible]
山亦足以保主公之名爵也琮問其策巽曰不如將荊襄九郡人
馬去獻曹公曹公必重待於主公也琮叱之曰是何言也[illegible]
君之業坐尚未[illegible]何故受[illegible]與他人治下昔不爲也[illegible]
某聞曹公乃人傑也敗袁紹於官渡驅孫權於江東[illegible]
野今日之事去就可知將軍若听燦之言捲甲倒戈以[illegible]
公必重待將軍長享福祚此萬全之策也燦遭乱流落託[illegible]

宋忠路遇　雲長被捉

將軍受了重爵敢不盡言將軍聽竊勿使後傳與曰吾身一死[illegible]

是亦須告稟令母蔡夫人〻在屏風後言曰仲宣公悌之言甚當

可何必告母遂定人送降書以接曹公想久遠之計劉琮了後也揮

宋忠齎降書宋忠潛地送投曹公遂細降年山直到宛城投着曹

操操看降書大喜加宋忠為列侯賞服被分付交劉琮出

郭迎接仍着劉琮永為荊州之主宋忠拜辭回襄陽將欲渡江路上

撞見雲長雲長盤問宋忠忠不敢抵諱說荊州劉表已死劉琮

為主近聽曹公軍到使我送降書投曹公也雲長大驚便捉宋忠

到新野見玄德具說前事玄德聞知哭倒在地

諸葛亮火燒新野

玄德曰吾兄已亡劉琮納降曹操情實慘傷張飛曰大事既然如

此先斬宋忠便起兵渡江奪了襄陽殺劉琮等荊州便是哥哥的

也玄德曰汝且戒口自有商量拔劍指宋忠曰你眾人何不早來

報吾今斬汝無益汝可速去宋忠抱頭鼠竄而去玄德憂悶忽報

劉琦使伊籍到來玄德思此人昔日之恩降階而接問其來意籍

上馳與大公子同守江夏今聞劉荊州已故不報孝差人於襄陽打聽孤實恐悔使君不知特令籍齎哀書上達玄德拆開書曰

孤子 琦 上達 叔父座前近聞君父薨於荊州繼母與蔡瑁謀不報孝矯立弟 琮 為九郡之主大亂紀綱實難容忍伏望叔父憐憫書起精兵同滅惡黨共取先君基業實為萬幸泣血拜書

玄德曰波只知劉琦為主不知將九郡獻與曹公了也籍驚曰使君不如以弔孝為名前赴襄陽誘劉琮出接就而擒下盡拿諸黨殺之則荊州即屬使君矣孔明曰伯機之言甚善主公可從。玄德垂淚曰吾兄臨危之時託孤與我我若背之九泉之下何面目見吾兄耶孔明曰主公不與此事自今曹軍已至宛城怎生奈何玄德曰走樊城去避之正議間人報曹軍已到博望坡了玄德交伊籍回江夏玄德求計於孔明孔明曰且寬心今番又教他中計令我等新野屯劄不住了便差人四門帖起文榜告示居民無問老小男女限即今跟吾往樊城暫居不可自誤曹軍到此不仁必傷害百姓一連差十數次催攢便行差孫乾簡雍二將往河東西

岸調撥船隻救濟萬民然後着糜竺送各宮老小到樊城住扎孔明與諸將聽令先差雲長帶一千人各將布袋去白河上流遮狀用布袋裝上土擋住白河之水到來日三更後只聽下流頭人馬嘶喊曹操兵敗急取起布袋放水渰之却順流殺將下來接應雲長聽計去了孔明又喚翼德引一千軍去白河邊渡口埋伏曹軍被渰此處水勢却漫人馬必從此處逃難可乘勢殺來接應着張飛領兵去了孔明又喚趙雲引軍三千把灰硫黃焰硝放在新野近城人家屋上各處盡皆蓋藏硫黃焰硝引火之物來日是晨雞鳴日昏後必有風起曹操入城安歇汝將三千軍先用火鎗火箭火砲放入城中去火勢大作城外吶喊只留東門交走你却在東門伏定敗軍亂竄不可攔截只嚴鼓聲他敗軍無心戀戰奔走此乃散敵衆之道也必得全功天明會合關張二將收軍便回樊城不可遲誤趙雲領令去了孔明又喚糜芳劉封你二人可帶二千軍一半紅旗一半青旗去新野縣外三十里鵲尾坡前擺開青紅旗號混雜如曹軍一到糜芳

枝紅旗走在左劉封一枝青旗走在右他疑必不追遲郤分兵去西南北角上埋伏只望城中火起便可進兵趕敗軍然後郤來白河上流頭接應云公時刻休誤二人去了孔明與玄德登高望之郤說曹仁曹洪自爲前部先鋒引大軍十萬戰將數員又有許褚鐵騎軍望新野進發當日早午來到鵲尾坡相近問鄉道官前面離縣多少路答曰只有三十里許褚引探馬數十疋先行望見坡前人馬擺開把馬報前面依山傍嶺一簇人馬盡行打青紅旗號不知多少許褚交把皂旗一招三千軍一齊向前糜芳劉封分爲兩隊青紅旗各居左右二色旗不離隊伍不亂許褚扯住馬交休趕左右曰爲何不趕許褚曰前面必有伏兵你們只就這里扎住我自去禀先鋒許褚一騎馬來見先鋒曹仁禀覆前事曹仁曰當不聞兵法有虛實之論此是疑兵必無埋伏可速進兵追之褚再回坡前提兵直入其左近於林下追尋不見此時紅日恹恹墜西許褚郤欲進兵入縣只聽得山上大吹大擂褚引兵看時見山頂上一簇人其中兩把傘蓋着左玄德右孔明二人在山上飲酒許

燒新野

曹軍大敗

褚看見大怒尋路上山小狹路上擂木砲石打將下來不能前進只聽山後喊起許褚來尋廝殺天色昏了曹仁交去搶新野安身軍士四門突入並無阻當又不見一人曹仁曰此乃勢窮計盡百姓連夜去了衆軍權且安歇來日進兵軍士各自饑餓行之都去奪屋造飯曹仁曹洪許褚都在縣衙安身初更後狂風忽起把門軍士飛報火起曹仁曰火是軍人造飯不小心遺漏不可驚動說未畢南門西門都來報火起曹仁急令衆人上馬特見滿縣火着上下遍紅喊聲大起當夜之火又似博望燒屯之火曹仁交軍士冒烟突火尋路說道東門無火曹仁衝出東門門上火滚烟飛軍士逃出自相踐踏死者無數且說曹仁方才出得火危背後趙雲趕殺各軍自要逃生那里肯回身廝殺撞着糜芳又殺一陣到四更時分人困馬乏一大半軍焦頭爛額都走到河邊人馬俱下河吃水水不過又人馬着在河內鬧起上流頭關公望見新野城火起約會時分已到只聽得下流人馬喧鬧催軍一齊掣起布袋水勢望下流一衝人馬皆溺於內曹仁引衆將望水勢慢處奪路

操令徐庶　追玄德

來到博陵渡口喊聲大振正撞着張飛攔路

劉玄德走江陵

張飛引一軍從下流頭殺來截住曹仁許褚鬬到三十餘合不敢戀戰奪路走脫張飛趕來接着玄德孔明一同沿河到上流頭處旁劉封安排船筏等候一齊渡河孔明交軍馬盡赴樊城去了却說曹仁引敗軍就新野屯住曹洪去見曹操具言失利操大怒曰諸葛村夫安敢如此遂催三軍盡往新野漫山塞野下寨操交軍掘山一面塞填河內令大軍分作八路一齊去取樊城劉曄曰丞相初到襄陽必用先買民心目今劉備盡遷新野百姓於樊城一勢進兵兩縣生民皆為齏粉不如先遣人招安劉備縱然不降亦可以宣愛民之心若其見事極願降則荊州之地不須征戰然後舉荊州之兵可圖江南便矣操曰可使誰去曄曰徐庶舊與劉備甚厚今往劝備如肯投降免罪賜爵如若不順軍民並戮操請庶曰我今知你忠誠來勿負吾庶領命而行至樊城玄德孔明接見共訴舊日之情庶曰操使庶其來乃買民心之計遂又指其心曰本欲

玄德同百姓往襄陽

與將軍圖王霸之業曰以此方寸也今老母已喪無益於後身
不設一計非為人也公有臥龍輔佐何愁大業不成乎今操分八
路之兵填平白河[illegible]樊城公可速行勿得自誤庶辭去孔明曰
可速走樊城取襄陽暫歇此為上計玄德曰奈新野兩縣百姓相隨
許多時安忍棄之孔明曰可令人遍告百姓有願隨者同行不
願者留下先使雲長去江岸整頓船隻令孫乾簡雍在城市上大
叫曰今曹軍將至孤城不可久守百姓願隨者便請過江兩縣之
民[illegible][illegible]幼齊聲大叫我等若死亦隨使君卻說徐庶回見曹操
曰劉備無降意操大怒遂差五萬軍去填河八路軍並日要進取
說新野樊城百姓聽得大軍來扶老攜幼紛紛渡江哭聲不絕玄
德於船上大慟曰為吾一人使百姓遭此大難吾生何用欲投江
死左右止之聞者莫不慟哭船到南岸回顧北岸百姓不得渡者
望南而哭玄德急令雲長催船渡之方才上馬轉至東門城上遍
插旌旗壕邊密布鹿角深橋拽起玄德勒馬於壕邊呼曰賢姪劉
琮吾但要救百姓與你並無異心可快開門人報劉琮琮懼不能

起蔡瑁張允得知劉備與門，逕來樓上，叱左右亂箭射之。城外百
姓望敵樓而哭。忽城上一將引軍出，拍馬提刀，引數百人上樓來殺
蔡瑁張允。其人身長九尺，面如重棗，目若朗星，似關公之狀貌，武
藝獨魁江表，義陽人也，姓魏名延，字文長。大叫曰：劉使君乃仁德
之人也，吾請使君入城，除賊。輪刀殺死守門將，砍開城門，放下吊
橋，大叫：劉使君領兵殺入，安民伐賊！張飛躍馬欲入，玄德扯住曰：
恐驚百姓。魏延正鬧中，一將身長八尺，南陽宛城人也，姓文名聘，
字仲業，乃荊州大將。此[illegible]魏延曰：汝乃無名小將，怎敢亂言犯上？遂
挺鎗躍馬與延在城中混戰。玄德曰：本欲保民，反害民也。吾不願
往襄陽矣。孔明曰：江陵乃荊襄要地，不如先取江陵，勝如襄陽多
矣。玄德曰：正合吾意。惶恐百姓盡望江陵而去。魏延與文聘戰，魏
延軍敗走，延馬縱[illegible]德不及，自往長沙太守韓玄處去了。卻說玄德
同行軍民有十數萬，大車小車數千輛，挑擔背包者不計其數。路
經劉表之墓，玄德引將下馬拜伏於墳前，哭告曰：辱
[illegible]不才，失兄之寄[illegible]荊襄之民[illegible]而退[illegible]

號哭聲甚傷動三軍無不下淚后軍報曰曹操已□樊城使人□江上收拾船隻將以渡江□可以速行孔明□□□□□□□領人眾十餘萬□是百姓披甲者少日行十餘里□□□□□□江陵倘曹軍至何以迎敵不如暫棄百姓先行為上□□□□□□□以仁義為本今人歸吾奈何棄之百姓聞之莫不感傷後來史官習鑿齒評論曰

玄德雖顛沛險難而信義愈明勢迫事危而言不失道追景升之顧則情感三軍戀赴義之民而甘與同敗其所以結物情者豈徒投醪含蓼問疾而已哉濟大業者不亦宜乎

孔明曰追兵不久必至可遣關公往江夏求救於公子令起軍乘船會於江陵玄德從之修書著雲長孫乾速往江夏求救孔明曰今可令張飛斷後趙雲保老小而行日行十餘里都說曹操在樊城使人請劉琮相見琮未敢往蔡瑁張允請劉琮交聘同去聘曰為大將軍不能保全荊州當待死而已不肯同去王威密告琮曰今曹操得將軍降劉備已去必懈怠無備若給威奇兵數千乘虛擄□

勢之操可獨也操獨天下坐如虎據中原雖屢轉變而定非徒一勝一功保守今日而已此難遇之機不可失也琮聞之告蔡瑁張允之曰王威不知天命逆順之理妄敢說主公也威怒曰賣國之徒吾恨刀不能啖汝瑁欲殺之蒯越劝免瑁與張允同至樊城拜見曹操辭色甚是奸佞操問荊州錢粮今有多少瑁曰馬軍五萬步軍十五萬水軍八萬錢粮大半在江陵其餘亦足供需一載操曰戰船多少原是何人管領瑁曰大小戰船七千隻原是某二人管領操加蔡瑁為平南侯水軍大都督張允為助順侯水軍副都督二人拜謝操曰劉表在日希望為荊州王不遂其志而死今劉琮既降於吾吾當表奏天子以封王位二人大喜而還荀攸曰蔡瑁張允二人乃諂佞之輩何故加此顯官更令水軍都督乎操笑曰吾豈不知吾眾不慣水戰今權用之事定之後便當殺戮荀攸愕然却說蔡瑁張允回見劉琮具說曹操許封王之事琮大喜次日與母蔡氏同齎印綬兵符[illegible]渡江伏道拜迎曹操撫慰了當一同入城蔡瑁張允令襄陽官[illegible]接文武官員[illegible]

階下操喚蒯越近前撫慰曰吾不喜得荊州喜得異度耳加蒯越爲零陵太守樊城侯光祿勳傳巽爲關內侯王粲爲關外侯相掾以下十五人皆爲列侯劉琮爲青州刺史便教起行琮大驚辭曰不願爲官願還父母鄉土而已操曰青州近帝京教你隨朝爲官免在江漢被人圖害也琮再三拜辭不得已得拜謝與蔡氏皆赴青州而去只有故將王威相隨其餘官員送至江口而別操喚于禁囑付曰你可引五百輕騎趕上劉琮全家殺了以絕後患于禁領命而行趕到數里傳丞相令旨追殺汝等蔡夫人抱劉琮而哭于禁喝軍士下手只有故將王威奮力與于禁相敵被亂軍殺之可惜劉琮全家被于禁殺了靜軒有詩歎曰

陳賢信佞欲偷生　空獻荊襄九郡城
晨牝懦兒騈首戮　誰知曹操不容情

却說曹操獨恨孔明使人去隆中尋孔明妻小殺之搜尋不見蹤孔明先令人搬去三江內隱避之操深恨之荀攸進言曰江陵乃襄陽重地錢糧極廣劉備奪之急難搖動操曰何不早言孤幾忘之隨即喚襄陽將新舊皆至獨無文聘操使人尋之方來操曰何來遲也聘對曰

簡雍神卦　知有逆兵

不能輔佐劉荊州以奉國家荊州雖亡當願除守漢州保全四境生不負於孤忠死無愧於臣下今不得已以至如此實為悲痛拜覽草見耳遂流淚操愴然曰仲業真忠臣也除江夏太守賜爵關內侯交軍引兵指路操問左右曰此時劉備約行多少路知者答曰劉備一同百姓日行數里計程只有三百餘里操令部下選精兵五千速急前去限一日一夜趕上劉備後大軍陸續而進如逆令者斬諸將得令帶領軍馬星夜趕來未知如何

長坂坡趙雲救主

却說劉備與百姓擁着望江陵進發分付趙雲保護老小張飛斷後孔明曰雲長去了絕無音耗不知如何玄德曰欲煩軍師親往劉琦上昔日感公之教今以獲全生如公親去事必諧矣孔明不敢推辭引劉封帶五百人先往江夏求救去了當日玄德正行之間忽見一陣狂風就馬前撮起塵土衝天而起遮日無光耳邊只聞哭聲玄德驚曰此何兆也簡雍頗知陰陽袖占一課曰大凶之兆應在今夜主公可速棄百姓而行玄德曰吾從新野到此安忍棄

飛殺曹

兵救玄德

之雍曰主公不棄禍在近矣玄德問曰前面是何處對曰前面是當陽縣此谷名為景山玄德教只就此處屯扎秋末冬初涼風透骨將到四更時分只聽得西北角上喊聲大振玄德引本部人馬乘夜來迎精騎二千至勢不可當玄德死戰正在危急得張飛殺開一條血路救得玄德望東而走文聘當先攔路玄德罵曰背主之賊非大丈夫也文聘羞慚滿面望北而去背後許褚趕來張飛當先保着玄德殺散敵騎迤邐望東而走喊聲漸遠玄德方才歇下回見隨行止有百餘騎老小簡雍糜竺糜芳簡雍皆不知下落玄德望西哭曰為民十數萬皆因戀吾遭此大難吾家老小不知存亾矣不悲乎正哀哭中忽糜芳跑馬報曰趙子龍投曹操也玄德叱曰子龍是吾故人安肯反耶張飛曰他見吾等勢窮投曹操以取富貴此乃常理何故不信玄德曰子龍與吾相從於危難之中心如鐵石豈以富貴而搖動乎子龍必有事故再說子龍又着斬張飛曰弟親自尋他去如撞見一鎗搠死玄德曰休差疑了豈不見二兄誅顏良耶子龍必不棄吾任他何去不要相逼

子龍撞見

雍被傷

[illegible]喚衆將跟吾來只有數騎隨行餘者跟玄德（元來張飛常懷報軍士跟隨者少）
張飛引着二十騎同至長坂橋見是木橋飛乃回看橋東一帶樹
木心生一計（此計作細人事）教這二十騎都砍下楊柳拴於馬尾上只在
林木背後往覆馳驟飛看笑曰此二十騎當五千軍飛自橫矛立
馬在橋上却說趙雲往後曹軍陣裏尋不見玄德又失散主人老
小趙雲思曰主人家眷至親三口甘糜二主母小主阿斗都分付
在我身上今日亂軍陣中失散有何面目見主人乎不如決一死
戰以報主公知遇之恩此時趙雲有三四十騎隨後拍縱馬在
亂軍中尋覓見兩縣百姓號哭之聲振天動地十餘萬居民四方
八面亂窜子龍見簡雍倒在草上子龍急問曰曾見主母乎雍答
曰我與你一處走散二主母棄了車仗抱了阿斗公子而走吾飛
馬過山坡被一將背後一鎗跌下馬來馬被奪去我鬭不得趙
雲從騎有馬借一疋又着二將扶着簡雍上馬令跟從者護隨衣
甲好生伏事先去報知主人我上天入地好歹尋主母而回若不
見棟死在沙場矣雲又引軍前進追趕忽一軍大叫[illegible]趙

雲問曰你是何人篤曰我是劉使君帳前小卒護送車仗的被箭射倒在此趙雲便問夫人消息篤答曰却才見夫人披頭跣足跟一夥百姓投南而走雲見說亦不回顧望南趕來見一夥百姓男女數百餘人相和而行趙雲問曰中間有甘夫人否夫人在衆中回視見趙雲放聲大哭雲滚鞍下馬泣曰使主母失所雲之罪也雲又問糜夫人并小主安在甘夫人答曰我與糜氏被趕慌棄車仗雜於百姓内步行又撞一枝軍來衝散糜氏抱着阿斗不知何在我獨逃生至此言未畢百姓發喊說有軍來趙雲綽鎗上馬看時前面綁着糜竺也背後一將手提寶刀領千餘騎跟着乃是曹洪部將淳于導拿住糜竺正要解去獻功被趙雲大喝一聲刺於馬下衆將四散救了糜竺奪馬二疋趙雲請甘夫人上馬前面殺條大路直送至長坂橋只見張飛立馬横矛於橋上大叫子龍你何反我哥哥雲曰吾因尋不見主母以此落後安肯反耶飛曰不是簡雍先來報我見你時那得干休雲曰主公在那里飛曰只在前面不遠雲曰糜子仲保夫人先行吾再去尋糜夫人并小主

趙雲尋見

糜氏夫人

來言龍引從騎再回舊路正行之間見曹洪部將夏侯恩手執
鐵鎗引十餘騎躍馬來趙雲直取夏侯恩一鎗搠倒馬下從者奔
走（按夏侯恩乃曹操心腹人元來曹操有劍二口一名倚天一名青釭倚天自佩青釭令夏侯恩佩之倚天鎮威青釭殺人昔欽如泥當日夏侯恩為自恃無人可敵却被子龍一鎗刺死馬下故奪了那口寶劍看時有嵌金青釭劍字方知是寶劍也）後
面馬軍步軍漫山而來趙雲挺鎗抱馬殺透重圍回頭視之見從
騎漸漸分散又殺一回只剩得獨自趙雲無半點退心只顧往來
尋覓但逢百姓便問糜夫人消息忽一人指曰夫人抱着孩兒腿
上着一鎗走不得只在前面墻缺裏坐趙雲逕來尋只有一個人
家被火燒壞廢土墻內糜夫人抱着三歲幼子坐在地上而哭趙
雲看見下馬入見糜夫人夫人曰妾今幸得見將軍此子有命矣
望將軍可憐他父親飄流半世止有這點血脉將軍可護持此子
交他見父一面妾死無恨矣趙雲曰乃雲之罪也請夫人上馬趙
雲步隨但遇敵軍必當死戰糜夫人曰不然將軍不棄此馬則此
子亦好矣妾帶重傷死何惜哉望將軍可惜速抱此子去勿以妾
為累也雲曰喊聲又近賊兵又到請夫人上馬糜氏將阿斗遞

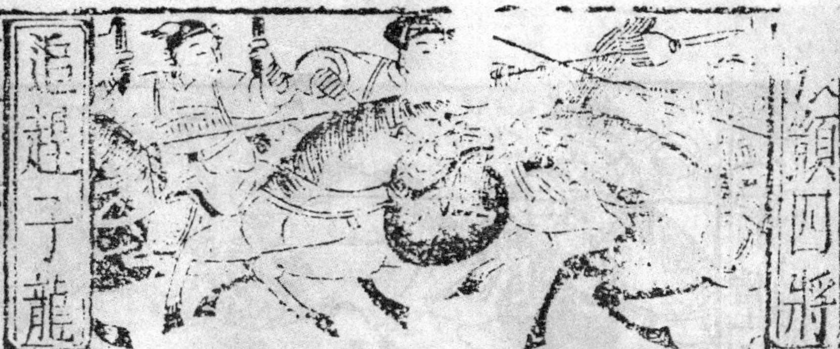

八領四將　追趙子龍

與趙雲曰此子性命全在將軍妾委實不能去也休得兩誤雲
三四五次請夫人不肯上馬四邊喊聲又起雲厲聲叫曰[illegible]此
不聽吾言糜氏乃棄阿斗於地遂投井而死趙雲恐[illegible]拖
之解開勒甲絛放下掩心鏡將阿斗抱護在懷中[illegible]名
字汝應言龍綽鎗上馬早有曹洪部將[illegible]引軍一隊[illegible]臨
雲乃拍馬挺鎗殺出而迎不三合一鎗刺死晏明殺散眾軍衝開一條
路正走之間前面張郃又領軍攔路雲便不打話挺鎗戰張郃約
鬬十餘合趙雲料道不能勝奪路而走張郃背後趕來趙雲和馬
連人跌下土坑內忽然紅光紫霧從土坑中滾起那匹馬一湧而起後
人有詩曰　當陽救主顯英雄
殺透重圍幾戰重　馬湧紅光離土穴　子龍懷內抱真龍
今馬湧出土坑張郃大驚而退趙雲又走背後二將大叫趙雲休
走前面又有二將四般軍器來到背後的是馬延張顗前面的是
張南焦觸趙雲力戰四將殺透重圍馬前馬後攻軍齊納趙雲拔
青釭劍亂砍衣甲如砍瓜切菜不損半毫真寶劍也卻說曹

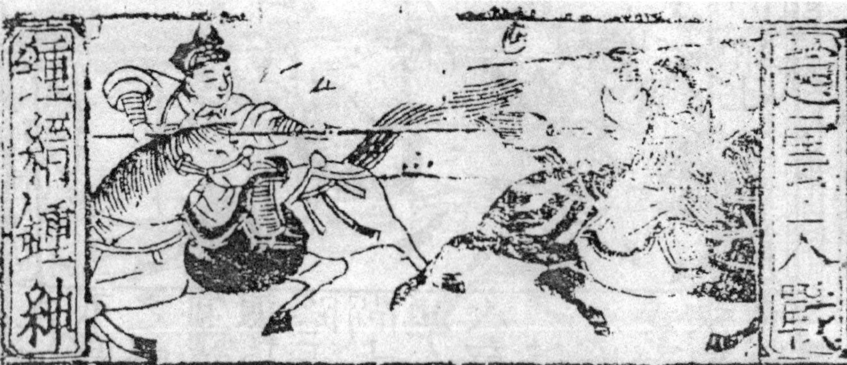

在景山頂上高坐望見一將橫在軍中所到之處威不可當急問左右曰此是誰將曹洪聽得飛身上馬下山大叫曰軍中戰將願留姓名趙雲應聲曰吾乃常山趙子龍也曹洪回報曹操曰世之虎將也吾若得此人何愁天下不得遂傳軍令飛報各處如子龍到處不許放冷箭只要活捉[illegible]趙雲身抱後主在懷殺透重圍前後鎗刺劍砍曹軍名將五十餘人其餘士卒不計其數後史官有詩為証曰

血染征袍透甲紅　當陽誰敢與爭鋒
古來衝陣扶危主　先許常山趙子龍

司馬公有長坂詞証曰

當陽草　點點斑斑知血漬
借問時公何事因　子龍一戰旗旗倒　曹公兵將魂飛
殺入重圍保家小　至今此血尚猶存　不見英雄空淚

當時趙雲殺透曹軍圍與上血染袍鎧正行之間山坡下兩路兵出截斷去路乃是夏侯惇部下鍾縉鍾紳縉使大斧紳使畫戟大喝趙雲快下馬受縛背後張遼許褚引軍趕來子龍性命如何

張翼德拒水斷橋

鍾縉兄弟二人攔住趙雲。趙雲首過來，只一合，一聲過取鍾縉，鍾縉揮大斧來迎，兩馬相交，戰不三合，一鎗刺縉於馬下，衝路便走。鍾紳要報兄仇，挺方天戟趕來，將戟在子龍後心，望見子龍天怒，撥轉馬右手撥過畫戟，左手掣出青釭劍，連盔帶腦砍去一半，鍾紳落馬，餘者奔回。子龍得脫，望長坂橋而走，後面文聘趕來。子龍人困馬乏，見張飛橫鎗於橋上。子龍叫曰：翼德救我。張飛應曰：汝可速行，吾自當之。卻說子龍過橋，約行二十餘里，見玄德等皆歇於林下。見子龍血污滿身，玄德泣而問曰：子龍懷抱何物？子龍喘氣未定，跪在地下泣曰：糜夫人身中重傷，不肯上馬，投井而死，雲已推土牆掩之，抱公子身突重圍而出。凡遇敵軍與戰，千合方得殺死無數將軍，皆託主公洪福，幸而得脫。適來公子尚在懷中啼哭，此一會絕無動靜，多是不保矣。解甲視之，阿斗方才睡醒。子龍雙手遞與玄德。玄德曰：去喜公子無事。玄德接過，擲於地下，指子龍曰：為你孺子，幾乎損吾一大將。（此是玄德好處）子龍泣拜謝曰：雲雖肝腦塗地，不能報也。眾軍救起公子，哭感糜氏，於林中少歇。卻說

張飛喝退

曹操軍馬

文聘一軍先到長坂橋見張飛取盔放於馬鞍橫矛立馬在橋上
倒豎虎鬚圓睜環眼又見橋東樹木背後塵頭起樹影內旌旗往
來勒住馬不敢近前俄延曹將來只見曹仁李典夏侯惇樂進
都至見張飛橫鎗獨立在橋上又恐是諸葛之計皆不敢進兵扎
住陣脚使人去報曹操操火急上馬從陣後來却說張飛隱隱見
軍後青羅傘蓋旄鉞而來料是曹操飛乃高聲叫曰燕人張翼德
在此誰敢與吾決一死敵聲如巨雷曹公聞之　盡皆退避曹操急
令去傘蓋回顧左右曰曾聞關公嘗曰所言　萬軍中梟大將首
如探囊取物張飛見他去其傘蓋自又叫　吾乃燕人張翼德
誰敢與吾決死敵曹軍聞知皆有退去之意　覓操後軍陣脚移
動挺鎗叫曰戰又不戰退又不退說聲未了　操身邊夏侯傑驚
得倒撞下馬操便回馬諸軍一齊望西奔　馬急退自相踐踏
走逃性命當將惟有張飛最雄有燕古風
因據橋而決死當斷水以成功聲如撤　喧似烏龍振甲披袍
橫鎗立馬眼圓睜有若銅鈴口震雷　聲威名揚於四海

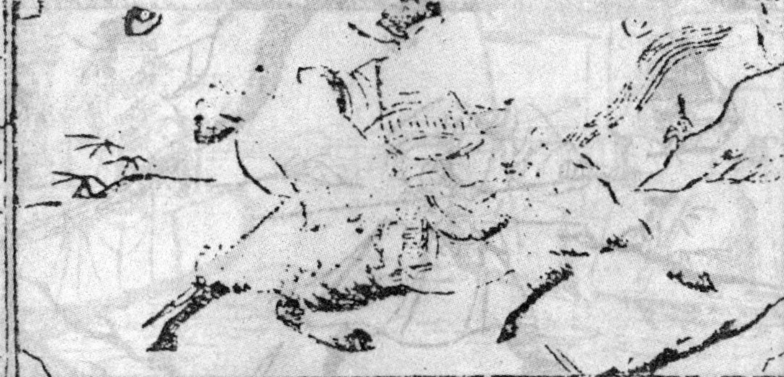

[illegible]馬　落冠而走

殺氣冲於斗牛當陽道上如猛虎之[illegible]長坂[illegible]
把守拒曹公之勢萬里鷹揚統千百萬之將[illegible]
光[illegible]耀日月之旌旗戈戟翩翩[illegible]牛[illegible]
視[illegible]也河[illegible]陽[illegible]也降服荆州襲追[illegible]
力拔[illegible]山之[illegible]驚鯨龍於[illegible]山河[illegible]
有[illegible]人張翼德[illegible]起半世之屈
九天[illegible]忽見[illegible]水波倒逆千山[illegible]
勝萬夫飛鳥似失鵬以[illegible]動九霄之[illegible]鸞[illegible]
是人馬[illegible]旗戈[illegible]先[illegible]將失[illegible]以[illegible]其壁
雕鞍以捧腹至若[illegible]鼓萬[illegible]吞諸侯於[illegible]天子
于金[illegible]見威風[illegible]而回[illegible]忽闖進于[illegible]以落冠
簪[illegible]因雲長一語[illegible]馬于[illegible]之高名[illegible]孤之先
主立動業于千[illegible]續于萬年
曹操聞翼德之言[illegible]望西而走冠簪盡落張遼許褚二將趕來
曰料張飛一人何足懼哉請丞相急回整軍向前劉備可擒也曹

二七

操方定神色與張遼許褚再來聚集軍馬却說張飛見曹公兵一湧而退不來追趕徑撥從騎二十餘人來到橋邊下馬折斷橋梁回見玄德玄德問其故飛言斷橋一事玄德曰兄弟勇則勇矣惜失於計較飛問何爲玄德曰曹操有謀深通兵法汝若不折橋樑彼恐吾有埋伏持疑而不敢進今若折了彼必料吾無軍怯戰故斷橋矣彼有百萬之衆雖淡江漢可填而過何懼一橋也彼必追至近矣可從小路斜進漢津棄却江陵乃望沔陽而去却說曹操收住軍馬使張遼許褚來探消息報曰路已折橋矣操曰吾失計較他既折橋乃心怯也可差一萬軍連搭三條橋即今夜过李典進曰恐是孔明詐謀不可輕視操曰張飛是一勇夫安有詐也可速進兵却說玄德正行之間漸近漢津忽見後面塵頭起鼓聲不絕玄德曰前有大江後有追兵吾已無路矣怎生奈何

劉玄德走江夏

却說曹操領兵追趕細探報曰劉備只有百餘騎相隨而走操自抱馬部領衆將趕上張飛趙雲只得負命抵敵操曰劉備乃何當

之魚鮮中之虎不就這里擒捉更待何時若還走了如放魚入水縱虎歸山不可抛戰一發向前衆將齊呼鐵不相合一聲大喊欲進前山坡邊一聲響處關公領一隊軍馬飛奔出來大叫曰吾在此等候多時此來時關公往江夏借兵一萬[illegible]回當陽上救玄德特地從此截出也曹公一見雲長勒馬言曰又中孔明之計也曹軍急退雲長趕了十數里復回來保護玄德直到漢津已有船隻伺候軍士盡皆下船雲長與玄德并甘夫人阿斗在於船中便放船開雲長問玄德二嫂嫂安在玄德說起當陽之事離亂困苦雲長歎曰當時獵於許田之間若聽羽之言可無今日矣玄德曰此時亦爲國家惜耳若天輔漢安知此不爲福也後來史官裴松論玄德曰

當時玄德在許田時曾與董承同謀只爲漏泄不克殺曹操耳若爲國家惜之安肯爲是雲長此時怒殺曹公玄德不肯從者因時恐懼曹公心腹爪牙之威也操雖可殺亦自不能免禍以爲國家惜而答雲長非本心也乃飾詞耳

玄德正訴之間忽見江面上舟船如蟻順風而來大鳴戰鼓玄德

劉琦孔明

德叔會

失色見劉琦白袍銀甲立在船頭大叫曰叔父別來無恙走至船上相抱而哭琦曰聽知叔父困危小姪特來相接同在船中正訴情由江面上一舟船擺開衆視之乃孔明也玄德慌請過船孔明曰自別主公見了公子先差雲長於漢津大路而接料曹兵必來追趕則主公必不從江陵斜取漢津矣又請公子來接其兵若何盡起民兵又來接應玄德大喜商議破曹之策孔明曰夏口城險頗有錢粮請主公於夏口屯住公子再回江夏整頓船隻收拾軍馬爲首尾之勢可以拒敵曹操劉琦曰軍師之言雖善[illegible]叔父暫到江夏整治軍伍再回夏口不遲玄德曰賢姪之言是也留下雲長五千軍守住夏口玄德孔明劉琦共投江夏來郤說曹公見雲長在漢津引兵截出疑有埋伏不敢來追又恐劉備[illegible]去奔江陵星夜提兵前赴江陵治中鄧義別駕劉先不能抵敵只得迎降操先使曹仁入城招安秋毫無犯加鄧義爲大鴻臚劉先爲尚書餘皆封爲列侯安慰各處了當[illegible]去接江夏口無去路但恐結連江東孫權是年一滋蔓[illegible]曰可差一使

操移檄會

權勸劉備

實檄文請孫權會獵於江夏共擒劉備分荊州之地永結盟好孫權必驚疑而來大事濟矣操曰此計甚妙一面發檄遣使令即□守把荊州操親提大兵八十三萬詐稱一百萬水陸並進沿江而來西連荊陝東接蘄黃連路寨柵三百餘里烟火不絕卻說孫權用兵於柴桑聽知曹操引百萬之兵已取襄陽劉琮引文武皆降星夜兼道取江陵請衆謀士商議人魯肅進言曰荊州與國鄰接江上險固沃野萬里士庶殷富若據而有之此帝王之資也今劉表新亡世子不協軍中諸將各有彼此劉備與操有隙若與彼協心同結盟好兼令奉命吊喪慰勞其衆說劉備使撫劉表之衆同心一意共圖曹操備必喜從如其克諧天下可定也孫權聞言大喜即遣魯子敬行那說劉備到江夏與孔明劉琦共議大事孔明曰今劉琮降曹一應錢糧軍馬皆歸於操操今勢大急難搖動不如去投江東孫權以爲接援使南北相持吾等於中取事有何不可玄德曰江東人物極多皆有遠謀安肯從我孔明笑曰今操領百萬之衆虎踞江漢安得不令人探聽虛實耶若有人到[illegible]

權使魯肅往

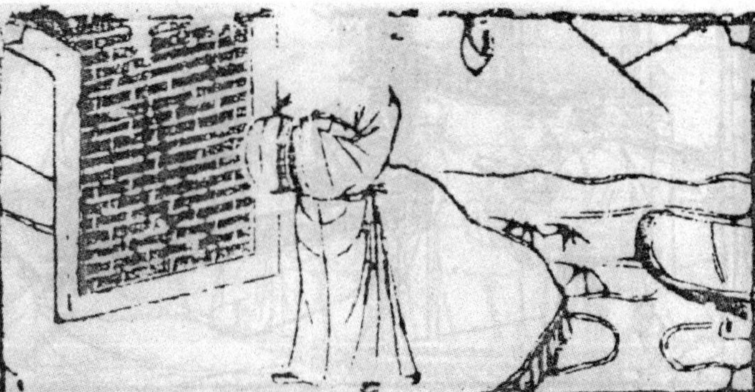

夏口吊喪

住一帆風直往江東憑三寸舌說使南北兩軍互相吞併若南軍勝則收南殺操以取荆州之地如北軍勝乘勝而取江南此速大之計也玄德曰此論極高如何得江東人到正話間人報孫權差魯肅特來吊喪孔明笑曰大事濟矣遂問劉琦曰往日孫策死時你曾去吊喪否琦曰江東與吾家積世之仇安得通吊之禮近孔明曰此非吊喪實乃探聽也如魯肅至但問曹操動靜主公只推不知再三問之可推說問亮會議已定使人迎接魯肅琦自邀入言吊喪事收其禮物劉琦請肅與玄德相見禮畢請入後堂飲酒肅曰久聞皇叔無緣拜識今幸得瞻顏有所聞近聞皇叔與操會戰故欲敢問操軍約有幾何有意圖天下否玄德佯作不知肅曰皇叔在新野使[illegible]撥交鋒何言不知玄德曰備兵微將寡但聞操至則走委不知其虛肅曰往往渡江人說皇叔用諸葛之謀用兩場火燒得操亡魂喪膽何言甚敗即玄德曰除非問孔明可知其詳肅曰願求一見玄德交請孔明出與子敬相見肅曰我子瑜友也子瑜孔明兄也久聞先生才德無緣拜會今幸得遇願聞今日

魯肅請孔

明往助吳

之事孔明曰曹操奸計亮盡知矣恨力未及而
止於此乎孔明曰使君與蒼梧太守吳臣有舊欲往投
臣粮少兵微自身難保豈容納使人耶孔明曰雖吳臣不足
未有去何暫歸之別圖後計肅曰孫討虜聰明仁惠敬賢禮士江
表英雄咸歸附之已據六郡兵精粮足今為君計莫若遣心腹自
結於東吳以共濟世業若何孔明曰亮知使君頗少心腹將軍自
來[illegible][illegible]公之嚴否也肅曰孔明之兄為江東參謀官望公既久
願不才屢請同見孫討虜共議大事君何玄曰孔明是吾師且久
不相離豈可去也肅堅請孔明同去玄德止之不肯孔明曰事急
矣請奉命而行玄德焉付便回夏口相會於是孔明與魯肅別玄德
劉琦下船望柴桑郡來畢竟如何

七卷終

新刻湯先生校正古本按鑑演義通俗三國志傳卷之八

諸葛亮舌戰群儒

魯肅孔明船中共話肅思孔明是舌辯之士到江東若起兵得勝則無事倘敗則必歸罪于我尋思半晌與孔明曰先生見吳侯不可言操兵多將廣孔明問有意下江南否先生只言不知孔明曰不須分付亮自有對答魯肅連囑數番孔明冷笑船已到岸肅引孔明驛中安歇自來見孫權權正聚文武議事知魯肅到急召問曰子敬往荊襄体探若何肅曰不知虛實權曰汝去幹甚事肅曰別有商議權曰操遣使齎文來孤送使回見今衆議不一肅看其文曰

操欽承上命奉辭伐罪旌旄南指劉琮東手荊襄之民望風歸順今統大軍百萬上將千員欲與將軍會獵於吳共伐劉備同分漢土永結盟好相見有期早宜回報

肅看畢曰主公尊意若何權曰未有定議張昭曰曹公狼虎也今擁百萬之衆借天子之名以征四方拒之不順且將軍可以拒操者長江也今操得荊州水軍艨艟艦數千浮於沿江水陸俱下

長江之險已與我共之而勢力衆寡又不可敵不如降之似爲萬全之策衆謀士皆曰子布之言甚合天意孫權沉吟不語張昭又曰主公不必多疑如肯降操則東吳安百姓可保矣權起更衣肅隨至廊下權知肅意乃執手問曰汝欲何言肅曰却纔衆人之意皆欲將軍降操不足與圖大事將軍切不可從如肅等降操肅還鄉里品其名位猶不失下曹從事成乘犢車從吏卒交游士林累官不失州郡也將軍降操官不過封侯車不過一乘騎不過一匹侍從不過數十人豈得南面稱孤哉衆人之議各爲自己將軍早定大計權歎曰諸人商議甚失孤望子敬明諭正與我同然曹操新得袁紹兵近又得荆襄兵恐勢大不可以敵肅曰某渡江直至江夏得見處實有一人深智有學故引於此主公試問之權問何人肅曰諸葛瑾之弟諸葛亮權曰莫非卧龍先生否肅曰是也權曰今日天晚不可相見來日聚文武於幕下先交見俺江東英雄然後升堂論事肅領命而出次日早請孔明肅又囑曰如見吳侯不可言曹操兵多孔明曰見機而變必不悮於公魯肅引至幕下

孔明與衆

謀士相見

孔明視之見張昭顧雍等一班文武二十餘人皆峩冠博帶整衣端坐孔明料是衆謀士交魯肅引了從頭相見各問姓名施禮畢坐於客席張昭等看孔明飄然有出世之表昂昂然似凌雲之氣昭等料孔明來下說詞昭先以言挑之曰昭乃江東微末之士久聞先生居於隆山隱林藏迹以樂天真號為梁父吟比管仲樂毅此語果有之乎孔明應曰此[illegible]生小可比也昭曰新劉豫州三顧先生於草廬中而捨高論得先生如魚得水舜欲席捲荊襄一旦已屬曹公未審何也孔明暗思張昭乃孫權手下第一個謀士若不難倒他如何說得孫權遂答曰吾觀取漢土之地如反掌之易吾主劉豫州躬行仁義不忍奪同宗之業故力辭之劉琮孺子聽信佞言暗獻降書致使曹瞞得肆猖狂今豫州兵屯江夏別有良圖非等閑可比昭曰若此則先生之言與行相違矣聖人有云古者言之不出恥躬之不逮也先生自比爲管仲樂毅管仲相桓公霸諸侯一匡天下九合諸侯樂毅力挽微弱之燕下齊七十餘城此二公可爲命世之英實古今之豪傑也方今曹操橫行中國擅自

征伐順其欲者賜之不順其欲者伐之宜言曰吾奉天子詔招降
討逆因此海宇振動莫不賓伏先生居草廬之中談笑風月遁世
無悶既從事於劉豫州當與天下生靈興利除害此所謂達則兼
善天下且玄德公未有先生之時尚尤縱橫寰宇據守城池今得
先生誠如彪虎生翼將見漢室復興曹氏即滅正宜救民於水火
之中措之於衽席之上何期曹軍一出玄德棄甲抛戈望風而走
上不能報劉表以安庶民下不能扶孤子以據疆土先生知而使
之是不仁也不知而使之是不智也近聞玄德棄新野走樊城敗
當陽奔夏口無容身之地有燒眉之急此是得先生以來反不如
在日矣豈有伯樂萬分之一哉先生幸勿以愚直而怪之孔
明見張昭之言笑曰大鵬飛揚於萬里其志豈群鳥所識焉古人有云
譬人患危重之疾未可以勝疾去救矣且以世人論之夫疾病之極
當以糜粥食之和藥養之待其五臟調和形体漸回後以肉食補
之猛藥治之則病寨拔人得全生也若不待氣脉和緩便以猛藥
厚之欲求安不救之道也且吾主劉豫州向日兵敗汝南寄跡劉表兵

孔明與虞 仲翔對答

不測之將惟關張趙雲而已況新野山僻小縣人民稀少糧食鮮
薄非險要之地豫州借以容身此正如[illegible]之[illegible]也
兵不完城郭不堅軍不經練糧不繼日[illegible]之用[illegible]
棄也白河用水使夏侯惇曹仁輩[illegible]之名心膽皆[illegible]生
奔殺不死安可[illegible]地劉[illegible]豫州不知[illegible]數追[illegible]豫州不[illegible]
敵者人之[illegible]哉[illegible]不義[illegible]之[illegible]豫州只數千軍民
扶老携幼不忍棄之[illegible]不[illegible]進取[illegible]日[illegible]間敗此爲
大義也兵書云寡不敵衆勝敗乃兵家常事昔高祖從敗於項
羽數勝高皇垓下一戰成功此韓信之良謀也非此[illegible]俟人臨
機應變自無一能誠爲天下之笑了[illegible]辯口舌語
忽一人高聲曰今曹公有雄兵百萬猛將千員龍驤虎視平吞江
夏公以何如孔明視之乃從會稽人也姓虞名翻字仲翔孔明
答曰曹操收袁紹蟻聚之兵劉表烏合之衆軍無紀律將無謀畧
雖有百萬何足懼也虞仲翔冷笑曰軍敗於當陽計窮於夏口區
區求救於人猶言不足懼真乃掩耳偷鈴孔明曰吾主劉豫州有

459

數千仁義之師退守江夏待其時也今汝視江東兵精糧足又欲使其主屈膝降賊何太懦也以此論之劉豫州實不懼操賊耳步騭仲嫻不能對座上一人放聲言曰孔明欲效蘇秦張儀遊說江東耶孔明視之乃臨淮步騭孔明曰君只知蘇秦張儀乃舌辯之士豈不知二子皆有匡扶社稷之機非比畏刀避箭之徒耳君等聞曹操虛詐之詞猶豫不決敢望爲蘇秦張儀乎步騭不能答忽座上又一人問曰孔明以曹公爲何如人也孔明視之乃沛郡薛文宗也孔明應曰曹操乃漢賊也文宗曰公言差矣予聞古人云天下非一人之天下也堯以天下禪於舜舜以天下禪於禹其後湯放桀武王伐紂列國相吞漢承秦業以及於今大數已終曹得逐其鹿天下歸正焉劉豫州不識天時強欲爭之如卵擊石如羊鬬虎安得不敗者乎孔明叱之曰汝乃無父無君之人也人生於天地之間以忠孝爲立身之本君以汝累世食漢之水土思報其君聞有國賊圖篡者皆共戮之臣之道也曹操宗祖食漢祿四百年不思報效反有篡逆之心天下共憤汝以天數歸之真無君之

人也不足與語再勿復言辟文宗滿面羞慚不敢應對座間忽一人應聲曰操雖挾天子令諸侯猶是曹相國苗裔劉豫州雖云中山靖王之後裔無可稽考只是一織蓆編屨之夫何足與曹操抗拒哉孔明視之乃吳郡陸績也孔明笑而言曰公乃袁術座間懷橘之陸郎乎汝安坐聽吾議論昔日文王三分天下有其二以服事殷孔子云周之德其可謂至德也矣此所謂臣不敢伐君也後紂暴虐武王伐之伯夷叔齊扣馬而諫曰以臣弒君可謂仁矣太公稱為義人孔子亦稱其德為臣不可犯上此萬世不易之理也曹操累世漢臣常有篡国之心非逆賊而何昔高皇起身乃泗上亭長寬洪大度重用文武而開大漢鴻基四百餘年且吾主縱非劉氏宗親仁慈忠孝天下共知勝如曹賊萬倍豈以織蓆編屨為辱乎汝小兒之見不足與高士言之言未畢座上又一人昂然而出曰吾江東衆英俊被汝強詞奪却正理汝治何經典孔明視之乃彭城嚴畯也孔明答曰尋章摘句之腐儒何能興邦立事乎且如耕莘伊尹釣渭子牙張良陳平之流鄧禹耿弇之輩皆有

諸葛亮復辯退程秉

斡旋天地之手匡扶宇宙之機未審平生所治何經所效何典豈效書生於筆硯之間論黃數黑而玩舌乎嚴畯低頭喪氣而不能對忽又一人答孔明而言曰汝言儒不能安邦定國何立於四科之首孔明視之乃汝南程秉也孔明曰有君子之儒有小人之儒夫君子之儒心存仁義德處溫良孝於父母忠於君王上可仰觀天文下可俯察地理其中可澤於萬民治天下如盤石立功名於青史此君子之儒也夫小人之儒惟務青春作賦皓首窮經筆下雖有千言胸中實無一物且如漢楊雄以文章為一狀元屈身仕莽不免投閣而死此乃小人之儒也雖有萬篇何足道哉座上諸公見孔明對答如流滔滔然如天河之水衆皆失色又有吳郡張溫會稽駱統二人又欲難問忽黃蓋直入厲聲言曰孔明乃當世名士汝等以脣齒相難非敬客之禮也曹操引百萬之衆虎視江南不思破敵之策但以口頭之語各負所能政事安在上有吳侯立等諸葛先生請便入以論安危畢竟如何

諸葛亮激孫權

權請孔

明議國事

黃蓋與孔明曰愚聞多言獲利不如默而無言何不將金玉之論
對討虜將軍言之孔明曰群儒互相難問不容不答也黃蓋魯肅
請孔明入至中門正遇諸葛瑾孔明施禮瑾曰兄弟到江東何故
不來見我孔明曰弟事劉豫州理合先公而後私公事未畢不敢
治私望兄恕之瑾曰見了吳侯却來敘話魯肅曰適來此言不
可相慢孔明點頭應之吳侯孫權入自相迎孔明下拜權答禮請
坐孔明坐於右側以致敬之意孔明暗思此人可激不可說但
等他問時便動激言此事必濟權問孔明曰久聞子敬談足下之德今
幸得見欲求教益孔明答曰不才無學有辱明問權曰足下近在
新野輔佐劉玄德與曹操共決勝負如何孔明曰劉豫州兵不滿
千將惟關張趙雲更兼新野城小糧無安能抗拒曹操乎權曰曹
操兵共有多少孔明曰曹操破呂布滅袁紹平袁術收北番定遼
東新併劉琮步軍水軍一百餘萬魯肅聽了暗暗叫苦却將分付
的不依權曰莫非詐乎孔明曰明公若疑曹操就兗州已有青州
兵四十萬平了袁紹又得四五十萬原所新召之兵何止二三十萬

今得荊州之兵亦有二三十萬以此論之不下一百五十餘萬亮以一百萬言之恐驚動江東之士也權又問曰手下將士還有幾何孔明曰足智多謀之士楊威耀武之人何止一二千如亮之輩車載斗量不可勝數肅又稍暗點若權曰今曹操已平荊楚復有遠圖乎孔明曰目今在江夏準備戰船不欲圖江南待投何地耶權曰操之戰與不戰請足下一決孔明曰但恐明公不肯聽從權曰願聞金石之論孔明曰今海宇大亂將軍起兵據江東劉豫州亦收眾漢南與曹操併爭天下今操夷大亂畧已平矣遂破荊州威加四海英雄無所用武故豫州逃至此將軍若能以吳越之眾與中國拒敵早與之絕若不能當權有一計可以保全權問何計孔明曰何不從眾謀士之議北面事之孫權頓足不語孔明曰將軍外託伏從之名而內懷抗拒之計事急而不斷禍至無日矣孫權又不答孔明又曰聖人云寡固不可以敵眾弱固不足以敵強此必理之然也明公何不早降曹操則江東生靈不受其塗炭矣權曰苟如公言劉豫州何不事之孔明曰田横齊之壯士耳猶守

義不辱況劉豫州王室之冑英才蓋世安能復爲之下乎孫權勃然變色而入衆皆哂笑而散魯肅責孔明曰先生何故出此言只是吾主寬洪大度不面責先生先生之言藐其主甚孔明曰何如此不能容物耶吾自有破曹之策汝不問我我豈言哉肅曰果有良策肅當請主公請教孔明曰吾觀曹操百萬之衆如群蟻耳但吾一舉手則皆爲虀粉肅聽此言入後堂見孫權權怒未息顧謂肅曰汝欺吾太甚肅曰某亦責之孔明言自有破操之策主公不求孔明不肯輕言權回嗔作喜曰吾一時淺見幾誤太事權複出請孔明曰適來冒瀆幸勿見罪孔明亦謝邀入後堂置酒相待權曰曹操平生所患者劉表袁術劉玄德與孤耳今數雄已滅獨孤與玄德在吾不能以全吳之衆受制於人吾知非劉豫州莫可當曹操者然豫州新敗安能抗此難乎孔明曰劉豫州兵雖敗於長坂今戰士漸還關羽領兵精甲萬人劉琦合江夏戰士亦不下萬人曹操之衆遠來疲敝聞追輕騎一日一夜行三百里此所謂強弩之末勢不能穿魯縞者也且北方之人不習水

戰又荊州之民附操者逼兵勢耳非心服也今將軍誠能命猛將
統兵數萬與豫州同力破曹必矣操軍敗必北還如此則荊州吳
地之勢如鼎足之形矣權大喜曰先生之言頓開茅塞吾已決矣
更不復議即日起兵敵操交魯肅傳告文武就送孔明館驛安歇
張昭得知孫權起兵聚衆議曰中了諸葛之計也急入見權曰昭
等聞主公與兵與曹操爭鋒主公自思與袁紹如何權不答昭曰
曹公向日兵微將寡尚能一鼓克紹何況今有雄師百萬豈可輕
操豈可敵之休聽諸葛之說詞妄動兵甲此謂披薪救火也顧雍
曰劉備已敗於曹公有仇故與兵伐之江東自來無寃安有吞併
之意休聽諸葛之言絕生國家之患主公察焉孫權不能自起身
入後堂魯肅見張昭等諫休動兵慌入見權曰却才張子布諫主
公休起兵只要接降文官皆欲降者有嬌妻嫩妾屋以高堂綿以
富貴安肯就白刃而爲主公死耶孫權曰汝且暫退容吾思之肅
曰主公若遲疑必被衆人誤矣肅退外面武將多有要戰的文官
多有要降的紛紛不定[illegible]孫權寢食不安吳夫人見[illegible]

入問曰仲謀何事在心寢食俱廢權曰今曹操屯兵於江漢[illegible]
士或有言降者或有言戰者欲待戰來恐寡不敵衆欲待降又恐
曹操不容故決不下吳夫人笑曰伯符若在不致如此仲謀何不
記吾姐之言乎孫權如醉方醒似夢初覺

諸葛亮說周瑜

吳夫人曰先姐遺言[illegible]伯符曰內事不決問張昭外事不決問周
瑜何不請公瑾而講[illegible]權大喜即時差人往鄱陽請周瑜[illegible]
周瑜在鄱陽湖教水軍也聽得曹軍在漢上星夜歸在柴桑郡已
到岸飛報將來魯肅與周瑜最厚先來接着將上件事一一告訴
瑜曰子敬勿憂周瑜胸中自有主張可引諸葛來見爲幸魯肅上
馬去了人報張昭顧雍張紘步騭四人來相探迎接入堂[illegible]坐
定張昭曰都督知江東[illegible]利害否瑜曰未知也昭曰曹公提百萬之
兵一歸而下漢上傳檄到此欲與君侯會獵於吳雖隱[illegible]之意
終見其形跡昭等勸主降之庶免東南之亂魯子敬從江夏請劉
豫州軍師諸葛亮至此只爲欲救彼急故下說詞以[illegible]

程普勸周瑜

伐曹操

吳侯執迷不誤中□將□一决剪韓以片言勸吳侯降[illegible]江
東六郡生靈受刀兵之危瑜曰公等所見皆同否[illegible]皆
同瑜曰公等暫回來日見吳侯自有定議張昭等退人報[illegible]等
黃蓋韓當一班戰將求見都督瑜出接入程普等曰都督知江
東早晚屬他人否瑜曰未知也程普曰吾等自隨破虜將軍開[illegible]
亂大小數百餘戰遍歷艱辛方得六郡非容易得到今日也[illegible]
聽謀士之言欲納土歸降曹操此誠萬代之恥吾等寧死不[illegible]
辱吳侯特請都督决之望片言勸吳侯興兵吾等願效死戰[illegible]
曰將軍所見同否黃蓋奮然而起曰吾頭可斷誓不降曹衆將皆呼曰
不降不降瑜曰吾正欲與曹操决戰安可降也請諸將軍暫回來日
相見自有定議程普等辭退又報諸葛瑾闞澤呂範朱治一班文
官相探瑜接入禮畢諸葛瑾曰今舍弟來言劉豫州欲相交好共
破曹操文武商議不定今是舍弟為使瑾不敢多言候都督一
决此事瑜曰以公道論之君何如瑾曰降者易安戰者未保瑜曰吾
[illegible]自有主張來日同至府下定議瑾等辭退又報呂蒙甘寧一班

戰將相探瑜請入所言此事有要戰者有要降者互相爭論瑜曰不必多言來日都到府下聽候公議又報子敬孔明在于門首瑜接入分賓主坐肅曰今曹操驅兵南侵討虜不能決一聽將軍意下若何瑜曰今曹公與兵以天子爲名其勢不可當戰則易敗降則易安吾來日見主公便遣使納降肅愕然曰君言差矣江東基業自破虜開創今已歷三世豈可一旦廢之孫伯符遺言外事託付將軍欲保全國家今何從懦夫之議耶瑜曰江東六郡生靈無限若罹兵革之禍必歸怨於吾吾故主降之肅曰不然以將軍之英雄以江東之險曹操未必便渡江也二人爭辯孔明冷笑瑜曰孔明何故哂笑孔明答曰亮笑子敬不識時勢公瑾主意降曹正合時勢也瑜笑曰孔明乃識時務之士必知吾所見也孔明曰操極善用兵天下莫敢當者英雄也舊只有呂布袁術袁紹劉表可與對敵今數人皆被曹公殄滅天下再無人矣獨有劉豫州不識時務強欲爭之今孤身江夏存亡未保公瑾所主降者可以保妻子圖富貴國祚遷移何足惜哉肅大怒曰汝教吾主屈膝

國賊乎孔明曰吾有一計只須遣一文官扁舟送二人到江上曹操得之百萬之衆皆卸甲捲旗望北而去矣瑜曰用何二人可退曹兵孔明曰江東去此二人如大林飄一葉耳雖云如此之輕足稱曹公之願瑜又問果用何人也孔明曰亮聞操在漳河邊造銅雀臺壯麗一千日而功畢操平生酒色之徒寵愛婦人久聞江東有喬公二女長曰大喬次曰小喬有沉魚落雁之容閉月羞花之貌操有誓言曰一願掃清天下以為帝王二願得江東二喬置於銅雀臺以為晚年之樂雖死無恨今操引百萬之衆虎視江東實為此二女也將軍何不以千金買此二女差人送去曹公得此稱心遂意必是班師回國矣此范蠡進西施之計何不速為之瑜曰有何驗証孔明曰曹公幼子曹植字子建下筆成文操命其子作一賦名銅雀臺賦單道他家合為天子誓取二喬瑜曰汝能記否孔明曰吾愛其文章常常暗誦一字不忘瑜曰煩公誦一遍孔明即誦賦曰

從明君而嬉遊兮登層臺以娛情見太府之廣開兮觀聖德之所營建高門之嵯峨兮如闕乎太清立中華觀天兮非連閣

西臧臨漳河水之長流兮望園果之滋榮[illegible]
射玉龍挾二橋於東南兮若長空之蝃蝀俯皇都之[illegible]
霧之浮動欣群材之來萃兮協飛熊之吉夢[illegible]
恭惟上京於桓之盛兮豈足方乎聖明[illegible]
同天地方規兮萬物阜於民康[illegible]
周瑜聽罷[illegible]北大罵曰老賊欺吾太甚孔明[illegible]
停騎[illegible]天子許以公主和親[illegible]以[illegible]民[illegible]
女乎瑜曰非民間之女大喬是孫伯符將軍主婦小喬乃瑜之
妻也孔明曰惶恐惶恐亮實不知適間亂言死罪死罪瑜曰吾[illegible]
孫伯符之[illegible]豈有屈膝降曹之理適間所言故反說而試之公
耳吾自離鄱陽湖便起北伐之心雖刀斧加頭不可易也望孔明
助吾同破曹賊孔明曰將軍不棄願早晚供聽約束孔明辭
[illegible]後來史官有詩曰　曰似懸河水逆流[illegible]
[illegible]周公瑾　[illegible]能驚孫仲謀　欲索便分三國定
[illegible]孔明當日無思量　西蜀東吳一旦休

周瑜定計破曹操

次日侵晨吳侯升堂左邊文官張昭顧雍等三十餘人右邊武官程普黃蓋等三十餘人侍立兩邊孫權交請周公瑾議事頃刻瑜入見禮畢權曰都督教水軍防禦瑜曰主公尊意若何[illegible]周瑜坐定瑜曰近聞曹操領兵已取漢上馳書到此主公議[illegible]何權便取書與周瑜瑜看了怒曰老賊覷我江左無人敢如此[illegible]未知主公曾與文武商議否權曰累議此事亦有勸我降者[illegible]勸我戰者猶豫未定故請公瑾決之瑜曰誰勸主公[illegible]布等皆言此事瑜曰先生之降者願聞其意昭答曰[illegible]公[illegible]挾天子而征四方近得荊州其勢甚大吾江東可拒操者長江[illegible]今操艨艟戰艦何止數千水陸並進安可當之愚之計不如早降尚圖後計瑜曰此迂濶之論也江東自破虜開基以來今歷三世安可一旦而爲人奴也操名漢相實漢賊也將軍以神武雄才仗父兄之烈江東地方數千里英雄用命當橫行天下爲國家除殘去穢況操自來送死而可迎之乎請主公寧之今北土未平馬騰韓[illegible]

請孔明

破曹

遂爲操之後患一也而操捨鞍馬仗舟楫與吳越爭衡二也又際冬盛寒馬無料草三也驅中國士衆遠涉江湖之間不服水土必生疾病四也此數事皆用兵之患也今操冒行之將軍擒操宜在旦夕瑜請精兵數萬人進住夏口保爲將軍破之權忽然曰老賊欲滅漢自立久矣所懼二袁呂布劉表與孤耳今數雄俱滅惟孤尚存今與老賊勢不兩立瑜曰瑜與將軍決一死戰萬死不辭只恐將軍狐疑不定也權拔所佩劍砍几案曰如將士官更有言降操便與此案同言罷便將此劍授付周瑜封爲大都督魯肅爲贊軍校尉如不聽號令者以劍誅之瑜受了劍對衆官曰吾奉君侯號令率衆破曹來日皆於行營聽調如違者處斬辭了孫權便起身衆文武各各無言而散周瑜回到下處便請孔明論事孔明已至瑜曰今日府下公議已定願求破曹之策孔明曰討虜將軍怯猶多內懷衆寡不敵之意將軍以言開解此懷然後無疑大事成矣瑜曰先生妙論周瑜又見孫權權曰公瑾夜至必有事故瑜曰來日調撥軍馬主公心中必疑否權曰但懼曹兵衆寡不

瑜與魯肅　發兵遣將

敵餘有何懼瑜笑曰特爲此事逕來解主公耳諸人徒見衆書言水步軍八十餘萬而恐懼其衆今以實較之彼中國人不過十五六万所得刘表衆亦不過七八萬主公尚何疑乎瑜得五萬自足制之願主公勿慮言畢權撫瑜背曰公瑾言此正合孤心子布等各顧妻子深負所望獨卿與魯子敬程公覆會言與孤同心孤今當親與操賊決一勝敗吾已定論卿宜向前瑜謝而退瑜猶自孔明早已料吳侯之心其計高我一頭也久後必爲江東之患不如殺之遂令人連夜請魯肅入言欲殺孔明之事肅曰不可操賊未破先殺賢人誠万世之恥笑耳非大丈夫之所爲也瑜曰此人他日助刘備必爲江左之患肅曰諸葛瑾乃是他親兄可命招此人同事孫討虜豈不壯哉瑜曰其言甚善次日平明瑜赴營軍帳坐下刘刀斧手聚集諸將可令程普年長見周瑜年幼爵居其上是日推病令長子程咨代替瑜傳令王法無親諸君各守身職方今曹操弄權甚于董卓因天子在許昌屯兵漢上吾今承命討伐罪但是軍到處無得動擾賞功罰罪並無親疏隨命韓當黃蓋爲前

部先鋒總管本部戰船五百隻目下便行前到三江口下定水寨別聽將令周泰為第二隊凌統潘璋為第三隊太史慈呂範為第四隊陸遜董襲為第五隊呂蒙甘寧為四方巡警使六郡催督軍水陸並行克期取齊傳下號令諸將各各自來本部收拾船隻軍器起程程咨回見父程普說周瑜行事有法普大驚曰吾嘗欺周郎懦弱不足為將今日如此真將才也吾如何不伏遂詣行營謝罪瑜亦遜謝次日請諸葛瑾謂曰令弟孔明有王佐之才如何屈身而事劉備今幸至江左欲煩先生片言使令弟棄劉備而事討虜將兄弟朝暮聚會豈不美哉瑜待回報先生不可推卻瑾曰自到江東無尺寸之功蒙討虜將軍重用況都督有委公之使敢不效命即時上馬到驛孔明出接拜訴疎遠之情瑾亦泣曰弟知伯夷叔齊之情乎孔明自思此必受周瑜教他來說我乃答曰夷齊古之賢人也瑾曰二人雖死皆一處迯之後諫武王不從隱居首陽山不食周粟餓而死猶在一處死後一處吾與汝同胞共乳今爭其主不能早晚相隨視夷齊之為人豈不羞愧孔明曰兄所言

475

諸葛瑾說

孔明辭吳

者義也義與忠孝三字何重瑾曰必以忠孝為本義亦不可輕也孔明曰弟教兄全忠全孝全義若何瑾曰何為也孔明曰弟與兄皆漢朝人也今劉皇叔乃中山靖王之後漢景帝閣下玄孫兄若能棄東吳而事劉皇叔乃全忠也想父母墳塋在此乃兄當歸漢北早晚得拜掃祭祀乃全孝也竭誠盡力與弟同扶孤弱之主乃全義也兄今戀江東不以忠孝為重欲使弟[illegible]全其義不敢聽從也望兄察之瑾思曰我來說他倒被他說了我也因此不能答辭孔明而起迎將此言回報周瑜瑜曰與你之見若何瑾曰孫討虜相顧安肯忘耶瑜曰既公忠心事主不必再疑吾自有伏諸葛亮之計瑾辭歸畢竟周瑜將何計來害孔明

周瑜三江戰曹操

周瑜轉恨孔明誓必殺之遂來辭孫權權曰公瑾先行孤續後便起瑜邀孔明同行孔明欣然從之一同登舟望江夏而進離三江口五六十里軍舡依次羅開岸上依西山結營週廻五十餘里周瑜分泒已定使人請孔明到中軍議事瑜曰昔曹兵少操兵多

中軍議事

與孔明

兩邊相拒於官渡之時操以何計害袁紹先生深通兵法必知其詳孔明暗思令吾說吾不從必用計害吾遂答曰曹用荀攸之謀先斷其糧草因此一戰成功瑜大喜曰所有曹兵八十三萬瑜止有三萬安能拒之必須先斷操糧然後可敵近日人報操糧皆出於聚鐵山素知先生久居漢上地理熟閑有勞先生率領關張趙雲往聚鐵山斷操糧草此事勿憚孔明欣然領諾便辭周瑜而出眾官皆散魯肅獨問瑜曰公使孔明何意瑜曰欲殺之恐惹人笑假操手殺之先除後患魯肅來見孔明看他知也不知孔明略無難色整點軍馬要行肅不忍遂以言挑之曰此去可成功否孔明笑曰吾水戰步戰馬戰車戰各盡其妙何愁功績不成豈似公與周郎只盡一能耳肅曰吾與周郎何謂一能孔明笑曰吾聞江南小兒有言伏路把關饒子敬臨江水戰有周郎言不識陸地戰肅以此言回報周瑜瑜大怒曰孔明何欺我只能水戰不能陸戰吾引一萬馬軍直往聚鐵山斷操糧道肅以瑜言報孔明孔明笑曰公瑾令吾斷糧者實欲令曹兵殺吾也吾故

糜竺二齎禮

拜見周瑜

以言戲耳且今用人之際吳侯與劉使君同心則大事成如若相疑則事去矣操平生慣斷人糧如何不以重兵隄防公瑾去則必被擒不如先與戰挫動其軍銳氣爲當肅以言回報周瑜瑜搖手曰此人見識果勝吾今日不除必被他算肅曰今大軍相拒之時尊以國家爲重瑜曰然却說劉玄德分付劉琦守把江夏遂領兵至夏口登城遙望江東旗旛隱隱[illegible]動兵乃盡起部[illegible]之兵屯於樊口繼玄德聚衆曰孔明一去杳無音信不知就里何如糜竺曰某願往玄德乃備羊酒禮物付糜竺應諾而去竺駕小舟順流而下至周瑜寨軍士報云玄德使糜竺至瑜[illegible]竺入糜竺致玄德相敬之意獻上酒禮瑜曰孔明來結於會[illegible]破曹操吾欲玄德親駕來臨深慰所願竺應諾而回肅問曰公欲見玄德主何意瑜曰玄德世之梟雄今若不除乃東吳之患[illegible]巳之私實爲國家也瑜遂傳密令如玄德到先埋伏刀斧手[illegible]於壁衣中吾擲盃爲號便出下手却說糜竺回到樊口見玄德[illegible]周瑜欲會之事說了玄德交收拾便往關公諫曰[illegible]

周瑜見玄德　帳下會飲

之人兒無孔明之書[illegible]中必[illegible]詐不可去也玄德曰吾今[illegible]

共破曹兵若君疑惑事必不諧[illegible]雲長曰兄長[illegible]

張飛曰吾也跟去玄德曰只[illegible]雲長隨我[illegible]

同乃乘小船[illegible]從行[illegible]十餘人飛棹來到[illegible]

[illegible]周瑜[illegible]多[illegible]隻從者二十[illegible]

入[illegible]今[illegible]接玄德[illegible]

入[illegible]喜[illegible]入帳[illegible]玄德[illegible]

曰將軍[illegible]英[illegible]之才安[illegible]將軍[illegible]禮乃分賓[illegible]

瑜設[illegible]孔明在江邊[illegible]玄德任此處郎[illegible]周

會畢了一[illegible]入帳中正逢魯肅[illegible]曰明[illegible]携手而入[illegible]相

備曰兄說周瑜面有殺氣兩邊密[illegible]刀斧[illegible]孔明料[illegible]明

雲長必不干休也於船邊伺候周瑜猛見關公立在[illegible]背後[illegible]

曰此是何人玄德曰吾弟關雲長也瑜曰莫非向日斬顏良誅文

丑者乎玄德曰是也周瑜汗流浹背玄德曰將軍今拒曹操[illegible]今

有幾何瑜曰三萬玄德又曰安能敵操八十三萬[illegible]瑜[illegible]曰何足

周瑜喝斬

曹操來使

懼哉豫州試看吾以三萬人破之如摧朽木耳玄德[illegible]肅入玄德曰請子敬孔明相見瑜曰[illegible]待破了曹操此時與孔明回也玄德[illegible]辭瑜曰備權告別候破敵收功之日[illegible]至江邊忽見孔明孔明曰主公知今日[illegible]曰若非雲長已遭瑜之難矣玄德方悟孔明[illegible]軍馬十一月二十日甲子後爲期可交子龍駕一小舟[illegible]候但看東南風起亮必還矣主公可速開舡孔明自回玄德[illegible]也恐怕玄德有失特來遠接遂乃同回却說魯肅問周瑜曰公[illegible]行不數里上流頭放下五六十隻船玄德慌忙視之船頭乃張[illegible]今日何不下手瑜曰關雲長世之虎將行坐相隨我若下手他必害吾也肅愕然忽人報曹操遣使至瑜喚入使人呈上書封皮云漢大丞相書付周都督開拆瑜大怒更不開看扯碎於地喝斬使者肅曰兩國戰爭不斬使人周瑜曰斬使以振軍威將首級付從人回去瑜當日教放甘寧爲先鋒韓當爲左蔣欽爲右[illegible]

自部領諸將來日四更開江戰[illegible]一應完備[illegible]
諭斷江[illegible]使[illegible]大怒傳令[illegible]
然後雪四更造飯五更開船[illegible]
日南船一員大將坐在船頭大叫曰吾乃甘寧[illegible]
[illegible]何[illegible]大[illegible]前進[illegible]
[illegible]驅舡大[illegible]
[illegible]比軍[illegible]如何
[illegible]
甘寧[illegible]於三江水面戰[illegible]
孔軍[illegible]
兵少[illegible]不用[illegible]
[illegible]
[illegible]在中[illegible]
[illegible]處便行[illegible]水
軍於[illegible]分二十四座水門以大船為城小船[illegible]內[illegible]

奈至晚點上燈燭照得天心水面通紅旱寨三百餘里火烟不絕
了和說周瑜得勝回寨一面差人奏知吳侯以身先為第一功當
將校各之餘皆賞勞已畢瑜當夜寫高[illegible]
天地瑜喝之左右曰此北軍燎火進[illegible]
瑜數隻樓于船至當夫觀操寨水軍[illegible]
帶和上弩等一齊上船兩邊青布為幔各[illegible]
驚云此人深知水軍之妙用也問水軍都督是誰左右曰張允蔡
瑁也瑜曰乃深知水利之士也吾必先除此二人然後破曹操瑜在
船上飲酒水寨中曹軍看見急報曹操曹操交放船擒捉周瑜周
瑜見旌旗起便令收拾回船比及水寨中船發周船已
離十數里遠追之不及回報曹操操曰昨日輸了一陣挫動鋭氣
今又被他窺了寨柵吾有何計破之言未畢忽帳下一人出
曰某自幼與周郎同窓交契親見仲逕往江左說此人來降啟
何曹操大喜曰要何物將去蔣幹曰只消一個小童隨後為一[illegible]
者本從一物操與蔣幹乃置酒編一隻小舟逕到周瑜寨中上岸[illegible]

瑜與蔣幹

飲大寨

正在中軍帳與眾將議事忽聞幹至瑜笑曰他來作說客耶乃分付眾將如此如此瑜整衣遠接見幹引一個青衣小童昂然而來瑜忙下拜而迎幹曰賢弟別來無恙瑜曰子翼兄遠涉江湖欲與曹氏作說客耶幹愕然曰吾聞足下威鎮東吳名揚華夏故來叙舊何疑吾兄作說客耶足下既視吾如此人吾告退矣瑜笑挽其臂曰兄長既無此心何必速去遂請入帳上坐命左右進酒就請江左文官武將分兩行而坐瑜與眾將曰此是吾同窗友兄從江北到此非是曹家說客也眾官勿疑便喚太史慈曰汝可佩吾劍做個明甫今日之酒但叙舊日交情如有但說曹操東吳軍旅之事者便同斬之太史慈昂然應諾按劍坐于席上[illegible]玷周瑜曰吾自出兵以來點酒不飲今日見了故人又無疑忌[illegible]醉吾兄開懷暢飲酒至半酣瑜攜幹手同步出帳外瑜指左右軍士皆全裝鎧甲各執戈戟而立瑜曰吾之小卒頗雄壯否吾之倉糧可足備否幹曰兵精糧足名不虛傳瑜又笑引幹看營中軍器鞍馬瑜半醉笑曰想吾與子翼同窗學業時不知有今日幹曰以賢兄

蔣幹見蔡張

書竊而藏

之高才誠不為過瑜執幹手曰大丈夫處世遇知己之主外託君臣之義內結骨肉之恩言聽計從禍福共之假使蘇張更生陸賈酈生復出不足以動吾心何况今時童句腐儒欲將一面之詞來說吾也言罷大笑此時蔣幹面如土色瑜又邀入帳上會諸將再飲又指諸將曰江左豪傑今日此會乃群英會耳飲至天晚點上燈燭瑜自起身舞劍作歌眾皆指手而和之歌曰

大丈夫處世兮立功名功名既立兮王業成王業成兮四海清
四海清兮天下平天下平兮吾將醉吾將醉兮舞於王京

歌罷慷慨滿座盡歡蔣幹寸心欲碎夜已更深幹辭不勝酒力瑜曰久不與子翼共榻今宵抵足而眠瑜本不醉同幹入帳後共寢衣不能解帶嘔吐狼籍於床上是夜蔣幹竊聽之時軍中鼓打二更視殘燈尚明見周瑜鼻息如雷幹視卓上一堆文書皆是往來書信於內一封上寫蔡瑁張允謹封幹大驚暗讀之書云

某等降曹緣是勢逼今已賺北軍於寨中但得其便別有關報

幹暗思曰元來蔡張結連東吳將書深藏於衣內忽聞周瑜翻身口

蔡瑁張允

內含糊叫曰子翼兄吾數日之內教你看操賊之首幹勉强應之瑜伏在床上聽時有人入帳喚云都督醒也否周瑜故作夢中忽覺之意問那人曰牀上睡着何人答曰都督請蔣幹同寢何謂不知瑜懊悔曰吾未嘗飲醉昨日醉後不曾說甚言語那人曰江北有一人至此瑜喝低聲便喚子翼蔣幹只推睡着搖撼不覺瑜潛出帳幹竊聽之見有人於外曰蔡張二都督道急切下手不得後面低低語不聽得少刻瑜入帳喚幹幹只推睡着瑜解衣就寢幹尋思周瑜是箇精細的人天明尋書不見必然漏泄睡到五更幹起喚瑜瑜却睡着幹帶上巾幘潛步出帳喚了小童逕出轅門軍士問先生那裏去幹曰吾在此恐悞了都督事幹回曹寨稟曰某不能說周瑜却與丞相打聽一件事把上項事一一說了取書與曹操操覽了大怒曰二賊焉敢如此只恐走透急喚蔡瑁張允到帳下操問進兵如何瑁曰軍數未熟不敢輕進操怒曰軍若教熟吾首級獻與周瑜矣蔡張二人不知其意驚慌不能答對操喝武士立斬之須臾獻頭階下衆將皆入問其意操方

魯肅舟中　問孔明

㕘曰吾中計矣操雖中計不肯認錯乃與衆將曰蔡瑁張允二人怠慢
軍法吾故斬之衆將皆嗟呼不已操于衆中選于禁毛玠爲水軍
都督以代二人之職細作探知報與周瑜瑜大喜曰吾所患者此
二人今已勦除吾無憂矣肅曰都督如此用兵何愁曹賊不破瑜
曰吾料諸將不知其謀獨有孔明勝吾吾想此謀亦不能瞞他子敬
試以言餂之看知與不知便當回報肅去餂孔明還是如何

讚德亮計伏周瑜

魯肅逕來舡中探孔明孔明迎入肅曰連日措辦軍務有失領教
孔明曰便是亮亦欲與都督賀喜肅曰何喜孔明曰公瑾使足下
來探亮知不知便是這件事可賀喜肅大驚曰先生緣何知之孔
明曰這條計只瞞得蔣幹曹操亦必知之只是不肯認錯如今換
毛玠于禁這兩個手內好歹送了水軍性命東吳無患矣如何不
賀喜肅別了孔明孔明囑付曰萬望子敬休言亮知此事公瑾必
然毒害亮也魯肅搖頭而去見周瑜把上項事只得實說周瑜
聽了大怒曰吾留此人那里顯吾之謀急斬之魯肅苦勸曰若殺孔明

瑜令孔明

造箭十萬

却被擒矣瑜曰吾今公道斬之使他死無怨也瑜聚衆將于帳下交請孔明孔明欣然而至坐定瑜曰水路之中當用何計破曹望先生見教孔明曰大江之上除非弓弩爲先瑜喜曰先生之言正合吾機先生飽學必能辨理吾軍缺箭使用欲煩先生監造十萬根箭以備用望先生代勞爲幸孔明曰亮聞在此便造十萬枝箭當何時用之瑜曰與先生十日限辦得麼孔明曰早晚曹操必到若候十日必誤大事瑜曰先生料幾日可辦孔明曰只消三日辦納瑜曰切勿戲言孔明曰豈敢戲都督願納軍令狀瑜大喜置酒相待瑜曰事完了自當酬勞孔明曰第三日可差小軍五百人於江頭搬箭孔明飲了數盃辭瑜而去肅曰此人莫非詐乎瑜曰他自送死非我逼之明白對衆要了文書你便脇生雙翅也飛不去分付軍兵交他者般不與必然誤了此時定罪有何理說你可去探虛實便來回報肅辭瑜見孔明孔明曰吾曾教子敬休對公瑾說知他必要害我今果然這三日內要造十萬隻箭無計要救我子敬只得救我肅曰你自取禍如何救汝孔明曰望子敬暫借二十隻船

孔明問肅

借舟取箭

每舡上要軍三十人船棹皆要布爲幔每舡上束草千餘把當兩邊皆在江岸伺候別有妙用第三日請子敬至看箭切不可教公瑾知會如知則吾計不成必累子敬矣肅正不知其意回報周瑜言道他不用竹箭翎毛膠漆等物自有道理瑜大疑惑不肯與意肅自撥輕快舡二十隻各舡三十人並用青布爲幔上插旌旗內安草束縛於兩邊皆泊於孔明舡邊一日無動靜兩日亦不行到第三日四更密肅到舡邊孔明交請上舡肅問何意孔明曰同子敬往江北取箭肅問箭在何處孔明曰子敬休盤問到去便見二十隻舡用長索相連交望江北岸進發是夜大霧垂江對面看不相見孔明與魯肅坐於舡後傳令交快行果然好大霧靜軒先生有詩一律單題大霧云

疊疊扇光盛　濛濛細雨濃　惟聞雲外雁　不見嶺頭松
一水迷新浪　千山失舊蹤　禪關昏曉裏　風送數聲鐘

當日五更已到曹軍水寨孔明交把頭西尾東一帶擺開就舡上擂鼓吶喊肅驚曰倘或曹兵齊出如之奈何孔明曰吾料曹操雖

箭射

士卒

奸雄於重霧中必不敢出吾等飲酒取樂霧散便回吾親身在此子敬勿憂却說操寨聽得水寨中擂鼓吶喊毛玠于禁二人慌使人飛報曹操操曰重霧迷漫江面必有埋伏更兼軍士未整不可輕動盡撥水軍弓弩亂箭射又差人旱寨裏喚張遼徐晃各帶弓弩手約有一萬餘人盡上船施放平明時候孔明交把船調回頭東尾西逼近水寨受箭是寨中張遼徐晃等又引能射者皆赴水寨口大船上放箭只見霧中擂鼓吶喊箭如雨下漸漸日出收起霧靄孔明交放船回二十隻船兩邊似釘排草內無數枝箭軍士們一齊都叫謝箭比及報知曹操船輕水急已放開二十餘里追之不及操甚憔悔自責比軍皆嗟呀不已却說孔明與魯肅看每船上可勾四五千枝不須費江左半分之財已得十數萬箭數之可得九萬餘隻都挑來軍中交納魯肅將言說與周瑜瑜大驚慨而歎曰諸葛神機妙策吾不如也江左得箭九萬餘隻曹操折箭十五六萬周瑜出寨迎接孔明以師禮敬之孔明曰聊作小術何足為奇瑜曰雖古之孫吳莫能及也邀入帳共飲瑜曰昨吳侯遣

使至催促破敵瑜未有奇計請先生教之瑜曰亮乃碌碌庸才公是江東豪傑何故問計於亮耶瑜曰昨觀曹操水寨極有法度非等閑可攻今先生亦往觀其動靜矣瑜有一計不知可否請先生諭之孔明曰都督且休言各寫於手內看意同否瑜大喜交取筆硯來周瑜暗寫來遞筆與孔明孔明亦寫兩個同近坐榻各出掌中之字互相觀之畢竟如何

黃蓋獻計破曹操

當日席上周瑜先出掌中之字與孔明觀之乃一火字孔明乃出手中字令周瑜觀之亦是火字周瑜曰兩計相同再無疑矣幸勿漏泄孔明曰兩家之事豈有漏泄之理飲罷分散[illegible][illegible]將了許多箭心中納悶荀攸進曰江東有周瑜孔明二人同計大江之限急切難知軍中可選二人去詐降以通消息方可破操曰汝料軍中誰可行此計攸曰蔡瑁被誅蔡氏宗族已在寨中有二人是瑁房族蔡中蔡和爲偏將軍丞相可使之去東吳必不疑矣操當夜喚二人入內囑付曰汝昆仲可引小軍去東吳詐降但有動

周瑜令甘

寧領二蔡

汝使人密報事成之日封汝為列侯重賜食邑休得變心二人曰
吾之妻子皆在荊州安敢變心丞相勿疑某二人手到必取周瑜
諸葛亮之首操喜重賞了皆封為偏將二人帶數隻船候出沙口順風而
下望南岸來却說周瑜曉夜不停俱要會進兵之策忽報江北有數
隻船到來稱蔡瑁之弟蔡和蔡中特來投降周瑜大喜交喚到
帳下二人哭拜於地曰吾兄無罪被操賊殺之今欲報仇特來投降
望賜收錄願為前部瑜大喜取金銀賞勞加為上將與甘寧引去為前
部二人拜謝以為中計瑜喚甘寧分付曰操使此二人過江領探
消息故做不知休要阻當寧曰此是何意瑜曰此二人不帶妻小
必然是詐降吾欲將計就計行事特交他通報消息汝可慇懃相
待等到破曹時殺他兩個祭旗汝勿有誤甘寧領計去了却說魯
肅來見周瑜曰二蔡兩個多是詐降瑜叱之曰操殺他兄正欲復仇
何詐之有汝如此多疑安能容天下之士乎肅無言可答退告
孔明孔明笑而不言肅曰何故笑也孔明曰吾笑子敬不識公瑾
之計耳大江之隔細作難通往來操使蔡中蔡和來詐降使不疑

心也公瑾計上用計正要他通消息兵不厭詐公瑾之謀也肅方才省悟却是黃蓋入帳與周瑜曰他衆我寡難以拒敵何不用火以燒之瑜曰誰與公獻此計蓋曰此某已意非他人之所教也瑜曰吾正欲如此故留蔡中蔡和以通消息但恨無人爲我[illegible]計耳蓋曰某願行此計瑜曰不受苦楚如何肯信蓋曰某受[illegible][illegible][illegible]將軍重用到今雖身受萬剮心亦無悔瑜拜謝次日[illegible]晨大會諸將列於帳中孔明亦預坐次周瑜曰曹操有百萬之衆[illegible][illegible]三百餘里寨栅非一日可破吾料諸將並上當准備有三月粮草然後迎敵言未畢黃蓋進曰都督教兵粮多少瑜曰且支三個月蓋曰便支三十箇月也不濟事若是這箇月破得便破若是這箇月破不得只依張子布之言束手倒戈而降此爲上計周瑜大怒曰吾奉主命效籌已定若有言降者斬今兩軍相敵之際汝爲先鋒上將安敢慢吾軍心不斬汝首難以服衆叱左右取劍來黃蓋亦怒曰吾自幼隨破虜將軍縱横東南已經三世那時豈有汝來瑜大怒拍案叫斬來刀斧手把黃蓋捉下甘寧進前告曰公覆乃東吳舊臣

瑜欲斬蓋

衆官告免

可以怨之瑜叱之曰汝何等人敢多言耶喝左右亂棒將甘寧打出衆官都跪下告曰黃蓋罪合誅但於軍不利都督寬恕待破曹後問亦未遲周瑜怒氣不息衆官苦苦哀告瑜曰若不看衆官面皮决斬汝首旣犯吾令難以全免左右拖番打一百脊杖剝去衣服拖番在地咬牙切齒喝令專打打到五十衆官又告瑜跳起曰汝敢小覷我耶且記下五十杖再有些怠慢二罪俱發恨聲不絕而入帳中衆官扶起黃蓋打得皮開肉綻鮮血迸流扶到房中昏絕幾番動問之人無不下淚魯肅也動問了回到孔明船中肅曰今日公瑾責罰公覆我等皆是他部下不敢犯顏苦勸先生是客人何故袖下傍觀不發一語孔明笑曰子敬何你也不識今日公瑾毒打黃蓋乃其計也吾豈勸乎肅方省悟孔明又曰如見公瑾切勿言亮知了說和亮也瞞過了也肅回見瑜瑜邀入帳內肅曰今日何故痛責公覆諸將多有不安者瑜曰孔明知否肅曰他也埋冤都督忒情薄瑜曰今番却瞞過他肅曰何謂也瑜曰今日打黃蓋乃計也欲令他詐降先須用苦肉計也瞞過曹操就中用火攻

之可決勝也肅乃暗思孔明之高才不敢明言却說黃蓋臥於帳
中諸將皆來問安蓋但長吁而已忽報闞參謀來問蓋令入臥
退左右澤曰將軍莫非與都督有讎乎蓋曰非也某[illegible]
人可仗惟先生忠義故敢告以心腹闞澤曰公之受責莫非苦肉
計否蓋曰然也某受吳恩思無以報故獻此計以圖曹操[illegible]
泥亦無恨矣澤曰公之告吾莫非要吾渡江獻詐降書否蓋曰[illegible]
有此意未知肯仗義否闞澤字德潤會稽山陰人也家本[illegible]行澤好學其家甚貧與人傭書[illegible]並無遺忘從小有膽氣對答如流舉孝廉除錢唐長孫權慕其名乃為參謀深蓋知能能言有膽氣故欲遣之

闞澤密獻詐降書

闞澤欣然而應曰大丈夫從仕於人不能建功立業豈可羨也既
公覆捨命而報東吳闞澤何惜微生哉蓋下牀拜謝澤曰事不可
緩即當便行蓋曰書已修完澤領了書就當夜扮作一箇漁翁命
一人駕一小舟望江北順水而行是夜三更到水寨邊巡江軍士
拿住澤曰要報丞相東吳有機密事特來拜見軍士報將入來操
便叫引見天色未明點上燈燭軍士引闞澤至禮畢操曰吾聞汝

闞澤探蓋

商議詐降

是東吳參謀來此何幹澤曰人言曹丞相之求士如大旱之望雲
霓今觀此間甚不相合黃公覆汝又錯尋思了也重言不聽操曰
吾與東吳旦夕交兵汝私行到此如何不問也澤曰黃公覆在于
東吳已歷三世乃舊功臣今被周瑜於衆軍之前痛打一頓氣無
所出特告於我我與公覆情同骨肉恩無報仇之路逕令澤賚書歸
投丞相擬將糧食軍器以爲投獻未知丞相可容納否操曰黃公
覆降得此使先生來降汝降書在何處澤取書呈上操開書觀之書
曰

東吳糧草官水軍先鋒黃蓋泣血百拜謹獻書于大丞相麾下
蓋孫氏厚恩曾爲將帥見遇不薄然顧天下事有大勢用江東
六郡山越之民以當中國百萬之衆衆寡不敵海內所共見也
東吳將吏無有智愚皆知其不可惟周瑜魯肅偏懷淺戇意未
解今日之行甲兵自取其辱能無罪受刑有功不賞蓋今歸天
順命之將歸降瑜所督領自易摧破交鋒之際必爲前部糧草
軍器隨船獻納因是東吳書報命在近乞無疑恐伏希照察建安

十三年冬十一月日黃蓋泣血百拜書奉

操看畢大怒曰黃蓋用苦肉計令你下詐降書就中取事敢瞞吾耶叱左右斬之澤面不變色仰天大笑操教押回問曰吾識你奸計斬你何故哂笑澤曰吾不笑你笑黃公覆不識人耳操曰何不識人澤曰殺便殺何必問也操曰吾自幼熟讀兵書深知奸詐你女瞞別人如何瞞得我澤曰且說書中那件是奸詐操曰我說破你說空然教你死而瞑目你既是真心投降如何不明約几日時吾今說破有何理說闞澤聽罷曰你尚敢誇年幼讀兵書若戰必被周瑜擒矣無學之輩可惜吾屈死你手操曰何謂我無學澤曰你不通書不識[illegible][illegible]不知机謀不明道理安得有學操曰放他[illegible]來你說我甚的不是處若果[illegible]直氣壯別有議論澤曰豈不聞背主作竊安可期乎倘下了日期急下手不得接應必然泄漏只是便得空就行安曾撥是個聰明人一點便悟下席謝罪曰適來操不明悟誤犯尊顏幸勿掛意澤曰吾與公覆傾心投降如嬰兒望乎父母豈有詐乎操大喜曰若二公能見忠義之勳他日受

爵必在諸人之上澤曰某等非爲爵祿耳但應天順人也操取酒以待之少刻有人于操耳邊私語操曰將書來看那人以書付上操喜闞澤暗思此必是蔡中蔡和來報黃蓋受刑消息操良久曰煩先生再回江東與公覆約的當日期先通消息過江吾以兵接應澤曰某已離江東不可復回望丞相別差機密人去操曰若他人去事必洩漏闞澤再推辭又恐曹操心疑良久曰若去則不敢停便當行矣遂辭操下船回見黃蓋細說前事蓋曰非公能辨則蓋徒受苦耳澤曰吾今便往甘寧寨中探蔡中蔡和消息蓋曰善澤先到寧寨寧曰先生何來澤曰昨日帳上見將軍被辱吾甚不平寧嘆息不答忽見二蔡至澤以目視寧寧以會澤意寧曰只顯他能全不以我等為念吾今無意相持羞見江左人物也四人坐定甘寧但咬齒不言澤乃低頭長嘆蔡中二人見寧澤俱有反意以言挑之曰二公有何不平耶澤曰吾等腹中之苦你豈知耶二蔡曰莫非背吳投曹耶澤失色拔劍曰事已敗露不可留反人在寨欲殺二蔡二蔡慌告曰二公勿憂吾乃曹操使來詐降之人也

謁見龐統　蔣幹扣戶

公若有順心吾當引進寧曰如此乃天賜也二蔡曰吾已報知丞相矣寧曰大丈夫旣遇明主當竭力事之二蔡即時發書報操言甘寧同謀爲內應但看船頭插青龍牙旗即是糧草船也

甚叅深知闞澤忠　故煩托獻離吳東　數行降款過江去
百萬雄兵掃地空　能使周郎成大事　不教曹操逞奸雄
鏖兵赤壁施謀畧　合讓先生第一功

龐統智進連環計

却說曹操又得二蔡書狐疑未信與衆謀士議曰誰敢往江東打聽蔣幹進曰前者不成功而回心中自羞今捨一命再往丞相一往如不成事甘當斬首操大喜即時令蔣幹渡江原來龐統亦曾對周瑜說欲破曹操須用火攻瑜曰吾已定計了統曰大江面上一船燒着餘船四散如何燒得正無理會處却好聽得蔣幹又至瑜喜曰吾功在此人身上遂定計密使人吩咐若蔣幹來如此如此可令人先去龐統寨後草菴中歇息瑜升帳蔣幹入見瑜作色曰子翼何故欺吾太甚耶幹佯笑曰吾與弟乃舊交特來吐心腹

幹引龐統

入見曹操

事何故言相欺也瑜曰前番吾與你舊交請你痛飲一醉留你共榻你却盜吾私書不辭而去報曹操以致操殺了張允蔡瑁使致吾大事不成今蔡中蔡和降吾你又來勸說詞也本待留你寨中必然走漏泄可送子翼去西山庵中歇息待吾破了曹操那時渡你過江未遲將幹再欲開言周瑜已入帳後不顧左右送幹至西山小庵中安歇幹在庵內心中憂悶寢食不安是夜星月滿天幹獨步出庵後只聽得讀書之聲信步行到山岩明見茅屋數間內有灯光射出幹窺之見一人掛劍燈前誦讀孫吳兵書尋思曰此必異人也扣戶請見其人開門迎入幹問姓名答曰姓龐名統字士元幹曰莫非鳳雛先生否統曰然也幹喜曰何僻守于此統曰周瑜恃才欺眾不能容物故獨居于此公乃何人也幹曰蔣幹也統請入庵共坐論心幹曰以先生之才何所不如肯歸曹幹當引進統曰吾亦欲離江東久矣幹曰吾願以性命保之統曰既有引進之心便當即行如遲事必泄矣幹與統便尋船連夜投江北來到操寨操請相見統曰周瑜恃才傲眾不用良謀

龐統詐獻

連環計策

欺陵霸賓人人皆懷退志曹操心意不疑誠心相待飲膳罷操邀統同觀寨統曰真將材也操曰先生勿隱譏願賜指教統曰傍山依林前後顧盼出入有門進退曲折雖孫武子再生穰苴復出亦不過如此操大喜又引統觀水寨統見向南分二十四座水門皆用艨艟戰艦列為城郭中藏小船往來都有次序統嘆之曰吾聞丞相用兵如神今觀之果不虛也指江南而言曰周郎周郎剋期而亡操曰先生勿吝見教統曰以此論之龐統不及怎敢妄言而操喜回寨請入帳中置酒共飲統談孫吳兵法諸家陣圖三略六韜之書滔滔如流操殷勤相待統乃佯醉而曰敢問軍中有良醫否操問何用統曰水軍多疾須用良手治之此時操兵不服水土多生嘔吐之疾死者無數操正慮此再三請問統曰吾有一策能使大小水軍並無疾病人皆安穩而獲全勝功也操又問之統曰乃因大江之中潮生潮落風浪不息中原之人不慣乘船致生此病患若以大船小船各皆配搭或三十為一排或五十為一排首尾用鐵環連鎖下載糧上鋪板休言人可渡馬亦可走矣人

庶脫身策

若乘此任從風浪潮水上下彼以何擺疾我曹操下席而謝曰非先生之良謀安能破東吳耶統曰吾之淺見丞相乞裁之操卽時傳令喚軍中鐵匠星夜打造連環大鐵釘鎖住船隻諸軍聞之俱各喜歡有詩爲証

赤壁鏖兵用火攻　運籌決策盡皆同　闞生納欵欺曹操
黃蓋停舟待視融　千里舳艫沉水底　一江煙浪起波巾
若非龐統連環計　公瑾安能立大功

龐統又曰某觀江左英雄多有怨周瑜者吾憑三寸舌與丞相說之先破周瑜則劉備休矣操曰先生果然能成大功願請奏封爲三公之職統曰某非爲富貴但欲救萬民也丞相渡江愼勿殺害操曰吾替天行道安肯殺戮人民耶統拜求榜文以安宗族操曰先生家屬見居何處統曰只在江邊若得此榜可保全族矣操命寫榜僉押付統統拜謝曰別後丞相可速進兵休待周郎知覺操曰然統別訖至江邊正欲下船岸側一人道袍竹冠一把扯住龐統曰你好大胆黃蓋用苦肉計闞澤下降書你又來獻連環計只

曹操船上宴待諸將

恐燒不盡絕你們把出這等毒手來只好瞞曹操也瞞我不得說得龐統魂飛魄散必竟此人是誰

曹孟德横槊賦詩

龐統問曰你何人也答曰吾乃徐庶也統聞是故人心下稍定回顧左右無人乃曰可惜江南八十一州百姓皆是你送了命也庶曰此間八十三萬人馬性命如何統曰吾若懼死不來江北庶曰吾感劉皇叔之恩未嘗忘報因曹操送了吾老母吾已言終身不設一謀今爲此事吾安肯說破你的良策只是吾亦隨軍在此南軍一到玉石不分吾豈能免難乎君當教我脫身之術我則緘口遠避矣統在徐庶耳邊畧說幾句庶拜謝曰吾平生許玄德潼伏龍鳳雛能得一可安天下以此論之不虛言也龐統別却徐庶下船回江東報周瑜却說徐庶當晚密使近人去各寨中暗布謠言西涼州馬超韓遂犯潼關次日寨中三三五五交頭接耳而說少刻人來報知曹操說馬超作反奔殺許都來操大驚急聚文武商議操曰吾自引兵南征心中所憂者惟韓遂馬超耳今軍中謠言

操欣然

夜聞鴉聲

未知虛實不可不防誰可代吾一往徐庶曰某蒙丞相收錄恨無寸功報效願請三千軍馬星夜往散關把住隘口如若緊急再行告報操喜曰若得元直去吾不憂矣差臧霸為先鋒星夜同往乃是龐統救徐庶之策後有詩為證

曹操南征日日憂　馬超韓遂起戈矛　鳳雛一語教徐庶　正似遊魚脫釣鉤

建安十三年十一月天晴風靜操令設宴於大船之中宴賞諸將飲至天晚明月如晝操曰周瑜魯肅不識天時幸有歸順之人為彼心腹之患此天助吾成功也復指夏口曰劉備諸葛亮汝不料螻蟻之力欲撼吾泰山之重耶吾今五十四歲如得江南必有所喜昔日喬公與吾至契欲將二女待吾視之皆有國色不料被孫權周瑜所娶吾新構銅雀臺於漳水之上如得江南可娶二喬置之臺上以足吾願言訖大笑故唐人杜牧之有詩曰

折戟沈沙鐵未消　自將磨洗認前朝　東風不與周郎便

銅雀春深鎖二喬

此時操欣然不止忽聞鴉聲望南飛鳴而去操問曰此鴉緣何夜鳴左右曰鴉見月明疑謂天曉故離樹而鳴也操又笑不止此時酒酣令取槊立於船頭以酒奠於江中滿飲三爵橫槊與諸將曰吾持此槊破黃巾擒呂布滅袁術收袁紹深入塞北直抵遼東縱橫天下乃大丈夫之志也今對此景甚有慷慨吾當作歌汝等其和之歌曰

對酒當歌　人生幾何　譬若朝露　去日無多　慨當以慷
憂思難忘　何以解憂　惟有杜康　青青子衿　悠悠我心
呦呦鹿鳴　食野之苹　我有嘉賓　鼓瑟吹笙　皎皎如月
何時可輟　憂從中來　不可斷絕　越陌度阡　枉用難存
契闊談讌　心念舊恩　月明星稀　烏鵲南飛　遶樹三匝
無枝可依　山不厭高　水不厭深　周公吐哺　天下歸心

歌罷忽見坐間一人進曰大軍相當之際將士用命之時丞相何故出此不利之言操視之乃楊州沛國人也姓劉名馥字元穎操

（下原缺）

新刻湯先生校正古本按鑑演義通俗三國志傳卷之九

七星壇諸葛祭風

却說左右救周瑜回諸將帳中皆來動問盡愕然曰江北百萬之眾虎踞鯨吞不曾知都督如此[illegible]一至如之奈何慌差人申報吳侯知會却說魯肅心中疑惑不[illegible]來見孔明曰今周瑜卒病係曹操之福江東之禍也孔明笑曰公瑾之病亮亦能醫[illegible]即痊也肅曰誠如此則國家之大幸即請孔明同去探病肅先見周瑜以被蒙頭而卧肅問曰都督病體若何瑜曰心腹攪痛時復昏迷肅曰曾服何藥瑜曰心中嘔吐藥不能下肅曰適來到孔明處言都督患病孔明說手到病源便除見在帳外欲來醫治瑜命請入乃扶起坐於床上孔明曰連日不面鈞顏何期貴體不安瑜曰人有旦夕禍福豈能保耶孔明曰天有不測風雲豈能料乎瑜聞之失色乃佯作呻吟之聲孔明曰都督心中自覺有煩積乎瑜曰然孔明曰必須用藥以解之瑜曰雖服涼藥全然無効孔明[illegible]先理其氣氣若順則一呼一吸之間自然全痊瑜料孔明必已

意以[illegible]氣當服何藥孔明笑曰亮有一方便教
都督順氣瑜[illegible]問之曰願先生教之孔明索紙筆屏退左右
密書十六字云欲破曹公須用火攻萬事俱備只欠東風孔明寫
畢付與周瑜曰此都督病源也瑜看了大驚暗想孔明真神
人也早知吾心間之事只得盡情告之乃笑曰先生已知病源當
何可治事在危急望賜教之孔明曰亮雖不才曾遇異人傳授八
門遁甲天書上可以呼風喚雨役鬼驅神中可以布陣排兵安民
定國下可以趨吉避凶全身遠害都督若要東南風時可於南屏
山上建臺一座名曰七星壇高九尺作三層用一百二十四人四
面圍繞亮於上作法借三日三夜東南風助都督用兵何如瑜大
喜曰休道三日三夜只得一夜順風大事可成也只是事在目前
不可遲緩孔明曰十一月二十日甲子祭起東南風至二十二日
丙寅風息如何周瑜大喜即便差三百強壯軍士築壇[illegible]
二十人執旗守壇聽候如有風起瑜便召兵也孔明[illegible]
魯肅一同上馬便來南屏山相度地勢令軍士取東南方赤土築

孔明登壇

求東南風

壇方圓二十四丈每一層高三尺共計九尺下一層插二十八宿旗東青旗七面按角亢氐房心尾箕布青龍之形西七面皂旗按斗牛女虛危室壁布玄武之形比七面白旗按奎婁胃昴畢觜參踞白虎之威南七面紅旗按井鬼柳星張翼軫成朱雀之狀第二層周圍黃旗六十四面按六十四卦分八位而立上一層四人各人帶束髮冠穿皂羅袍鳳衣博帶朱履方裾前左一人手執長竿竿尖上用雞羽為葆以招風信前右一人手執長竿竿上繫七星號帶以表風色後左一人捧劍右一人捧香爐壇下二十四人各執旌旗寶蓋大戟長戈黃鉞白旄朱旛皂纛環繞四面邊壇成旗旛已布置停當孔明登壇作法十一月二十日甲子吉辰孔明沐浴身披道衣跣足來到壇前分付魯肅曰子敬自在軍中相助公瑾調兵不可有怪但看東南風起任便行事魯肅去了孔明囑付守壇將士不許擅離方位不許交頭接耳不許失口亂言不許失驚打怪如違吾令者斬之眾皆領命孔明登壇觀瞻方位已定焚香於爐注水於盂仰天暗祝下壇於帳中少息令軍士更替吃飯

是日上壇三番下壇三次並不見風起都論周瑜請程普魯肅一班兒軍官在帳中伺候只等東南風起便調兵出一面差人回報吳侯孫權接應此時黃蓋已自準備下大紅二十隻紅頭密布大釘船內裝載蘆葦乾柴灌以魚油上鋪硫黃焰硝乾燥之物各用青布油單遮蓋船頭上插青龍牙旗船尾各繫走舸選二百精兵水手在帳上聽候只等周瑜號令此時甘寧闞澤窩藏蔡中蔡和在水寨中每日飲酒不放一卒登岸周圍盡是東吳軍馬把得水泄不通只等帳下號令下來一個個磨拳擦掌准備廝殺周瑜正在帳上坐探子報來吳侯船隻離寨八十里停泊只等都督好音即時差魯肅遍告各部官兵將士俱各收拾船隻軍器帆篷等件號令一發時刻休違稍有遲悞即按軍法各部回報一切俱辦只等指揮是日看看近夜天氣清明微風不動瑜對魯肅曰孔明之言謬矣隆冬之際怎得東南風乎肅曰吾料孔明必不敢謬妄漸近三更時分忽聽風聲吹動旗旛瑜出帳觀之旗腳盡飄西北[illegible]駭然曰此人能奪天地造化之功有鬼神不測之術若欲留之

徐盛丁奉

追赶孔明

乃東吳之禍根周瑜之大患也必殺之免生他日之憂急喚帳前守護中軍左右校尉丁奉徐盛二將稍帶二百人用舡一隻一百人跟徐盛從江裏去一百人跟丁奉旱路去如到南屏山七星壇前休問長短拿住孔明就砍下首級將那顆頭來請功二將欣然領了號令徐盛下舡一百刀斧手盪開棹槳丁奉上馬一百弓箭手各跨征駒往南屏山離寨只是十餘里路兩路來殺孔明於路正迎東南風有詩爲証詩曰

七星壇上正嚴凝　劍擊東風頃刻興
萬里雲煙皆動蕩　三江波裡盡翻騰
還鄉解使尚書詠　得道須教列子登
當日孔明施妙計　致令公瑾顯才能

又詩贊諸葛云

東風一夜起江千　百萬曹兵喪膽寒
諸葛身亡千載後　更無人上七星壇

當日徐盛丁奉飛奔壇前丁奉馬軍先到見壇上執旗將士人曰軍師却才下壇去了徐盛來尋丁奉舡已到二人來赶孔明忽見江邊小卒曰昨晚一隻快舡停泊在面前江口見披髮先生下舡那舡便開望上水去了丁奉徐盛水陸兩路追襲徐盛交拽起滿

趙雲箭射

徐丁斷篷

帆搶風而便去趕至前船不遠徐盛立於船頭高聲大叫軍師休去都督有請又見孔明立於船尾大笑曰上覆都督好好用兵諸葛暫回夏口異日再得相見靜軒有詩曰　一火能燒百萬兵　東風纔起便逃生　周郎空用妨賢計　妙算安能及孔明　徐盛曰暫請少住有緊要說話孔明曰吾已料定都督不能容物必來害吾預交趙子龍等候多時將軍休來追趕徐盛見前船無蓬只顧趕來看看至近趙雲拈弓搭箭立於船尾大呼曰吾乃常山趙子龍也奉將令特來接軍師本待一箭射殺你來兩家失了和氣教汝知吾手段言畢箭到正射斷拽蓬脚索那船蓬墜下其船便横趙雲交拽起滿帆順風而去其船如飛追之不及岸上丁奉慌喚徐盛船近岸曰諸葛神機妙算人不可及更兼趙雲之勇汝知他當陽長坂時否吾等去回話便了因此二人回見周瑜說孔明預先約下趙雲在岸邊迎接去了周瑜大驚曰此人如此使吾晓夜不安矣不如與曹操連和共擒劉備諸葛亮以絕後患

周公瑾赤壁鏖兵

周瑜升帳

聚將聽令

魯肅諫曰豈以小失而廢大事曹操甚於劉備十倍若不先
無日矣事成之後却當圖之周瑜從魯肅之言喚集諸將[illegible]
使甘寧帶了蔡中并降兵沿江南岸而進只打北軍旗號直取烏
林地面正當曹操屯糧之所深入軍中舉火爲號只留下蔡和一
人在帳下吾有用處甘寧領計去了第二喚太史慈分付你可
領三千軍直奔黃州地界截曹操合肥接應之兵就逼曹兵放火
爲號盡看紅旗便是吳侯接應兵到這兩隊最遠先發第三喚
呂蒙引三千軍往烏林接應甘寧焚燒曹操寨柵第四喚凌
統引三千軍直截夷陵界只看烏林火起以兵應之第五喚董襲引三
千軍直取漢陽從漢川殺奔曹操寨中看白旗接應第六喚潘
璋引三千軍盡打白旗爲後隊漢陽接應董襲六隊船隻各自分
撥去了却令黃蓋令小卒馳書曹操云今夜三更但看船頭上揷
青龍牙旗即蓋之船也比及黃蓋安排火船差後撥四隊戰船
以爲策應第一隊領兵軍官韓當第二隊領兵軍官周泰第三隊
領兵軍官蔣欽第四隊領兵軍官陳武四隊各引戰船三百隻前

面各放火船二十隻擊陣周瑜程普在艨艟上調兵左有徐盛右有丁奉只有魯肅闞澤龐統及衆謀士守寨伺候成功都說[illegible]侯孫權使人齎兵符至說已差陸遜為先鋒直抵蘄黃地面進兵吳侯已為後應周瑜調度已齊看法程普欽伏不已瑜又差人於西山上放號砲南屏山上豎號旗一齊完備已定只等[illegible][illegible]詰[illegible]南頭[illegible]說劉玄德在夏口城上專等孔明回忽見一隻船到乃是公子劉琦親自來探消息玄德請上城門敵樓上坐說[illegible]參時子龍去接孔明至今不見到吾心甚憂小校指[illegible][illegible]上一帆風送扁舟來到必軍師也玄德劉琦下樓迎接須臾[illegible]子龍登城玄德喜容可掬問候了畢孔明曰且無閒暇告訴[illegible]前者所練軍馬戰船皆已辦否玄德曰收拾久矣只候軍師[illegible]孔明與趙雲曰子龍可帶三千人馬渡江逕取烏林小路[illegible]蘆葦深處埋伏今夜四更以後曹操必然奔走那條路[illegible]過去就中間放起火來雖然捉不得他也殺大半趙雲曰[illegible]條路一條通南郡一條取荊州不知向那條路來孔明曰南郡勢

逼操不敢走必走荊州然後大轉投許昌而歸[illegible]
明又喚張飛曰翼德可引三千軍渡江截斷彝陵這條路[illegible]
口埋伏曹操不敢走南彝陵只望北彝陵去來日雨過必然[illegible]
造飯只看炊烟起便就山邊放起火來雖然捉不得曹操[illegible]這
場功料應不小張飛領計去了孔明又喚糜竺糜芳劉封三人各駕
船隻遶江勦捕敗軍奪取器械三人去了孔明起身與公子劉琦
曰武昌一望之地尤為緊要公子便回率領所部之兵列於岸口
操兵一敗必有逃來者就而擒之不可輕離城郭劉琦便辭玄德
孔明去了孔明與玄德曰主公於樊口屯兵憑高而望坐看今夜
周郎成大功也時有雲長在側孔明全然不采雲長忍耐不
住乃高聲曰關羽自從兄長征戰許多年未嘗相離今日逢大敵
全不委用此是何意孔明笑曰雲長勿怪亮本欲煩足下把一處
要緊隘口會某有些違礙不敢教去雲長曰有何違礙願請見諭
孔明曰昔日曹操待足下甚厚當以報之今日曹操兵敗必走華
容道若令足下去時必然放了因此不敢教去雲長曰軍師好心

孔明激雲

長守華容

多當日曹操果是重待羽曾殺顏良誅文丑解白馬之圍以報之張令曰撞見豈敢放乎孔明曰倘若放了後如何雲長曰願依軍法孔明曰然遂立紙文書雲長與了軍令狀云若曹操不從那條路上來如何孔明曰我亦與軍令文書玄德大喜孔明曰雲長可於華容小路高山之上堆積柴草放起一把烟引曹操來雲長曰曹操望烟知有埋伏如何肯來孔明曰豈不聞兵書有虛虛實實之論曹操雖能用兵只此可以瞞過他也他見烟起將爲虛張其勢必然投這條路來將軍勿得容情雲長領了將令引關平周倉并五百校刀手投華容道去埋伏了玄德曰吾弟雲長義氣深重若曹操果然投華容道去他只恐端的放了孔明曰亮夜觀乾象曹操未合身亡留這恩念交雲長做個人情亦是美事玄德曰先生神筭世罕及也孔明曰來日大雨之後曹操必走華容吾今與主公樊口看周郎用計留孫乾簡雍守城即便前去卻說曹操在大寨中與衆將只等黄蓋消息當日東南風起程昱入告操曰今日東南風起甚是不祥望丞相止之操笑曰將至一陽來復之時安

周瑜斬蔡和祭旗

得無東南風何足爲慮軍士忽報江東一隻小船來到說有黃蓋密書操交急喚入其人呈上書書中訴說周瑜關防得緊因此無計脫身今撥得鄱陽湖新運到糧草已裝載了當夜蒙周瑜差遣巡哨已有方便好歹殺江東名將獻首納降料定是今晚二更船上插青龍牙旗即糧船也操大喜遂與衆將來水寨大船上觀望黃蓋船到操等望東天色向晚周瑜喚出蔡和令軍士縛倒蔡和叫無罪瑜笑曰汝是何等敢來詐降吾今缺少福物祭旗借汝首蔡和抵賴不過大叫曰汝家闞澤甘寧亦曾與謀瑜曰皆吾之所使也蔡和悔之不及瑜令捉至江邊皂旗之下奠酒燒紙一刀斬了蔡和用血祭旗畢便令開船黃蓋在第二隻大船上獨披掩心甲手持利刀旗上大書先鋒黃蓋順風望赤壁進發是時東風大作波濤洶湧曹操在中軍遙望隔江操迎風長笑自爲得志忽一軍士指說江南上隱隱一簇帆幔順風而來操凭高望之報稱皆插青龍牙旗內中一大旗上有先鋒黃蓋名字操笑曰公覆來降此天助吾也船漸近程昱看了良久復曹操曰來船必詐且休教

近寨操曰何以知之昱曰粮在舡中重而且穩今觀來舡輕而又浮更兼今夜東南風緊倘若有詐何以當之操曰然誰去止之文聘曰某水上頗熟願當一往言訖跳下小舡用手一招十數隻哨舡並隨文聘舡去聘立舡頭大叫丞相鈞旨南舡且休近寨就江心拋住衆軍齊叫快下了蓬聲未絕弓弦響處文聘左臂倒在舡中舡上大亂各自奔回舡到操寨隔二里水面黄蓋一招前舡一齊發火火趂風威風助火勢舡如箭發烟焰漲天二十隻火舡撞入水寨寨盖皆釘住隔岸砲響四下火舡齊到但見三江面上火逐風飛一派通紅漫天塞地曹操回視岸上營寨幾處火起黄蓋跳在小舡背後數人駕舡冒烟突火來尋曹操操見勢急欲奔岸口張遼駕一小舟扶操下舟舡時那隻大舡已自着了張遼與十數人保護着曹操在小舡飛奔岸口黄盖望見穿絳紅袍的下舡料是曹操黄盖脚踏舡頭手提利刀厲聲高叫操賊休走黄盖在此操叫苦連聲舡將次近被張遼拈弓搭箭覷得黄盖較親一箭射去正中黄盖肩窩翻身落水未知性命如何

曹操敗走華容道

當時滿江火滚喊聲振天左邊是韓當蔣欽從赤壁西邊殺來右邊是周泰陳武從赤壁東邊殺來正是周瑜程普徐盛丁奉大隊船隻都到此時正是三江水戰赤壁鏖兵有賦曰

漢朝欲滅曹操獨雄大兵初離寨北列戰艦以圖江東力似巍峩之太山勢如浩浩之穹窿劍佩交加盡參隨於玉帳鍪鎧守皆顯耀於艨艟時也天氣嚴寒江聲吼嘯夜月上而星斗昏沉東風起而天地震動展黃蓋之神威助周郎之妙用流光閃爍湧一派滄浪之波烈焰飛騰掃百萬貔貅之衆俄尔異二施威孟婆震怒祝融發雷霆之聲熒煌蕩乾坤之步波裡魚龍雲間鳥飛愁海竭而江枯總魂驚而魄裡艢檣森聳皆爲風內之灰士卒獰獰已絕陽間之路忽見將衛紅焰罩肩黑烟圍繞衡鋼之類韓當挽雕弓之弦蔣欽捐軀而挫銳陳武捨命而爭先公瑾周郎談笑獨麾其麈尾德謀程普往來盡仗乎龍泉乃有徐盛輔合於丁奉呂蒙協助於甘寧凌統提兵殺散山崩之

曹操水寨　　俱被火攻

陣潘璋縱火焚燒岸上之营太史慈斷黃蘄之要道董[illegible]

江漢之程途吳侯駕舟爲後援陸遜驅騎而前征恍恍若[illegible]

天羅幽幽然深埋地網乘馬者莫可加鞭駕舡者安能[illegible]

隨火勢焰飛千丈之光火趂風威聲撼半天之響[illegible]

浮沉粉骨碎身而偃仰嘵乎遍野橫尸滿江流血[illegible]

號似天崩而地裂孔明回還夏口兮風正狂孟德敗走[illegible]

火未滅數盡難逃天巳剖决鼎分三國之山河名播一時之[illegible]

傑宋賢有詩曰

浩浩長江風浪生　當年赤壁夜交兵
負忠若不因黃蓋　妙用何能識孔明
戰艦艨艟乘烈焰　征駝鉄甲陷連營
二喬穩坐東吳地　留得周郎萬古名

又詩云

赤壁樓舡掃地空　烈火初張照雲漢　周郎曾此破曹公

又胡曾先生詠史詩曰

烈火西焚魏帝旗　周郎開國虎爭時
交兵不用揮長劍　巳挫英雄百萬師

又周靜軒先生詩曰

山高月小水茫茫　追憶前朝[illegible]

甘寧斬蔡和於陣中

南士無心追魏武　東風有意便周郎　火燃戰艦旌旗赤
烟漫長江草木黃　城郭不殊人物異　蕭條光景幾斜陽
當夜張遼一箭射黃蓋下水因此救得曹操登岸尋着馬匹走時
軍已大亂先說韓當冒烟突火來攻水寨忽聽得手下士卒報道
後稍上有人高叫將軍表字當聽之但聞大叫公義救我當曰此
必是黃公覆也乃急救之見是黃蓋隨咬出箭桿箭頭陷在肉內
當急去其濕用刀剜出箭頭扯旗束之脫自已戰襖與黃蓋穿先
令別舡送回寨醫時只為黃蓋深知水性故大寒之時和甲墮
江也逃得命不說江中鏖兵却說甘寧令蔡中引入曹軍營寨深
處寧將蔡中一刀砍於馬下就草上放起火來呂蒙遙見中軍放
火也放起十數把火接應甘寧潘璋董襲分頭放火吶喊四下
鼓聲大振曹操與張遼引百餘騎在火林內奪路遍觀前後無一
處不着正走之間毛玠救得文聘帶命引十數騎至操令一處尋
路張遼指道烏林地面空闊可走曹操逕取烏林地面正行之間
背後一軍趕到大叫操賊休走火光中見是呂蒙旗號操催馬軍

徐晃引軍

救出曹操

何前留張遼斷後敵呂蒙前面火把從山谷中出一軍擺開大叫凌統在此前後掩殺將來曹操肝膽皆碎忽刺斜一彪軍來大叫丞相休慌徐晃在此操令晃領軍混戰衝條路走背後又有曹兵趕來因此凌統呂蒙戀住廝殺被張遼徐晃保曹操去了操望南走一隊軍馬屯在山坡前徐晃出問乃是袁紹手下舊日降將馬延張顗有三千餘軍扎寨在彼當夜見滿天火起未敢轉動接着曹操操交二將引一千馬軍開路其餘留着護身操得這枝生力馬軍心中稍安却說馬延張顗二將飛騎前行不到二十里喊聲起一彪軍出馬延問之那員將大呼曰吾乃東吳甘興霸也言未畢一刀斬馬延爲兩段張顗挺鎗迎之被甘寧大喝一聲措手不及隨即斬張顗於馬下後軍飛報曹操說二將皆被甘寧斬之曹操不敢望南欒馬望西而走路上撞見張郃操令郃斷後縱轡加一鞭而走正值五更回望火光漸遠操心方定問曰此是何處數內有荊州降將云此是烏林之西宜都之地操見樹木叢雜山川險峻正行之間於馬上仰天大笑不止諸將問曰丞相何故大笑操

曹操走南夷陵葫蘆口

曰吾不笑别事吾笑周瑜無計諸葛少謀若是吾用兵之時[illegible]
就這里伏下一軍如之奈何因此大笑說猶未了兩邊鼓[illegible]
火焰連天而起唬得曹操幾乎墜馬半腰裏一軍[illegible]
趙子龍在此等候多時操令徐晃張郃雙敵子龍[illegible]而走
子龍尋思歸師勿掩窮寇莫追因此不來追趕只[illegible]兵[illegible]
操得脫天色微明黑雲罩地東南風尚然[illegible]
傾濕透衣甲冒雨而行不到兩個時辰身上無一寸乾辰時已後
雨止風息諸軍皆有饑色操令軍士往村落中打擄糧食尋覓火
種去不多時又聽得山後喊起軍士皆回掠得些少糧米操交裝
在馬上而行後軍看看趕到却是本部李典許褚保護衆謀士百
餘騎趕到曹操大喜令軍馬且行問道前面那里地面人報一邊
是南夷陵大路一邊是北夷陵山路操問那里投南郡江陵去近
人復曰南夷陵過葫蘆口去最便操交走南夷陵行至葫蘆口軍
皆饑餒行不上馬亦漸乏於路倒了極多操交前面暫住馬上有
帶得鍋的也有村中擄得的便就山邊揀乾淨處埋鍋造飯割

張遼許褚迎敵張飛

馬肉燒吃盡皆脫去濕衣於風內晾乾馬皆解鞍野放吃草操坐於疏林之下仰面大笑諸官又問曰適來丞相笑周瑜諸葛亮引出趙子龍折了許多人馬于今又笑為何操曰吾笑周瑜諸葛[illegible]智有將才智不足耳若使吾用兵就這個去處也埋伏一枝軍[illegible]以逸待勞之眾吾是敢死不假之人縱然脫得性命皆不免中傷矣吾故笑之說猶未了前後軍一齊發喊操等皆棄甲上馬多有不及收馬者四下里火烟布合一陣擺開為首乃燕人張翼德橫矛立馬大叫曹賊下馬受縛諸將軍見了盡皆膽寒許褚騎無鞍馬來戰張飛張遼徐晃兩個縱馬也來夾攻兩邊軍混戰做一團操先退走張飛從後趕來操迤邐奔走追兵漸遠回顧眾將多有帶傷操行之間前面有兩條路軍士復曰兩路皆取南郡不如投東路去操問那條路近軍士曰大路稍遠五十里小路投華容道去却近五十里只是地狹路峻坑坎難行操令人上山望之回報小路邊有火烟起大路並無動靜操交前軍便走華容小路諸將曰烽烟起處必有軍馬操曰豈不聞軍法有云虛則實之實則虛

之諸葛多謀故使數個小卒於山僻燒烟令吾軍不走這條小路却伏兵在大道等着吾已料定因此却走華容諸將曰丞相妙算人不可及遂勒兵走華容逕奔荊州於路如何

關雲長義釋曹操

當日曹操引軍走華容道時人饑馬乏焦頭爛額者扶策而行衣甲不全旗旛不整正値隆冬嚴寒甚苦不可勝言前面軍馬不進操問爲何回報曰前是山僻小路清辰下雨坑内水積不流泥陷馬蹄不能前進操大怒曰軍旅逢山開路遇水疊橋傳下號令交老弱被傷軍士在後強壯者担土束柴塡塞道路如違者斬多奔下馬就路傍砍折草木塡塞操恐後軍趕來差張遼斷後許褚徐晃二人引百餘騎掣刀在手但遲慢者斬之此時軍皆饑乏就皆倒地操喝令人馬踐路而過死者不可勝數華容道上三停人馬一停落後一停塡落坑塹止有一停跟隨曹操過此險峻路稍平安操回顧止有三四百騎並無衣袍鎧甲者操催速行衆將曰馬盡乏矣只好少歇操曰趕到荊州將息未遲又行不到數里操在

曹操自見 雲長解釋

馬上大笑衆將問丞相笑者何故操曰人皆言周瑜諸葛足智多謀吾笑其無能爲也今此一敗自是吾欺敵若使就此處伏一旅之師吾身皆束手受縛矣言未罷一聲鼓響兩邊五百校刀手擺開當中雲長橫青龍刀跨赤兎馬截住去路操軍見之亡魂喪膽面面相覷皆不敢言操在人叢曰既到這里只得决一死戰衆將曰人縱不怯馬力竭矣戰則必死程昱曰某知雲長傲上而怒下欺強而不凌弱人有難必救仁義播於天下丞相舊日有恩於彼處何不親自告之必脫此難操然其說即時縱馬向前欠身與雲長曰將軍別來無恙雲長亦欠身答禮曰關某奉諸葛軍師將令等候丞相多時操曰操兵敗勢危到此無路望將軍以昔日之言爲重雲長答曰昔日關羽雖蒙丞相厚恩解白馬之危已報之矣今日奉命豈敢爲私乎操曰將軍五關斬將之時返能記否古之大丈夫處世必以仁義爲重將軍素明春秋豈不聞庾公之斯追子濯孺子者乎雲長聞之低頭不語昔日春秋之時鄭國有一賢大夫名子濯孺子諳於弓矢之藝鄭人使子濯孺子領兵侵衛[illegible]使將庾公之斯追之[illegible]敗衛使庾公之斯追之從者曰衛兵至近大夫可以[illegible]

雲長被說

放過曹操

濯孺子曰今日我疾作不可以執弓追兵至近吾必死矣[illegible]
走衛兵趕上子濯孺子問日追吾者誰也左右日衛將[illegible]
也子濯孺子喜日吾生矣左右日[illegible]
者又不與大夫有舊何言其生也子濯孺子曰庾公之斯[illegible]
無舊他曾在尹公之他學藝來尹公之他學[illegible]
是個正直之人其朋友必是好人也吾故知其人必不肯[illegible]
吾故言生也左右未信忽庾公之斯追至大呼日[illegible]
弓矢子濯孺子答曰今日吾疾作不可以執弓庾公[illegible]
學射夫子於尹公之他尹公之他學射於夫子我不忍以夫子之[illegible]
害夫子雖然如此今日之事乃王事也我不敢廢之[illegible]
頭放四箭而返左是[illegible]
子濯孺子得命回[illegible]

當時曹操將這件事來說雲長[illegible]重之人又見曹軍惶惶皆欲垂淚雲長思起五關斬將放他之恩如何不動其心於是把馬頭勒回與眾將四散擺開這個分明是放曹操之意曹操見雲長勒回馬便和眾將一齊衝過雲長回身時前面眾將已是讓送曹操去了雲長大喝一聲眾皆下馬哭拜於地雲長不忍殺之正猶豫之中張遼驟馬而至雲長見了又動故舊之心長歎一聲並皆放之後來史官有詩讚曰

徹膽當存義　終身思報恩　威風齊日月　名譽振乾坤
忠勇高三國　英雄陷七屯　至今千載下　軍旅拜英魂

又詩讚雲長曰　曹公兵敗走華容

曹操至南郡

曹仁接入

正與雲長狹路逢　只爲當時恩義重　放開金鎖縱蛟龍
曹操既脫華容之難回覩所跟共有二十七騎天曉已近南郡火
把齊明一簇人馬攔路曹操曰吾合休矣又見一群哨馬衝到方
認得是曹仁軍馬操方心安曹仁接着言道雖知陣敗不敢遠離只
得附近迎接操曰幾乎與汝不相見也接入南郡隨後張遼到言
雲長之德陸續敗軍皆隨有將歸南郡操點將校中間中傷者多
操令將息坐於半夜仰面大慟衆將曰丞相於虎窟中逃難之時
全無懼怯今已到城郭人已得食馬已得料整頓軍將與夫復讎
何故痛哭操曰孤哭郭奉孝耳衆將曰郭嘉已喪久矣丞相哭之
何意操曰若奉孝在不使孤有此大災遂搥胸哭曰哀哉奉孝痛
哉奉孝惜哉奉孝衆皆默然史官詩曰　緯地經天實可誇
少年才學冠中華　曹公深識真棟梁　兵敗猶然說郭嘉
次日曹操與曹仁曰吾今回許都收拾軍馬復讎汝可守南郡堅
壁休出若攻打至急吾有一計密封在此非急休開開則依計用
之百發百中使東吳不敢正視南郡曹洪等親密之將甚擬與

所有荊州原降文武吾帶回許都遷用仁曰合肥須誰守之
操曰荊州是汝須襄陽吾已發夏侯惇守之合肥是張遼守之吾
令張遼爲主將樂進李典爲副將但有緩急飛報將來操了將
操遂上馬引七百餘衆連夜奔許昌而去曹操乃遣曹洪把守彝
陵爲南郡之勢以防周瑜却說關公回見玄德此時諸軍皆得
死器械已回夏口雲長不獲一騎空回玄德與孔明正在堂上賀
喜忽報雲長至孔明慌離席執盃相迎曰且喜將軍建蓋世之功
與普天下除其大害合宜遠接慶賀雲長默然孔明曰莫非將軍怪
不曾迎接回顧左右曰汝等緣何不早報復雲長曰關某特來請
死孔明曰莫非曹操不曾投華容道來雲長曰來是從那裏來
關某無能因此走透孔明曰別拿得甚將士雲長曰皆不曾拿得
孔明曰此是雲長想昔日之恩故意放了昔日漢高祖斬丁公以
封雍齒所以正軍法也王法乃國之典刑豈容人情哉況又立下
文狀不能免之推出斬之以正軍法雲長性命如何

周瑜南郡戰曹仁

玄德令孫乾賀周瑜

當日孔明欲斬雲長玄德告曰昔吾兄弟三人結義誓同生死今日兄弟犯法雖當死罪奈何違了前盟望乞權記過後以功贖罪玄皆再三哀告方纔放免卻說周瑜收兵各各類功申報吳侯賞勞了畢遂進兵攻取南郡前隊臨大江下寨後分五營周瑜居中與程普魯肅共議玄德之事軍士報復劉玄德使孫乾來與都督作賀瑜喚入乾言主特令乾再拜都督稱慶輒有薄禮上獻瑜問曰玄德何處答曰見移屯兵油江口瑜驚曰有孔明否乾曰都亦在彼瑜曰足下先回瑜親自來相謝也乾納下禮物先回肅與瑜曰都督卻才如何失驚瑜曰劉備屯兵油江口必有取南郡之意我等費許多心力勞了許多軍馬用了許多糧料害了許多生靈既覰南郡反手可得汝等心懷不仁要來就見成須放着周瑜不死肅曰當以何策退之瑜曰吾親自去和他說話若應得不本分先教攻南郡先結果劉備肅曰某願同往周瑜魯肅帶三人輕騎[illegible]油江口來卻說孫乾回見玄德說周瑜要來相謝玄德問孔明曰此來意若何孔明笑曰那里爲這些薄禮來相謝止爲南郡而[illegible][illegible]

玄德孔明

宴待周瑜

玄德曰若提起如何孔明曰來便可如此如此答應玄德已知[illegible]意孔明於油江口擺開戰舡岸上盡列軍馬人報周瑜引[illegible]到孔明使趙雲將數百騎來接瑜見軍勢雄壯心甚不安至行營門玄德孔明接着到帳中各施禮畢兩邊對坐玄德舉酒[illegible]以表[illegible]致謝鏖兵之勞行至數巡瑜曰玄德公移兵屯於此莫非有意取南郡否玄德曰聞知都督欲取南郡故來相助若都督不取備必取矣瑜笑曰吾江東久欲併漢上今南郡已在[illegible]中[illegible]不取玄德曰勝負不可預定自古欺敵者凶文俗語云事難[illegible]料[illegible]操此歸今曹仁守南郡等處必有奇計更兼曹仁勇不可當[illegible]恐都督不能取耳瑜曰待吾取不得南郡時任從玄德公自取玄德曰子敬孔明在此為証都督休反悔周瑜曰大丈夫一言既出[illegible]時難追待吾取不得時任公自取孔明曰都督此言甚是公[illegible]古云天下者非一人之天下乃天下之人天下也先儒東吳[illegible]如不下主公取之是也有何不可哉周瑜相辭玄德送上[illegible]回問孔明曰卻方先生交某如此回話雖一時之間說了展轉尋思

牛金丁奉

二將相敵

於理未然孤窮劉備一身四海無置足之地若得南郡權且容身今先交周瑜取了若屬了東吳却如何得住孔明大笑曰當初亮勸主公取荊州主公不聽今日却想耶玄德曰事已至此無可奈何孔明曰不須主公憂慮任教周瑜去厮殺早晚主公只管在南郡城中高坐玄德問曰計將安在孔明曰只須得如此如此玄德大喜只理會在江口屯住按兵不動却說周瑜和魯肅回寨肅曰都督何如也許玄德取城周瑜曰吾彈指可得落得虛做人情[illegible]問帳下軍官那個敢首先去取南郡帳下應聲而言乃蔣欽也[illegible]曰汝為先鋒可使丁奉徐盛為副將撥五千精兵先渡江[illegible]應之蔣欽領兵去了却說曹仁在南郡先分曹洪守彝陵以為犄[illegible]角之勢探滿高壘切勿出戰人報吳兵已渡漢江必須迎之[illegible]但堅守勿出為上驍將牛金忽然而進曰吳兵臨城而[illegible]怯也况吾軍新敗若不重整銳氣軍皆喪矣願借五百[illegible]決一死敵仁從之令牛金點馬步軍五百出城迎敵兩陣[illegible]金出馬與丁奉更不打話交戰四五合丁奉敗走牛金引五百兵

曹仁衝陣

救出牛金

一齊縱入陣去被吳將欽指麾五千軍一裹圍牛金於陣中左衝右突不能得出曹仁在城上望見牛金困於垓心慌使左右備馬長史陳矯諫曰丞相以重任託付將軍牛金不利棄城出戰以救如此假使便棄此數百人何將軍輕出而救之仁曰不然待牛金一失則南郡不可保也遂引壯士數千騎出城陳矯於城上觀戰擂鼓仁引兵離吳兵百餘步遇於一溝之上陳矯將為曹仁只就那邊劉住遠望牛金為戰勢只見曹仁大呼一聲驟馬飛渡濠衆皆奮力而過仁獨當先提刀殺入吳陣徐盛迎之不能當而走仁直至垓心救出牛金回顧尚有數十騎在陣中不能出仁復回突入重圍所到莫敢遮攔再救出這一彪人馬正遇蔣欽攔路被仁奮武衝散吳兵牛金助威吳兵大亂仁弟曹純亦引兵出大殺吳兵一陣緩緩而回陳矯等迎接舉手加額賀仁曰將軍真天人也遂欽兵敗折傷數員回見周瑜瑜大怒欲斬之衆皆告免瑜即點軍要趕去戰甘寧曰都督未可造次曹仁令曹洪拒住夷陵為犄角之勢願乞精兵三千先逕往夷陵將軍然後可取南郡也瑜服其論

周瑜領兵救甘寧

援應甘寧

寧先交甘寧引三千兵打夷陵早有細作渡江報知曹仁仁與陳矯
商議矯曰將軍若不救夷陵則南郡勢孤矣仁喚弟曹洪與[illegible]
牛金暗地引三千軍救曹洪純來使人報曹洪令在前[illegible]
繼後郤說甘寧引兵至夷陵洪出戰與寧交鋒戰二十餘合洪敗
走寧趕去奪了夷陵至黃昏曹洪牛金兵至兩下相合圍住夷陵
探子飛報周瑜寨中說甘寧被圍在夷陵城中瑜大驚喚程普曰
可急分兵以救之瑜曰此處正當衝要若分其兵倘曹仁前來劫
下寨危矣呂蒙突然出曰吾與興霸江東股肱之臣也若不救之何以
使人哉瑜曰吾欲自往救之留何人可當此大任蒙曰留凌公績
當之蒙為前驅都督行兵繼後不須十日必和凱歌瑜曰未知凌
公績敢當此任乎凌統曰若十日為期統可當之十日外不勝其
職矣瑜喜留兵萬人付凌統即時盡起投奔夷陵來蒙謂瑜曰夷
陵南壁小路取南郡極便只是山路險隘可差五百[illegible]
砍倒柴薪斷絕此處敵軍若走可得其馬如勝則連[illegible]
南郡可一鼓而下今從之閒門誰可突圍而入周泰出曰某願往

曹仁周瑜

兩軍大戰

提刀上馬直殺入曹軍之中逕到城下其[illegible]見周泰至自出將迎之共說都督自提兵至寨下令令軍士歡糧飽食來日[illegible]都說曹洪曹純牛金共議即目周瑜兵至怎生迎敵牛金曰先使人報兩郡然後洪爲先鋒以迎之洪遣人報曹仁次日吳兵至[illegible]處大振曹兵迎之比及交鋒甘寧周泰分兩路兵以後背曹兵大亂吳兵四下掩殺曹洪曹純牛金果然投小路而走[illegible]不堪行盡皆棄之吳兵得馬三百餘匹周瑜驅兵連夜直至南郡正遇曹仁軍馬兩邊混戰天色向晚各自收兵卻說曹仁到城中與衆商議曹洪曰目今折了夷陵勢已危急何不拆開丞相留下計策觀之以解此危曹仁曰汝見正合吾意遂拆封觀之其計如何

諸葛亮一氣周瑜

曹仁看了計策便傳令交五更造飯平明大小軍馬都皆出城滿上虛插旌旗虛張聲勢軍分三門而出卻說周瑜陳兵於南郡[illegible]外上將望着見城上垛牆邊盡是虛插旌旗無人守城又見軍士腰下各縛包裹瑜心暗忖曹仁必是先準備走路遂下將臺傳令

云令兩軍分左右為翼如前軍得勝盡力追赶直待鳴金方許退步當日對陣鼓聲大振曹洪出馬搦戰韓當出與曹洪鬬到三十餘合洪敗走曹仁自出大呼搦周瑜戰周泰出馬與仁戰十餘合仁又敗後軍先退曹仁曹洪兄弟兩個押後周瑜指兩翼軍衝殺曹兵大敗周瑜自率大軍追赶到南郡城下曹軍皆不入城望西北而走韓當周泰引前部追赶周瑜見南郡城門大開城上又無軍馬指點軍士搶城數十騎當先而出周瑜在背後加鞭縱馬直入到甕城邊城門敵樓上陳矯看見周瑜親自先入暗暗喝采道丞相妙策一般梆子響兩邊弓弩齊發箭如雨下爭先入門的都跌落陷馬坑去周瑜急勒馬回一箭正射中左脅翻身落馬下牛金從門內殺出徃來捉周瑜却得丁奉徐盛兩個死命救出城去了吳兵自相踐踏落塹壕坑者無數程普急收軍時曹仁曹洪分兩路殺回吳兵大敗却得淩統引一軍從側首殺過擋了曹仁引得勝軍進城程普收周瑜到中軍帳內喚行軍醫者用鐵鑷子鑷出箭頭將金瘡藥敷揜瘡口疼不可當飲食俱廢醫者曰此

牛金出馬　大罵周瑜

箭頭上有毒急切難痊若怒氣衝激其瘡復發程普令三軍緊守各寨不許輕出三日後牛金引一軍前來搦戰程普按兵不動牛金罵至日暮而回程普不敢報知牛金直來寨口叫罵單要捉周瑜程普與衆將商議不若權且罷兵回見吳侯却又理會衆皆云此議甚長却說周瑜雖患瘡痛心中自有主張已知連日曹兵前來叫罵只等衆將來禀一日曹仁自引大軍擂鼓吶喊前來搦戰程普拒住不出周瑜喚衆將入帳問曰何處擂鼓吶喊衆將皆曰軍中教演士卒周瑜大怒曰何欺我也吾聞曹兵屢次來寨前辱罵汝等既然總兵何爲不出與我言說衆問之程普曰爲見公瘡痛醫者云慎勿輕動果是曹兵搦戰不敢報知周瑜曰汝等不戰立意若何程普曰衆將皆欲暫回江東待公瘡口平復却作區處周瑜聽罷於牀上躍起言曰大丈夫既食君祿當死於沙場以馬革裹尸還幸也豈可爲吾一人而廢國家之大事言訖乃披甲上馬諸軍皃者無不駭然引數百騎出營前望曹仁自立馬於門旗下揚鞭大罵曰周瑜孺子料必不敢正視麾尤未絕瑜突然而出曰曹

周瑜詐死　曹仁劫寨

仁匹夫見周郎否曹軍看見盡皆驚駭曹仁回顧衆將曰可大罵
之以激其戰軍乃厲聲罵之周瑜大怒使戰將出迎比及潘璋欲
出周瑜大叫一聲口角噴血墜於馬下曹兵趕過來衆將向前
搶住混戰一場救周瑜回到帳中瑜曰吾身痛楚可使心腹數人
往城中詐降說吾已死今夜曹仁必來劫寨却於四下埋伏一鼓
可擒曹仁就得南郡矣程普曰此計大妙即時舉哀衆軍盡傳都
督箭瘡大發而死各寨盡皆掛孝却說曹仁在城中與衆商議言
周瑜怒氣衝金瘡迸裂以至口角流血墜於馬下不久必亡正議
間忽報吳寨走卒數個軍士過來有投報的言語中間亦有二人
是原擄過去的曹仁軍人曹仁慌喚至問之軍士告曰今日周瑜在陣前金
瘡碎裂歸寨而死即日收拾掛孝吾等皆被程普之辱故來投降
就報此事曹仁大喜賞賜了即商量今晚便去劫寨奪周瑜之屍
斬頭送往許昌陳矯曰此計速行不可遲慢曹仁撥牛金為先鋒
自為中軍曹洪曹純為合後盡數領兵出城只留陳矯守城當夜
黃昏結束已定初更後離南郡逕取周瑜大寨到寨門突入中寨

周瑜怒孔

明取三郡

但見虛插旌旗而已情知中計急慌退出四下砲聲齊發東門韓
當蔣欽殺來西門周泰潘璋殺來南門徐盛丁奉殺來北門陳武
呂蒙殺來曹兵大敗急望南郡而來三路軍將被衝散首尾不
能相救先說曹仁引數十騎殺出重圍正遇曹洪接著敗殘軍馬
已自散了一半只待奔走殺到五更離南郡不遠一聲鼓響淩統
引一軍截住去路大殺一陣曹兵斜刺而走又撞著甘寧大
殺一陣不敢回南郡急取襄陽大路而走吳兵赶了一程自回周
瑜程普收住眾兵逕到南郡城下見旗旛布滿敵樓有將提出一
頭大寫陳矯名字周瑜大驚只見敵樓上一將叫曰都督少罪吾
奉軍師將令已取城了乃是常山趙子龍也〔原來孔明料定計令雲在城外埋伏只等
曹仁盡數出城却紛作曹兵連夜救了城子殺了陳矯等一千人安民已定〕周瑜大怒使甘寧引數千
馬軍飛取荊州凌統領數千人馬逕襲襄陽然後却取此城未遲
探馬急來回報周瑜說諸葛亮自得南郡取兵符飛報荊州交城
中軍馬來救正撞張飛一陣殺敗曹兵比去張飛見在荊州屯住
探馬又報夏侯惇往襄陽被諸葛亮人賚兵符詐稱曹仁求救速

引兵來郄交關羽取了襄陽三處城池不費些氣力盡皆屬劉玄德了周瑜問諸葛怎得兵符程普曰拿住陳矯盡屬此人周瑜大叫一聲箭瘡迸裂性命如何

諸葛亮傍掠四郡

周瑜聽知諸葛借東吳之力而取荊州如何不忿氣傷箭瘡半晌方甦衆將皆在面前勸拜瑜怒曰若不殺諸葛村夫怎泄我心中怒氣即日起兵攻打南郡定要歸返東吳是我之願正商議間人報魯子敬至周瑜言起兵共劉備諸葛亮共決勝負復奪城池魯肅曰不可方今與曹賊兵决雌雄尚未分勝敗主人吳侯見打合肥未下又自家更相吞併曹兵乘虛再來其國危矣况劉備舊與曹操至厚倘逼得緊急獻了城子一同來攻東吳如之奈何瑜曰吾等損了兵馬廢了錢粮他見成而得殊可恨也肅曰公瑾且耐容某親見劉備把理來說若說不還那時動兵未遲諸將皆曰子敬之言甚善周瑜便令魯肅逕投南郡來到城下叫門趙雲出問魯肅曰吾要見劉皇叔有話說雲答曰主公和軍師都在南郡城

子敬見玄德取荆州

中南逕來南郡見城上旗旛正列軍士報復孔明令大開城門迎接魯肅入衙共講禮罷對坐肅曰主人吳侯都督公瑾教再三申意皇叔前者曹操引百萬之衆謀下江南實是來擒皇叔今主東吳廢了錢粮折了人馬幸得殺退曹兵救了皇叔所有荆襄九郡今將歸於東吳今皇叔用詭計奪占此何理也孔明曰一言以決孔明曰子敬乃高明之士何故出此言也昔日荆襄九郡乃荆王劉景升之基業吾主乃景升之弟景升已死其子尚在以叔輔姪而取荆襄有何不可豈不聞物各有主之言乎肅曰若是公子劉琦占住尚自可矣今公子在夏口須不在這里孔明曰子敬要見有何難哉喚左右請公子出相見便了劉琦從屏風後從者扶出琦與肅曰病軀不能施禮子敬勿罪魯肅吃了一驚（原來孔明比及得了賺子敬處吳來爭先取公子在城中了劉此做個解手）魯肅良久曰公子若在如何不在如何孔明曰公子在一日守一日若不在別有商議子敬曰若公子不在須返吾東吳孔明曰子敬之言是也遂設宴待肅當晚便辭出城連夜歸寨見周瑜說公子之事瑜曰劉琦正青春年少如何便得

死也這荊州何日能勾肅曰都督放心只在魯肅身上好歹教荊襄盡屬東吳瑜曰如何所見肅曰余觀劉琦身耽酒色之病見今面黃體瘦氣喘吐血不過半年此人必死那時討荊州劉備須無推故周瑜只是忿氣未息忽報吳侯見圍合肥累戰未捷急令都督盡收軍回周瑜只得依從罷戰且回柴桑郡養病令程普部領士卒戰船都來合肥吳侯軍前聽候話分兩頭劉玄德自得荊州南郡襄陽心中大喜與孔明商議久遠之計忽堦下一人出來獻策乃山陽人也姓伊名籍字伯機玄德感舊日之恩十分相敬籍曰要知襄陽久遠之計何不求賢士而問之玄德曰願公薦賢者籍曰有荊襄世家弟兄五人惟一人大賢眉間有白毛襄陽宜城人也姓馬名良字季常漢上人皆曰馬氏五常白眉最良其弟馬謖字幼常亦異人也玄德遂命請之馬良至見玄德禮畢玄德問荊襄久遠之策良曰襄陽受敵之地恐不可久守令公子劉琦於此處養病招諭舊士以守之就表奏劉琦為荊州刺史以安民心然後南征四郡收錢糧為根本則荊襄能保久遠之計也玄德問

孔明招道

榮降不從

郡即目何人爲守良曰武陵郡太守金旋(今鼎州)長沙郡太守韓玄(今潭州)桂陽郡太守趙範(今郴州)零陵郡太守劉度(今永州)若取得這四郡乃魚米之鄉漢上可保長久矣玄德大喜問四郡先取何郡後取何郡良曰湘江之西零陵最近可先取之次取武陵然湘江之東取桂陽長沙爲後玄德甚喜遂用馬良爲從事伊籍副之送劉琦歸襄陽替雲長回荊州便議調兵取零陵差張飛爲先鋒趙雲爲合後孔明玄德爲中軍人馬一萬五千人留雲長守荊州糜竺糜芳守江陵建安十四年正月孔明調兵起行郡說劉度在零陵城中聽知孔明軍馬來到喚其子劉延商議延曰父親寬心兒觀本州上將邢道榮有萬夫不當之勇使開山大斧重六十斤可以迎敵劉度喚邢道榮處重賞了令子劉延與道榮引兵萬餘離城五十里靠山依水下寨哨馬探得孔明自引一軍先鋒邊陣圓邢道榮出馬擔撚大斧厲聲大叫反國之賊焉敢侵吾境界對陣中旗幟分開一輛四門車車上端坐一人頭戴綸巾身披鶴氅手執羽扇用扇招道榮曰吾乃南陽諸葛孔明也曹操引百萬之衆

子龍截殺

道榮投降

被吾聊施小計片甲不回今來招安汝等何故不早來降道榮大笑曰赤壁鏖兵乃周郎之謀干汝何事今來誑吾言罷輪大斧逕衝過來孔明交回車望陣中走陣門復閉道榮逕殺過來陣勢忽分兩下而走道榮遙望中央一簇黃旗料是孔明只望黃旗而趕抹過山脚黃旗扎住忽地分開中央不見四門車一員將挺矛躍馬直取道榮大呼曰吾乃燕人張翼德也賊將休走道榮輪大斧來迎戰不數合氣力不加撥回馬走張飛從後趕來喊聲大舉兩下兵復合道榮衝出前面一將截住去路乃常山趙子龍也道榮措手不及下馬投降趙雲拿來寨中推至帳下玄德喝斬之孔明且交留人問道榮曰汝若與吾捉了劉延吾准你投降道榮願往孔明問汝如何捉得道榮曰軍師若肯放吾回去今晚軍師劫寨某爲内應若捉劉延劉度知之自然降矣玄德不肯孔明曰邢將軍非謬人也可放之道榮得放回寨盡實告訴劉延延曰如之奈何道榮曰將計就計今夜將兵伏於寨外寨中虛立旌旗待孔明來劫寨時就而擒之劉延依計當夜三更果然有一軍到寨口每

人各用草把一齊點着火燒燬寨劉延邢道榮兩下殺到於火邊軍人便退兩軍乘勢追趕十餘里劉延叫道榮急回火光未滅寨中突出一將燕人張翼德也劉延叫道榮不可入寨却去劫孔明寨便了走不十里趙雲一軍出一鎗刺死邢道榮劉延退時被張飛活捉來見孔明劉延說邢道榮教某如此非本心也孔明賜以酒食交入城說父投降把馬送劉延回零陵城中見父劉度說孔明之德父子即時賫印綬納降孔明教劉度復爲郡守以管錢粮其子劉延於荊州隨軍辦事玄德入城撫安百姓遂勒兵取桂陽

子龍翼德各得城郡

玄德問衆將曰零陵地接桂陽誰敢引軍取此郡趙雲曰某願往張飛曰某願往二人各自要去孔明故掐拈鬮着的便去又是趙雲拈着張飛曰吾只要三千軍獨自領去便要得城子趙雲曰某也只要三千軍去不得城子按軍令孔明大喜要了文書遂三千精兵與趙雲去張飛不伏玄德喝退趙雲領了三千人馬望桂陽進兵却說桂陽郡太守趙範人報趙子龍引軍來取城池趙範急

陳應領兵　拒敵子龍

喚軍官商議兩個管軍校尉一個姓陳名應一個姓鮑名隆是桂陽嶺下獵户出身陳應會使飛叉鮑隆會射死雙虎都在桂陽管軍二人對趙範曰劉備是反漢之臣更兼忘了曹丞相來時某二人願為前部趙範曰吾聞劉玄德乃大漢皇叔更兼有孔明多謀關張極勇如今領兵來的趙子龍在當陽長坂百萬軍中如入無人之境吾桂陽有多少軍不可迎敵只是投降陳應曰若其捉不得趙雲那時任太守降不遲趙範遂拗不住只得教陳應帶三千人馬出城來到趙雲兵近桂陽前面哨探的回報敵軍來到趙雲把三千人馬擺開以待來軍陳應也列成陣勢提飛叉而出趙雲出馬責陳應曰吾主劉玄德乃荊王之弟今輔公子劉琦同領荊州特來安民何故迎敵陳應大罵吾等只伏曹丞相豈順劉備乎趙雲大怒挺鎗驟馬直取陳應陳應撚飛叉來迎兩馬相交鬥到四五合陳應如何抵敵得住撥回馬便走趙雲趕去陳應回顧趙雲馬來較近用飛叉擲去被趙雲一手綽住回擲陳應陳應急躲過趙雲馬到活捉陳應擲於馬下趙雲捉陳應入寨責之曰量汝小輩安能敵吾汝可對趙範說今早

趙範將嫂遞

嫁雲不允

提着陳應回見趙範備言此事範曰吾本心只要降汝強要戰以致如此趙範將印綬引十數騎直來趙雲寨中投降雲接着置酒相款交了印綬趙範說將軍姓趙某亦姓趙將軍真定人某亦真定人又是同鄉倘若不棄結為兄弟說起趙範又和子龍同年子龍長趙範四個月因此拜子龍為兄兩個同鄉又同年又同姓十分大喜至晚相別趙範歸城次日請子龍安民子龍交只帶五十騎入城居民香花迎門而接一壁掛榜安撫百姓趙範請入筵席酒至半酣請入後堂相待子龍見趙範殷勤強飲微醉範於後堂請出婦人與子龍把盞子龍看其婦身穿素衣分有色子龍問範曰何人也範曰家嫂樊氏也子龍改容敬之樊氏把盞畢範令就坐子龍不肯樊氏辭歸子龍曰弟何必不自舉盃耶範笑曰中間有個緣故賢兄勿阻故兄棄世已及三載家嫂守寡終不為了弟常勸嫂改嫁嫂曰若三件事兼全吾方嫁之第一要與家兄同姓第二要名動當今人材出衆第三要文武雙全普天之下那得這般巧的人今將軍堂堂一表名振四海又與家兄同姓先在鄉中

又與故兄相識將軍若不嫌家嫂貌陋願倍十萬家資與將軍爲妻結永世之親可乎子龍大怒曰汝嫂卽吾嫂也豈可作亂人倫之事乎趙範羞慚答曰吾好意相待好無禮耶子龍一脚一拳打到趙範忿怒上馬去了範[illegible]喚陳應鮑隆商議陳應曰這人發怒去了只撩與他厮殺範曰但恐輸他陳應鮑隆曰吾兩個去詐降他太守却引兵搦戰我二人就陣上擒之陳應曰必須帶些軍去隆曰五百人馬足矣當夜兩個引五百人逕來子龍寨中投降子龍聽得這話心中已知其詐遂交喚入二人到帳中說趙範待[illegible]美人計賺將軍歡喜醉中謀殺將頭去曹丞相處獻功如此不仁某二人恐將軍惹禍必連累因此投降子龍大喜用酒灌醉綁於帳中擒手下問之果是來詐降子龍喚五百軍人入各賜酒食傳令曰要害吾者陳應鮑隆也不干衆軍之事汝等聽吾行計皆有重賞子龍將陳鮑二人斬之交五百軍引路子龍引一千軍在後連夜到桂陽城下叫門城上聽得說陳鮑二人殺得趙雲了也請太守商議事務城上明火照之果是自家軍馬太守趙範[illegible]

張飛領兵

取武陵郡

城子龍為左右擒之遂入城出安撫已定飛報玄德玄德與孔明親赴桂陽子龍迎接推趙範於堦下孔明問之範言以嫂嫁子龍本是好意不想惱亂以致如此孔明與子龍曰美色天下人皆好公何獨如此子龍曰趙範之兄舊在鄉中曾有一面之識若娶之惹人笑話一也其嫂改嫁使其失節二也趙範初降真心不可測三也主公新定江漢枕席未安雲敢為一婦而廢主公之政也玄德曰今日大事已定與汝娶之若何子龍曰天下女子不少但恐名譽不立何患無妻乎玄德曰真丈夫也遂放趙範復為桂陽太守範拜謝重賞子龍之功張飛大叫曰只撥三千軍與我去取武陵直捉太守金旋獻來帳下孔明大喜曰翼德要去不妨但要依一件事張飛曰何事孔明曰先是子龍取桂陽郡時將取了軍令狀今日翼德要去必須也要這個文書張飛欣然便寫領三千軍星夜殺武陵界上來人探知報與金旋（旋字元機京兆人漢中郎將也）聽得張飛引兵來乃集眾將出城迎敵從事鞏志諫曰劉皇叔仁義布於天下加之張翼德乃世之虎將不可迎敵納降為上金旋大怒曰

汝欲與賊通連為内變耶喝武士推出斬之衆官皆勸金旋喝退鞏志自引兵出二十里迎着張飛飛横矛立馬大喝一聲聲如巨雷金旋不敢交鋒撥回馬走張飛赶來金旋走至城下城上亂箭射下旋視之見鞏志立於城上大罵曰汝不順天時自取敗亡吾與百姓自降劉矣言未畢一箭射中旋面門墜馬而死鞏志出城納降張飛就令鞏志賫印往桂陽見玄德玄德大喜就令鞏志以代金旋之職玄德入武陵安民了當後若何

關索荊州認父

玄德入武陵與孔明說曰子龍取桂陽翼德取武陵雲長未知也當馳書去荊州報知言翼德子龍各得一郡雲長乃回書云恭接捷報深為兄喜但關長汝一郡猶未曾取如兄長想手足之情令關羽幹這場功玄德見書大喜遂教翼德去荊州替雲長來取長沙張飛隨帶輕騎前到荊州見雲長曰哥哥令吾特來替守荊州欲兄建功雲長大喜設宴叙情忽有小校報曰門外有一小將軍姓名花關索身長七尺面似桃花心要進見特來報知關公曰與

關張叙話

關索哭見

他入來見吾小校傳令與關索索謂母曰母親與嫂嫂暫且在此片時兒先入見爹爹索入見關公雙膝跪下垂淚曰兒得大人之脉未嘗侍奉不孝之甚望父恕罪關公正容曰汝是何人敢來錯認吾耶索曰兒三四歲時見父不在家常問於母母道父親自殺本處豪霸逊難江湖雁杳魚沉不知何所又值家貧只依外公胡員外家撫養長成猶敎說父昔日在桃園結義今聞在荊州特來尋見關公遲疑不信索曰父不認兒兒無所倚哭倒在地張飛扶起謂雲長曰吾看此子必不錯認兄出外日久家中事恐忘懷了可仔細思想逊難之時嫂嫂有懷孕否關公沉吟半晌曰吾逊難時妻小果有懷胎三個月但此子既是吾兒宜姓關何姓花名關索吾故不肯遽認張飛復問其故索答曰七歲時元宵翫燈迷失道路被索員外拾去養至九歲送與班石洞花岳先生學習武藝因此兼三姓取名花關索關公聽畢掩面哭曰吾兒若不來怎知汝子母艱辛隨問曰今母何在索曰就在門外關公曰快請進相見索出門外請母進府關公一見胡氏二人掩面大哭張飛曰今日父

子相會骨肉團圓真如古鏡重明缺月再圓也請收淚作慶胡氏隨命兒婦三人拜見關公復拜玄德畢張飛告退是夜設宴以叙夫婦之情謂胡氏曰吾家貧汝又在岳父家住爲孩兒娶一媳尚不能因何娶得三個媳婦胡氏曰先過鮑家庄遇鮑三娘後過蘆塘寨遇王桃王悅皆與孩兒鬬演武藝比兒不過願成夫婦關公曰吾有此子如虎生翼矣何愁漢室不興乎次日張飛告曰哥哥侯兒去取長沙不可遲慢雲長曰即日起程索尚年幼吾弟自守荆州飛曰吾看姪兒曾從花岳先生傳習武藝兒可帶見哥哥不亦可乎雲長曰吾不知他會甚武藝飛問索曰汝從師學何武藝索對曰先授黄公三略後傳呂望六韜公曰既然如此帶領本部人馬同劉武陵見了玄德伯伯却說玄德見雲長至大喜關公令索參拜玄德曰此少年何人雲長曰豚兒也玄德曰吾弟並未曾說有子今日何來雲長遂將前事告之玄德曰如此恭喜恭喜吾觀此子相貌堂堂又添吾一臂矣孔明曰此主公洪福也雲長問孔明曰索領哥哥嚴命往取長沙軍師有何指教孔明曰子龍取

關索挺槍　刺殺楊齡

桂陽趙範取武陵郡只是三千軍去吾聞長沙太守韓玄何足道道內有一員大將南陽人也姓黃名忠字漢升雖然年紀六旬有萬夫不當之勇乃湘南將佐之領袖不可輕敵雲長要去必是多帶軍馬雲長答曰量一老卒何掛意也某也不須三千人人馬只須本部五百刀手足矣定斬韓玄黃忠之首獻來麾下當時帶本部人馬同關索去了孔明對玄德曰雲長平生輕敵只恐有失主公接應玄德從之隨後離武陵進發却說長沙太守韓玄平生性躁不以人為念眾皆惡之是時聽知雲長軍來便喚老將黃忠商議忠曰不須主公憂心某憑一口刀這張弓一個來一個死杭（黃忠開二石弓百發百中）言未畢管軍校尉楊齡應聲而出曰不須老將出戰只就某手內定要活捉雲長玄喜就令楊齡帶一千人馬出城約行十五里望見雲長軍馬早到楊齡橫鎗立馬於陣前大罵雲長要提刀出陣索出曰此小將不須父親待兒去擒來獻功拍馬挺鎗直取楊齡楊齡更不打話衝下廝殺戰不數合楊齡料敵不過撥回馬便走索飛馬趕上一鎗刺楊齡於馬下追殺直至城下方

回韓玄聽知大驚急使黄忠出馬玄自來城頭觀看忠橫刀縱馬過吊橋背後數百人跟出忠頭髮蒼白關索見之告關公曰諒此老將不足畏也待孩兒出馬再去擒來關公曰老將必是黄忠曾聞軍師道彼有萬夫莫當之勇恐汝非他對手吾當自去雲長遂把五百軍一字擺開立馬橫刀而問曰來者莫非黄忠否忠曰既知吾名焉敢犯界雲長曰特來取汝首級言罷兩馬交加鬬經一百合不分勝負韓玄恐有疎失鳴金收軍雲長離城十里下寨心中暗忖老將黄忠名不虛傳鬬一百合並無滲漏來日須用拖刀背砍計贏之次日飯後又來搦戰韓玄上城交黄忠出馬忠引數百人殺過吊橋喊聲起處與雲長交馬五六十合勝負不分雲長撥回馬便走黄忠趕來雲長卻待用背砍計忽聽得腦後一聲響回頭看時黄忠戰馬失卻前蹄把黄忠掀在地上雲長猛喝曰我饒你性命快換馬廝殺黄忠飛身上馬慌奔城中雲長回寨關索問曰今日父親不殺黄忠何也關公曰吾平生要明白殺人使他無怨黄忠既被馬掀在地上吾殺之何益忠走入城韓玄奮問之

黄忠箭射
雲長盔纓

忠曰此馬久不上陣故有此失玄曰汝箭可發百中何不射
曰來日再戰必然詐敗引到吊橋邊射之玄與了一疋好馬
黄忠尋思難得雲長如此義氣我本是死的他不忍殺
安忍殺之不射又違將令是夜躊躇不睡次日天曉人報雲長搦
戰韓玄喚黄忠分付教用箭射之黄忠應允領兵出城雲長見
曰戰不下黄忠十分焦燥抖擻神威與忠交馬戰到三十餘合忠
詐敗雲長趕來忠想昨日之恩不忍便射帶住刀把弓虛拽弦響
雲長急閃却不見箭又趕黄忠虛拽雲長躲又不見箭只道黄忠
不會射放心趕來看看近吊橋忠在橋上搭箭拽弦開弓射中雲
長盔纓後雲長吃了一驚帶箭急回方知黄忠有穿楊百步之能正
是報答昨日不殺之恩也黄忠來見韓玄玄喝令左右提下黄忠
叫無罪玄大怒曰吾看三日了汝敢欺吾你昨日馬失他不殺汝
正有從來今日兩番虛拽弓弦第三箭射他盔頂如何不是內通
外連若不斬汝必為後患喝刀劍推下斬之衆將欲告玄曰如告
者便是同情刀劍推忠到城下納坐却待下手忽然魏延提刀直

入砍散刀劍救起黃忠大叫曰黃漢升乃長沙之保障韓玄殘暴不仁輕賢慢士今殺漢升是殺長沙百姓也百姓視之乃魏延也但其人面如重棗目若朗星氣宇軒昂貌類關羽（按魏延字文長義陽人自襄陽趕劉玄德不着故來長沙依傍韓玄玄在魏延傲慢少禮故不肯重用屈於此處）當日魏延救了黃忠叫百姓同殺韓玄袒臂一呼從者數百黃忠當攔不住魏延殺上城一刀砍玄爲兩段提頭上馬引百姓出城投拜雲長雲長大喜即時入城安民請黃忠相見忠推病不出雲長差人請玄德郤說玄德孔明正行之處忽見風起馬門青旗倒捲一鴉自北而南連叫三聲而去玄德曰此應何災禍孔明袖占一課曰長沙郡已得更主得有大將午時必有佳音看看午後報馬報雲長已得降將黃忠魏延皆等主公至玄德孔明並鑾入城雲長言前事玄德親往黃忠家相請忠方出降求葬韓玄屍首於郡之東後來史官有詩讚黃忠曰

將軍氣槩與天參　白髮尤然困漢南
至死甘心無怨望　臨降低首尚羞慚
寶刀燦雪彰神勇　鐵馬嘶風憶戰酣
千古高名應不泯　長隨孤月照湘潭

玄德喜其忠誠待之甚厚雲長引魏延至玄德敬之孔明勃然曰韓玄與汝無仇殺之不善也人人效此必懷二心令斬之刀斧手捉下魏延性命如何

孫權合肥大戰

玄德急命止之問孔明曰誅降殺順大不義也魏延是有功無罪之人何故殺之孔明曰食其祿而殺其主是不忠也居其土而獻其地是不義也吾觀魏延腦後有反骨久後必然謀叛故先殺之以絕後禍玄德力勸免之孔明指魏延曰汝可盡忠報主勿生異心倘生反心必取汝頭魏延喏喏而退黄忠薦劉表姪劉磐見在攸縣閑居玄德取回交掌長沙四郡已平班師回荆州港上九郡已得其六何為九郡江陵漢陽巴陵襄陽江夏武陵桂陽零陵長沙這九郡皆屬荆州古荆州今峽州是也後以江陵為荆州荆州郡射江夏巴陵漢陽東關古蹟夏侯惇棄了襄陽走奔樊城劉玄德收油江口為公安自此錢糧廣大賢士歸之將人馬四下分守隘口却說周瑜回柴桑郡養病令甘寧守住巴陵凌統守住襄陽呂蒙守住江夏程普引將士殺合肥來

孫權張遼

合肥大戰

却説孫權久在合肥與曹軍大小十餘戰未有勝負得程普軍馬
到權大喜人報魯子敬先至權遠遠下馬而待之肅滚鞍下馬施
禮將士見權如此待肅衆皆驚訝權曰孤下馬相迎足以顯子敬
否肅曰未也衆人聞之無不愕然權曰何時為顯肅曰願至尊威
加四海總括九州克成帝業那時以安車軟輪徵召魯肅始當顯
耀耳權於馬上撫掌大笑並轡至寨中大設飲宴犒勞將士商議
破合肥之策忽報張遼差人下戰書來孫權觀書大怒就批來日
决戰權曰張遼欺吾太甚聽知程普軍來故使人搦戰來日不必
新軍赴敵看吾大戰一場傳令五更三軍望合肥城進發軍至半
途曹兵已到兩邊各布陣勢孫權披甲出馬左宋謙右賈華二將
執方天畫戟三通鼓罷對陣三員將全裝擐帶立馬陣前中央是
張遼左有李典右有樂進張遼在馬上單搦孫權戰權挺鎗欲戰
陣門中太史慈挺鎗縱馬而出張遼揮刀來迎兩將戰七八十合
不分勝敗李典謂樂進曰對面戴金盔者孫權也若捉得孫權足
與八十三萬軍報讎説猶未了樂進一騎馬一口刀從刺斜殺

太史慈領

兵爲外應

迎敵孫權宋謙賈華兩枝畫戟一隔刀到處二戟齊斷只將戟桿
馬頭上便打樂進馬回宋謙奪軍士手中鎗趕來李典搭箭便射
宋謙應弦落馬太史慈見背後有人落馬棄却張遼望本陣便回
張遼乘勢掩殺過來吳兵大敗張遼望見孫權驟馬來趕看看趕
上側邊撞出程普救孫權去了張遼收軍歸合肥且說孫權歸寨
見折了宋謙放聲大哭長史張紘諫曰主公恃盛壯之氣忽強敵
之勇三軍之衆莫不寒心雖斬將搴旗威鎮敵場此乃偏將軍之
任非主將之宜也今日宋謙死於鋒鏑皆主公輕敵之故也今後
切宜保重權曰孤之過也從今改之少刻太史慈入曰今日雖敗
於他今張遼手下養馬後槽乃與某手下一人姓戈名定之兄弟
號使人報來明火爲號刺殺張遼以報宋謙之仇某引兵以爲外
應權曰戈定何在太史慈曰已進身在合肥城中去了某願先乞
五千兵去諸葛瑾曰張遼乃足智多謀之士恐有準備不可造次
太史慈堅執要行權亦傷宋謙之故急欲報仇故令太史慈領兵
五千連夜去爲外應却說戈定乃太史慈鄉人雖在軍中隨入合

張遼斬 戈定後槽

肥尋見養馬後槽兩個商議戈定曰我已使人報太史將軍去了今夜必接應汝如何用事後槽曰此間離中軍較遠夜間急不能進只就草堆上點起一把火汝去前面叫反我在後面叫反城中兵亂就裏去刺張遼餘皆自走也戈定曰此計大妙是夜張遼賞勞了不敢解甲宿睡左右曰今日全勝吳兵遠去將軍何不卸甲張遼曰非也為將之道勿以勝為喜勿以敗為憂今日雖然勝吳兵度吾無備乘虛攻擊可以約束三軍今夜比每夜尤加謹慎可也說未畢後寨火起一片叫反報者如麻張遼便上馬引親從將校數十人當道而立左右曰喊聲太急可往觀之遼曰豈有一軍盡反者此是造反之人故意驚動人耳如亂動者斬無多時李典擒戈定并後槽至遼問其情立斬於馬下只聽得城外擂鼓吶喊遼曰此是吳兵外應可就計用之於城門內放起一把火眾皆叫反大開城門放下吊橋太史慈見城門開只道內變挺鎗縱馬先入城上砲響亂箭射下太史慈急退身中數箭背後李典樂進殺出吳兵折其大半乘勢直趕到寨前陸遜董襲殺出救了太史慈

曹兵自回孫權見太史慈重傷感歎不已張昭請權罷兵權從之收軍下舡回南徐比及屯住軍馬太史慈瘡重權遣張昭問之太史慈大叫曰大丈夫生於亂世當帶三尺劍以升天子之階今所志未遂奈何死乎言訖而亡年四十一歲（孫權後葬於南徐北固山下養其子太史亨於府後亨官至尚書）史官有廟讚云

處世全忠孝　東萊太史慈　姓名昭遠塞　弓馬振雄師
北海恩酬日　神亭酣戰時　臨終言壯志　三歎復嗟咨

卻說孫權自合肥兵敗之後心中憂悶日與諸謀士談兵卻說玄德在荊州聞孫權兵敗與孔明議事孔明曰亮夜觀星象見西有星墜地必應拆一王孫正說間人報公子劉琦病亡玄德哀痛不已孔明勸曰生死常理主公勿憂恐傷貴體一面差人遷葬守護玄德曰誰可以去孔明曰非雲長莫可即時便教前去玄德曰今日劉琦已死東吳必然來取荊州如何對答孔明曰若有人來亮自有對答不過半月忽報東吳魯肅特來吊喪玄德曰非是吊喪乃索荊州也當下孔明如何對答

周瑜定計取荊州

孔明聽知魯肅到交遠接到公廳相見魯肅曰江東聽知令姪棄世吳侯特具薄禮遣肅逕來致祭都督亦交再三申敬玄德謝了收過禮物置酒相欵肅曰前者皇叔有言公子劉琦若在荊州暫時居守今公子棄世必須見還肅亦爲此事而來幾時可以交割玄德曰公且飲酒有個商議肅強飲了數盃連逼數次玄德未及言孔明變色曰子敬乃不通禮我主人如此相待直催逼至二三次自三皇五帝開天立極以來天下者非一人之天下乃天下之天下也昔漢高皇帝提三尺劍斬白蛇起義兵成四百餘年之基業傳至于今不幸奸雄並起宇宙瓜分各據一方自收賦稅有日天道好還須歸吾王公乃中山靖王之後漢景帝閣下玄孫今上皇叔於封疆各分茅列土而居之加之劉景升乃吾主之兄弟承兄業有何不可汝主是錢塘小吏之子素無功德於朝今以強横占據六郡八十一州尚自貪心不足而欲吞漢上耶今劉家天下吾主姓劉無分汝主姓孫合請還也何况赤壁破曹我多負勤勞

衆將並皆用命豈特是汝東吳之力耶若非吾借東南風汝周郎安能展半籌之功耶江南一破休說二喬置於銅雀則汝等妻子皆不能保也適來吾主公答應者以子敬乃高明之士必能察焉子敬深通今古善別是非何故出此言也說得魯肅緘口無言半晌乃曰孔明之言無不有理爭奈魯肅身上甚是不便汝等做得個損人安己麼孔明曰有何不便肅曰昔日劉皇叔當陽受難之時肅引孔明渡江見吳侯說來周公瑾要興兵攻荊州又是魯肅當回後來說待公子去世還荊州又是魯肅同諸葛今不應前言失其大信使魯肅死無葬身之地魯肅死無恨使荊襄之民立見塗炭劉皇叔亦受萬世之恥也願細思焉孔明曰曹操統百萬虎狼之衆動以天子爲名吾亦以爲病癩之疾豈懼周瑜一小兒乎然如此恐子敬先生面顏不好看吾交公立一紙文書暫借荊州安身待吾主別圖得城池之時便交還此理如何肅曰孔明還是奪得何處還吾荊州孔明曰中原急未可得西川劉璋暗弱若圖了西川那時便還肅交立文書玄德親筆書寫押了字號保人諸葛

肅將文書

遞與周瑜

孔明也押了字孔明曰玄德公是吾主人難道自家作保煩子敬先生亦押一字回見吳侯也好看肅曰吾素知皇叔乃仁義之人必不相負遂押字收文書便辭玄德孔明送至舡邊與子敬曰公見公瑾善言申意休要妄想若不容准吾請過面皮和江南八十一州都奪了只要兩家和氣全在子敬一語之勞休教曹賊笑話子敬回到柴桑見周瑜瑜問曰子敬討荊州如何肅曰有文書在此遞與周瑜看瑜以足頓地曰子敬中諸葛之謀也名為借地實是抵賴說是取了西川便還知他是幾時取如十年不得十年不還知他誰先誰後這等文書如何中用子敬又與他作保他不還城池帶累足下吳侯一怒九族難保矣子敬聞言呆了半晌曰恐玄德不負於吾瑜曰子敬是誠實君子劉備乃梟雄之輩諸葛乃狡猾之徒恐不似汝之心也子敬曰似如此柰何瑜曰子敬是吾恩人吾如何不救且放心少住待江北細探回別有商議數日細探回報荊州城中揚起布幡城外別建新墳軍士各掛孝瑜驚問死了甚人細作答曰劉玄德沒了甘夫人即日安排殯葬瑜謂子

吳侯令呂

範往荆州

敬曰吾計成矣使劉備束手受縛荆州反掌可得肅曰計將安出瑜曰劉備喪妻吳侯有一妹極有剛勇侍婢數百居常帶刀房中軍器擺列遍滿雖男子不及也吾修書遣人去吳侯教數人去荆州爲媒說劉備來入贅賺到南徐妻不能勾囚在獄中却使人去討荆州於孫權身上須無事也魯肅拜謝周瑜即時寫了書呈選隻快舡發送魯肅到南徐還來見吳侯先說借荆州一事呈上文書孫權曰若如此何將取得肅曰周都督有機密書在此用此計可得荆州孫權看了尋思誰可爲媒猶豫曰非此人不可權交喚此呂範來範乃汝南細陽人也字子衡權曰吾聞劉玄德喪妻吾有一妹欲招此人爲婿永結姻親共力破曹以扶漢室非子衡不可爲媒煩爲往荆州一行範曰主公有命安敢有違即日收拾舡隻帶數人到荆州來却說玄德自從殁了甘夫人晓夜煩惱當日正與孔明敘話人報東吳差呂範到來孔明笑曰又是周瑜之計必是爲荆州之意亮在屏風後潛聽但有甚話都應承了別作商議玄德交請呂範至敘禮畢玄德曰子衡到此必有見諭範曰甚近聞皇叔失偶

孔明玄德

商議親事

行一門奸親故不避嫌疑特來作媒玄德曰中年喪妻大不幸也肉尚未冷安敢望此範曰人若無婦如屋無梁豈可中道而廢人倫也主人吳侯有一妹大賢堪可以奉箕帚若兩家共結秦晉之盟則曹賊不敢正視矣國家之事並皆全美皇叔勿生疑惑便可一行玄德曰此事吳侯知否範曰先稟過吳侯應允如何敢造次來說玄德曰吾已半百之年鬢髮斑白吳侯之妹正當妙齡恐非偶配範曰吳侯之妹身雖女子志勝男兒嘗曰若非天下英雄吾不事之今皇叔名聞海宇德播華夷正所謂淑女以配君子豈可以年齒上下相嫌乎玄德曰公且少留來日報汝設宴相待留於館舍至晚與孔明商議孔明曰來意已盡知適來卜易已得大吉利主公便可應允先交孫乾和呂範同見吳侯據日便去成親玄德曰周瑜定計欲害劉備豈可以身入危險之地乎孔明大笑曰雖是周瑜之計豈出諸葛之料乎略用小謀使周郎半籌不展吳侯之妹又屬主公荊州萬無一失孔明道三條妙計氣死周瑜

劉玄德娶孫夫人

子龍保玄

德往江東

玄德懷疑不敢准允孔明交孫乾為媒親往江南說合親事孫乾與呂範同至南徐見吳侯吳侯言吾願將妹招嫁玄德並無異心孫乾謝了回荊州說吳侯相待之意玄德心中懷疑不敢往孔明曰某定下計三條非子龍不可行計喚子龍近前囑付曰汝保主公入吳有三個錦囊內有三條妙計依次而行吾當應之如此依着計是替主也子龍曰願領軍師密旨並不敢違孔明出三枝付與子龍貼肉收藏孔明先使人獻上財聘劉玄德選快船十隻隨行五百餘人大將趙子龍前望南徐進發玄德心中終是怏怏不安早到南徐子龍想曰適來孔明付來三條妙計依次而行今已到郡必須先開第一個錦囊觀之依計而行子龍看了喚五百隨行軍士一一分付如此如此眾軍各應允而去元來喬國老乃二喬之父平生至直見居南徐子龍與玄德先往見之玄德備金帛先謁喬國老說呂範為媒說孫夫人招備更兼五百軍士上南徐街坊兩兩三三傳言送語各處遍告盡說玄德進贅一事城中人盡知（此是孔明第一條妙計）吳侯聽知玄德已到且就館驛中

安歇却說喬國老來見吳太夫人稱說賀喜太夫人曰老身寡居有何喜事國老曰令愛已許劉玄德女婿已到何故相瞞夫人曰老身不知此事便使人請吳侯來問其虛實先使人城中探聽人人皆言果有此事即日女婿在江邊館驛安下五百軍士皆言佐親之事佐媒是呂範男家是孫乾吳夫人吃了一驚少頃孫權入後堂見母夫人拭淚而哭孫權大驚曰母親有話明說何故如此痛哭國太曰汝將劉玄德爲婿如何瞞吾權吃了一驚問曰那里得有這話來國太曰要人不知除非莫爲滿城百姓那個不說你到瞞吾喬國老曰老夫知多日了一逕賀喜權曰非也此是周郎之計要取荊州若動刀兵生靈塗炭故將此爲計賺劉備來囚之將荊州得換如其不從先殺劉備此乃計策非實意也國太怒罵周瑜匹夫汝佐六郡八十一州大都督直恁無條便計去取荊州却把吾女爲名使美人局若殺了劉備我女明日怎的說親喬國老曰如便奪得荊州也被天下人笑此事如何行得孫權默默無言國太不住口的罵周郎國老勸曰事已至此不如招劉皇叔爲婿。

國太甘露寺見玄德

免得出醜權曰年紀恐不相當國老曰劉皇叔乃漢宗親是當世之豪傑若招得這女婿也不辱令妹國太曰我不曾認得劉皇叔明日約在甘露寺相見如不可我意任從汝行事若可吾意我自把女嫁他孫權是個大孝的人見母親說便應承出外喚呂範分付來日甘露寺方丈設宴國太要見劉備相親呂範曰何不令賈華部領三百刀斧手伏於兩廊下若國太不喜時刀斧手齊出劉為肉醬吳侯便喚賈華分付交預先準備只等我教下手却說喬國老辭吳夫人歸使人報玄德言來日國太親自要見你好生主意玄德與孫乾趙雲商議雲曰來日此會多凶少吉雲自引五百部從保之隔夜呂範先來請次日吳國太喬國老都先在甘露寺方丈內孫權引一班謀士都到呂範來館驛中請玄德是日玄德內披細甲外穿錦袍從人佩劍緊從上馬投甘露寺來趙雲全裝擐帶引五百軍後隨寺前下馬先入到法堂上與孫權相見權觀玄德一表非俗心中有威懼之意兩人各叙禮畢請入方丈玄吳國太國太見玄德大喜乃與喬國老說曰真吾婿也國老曰玄

德公有龍鳳之姿天日之表更兼仁德布於四海國太得此婿真可慶也玄德拜謝宴於方丈之中少頃子龍帶劍立於席前國太問曰此何人也玄德答曰常山趙子龍也國太曰莫非當陽長坂抱阿斗者乎玄德曰然國太曰真將軍也遂賜酒趙雲暗與玄德曰却才某於廊下巡視見房内有刀斧之聲有人埋伏必無好意可告與國太玄德跪下泣曰若欲殺備就此請誅國太曰何故出此言也玄德曰廊下暗伏刀手非殺備而何國太大怒責罵孫權曰今日玄德與吾作婿即吾兒也何故伏刀手於廊下權推不知喚問呂範範推賈華國太喚賈華問之華無言國太喝令斬之玄德哀告曰若斬大將於親不利劉備亦難居於膝下矣國老亦勸喝退賈華刀斧手皆抱頭鼠竄而去玄德推更衣出殿前見庭下有石一塊玄德拔從者所佩之劍仰天禱曰若劉備能勾回荆州成霸王之業一劍揮石爲兩段如死於此地則劍不開手起劍落火光迸散砍爲兩段孫權在後曰玄德爲何恨此石玄德答曰備年近五旬不能與國家勦除操賊心常恨焉今蒙國太招爲女

然此平生之遺遇也却纔問天買卦能破曹興國砍斷此石今果然如此權暗祝劉備莫非用此言瞞吾遂亦掣劍曰吾亦問天買卦若破得曹操亦砍斷此石却暗暗禱祝如再取得荊州興旺東吳砍爲兩段手起劍落其石亦開至今有十字紋開眼石尚存後人作詩讚曰

紫髯桑蓋兩沉沉　眼石尤存卓異尋
漢鼎三分聯措手　楚醪雖美有同心
英雄已往時難問　苔蘚多生歲愈深
環布市廛沽酒客　雀噴鳩集話于今

又詩曰

寶劍落時山石斷　今環響處火光生
兩朝王氣皆天效　從此乾坤鼎足成

二人棄劍大笑入席孫乾目視玄德玄德會意推以不勝酒力告退孫權送出寺前二人並立觀江山之景玄德曰此乃天下第一江山也二人共觀之次忽見江面一葉小舟於江面上如登平地玄德歎曰南人駕船北人乘馬信有之乎孫權自思曰劉備此言戲吾不慣乘馬乃令左右牽過馬來飛身上馬馳驟下山後加鞭上嶺笑謂玄德曰南人不能乘馬乎玄德聞言撩衣一躍坐於馬上

國老替玄

德告國太

飛走下山後上二人立馬於山坡之上揚鞭大笑[illegible]
史官有詩贊玄德孫權詩曰　驅驟龍駒氣概多
二雄並轡立山河　東吳西蜀興王業　萬古猶存駐馬坡
當日二人並轡而回南徐之民無不喝采玄德自回驛庭與孫乾
商議乾曰主公只是哀告喬國老早畢姻免生別事玄德只得
自家前去哀告喬國老國老曰玄德寬心吾替汝告國太令作護
持玄德謝了自回喬國老入見國太說劉玄德恐人謀害急急告
回國太曰我的女婿誰敢害他即時便交搬入府中書院暫住早
晚便交畢親玄德入告國太曰只恐趙雲在外軍士爭鬧不便國
太交盡搬入府中歇休留在館舍中免得生事玄德暗喜有謝
在近不愁傷害數日之內大排筵會孫夫人與玄德成親至晚客
散兩行花燭熒煌迎引玄德入房燈光之下但見刀鎗簇簇侍婢
使女皆帶劍佩刀而立諕得玄德魂不附體深卻後來還是如何

三國志傳卷之九終

新刻湯先生校正古本按鑑演義通俗三國志傳卷之十

錦囊計趙雲救主

玄德進孫夫人房見刀劍森列兩皆失色管家婆進曰貴人休驚夫人自幼好武事居常侍婢擊劍爲樂故房中有此玄德曰此非夫人可觀之事吾甚寒心且命暫去管家婆禀夫人曰房中擺列軍器貴客不安夫人笑曰相持半世尚懼兵器乎盡命侍婢解劍伏事當夜玄德以甜言美語探溺孫氏歡喜仍散金帛與使婢以買其心先交孫乾回荊州報喜自此連日飲酒吳國太十分敬愛玄德却說孫權差人來柴桑報周瑜言吾母力主已將吾妹聘嫁劉備不想假弄成真此事如何周瑜大驚坐立不安乃思一計遂修密書就令人帶見孫權權折封視之書曰

周瑜頓首百拜上書於主君明公座下昨常與謀大事不想反復如此既已弄假成真必須以因爲吉劉備乃梟雄之姿而有關張熊豹二將更兼諸葛用謀必非久屈人下者愚謂大計可軟困於吳中盛爲開築宮室以喪其心志多其美女玩好以娛

且曰使分關張之情斷諸葛之契天各一方然後以兵攻之大事可定矣今若縱之使三人在疆場恐蛟龍得雲雨終非池中物也願明公熟思之 書不盡言幸垂炤察

孫權以書示張昭昭曰公瑾之謀正合吾意劉備起身微末奔走天下未曾受富貴今若以高堂大廈子女玉帛令彼享用使其迷戀疎遠諸葛隔關張使其生怨自散荊襄可不戰而得也若縱劉備歸北終久是東吳之患主公可行公瑾之計孫權即日修整東府廣栽花木器用什物極富麗令妹居之又贈女樂數十人并金帛玩好之物與玄德國太只謂孫權好意喜不自勝玄德果被色欲所迷全不想回荊州却說趙雲與五百軍終日無事只去射箭走馬看看年終子龍猛省孔明分付三個錦囊與吾交我到南徐開第一個住到年終開第二個臨危無路之時開第三個於內有計可保主公回歸今歲已終主公戀色並不見面何不拆第二個錦囊遂拆開看了曰元來如此即時逕入府堂要見玄德侍婢報曰趙將軍有緊事來報貴人玄德喚入問其故子龍詐做失驚曰主

公深居華堂不想荊州耶玄德曰有甚事如此驚恠子龍曰今早孔明使人來報曹操要報赤壁之恨起兵五十萬殺奔荊州來請主公急回玄德曰必須和夫人商量子龍曰若與夫人說必不肯交主公去不如休說今晚便好上馬遲則悞事玄德曰你且暫退我有道理子龍故意催併數番而去玄德入見孫夫人暗暗墮淚夫人曰丈夫何故心中煩惱玄德曰念備一身飄流異鄉生不能侍奉二親死不能祭祀祖宗乃大不孝今歲旦在邇使備悒怏不已孫夫人曰你休瞞我我已聽知了子龍報你說荊州危急你欲還鄉故推此意玄德跪而告曰夫人既知備安敢瞞備欲不去荊州有失使天下人恥備欲去又捨夫人不得因此煩惱我已事於汝汝去我願隨之玄德曰夫人之心肯如此爭柰國太與吳侯安肯容夫人去若可憐劉備暫時辭別若劉備戰死於沙場夫人若不再適豪傑則備雖在九泉蒙恩不淺也孫夫人曰丈夫何故出此不利之言玄德曰豈不聞語云公子登筵不醉即飽壯士臨陣不死帶傷赴敵之人豈敢保耶言訖淚下如雨孫夫人曰我苦

玄德與夫

人議歸計

若奏告母親須放與汝同去玄德曰縱使國太肯時吳侯必然阻當孫夫人曰我有一計肯從否玄德問計夫人曰我與你元旦拜賀時推說往江邊祭祖不告便去若何玄德曰若如此生死難忘切勿漏泄兩個議定玄德喚子龍密語分付正旦日你先引軍出城於官道等候吾推祭祖與夫人同走子龍曰主公自宜想舊勿悞軍師之計時建安十五年正月初一日吳侯大會文武於堂上玄德與孫夫人先來拜國太并嫂嫂說夫主思想涿郡父母除夜感傷不已今日欲往江邊望北遙祭須告母親知之國太曰此是孝道汝雖不識舅姑可同玄德祭之亦是爲婦之理孫夫人拜謝而出更不令孫權知上車而出將帶隨身細軟玄德引數騎跟定出城與子龍相會趲程而去當日孫權大醉文武皆散比及知道玄德與孫夫人潛逃時天時已是黃昏要報孫權醉眠不醒至五更始覺孫權急喚文武集議張昭曰今已走了早晚必生禍亂可急追之孫權便差陳武潘璋精選五百軍馬無分星夜務要趕上拿回二將領命去了孫權怒恨轉深將玄德與孫夫人所坐之椅

陳武潘璋

趕殺玄德

砍爲粉碎程普曰主公雖有冲天之志某料陳武潘璋必擒此人不來徐盛曰馬敢違吾令耶普曰郡主自幼好觀武事嚴毅剛正諸將皆懼之君追見郡主不敢下手權大怒掣所佩之劍喚蔣欽周泰聽令汝二人將這口劍取吾妹并劉備首級違令者斬蔣欽周泰隨後點一千軍馬來趕却說玄德加鞭縱轡催趲而行看看來到柴桑界首望軍報道追兵至矣玄德慌問子龍曰追兵已至如之奈何子龍曰主公先行吾應當之轉過前面山脚當先徐盛丁奉出馬攔路曰劉玄德快疾下馬吾奉周都督將令伺候多時說得玄德魂手無措回馬問子龍曰前有攔截之兵後有追襲之兵前後無路如之奈何子龍曰主公勿憂諸葛軍師分付三條妙計二囊已拆並皆應驗止有第三個錦囊在此軍師道危難可開視之玄德支取錦囊拆封觀之其計還道如何

諸葛亮三氣周瑜

玄德子龍看了錦囊玄德即告孫夫人曰備有心腹之言今當實告孫夫人曰丈夫有何言語勿得藏匿玄德曰昔日汝兄吳侯與

孫夫人匹

馬退吳兵

周瑜用計將夫人招嫁劉備實非爲夫人之前程乃欲幽閉劉備而奪荊州也奪了荊州必致殺害備若身死夫人安所歸乎是以夫人爲香餌以釣備也備不懼死而來蓋知夫人有男子胸襟必能怜憫於備諒知汝兄又欲殺害故託以荊州有難而求歸計實難捨於夫人故至此汝兄又令人在後追趕周瑜又使人於前攔截非夫人莫解此禍如夫人不允備刎死於車前以報夫人之德孫夫人怒曰吾兄既不以吾爲骨肉我有何面目再見之今日之危吾當自解於是叱衆人推車直出捲起車帷喝徐盛丁奉曰汝二人欲造反耶徐丁二將慌忙下馬跪於車前答曰安敢造反爲奉周都督令屯兵在此等候劉玄德孫夫人怒曰周瑜匹夫欲造反耶東吳不曾虧負於汝劉玄德是大漢皇叔吾親丈夫須不是反國之賊你敢如此我對母親哥哥說知回荊州去又不是私奔你兩個於山路去處引軍攔截意欲刼擄我財物耶徐盛丁奉喏喏連聲口稱不敢請夫人息怒這的不干小人之事乃是周都督之號令孫夫人叱曰你怕周瑜不怕我耶周瑜殺得你偏我殺你

子龍保駕

登程而去

不得汝快回去說與周瑜匹夫吾夫妻自回荊州干你甚事我哥哥吳侯尚自懼吾何況周瑜哉把周瑜千匹夫萬匹夫罵了喝令推車前進徐盛丁奉自思我等本是臣下如何敢拒郡主又見子龍十分怒色只得把軍馬喝開放一條路交過去卻才過不到五六里背後陳武潘璋趕到徐盛丁奉把卻才言語說了一遍陳潘二將曰你放得差了也我二人奉吳侯尊旨特來追趕他四將合兵一處趕來卻說玄德脫得此難傍着車子正行之間背後喊聲起軍馬趕來玄德對孫夫人曰後面追兵又到如之奈何孫夫人曰丈夫先行我和子龍當住後路於是玄德引百餘人先縱馬望江岸而走子龍立馬於車側將士卒擺開等四將至四個見了孫夫人只得下馬叉手而立孫夫人曰陳武潘璋來此何幹二將曰奉主公命特來請夫人與玄德回夫人正容喝曰都是你這夥匹夫間諜我兄妹不睦我已嫁與他人今日乃吾母親慈旨令吾夫妻回去誰敢攔當便是哥哥自來也須將大禮而行你四人倚仗兵威特來害吾罵得四人面面相覷尋思吳侯太孝怎敢違了母

孔明領船

迎接玄德

言明日當過臉來只是吾等不是不如做個人情軍中又不見玄德又見子龍怒目睜眉只待厮殺因此四個喏喏而退孫夫人令車仗便行徐盛曰吾四人不若同去見周都督告禀此事四個猶豫呈張不定但見蔣欽周泰二將慌忙趕到問你等不曾捉劉備麼各言孫夫人發話之事欽曰吳侯付劍一把在此先交殺他妹逆令者斬四將曰去之已遠怎生奈何欽曰終是步軍急行不上徐丁二人曰可飛報都督從水路將快船趕去我四人從岸上追去但見便殺休得聽他言語徐盛丁奉飛馬來報周瑜蔣欽周泰陳武潘璋四將領兵沿江趕來却說玄德離柴桑較遠却才心寬正行之次後面塵土冲天而起登高望之但見軍馬趕來玄德歎曰連日奔走人馬俱乏追兵又到死無地矣喊聲漸近衆軍皆欲四散子龍用鞭一指曰江岸邊有船二十餘隻在此何不速下玄德慌忙下馬上船艙倉中一人綸巾道服大笑而出曰主公且喜亮等候多時矣船中扮作客人的都是荊州水軍一齊開船時四將趕到諸葛笑指曰吾已等定多時汝去傳令周瑜教他休使美

人伺岸上亂箭射時其船正值風順拽起風帆望上盡使岸上
軍馬追趕追趕船正行間忽然江面上戰船無數隨後趕來為頭
周瑜親自部領水軍左有黃蓋右有韓當看看趕上孔明交船近
北岸聲了船盡皆上岸步走軍馬皆登陸路周瑜遂令衆軍上岸而
趕止有為頭官軍帶得馬去其餘皆是步行周瑜上馬黃蓋韓當
徐盛丁奉緊隨周瑜閒這里是那里地面軍士曰前面是荊州界
口說猶未前面軍馬併力追趕一聲鼓響山峽內閃雲長領一隊軍
出周瑜見有伏兵急勒馬回背後雲長趕來將近江邊左手撞出
黃忠右手撞出魏延吳兵大敗周瑜等急上得船岸上雲長兵一
齊叫曰周郎妙計高天下陪了夫人又折兵周瑜回顧岸上水軍
成群趕叢周瑜大怒欲再登岸央一死戰黃蓋韓當力阻瑜思有
何面目去見吳侯大叫一聲箭瘡迸裂倒於船上衆將救之不省
人事還是性命如何

曹操入宴銅雀臺

衆軍救周瑜還柴桑蔣欽等一行自回南徐來報吳侯吳侯不勝

操會文武

慶銅雀臺

人怒要拜程普爲都督自起傾國之兵去取荊州周瑜又發文書到交言分取兵雪恨張昭諫曰不可曹操欲報赤壁之恨但恐孫劉同心因此未敢興兵若爲一時閒氣自相吞併操必乘虛來攻國家危矣權曰如之奈何顧雍曰許都若知孫劉不和操必使人結連劉備備懼東吳必投曹操備若投操江東何日能安不若使人往許昌表劉備爲荊州牧使曹操知之則懼怯而不敢加兵於東南然後暗使心腹之人以間諜之計使曹劉不睦乃可圖也權曰元漢之言甚善誰可爲使雍曰有平原高唐人姓華名歆字子魚乃操平生心愛者何不遣之權大喜即寫表差華歆赴許昌啓奏以間諜之計歆到許昌聞知曹操會群臣於鄴郡慶賞銅雀臺歆就往見參謁曹操自辭荊襄心中常欲雪赤壁之恨爲軍兵未敢輕進建安十五年春銅雀臺成操大會文武於鄴郡設宴慶賀其臺正臨漳河中央乃銅雀之基臺左名玉龍之基右名金鳳之基臺三基各高十丈上橫二橋相通千門萬戶金碧交輝會是日操頭戴嵌寶金冠身穿紅綉羅袍玉帶珠履憑欄而坐文武侍立於臺下操先交關武目比試弓箭使侍將錦袍一領掛於垂楊之上柳下設一箭垛離百步爲界武官分爲兩隊曹

曹休文聘

走馬射箭

氏宗族盡穿紅外枝士卒盡穿綠各帶彫弓長箭跨鞍立馬聽候指麾操傳令曰如有射中紅心者鳴金擊鼓以應之遂將紅錦袍以賞之不中者罰水一盂能射者射之不能射者聽令操傳問聲未絕紅袍隊中一人驟馬持弓而出衆視之乃曹丞相外[illegible]姪姓曹名休字文烈曹休把馬飛縱來往三遭搭上箭拽滿弓覷紅心較射一箭正中金鳴鼓響操大喜曰此吾家千里駒也左右卻欲取錦袍去綠袍隊中一騎出曰丞相錦袍也合讓俺外人宗族中不宜攙越衆視之乃漢上降將文聘也衆皆云且看仲業射之聘驟馬持弓看垛上一遭第三番一箭正中紅心[illegible]齊鳴聘呼曰快取紅袍來去紅袍隊中一將飛馬出曰小將[illegible]射汝何奪之看我與你兩個解箭拽滿彫弓一箭也中紅心衆皆喝采乃曹丞相從弟曹洪也卻欲取袍去綠袍隊中一將出[illegible]你三人射中紅心豈足爲奇看吾射來衆視之乃張郃也飛馬番身背射一箭也中紅心四枝箭齊中紅心郃曰吾番身背射合得此袍言未絕紅袍隊中夏侯淵飛馬出曰汝番身背射豈足爲道看吾奪錦

袍已驟馬到界口回身一箭射中紅心兜馬安弓叫曰此箭可奪錦袍也衆將喝采綠袍隊中徐晃飛馬而出曰留下錦袍還吾發射紅心何足爲奇看吾單取錦袍拈弓搭箭遙望柳條射之一箭射斷錦袍墜下徐晃飛馬便取錦袍披於身上往來馳驟一遭將臺上聲喏曰謝丞相袍衆皆大驚那才勒馬要回臺邊許褚跑馬厲聲曰你將錦袍那里去留下與吾飛馬來爭兩馬相迎徐晃使弓來打許褚褚一手接住弓將徐晃一扯扯離鞍轎晃急棄了弓番身下馬褚亦跳下馬兩個揪住曹操急使人解開時那領袍扯得粉碎操交喚上臺徐晃睜眉怒目許褚切齒咬牙皆有相持之意操笑曰孤試汝等勇耳何惜一錦袍乎便交盡呼諸將上臺各賜蜀錦一疋齊皆依次而坐樂聲競奏水陸俱陳文武官僚輪次把盞操大喜曰武士已看射弓爲樂已訖文官登此高臺何不進佳章以記一時之勝事皆起言曰願從鈞命互相謙讓時有諫議大夫參司空軍事王朗進曰小臣願獻銅雀臺詩遂拂花箋援筆立書以進詩曰

銅雀高臺壯帝畿　水明山秀名光輝

王朗鍾繇

進詩獲賞

三千劍佩趍黃道　百萬貔貅見紫微　風動綉簾金鳳舞
雲生碧瓦玉龍飛　君臣慶會休辭醉　携得天香滿袖歸

操覽之大喜取玉爵賜酒就將玉爵賞之朗拜謝又一人進曰若臣亦有小詩敢進上乎操目覷階下其人官帶東武亭侯尚書左僕射御史中丞潁川長社人姓鍾名繇字元常善寫隸書繇援筆傾詩以進詩曰

銅雀臺高接上天　凝眸覽遍舊山川
欄杆[illegible]曲留明月　窗戶玲瓏壓紫烟
漢祖歌[illegible]空擊筑　梦[illegible]戲馬謾加鞭
主人盛德齊堯舜　願樂昇平萬萬年

操覽詩大笑曰二公之詩過譽太甚操亦重賞鍾繇操對眾文武曰孤本庸才始舉孝廉即立微名於世後值天下大亂故以孤回鄉里乃築一小舍於譙東五十里欲春夏讀書秋冬射獵為二十年之計待天下清平方出仕耳然不能如意朝廷徵孤為典軍校尉其意專欲且為國家討賊立功圖死後得題墓道曰漢故征西將軍曹侯之墓使不辱於祖宗此平生之願足矣遭董卓之難興舉義兵敗黃巾擊袁紹擒袁術復定劉表遂平天下身為宰相人臣

曹操於群臣前言志

貴已極，意望太過矣。如國家無孤一人，正不知幾人稱帝，幾人稱王。有一等愚夫見孤強盛，任重權高，妄相忖度，言孤有篡位之心，此言大亂道也。每欲委兵權歸國，數無人可付此職。孤若一旦求清閑之名，必遺禍於國家矣。孤常想周文王三分天下有其二，以服事殷，周之德其可謂至德也已矣。此言耿耿在心。又讀樂毅傳，昔日背燕歸趙，趙欲使與燕圖之，燕毅俯伏泣曰：臣事燕昭王，猶事大王，寧死不為不義之事。孤又觀蒙恬傳，昔胡亥欲殺蒙恬，恬曰：臣三世立信於秦矣，今臣手下統兵三十萬，足可背叛，但恐有辱先祖，以忘先君之恩也。孤讀此二人書，未嘗不愴然流涕也。孤安有篡國之心哉？汝諸文武必能知吾心也。眾皆起謝曰：雖伊尹周公不及丞相之心耳。操連飲十數盃，不覺沉醉，喚左右捧過筆硯，孤作銅雀臺賦，才下筆，便寫云：吾獨步於高臺兮，俯萬里之山河。適聞何有？旁若無人之意。忽人報曰：東吳使華歆表奏劉備為荊州牧，令孫權以妹嫁之，漢上九郡大半已屬劉備矣。操聞知，手腳荒亂，落筆於地。程昱曰：主在萬軍之中，矢石加攻之際，未嘗驚

程昱献計

曹操大喜

動今聞劉備得荆州何失驚耶操曰劉備人中龍也平生未嘗得水今得荆州是困龍入於大海孤安得不動心哉程昱曰丞相知華歆來意否操曰未知也昱曰孫權本忌劉備欲以兵攻之但恐丞相乘虚而擊也今使華歆入使以安劉備之心以塞丞相之望昱某今有一計使孫劉自相吞併丞相於中取事其計若何

諸葛亮三氣周瑜

操大喜問計於程昱昱曰東吳倚仗者周瑜也丞相綺表封周瑜爲南郡太守程普爲江夏太守留華歆在朝重用瑜必自與劉備結仇敵乘其相併却作良圖操曰然當日與華歆上壘重加賞賜封大理少卿即日領命加瑜總領南郡太守程普爲江夏太守盡酬名爵操回許昌使命便行至吳授了職當日周瑜又領南郡更思何日之恨如何不報遂上疏令子敬去取荆州孫權與肅曰汝當初保劉備來今只劉備又是吾妹夫只管迁延不還等待何時肅曰文書上明寫道得了西川之日便還權叱曰只說取川到今又不動兵不等老了人肅曰某願往索之遂辭權下船投荆州來

魯肅問玄德索荆州

人報魯子敬到玄德問孔明曰子敬此來何意孔明曰昨者孫
權表宗公為荆州牧此是懼曹操之計曹操封周瑜為南郡太守
此是令俺兩相吞併之意他時兩處興兵於中便來取事今子敬
來此是那周瑜既受太守之職又要奪荆州之計玄德曰如何抵
對孔明曰若子敬提起荆州來主公便放聲大哭亮自出來解說
會計已定遠接魯肅來到堂上坐定茶罷肅開言曰今奉吳侯之
命專為荆州一事而來自借許多時未蒙見還今日既然做了親
眷宜合交付最好玄德聞言掩面大哭肅驚曰皇叔何故如此玄
德哭聲未絕孔明從屏風後出曰諸葛聽之久矣子敬知吾主人
哭的緣故麼肅曰某實不知孔明曰當初吾主人借荆州時許下
取得西川便還仔細想來益州劉璋却是吾主人兄弟一般都是
漢室骨肉若興兵去取他城池時恐被萬人唾罵若不取時還了
荆州何處安身不還時於舅舅吳侯面上又不好看事實兩難因
此淚出痛腸只得動哭孔明說罷也發玄德裹腸真個搥胸頓首
而哭魯肅起身勸道皇叔且休煩惱與孔明從長商議孔明曰有

瑜令魯肅

再往荊州

煩子敬一言回去吳侯再借幾時肅曰倘吳侯不從若何孔明曰吳侯既以親妹聘與皇叔安得不從乎望子敬試爲之魯肅是個寬仁長者見玄德痛哭之至只得應允玄德孔明送肅下船肅回至柴桑來見周瑜把上項事說周瑜頓足曰子敬又中諸葛之計當初劉備依劉表常有併吞之心何況劉璋乎似此推調必累老兄吾有一計使諸葛亮不能出吾計中子敬不必[illegible]吳侯再到荊州對劉備說既然吳侯與皇叔結姻便是一家你若不忍去取西川吾東吳去取取得之時以爲[illegible]何把荊州交付與東吳如此之計若何肅曰西川迢遞取之非易都督此計莫非不可瑜笑曰子敬真長者也你道吾真個去取西川與他只以此爲名實欲去取荊州且教他不做準備東吳兵馬去取西川若過荊州劉備必然勞軍就問他索錢糧只劉賊下一鼓平收雪吾之恨解汝之禍魯肅謝了再投荊州來玄德怱與孔明商議孔明曰子敬必是不曾見吳侯只到柴桑見周瑜商量了再來但說的話只看吾點頭便滿口應承遂接魯肅入肅曰某回見吳侯把皇叔言語說了

吳侯甚是稱讚皇叔仁德遂與諸將商議起軍替皇叔去取西川來換荊州以爲嫁資但軍經過却望應付些小錢粮孔明聽了點頭曰非親莫解此禍難得吳侯好心如雖師到日即當遠遠犒勞子敬暗喜自回玄德問孔明曰此是何意孔明大笑曰周郎死日近矣這等計策瞞小兒也瞞不過此乃是假途滅虢之計也虛名取川實來取荊州也只等主公出城勞軍就勢拿下殺入城來攻其無備出其不意也玄德曰如之柰何孔明曰主公寬心只等周瑜到來便不死也有九分無氣遂喚子龍來聽計如此如此其餘吾自臨期擺布玄德大喜自作準備却說魯肅回見周瑜說玄德孔明歡喜準備出城勞軍周瑜大笑曰你元來今番也中吾計策也須交子敬稟吳侯差人交割城子併遣程普引軍接應瑜此時箭瘡結白痂膿水不出身軀無事調遣甘寧爲先鋒自與徐盛丁奉爲第二隊淩呂蒙爲後隊水陸路兵起五萬望荊州進發周瑜自在船中將爲孔明中計水軍前至夏口周瑜交問前面有人接麼人報皇叔令糜芳來見都督周瑜喚至問勞軍如何糜芳曰主

子龍城上　拒敵周瑜

公皆準備了但是錢粮陸續起發瑜問皇叔何在竺曰在荊州城門外相等與都督把盞瑜曰今為汝家事勞軍之禮休輕慢竺領了言語先回了吳公兵船至公安並不見一隻船又無人遠接周瑜從那中軍船攢上離荊州十餘里江面上靜蕩蕩的回報荊州城上插兩面白旗並不見一個人影周瑜正疑間岸上是帶了甘寧徐盛丁奉一班兒軍官上馬隨行虎首下離了千餘荊州來到城邊並不見動靜周瑜勒住馬教馬前軍叫門城上是誰東吳周都督在此忽一聲梆子響白旗倒處兩邊起城上軍一齊都豎起鎗刀敵樓上趙子龍出曰都督此行端的為何瑜曰吾替汝主取川非問也子龍曰孔明軍師已知都督假途滅虢之計留趙雲在此吾主公有言孤乃漢朝宗族安忍背義而取川乎若欲要端的取蜀吾當披髮入山不失信於天下道周瑜聞知勒馬便回一人報曰左右探得四路軍馬一齊殺到關羽從江陵殺來張飛從秭歸殺來黃忠從公安小路殺來魏延從孱陵小港殺來四路正不知多少軍馬喊聲遠近振百餘里皆言要捉

都督周瑜聽知怒氣衝滿肺腑大叫一聲箭瘡復裂墜於馬下

諸葛亮大哭周瑜

左右急救周瑜回歸船內俄傾有人轉報玄德孔明在於山上飲酒取樂周瑜大怒牙齒嚼碎恨而言曰你道吾取不得川吾誓取之正恨間人報遣宗室孫瑜到瑜字仲異乃孫權叔孫靜之子周瑜接着孫瑜共訴前事瑜曰吾奉兄命催都督取川遂下令催前軍行到巴丘人報上流頭有軍截住水路乃劉封關平也周瑜大怒忽人報曰孔明遣人遞書至周瑜拆封視之其書曰

漢軍師中郎將諸葛亮致書于大都督公瑾先生麾下亮自柴桑一別至今不忘聞足下欲取西川亮以為必不可也益州民強地險劉璋雖暗弱足以自守今欲舉暴師而遠征之轉運萬里欲收全功雖吳起不能定其規孫武不能善其事曹操雖其無君之心而有其挾主之名或有愚人見操失利於赤壁為其無復遠伐之志今操三分天下有二將欲飲馬於滄海觀兵於吳會安肯坐守中原而老王師乎今孫將軍興兵遠征非長計也

倘曹兵一至江南爲虀粉矣不忍坐視特此告知幸垂照鑒

周瑜看畢長嘆一聲喚左右取紙筆作書呈吳侯謂衆將曰周瑜非不欲盡忠奈何天命絕矣汝等善事吳侯言畢歎曰既生瑜何生亮連叫數聲而亡壽年三十六歲（時建安十五年冬十二月初三日也）有詩證云

精懷知音律　風流有紀綱　氣能吞漢國　力欲併吳強
仁可尊人杖　黃金架海梁　三分開俊傑　四海識周郎

後來宋賢先生弔周瑜作詩以挽之詩曰

赤壁遺蹤跡　青春有嘆聲　胸襟如管仲　風味似陳平
曾謀三千斛　能驅十萬兵　巴丘天命盡　誰不痛傷情

赤浦赤壁懷古詩曰

兩分春風起綠楊　武昌夏口周郎
吳宮花草埋幽徑　魏國山河遶夕陽　赤壁霸圖[illegible]寂寞
江南塵跡總荒涼　詩成不盡追思處　一度行吟一斷腸

周瑜停喪於巴丘將所遺書使人飛報與吳侯吳侯知瑜死哭絕於地數番魯肅等力勸方止孫權將瑜遺書拆開書中之意書云

瑜伏枕流血頓首百拜致書於主君明公麾下切念瑜以凡材

蒙受討逆殊時之遇委以腹心遂荷榮任統御兵馬志執邊疆自效戎行先定巴蜀後取襄陽憑賴威靈謂若在握至以不謹道遇暴疾昨自醫療日加無損人生而死修命短矣誠不足惜但恨微志未展不復奉教命耳方今曹公在北疆場未靜劉備寄寓有似養虎天下之事而未知終始此朝廷旰食之秋至尊垂慮之日也魯肅忠烈臨事不苟可以代瑜之任人之將死其言也善鳥之將死其鳴也哀倘或愚言可採瑜死不朽矣臨楮不勝痛切之至建安十五年冬十二月周瑜謹書

孫權覽畢慟哭曰公瑾有王佐之才奈何喪於短命孤何賴哉公瑾臨危既保魯肅孤何不從隨命魯肅為都督總領軍務令發靈柩回孤親自接邦說孔明夜觀天文見將星墜地及曉乃言於玄德曰周瑜死矣玄德使人探知果然死了玄德問孔明曰周瑜既死還當如何孔明曰代瑜行兵者必是子敬亮觀天象將星聚於東方亮以吊喪為由就尋賢士佐助主公玄德曰但恐吳中將士加害於孔明孔明曰周瑜在日尚亮不懼何愁其下乎乃與子龍引

兵五百具禮物下船來與周瑜帶孝探馬報說孫權令魯肅營帶扶柩回柴桑孔明逕到柴桑人報魯肅曰劉皇叔使孔明特來吊喪肅乃令請孔明入見周瑜部將皆欲殺之見子龍帶劍相隨諸將不敢下手孔明交擺祭物設於靈前親自奠酒而讀文曰

維大漢建安十五年冬十一月南陽諸葛亮謹以清酌庶羞之奠致祭於近故大都督公瑾周郎君之靈曰

嗚呼公瑾　不幸夭亡　修短故天　人非不傷　我君交定
酹酒一觴　君其有靈　享吾蒸嘗　吊君幼學　以交伯符
仗義疏財　金室以居　吊君弱冠　新會風雲　定建霸業
割據江東　吊君壯立　遠鎮巴丘　景升懷慮　討虜無憂
吊君調度　佳配小喬　漢相之婿　不愧當朝　吊君氣槩
主不納質　始縱垂翅　終能奮翼　吊君都陽　蔣幹來說
俯首納吉　事主終濟　吊君宏才　文武籌略　逐遁小子
心寒膽落　[illegible]家[illegible]懷　公獨諤諤　火攻破敵　挽弱爲強
想君當年　雄姿英發　哭君早逝　俯地流血　忠義之心

英豪之氣　命終三紀　名垂萬世　哀君情切　愁腸千結
惟我肝膽　悲無斷絕　昊天昏黑　三軍愴然　主既哀泣
吏皆淚漣　亮也不才　勉繼本赤　助吳拒操　扶漢安劉
犄角爲援　首尾相儔　若存若亡　何慮何憂　嗚呼公瑾
生死永別　朴守其貞　冥冥滅滅　君如有靈　以鑒吾心
從此天下　再無知音　嗚呼哀哉　伏惟尚享

孔明祭畢流淚哀慟三軍將衆皆曰人盡言公瑾與孔明不和觀此真祭之情人皆虛言孔明祭罷伏棺而哭魯肅亦爲傷感自思非孔明之過乃公瑾量窄故自取死孔明辭魯肅等回却欲下船忽遇龐統（統字士元號鳳雛先生襄陽人也）一手揪住孔明大笑曰汝氣死周郎却來吊喪此是明欺東吳皆土木偶人耶擧所佩劍欲殺孔明

來陽縣張飛薦鳳雛

肅止之曰孔明以禮至此不可害之龐統笑曰吾亦戲之耳遂相歡樂魯肅自回統獨與孔明至舟中各訴心腹之事孔明乃留書一緘與統曰吾料吳侯不重用足下稍不如意可來荊州共扶玄

魯肅引龐統見吳侯

德此人寬仁愛人必不負足下一生之學統諾其言而別孔明自回荊州却說魯肅奔諸將送靈柩至蕪湖吳侯接着哭祭於前令爲掛孝哀慟左右周公瑾有二男一女長名循次名胤後權皆以女嫁之瑜之女乃配於世子此是孫權極念周瑜之甚也厚葬於本鄉吳侯回殿商議衆將說起周瑜無不下淚權曰公瑾身死是吾股肱廢矣安能任後與大事乎肅曰某碌碌庸才其實不稱此我願舉一人上通天文下察地理謀畧不減於管樂樞機可配於孫吳往日公瑾多用其言諸葛深伏其智見在江南何不重用孫權問其姓名肅曰襄陽人也世家姓龐名統字士元道號鳳雛先生權曰孤亦聞名久矣見在何地肅曰見在府下權即時便請入權施禮畢看其人濃眉掀鼻黑面紫髯甚是古怪權便不喜乃問統曰汝平生所學以何爲主統曰不必拘執隨時應變權曰公才比公瑾若何統曰某之所學與公瑾不同權平生極喜公瑾見統有輕之心大不喜乃對統曰汝且退待有用汝之時却來取汝統長歎一聲而出魯肅曰主公如何不用龐士元權曰狂士也用之何益肅曰赤壁鏖兵之時此人曾獻連環策成第一之功主

龐統到荊

州見玄德

公宜想之權曰此時曹操自欲釘舡非此人之功也吾誓不用之魯肅出與龐統曰非肅不薦足下曾奈吳侯不能用也公且奈心統長歎不言肅曰公莫非無意於吳中乎統不答肅曰公抱匡濟之才何愁功名統曰吾欲投曹公也肅曰明珠投暗耳何不自往荊州投劉皇叔必然重用統曰實欲如此前言戲之耳肅曰某作書薦之公如在彼使兩家無相攻擊同力破曹孝也統曰此平生之素志乃求肅書徑往荊州見玄德此時孔明按察四郡未回門吏傳報江南一名士龐統特來相投玄德曰聞名久矣便交請入統見玄德長揖不拜玄德見龐統容貌醜陋心中不喜問統曰足下來意欲何爲也統不將魯肅孔明書呈上乃自答曰聞皇叔招賢納士特來相投玄德曰荊楚稍定苦無閑職此去東北一百三十里有縣名耒陽縣（今屬湖廣衡州府）缺一縣宰公且任之如後有缺却當重用統尋思曰玄德待吾何薄必以才學動之遂勉强辭而去統到耒陽縣終日飲酒爲樂一應錢糧詞訟並不理會每有人來告知玄德言龐統將耒陽縣事盡廢玄德大怒曰腐儒焉敢亂

吾法度耶遂喚張飛分付你可去荊州南郡諸縣如有不公不法者便就究問恐於事有不明處可令孫乾同去張飛領了言語與乾至來陽縣軍民皆出郭迎接獨不見縣令張飛問曰縣令何在同僚復曰龐縣令自到任至今將及百餘日縣中之事並不理會終日飲酒今日宿醒未解久報不起張飛大怒欲擒之孫乾曰龐士元乃高明之人且未可輕忽到縣中問之如果於理不然治罪未晚飛入縣坐定交喚縣令來龐統衣冠不整扶醉而出飛怒曰吾兄以汝作縣宰汝何敢盡廢縣事統笑曰將軍以吾廢了縣事何也飛曰汝到任百餘日並不理詞訟安得不廢政事統曰量百里小縣些小公事何難決斷將軍少坐容某發落隨即喚公吏將百日公事一時判斷吏皆紛然抱卷上廳將原被告人等俱跪堦下統執筆僉押口中發落耳聽詞訟並無分毫差錯民皆叩首拜伏曲直分明半日間將百餘日事盡皆決了擲筆於地而對張飛曰難斷之事在乎曹操孫權吾視若無人量小縣何足介意張飛大驚下席謝曰先生大才吾當於兄處極力舉薦統乃將出魯

備拜龐統

爲副軍師

肅所薦之書與張飛飛曰先生初見吾兄何不將出統曰吾恐未信耳飛與孫乾曰非汝則失一大賢遂辭統回荊州見皇叔飛細說統之才能玄德大驚曰吾之失也飛將出魯肅所薦之書呈上肅百拜大皇叔玄德公麾下今龐士元一逕來投望公可當重用兒士元非百里之才也如處以治中別駕之任始當展其驥足耳如以相貌人品視之恐爲其所學之才亦終爲他人之所用實可惜哉建安十五年冬十日，日東吳魯肅拜書

玄德看罷正恨懊悶忽報孔明回玄德接入孔明問曰龐軍師近來無恙否玄德曰今治耒陽大縣縣事正欲問罪孔明曰龐士元非百里之才也胸中之學勝吾十倍亮嘗有書在士元處曾達否玄德曰今日却得子敬書如此如此孔明曰大賢若處小任多以酒糊塗倦於視事玄德曰若非吾弟所言險失大賢隨即特令張飛往耒陽敦請龐士元來到荊州玄德請罪統方出孔明所薦之書玄德看書中之意言鳳雛到日可宜重用玄德方言曰昔日司馬德操之言徐元直之語云臥龍鳳雛二人得一可安天下今日

君二人皆舍汝等可興矣於是遂拜龐統爲副軍師中郎將與孔明共贊方略操練軍士伺候出征建安十六年夏五月早有人報到許昌言劉備有諸葛亮龐統爲謀士招軍買馬積草屯粮結連東吳早晚必興兵向北矣曹操聞之計於謀士荀攸曰不必動京師之兵可差人往西涼州取馬騰就交領兵南征可得諸侯之心也操然之即時差人往西涼州宣馬騰回（按馬騰字壽成漢伏波將軍馬援之後桓帝時其父馬肅字子碩爲天水蘭干縣尉後失官流落隴西與羌人雜居家貧無妻乃娶羌女遂生馬騰騰身長八尺餘面闊眉[illegible]人多敬之靈帝末年羌胡多反府州召募民兵討之騰克軍有功公時初平中已拜征西將軍與鎮西將軍韓遂結爲兄弟）當年奉詔乃帶次子馬休馬鐵兄子馬岱并全家老小赴許昌留長子馬超守邊騰自到京先參曹操次日面君操封馬騰爲偏將軍馬休爲奉車都尉馬鐵馬岱皆爲騎都尉就令關西軍馬就日出師收服劉備騰謝恩畢未及起行一日獻帝宣騰入內麒麟閣共論舊日功臣帝曰卿知汝先祖乎騰曰臣祖伏波名刻青迹深荷聖朝大恩豈不知之帝曰汝能效祖力扶漢室以報之乎騰曰臣已領聖旨去討反賊劉備帝曰備乃漢室宗親非反朕者也反朕者

曹操也見晚必篡朕位所降詔旨皆非朕意卿何不與朕圖之騰含淚奏曰臣昔奉衣帶詔與國舅董承討賊不幸事泄非無此心力不及耳帝曰朕畏操度日如年今操付卿以兵權何不就而謀之騰曰臣願以全家上報陛下欣然領命而出怒報曹操催都督起軍又令門下侍郎黃奎爲行軍參謀騰與奎共飲奎酒至半酣言曰吾父黃琬死於李傕郭汜之手使吾痛心切齒誓誅反賊今又不想被反賊之所制實難忍也騰曰宗文（奎字也）以誰爲反賊耶奎曰欺君罔上以正爲邪乃操賊也騰恐是操使來探心腹止之曰耳目較近休得亂言奎又言曰吾祖乃漢朝名相今從賊而反討漢劉皇叔何面目見天下之人也騰良久曰宗文乃眞實也奎遂乃嚼指爲誓騰以心腹告之奎曰吾死得其所矣二人商議儆關西兵到請曹操點視就點軍處殺之商約已定黃奎回家恨氣不消意欲平吞曹操看其妻再三問之皆不肯言其妾李春香與奎妻弟苗澤私通澤欲得此春香爲妻百般無計春香見晚對澤曰黃侍郎今日商議軍情回意甚懷恨不知爲誰澤曰汝可以言

挑之曰人皆說玄德仁慈曹操奸雄何助邪而害正也看他說甚是夜黃奎果到春香房中春香遂以此言挑之奎乘醉曰汝婦人尚知禮何况我乎吾將殺曹操矣春香得其言密告苗澤澤急報知曹操却說關西軍到許田（地名）馬騰黃奎入相府請操點軍操喝令左右拿下騰曰何罪操曰吾保汝父子為將以討劉備汝欲反害吾也二人抵諱操喚苗澤一証黃奎無言可對馬騰大罵曰腐儒悞吾大事吾兩番欲誅國賊不幸漏泄此蒼天欲滅炎漢也操傳令將馬騰黃奎兩家良賤共三百餘口皆斬于市馬騰并二人對面受刑只走了姪兒馬岱苗澤告操曰不願重賞只求李春香操笑曰汝為一婦人害了姐夫留此不義之人何用亦皆斬之忽人報曰劉備調練軍士收拾器械將欲收川操驚曰若使劉備收川則羽翼成矣言未絕階下一人進曰某有一計使劉備孫權首尾不相顧死江南西川皆歸丞相矣操大喜此人是誰

馬超興兵取潼關

獻策之人乃治書侍御史參丞相軍事潁川許昌人也陳寔之孫

陳紀之子姓陳名群字長文操曰長文有何良策群曰目今劉備孫權結爲唇齒若劉備欲取西川時丞相可命上將親提大兵逕取江南孫權必求救於劉備備意在西川必無心救孫權孫權力之勢衰江東之地先爲丞相所得若得江東則荆州一鼓而下若得荆州則劉備進退無路西川亦屬丞相矣操曰長文之言正合孤意即起軍三十萬逕往江東進發命合肥張遼準備糧草以爲供給有細作報與孫權知孫權聚衆商議張昭曰昔日子敬與劉玄德有恩其言必從又兼是吳中佳婿可令子敬差人往荆州使玄德同力拒曹則何足慮孫權即時差子敬求救於玄德肅修書遣人往荆州來玄德看了書中之意留使者於驛舍差人於南郡取孔明商議孔明到看了書云也不用動江南兵也不勞荆襄士吾交曹操正眼不敢再覷東南回書與子敬安高枕無憂但有北軍犯界劉玄德自有退敵之策使者去玄德問孔明退操之策孔明曰操平生所慮者乃西凉州之兵也近操吏殺馬騰全家其子馬超見統西凉之衆必痛恨曹操主公可作一書結託馬超超必

劉備奉書

令超起兵

[illegible]兵入關攪焉有閑心下江南以平玄德大喜即令孔明修書遣[illegible]使人前往西涼州馬超在西涼州忽得一夢夢見身臨雪地群虎[illegible]來咬驚覺心疑次曉聚侯選程銀李堪張橫梁興成宜馬岱[illegible]將會集帳下馬超說明夢事有將龐德對曰雪地遇虎不祥之兆莫非老將軍在許昌有事否正議論間忽馬岱至哭拜於地超問其故岱曰叔父與黃侍郎同謀曹操不期事泄皆斬于市惟岱獨走脫扮作乞兒迎難至此馬超聞言哭倒于地衆將扶起忽報荊州劉玄德遣人送書至超拆開觀之書云

荊州劉備頓首拜奉書征西大將軍麾下伏念漢室不幸致使奸臣秉政欺君罔上天下之人無不欲食其肉也今令尊忠義蓋於四海被操一旦害之乃不共天地之仇為子之道忍坐視乎君能起西涼之兵牽操之勢備當舉荊襄之衆遏操之威則逆賊可擒奸黨可滅父仇可報漢室可興書不盡言立待回報

馬超看畢即寫回書使歸荊州言起兵之事馬超正要起兵忽報西涼州太守韓遂使人來請馬超即往韓遂將曹操書示超書云

若拿馬超來許昌即封汝爲西凉侯馬超拜伏于地曰請叔父便執縛我兄弟二人解往許昌即封汝爲西凉之侯韓遂曰吾與汝父結爲兄弟安忍害汝故請汝來觀書汝若肯與兵吾當相助馬超拜謝即將曹使斬之盡起大軍殺奔潼關來長安郡太守鍾繇一面飛報曹操一面引軍二萬離長安布陣于野迎敵西凉州先鋒馬岱與鍾繇相戰繇大敗走背後馬超韓遂都到圍住長安繇上城守護長安乃西漢建都之處城郭深固壕塹深險急難攻打不下一連圍了十日不得長安龐德進計與馬超曰長安城內柴水不便令圍十日軍民必荒不如且收軍退如此而行唾手可得馬超曰此計大妙即時差令字旗告報諸部盡皆退軍當晚馬超親自斷路各部兵漸漸撤退鍾繇於城上看時軍皆退了恐有計策只開西門令人哨探果然去遠方纔放心縱令軍民出城打柴取水衆皆懼軍再來多打柴薪入城往來紛紛不計其數初當退時繇自計較防護三日後大開放人出入第五日人報馬超軍馬又到軍民奔競入城鍾繇交上城守護繇自引本部衆各門提調

龐德用計

取長安城

却將西門守將鍾繇弟鍾進正在城頭上防護馬超直來城邊叫罵若不獻門老幼不留約至三更城門裏一把火起鍾進急來救時城邊轉過一人手持大刀大叫龐德在此斬鍾進于門下隨後十餘騎勇士殺散軍校斬開門鎖放馬超軍入城鍾繇從東門棄城而走馬超韓遂得了城池重賞各軍原來龐德獻計故意退軍扮作百姓雜在百姓內打關入城當夜裏應外合却說鍾繇退守潼關飛報曹操操知失了長安遂喚曹洪徐晃先領一萬人馬替鍾繇守住潼關如十日內失了關當斬放二人十日外失了關不干你二人之事我親統大軍隨後便至洪晃二人領了將令星夜便行曹仁進曰洪性躁恐誤大事操曰你與我押送粮草却說曹洪徐晃到關上替鍾繇先回二將堅守關隘並不出戰馬超遣軍人來關下把曹氏三代毀辱曹洪大怒要提兵下關厮殺徐晃諫曰此是馬超要激將軍來鬭切莫與戰待丞相大兵來必有主意馬超軍日夜輪次數十番人來罵曹洪只要厮殺徐晃苦苦當住過有九日曹洪在關上看時西凉軍都下了馬坐在關前草地上曹洪交備馬點軍殺

斬洪晃

眾將勸免

下關來徐晃恐怕有失領兵隨後趕來西凉軍棄馬拋戈而走曹洪乘勢趕去徐晃驟馬來趕曹洪回軍背後馬岱引軍殺來曹洪等抵當不住折軍大半殺出重圍曹洪徐晃急奔關上回時山背後兩軍截出左是馬超右是龐德直殺過潼關追殺敗兵數十里正撞曹仁軍到救了曹洪馬超龐德上關曹仁于路接着操軍操知失了潼關忙喚曹洪入問曰與你十日限緣何九日失了關洪曰西凉軍無有不罵某等因見彼軍懈怠乘勢趕去不知中賊奸計操曰曹洪年幼燥暴徐晃亦曉事晃曰累諫不從當日晃在關上點視糧草比及知道小將軍已自下關去了晃恐有失因此趕去操大怒要斬曹洪一班文武將皆跪告曰權且記罪後有功可准如無功必誅未遲曹洪徐晃伏罪而退操次日進兵直抵潼關曹仁曰且先下寨然後打關未遲操交軍士砍樹立起寨栅分作三寨左寨曹仁右寨夏侯淵中寨是操自領兵將次日西凉哨馬直到寨前操令三寨大小將校搶出遇西凉軍到兩邊各布陣勢操出馬於門旗之下看西凉兵人人勇猛個個英雄脚門旗開處

簇白旗中間馬超身披白袍銀甲白馬長鎗上首龐德下首馬岱背後八員猛將一字兒擺開操暗暗稱奇在馬上與超曰汝乃名將子孫何故背漢而反耶超咬牙切齒大罵操賊欺君罔上罪不容誅害吾父兄此冤不同天地吾當活捉生食縱馬衝突而來

馬超渭橋大戰

操背後于禁張郃出敵俱各敗走李通出迎被超刺死左右將佐皆敵不住被馬超龐德馬岱引百餘騎直入中軍來捉曹操操在亂軍中只聽得西涼軍大叫穿紅袍的便是曹操操就馬上急脫紅袍又聽得大叫能鬚長的是曹操操就馬上掣所佩劍就割去其髯軍中又叫鬚禿者是曹操操即割旗包頸而走曹操正走之間馬超背後趕來超厲聲叫曰操賊休走飛馬趕來操驚得馬鞭墜地看看趕上馬超挺鎗從背後搠來操遶樹而走馬超一鎗誤搠在樹上急拔出鎗時操已走五十步遠超縱步趕來山坡轉出一將大叫曰勿傷我主曹洪在此輪刀縱馬敵住馬超曹操因此得脫性命背後夏侯淵兵又到馬超獨自恐被所害因此棄了曹

曹操堅守

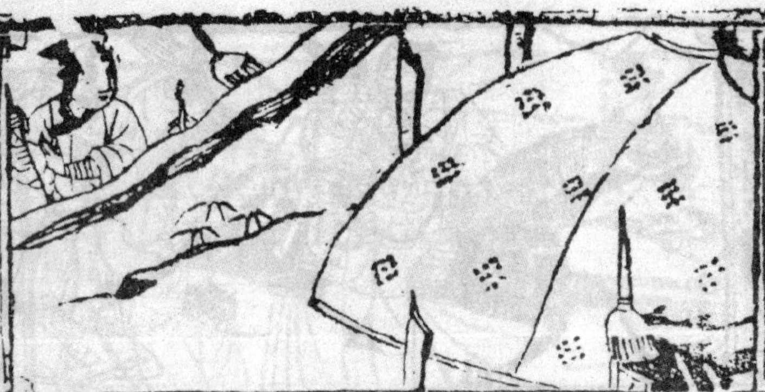

不肯出戰

洪前回夏侯淵也不來趕保曹操回寨却得曹仁死拒定寨栅因此不曾折軍操歎曰今日若非曹洪必死于馬超之手遂重賞之令軍人深掘壕塹堅壁不出超每引軍來寨口搦戰操傳令軍固守亂動者斬諸將告曰西涼之兵甚是雄壯盡使長鎗若非選擇前鋒以迎之則不敢當也操曰戰與不戰皆在于我苟不與戰雖有長鎗安能刺於諸公但堅壁不出則自退矣諸將退而言曰丞相自來征戰勇爲當先于今一敗于馬超何如此弱也各不知其意細作報來關上今日又添二萬生力軍乃是羌胡部落前來助敵操大喜諸將曰馬超添軍丞相歡喜何也操曰待吾勝了却對你說三日後又報關上又添軍馬操於帳中大笑置酒作賀諸將皆暗笑之操曰諸公笑我無破馬超之謀公等有何良策徐晃進曰今丞相大軍在此賊亦全部俱在關上此去河西必無準備可見賊之無謀也若得一軍暗伏蒲陂津岸截賊歸路丞相逕渡河北擊之賊兩下難相救應勢必危矣操喜曰公明之言盛合孤意與汝精兵四千暗與朱靈二人逕襲河西且伏小路谷中待我渡

馬超韓遂

升帳議事

河北同時擊之徐晃朱靈領命帶四千人馬去了時建安十六年八月操下令先令曹洪於蒲阪津安排船筏令曹仁守寨自欲領兵渡渭河却說人報關上來馬超與韓遂升帳而坐超曰今操不攻潼關而使人准備船筏欲渡河北而截吾之後超意欲引一軍扣河據住岸地使操兵不得渡不消二十日河東糧盡操兵必亂却從河南而擊之操可擒矣韓遂曰不必如此豈不聞兵法云兵半渡可擊操兵得渡大半汝却於南岸擊之操必死於河內矣超然其言即使人探聽操兵幾時渡河使報却說曹兵收拾已辦分作三停前渡渭河人馬到河口時日光初起操先發精兵過北岸開創營寨雜兵在中操自引親隨護衛軍將百餘人據胡床按劍坐于南岸看軍渡河忽人報曰白袍將軍到了衆皆認得是馬超一湧下河邊爭上渡船操尤坐胡床不動按劍止喝休鬧只聽得人馬衝突而來船上許褚見勢危急湧身上岸大呼曰賊至矣請丞相上船操曰內左言賊至何妨回頭看時馬超龐德離不百步許褚拖操下河邊船離岸一丈有餘許褚負曹操一躍而上隨行

許褚駝操

下舡逃命

軍士競下水扳住船邊船小將翻欲爭上逃命許褚掣刀亂砍船傍手臂盡折于水中水急船滉望下而流許褚立于稍上忙用竹篙撐之操伏于許褚脚邊馬超到河邊見船流在半河掣弓取箭喝令驍將遶河射之矢如雨下許褚恐傷曹操左手舉馬鞍右手掣篙指盪馬超箭不虛發船上駕舟之人皆被射倒其船支撐不定於急流中旋轉許褚獨奮神威將兩腿夾舵使在一手持篙撐船一手舉鞍遮護曹操（史官言此已若無許褚曹公必死矣）有縣令丁斐在南山上見馬超追曹操甚急郎將寨内牛羊馬疋盡趕下山軍見後面牛羊遍野共爭取之無心追操操因此得脫方到北岸便把船栰鑿沉諸將聽知曹操在河中逃難急來救時操已登岸許褚身披重鎧箭皆射在甲上衆將見操在野營中皆拜于地而賀隨後來者皆戰慄觳觫含淚而拜曰不曾犯着貴體操大笑曰今日幾為小賊所困若非他人縱放馬疋牛羊誘賊賊必努力渡河矣問曰誘賊者何人有人報曰乃本處渭南縣領兵官丁斐也今亦來拜見丞相操喚入謝曰若非公則吾被賊擒矣即命丁斐為點軍

馬超對遂

稱許褚勇

校尉裴曰賊雖暫時去必然復至須以良策敵之操曰吾已準備了也喚諸將分兩頭巡河起角道爲寨脚賊若來時兵陳于外角道內虛立旌旗以爲疑兵沿河掘下坑塹以虛土填蓋河內以兵伏之賊來必陷便可擒矣操遂傳令交軍士連夜安排挑掘坑塹却說馬超回見韓遂說幾乎捉曹賊却被一將背負下船救護去了不知是誰韓遂曰吾聞曹操帳前有兩個人領虎衛兵一人姓典名韋手用鐵戟重八十斤此人已亡了一人姓許名褚人稱爲猛虎有勇性痴人號爲虎痴今日救曹操者想必是許褚也如若遇之切不可輕敵馬超曰吾亦聞名久矣韓遂曰今操渡河將襲我等可速攻之不可令他立寨恐難除也馬超曰吾當初要領兵拒住北岸勿令兵渡此爲上策叔云不必如此今日悔之晚矣韓遂曰此回錯矣賢姪守寨吾引兵循河去戰操賊若何超曰吾令龐德爲先鋒跟叔父去韓遂同龐德領兵五萬直抵渭南操令諸將爲甬道兩傍誘之（甬道乃垣牆之類）先鋒龐德先領鐵騎衝突而來人馬俱落陷坑龐德踴身一躍立于平地獨自掩殺立斬數十人步行

殺出重圍韓遂已被圍在垓心龐德正迎曹仁部將秦丕被龐德斬之奪得馬疋復殺入救出韓遂從東南走背後曹兵趕來馬超一軍殺到冲散曹兵救出大半軍馬戰至日暮方回計點將佐折了程欽張橫陷落坑中被亂鎗搠死超與韓遂商議若遷延日久操於河北下營寨難以退不若乘輕騎今夜去刼野營操必走矣須分兵前後相救不可苟且超自爲前部令龐德馬岱爲後應當夜便行却說曹操收軍屯于渭南喚諸將曰今日戰賊折不多必欺我未立營寨必然來刼野營可四面埋伏虛其中軍如號砲響四面皆起超可擒矣當夜馬超先使成宜引三千騎哨五六里哨探成宜不見人馬逕入中軍伏兵見西涼兵到便放號砲四下兵齊起只圍得三千騎成宜被夏侯淵斬之馬超却在背後與龐德馬岱三路殺來當夜滚邊混戰殺到天明各自收軍

許褚河河戰馬超

馬超移兵屯于渭口日夜分兵前去攻擊曹操下渭河內連鎖艇棑作浮橋三條連接南岸曹仁軍馬兩邊夾河欲立營寨旋伐樹

婁子伯獻

計與曹操

水立柵將糧草車輛連以為屏障人暗報與馬超超交軍士各束草一把各帶火種去燒糧草車馬超韓遂互換旗號南北兩岸併力殺來寨前堆積火把放起烈火操兵抵敵不住棄寨而走車乘浮橋盡被火燒毀西涼兵大勝截住渭口曹操為立不起營寨心中憂悶謀士荀攸曰可取渭河沙土築起土城可以堅守操撥三千軍挑土築城馬超聞知差龐德馬岱各引五百軍馬往來冲突沙土不實築起便倒操無計可施時九月盡間天氣暴寒彤雲密布連日不開因此兩軍罷戰曹操在寨中正納悶間忽報曰有一老丈隱居于終南山姓婁名子伯道號夢梅居士來見丞相陳言方略操交請入以客待之子伯曰丞相欲跨渭安營久矣何不乘時而用之操曰沙土之地築壘不成隱居有何良策願賜教之子伯曰丞相用兵如神豈不知天時乎即今連日陰雲布合朔風一起必大凍矣風起之夜盡驅兵士擔沙潑水比及天明城已就也操大悅拜謝子伯欲留重賞子伯不受而去是夜北風大作操盡驅軍士挑土潑水隨築隨凍比及天明水沙凍緊城牆已完人報

許褚馬超

卸甲大戰

馬超超引兵覩之大驚疑有神助操得成營寨心中大喜遂自出營止有許褚隨後操揚鞭大呼曰孟德單騎在此請馬超出來打話超亦自挺鎗而出操曰汝欺吾營寨不成今一夜天助築成汝何不順天歸降不失封侯之位超恨曹操欲前擒之見操一將緊隨在左右超疑是許褚乃揚鞭問曰聞汝軍中有虎侯者何在操曰吾有虎侯許褚豈懼天下草賊也超大怒許褚提刀大呼曰吾乃譙郡許褚也目視神光威風凜凜超懼之而不敢動乃勒馬回操亦引許褚回寨兩軍觀之無不慨然操與諸將曰賊亦知仲康乃虎侯也褚曰吾來日必擒馬超操曰超亦英勇不可輕敵褚曰誓以死敵之即時使人下戰書云虎侯單搦馬超來日決戰超在帳中接得戰書大怒曰何敢如此相欺即批來日誓殺痴虎次日馬超出陣與許褚戰到一百合不分勝負坐下馬乏各回陣中換馬再戰一百合勝負未分許褚性起飛馬回陣將頭盔衣甲盡皆脫去再上馬渾身筋突赤體持刀來戰馬超兩軍大駭又戰到三十餘合褚奮威舉刀便砍馬超閃過一鎗望心窩裡到來褚一閃

馬超趕殺

操兵大敗

鎗從脇下過和鎗挾住便棄刀兩個在馬上奪這條鎗許褚力大一聲響拗斷馬超鎗桿各拿半截在馬上亂打操恐許褚有失便交夏侯淵曹洪二將齊出夾攻馬超龐德馬岱見操將亂出兩翼鐵騎橫冲直撞操兵大亂許褚背中兩箭諸將慌退入寨馬超直殺到壕邊曹兵傷折數多操令堅壁休出馬超回至渭口謂韓遂曰吾見惡戰總不如許褚眞痴虎也操料馬超得勝自覺氣驕可以行計密使人交徐晃朱靈盡渡河西紮營前去夾攻操于城上望見馬超軍見引數百騎直來寨前來往如飛操觀良久擲兜鍪于地曰馬兒不死吾無葬地矣夏侯淵聽了心中氣塞厲聲曰吾寧死于此地必滅馬賊而回即引本部五百人大開寨門直趕出去操怅止不住只恐有失慌自上馬前來接應馬超見追兵至乃將前軍作後隊後隊作先鋒一字兒擺開了夏侯淵軍到馬超接住厮殺超於亂軍中遥見曹操遂撇了夏侯淵直取曹操操大驚回馬而逃曹軍大亂正趕之際忽報曹操一軍已在河西下了營寨馬超無心追趕急收軍回與韓遂商議曰操兵乘虛渡河吾軍

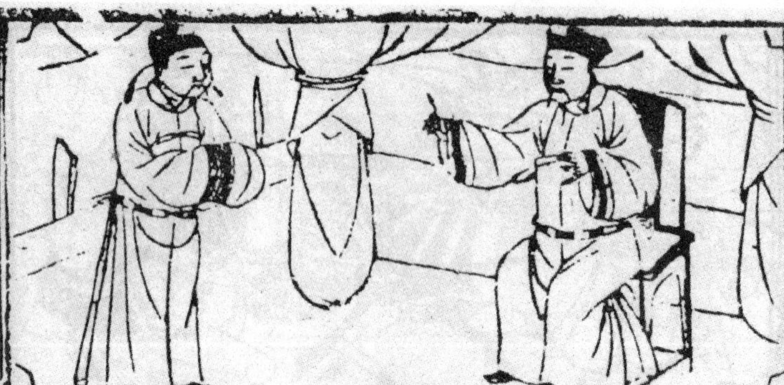

前後受敵知之柰何部將李堪請割地求和韓遂欲從之超孤疑未决楊秋侯選皆勸求和於是遣楊秋直往操寨中下書言韓遂馬超願請割地求和各無侵犯操曰汝且回營吾來日使人回報楊秋辭退賈詡入見操曰兵不厭詐可僞許之後用間謀之言令韓馬相疑一鼓而可破也操大喜曰天下高見必多相合文和之言正合吾心于是遣人回書云吾徐徐退兵還汝河西之地操一面交搭起浮橋作退兵之意馬超得書與韓遂曰曹操雖然許和奸雄難測倘不准備反受其制超與叔父分輪調兵今日叔向操超向徐晃明日超向操叔向徐晃兩下提兵以防其詐韓遂依計而行早有人報與曹操操知顧謂賈詡曰吾大事濟矣問來日是誰合在我這邊人報曰韓遂操次日引衆將左右圍住獨乘一騎于中西凉之兵有不曾識操者出陣觀之動以萬計操策馬高叫曰汝諸軍欲識曹公耶非有四目兩口但多智謀耳西凉軍皆有惧色操使人過陣對韓遂曰丞相謹請將軍單騎會語各不帶刀韓遂見操並無甲仗亦盡棄了輕衣疋馬而出二人馬頭相挨各按

曹操韓遂

二人叙舊

鄉對語操曰將軍妙齡我何遂曰某今四十歲矣操曰往日京師遨遊勝是將軍年紀青春不覺中旬矣安得天下清平共樂矣只把舊事細說並不說及軍務事說罷拊背大笑談有一個時辰二人喜笑而別各自歸寨早有陣面上見的來報馬超超即忙問韓遂曰今日曹操陣前所言何事遂曰只是訴京城舊事超曰安得不言軍務乎遂曰曹公不言吾何言之超心中懷疑而退

馬超步戰五將

曹操歸寨與賈詡曰今日陣前公知意否詡曰此意雖好未足交二人為仇某有一計令韓遂自相弃殺操問其計如何賈詡曰馬超乃一勇之夫有識機密丞相可親作一書送與韓遂中間朦朧字樣於緊要處自先塗抹改易然後實封送與他却令大驚小怪故意要馬超知超必索書看見上面緊要去處盡皆塗改彼意只猜疑是韓遂恐超知自改抹者正應單馬會語之疑疑則生亂却暗密結韓遂部下諸將互相間諜則馬超可擒矣操曰此計大妙即與賈詡商議寫書差精細人送過寨去多遺從人欲使超知之

下了書。忽然有人報馬超，超越疑，逕來韓遂處索書看。韓遂即把與超看。超見上改抹字樣，問遂曰：書上如何都改了字樣？遂曰：曹操原書送來時便是如此。超曰：豈有以草稿送與人者？只是你怕我知詳細，先改抹了。吾實不信。遂曰：莫非曹操錯將草稿送來否？超亦不信。怒曰：吾與叔父同心殺賊，汝何背我而向賊乎？遂曰：汝若不信吾心，來日吾在陣前賺曹操再說話，汝却在軍中突出一鎗刺殺便了。馬超曰：如此時吾方信也。兩人定約。至次日，韓遂引侯選、李堪、梁興、馬玩、楊秋五將出陣，馬超藏在門旗裡。遂使人到寨，高叫韓遂將軍請丞相答話。人報與曹操，操喚曹洪分付如此如此。洪傳令引數十騎逕來陣前與韓遂相見。馬離數步，曹洪在馬上欠身而言曰：丞相拜意將軍，夜來之言，切不可誤說了。便回馬而去。超聽得大怒，撚鎗望韓遂便搠。五將攔住，勸回寨中。遂曰：賢姪休疑惑，胡俫們我無反心。馬超全然不信，氣恨不息而去。韓遂與五將商議：這事如何分解？楊秋曰：馬超倚仗武勇，常有欺凌主公之心，便勝得曹操，怎肯相讓？主公秋之愚意，不如暗地投曹公

馬孟起奮　力戰五將

正言順他日不失封侯之位遂曰吾與馬騰乃是兄弟安忍害之秋曰馬騰造反已遭誅戮主公欲爲反否乎遂曰欲投曹公誰可以通消息秋曰某願往遂即寫書遣到曹寨說投降之事操大喜許封韓遂爲西涼侯楊秋爲西涼太守其餘皆有官爵事約定放火爲號共謀馬超楊秋回見韓遂說曹操重加官爵事約定放火接應外合韓遂交于中軍帳後推積乾草拘集各寨軍士准備今夜行事遂欲請馬超就筵間殺之又怕下手不得衆皆疑慮未定操差各將引輕騎于寨巡探有人報馬超言韓遂已與五將結連曹操欲謀將軍超即分付龐德馬岱各准備厮殺當後又有人報五將與韓遂在外同謀超忿怒帶親隨五七人先行交龐德馬岱後應超入韓遂中軍東見帳中明燈說話超聽楊秋曰事不宜遲來曰便行超按劍直入大喝曰群賊敢害我也衆皆大驚超一劍砍望韓遂面門剁去遂慌將左手迎之砍落左手五將各按刀出奔馬超縱步出帳外五將閘回圍定來殺馬超超獨揮寶劍力戰五將早將馬玩砍倒四將不戰不退超奮威背砍又剁倒梁興三

馬超渭橋　大戰曹兵

將各自逃生再入結果韓遂時已被左右救出帳後兩把火起超急上馬時各寨兵皆起龐德馬岱皆至亙相混戰寨中四圍火急馬超引軍殺出時曹操軍四至前有許褚後有徐晃左有夏侯淵右有曹洪西凉之兵自相併殺超回頭不見龐德馬岱引五百餘騎截于渭橋之上天色漸明西凉部將李堪領一軍橋下過超提鎗來殺李堪堪拖鎗而走背後于禁趕來本是要射馬超超聽得背弓絃響急閃過却射死李堪超回來戰于禁禁撥馬走了超回橋上扎住曹兵前後大至虎衛當先亂箭夾射超以鎗撥之矢如飛蝗超背後從騎一半下河超于橋上兩下往來冲突三五番軍兵厚不能出衝突不透看看趕上漸漸危急超于橋上大叫一聲冲後入河北軍中從騎皆被截斷馬超獨自在軍中尋路而出暗弩極多射倒坐下馬馬超墜地操軍合圍鎗近身邊却得龐德馬岱殺出救了馬超同望西北而走曹操聽知走了馬超問有多少人馬去報云止有千餘操傳令曰將士無分晝夜務要趕上擒馬超如得首級者千金賞萬户侯生獲者大將之職衆皆得令各要

楊阜勸操　勿撤兵回

爭功追之馬超馬岱二人不能停住行不到十數里被曹軍趕殺止剩得三十餘騎并龐德馬岱望隴西臨洮而去曹操追至安定知馬超去遠方始收兵回長安時荀彧請操班師回許昌操令夏侯軍集韓遂已無左手作殘疾之人操交遂于長安歇馬受西涼侯之職楊秋侯選皆封列侯令守渭口[illegible]是時有涼州參軍楊阜字義山逕來長安見操曰馬超有韓信之勇又得羌胡之心今丞相若不剿除待彼氣力隴西諸郡非復國家所有也望丞相且休回兵操曰吾本欲留兵征剿奈中原多事南方未定不可久留君當與吾保守楊阜領諾操又以韋康爲西涼州刺史與阜領兵共屯冀城以防馬超阜領命臨辭曰長安可留重兵以爲後援操曰吾已定下汝但放心阜辭而去衆將請問曰初賊守據潼關丞相破賊必遷延日久而後北渡立營固守何也請丞相教之操曰吾若初到便取河東賊必以各寨之兵分守諸渡口則河西不可渡也吾固聚兵于關前使賊盡南守而河西不作準備故令徐晃朱靈得渡也吾然後引軍北渡連車樹柵

曹操下令　班師回許

[illegible]開道築水城欲賊知吾弱以驕其心使不堆備先使間諜然後督士卒之力一鼓而擊破之正所謂疾雷不及掩耳兵之變化固非一道也衆將又請問曰丞相聞知馬超加兵添將則喜何也操曰關中邊遠若羣賊各依險阻逐一征之非一二年不可平服也今來聚作一處其衆雖多其心不一易爲離間也兵多將累一舉可滅也吾故喜之衆將拜謝曰丞相神智非人所及操曰亦賴諸文武之力也遂重賞諸軍留夏侯淵屯兵長安所得降兵分撥各部夏侯淵保高陵張既爲京兆尹招諭流漾民戶復業操命張既與淵同守長安操班師回朝獻帝排鑾駕出郭迎接令操贊拜不名入朝不趨劍履上殿行漢國蕭何之事自此威振中外聲動遠中張魯

按張魯字公祺沛國豐人也其祖張道陵在西川鵠鳴山中作道書以惑百姓百姓皆敬之陵死之後其父張衡亦行此術令百姓學道者月出五斗米世號爲米賊與黃巾張角一般後衡死張魯亦行之到此三世魯在漢中自號爲師君其來學道者皆號爲鬼卒爲首者號爲祭酒領衆皆號爲治頭大祭酒有病者即去拔技使病人居於靜室之中自思己過當面首祈禱之祈禱之人爲之作文字三通書病人姓名說服罪之通放於山頂以奏於天一通埋於地下以奏於地一通沉於水以申水官如此之後但病向痊五斗米以謝之於路蓋造義舍內放米柴肉食等否但往落人自度而食量人多寡而取之

張魯兄弟　議取漢中

誅多取多取必受天誅竟内有犯法者必恕三次三次不改然後行刑所在並无官長尽屬祭酒所管皆準據守巴西之地近三十年國家以地遠不能征伐就命張魯為鎮民中郎將領漢寧太守通貢而已張魯當年聞曹操[illegible]殷漢中百姓于地下掘得一玉印進與張魯百姓曰[illegible]誅馬超新敗曹操強盛必然來取漢中百姓欲尊師[illegible]王以拒曹操包西閻圃諫曰漢川民戶出十餘万財富[illegible]面險固璋昏弱不如先取西川四十一州為本然後[illegible]遂與弟張衛商議起兵早有細作探人來報與益州[illegible]即劉焉之子乃漢魯恭王之后章帝元和中徙家焉后宮至益州牧與平元年患背疽而死周璋因此代益州牧[illegible]殺張魯母及弟因[illegible]此重仇使龐义为巴西太守以防張魯[illegible]入報知劉璋璋所得張魯因發兵心中大懼急聚衆官商議[illegible]松曰主公放心松有小計使張魯正眼不敢再覷西川

楊脩返難楊修

劉璋遂問別駕有何高見可解此危松曰某聞許昌曹操掃蕩中原呂布劉表皆已被滅南抵江漢北至幽燕近又破馬超天下無敵主公可備貢物松親往許都說曹操興兵去取漢中以圖張魯

則魯豈敢望蜀中璋曰汝自十三年冬去荆州見曹操甚不相待汝甚恨之今何再欲此行松曰曹操在荆州時領百万之衆事如蝟集豈有閑暇待人今在許都文官各挑其事松以利害說之曹操必與兵矣璋曰汝試言說曹操之語松曰某說馬超有韓信之勇與丞相有殺父之仇今雖暫敗久必報仇今漢中張魯兵糧足百姓尊為漢寧王不久必然稱帝侵犯中原所欠者惟大將耳若馬超急欲報父之仇必去投張魯張魯得馬超是虎生翼矣魯超若出丞相何以當之不如乘超未投漢中張魯不知准備牽兵一擊則可滅矣將此利害之言隨机应变而往說之不患不諧今不早整若張魯兵動雖悔張之辨曹公亦不信矣刘璋大喜收拾金珠錦綺為進献之物即便使張松赴許都松暗畫地圖形本藏之帶十數騎辭刘璋行此時而孔明有意圖川嘗使人探所早有人來報說張松入許都孔明暗差節使人入許都打探消息却說張松到了許都館驛中下定每日去相府中伺候求見曹操原來曹操自西都回傲慢人物自謂得志不以天下人為念每日飲宴少出国

張松至許

都見曹操

政皆在相府商議至第三日張松方通姓名左右近侍先求賄賂却纔引入操坐於堂上松拜畢拱手立於前操問松曰汝主劉璋近年不進貢何也松曰為路途艱難賊寇生發因此不能進貢操叱曰吾已掃清中原有何賊也松曰南有孫權北有張魯中有刘備至少者帶甲十餘萬縱橫四方無人可敵豈得為太平也操見松人物猥瑣十分不喜又聞言語冲撞遂乃拂袖而起轉入後堂左右責松曰汝為使命不能趨承大意一徑冲撞幸得丞相看汝遠來之面不見罪責汝可急急回去松笑曰吾川中無諂佞之人也忽堦下楊修喝曰汝川中人不會諂佞吾中原之人豈尽諂佞者乎松知修是舌辯之人有心難之遂邀出府外書院中分賓主而坐修問松曰蜀道崎嶇遠來勞苦松曰奉主公命豈辭万里之勞縱赴湯火亦不敢逃修問蜀地何如松曰蜀中有劍閣之雄路有歸江之險市井里閭鱗次相聯田肥地盛歲無水旱之憂國富民豐時有管絃之樂四方莫及吾蜀中也修又曰蜀中人物何如松曰文有相如之賦武有管樂之才醫有仲景之能卜有君平

楊脩張松

二人盤論

之智九流三教出乎其類拔乎其萃者豈能盡數耶修又曰方今刘季玉手下似公者能有幾人松曰文武全才智勇足備忠義之士重以百數如松之輩車載斗量不可勝數修曰公居何職松曰濫充别駕之任甚不称職敢問公居朝廷何官修曰見為丞相府主簿松曰松聞明公世代簪纓祖宗輔相何不立於廟堂輔佐天子何乃區〻作相府門下一吏乎楊修面有愧色強顔答曰修位雖居下僚丞相委以軍政錢粮之重早晚多蒙丞相教誨及有開發故受此職耳松笑曰某聞丞相文不明孔孟之道武不達孫吴之机專務強霸而居大位豈足以教誨足下開豁明公也修曰公居边遠安知丞相大才乎吾令汝観之呼左右於厨内取書一巻以示張松〻観其題曰孟德新書從頭至尾遍覌一次共十三篇皆用兵要法看畢問曰公以此為何等書也修曰此丞相酌古准今体孫子十三篇所作號曰孟德新書汝欺丞相無才此書堪以傳世否松大笑曰公以張松為土木偶人何相欺也脩曰吾以新書呈公何得為戲松曰此書蜀中三尺小童亦能誦之何為新書

乃是戰國時無名氏所作曹丞相竊盜以爲己能正好瞞足下耳曾瞞得我修曰丞相秘藏之書雖已刊板尚未傳世汝言蜀中小兒能誦何相欺也松曰公如不信吾試暗誦之修曰願聞一遍松將孟德新書從頭至尾朗誦一遍並無差錯楊修聽畢大驚就下席便拜後人有詩讚曰

古怪形容異　清高體貌疎　語傾三峽水　目視十行書

膽量包西蜀　文華貫太虛　千經并萬典　一覽更無餘

修曰公且暫居館舍容修再禀丞相令公面君松謝而退修入見操曰適來丞相何慢張松操曰松之容貌不揚言語不遜吾故慢之修曰若以貌取人恐失天下士丞相尚容禰衡何不容張松乎操曰禰衡文章播于當今吾故不忍殺之松有何能修曰[illegible]聰明特達適來丞相所撰新書畧觀一遍便能暗記[illegible]戰國無名氏所作蜀中小兒亦能誦之修未信松暗誦[illegible]如此傳文強記世之罕有操曰莫非古人與吾暗合否令扯碎[illegible]焚之（故今此書不傳于世）修曰此人從蜀中至此可使面君交他見吾[illegible]

氣象操曰此人不知吾用兵來日吾在教場點軍汝先引他來[illegible]見吾調遣回蜀中去說待吾下江南了收川未遲脩至次日與張松同到教場觀操點虎衛雄兵五萬布陣于教場中整整有法松斜目視之暗暗喝采操問松曰汝曾見此英雄人物否松曰吾蜀中人未曾見此兵革但以仁義定天下之事操變色視之張松全無懼怯之意楊脩頻以目視松操又與松曰吾視天下鼠輩若草芥耳大兵到處戰無不勝攻無不取順吾者生逆吾者死非止能令人榮達亦能使人滅族汝知之乎松曰丞相用兵到處戰必勝攻必取松素知也操曰汝既知吾用兵何不惧服松曰丞相于濮陽攻呂布之時宛城征張繡之日赤壁遇周郎華容逢關羽割鬚棄袍於潼關此皆無敵于天下也操大怒曰腐儒怎敢數我長短喝令左右推出斬之楊脩急諫曰松雖可斬奈何從徑道而來入貢殺之恐傷遠人之心知者為此人口出不遜之言不知者為丞相嫌禮物之輕故斬來使也操怒氣未息荀彧亦勸操免死令亂捧打出松歸館舍收拾回川自思吾本欲獻納川中州[illegible]

曹操如此慢我且我來時在劉璋之前誇了大口今怏怏空回必被蜀中人笑吾聞荊州劉玄德仁義播於遠近不如經由那條路回看此人如何我自有主意於是乘馬引從者望荊州界上行前至郢州界口忽見趙雲引五百軍相迎松問曰來者莫非蜀中張別駕乎松答曰然也雲喏聲曰趙雲伺候已多時松問曰將軍莫非常山趙子龍乎雲曰然也奉劉皇叔將令特命趙雲在此護送大夫同往言罷軍士捧過酒食來趙雲跪而進之松自思曰人言劉皇叔寬仁愛客今果如此亦不比那曹操傲慢於人遂與子龍飲了數盃上馬同行來到荊州地面是日天晚前到館舍見門外百餘人久守侍立鳴金擊鼓相迎関羽于馬前施禮曰奉兄長命皇叔命特遣関羽灑掃驛舍迎接大夫松下馬與雲長同入驛舍禮畢安排酒饌相待雲長子龍再三謙讓慇懃相勸飲至更深方日上馬行不數里望見劉皇叔同臥龍鳳雛遠接玄德曰久聞大夫高名如雷灌耳恨雲山遙遠不得聽教聞知許都回程專此相接倘蒙不棄同到荊州暫留片時以敘渴仰松大喜與玄德同㘝

張松獻西

蜀與玄德

荆州玄德設宴管待坐間只勸問劉璋安否并川中人物松亦隱答松見玄德不言川中事乃挑之曰今皇叔守荆襄還有幾郡孔明答曰荆州乃暫借東吳的東吳使人每每取討今因爲他女婿孫權且安身松曰東吳據六郡八十一州民強國富猶且不知足也龐統曰主公乃漢朝皇叔反不能占郡其他乃漢之蟊賊以霸而行居之玄德曰二公休言吾有何德敢望此乎松曰不然天下乃天下之天下惟有德者居之何況明公乃漢室宗親仁義充塞乎四海休道占據州郡便待正統而即帝位亦不爲過玄德拱手謝曰如公所言吾何敢當自此一連留張松三日並不提起川中之事松辭去玄德設宴於十里長亭送行玄德與松曰甚荷大愛今日相別不知何日再聽教也潸然下淚張松自思玄德有堯舜之風安可捨之不如說之令取西川乃答曰松亦欲朝暮趨侍恨未有便耳松觀荆州東有孫權常懷虎踞北有曹操每欲鯨吞亦非可久戀之地玄德曰固知如此但未有容身之所也松曰益州險塞沃野千里民殷國富帶甲十萬皇叔如若舉荆襄之衆長驅

張松付蜀　圖與玄德

西指則霸業可成漢室可興也玄德曰備安敢當此劉益州亦帝室之胄恩澤久佈于蜀豈他人得而搖動乎松曰某非賣主求榮今遇明公不敢不披瀝肝膽也劉璋雖有益州之地然稟性闇弱不能任賢加之張魯侵犯人心離散松此行專欲納款于曹操何期逆操不容明公先取西川為基業然後北圖漢中次取中原以正天下可也明公若果有取川之意松願施犬馬之勞以為內應不知明公意下若何玄德曰深感大夫指教奈劉備與劉季玉同宗君明攻伐恐天下唾罵松曰明公知天時人事乎今若失時不取必被他人取之那時悔之晚矣玄德曰備聞蜀道崎嶇車不得方軌馬不得成列雖欲取之用何良策松於袖中取出地圖遞與玄德曰松感明公盛德獻此圖以報知遇之恩但觀此圖一日便知蜀中之道矣玄德略展觀之上面盡寫地里行程遠近濶狹山地險要府庫錢粮一一俱載明白松又曰明公可速行之松有心腹契友法正孟達二人必來相助明公如到荊州可以心腹共議玄德拱手謝曰青山不老綠水長存他日相助必當重報松曰松

張松法正

孟達議事

此仁義之主不得不盡情告之豈敢望報乎二人相別張松望西而去玄德等自回荆州卻說張松回來先見友人法正陳說曹操傲慢賢士只可同憂不可同樂已將益州許劉皇叔矣正曰此心正合有何疑也待吾鄉兄孟達同議少刻孟達至達入見正正與松大笑達曰吾知汝二人意將欲獻州矣松曰是欲如此汝試猜合獻與誰達曰非劉玄德不可當也三人撫掌大笑正曰汝明日見主劉璋若何松曰吾薦二公為使可往荆州二人應允次日張松見劉璋璋曰汝去許都其事若何松曰操乃漢賊欲簒天下不可與言也彼已有取川之意璋曰似此如之奈何松曰松有一謀使張魯曹操不可輕犯西川璋問如何松曰見今劉玄德與主公同宗其人仁慈寬厚有長者之風赤壁鏖兵之後操見影而膽碎何况張魯乎主公何不遣使齎書以結好之使為外援足可以拒曹操張魯蜀中可安矣璋曰吾有是心久矣誰可為使松曰非法正孟達二人不可璋即然書一封令法正為使先通情好次遣孟達送精兵數千令玄德守禦正商議間忽主簿黄權自外入叫曰

主公若聽張松言則四十一州基業必屬他人松大驚求知何人

龐統獻策取西川

璋曰吾結好劉玄德以拒張魯汝何出此言也權曰某居西蜀素知劉備久矣曹操聞其為人尚自心寒何論其餘斯人遠得士心近得民望兼有諸葛亮謀略關張趙雲黃忠魏延為其羽翼若以部曲待之則劉備安肯伏下若以客禮待之則一國不容二主若聽其言則蜀中有泰山之安若不聽其言則主公有纍卵之危矣張松昨從荊州過必先與劉備同謀可先斬張松後絕劉備則西蜀之萬幸也璋曰若不結好劉備則曹操張魯何以拒之權曰豈不聞高壘以待時清璋曰賊兵犯境有燒眉之急若待時清此慢計也璋不從使法正便行又從事官王累攔住諫曰主公若聽張松之言則是自取其禍也璋曰不然吾結好劉備實欲拒張魯也累曰張魯犯界乃癬疥之患劉備乃心腹之疾況劉備為人梟雄先事曹公便思謀害後事吳侯便奪荊州心事如此安可同處乎今若召之西川必休璋叱曰劉玄德是我宗兄安肯奪我基業

633

法正奉書

與劉玄德

使教二人出法正離益州到荆州來見玄德參拜畢呈上劉璋書玄德拆封視其書云

宗弟璋再拜于宗兄將軍麾下久伏德聲蜀道崎嶇未及貢甚切惶愧璋聞患難相扶朋友尚然何况宗族乎茲因張魯在北自剛強無狀興兵侵犯境界璋力微兵少甚不自安謹奉尺書上乞鈞聽望念手足之情即日興師勦滅慰我雲霓之望書不盡言專候車騎時建安十六年冬十二月日宗弟劉璋再拜

玄德大喜設宴相待玄德避左右與法正謂曰久聞大名日前張別駕多談盛德今獲聽教足慰平生法正謝曰蜀中小吏何足為道蓋聞馬逢伯樂而嘶人逢知己而死張別駕昔日之言將軍復有意乎玄德曰蜀中肥腴之地非不欲之奈劉璋與我同宗甚不忍之法正曰益州天府之國非治亂之主不可居也今劉季玉不能任賢立事懦而無勇柔而太弱此業不久必屬別人今天以資將軍此會休失矣豈不聞逐兎先得語乎將軍欲爲之某當效死玄德謝曰倘蒙天助豈由公之所賜也暫且請少歇略容商議當日席散孔

玄德擬孔

明守荆州

明送法正歸驛舍玄德向白沉吟不決龐統曰主公仁智高明何太惑也玄德曰以公之言當何如統曰荆州東有孫權北有曹操難以得志今益州戶口百萬土沃財富得以爲資大業可成也幸有張松法正以爲內應此天賜也何必疑哉玄德曰今與吾相敵者曹操也操以急吾以寬操以暴吾以仁操以詐吾以忠每與操相反乃可成矣今以小利而失信義于天下吾因此不肯爲也統曰主公雖有仁信奈當今離亂之時宜得每施仁義宜從權變之術兼取順守古人所貴若事定之後報之以義封以大國何負於信若今日不取終被他人取之又不義也今主公用權變以得用仁義以守主公熟思之玄德拱手謝曰先生之言當銘肺腑於是遂請孔明共議起兵西行孔明曰荆州重地必須得人以守之玄德曰吾與龐士元黄忠魏延前去軍師與雲長張飛趙子龍守之分撥已定次日孔明總守荆州雲長守襄陽要路當青泥隘口張飛領四郡趙雲屯江陵鎮公安玄德令黄忠爲前部魏延爲後軍玄德自與劉封關平關家在中領馬部軍五萬起程臨行廖化引軍

將降玄德交廖化助雲長拒曹操自引兵望西川進發行不數日[illegible]
孟達接着拜見玄德說益州劉璋令孟達將兵數千前來相迎玄德[illegible]
使人入益州先報劉璋知會璋發文書告報沿途州郡供給錢糧[illegible]
動以萬計自出涪城親接玄德即下令準備車乘帳幔旌旗鎧甲[illegible]
主簿黃權荒入諫曰主公此去必被玄德所害也某食祿多年不[illegible]
忍中他人之計望乞三思張松曰黃權疎間宗族之義[illegible]盜王[illegible]
主公望不可聽璋大喝權曰吾意已決汝何逆之權叩首流血近[illegible]
啣劉璋衣襟以諫璋大怒奪衣而起權銜當門兩齒璋喝左右推
出黃權入去而歸劉璋臨行忽俞元李恢叩首入而諫曰天子有爭
臣七人雖無道不失其天下諸侯有爭臣五人雖無道不失其國
大夫有爭臣三人雖無道不失其家士有爭友則身不離於令名
今黃忠處忠義之言何不納之若容劉備入川是猶縱豺狼於[illegible]
門戶其不害人者幾希矣願主公詳之璋曰劉玄德是吾宗兄[illegible]
忍背親為疎也再言者必斬恢泣曰今諸文武保戀妻子不肯盡[illegible]
公守關諸將恃功驕傲欲以坐觀成敗觀於外民[illegible]

王累吊諫

劉璋不聽

之道也璋不聽厥兄諫不從長歎而出璋出城[illegible]

王累自用繩索弔于城門之下一手執諫章口稱如諫不從自

割斷繩索撞死璋交取所執諫章來看云

益州從事臣廣陵王累泣血上流曰昔唐堯立敢諫之木[illegible]

立誹謗之鼓食苦口之味納忠諫之言是以傳國長久昔[illegible]

用言所致也今主公欲出益州得之不易不當納張松之言[illegible]

永遠可也何[illegible]輕往涪城會迎劉備[illegible]恐劉備[illegible]

必生異心往者可[illegible]楚懷王會盟于武關不聽屈原之言[illegible]

于秦邦吳夫差[illegible]不納子胥之諫終于越國[illegible]

駕起行[illegible]死直諫乞念創業艱難守成不易深察從事之言[illegible]

絕劉備之約則蜀中之老幼萬幸主公之基業萬幸也否則[illegible]

死不辱以事二主也惟垂察焉

劉璋看畢大怒曰吾與仁者之人相會如親芝蘭汝何故數[illegible]

我王累見劉璋不聽其諫大叫惜哉乃割斷其索自撞于地而[illegible]

劉璋將三萬人馬往涪城來後面車乘裝載錢粮[illegible]道供[illegible]

劉璋出郭

城迎玄德

却說玄德前軍已到墊江墊江去城都不遠。整肅下令曰如有妄取百姓一物者立斬劉璋玄德皆以言語相諭慰之未知後來何

全像三國志十卷終

新刻湯學士校正古本按鑑演義通俗三國志傳卷之十五

趙子龍截江奪幼主

建安十七年壬辰歲正月，劉玄德與劉璋大會于涪城。
畢，二人相見，盡訴弟兄之情，設筵宴，終日盡歡。龐統、法正
德曰：龐統、法正勸我席間殺劉璋，西川不勞而定。玄德曰：吾初入蜀中，恩信未立，
此事決不可行。次日又會於城中飲酒，酒至半酣，龐統、法正議曰：
今事急矣，由不得主公。便教魏延登堂舞劍，乘勢殺劉璋。延拔劍曰：
筵間無樂，某舞劍為戲。龐統便喚眾武士入堂，只待魏延下手。劉璋
手下從事張任見魏延舞劍，目擊劉璋，亦掣劍出曰：舞劍必須有
對，某請待之。二人對舞筵前。魏延目視玄德，龐統以目視劉封，劉封便拔
劍出曰：舞劍必須行跳閃，心者後，劉璋只得各
掣劍出曰：我等當群舞，以助一笑。玄德大驚，掣劍曰：吾兄弟乃
漢室宗親，相逢痛飲，並無疑忌，又非鴻門會上，何用舞劍而為亂？
不棄劍者立斬之。劉璋亦叱之，眾皆紛然下。玄德召諸將士上
堂，以酒賜之曰：吾兄弟共議大事，豈有二心，汝等勿疑，且開懷

魏延張任　筵前舞劍

與有異心者絶滅于孫衆將皆頓首再拜劉璋抱玄德而言曰君兄之恩豈不敢忘歡飲至晚而散玄德歸寨責龐統曰吾以仁義躬行天下安忍如此汝勿復言邱說劉璋歸寨劉璝曰主公今日見席上光景乎不如早圖免生後患劉璋曰吾兄玄德非此等人也衆將曰他雖無心手下之士皆欲併吞以圖富貴劉璋曰汝等勿以此言間吾兄弟之情自此二人會飲並無猜疑忽報張魯兵犯葭萌關劉璋請玄德行玄德慨諾遂引本部往葭萌關衆將勸璋守關隘以防玄德兵變璋初時不從後命楊懷高沛二人守把涪關劉璋自回成都玄德比到葭萌嚴施恩德以收民心却說有人報知孫權權會聚文武商議曰當初吾欲與劉備一同取川誰想今日背吾自取當復如何顧雍進曰劉備分兵遠從山險而去未易速回何不差軍先截川口斷塞劉備歸路然後盡起東吳之兵一鼓可得荆襄矣權曰此計大妙使令起兵忽吳夫人在屏後大喝出曰進此計者可斬以雪吾女之恨吾止有此女嫁與玄德見在荆州若是動兵吾女性命如何交吃孫權曰汝掌父兄之業

坐鎮八十一州尚猶貪心不足只顧小利不念骨肉孫權告曰老母之訓安敢有別吳夫人恨顧雍而入孫權退於幃下自思道會失去幾時得遇沉吟之間不覺張昭立於面前問其何故昭曰正思適間之事昭曰極易也先差一人帶五百軍粉作商人潛到荊州下密書與夫人只說國太病危欲見後事取夫人星夜回還玄德平生只有一子交夫人就帶還國臨進下船順水而來那時君順我把荊州換阿斗如不從一任動兵何碍於事權曰此計大妙吾有一人姓周名善有膽勇自幼隨吾兄可以命之昭曰切勿漏泄只令便令起行於是密遣周善將五百人分作五船皆扮作商人於中更許修國信以備盤詰船內暗藏軍器周善到荊州泊船江邊自入荊州令門吏入報孫夫人喚入呈上密書夫人見說國太病危淚流動問周善拜訴好生病重且夕只念夫人倘去得遲恐不相見就要將阿斗帶去夫人曰須是使人往南郡交軍師知會方可以行周善曰若軍師回言道須待主人知道回報方許下船如之何夫人曰不辭而去恐有阻當周善曰大江之中已

趙子龍領兵奪阿斗

[illegible]備下船隻今便請夫人出城上船孫夫人聞母病危如何不慌遂將七歲孩子阿斗載於車中隨帶三十餘人離荆州來江邊下船此時孫夫人下在船中只聽得岸上有數人大叫且休開船容與夫人餞行船上人視之乃常山趙子龍也子龍在公安巡哨聽知這箇消息大驚遂帶四五騎趕到周善手執長戈喝軍士一齊開船各將軍器出來擺在船上況兼風順水流趙雲趕着叫道任夫人去只有一句話我稟周善問道汝是何人敢當主母沿江趕到灘斜畔纜一隻漁舟趙雲棄馬挽鎗跳在船上只帶得兩人駕船小舟遶趕東吳大船去周善教軍士放箭趙雲以鎗撥之紛紛落水離大船懸隔丈餘周善長鎗亂刺不能得進趙雲倒所帶青釭寶劍分開鎗湧身一跳早登大船吳兵盡皆驚倒夫人抱阿斗在膝上喝曰趙雲敢無禮雲挿劍聲喏曰主母何不令軍師知之便行夫人曰母病危篤無暇報知雲曰主母探病何帶小主人去耶夫人曰阿斗是吾子留在荆州無人看視雲曰主母差矣主人一生只有這點骨血小將在當陽百萬軍中抱出今日將[illegible]

時間也夫人怒曰量汝只是帳前一武士安敢管吾家事趙雲曰
夫人晉下小主人夫人曰汝半路輒入船中必有反意雲曰縱爲
死不敢放夫人去夫人喝侍婢向前揪住趙雲推倒侍婢就在懷
中奪了阿斗抱出船頭欲要傍岸又無副手欲要行兇又礙道理
進退不得夫人喝侍婢來奪阿斗趙雲一手抱定阿斗一手按劍
人不敢近周善在後梢挾舵放船流水順風而使趙雲獨掌難鳴
只護得小主人焉能得船傍岸事在危急只見下流頭十數隻船
來船上麾旗擂鼓船頭一員大將手執長戈大叫留下侄兒了
去衆人視之乃張飛也[illegible]吳兵慌了
手脚張飛手提短劍跳上吳船周善提刃來迎被張飛一劍砍翻
提頭擲於孫夫人面前夫人大驚曰叔叔何太無禮飛曰嫂嫂不
以哥哥爲重私自歸家是何道理夫人曰我母親病在危篤若等
汝兄回報須悮了事你若逼我回去願投江而死言罷而跳張飛
與趙雲商議若逼殺夫人非臣下之道遂只護阿斗過船乃與夫
人曰俺哥哥大漢皇叔也不辱嫂嫂今日相別若念哥哥早早回

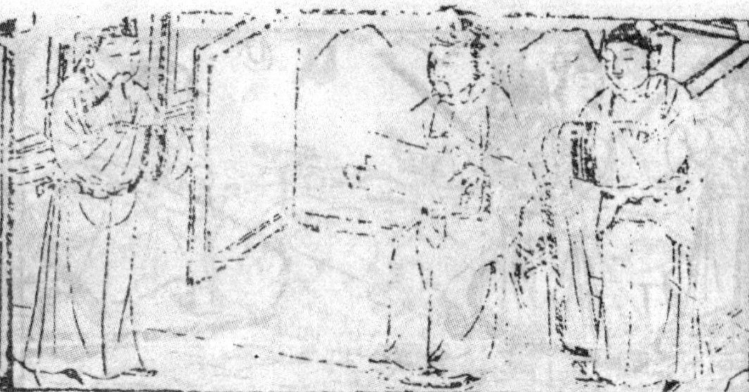

權覩張紘書

哀書大慟

來追聲喏畢放了夫人五隻船去張飛趙雲奪得阿斗歡喜回船行不數里孔明引大隊船隻趕到接見阿斗歡喜而回使人往葭萌關與報玄德耶說孫夫人回見母兄說張飛趙雲殺了周善截江奪去阿斗孫權大怒曰今妹已歸於彼不親殺周善之仇如何不報喚集文武商量盡起傾國之兵來取荊州如何起兵

曹操與兵下江南

孫權正議欲取荊州忽報曹操大起水兵來報赤壁之仇權驚發文武商議忽報長史張紘自會稽到家而死有書呈上權視書曰臣張紘臨終拜呈主公吳侯麾下自古有國者咸欲以修德政比隆盛世至於其治多不馨香非無忠臣賢佐也由王上不勝其情故弗克用其之人憚難以趨易好同而惡異故與治道相反傳曰從善如登從惡如崩言善之難也人君原基據世無般於人忠臣挾匡救之術吐逆耳之言其不合也不亦宜乎故明君寤寐求賢如飢渴受諫如不厭而義斷恩絕也宜三思焉秣陵山川有帝王之氣可速遷居爲萬世之業紘不勝奉呈之至

董昭勸操　進爵魏公

孫權勸曰張子綱言秣陵居如何不從即日遷都於建業築石頭
城今之建康呂蒙進曰可夾濡須水口築塢以拒曹兵
城權曰人無遠慮必有近憂子明之見甚遠便差軍築濡須塢
說曹操興兵起行長史董昭進曰自古人臣未有如丞相之功兼
持鈞軸三十餘年掃蕩群凶與百姓除害使漢室復存呂望周公
莫及豈可與諸侯臣宰同列合受魏公之任宜加九錫以彰天下
侍中荀彧曰不可丞相本興義兵以匡漢室秉忠貞之誠守退讓
之實君子愛人以德不宜如此操聞之勃然變色董昭曰豈可以
一人而阻大眾耶遂尊操為魏公荀彧掩淚出曰吾不想今日如
此操深恨之以為不助已附九錫名故大輅戎輅各一玄牡二駟
大輅金輅也戎輅兵車也玄袞冕之服赤舄副焉朱戶以居
乳二駟黃馬八疋以駕車也軒縣之樂六佾之舞
納陛以登虎賁三百人鈇鉞各一
一彤矢一旅弓十依矢千
秬鬯一卣圭瓚副焉
建安十七年冬十月曹操

興兵下江南就帶荀彧同行勞軍於譙荀彧知操有殺害之心推病留於壽春操使人推往起程彧歎曰吾死於九泉之下無面見漢君也忽操使人送飯食一盒上有操親筆封記開盒視之並無一物彧曰此於此矣遂自服藥而亡年五十歲史官有詩贊曰

穎川荀文若　人稱王佐才　聲名齊五嶽　功業振三台
孟德無終始　留侯不再來　忠心懷恨死　天下盡悲哀

其子荀惲具哀書報操操甚悔差人厚葬謚曰敬侯且說操大兵至濡須[illegible]縣[illegible]差三萬鐵甲馬軍探哨至江邊回報沿江一帶遥望旌旗無數不知兵聚何處操放心不下自領兵就濡須口擺開陣勢引百餘騎上山坡遥望見戰船各分隊伍依次擺列旗分五色器械鮮明見當中船上青羅傘蓋下坐着孫權文武侍立操以鞭指曰生子當如孫仲謀劉景升兒子豚犬耳忽聞一聲砲響船飛奔過來濡須塢內一軍衝動曹兵退後便走止遏不住千百騎趕到山坡邊爲首是孫權親自引隊馬軍來擊曹操操大驚急回馬時東吳大將韓當周泰兩騎直搶上坡曹操背後大將許

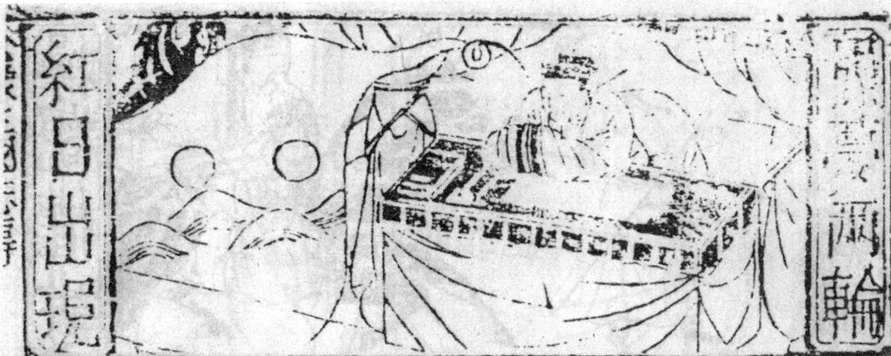

褚縱馬舞刀敵住二將曹操得脫歸寨許褚與二將戰半晌方回操正在寨中誇許褚之能責罵衆將臨敵先挫吾威再後如此盡皆斬首至二更時分忽寨後一聲喊起操急上馬見四下火起却是吳兵劫中大寨殺至天明退五十里下寨操收住敗軍下定寨栅操心鬱悶閒看兵書程昱曰丞相既知兵法豈不知兵貴神速乎丞相起兵遷延日久致孫權得準備夾濡須口為塢甚為行理不若且罷兵還許昌別作良圖操不答程昱出操伏几而臥忽聞潮聲洶湧如萬騎爭奔操急視之見大江中推出一輪紅日光華射目驚起見天上有兩輪太陽對照忽然江心中推出紅日直飛來墜於寨前山中其聲如雷猛然驚覺原來做了一夢帳前軍報午時操交備馬引五十餘騎徑出寨奔至夢中所見日落山邊看之忽見一簇人馬約十餘騎當先一人渾身金甲頭戴金盔操視之乃孫權也權見操不慌不忙勒馬以鞭指操曰丞相坐鎮中原富貴極矣何故不足尚圖江南操答曰汝為臣不尊王室吾奉詔來伐汝笑曰汝此言豈不羞乎天下誰不知汝挾天子令諸侯吾非不尊

操觀權書班師

前面曹欲討汝以匡國家操大怒叱令諸將去殺孫權忽山背後兩彪軍出左韓當周泰右陳武潘璋兩邊亂射箭如急雨操急引衆將望寨中走背後四將趕來到半路許褚引衆虎衛軍敵住因此救得曹操孫權兵寨觀望漏須去了操還營寨自思孫權非等閑人物紅日之應後必為帝心中已有退兵之意只恐被東吳笑耻因此兩邊相拒月餘戰了數塲互相勝敗建安十八年春正月天連陰雨小港皆滿操軍皆在陌阱之中操竊聽之各寨軍皆怨望操心甚憂當日正在寨中與衆將商議有一半勸操收軍有一半云即目春煖正好相殺不可退歸忽人報東吳有使者齎書來到操拆開視之書曰

吳侯孫權再拜致書大漢丞相麾下切謂彼此皆漢臣宰不思報國安民為本妄施兵甲非仁者之心即目春水方生公當速去各圖安逸如其不然復有赤壁之禍公宜自思焉

書背後有批一行云如公不死吾何得安曹操看畢大笑曰孫權不欺我也遂賞使者令回命廬江太守朱光鎮守皖城盡收軍回

張昭獻計

與孫仲謀

許昌孫權亦收軍回秣陵與衆商議操雖北去劉備尚在葭萌關未還何不引拒操之兵以取荊州張昭進曰某有一計令劉備終於西川不得再還荊州矣孫權大喜問計如何

劉玄德斬楊懷高沛

張昭曰若一動則曹操兵必再至不如修密書二封一封與劉璋言劉備有書結連東吳欲圖西川使劉璋備相疑外內相攻一封與張魯教進兵向荊州隨謀二處從攻劉備首尾不能救護則與兵取荊州事可諧矣孫權從其計即發使賚投二處去了却說玄德在葭萌關知曹操兵犯濡須與龐統議曰操擊孫權操若勝則就取荊州權勝亦取荊州矣當如之何統曰可發書劉璋處只推曹操攻擊孫權權求救於荊州吾與孫權乃脣齒之邦脣亡則齒寒張魯自守之賊不敢犯界吾今勒兵回荊州共孫權約會同破曹操奈兵少糧缺望想舊日之故速發精兵三四萬行糧十萬斛星夜發來如致有悞君前軍馬錢粮都作商議玄德從之遣人望成都來到關前楊懷聞知此事遂交高沛守關懷同差人往成都

龐統獻計

與玄德公

[illegible]劉璋，問軍馬錢糧之事。劉璋問楊懷為何而來，懷曰：專為此事而來。劉備自從入川，廣施恩德，以收民心，此人居此甚是不宜。今求軍馬錢糧，切不可與。與之，如助乾柴於烈火之上，為難滅矣。璋曰：吾與玄德有兄弟之情，不可廢也。一人昂然而出曰：劉備梟雄人也，若久留蜀中，是放虎入山，今更助之軍馬錢糧，如虎添翼也，切不可與之。眾視之，乃零陵烝陽人也，姓劉名巴，字子初。[此人交趾人也]劉指下黃權又諫劉璋，乃勉強撥老弱軍四千，糧米一萬斛，發遣軍器各五千，發付使者回。劉璋交楊懷、高沛守關隘。使者回至葭萌，見玄德，具言此事，隨後送糧人至。玄德大怒曰：吾與汝攘強破敵，費心勞力，汝既吝嗇，何以[使士卒效命]乎？遂令怒回書。龐統曰：主公只以仁義為重，今竟如何？玄德曰：如此當若何？龐統曰：某有三條計，任主公自擇焉。只今便選兵，晝夜兼道，逕襲成都，一舉便定，此上計也。楊懷、高沛，蜀之名將，各伏強兵，據守關隘，今主公佯曰回荊州，二將必來相送，就送處擒而殺之，先據涪城，然後卻向成都，此中計也。退還白帝[illegible]回荊州，徐圖進取，此下計也。若沉吟不去，將至大困

不可久矣玄德曰上計太促下計太緩中計不遲不疾可以行之統交作書辭劉璋虛言曹兵樂進軍至青泥口兄弟關羽抵敵不住吾當親自助之不及面會特書相辭使人入城報知那說張松聽知玄德回荊州只道真心急有書一封却要令人送與玄德正值親兄廣漢太守張肅到松急藏書袖中與肅相陪說話肅見松有調戲之意置酒飲至半酣松和兄張肅觥籌交錯忽落此書被肅從人拾得須臾席散從人以書呈肅肅開視之書云松頓首端拜主公台兄麾下昨者進言並無虛謬何遲太甚逆守順取古人之所貴今大事已在掌握之中何故欲棄此而回荊州乎使松聞知如有所失如書呈到疾速進兵以圖王業幸甚松頓首再拜張肅見了大驚曰吾弟作滅門之事不可不首遂將書見劉璋說弟張松與劉備同謀欲獻西川璋大怒曰吾平生以仁義待人誰想如此遂下令將松一家老小盡斬于市劉璋斬了張松聚文武議曰劉備欲奪基業當如之何黃權曰事不宜遲即差人告報各處關隘並不許放荊州一人入關却說玄德徹兵回涪江先使哨馬告

鎮隘上曰吾荆州兵來日送回請高楊二將軍相別却說楊懷高沛二人聽知玄德經過欲來相見懷曰玄德此行若何沛曰我皆藏利劍於送行處刺之以絕後患懷曰此計大妙二人只帶隨行二百人逺送其餘盡在關上却說玄德大軍進發前至涪水之上龐統在馬上與玄德曰楊懷高沛若欣然而來必須防之若不來就提兵逕過關上不可遲緩正說間忽一陣旋風吹馬前帥字旗欲倒玄德驚問龐統曰此警報也楊高二人必有刺主公之心可整兵防之玄德乃披重鎧佩寶劍人報楊高二將前來送行玄德令軍士歇定龐統分付魏延黃忠但關上人來不問大小人馬一箇也休放回黃忠魏延領了將令却說楊懷高沛身藏利劍帶羊送酒而至見軍中並無準備心中暗喜以爲中計二將入見玄德與龐統坐於帳中二將聲喏曰今聞皇叔遠回特具薄禮相送玄德曰吾有密事共二將言而議閑人皆出退避手下人盡出玄德喝曰吾與劉璋是同宗兄弟汝何故間諜親情喝左右拿下帳後轉出四五十人把二將捉下龐統喝令搜之於身畔絡

宴于涪城

玄德龐統

搜出利劍一把玄德大怒曰吾以誠心待汝〻何敢刺吾耶二人低首不語玄德終不忍殺龐統作色曰二人本意欲害吾主罪不容誅推出斬之刀斧手卻把劉二人於帳下一聲號令斬訖將二百從人捉下玄德喚入賜酒壓驚遍衆人曰楊懷高沛[illegible]吾兄弟又藏劍行刺甚是無禮故行誅戮非不在汝等盡皆恕之衆皆叩謝龐統曰今夜用汝等引路帶吾軍去取關頭各有重賞衆皆應允是夜交高楊所帶二百人引進到關頭叫曰二將軍有急事可速開關〻上聽知是自家兵便即開關刀不沾血得了涪關龐統曰兵貴神速不可緩遲遍催守關軍士引至涪城叫開城門劉兵皆降玄德隨即分兵前後守把次日設宴於涪城公廨玄德帶酒顧與龐統曰今日之會不亦樂乎統曰伐人之國而以為歡非仁者之兵也玄德大怒曰吾聞昔日武王伐紂前歌後舞此亦非仁者之兵歟汝言不合道理可速退龐統聞之全無懼色大笑而起左右亦扶玄德入堂睡至四更酒醒問於左右〻〻以罪龐統之言為對玄德懊悔無及急穿衣升堂請龐統入曰吾非

四將求問

紫虛道人

已在上不覺大醉候有冒犯公勿掛懷統曰此亦語失耳統談笑自若玄德曰服目之言尤誰有失統曰君臣俱失玄德大笑其樂如初卻說敗兵連夜奔入成都報與劉璋七大驚曰不想今日果有此事遂聚文武問退玄德之策璋部下四將劉璝等出曰某等願連夜起兵以屯雒城塞住咽喉之路劉備雖有精兵猛將不能過也不知勝敗如何

彭羕魏延大爭功

四將起兵之次劉璝曰吾聞錦屏山有一異人道名紫虛知人生死貴賤吾輩今日出師可令軍馬先行吾等往問之張任曰大丈夫行兵拒敵豈問於山野之人璝曰不然聖人云禍福將至善必先知之不善必先知之吾等當問高明之人知趨吉避凶於是四人引五六十騎至山下步行上山問樵夫遂指高山絕頂上人至庵前一道童出迎通了姓名引入庵中見紫虛道人坐於蒲墩之上四人下拜求問前程之事紫虛曰貧道乃山野廢人豈知休咎劉璝再三拜問紫虛命道童取紙筆寫八句言付與劉璝言曰

黃忠魏延　相爭出戰

左龍右鳳　飛入西川　雛鳳墜地　卧龍升天
一得一失　天數如然　宜歸正道　勿丧九泉

劉璝又問曰吾四人氣數如何紫虛曰定數難逃何須再問璝又問時紫虛榻上眉目合口中已無氣了四人下山嘆曰仙人之言不可不信張任曰此乃狂士聽之何益遂前至雒城分調人馬守把各處關隘劉璝曰雒城乃成都之保障失此則大郡難保吾四人公道商議着二人守城二人前至雒城依山傍險扎寨為犄角之勢勿使敵兵臨城冷苞曰某願助之劉璝大喜設宴相歡分兵二萬與冷苞鄧賢離城六十里下寨劉璝張任守護雒城却說玄德已得涪城與龐統商議進取雒城人報劉璋撥四將來鄭目有冷苞鄧賢二將引軍在雒城北面扎下兩寨玄德聚衆問曰誰敢去取二將寨柵老將黃忠出曰老夫願往玄德曰老將軍取了營寨必當重賞黃忠要行帳下魏延出曰老將年紀高大如何去得小將願替一行忠曰我已領將令你如何敢僭越延曰吾聞冷苞鄧賢乃蜀中名將血氣方剛誠恐老將軍近他不得悞了主公

大事因此相瞀本是好意黄忠大怒叱魏延曰汝說吾老敢與我比試麽延曰就主公前比試贏的便去忠移步下階喚校尉將刀來玄德勸曰不可昔今領兵收川仗你二人之力如兩虎相鬭必有一傷悞了大事龐統曰你二人不必相爭即日泠苞鄧賢下兩箇寨今汝二人各引本部軍馬各劫一寨如先得勝者便是頭功不可自家相爭玄德曰軍師言者甚當你二人分軍兩路而行先得者功勞為大黄忠魏延領兵去了龐統曰此二人去恐於路爭競主公引一軍為後應玄德帶劉封關索二軍隨後接應却說黄忠歸寨傳令[illegible]曰四更造飯五更結束平明離寨取左邊泠苞寨而進却說魏延歸到寨中暗使人探聽黄忠甚時起兵探事人回報來曰四更造飯五更結束平明出寨魏延暗地分付交軍士二更造飯三更起兵比及平明要到鄧賢寨前[illegible]當夜魏延交軍士悄地飽食一頓摐旗息鼓[illegible]摸寨相似三更前後離寨前到半路魏延馬上自思先去[illegible]寨不顯強不如先去打泠苞寨將得勝之兵打

魏延大戰

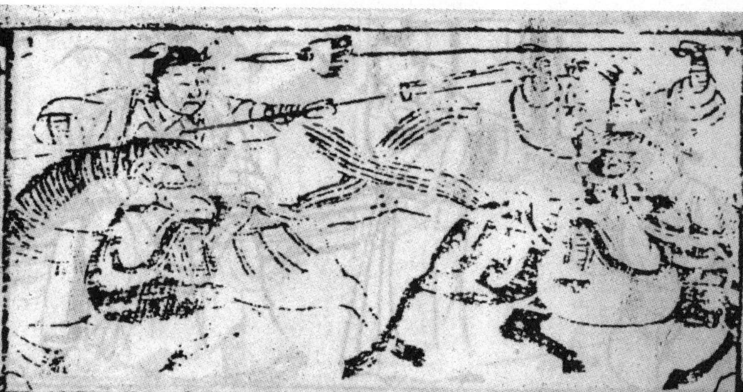

泠苞鄧賢

鄧賢寨兩處功勞都是我的就馬上傳令交軍上都披挂逕過山路
寨去天色平明離泠苞寨不遠交軍士少歇伏路小軍飛報入泠
苞寨泠苞已自准備了等候多時一聲鼓響三軍上馬殺出寨來
魏延縱馬提刀去迎二將戰到三十合川兵分兩下來襲漢兵漢
兵走乏了當抵不住退後便走魏延聽得背後陣腳自亂撇了泠
苞撥回馬走漢軍大亂川兵兩邊趕上走不得五六里山背後鼓
聲震地鄧賢一隊軍從谷中殺出截住魏延正走馬忽前失兩蹄跪地
掀翻將下來鄧賢挺鎗來刺魏延弦響忽然鄧賢倒撞下馬
後面泠苞來救一員將飛馬下來厲聲大叫老將黃忠在此
舞刀直取泠苞泠苞抵敵不住望後便走黃忠乘勢趕去川兵大
亂黃忠救了魏延殺敗泠苞直趕到寨前泠苞回馬與黃忠再戰
戰不數合苞拔馬奔寨見寨中旗幟各別泠苞大驚撥馬看時當
中乃劉玄德左邊劉封右有關平大叫寨都好走數里兩邊路狹伏兵齊
起用長鈎搭鈎拖捉泠苞了（魏延被都是得救敗半捉川罪犯無可路在）
（正等得泠苞將解投玄德寨中來）卻說玄德立起免死旗但川兵降者並不許

劉璋令吳

懿救雒城

殺害如是傷者償命降兵盡拜於地玄德曰汝川兵皆有父母妻子所牽如願降者充軍不願者盡皆放回於是歡聲動地黃忠來見玄德說魏延亂了軍法玄德交喚魏延一解冷苞至玄德曰雖然有罪此功可贖令魏延拜謝黃忠活命之恩今後無得爭功魏延頓首拜罪押過冷苞到寨玄德交去其縛取酒壓驚問曰汝肯降否苞曰既蒙免死如何不降雒城劉璝張任與某結生死之交如蒙放免前去招安來降就獻雒城玄德大喜便賜鞍馬送之魏延曰此人若一去不復來矣玄德曰吾以仁義相待如其不來是彼之意不必計較冷苞回雒城見劉璝張任不說玄德放還只說被我殺了數十人奪了馬逃回來劉璝差人往成都求救劉璋聽知折了鄧賢忙聚衆官商議忽劉璋長子劉循進曰兒願領兵去守雒城璋曰既然吾兒肯去誰可爲輔將軍吳懿願往（懿乃劉璋之舅）璋曰得尊舅去最好懿又保吳蘭雷同二人爲副將點二萬人馬來到雒城劉璝張任接着說失了前寨事吳懿曰若後兵臨城難以拒敵汝等有何高見冷苞曰此間一帶正靠涪江江水大

馬孟起殺

姜叙老母

急前迴寨占山脚其形最低可先乞五千軍各帶鍬鋤當夜前去決涪江之水可盡淹死劉備之兵也吳懿曰淯着便行勿令知覺遣吳蘭雷同引兵接應冷苞約會定去辦決江器械却說玄德令黃忠魏延各守一寨自回涪城與軍師龐統商議細作報說東吳孫權遣人結搆東川張魯將欲來攻葭萌關玄德驚曰若葭萌有失截斷後路吾進退當如之何龐統與孟達曰汝蜀中人多知地理却去守葭萌關如何達曰某保一人廣通漢書深知民心某與同守關萬無一失玄德問何人達曰在荆州曾跟劉表爲中郎將南郡枝江人姓霍名峻表字仲邈玄德大喜遂即時遣孟達霍峻守葭萌關去了龐統退歸館舍門吏忽報有客特來相訪統出迎接見其人身長八尺形貌甚偉頭髮截短披於頸上衣服不甚整齊統問曰先生何人也其人不答逕上統正面床上仰臥不應統甚疑之乃再三請問其人曰等汝罷了賓客當與汝說知天下大事統聞之慌進酒食其人起而便食並無謙遜飯食甚多食罷又睡統疑惑不定使人請法正視之恐是細作法正慌忙到來統出

馬超入漢

中援張魯

迎接法正曰有一人如此如此法正曰莫非永年乎。陛皆視之。其人一躍而起曰孝直別來無恙。斯人畢竟是誰。且聽下回分解

落鳳坡亂箭射龐統

二人相見大笑。龐統問之。正曰此公乃廣漢人也。姓彭名羕字永年。是蜀中之豪傑。因言語毀謗劉璋。被劉璋髡鉗為徒隸。因此髮短。統以師禮待之。問從何而來。羕曰吾特來救汝數萬人性命。見劉將軍方可說之。法正慌報玄德。玄德親自謁見請問其事。羕曰將軍有多少軍馬在前寨。玄德寔告有魏延黃忠在彼。羕曰為將之道豈不知地理乎前寨緊靠涪江若決其水前後以兵塞之一人無可逃也。玄德大悟。彭羕曰罡星在西方太白臨於此地有不吉之事。不告知則軍亡矣。玄德即時拜彭羕為幕賓。使人密報魏延黃忠朝暮用心巡警。以防決水。黃忠魏延商議二人各輪一日。如遇敵軍到來。互相通報。却說冷苞見當夜風雨大作。引了五千軍。逕循江邊而進。安排下手等[illegible]聽得後面喊聲大起。知有准備。急急回軍。前後衝突各不[illegible]路而走。正撞着魏

馬岱山箭射

魏延左臂

延活捉了冷苞。比及吳蘭雷同來接應時。又被黃忠一軍殺退。魏延解冷苞到涪城。玄德責冷苞曰。吾以仁義相待。放汝回去。何敢再來。今次難饒。將冷苞推出斬之。重賞魏延。教回本寨中去。玄德設燕管待彭羕。忽有人報說。荊州諸葛亮軍師特遣馬良到此。玄德召入問之。馬良禮畢曰。荊州平安。不勞主公憂念。遂呈上軍師書。玄德拆封觀之。畧云。亮夜算太乙數。今年歲次癸巳。罡星在西方。又觀乾象。太白臨于雒城之分。主於將帥身上多凶少吉。宜謹慎之。玄德看了書。教馬良先回。玄德曰。吾亦回荊州論此事。龐統暗自思忖。孔明怕我取了西川。故意將此書相阻耳。我命在天。豈在人乎。龐統對玄德曰。我亦算太乙數。已知罡星在西。應主公合得西川。別不主凶事。統亦夜占天文。見太白臨於雒城。斬蜀將冷苞。已應凶兆矣。主公不可疑心。可急進兵。玄德見龐統再三催促。乃引軍前進。黃忠遂同魏延接入寨去。龐統問法正曰。前至雒城。有多少路。法正畫地作圖。玄德取張松所遺圖本對之。並無差錯。法正言。山北有條大路。正取雒城東門。山南有條小路。卻取雒城

玄德與龐

統分路進

西門兩條路。皆可進兵。龐統令魏延爲先鋒。取南小路而進。主公令黃忠作先鋒。從山北大路而進。並到雒城取齊。玄德曰。吾自幼熟於弓馬。多行小路。軍師可從大路去取東門。吾取西門。龐統曰。大路必有軍遮攔。主公引兵當之。統取小路。玄德曰。軍師不可。吾夜夢見一神人。手執鐵棒。擊吾右臂。覺來猶自臂疼。此行莫非不佳。龐統曰。壯士臨陣。不死帶傷。理之自然也。何故以夢寐之事。易其疑心乎。玄德曰。吾所疑者。孔明之書也。軍師還守涪城如何。龐統大笑曰。主公被孔明之惑也。不令統立功名。故有此言。以疑其心。心疑則致夢矣。何凶之有。統肝腦塗地。方稱本心。主公再勿多言。來早準行。當日傳下號令。軍士五更造飯。平明上馬。比及黃忠魏延領軍先行。玄德再與龐統約會。忽坐下馬眼生前失。把龐統掀馬下。玄德跳下馬。自來籠住那匹馬。玄德曰。軍師何故乘此劣馬。龐統曰。此馬乘久。不曾如此。玄德曰。臨陣眼生。悞人性命。吾騎白馬性馴熟。軍師可騎。萬無一失。劣馬吾自乘之。玄德與龐統更換所騎之馬。龐統謝曰。深感主公厚恩。雖萬死亦不能報也。遂各上

李恢說馬

超降玄德

馬取路而進玄德見龐統去意甚惨傷自覺心下不快怏怏而行
却說雒城中吳懿劉璝聽知折了冷苞遂乃一處商議張任曰城
東南山僻有一條小路最為緊要某自引一軍守之諸公緊守雒
城勿得有失人報漢軍分兩路前來攻城張任引三千軍先來抄
小路埋伏見魏延兵過張任教儘放過去休得驚動張任軍見龐
統軍來遙指軍中大將騎白馬者必是劉備也張任大喜傳令教
如此却說龐統迤邐前進擡頭見兩山逼窄樹木叢雜又值夏末
秋初枝葉茂盛龐統心下甚疑勒住馬教問此處是何地數內有
新降軍士指道此處地名落鳳坡龐統大驚曰吾道號鳳雛此處
名落鳳坡應吾休矣令後軍疾退山坡前一聲炮響箭如飛蝗只
望騎白馬者便射可憐龐統死於亂箭之下後史官有詩嘆曰
胸襟如潑屯　天地總包羅　報國機謀遠　妆川氣槩多
辯名垂竹帛　忠義冠山河　堪嘆無陽壽　星沉落鳳坡
古峴相連紫翠堆士元有宅傍山隈兒童慣識呼鳩曲閭巷曾
聞展驥才預計三分平刻削長驅萬里獨徘徊誰知天狗流星

馬超城下

招劉璋降

堅不使將軍衣錦回

龐統年三十六歲而亡。當日張任射死龐統，衆軍擁塞，進退不得，死者大半。前軍飛報魏延，慌勒兵欲回，爲山路逼窄，厮殺不得。又被張任截斷歸路，只在高阜處用強弓硬弩射之。魏延心慌。新降蜀兵曰：「不如殺奔雒城下，取大路而進。」延曰：「也是。」當先開路，殺奔雒城而來。塵埃起，前面一軍殺來。魏延大驚，拍馬舞刀，呼軍士死戰。乃雒城守將吳蘭、雷同，兩騎馬當先，引數千軍馬前面殺到；後面張任殺來，兩邊夾攻，圍在垓心。魏延死戰不能脫。但見吳蘭、雷同後軍自亂，二將慌回去救。魏延乘勢趕去。當先一將，舞刀拍馬，大叫：「文長，吾特來救汝。」視之，乃老將黃忠也。兩下夾攻，殺敗吳、雷二將，衝去雒城之下。劉璝引兵殺出，卻得玄德在後當住接應。黃忠、魏延翻身便回。玄德軍馬比及奔到寨中，張任軍馬又從小路裏截出。趕來的是劉璝、吳蘭、雷同。劉玄德守不住二寨，且戰且走，奔回涪城。蜀兵得勝，迤邐趕來。玄德人困馬乏，那裏有心厮殺，且只要走。將近涪城，張任一軍追趕至緊。左邊是劉封，右邊是關平，

劉璋納印綬降玄德

二將引三萬步兵截出，殺退張任，趕二十里，奪回戰馬極多。玄德一行軍馬殺入涪城，問龐統消息，有落鳳坡逃得性命的軍士言說：軍師連人帶馬亂箭射死于坡前。玄德望西痛哭不已，遙爲招魂設祭，諸將皆哭。黃忠曰：今番折了龐統軍師，張任必然來攻打涪城，如之奈何。不若差人往荊州請諸葛軍師來商議收川之計。正說之間，人報張任引軍直臨城下搦戰。黃忠魏延皆要出迎。玄德曰：銳氣新挫，宜堅守以待軍師來到。黃忠魏延謹守城池。玄德寫了一封書，教關平分付：你與我往荊州請取軍師去。關平領了書，辭別，自往荊州來。玄德自守涪城不出戰。却說孔明在荊州時，當七夕佳節，大會衆官夜宴，共說收川之事。孔明見正西一星其大如斗，從天墜下，流光西散。孔明失驚，擲盃在地，掩面大哭曰：哀哉痛哉。衆官慌問其故。孔明曰：吾前者算今年罡星在西方，不利于軍師，天狗犯于吾軍，太白臨于雒城，已拜書于主公，教謹防之。誰想今夕西方星墜，龐士元命必休矣。言罷大哭曰：今吾主喪一臂矣。衆官皆驚，未信其言。孔明曰：衆官等且休散，飲幾盃

孔明書達

知關雲長

去數日之內必存消息衆官是夕酒不盡權各散數日內雲長帶正坐間人報說關平來到衆官皆驚王公有書孔明觀之乃于本年七月初七日龐軍師被張任在落鳳坡前箭射身故諸葛亮衆官皆哭声不絕孔明曰既然王公在涪城進退兩難之際亮不得不去目下便行雲長曰軍師此去誰人保守荊州荊州乃重地干係非輕孔明曰王公雖不寫書來吾已知其意了順天者昌手指出那人便是荊州之主指出是何人來且聽下回分解

張翼德義釋嚴顏

却說孔明將玄德書對衆官曰主公書中把荊州托在我身上教我自量才委用雖是如此今教關平賚書前來其意欲雲長公當此重任雲長想桃園結義之情竭力守之據此之地北當曹操東敵孫權非小可之事也公當勉之雲長不推辭慨然領諾孔明設一宴交割印綬雲長叉手來接孔明擎着印這干係都在將軍身上雲長曰大丈夫既托重任除死方休孔明見雲長說個死字心中不悅欲待不與其言已出孔明曰倘曹操引兵來到當如之何

孔明設宴

交印雲長

雲長曰以力拒之孔明又曰倘曹操孫權齊起兵來如之奈何雲長曰分兵拒之孔明曰若如此荆州危矣吾有八箇字將軍記之可保守荆州雲長問之孔明曰北拒曹操東和孫權雲長曰軍師之言當銘肺腑孔明遂與了印綬令文官馬良伊籍向朗糜竺武將糜芳廖化關平周倉一班兒輔佐雲長同守荆州先撥精兵一萬教張飛部領取條大路殺奔巴州雒城之西先到者爲頭功孔明撥一枝兵教趙雲爲先鋒泝江而上會於雒城孔明隨後引簡雍蔣琬（琬字公琰零陵湘鄉人乃荆襄名士爲書記）引兵一萬五千同日與別起行先說張飛引本部軍馬臨行時孔明囑付曰西川豪傑甚多不可輕敵於路戒約三軍勿得擄掠百姓以失民心所到之處並皆存恤人生於世惟德可以服衆勿得恣逞殘暴百姓鞭撻士卒望將軍早會雒城不可有悞張飛欣然領諾上馬而去迤邐前行所到之處但降者秋毫無犯逕取漢川路前至巴郡細哨馬回報巴郡太守嚴顏乃蜀中名將年紀雖高精力未衰善開硬弓使大刀有萬夫不當之勇據住城郭不豎降旗張飛教離城十里下住大寨差人

張飛教軍

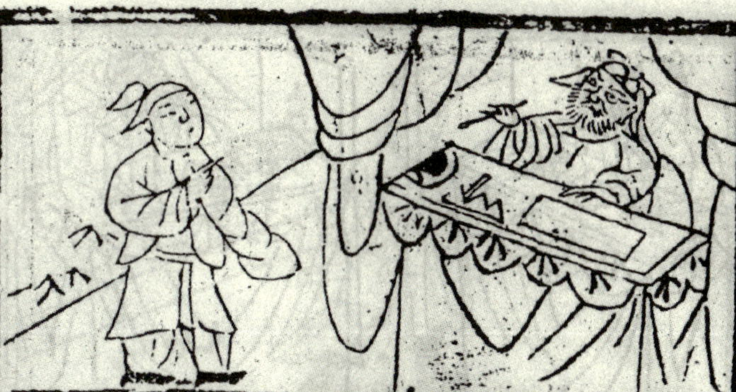

計罵嚴顏

入城去說與老匹夫早早來降饒你滿城百姓性命若不歸順

踏平城郭老幼不留

[illegible]

張飛坐在寨中頓足大叫嚴顏老匹夫枉氣殺我只見

[illegible]

嚴顏引軍 伏於林中

前三四個人說道將軍不須心焦這幾日打探得一條小路可以偷過巴郡張飛故意大叫曰既有這箇去處何不早來說衆應曰這幾日却纔哨探得出張飛曰事不宜遲只今二更造飯趁三更明月拔寨都起人啣枚馬去鈴悄悄而行我自前面開路汝等依次而行傳令了即便滿寨告報探細的軍聽得這箇消息盡回城中來報與嚴顏顏大喜曰我算定這匹夫忍耐不得你偷小路過去須是糧草輜重在後我截住後路你如何得過好無謀匹夫中吾之計即刻傳令教軍士防備赴敵今夜二更也造飯三更出城伏於樹木叢雜去處只等張飛過咽喉小路去了車仗來時只聽鼓響一齊殺出傳了號令看看近夜嚴顏全軍盡皆飽食披掛停當悄悄出城四散伏住只聽鼓響却說嚴顏引十數騎裨將下馬伏於林中看時約三更已後遥望見張飛親自在前橫矛縱馬悄悄引軍前進去不得三四里背後車仗人馬陸續進發嚴顏見得分曉一齊擂鼓四下伏兵皆起正來搶奪車仗背後一彪軍掩到大喝一聲老匹夫休走我等的你恰好嚴顏猛回頭看時為首一

張飛怒目

大叱嚴顏

員大將多頭虎鬚使丈八矛騎深烏馬乃是燕人張飛四下裏鼓聲大車殺來嚴顏見了張飛舉指無措交馬戰不十合張飛賣箇破顏一刀砍來張飛閃過撞將入去扯住嚴顏勒甲絛生擒過來擲ナ下衆軍向前用索綁縛住了原來先過去的是假張飛料道嚴顏擊鼓為號張飛叫鳴金為號金響諸軍齊到大半棄甲卸戈而降殺到巴郡城下後軍已自入城張飛叫休殺百姓告報安民羣刀手把嚴顏推至飛坐於廳上嚴顏不肯跪下張飛怒目咬牙大叱嚴顏曰大將到此何為不降而敢拒敵乎嚴顏全無懼色回叱飛曰汝等無義侵我州郡但有斷頭將軍無降將軍飛大怒喝左右斬來嚴顏喝曰賊匹夫砍頭便砍何必怒色張飛見嚴顏聲音雄壯面不改色飛忙大笑下階喝退左右親自解其縛取衣與之扶在正中高坐低頭便拜曰適來言語冒瀆威容甚勿見責吾素知老將軍乃豪傑丈夫便進酒壓驚以上賓禮待之嚴顏感其恩義安身無措後有贊嚴顏詩曰

白髮居西蜀　清名震大邦　忠心如皎月　浩氣捲長江

張飛進酒

義釋嚴顏

寧可斷頭死　安能屈膝降　巴州年老將　天下更無雙

昂昂器宇鎮江山　視死如歸若等閒　欲識世間豪傑士

斷頭大將是嚴顏

贊張飛詩曰

怒氣冲冠髮　威風砍將頭　英雄萬夫勇　談笑一時休

先主多洪福　將軍用計謀　三分稱大義　功業震西州

百將傳中標異蹟　武臣廟內紀奇功　皆因義釋嚴顏計

奪得西川報主公

生獲嚴顏勇絕倫　惟憑仁義化軍民　至今巴蜀名聲在

社酒雞豚日月春

張飛請問入川之計嚴顏曰敗軍之將荷蒙厚恩嚴顏無可以報願施犬馬之勞不須張飛費箭遞取成都以酬萬一張飛拱手稱謝以求收川之策其計如何下回便見

孔明定計捉張任

張飛問計於嚴顏顏曰從此取雒城凡守禦關隘計寨柵共三十

玄德與眾

商議分取

諸處都是老夫所管。官軍皆出於掌握之中。今感將軍之恩無可以報。老夫當為前部。所到之處盡皆喚出拜降。不必將軍動鎗刀。張飛稱謝。不已自此安民賞軍於路酒飯。凡到之處盡皆是嚴顏所管都喚出投降。有遲疑未決者。嚴顏曰我尚且投降。何況汝乎。於是望風歸順。並不曾廝殺一場。却說孔明已具起程日期。去報玄德教都會聚雒城。玄德與眾官商議。今孔明翼德分兩路取川會於雒城。同入城都。水陸軍舟。已於七月二十日起行。此時將及待到。今我等便可進兵。黃忠曰張任每日來搦戰。見城中不出。彼軍懈怠不做准備。今日夜間分兵劫寨。勝如白日廝殺。玄德從之。教黃忠引兵取左。魏延引兵取右。玄德取中路。當夜二更三路軍馬齊到。張任果然不做准備。眾入大寨。火光竟起。蜀兵奔走。連夜直趕到雒城。城中兵接應入去。玄德還中路下寨。次日引兵直到雒城。軍兵不出。圍住攻打。一晝夜不絕。城中商議。張任曰儘教攻打。待他力乏。然後以兵擊之。備可擒也。攻城到第四日。玄德自提一軍攻打西門。却說雒城背後黃忠魏延在東門攻打。留南門北

救出玄德

[illegible]門放了[illegible]門是水路傍水因此不圖張任[illegible]
玄德在西門下，但栴打，飛從辰至未，人力俱乏。張任交吳蘭、雷同
二將引軍出北門，轉出與黃忠、魏延交戰；我引軍出南門，轉西門
捉劉備。城內盡數撥民夫上城擂鼓助喊。玄德見紅日平西，喜後
軍先退。只聞城上一聲喊起，南北門內軍馬突出，張任逕入中軍，
來捉玄德。軍馬大亂，黃忠、魏延又被吳蘭、雷同敵住，兩下不能得
救。玄德敵張任不住，撥轉馬望山僻而走。張任從背後趕來，玄德
正危間，忽然山路一軍突出，當先一員大將飛馬而來，乃是燕人張
翼德也。（元來張飛正從那條路殺來，當日望見塵埃起，知是與川將交兵，飛當先而來。玄德有大子洪福，却好遇著，便見。）
便與張任交馬。兩員將戰到十合，背後閃出嚴顏引兵大進。張任
回身便走，張飛直殺到城下。張任退入城中，拽起吊橋。漢兵莫進。
張飛回見玄德曰：「軍師泝江而來，尚且未到，反被我爭了頭功。」玄
德曰：「山路阻險，如何無兵攔當？」張飛把義釋嚴顏事從頭說了一
遍，「因此於路不曾費分毫之力。」只顧飲酒至此。玄德謝嚴顏曰：「非
老將軍見引，吾弟安能至此耶？」脫身上黃金鎖子甲賜之。正待飲

張任詐敗　引誘張飛

寡之間哨馬回報黄忠魏延和川將雷同吳蘭交鋒背後吳懿劉璝又引一軍來戰二將雖勇軍士先走因此當敵不住大敗望東去了張飛曰我分兵兩路去救張飛在左關索在右玄德接應吳懿劉璝見後面喊起慌退入城吳蘭雷同商議不如倒戈卸甲投降二人逕將本部軍兵逕來玄德寨前投降玄德准降却說張任見二人降了心中憂慮吳懿劉璝曰兵勢已急一面差人去成都告急一面用計敵之到來日引軍搦戰佯輸詐敗引轉城北二將軍內可用一人引軍中出截斷中軍可獲勝矣吳懿曰劉將軍相輔公子守城某來日戰一死敵次日張任引數千騎出搖旗搦戰張飛曰小將提矛上馬逕出陣前與張任交鋒戰到十餘合張任詐敗遶城而走飛盡力追之兵來入子吳懿引軍截出張任回兵正把張飛攔住在垓心比及玄德關索軍來接着混戰一場忽一隊軍從江邊殺來當先一員大將挺鎗躍馬與吳懿交鋒只一合生擒吳懿殺退敵軍救出張飛飛視之乃常山趙子龍也飛問軍師何在雲曰先使我來解救任見擒了吳懿自退入城去了飛回

張飛捉任

來見玄德

任看見孔明軍旅不整，笑說諸葛用兵元來有名無實，把鎗一招，大小軍校一齊衝殺過來。孔明棄車上馬，退走。關索與張任畧戰數合，詐敗而走。張任背後趕來，過了金鴈橋。玄德軍在左，嚴顏等川兵俱在右，來殺張任。任知是計，急回軍時，橋已斷了，欲投北，趙雲一軍隔岸擺開，因此投南，河邊走。走不得五七里，到蘆葦叢中去處，魏延一軍長鎗一帶，從蘆葦中伏身，只搠鞍上將；黃忠軍各用長刀砍馬蹄。馬軍盡皆倒，步軍那里敢來。張任引數十騎望山路而逃，正撞着張飛。大喝一聲，衆軍齊上，把張任活捉了。卓膺見張任中計，自投趙子龍軍前降了。一簇衆到大寨，玄德賞了卓膺。張飛解張任到玄德處。張任曰蜀中諸將望風而降，汝何不早投拜？任睜目大怒而叫曰：忠臣豈肯事二君乎？玄德曰：汝不識天時乎？若降免汝一死。任曰：便降久後也反，願乞一刀。玄德不忍殺之。張任厲聲大罵。孔明喝曰：推出斬之，以全其名。任今祔爲土神，廟在雒城之東。後人有詩贊張任曰：

忠義安能扶二主，
張任忠勇死猶生。
高明正似天邊月，
夜夜清光照雒城。

孔明計伏

捉張任

寨中見玄德孔明引簡雍蔣琬已在寨中飛下馬參軍師孔明大驚問如何先到玄德說義釋嚴顏事孔明賀曰此乃主公洪福將軍用機謀立此大功可勸金石也雲解吳懿見玄德令降吳懿降了孔明問城中再有幾人爲將懿曰有劉季玉子劉循輔將劉璝不打緊更有張任極有膽勇此人不可輕敵孔明曰先捉張任然後取雒城問城東門這條橋名甚吳懿曰此雒城金鴈橋也孔明乘馬來橋邊沿河看了回寨喚黃忠魏延引二千鎗手左右單搠鞍上人黃忠引一千刀手單砍倒下馬殺開士卒張任必從山東小路而來張翼德引一千軍伏在那里張任到就彼處擒之喚趙雲伏於金鴈橋北等我引張任過來使折了橋却勒兵於橋北搖旗爲勢使張任不敢望北走退投南去却好中計調遣已定軍師同關索去誘敵却說劉璋差卓膺張翼二將前來助戰二將見劉循了張任交劉璝張翼守城自與卓膺爲後隊任爲前隊出城迎敵孔明同關索軍過金鴈橋來與張任對陣關索指罵張任曰曹操引百萬之衆聞吾軍師之名望風而走今到此處何不投降

法正獻策

與劉玄德

玄德感其忠勇令收其尸葬於金鴈橋側次日令嚴顏吳懿等至雒城大叫開門受降免生靈之苦劉璝大罵忽背後一人執縛劉璝獻降玄德軍馬入雒城劉循開西門走脫投成都去了玄德出榜安民獻劉璝者武陽人也姓張名翼字伯恭玄德收了雒城重賞諸將孔明曰雒城已破成都只在目前惟恐外州不寧可令張翼吳懿引趙雲從外水巡守江陽犍為等處所屬州縣令嚴顏卓膺引張飛定巴西德陽所屬州郡就領委官換治平靜即勒兵回到成都取齊張飛趙雲各自領兵去了孔明問道前有何處關隘蜀將曰只有綿竹緊要若得綿竹成都唾手可得法正曰不可進兵驚動成都之民某獻一策令成都便屬主公也

楊阜借兵破馬超

法正曰主公欲以仁義結於川民且按兵勿動其作一書呈說利害上達劉璋自然降矣孔明曰孝直之言最善便可作書遣人徑赴成都卻說劉循逃回見父說雒城已陷慌聚衆商議益州從事鄭度獻策曰今劉備起兵破城野穀為資不如盡驅巴西梓潼之

劉璋見書

大罵法正

民於洛水之西其倉廩野谷皆燒除深溝高壘緊守不過百日備可擒矣劉璋曰不然吾聞拒敵以安民未聞動民以避敵也此言非保川之計正議論間人報法正有書至劉璋喚入視其書曰

昨蒙差遣結好荊州不意主公左右不得其人以至如此今將軍心事孤疑實無得意望三思裁劃可圖變化以保西川不及言盡願乞鈞斷行亡法正奉書

劉璋扯碎其書大罵忘恩之賊賣主求榮何面目再見乎遣妻[illegible]費觀總兵前去把守綿竹關臨觀舉保護黨李嚴同行嚴字正方南陽人也費觀就點二萬兵逕來綿竹守把益州太守董和和字幼宰南郡枝江人也上言與璋宜往漢中求救璋曰張魯與吾世仇安肯相救和曰陳說利害必然領兵相救劉璋從之修書遣使前赴漢中卻說馬超自投入羌胡二載有餘結好羌兵攏西州郡盡皆歸降惟冀城攻打連月不下刺史韋康遣人求救於夏侯淵淵亡未敢動兵韋康見救兵不至與衆商議不如投降馬超參軍楊阜阜字義山號哭而諫曰阜等蒙父子兄弟共守此城有死無二今奈何欲喪身於不義哉

楊阜見姑

姜叙許討賊

曰不然事已極矣不降何待阜苦諫不從韋康大開城門投拜馬超超大怒曰汝今事危請降非真心也將韋康等四十餘人盡皆斬之有人言楊阜勸韋康休降可斬之超曰此人守義不可斬之復用楊阜為參軍冀城軍官梁寬趙衢皆楊阜所保超皆用之忽楊阜告曰妻死於臨洮（臨洮地名）今給假兩月葬妻便回超從之阜過歷城來見姜叙（叙與楊阜是姑表兄弟叙乃受漢朝名爵撫彝將軍叙母大賢是阜之姑）阜逕來見姑哭拜言曰守城不能完主亡不能死何面目立身於天下也馬超叛父叛君妄殺郡守豈獨楊阜一人一州士大夫皆蒙其恥今李夫坐據歷城而無討賊之心此趙衛所以盡殺其君言罷涕泣流血叙母聞之嗔姜叙入責之曰韋使君遇害亦汝之罪豈獨義山哉叙曰吾意阜已降見食其祿故無心討賊耳阜曰吾從賊者欲留殘生報仇也叙曰馬超英雄急難圖之阜曰有勇無謀容易圖之吾已暗約下楊寬趙衢必內應也叙母曰汝勿以我為憂汝若不依義山之言吾先死以絕汝念叙乃與統兵校尉趙昂商議（元來昂有子趙月見隨馬超為裨將）趙昂當曰應允了歸見其妻王異（七）極賢昂與妻曰

吾今日與姜敘楊阜尹奉一處商議欲報主人韋康之讎早晚興兵吾想子趙月見跟馬超必被害矣因此遲疑未決其妻厲聲曰雪君父之大恥喪身不足爲重況一子哉汝顧子不行吾當先死趙昂乃決姜敘楊阜取歷城尹奉趙昂屯祁山異乃盡數收拾首飾親來祁山賞勞後人有詩贊曰

趙氏妻王異　催夫報主讎　喪身猶不重　滅子復何愁
盡把金珠棄　親將士卒酬　三分賢達婦　萬載姓名留

馬超聽知姜敘楊阜尹奉趙昂起兵怒將趙月斬之喚龐德馬岱盡起軍殺奔歷城姜敘楊阜出軍各穿素袍而出大罵背義之賊馬超大怒衝殺過來兩軍混戰姜敘楊阜大敗而走馬超縱馬提鎗追趕背後尹奉趙昂殺來超急回時兩下夾攻首尾不能相顧正鬥間刺斜里飛將夏侯淵得曹操劄付引兵殺來馬超如何當得三路軍馬大敗奔回走至天明已到冀城叫門城上箭如雨下超大驚遙見趙衢立在城上大罵將馬超妻楊氏并幼子三人都從城上剁下超氣咽塞幾乎墜馬背來夏侯淵軍到超見勢大不

敵當敵住龐德馬岱殺開一條路走前面撞見姜叙楊阜殺了一
陣衝得過去又撞着尹奉趙昂又殺了一陣零七落七剩得五六
十騎連夜奔逃走到歷城喚守城開門七將只道姜叙兵回大開
門超殺入城於姜叙宅拿出叙老母叙母年八十歲叙母並無懼色指
超罵曰汝背父逆子弒君奸賊天地豈容汝乎超大怒[illegible]之
史官有詩贊曰

賢哉姜叙母　勸子阜興兵　取義如山重　[illegible]
王陵親可比　孟氏德尤弃　讀此悲哀泣　令人[illegible]

馬超殺尹奉趙昂全家昂妻王異在軍中方免次日夏侯淵大軍
至馬超棄城走至二十里楊阜帥宗族兄弟七人來[illegible]馬岱
龐德敵住後軍阜兄弟七人皆被馬超殺死阜身中[illegible]能死
戰背後夏侯淵大軍到馬超遂走夏侯淵安撫[illegible]人民令
姜叙等分守各處用車載楊阜送還許都見曹[illegible]為關西
侯阜答曰君存無捍難之功君亡無死節之效於[illegible]於法當
退超尚在未死阜何顏受祿操曰君與[illegible]賢共建大功西土之人

皆為美談君宜受命魯從之却說馬超與龐德馬岱來降張魯張魯大喜欲以女招超為婿大將楊白諫曰馬超父母妻子尚不顧終豈能愛他人乎張魯遂罷其事有人對馬超曰張將軍本欲招汝為婿被楊白阻之超心有殺楊白之意楊白兄楊松弟楊與弟商議圖害之計正值劉璋遣黃權到先見楊松說東西兩川乃唇齒之邦若西川破東川亦難保矣若能相救當割二十城相酬松大喜引黃權來見張魯言唇齒利害以二十州相酬魯喜其利從之閻圃諫曰劉璋與主公積世之仇他今事在緊急詐言割州之事事定則反不可行之忽階下一人昂然而進曰某願往畢竟是誰

葭萌關張飛戰馬超

馬超出曰超感主公之恩無可上報願引一軍取葭萌關生擒劉備此時必要劉璋割二十州而還張魯大喜先差黃權從小路回報然兵二萬與馬超此時龐德臥病未留於漢中張魯令楊白監軍超與弟馬岱選日起程却說玄德軍馬在雒城法正又回說鄭度勸劉璋盡燒野穀并各處倉廩率巴西梓潼之民而避之經

涪水以深溝高壘而不戰玄德聞之大驚曰[illegible]此言吾[illegible]矣法正笑曰主公勿憂吾聞劉璋言曰吾聞拒敵以安民未聞動兵以避敵此言雖善璋不能用玄德方始心[illegible]可[illegible]進兵取綿竹如得此處成都易矣遂遣黄忠魏延[illegible]前[illegible]觀[illegible]李嚴出迎嚴領三千兵出黄忠與李嚴交戰四五十合勝敗未分孔明教鳴金收兵黄忠回陣問曰正待擒[illegible]師何故收兵孔明曰吾已見李嚴武藝不可力取來日以[illegible]黄忠領[illegible]了以目李嚴再引兵來黄忠又出鬬不數合詐[illegible]李嚴趕來黄忠遁走入山谷而走李嚴猛趕[illegible]引軍攔開孔明自在山頭喚曰汝如不降兩下[illegible]伏[illegible]龐士元報仇耳李嚴慌下馬投降孔明引見玄德一[illegible]營觀與其甚厚[illegible]說之玄德即特命[illegible]嚴入綿竹[illegible]勸其[illegible]降觀從之開門出降玄德入綿竹商議分兵[illegible]馬[illegible]言孟達[illegible]前隊今[illegible]閱必休矣玄德大驚孔明曰須是取得二將方可[illegible]張飛

孔明與玄德激張飛

回在城外玄德大喜孔明曰主公且勿言容亮將言激之張飛自外大叫入曰辭了哥哥便去戰馬超也孔明佯為不聽故意對玄德曰今馬超侵犯關隘無人可敵除非往荊州取關雲長方可與敵張飛曰軍師何小覷吾吾曾獨拒曹操百萬之兵豈愁馬超一匹夫乎孔明曰張將軍拒水斷橋此是曹操不知虛實馬超世之虎將汝不知渭橋六戰曹操割鬚棄袍幾乎喪命非等閒之輩汝換雲長來必可勝飛曰我今便去如勝不得馬超甘當軍令孔明曰既然肯與文書便為先鋒請主公親自去走一遭諸將守綿竹侍子龍回郡作商議魏延曰某亦願往孔明交魏延帶五百哨馬先行次關索同玄公押後望葭萌關進發郤說馬超先使楊白來叫關道早上獻關霍峻在關上高聲應曰我頭可斷關不可得楊白大怒挑戰霍峻斷殺郝好魏延哨馬先到便下關與楊白戰不數合白敗走延乘勢趕去前面馬岱擺開魏延迎敵魏延怕是馬超刀躍馬而進與岱戰不數合岱敗走延趕去被岱回身一箭射中魏延左臂急回馬走岱趕至關前張飛[illegible]

張飛馬超

二人大戰

延飛喝馬岱曰汝是何人可通名姓馬岱曰吾乃西凉州馬岱是也張飛曰元來不是馬超你非吾對手去交馬超來道燕人張翼德在此馬岱大怒曰你敢小視吾挺鎗躍馬直取張飛ㄋ與岱戰不幾合馬岱敗走張飛却待追玄德大叫兄弟休去飛回陣看是玄德不捨而回玄德曰我恐怕你性燥先來到此既然勝了馬岱且歇一宵來日戰馬超未遲次日馬超兵到玄德在關上看時見門旗影裏馬超縱騎而出手執長鎗銀甲白袍人才出衆玄德歎曰人言錦馬超名不虛傳張飛便要上馬玄德急止之曰兄弟且休出戰先當避其銳氣飛曰何足懼哉玄德當住關下馬超單搦張飛ㄋ恨不得平吞了馬超三五番皆被玄德阻當看看天晚玄德望見馬超陣上人馬皆倦選四五百騎令關索跟着張飛衝下關去馬超見張飛軍到把鎗約退後手軍將張飛大叫曰認得燕人張翼德麼超曰吾家累世公侯豈認村野匹夫乎張飛大怒約戰百餘合不分勝敗玄德歎曰真丈夫也恐張飛有失急鳴金收軍兩馬並回張飛回陣換馬不用頭盔只裹巾而出搦馬超厮殺

馬超張飛

二人夜戰

超□出兩個不打話交鬭百餘合兩個精神倍增玄德交鳴金二將分開各回本陣天色已晚玄德與張飛曰馬超英雄待來日交戰張飛殺得性起那里肯休大叫曰誓死不回玄德曰今日天晚不可戰矣飛曰多點火把排兵夜戰軍士暗暗叫苦馬超換了馬疋又出陣前大叫曰張飛敢夜戰麼飛氣起挺矛出曰我捉你不得誓不上關馬超曰我不殺你亦不回寨兩軍吶喊點起千百火把照耀如日兩軍混戰不二十合馬超撥馬便走張飛大叫走那里去元來馬超見贏不得張飛心生一計詐敗賺張飛追趕暗取銅鎚在手回身一鎚打來張飛也防見鎚來一閃從耳撇過張飛便勒回馬走馬超卻又趕來張飛帶住蛇矛拈弓搭箭回射馬超超卻閃過各自回陣玄德收兵上關次曰張飛又欲出戰人報軍師到玄德接入問之孔明曰亮聞馬孟起世之名將若與翼德死戰必有一傷故令子龍守綿竹星夜而來可用小計全勝馬超歸降主公玄德曰吾見英雄甚愛慕之如何可得孔明曰亮聞東川張魯嘗欲自立為漢寧王手下謀士楊松極貪賄賂何不差人從

漢中先用令弟結好楊松後進書與張魯云吾與劉璋有讎深
汝報仇不可聽信間諜之言定保封汝為漢寧王玄德即差孫
乾見張魯兄弟張衛餽送了禮物張衛楊松二人引孫乾見張魯
陳說方便魯曰我聞劉玄德他只是左將軍如何保我為漢寧王
楊松曰他是大漢皇叔正合保奏張魯喜曰既如此便交馬超回
兵使者回曰馬孟起言未曾成功不可退兵楊松又勸差人再去
喚又不肯回一連三番不至楊松曰此人素無信行不肯罷兵其
意必反魯心疑之松又對張衛曰馬超要奪西川自為蜀主與父
報仇令為漢中之衛將此言告知張魯魯問計楊松松曰一面差
人去對馬超說汝既要幹功限汝一月幹三件功成必賞無則
必誅一要取西川二要劉璋頭三要退荊州兵三件事不成可獻
頭來一面交張衛點軍守把關隘防馬超變亂差人到馬超寨中
說之超大驚曰如何能得遂與馬岱商議不如罷兵楊松又言馬
超回兵必懷異心不可放入張衛分七路軍緊守關口等與馬超
斷絕馬超進退不得無計可施孔明對玄德曰今馬超在孤危之

李恢說馬

超降玄德

[illegible]亮憑三寸舌往說馬超來降王公如何

劉玄德平定益州

玄德曰孔明乃吾之心腹雖有良謀吾不忍交去正躊躇間忽報子龍有書薦西川一人來降玄德令入問之其人曰其建寧兪元人也姓李名恢字德昂玄德曰向日聞公苦諫劉璋今又來降恢曰前日諫劉益州者以盡臣下之心也既不能用之事必敗矣今着將暗投明願無察焉恢聞馬超在進退之際特來說超歸降若何孔明曰正欲得一人替吾一往願聞公之說詞李恢於孔明耳畔細說如此二二孔明大喜即時遣李恢行比及至超寨先使人通名馬超曰吾知李恢平日好辯說詞必來說我先喚二十把刀斧手伏於帳外吾喚即砍爲肉醬須臾李恢昂然而入超端坐帳中問李恢曰汝來爲何恢曰特來作說客耳超曰吾匣中寶劍新磨汝試說之其言不通便請試劍恢告曰將軍之禍不遠耳但恐新磨之劍不能斬吾之頭將欲自試矣超曰吾有何禍恢曰吾聞越之西子善毀不能閉其美齊之無鹽善譽不能掩其醜修短者

玄德設宴

欵待馬超

不能用其長造惡者不能爲其善日中則昃月滿則虧天之常理今曹操與將軍有殺父之仇隴西有切齒之恨前不能救劉璋後不能刺楊松四海難容一身無主若再有渭橋之敗冀城之失何面目見天下之人乎超頓首曰公言極當但超無路可行恢曰劉皇叔禮賢下士吾知其必成王業故捨劉璋而歸之公何不背暗投明以圖上報父母之仇下立金石之德馬超大喜斬了楊白將頭共恢一同來降玄德玄德待爲上賓之禮超頓首曰今遇明公如撥雲霧見青天矣玄德大喜玄德復命霍峻孟達守關徹兵來取成都子龍黃忠接入綿竹人報劉峻馬漢引二軍到子龍曰其未曾建尺寸之功當擒此二將言罷飛身上馬城中管待馬超酒方安席子龍斬二將之頭獻於筵前超亦驚駭倍加欽敬馬超曰不須主公軍馬厮殺超自去喚劉璋來降如不肯超自與弟馬岱取成都雙手奉獻玄德大喜是日盡歡却說敗兵回益州報劉璋璋大驚閉戶不出忽報城北馬超救兵到璋方敢登城望之見馬超馬岱立馬於城下大叫請劉季玉打話劉璋在城上聞知超以

譙周勸璋　迎降玄德

鞅揖之曰吾本領張魯兵來救益州誰想吾聽讒言反欲害我上
今歸降劉皇叔汝可開門納降免致生靈受苦如或執迷吾當攻
城馬超說了退軍下寨璋驚得臉如土色跌倒於城上衆官救醒
璋曰吾之不明悔之何及不若接降以救滿城百姓如之奈何董
和曰城中尚有精兵三萬餘人糧草支一年尚有餘軍民皆欲死
戰願王公勿憂劉璋曰吾父子在蜀二十餘年豈忍以禍加百姓
百姓攻戰三年血肉填野係我之罪不如投降以安百姓群下聞
之無不下淚一人進曰王公之言正合天意衆祇之乃巴西充國
人也姓譙名周字允南此人頗曉天文璋問周周曰某夜觀星象
見群星捧一大星象於蜀群其大星光如明月乃帝王之象更小
兒謠語云若要吃羹熟煮來此預兆也不可逆天黃權劉巴皆欲
殺之劉璋當住人報蜀郡太守許靖偷城出降璋乃哭歸成都之
民盡皆悲傷感次日人報劉皇叔幕賓簡雍在城下喚門璋命接入
雍端坐車中忽一人大喝曰小輩敢邈視吾蜀中無人物耶雍慌
下車迎拜其人乃綿竹廣漢人也姓秦名宓字子敕雍笑曰不識

劉璋賫印

綬降玄德

賢兄至勿見責遂同入見璋〻待為上賓維說玄德寬仁愛士盡無輕害之意劉璋大喜留宿一宵次日劉璋賫印綬文籍[illegible]同車出城投拜玄德〻〻出寨迎接握手流涕曰非吾不仁不[illegible]勢不得已也共入寨交割印綬文籍並馬入城百姓香花燈燭迎門而接玄德到公廳升堂郡中諸官皆拜於堂下惟黃權劉巴閉戶不出武官皆欲殺之玄德慌傳令曰如有害此二人者夷三族玄德親自登門請此二人〻〻感玄德之恩乃出孔明請曰今西川平定難容二主可將劉璋送往荊州玄德曰吾方得蜀郡未可令季玉遠去孔明曰劉璋失其基業皆因太弱也主公若以婦人之仁恐此地難以長久玄德從之設一大宴請劉璋加璋為振威將軍令將妻子良賤盡赴南郡安歇即日起程玄德自領益州牧其伏降文武盡皆重賞定擬官爵

諸葛亮為軍師　張飛為正虜將軍　趙雲為盪寇將軍

關羽為靜寇將軍 以上四人皆舊時將軍　嚴顏為前將軍

董和為掌軍中郎將　法正為蜀郡太守　許靖為左將[illegible]

諸將受爵

聽令調用

長史龐義爲司馬　黄權爲偏將軍　劉巴爲右將軍

馬超爲平西將軍（已上八人新降者）

其餘舊時將佐并新降將佐並皆委用

孫乾　糜竺　糜芳　簡雍　伊籍　馬良　馬謖　廖化

蔣琬　劉封　關平　關索　馬岱　黄忠　魏延（已上廿一人舊將）

佐將

吴懿　費觀　彭羕　卓膺　李嚴　吴蘭　雷同

李恢　張翼　秦宓　譙周　吴乜　霍峻　鄧芝　楊洪

費約　周群　費禕（已上十八人新旧將佐）

遣使送黄金五百斤白銀一千斤錢五千萬蜀錦一千疋與雲長諸葛亮張飛以下各各分賜殺牛宰馬大宴士卒開倉賑濟百姓大悦玄德將成都有名田宅欲賜諸官趙雲諫曰昔者霍去病以匈奴未滅將士安用爲家何況今日國賊未除不可求安須待天下都定然後歸耕本土乃其宜耳益州民遭兵火田宅可還百姓令其復業不宜奪之爲私玄德大喜使諸葛軍師定擬刑法孔明頗重其法法正曰昔高祖約法三章黎民皆感其德願軍師省

孔明定法

法正拜伏

法以慰民望孔明曰君知其一不知其二昔秦爲無道酷法萬民皆
怨天下土崩高祖寬仁可以弘濟今劉璋闇弱自其父以來有累
世之恩文武陵替互相承奉德政不舉威刑不肅君臣之道漸廢
矣凡人寵之以位位極則賤順之以恩恩盡則慢以致喪國實由
於此吾今加之以法法行則知恩限之以爵爵加則知榮恩榮並
濟上下有節爲治之道於斯著矣凡爲政者要識時務也法正拜
伏自此軍民感恩四十一州地面分兵按察當日忽報關平來謝
金銀之事玄德令入平拜罷了呈上謝書玄德問雲長別有甚言
語平曰父親知馬孟起武藝過人要入川來與孟起比試交兒說
知玄德曰若雲長入蜀與孟起勢不兩立孔明笑曰無妨亮自有
書回之玄德便叫孔明作書付關平回荊州雲長問平曰我欲與
馬孟起比試汝曾說否平答曰軍師有書在此雲長拆書曰
亮聞將軍欲與馬孟起分別高下以亮度之孟起資兼文武雄
烈過人世之傑士黥布彭越之徒當與翼德並驅爭鋒由未及
美髯公絕倫超群也亮頓首

孫權會衆

議取荊州

雲長看畢縱聲笑曰孔明其知我耶將書遍示賓客遂無入蜀之意卻說孫權知玄德併西蜀將劉璋遂於公安遂與張昭顧雍商議曰當初劉備借我荊州時言取了西川便還今次已得巴郡四十一州須用取索漢上諸郡如其不還即當伐之張昭曰不可動兵昭有一計使劉備便將荊州納還主公也孫權問計如何

關雲長單刀會

張昭曰劉備所倚仗者諸葛亮也亮兄諸葛瑾在此可將瑾老小執下使其入川對兄弟說之令劉備交割荊州如其不還必累老小此二人一父母所生必然允肯權曰諸葛瑾誠實君子吾安忍拘他老小乎昭曰明交知是計策自然放心權召諸葛瑾入說其計瑾曰無功報主萬死不辭遂叫將諸葛瑾老小虛監在官即時送諸葛瑾往成都見使人報知玄德玄德問孔明曰令兄此來如何孔明曰乃取荊州之計也玄德曰何以答之孔明曰如此如此分付已定孔明自出迎接諸葛瑾遂入賓館參拜了瑾放聲大哭孔明曰兄長有事但言何用發哀瑾曰一家老小休矣孔明曰莫

非爲不還荊州之故因執下兄長老小兄長休憂弟自送還荊州便了瑾大喜即時引見玄德呈上吳侯書玄德折開看了[illegible]來要取荊州本是要還奈何將我夫人暗地取去彼既情薄我有何面目如要廝殺儘起兵來當日在荊州時尚不懼汝何況今在西川帶甲數十萬糧支二十年何懼汝哉孔明哭拜曰今吳侯執下亮兄老小如不還時必連累吾兄兄死亮竟獨生望主公憐之玄德曰今看軍師兄弟面皮分長沙零陵桂陽三郡還他吾[illegible]書與關雲長交割三郡城池子瑜到彼善言求之[illegible]宜[illegible]細瑾求[illegible]書辭玄德孔明登途逕到荊州來見雲長雲長請入賓主相敘瑾出玄德書曰望將軍先交三郡令瑾好回吳中見主雲長變色曰吾與俺兄桃園結義之時誓同生死同享富貴既以荊州與我復令東吳取之此何禮也這幾郡吾欲養老勿望寸土還之瑾曰今吳侯執吾老小不然必誅雲長曰此是吳侯詭計如何瞞我瑾曰將軍今日何無面目雲長執劍在手曰子瑜休再多言此劍更無面目關平慌跪告曰看軍師面上望父親息怒雲長曰不看孔明面皮

孫權責魯肅

謀取荊州

交你回不得東吳諸葛瑾滿面羞慚急下船再往西川來見孔明孔明已自他出瑾只得來見玄德哭告雲長欲殺之事玄德曰吾弟性執急難說之子瑜可暫回待吾商議待取東川得了漢中諸郡却調雲長守之那時却交付瑾求歸到秣陵見吳侯說雲長阻住不肯付還再入成都見玄德玄德回言待取了東川那時却與雲長換還權大怒曰備借吾地上恃賴不還孫權差人喚魯肅責曰汝當初作保借我荊州今劉備已得西川不肯付還此何理也肅曰肅今有計欲屯兵於六口使人請關羽赴會如肯來以善言說之倘不從伏下刀斧手殺之如不肯來隨即起兵問罪以決勝敗奪取荊州此計商議已久今特告知主公孫權曰正合吾意可即行之堦下闞澤進曰不可雲長乃世之虎將非等閑可及恐事不諧反遭其害孫權怒曰若如此荊州何日可得便速行之魯肅遂拜辭吳侯令呂蒙甘寧商議設會於六口寨外臨江亭上選帳前能言者為使賫書逕至關口關平問了引入荊州見雲長雲長拆書觀之書曰

雲長應允

單刀赴會

魯肅端拜致書於漢壽亭侯麾下奉別久矣瞻仰無由今暫兵屯於六口欲邀車騎於臨江亭一會以訴渴仰之懷並無各事其主無異外之心專望來臨幸勿見阻

雲長看畢與來人說回覆子敬將請來日單刀赴會汝先歸之使者拜辭先回關平曰魯肅相邀必有惡意父親何故許之雲長笑曰吾豈不知也此是諸葛瑾回報孫權說我當任荊州故責魯肅乃屯兵六口相邀赴會索吾荊州吾若不去道吾怯耳吾去日駕小廝用親隨只十餘人單刀赴會看魯肅如何平又諫曰父親不可以萬金之軀陷虎狼之穴雲長曰吾於千鎗萬劍之中在馬縱橫如入無人之境豈憂江東群鼠哉馬良亦諫曰魯肅雖有長者之風事急不容不生狼心將軍不可輕往恐悔不及雲長曰昔春秋時趙國藺相如手無縛雞之力澠池會上視秦國君臣且如無物何況吾曾學萬人之敵旣以詞許不去失信良曰縱將軍去亦宜防備雲長曰只要吾兒關平爲快船一隻藏水軍五百餘人等候看吾旌旗動處發便過江來平領命了却說使來回報魯肅說雲

雲長駕舟

逕赴江東

長慨然領諾來早準備劉咸與呂蒙商議此來若何蒙曰必然帶軍馬來也若有人馬到某與甘寧各領軍馬伏於岸側放砲爲號準備廝殺如無軍來於亭後埋伏刀斧手五十人就席間殺之計會已定次日魯肅於岸口遙望見一隻船來稍水只十數人船頭近岸見雲長青巾坐於船中傍邊周倉捧着那把大刀八九个關西大漢各跨腰刀一口魯肅驚疑不定迎接上岸共敘閑話邀入長亭上分賓主坐定衆官遠立惟有周倉捧刀立於其側肅與丞相勸不敢仰視雲長談笑自若酒至半酣肅曰直言欲訴與君侯幸乞聽察昔日令兄使肅保借荊州今兄至今並無付還之意其心莫非失信乎雲長曰此國之事筵間不必論之肅曰今得益州但交割三郡又不從命此君侯失信於天下也君侯仁義禮智兼全惟欠信耳雲長曰烏林之下左將軍戮力破敵豈無一塊土相資耶肅曰不然君侯始與豫州困於長坂豫州之衆十不當一計窮慮急而欲遠竄吾主矜愍豫州身無所處不愛地土士民之方以濟其患而豫州今已藉西川又欲霸荊州土肅聞會而

雲長爲會魯肅　宴於江亭

必爲禍階願君侯明以處之雲長曰此皆吾兄左將軍[illegible]
所宜預也肅曰昔日桃園結義誓同生死左將軍即君侯[illegible]
何故推乎雲長無可答之周倉厲聲言曰夫土地惟有德者居之
豈但東吳可得之耶雲長變色奪周倉所捧大刀佇於手中言曰
此乃國家之事汝何人敢言以目視倉倉會意先來岸上把紅旗
一招關平船如箭發奔過江東雲長左手提刀右手携住魯肅半
佯推醉曰足下請吾赴會莫說是非斷後不堪回答恐傷故舊之
情他日邦令人請足下到荊州赴會同到舟中魯肅魂不附体被
雲長執至江邊呂蒙甘寧見割江又無船來二將各引本部軍出
一齊要殺雲長未知如何

曹操杖殺伏皇后

呂蒙見雲長提刀握住魯肅不敢動手雲長到船却才放手與魯
肅作別而去宋賢見單刀會事作詩贊曰　遥視吳侯若小兒
單刀赴會敢平欺　當年一鼓英雄氣　猶勝相逢在澠池
雲長自回荊州魯肅與呂蒙共議此事蒙曰一面申報吳侯起兵

一戰有何不可肅即報孫權權大怒欲起傾國之兵來取荊州[illegible]報曹操起三十萬軍來也權曰且交魯肅移兵合肥濡須以拒曹操却說曹操臨欲南征參軍傅幹(字彥材北地人傅玄之孫)攔馬上書諫曰幹伏聞治天下之道其道有二文與武也用武則先威用文則先德威德兒以相濟而後王道備矣往者天下大亂上下失序明公用武攘之十平其九今未平者吳與蜀也吳有長江之險蜀有重山之阻難以威德綏懷愚且按甲寢軍分土定封則內外之心服矣然後漸興學校以導其善而長其義節文伸武鎮長江之濤吾賊負固深藏士馬不能逞其奇意無所用其權則大威所至而敵之東手服矣惟明公思虞舜干戚之義全威養德以道制勝則國家之萬幸也願鈞鑒焉

曹操遂罷南征興設學校王粲杜襲衛凱和洽四人商議欲尊操爲魏王荀攸曰當時授魏公榮加九錫進位諸侯王上位已極矣今又進升王位於禮不可操大怒曰此人又欲效荀彧耶荀攸聞之憂恨成病不起數日身亾亾年五十八歲後人有詩[illegible]

漢末荀公達　當時號大賢　智能過禹武　德可配顏淵
功報三分國　才成十二篇　曹丕曾早拜　聲譽尚昭然

操厚殯之遂罷魏王事一日曹操帶劍入宮帝與伏皇后戰慄不已操曰孫權劉備各霸一方不尊朝廷當如之何帝曰盡從魏公裁處操怒曰陛下出言使武士聽之只道臣欺君耶作怒而出議郎趙彥見操去乃奏曰近聞魏公欲自立為王不久必篡位也帝與伏皇后大哭早有人報知曹操操大怒使武士入禁宮擒出趙彥腰斬於市帝聞之大驚與伏皇后商議后曰子童父伏完嘗有殺操之心子童親修一書與父令早晚圖之帝曰昔董承為事不密反遭大禍恐有漏泄朕與汝皆休矣后曰子童近日得有一抱忠義之人今賫此書帝問何人后曰非穆順不可帝即時召順入屏退左右帝后哭告順曰操賊欲為魏王早晚必謀天下欲卿將書與國丈伏完令密圖操順泣曰臣感大恩敢不以報臣請即行帝與書了穆順藏於髮中潛出禁宮逕至伏完宅上將書與伏完完見女親書乃與穆順曰吾料朝中無人敢近操賊除江東孫權西

川劉備得此二處起兵於前操必自危此時部求在朝忠義之臣一同謀之穆順曰皇丈當作數字回報帝后求帝密詔暗遣人往吳蜀二處令約會起兵保民救主伏完取細紙密書其意附順還於頭髻內深藏了完回宮原來早有人報曹操操先於宮門內專等穆順順正走到面前操問那里去來順答曰皇后心腹有疾命求醫操曰醫人何在順曰急尋不見操喝左右搜身無物臨欲放行忽被風吹落帽操又喚回取帽視之又無物還帽戴之穆順雙手倒戴其帽操曰頭上必有消息親自搜出伏完書操看時意欲結連孫劉爲外應圖操操大怒執下穆順於密室問之順不肯招操速點起甲兵三千圍住伏完宅老幼並皆拿下於房內搜出伏后親筆之書隨將伏氏之族盡皆拿下獄中平明使羽林軍郗慮持節入宮先收璽綬是日帝在外殿郗慮引甲兵三百道入帝問曰有何事慮曰奉魏公命收皇后璽綬帝知事泄心膽俱碎慮至后宮伏后方起慮便喚管璽綬人索取玉璽而出伏后情知事發便於後殿椒房夾壁中藏之少刻尚書令華歆引五百甲兵

入[illegible]人伏后何處宮皆指云藏房中華歆交甲兵圍住親自拆己不開華歆喝甲兵打開朱戶華歆不見料是壁中節出掣力割開伏后大叫歆自下手揪髻拖出后曰望恕我一命歆曰汝見魏公說去后披髮跣足衆甲兵推擁而出至外殿前帝見后乃下殿抱后而哭歆叱之曰魏公有命可速行后大哭曰不能復相活矣帝泣曰我亦不知命到何時兵士前推後擁伏后而出帝望見鍾繇大慟見郗慮在傍帝曰郗公天下寧有是耶哭倒於地郗慮令左右扶帝入歆拿伏后見操操曰吾以誠心治天下汝等反欲謀害我耶吾不殺你你反殺我喝令左右亂棒打死隨即入宮將伏后所生二皇子皆酖殺之當晚將穆順伏完等宗族二百餘口皆斬于市時建安十九年十一月也靜軒詩曰

報國忠臣皆橫死　欺君賊子盡偷生

試看今古興亡事　天道如何也不平

獻帝自從壞了伏后連日不食操入曰陛下勿憂臣無異心臣女已與陛下爲貴人大賢大孝宜立正宮獻帝安敢不從於建安二十年正月冊立操女爲正宮皇后群下莫敢言操會大臣商議收

吳蜀之事賈詡曰須召夏侯言議曹子孝二人議之操即時差使星夜喚回夏侯惇未至曹仁先到連夜便入府見操直操睡着許褚拔劍立於堂門之內曹仁欲進被許褚當住仁大怒曰吾乃征南重臣曹氏宗室汝何敢無禮褚曰將軍雖親外藩鎮守官褚雖賤見充內衛主公醉臥堂上不敢放入曹操聞之急出曰吾之虎將所見甚明弟勿怪之曹仁亦歎曰忠烈之士也不數日夏侯惇亦至共議二人言曰吳蜀急未可攻宜先取漢中張魯以得勝之兵取蜀可一鼓而下也操曰正合吾意遂起兵西征不知如何

新刻湯先生校正古本按鑑演義通俗三國志傳卷之十二

曹操漢中破張魯

操征西軍士分為三隊前部先鋒夏侯淵張郃中間曹操隨將後隊曹仁夏侯惇押運糧草比及起程早有細作報入漢中張魯與弟張衛商議退敵之策衛曰漢中最險要是陽平關我去依山旁林下十餘箇寨柵迎敵曹兵兄在漢寧盡撥糧草應付魯遣大將楊昂楊任與弟五千軍馬以助其弟即日起程到陽平關下寨已定夏侯淵張郃前軍已到聞知陽平關已有準備離關十五里下寨是夜軍士疲困各自歇息忽寨後一把火起楊昂楊任兩路軍來劫寨張郃夏侯淵急上馬四下裡軍兵擁入曹兵大敗退回見操操大怒曰汝二人行軍許多年豈不知兵卒遠行疲困宜防劫寨如何不準備欲斬二人以明軍法衆官告免操次日自引兵為前隊見山勢凶惡樹木叢雜不知路徑操恐有埋伏再引兵回次日操上馬只帶許褚徐晃二將共三疋馬來看張衛寨俱在高山林茂密無數曹操與許徐二將曰吾若知此地如此不起兵來許褚曰

許褚徐晃

雙救曹操

事已至此主公不可自悔三疋馬轉過山坡早望見張衛寨柵操
揚鞭指與二將曰如此堅固急切難取忽一聲喊起箭如雨到
楊昂楊任殺出許褚曰公明善保主公褚縱馬向前二將雙至不
能當褚殺退二將徐晃保曹操三疋馬從萬軍中殺出却得夏侯
淵張郃引數千騎殺退楊昂操回營重賞四將兩邊相拒半月各
不相勝操傳令退軍賈詡進曰賊勢未必強主公何自退焉操曰
吾料賊兵每日隄備急難取勝吾退兵回營賊必懈之分輕騎抄
斷其後勝賊必矣賈詡曰丞相神機莫可測也於是令夏侯淵張
郃各引輕騎三千取小路去打陽平關後曹操大軍盡拔寨起楊
昂聽知曹兵退請楊任商議令操退兵可乘擊之任曰曹操詭計
極多未知真實不可追趕楊昂曰你不去我當自去楊任苦諫不從
楊昂盡起五寨人馬前進是日大霧漫漫對面皆不相見楊昂軍
至半路扎住却說夏侯淵軍抄過山後見重霧垂空又聞馬嘶人
語恐有伏兵急催人馬行動正說走到楊昂寨前內有些少守寨
兵士聽得馬蹄響只道是楊昂兵回開門納之曹軍一湧而入見

夏侯淵斬　楊昂下馬

突寨放起火來五寨守寨軍士皆棄寨而走楊仁比及勢散之時來探消息五寨一齊火着楊仁引兵來敵與夏侯淵戰不數合背後張郃兵到楊仁殺開一條路奔漢寧巴州而逃楊昂待要回時已被夏侯淵張郃佔住了寨背後曹兵趕殺兩下夾攻四邊無路楊昂前來突陣撞着張郃被張郃殺死敗軍投陽平關張衛元來知二將敗走諸營已失半夜棄關奔南鄭巴州去訖操得了陽平諸寨張衛楊仁來見張魯衛言二將失了隘口魯大怒欲斬楊仁仁曰某曾勸楊昂休追曹兵昂不肯聽從故有此敗仁再乞一軍前去搦戰必斬曹將如不勝該斬頭以報主公楊仁上馬引二萬軍離南鄭漢寧巴州一往卻說夏侯淵勸曹操進兵操言不可淵曰淵乞一軍前去哨路操即令淵引五千騎望南鄭路上來正迎楊仁兩軍擺開仁遣裨將昌奇出馬與淵交鋒戰不兩合一刀砍於馬下楊仁自挺鎗出與淵鬬三十合以上不分勝敗淵撥回馬走仁趕來被淵使拖刀計斬楊仁於馬下軍士大敗而回操知淵已斬楊仁即時催軍直抵南鄭下寨張魯即聚衆商議問閻圃曰某

龎德奮力

敵退四将

傑一人可敵曹操急問是誰闓曰南安陌陵人也姓龎名德字令明隨劉馬超投降主公後馬超投西川時龎德病不能行今蒙主公恩養何不令本人去張魯即時請出重賞勞了便點一萬人馬隨龎德起行操觸付諸將曰龎德西凉名將元屬馬超今雖依張魯未稱其心吾欲得之汝等皆宜緩鬬待其力乏擒了諸將得令張郃先出戰了一回便退夏侯淵也戰一回又退徐晃又戰一回也退臨後許褚出戰四五十合方退龎德力戰四將並無懼怯各將皆於操前誇龎德武藝操心自喜與衆將商議如何得此人降伏賈詡曰某聞張魯手下有一謀士楊松此人極貪賄賂可暗以金帛送之便行龎德矣操曰何由得入南鄭詡曰來日交鋒佯輸詐敗將龎德引數十里當夜却去叔寨德必望城中走却遣一人能言語者扮作步軍雜於陣中便得入城操然其說與一軍士將金掩心甲一副交披在裏面却穿漢中軍號衣於半路等候次日先撥夏侯淵張郃兩枝軍遠去埋伏却交徐晃挑戰不數合敗走龎德軍士掩殺曹兵各皆退龎德奪了曹操寨柵於內糧草極

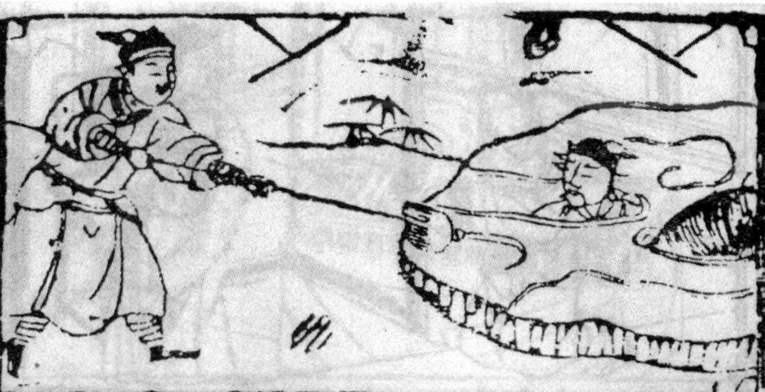

曹操用計　擒捉龐德

多中報張魯魯大喜是夜二更左側三路火起正中是徐晃許褚左張郃右夏侯淵三路來劫寨龐德上馬殺出來望城中走背後三路兵追襲到城下喚開門一湧而入城此時細作已雜在隊中還報楊松楊松下人見說魏公曹丞相聞公盛德故先使[illegible]送金甲爲信更有密書楊松見了大喜問丞相令欲如何細作曰有頭待龐德不歸亟謝松曰放心某有良策報答魏公連夜入見張魯說龐德受曹操金珠賣此一陣魯大怒喚德入欲斬之閻圃苦諫張魯曰你來日出戰不勝必斬德懷恨而退次日曹兵攻城德令一軍衝出操令許褚交戰褚佯敗德遂赶去操自乘馬於土坡上喚曰令明何不降漢龐德尋思拿住曹操勝一千員上將飛馬上坡一聲喊起天摧地塌連人和馬跌將下去四壁鉤索一齊上前捉了龐德押上坡來操先下馬叱退軍士親釋其縛令德降漢德忍無路遂乃降之曹操親扶上馬共回寨中故意交城上望見人說張魯龐德與曹操並馬而行魯信松之言爲實次日曹操正面立定雲梯飛砲攻打張魯見勢急和兄弟張衛商議衛曰放火盡燒

倉庫房屋城郭出奔南山去守巴中可矣楊松曰不如開門投降魯猶豫不定衛曰只是燒了倉庫便行魯曰本欲歸命國家而意未達今避鋒銳非有得意寶貨倉庫國家之有不可廢也遂令封鎖是夜二更引全家老小開南門而走曹操教休追趕遂入南鄭說張魯封閉倉庫之意操甚憐之遂使人往巴中說之魯心欲降其弟張衛不肯楊松密使人報曹操交便進兵操乃自提精兵往巴中張魯使弟張衛引兵出迎被許褚斬之敗軍回報張魯欲堅守楊松曰今若不出必遭其困某守城主公當决一死戰必勝矣閻圃曰休出魯不聽親自出陣未及交鋒後軍已走魯急回皆後曹兵趕來魯到城下楊松閉門不納魯無去路回馬之時曹操喊呼早下馬降魯乃下馬降曹操操兵入城操念魯封倉庫之心厚待張魯封爲鎮南將軍閻圃等爲列侯於是漢中皆平操令各郡分設太守大賞士卒楊松爲賣主求榮斬于市曹靜軒先生觀此有感作詩以嘲之曰

妨賢賣主逞奇功　積得金珠總是空
家未榮華身受戮　令人千載笑楊松

司馬懿勸

操取西川

曹操已得東川主簿司馬懿進曰劉備以詐力虜劉璋蜀人未曾歸心今主公已得漢中益州震動可速進兵臨之勢必危矣凡聖人不能違時亦不可失時也曹操歎曰人苦無足既得隴復望蜀耶劉曄進曰劉備乃人傑也得蜀日淺蜀人未附也今破漢中蜀人震恐其勢自傾因而取之無不克也若少緩之諸葛亮明於治國而爲相關羽張飛勇冠三軍而爲將蜀民已定據險守要而不可犯矣今若不取必有後憂操曰士卒遠涉勞苦但且存恤遂按兵不動却說西川百姓聽知曹操已取東川料是必來取西川一日之間數十遍驚恐但有風搖草動老幼不能安往往報知玄德玄德請軍師商議孔明曰亮有一策使操兵自退玄德問計如何

張遼大戰逍遙津

孔明曰曹操屯兵合肥獨拒孫權也今遣辨利之士分三郡還吳陳說利害令吳起兵襲合肥牽動其勢操必勒兵南還矣玄德曰堦前誰可爲使一人進曰某願往乃伊籍也玄德大喜遂作書具禮令伊籍入吳先到荊州見雲長說接江夏長沙桂陽以付孫權然

後伊籍到秣陵來見吳侯先通姓名了乃召籍入籍升堂再拜權曰子事無道之主乎伊籍應聲答曰一拜一起未足爲勞權愕然良久問曰汝到此何爲籍曰昨許諸葛子瑜取長沙江夏桂陽三郡爲軍師不在失於交割今專令送還所有荊州南郡零陵武陵本欲送還[illegible]奈曹操襲取東川使關將軍無容身之地今合肥空虛望吳侯起兵攻之操必徹兵去守公若取東川郎還荊州全地也吳侯難而不行曹操必南征此時恐措手不及權曰你且歸館容吾商議伊籍退權問衆將張昭曰此是劉備恐曹操取西川故有此謀雖然如此可因曹操在漢中乘勢取合淝亦是上計顧雍所見皆同因此令伊籍回報兩下各起兵破曹操籍辭而去後權令魯肅交割長沙江夏桂陽三郡屯兵於陸口取呂蒙甘寧回又去餘杭取凌統回且說三軍皆起呂蒙與甘寧先至蒙獻策曰操令廬江太守朱光屯兵於皖城令先取皖城後攻合肥權令呂蒙甘寧爲先鋒蔣欽潘璋爲合後權自引周泰陳武董襲徐盛爲中軍那時程普韓當黃蓋在各處鎮守都[illegible]軍馬渡江[illegible]州追到

甘寧登皖城斬朱光

皖城太守朱光使人合肥求救自守城堅閉不出權自到城下看時城上亂箭射下直射孫權麾蓋已中箭權回寨問眾將如何取得皖城董襲曰可差人築起土山而攻之徐盛曰大駕雲梯過虹橋下覷城中而攻之呂蒙曰此法皆費日月方成合肥救軍一至不可圖也只來日某須要皖城權問其謀蒙曰今乘軍初到可乘此時以三軍銳氣四面攻之平明進兵來午可下權從之吃早飯畢三軍大進城上箭如雨下戰士多傷甘寧手執鐵鏈著先冒矢石而上朱光令聚弓弩以射之寧撥開箭將一鏈打倒朱光大呼士卒皆騰湧而上亂砍死朱光降者數萬人得了皖城方才辰時張遼兵至半路哨馬回報皖城已陷遂即回兵歸合肥孫權於城中賞軍已罷入報凌統至權慰勞了呂蒙得賞作宴以待諸將時甘寧穿吳侯所賜錦袍坐於筵上呂蒙揚其功勞酒至半酣凌統想起殺父之仇又見甘寧誇口心中大怒睜目直視以手按左右佩刀立於筵上曰筵前無樂看吾舞劍甘寧須會其意推開案桌起身於左右手內搶兩枝鐵戟雙臂夾定縱步而出曰看吾使

張遼會衆

將敵吳兵

姦戰呂蒙會意便起身一手執牌一手持刀於其併曰二公雖能
皆不如吾巧也破步便舞刀二人分為兩下早有人報知孫權權
拍馬直到筵前自喝甘寧凌統和解二人方才放下軍器權曰吾
常言汝二人休念仇今日又何如此凌統哭拜於地孫權勸之方
息次日起兵取合肥三軍便發却說張遼為失皖城回合肥心中
悲悶忽曹操差薛悌至送木匣一個上有操封傍邊一行字書云
賊來乃發是日報孫權自將十萬精兵來犯合肥薛悌便教張遼開
匣觀之其教曰若孫權至張李二將軍出戰樂將軍守護勿得與
戰張遼將教帖與李典樂進觀之樂進曰將軍主意如何張遼曰
主公遠征在外吳兵以為破我必矣今可以養兵折其鋒銳以安
衆心然後可守也李典素與張遼不和默然不答樂進曰賊衆我
寡難以迎敵不如堅守張遼曰汝等皆以私意而廢王事吾今出
决一死戰便交左右備馬李典慨然而起曰此國家之大事豈
敢私憾而忘公義乎願從將軍指揮張遼大喜曰既然公肯相
助來日可引一軍於逍遙津北埋伏待吳兵殺過可先斷小師橋

此吾與樂文謙擊之。李典自去點軍埋伏。卻說孫權兵至合肥，胡近傳令曰：兵貴神速。呂蒙、甘寧當先便進，凌統隨後，諸將陸續進發。卻說甘寧、呂蒙與樂進相迎，甘寧出馬與樂進交鋒，戰不數合，樂進詐敗而走。甘寧招呂蒙引兵趕上。卻說孫權第二隊聽得前軍得勝，提兵行至逍遙津北，忽聞連珠號砲響，左邊張遼一軍從右邊殺出。驚得孫權手足無措，急令人喚呂蒙、甘寧回救之時，張遼兵到。凌統手下只有三百餘騎，張遼鐵騎勢如山倒。統大呼曰：主公何不速渡小師橋！言未畢，張遼當先二千餘騎節如雨，到統奮身死戰。孫權縱馬上橋，橋南已徹丈餘。樂進背後趕來，將近谷利大呼曰：主公何不約馬退後，再縱按轡退三丈餘，催力加鞭，那馬一跳，飛渡橋南。後史官有詩曰：

的盧當日跳檀溪，又見吳侯敗合肥。
退後着鞭馳駿馬，逍遙津上玉龍飛。

孫權躍過橋南，徐盛、董襲駕舟相迎。凌統、谷利兩殺入重圍，與張遼鏖戰。甘寧隨後援住李典，廝殺。呂蒙援住樂進，廝殺。吳兵損折大半。凌統所領三百餘人盡被殺死。凌統得脫，殺到橋下，見橋已

曹操回兵

來救合肥

關統身被數鎗赴河而逃孫權在舟中望見急衮董襲棹舟接之遂得渡呂蒙甘寧皆回河南這一陣殺到江南小兒亦怕張遼之名遂不敢夜啼衆官保護孫權還營衆將曰至尊當宜持重今日之事若無天地垂祐斯小危矣權以此爲終身之戒權曰孤今大慚謹以刻心非但書紳也權乃重賞凌統整頓船隻商議水陸並進一面差人江南點起人馬張遼與衆將商議道逍遙津雖贏了孫權一陣分屯在濡須商議水陸並進此間兵少必須報與丞相早添兵馬救護令護軍薛悌星夜來漢中報知操與衆商議曰此時可取西川否劉曄曰蜀中初定已有隄防不可擊也不如勒兵去救合肥之急就下江南留夏侯淵守漢中定軍山隘口留張郃守蒙頭巖隘口遂拔寨皆起兵號四十萬殺奔濡須勝敗如何

甘寧百騎劫曹營

却說孫權在濡須口收拾軍馬人報曹操自漢中領兵四十萬前來救合肥孫權與謀士商議先撥董襲徐盛二將督五十大樓船於濡須口停泊使陳武往來巡[illegible]然[illegible]軍馬於岸上巡[illegible]張昭曰今曹[illegible]

遠來必須困乏當先殺一陣以挫其威權[illegible]帳下[illegible]
誰敢當[illegible]敵以挫操兵之銳凌統出曰某願往權曰帶[illegible]軍去
統曰三千人足矣甘寧曰[illegible]千人馬只帶一百人便去
破敵凌統大怒兩個在孫權面前又爭起來權曰[illegible]勢大[illegible]
千軍馬去破敵却交其[illegible]你只帶一百人去[illegible]
統上馬帶三千兵出濡須口迎頭[illegible]
出馬與統交鋒兩將戰四五十合勝敗未分[illegible]令
呂蒙接應回營甘寧見凌統回即告權曰寧今夜只引一百馬
軍去劫曹營如折了一騎也不算功孫權[illegible]調撥帳下一
百騎[illegible]寧至營中乃與百人曰今夜劫營各[illegible]
覷意欲遁如何敢去寧見難色乃拔劍在手[illegible]為上將[illegible]
太深[illegible]何為不[illegible]百人見寧作色皆起拜曰願效死力[illegible]
百人共[illegible]酒食肉後將二更各[illegible]夜投曹操寨[illegible]
白鵝翎百根各插一根於盔以為號既至拔開鹿角[illegible]殺
入寨中逕奔中軍來殺曹操元來車仗[illegible]以伏路穿連不[illegible]

避得進只得中軍馳驟縱橫逢着便殺各寨鼓譟舉火如[illegible]聲大振甯從南門而殺出人莫敢當孫權使周泰引一軍接應將百騎已回到濡須後恐有埋伏不敢追襲甘寧引軍回時所將百人不折一騎至寨門令眾軍各作鼓以口稱萬歲歡聲大振孫權親自接着甘寧下馬拜權執其手曰足以驚駭老賊否非吾相捨正欲觀卿膽耳即賜絹千疋刀百口寧拜受之分賜百人權對眾稱平虜將軍權謂諸將曰孟德有張遼孤有甘興霸足以相敵也次日張遼引軍搦戰凌統請出權自上馬左有甘寧右有凌統二疋馬在門旗下對陣張遼出馬左有李典右有樂進凌統縱馬提刀而出搦戰張遼縱馬提刀與凌統大戰到八十餘合勝敗不分曹操聽得親自出馬到門旗下看來曹休放冷箭射凌統坐下馬倒閃在張遼背後一箭發處正中坐下馬那馬直立起來把凌統掀在地下樂進挺鎗刺之鎗未到只聽得一聲弓響處一箭射中樂進面門翻身落馬兩軍各出救了回去張遼退自去陣內樂進凌統回寨拜謝吳侯權曰放箭救汝者甘寧也凌統

董襲船沉

溺死于江

頓首拜謝曰不想今長識恩如此甯曰主公常勸我此將當令
稍報公萬分之一也遂統自此與甘寧結爲刎頸之交誓同生死
自此再不爲惡且說曹操見樂進中箭自往帳中醫治令衛侍令調
兵機應行馬軍當先衝陣操分五路來襲濡須中一路操自引兵
左一路張遼左二路李典右一路徐晃右二路龐德行一路各一
萬馬軍來到江邊解纜馬時董襲徐盛二將在五樓船上見
五路馬軍來到諸軍各有懼色徐盛大怒曰食君之祿命終於君
何况群賊哉遂牽馬下船飛奔岸邊上馬引數百人殺入李典軍
中去了董襲在船上令衆哨鼓吶喊以助其威忽然江上猛風大
作白浪掀天驚濤洶湧軍士見大船將覆爭奔下腳艇逃命將
鸐起船叫下船將沉矣將軍可速下來襲仗劍大喝曰吾將軍命
在此防賊何敢棄而去之如再言者斬隨即殺下船者數十人風
急船敗襲溺死於江口只徐盛於李典軍中來往衝擊殺飛砂走石
亦皆殺傷却說陳武聽得江邊殺聲引一軍來正與龐德軍相遇
你我亂戰孫權在濡須塢中聽得曹兵殺至江岸遂自引大隊軍

周泰救出

孫權徐盛

前來看陣正見徐盛在李典軍中攪做一團厮殺張遼徐晃兩枝軍到把孫權圍在垓心曹操在高阜處見圍住孫權見兩員將當頭死戰操曰何不入去衝開權手足而擒之言未了一將應聲而出乃許褚也褚驟馬提刀殺入軍中把孫權兵衝做兩斷先說周泰從軍中殺出到江邊又不見權再復回馬從陣前又殺入來問部軍曰主人在何處軍曰在兵厚處泰挺身殺入見了孫權問主人何不隨某出陣孫權跟泰殺出泰到江邊回頭又不見權出第三次又尋孫權權言弓箭多不能出泰曰主公在前某在後可以出重圍周泰橫身左右遮護身被數箭箭透重鎧救孫權到江邊呂蒙引枝水軍坐在江上救得孫權下船權曰吾得周泰三番殺救得脫虎口徐盛在垓心如何得脫周泰復番身殺入陣中救出徐盛二將各帶重傷呂蒙交亂箭射住岸上兵都救將士等下船却說陳武和龐德大戰後面無接應軍馬被龐德趕到山谷樹林邊再欲回頭交戰被樹[illegible]住衲袖因此被龐德斬之曹操見孫權走脫自放馬上[illegible]鼓[illegible]擂[illegible]將江邊對射曹兵大[illegible]

孫權宴勞

周泰大功

慌忽對江一宗船到，爲首大將吳郡人，乃小霸王孫策女婿，姓陸名遜，字伯言，引軍到一陣，射着曹操，大敗而退。自此亂軍中尋見陳武尸首，孫權又知董襲沉江而死，痛哀至切，情感三軍，令人於水中尋得其尸，權厚葬之。兩邊戰罷，各守營寨。孫權賞周泰解救之功，作宴重待，權自把盞於泰前，撫其背，流淚言曰：卿爲吾兄弟戰，如熊虎不惜性命，被數十鎗，膚如刻畫，吾亦何心不待卿以骨肉之意，委卿以兵馬之重乎？卿乃吾之功臣，孤與卿同榮辱，休戚勿以他們自退也。言罷，令泰解衣，衆視之，刀如刻，膚傷痕遍體，孫權自指其痕，一一問之，周泰回言戰鬭之所，一處傷，[illegible]一盃酒，是日大醉。權將己青傘賜之，令出入張蓋，以顯耀之。其餘各各賞賜。在濡須與曹操相拒，月餘，張昭、顧雍上言：曹操勢大，不可力敵，若與久戰，大傷士卒，若不求和，百姓安得休息？權從其言，令步騭往操營求和，許年納稅幣。操見江南急未可下，遂從其議，令孫權先徹兵，然後班師。騭回覆，權留蔣欽、周泰督濡須口，權盡撥船上兵回還秣陵。操留曹仁、張遼屯合肥，操遂班師還許昌，群下皆議

立魏公操爲魏王建立王宮於鄴郡一人大叫不可其人是誰

魏王宮左慈擲盃

建安二十一年魏公自合肥還都侍中王粲上詩頌德於都堂曰

從軍有苦樂　但問所從誰　所從神且武　安得久勞師
相公征關右　赫怒振天威　一舉滅獯虜　再舉服羌夷
兩收邊地賊　忽得俯拾遺　陳賞越中嶽　酒肉踰川坻
軍中多饒彼　人馬皆亦肥　徒行兼乘返　空出有餘資
拓土三千里　往返遠如飛　歌舞入鄴城　所願獲於迷

曹操大喜遂議進爵爲王尚書顧琰立言不可衆官曰汝獨不見荀文若乎琰大怒曰時乎有常有變有與顧琰不和者告知曹操操大怒收琰下獄髡其髮琰直視大罵曹操廷尉白知操令校殺顧琰於獄中史官詩贊曰

清和顧琰　天性堅剛　虬鬚虎目
鐵石心腸　奸邪辟易　志節顒昂　忠於漢室　千古名彰

夏四月群下奏知獻帝曰魏公功德極天際地雖伊尹周公皆不及……禮宜進爵爲王帝即令鍾繇草詔册立曹操爲魏王曹操……

自古帝王雖號名輔相其爵等不同至於褒崇元勳建立功德光啟萬姓延於子孫庶姓之與親舊豈有殊焉昔日我聖祖受命創業啟造區夏鑒古今之制通爵等之差盡封山川以立藩屏使異姓親戚並列土地據國而王所以保天命衛國家嗣立永遠臣民帖妥世祖中興而時有難易是以曠世數百無異姓諸侯王之命朕以非德繼嗣弘業遭率土分崩群兇縱毒自西徂東卒若卑約當此之時惟恐溺身於難以恥先帝之聖得賴皇天之靈魏公操秉義奮力震迅神武捍朕於難護保宗廟朝野遺民含氣之倫莫不皆言魏公功過禹稷忠侔伊周掩之以謙議守之以彌恭是用初開魏國錫君土宇懼君之違命慮君之固辭故且懷志馴意封君為上公欲以引順高義須候勳績韓遂宋建南結蜀郡遂乃從合圖危社稷君復命龍驤虎奮梟其元首屠其巢穴暨至西征陽平之後親還甲冑深入阻險蠻夷劇賊殄其兇逆蕩定西陲懸旗萬里聲名教遠振寧土宇蓋唐虞之盛三后樹功文武之政呂周匡朝二祖成業英豪佐命

曹操立卞氏為王后

天以聖哲之君事爲已任猶錫土班爵以予功臣豈有如朕寡德使君以濟[illegible]賞無不豐將何以答神祇萬姓哉今進公爵爲魏王使持節行御史大夫宗正劉艾奉策玄牝之社且如白茅金虎符第一至第五竹使符第一至十君其正王位以丞相領冀州牧如故其上魏公璽綬符節敬奉朕命簡恤爾格恭乃戰以揚祖宗之休命勿使固辭

曹操既受王爵建十二旒乘金銀車駕六馬用天子車服儀衛出警入蹕於鄴郡蓋魏王宮商議立王太子操妻丁氏夫人無嗣出妾劉氏生子曹昂因征張綉時歿於宛城卞氏生四子長曰丕次曰彰三曰植四曰熊於是出丁夫人而立卞氏爲王后第三子曹植字子建極聰明舉筆成文操常欲立植爲後嗣丕心怪之乃問大中大夫賈詡詡教之如此如此但凡曹操親出征諸子送行曹植乃稱述功德發言成章操甚悅惟曹丕辭別只是流涕而拜於是操乃疑曹植乖巧不及曹丕誠心也丕又使人買囑近侍皆言丕之德操欲立後嗣躊躇不定乃問賈詡曰孤欲立後當立何人詡

詡默然不答操問其故詡曰正有所思故不對耳操曰有何所思詡對曰思袁本初劉景升父子也操大笑號曹丕為王太子冬十月魏王宮成衙門差人往各處取異木珍奇之物使人直來吳地徑由閩部[illegible]取荔枝龍眼二種溫州取柑子因他且不說只說一行人到吳見了孫權傳魏王令旨要溫州取柑時吳正尊讓於魏使又起行到一處遇一人柑十担各(?)僚遂至中路脚夫正挑着行得疲困歇於山脚見一先生眇一目跛一足白藤冠青嬾衣當與脚夫曰汝等挑担辛苦貧道人替挑一肩十担各非數里但是先生挑過其担俱輕眾人皆疑先生臨去分付取柑官曰貧道乃曹魏王鄉中故人姓左名慈字元放道號烏角先生如回到郡可道左慈申意遂拂袖而去取柑人至鄴見操呈上溫柑操剖之俱是空殼內並無肉曹操大驚怪問去人以左慈事對之操未肯信門吏忽報有一先生自稱左慈求見王上操召之取柑人曰正途中所見之人也操叱之曰汝以何妖術攝去佳果慈笑曰豈有是事取柑剖之皆有肉其味極甜操但自剖乃空殼操大驚賜左慈

坐而問之慈索酒肉操盡取食之飲酒五斗不醉食全羊不飽操問曰汝何術以致如此慈曰貧道在西川嘉陵峨眉山中學道三十年忽聞石壁中有聲呼我三次及視分見如此者百餘白鶴忽一日大雷震碎石壁得天書三卷名曰六甲天書上卷名天遁中卷名地遁下卷名人遁可以飛劍擲刀取人首級王上位極人臣宜退步跟貧道往峨眉山修行當傳三卷天書與汝操曰吾亦久思急流勇退柰朝廷未得其人耳左慈曰益州劉玄德乃帝室之冑何不讓此位與之可保今得矣不然貧道飛劍取汝之頭也操大怒曰此是劉備奸細叱左右拿下左慈大笑不止操令從卒提之但見皮肉皆爛慈酣然熟睡全無痛楚操取大枷鐵釘釘了牢防監於獄中使人冷眼觀之枷鎖盡脫慈仰臥於地並無傷痕一連監禁七日並不與飲食及至看時端坐於地面皮轉紅回報曹操令取出問之慈曰吾十年不食亦不妨日食千年亦盡操無可奈何次日諸官皆至王宮大會行酒間左慈足穿木履立於筵上衆官驚怪慈曰今日大王水陸俱備大宴群臣四方異物皆多數中

魏王宮中

左慈畫龍

亦有久缺貧道願取之操曰吾欲得龍肝爲羹汝能取否慈曰何難哉取粉於壁上畫龍一條以道袍拂之於龍腹中提心肝一副鮮血尚滴操不信叱之曰汝預藏於袖中慈曰即目寒天草無好花大王欲乎操曰吾欲得牡丹慈曰易耳取大花盆於筵間以水潠之頃發牡丹一枝開雙頭花衆皆大驚邀慈同坐少刻庖官進魚膾慈曰此必是松江鱸魚取之方美操曰數千里之隔安能致之慈曰易耳交取釣竿於堂下大池頃刻釣數尾進於筵上操曰吾池中原有種耳慈曰丞相何欺心耶天下鱸魚皆有兩腮惟吳松江鱸魚生有四腮此可辨焉衆視之果四腮慈曰取松江魚鱠必須取得紫薑方可操曰可致之否慈曰易耳命取金盆一面慈於袖中蔌蔌然傾一滿盤以進曹操操以手取之忽於盤內有書一卷上題曰孟德新書操取視之一字不錯操大疑以目視之便有殺慈之意慈取殿前一白玉盃滿斟佳釀進操曰望大王滿飲壽可千歲操曰汝先飲之慈拔冠簪於盃中一畫先飲其半這一半如陳烟以勸操飲操叱之慈擲盃於空中化成一白鳩遶殿而

許褚射左

慈於羊群

衆皆仰面而看忽失左慈所在操急問左右人報已出宮門而去操令許褚領鐵騎親兵追之褚即時上馬領虎賁鐵騎五百人赶至城門見左慈穿履在前緩步而行褚飛馬赶之不上到山畔見群羊慈立於群中褚取箭射之慈在羊群不見褚將羊盡皆殺之自回牧羊小童守羊而哭忽一頭於地上章問大作人言呼小童曰汝可將此頭豕於羊頸小童豕之忽跳起成左慈慈將群羊百餘盡皆豕活左慈拂袖而去童歸告之主人主人不敢隱去告曹操〻交畫影圖形各處拿捉不三日内城裏捉下一目跛一足白藤冠青懶衣穿履先生都一般模樣數百人閧動街市操令以狗血潑之押赴城南教場引數千兵圍遶皆命斬之各起一道青氣到半天聚爲一處化成左慈慈招白鶴一隻騎於雲内大笑曰玉鼠隨金虎奸雄一旦休操命衆將射之忽然大作狂風飛砂走石所斬之尸盡皆躍起手提其頭奔上演武堂來打曹操文官武將掩面驚慌各不相顧〻今日神號鬼哭曹操性命如何

曹操試神卜管輅

許芝薦　神卜管輅

當日曹操見黑煙中群鶴自起驚倒於地須臾皆不見群臣扶操
回宮感而成疾詩曰　飛步凌雲遍九州　獨憑遁甲自遨遊
金盤當殿呈鱸鱠　玉盞飛空化白鳩　頃刻開花紛影亂
片時結果翠陰稠　左慈苦把神仙術　曾點曹瞞不轉頭
曹操心疑左慈之憂而成病服藥不愈忽太史令許芝自許昌來見
操匕令芝卜易芝之曰王上曾聞神卜管輅否操曰頗聞其名未知
何為神卜汝當詳說其才許芝曰管輅字公明平原人也容貌
醜輅乃好酒疎狂從幼年八九歲便能觀天文終夜不寢父母不
能禁止常言家鷄野鵠尚自知時何況為人在世乎與鄰里小兒
於土壤中畫地作天文分布日月星辰指點而觀之及此深明周
易遁神相法輅於學中讀書日記數千言學中四百人皆不及焉
瑯琊太守單子春聞其才名輅相見時坐上有賓客數十人能言
之士輅對太守曰坐上名士皆雄貴之姿輅幼年以膽未堅驚者
欲問難先請美酒三瓶然後言之太守大喜與酒先酌之輅曰敢
問府君何人輅敢問難太守曰吾與汝旗鼓相當輅曰輅始讀書

神卜管輅

說易學問微淺未能指引聖人之道陳秦漢之事但欲論金木水火土鬼神之情耳太守曰此事極難子以為易即座上賓客皆敬管輅難倒從晨至暮酒食不行客大奇之於是天下號為神童後有利漕居民郭恩兄弟三人皆有躄疾請管輅卜之曰卦中有君家本墓墓中有女若非君伯母即叔母也昔饑荒之年必遭謀數升米之利推落井中濟之其尸推一大石壓破其頭孤魂痛苦自訴於天以致君兄弟故有此報郭恩三人涕泣伏罪答曰果有此事於是留管輅往家數日忽一日有一鳩飛來樹上其鳴如哭輅卜曰今日午時當有一親人年老從東方攜猪肉一肩酒壺二瓶主賓對飲矣中有疾當有小驚是日果有姨丈攜酒肉至與郭恩兄弟共飲恩令家童烹雞為食隔籬俱傷隣家女子左手血流如此之驗安平太守王基知輅神卜取往其處自信都令妻常患頭痛與子心痛舉家常驚恐使輅卜之輅曰君北堂西頭有兩尸一男子持矛一女子持弓箭頭在壁內脚在壁外持矛者主刺頭以此頭痛不得舉也持弓箭者主射胸膛故主心痛不能食也晝則

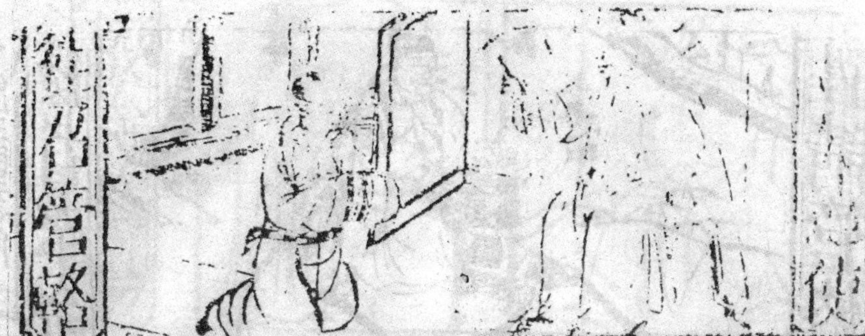

浮遊，夜則來頭病人，鬼恐也。於是掘之，入地八尺，果有二棺，一棺中有矛，一棺中有角弓及箭，木皆朽爛，但與鐵箭頭耳。輅教棺骸遂移之，無恙矣。館陶令諸葛原遷新興太守，輅往送行。客言輅能卜覆，原不信，暗把燕卵、蜂窠、蜘蛛三物藏於盒中，令輅卜之。卦封成，各寫四句於盒上。一曰：含氣須變，依乎宇堂；雌雄以形，羽翼舒張：此燕卵也。其二曰：家室倒懸，門戶眾多；藏精育毒，得秋乃化：此蜂巢也。其三曰：觳觫長足，吐絲成羅；尋網求食，利在昏夜：此蜘蛛也。滿座大驚。後鄉中老婦失牛，求輅卜之。輅云：在溪之西，七人宰去，若急速追，皮骨尚在。其婦尋之西方，七人於茅舍後煮食，皮骨果在。婦告本郡平原太守劉邠，邠遂將各人拿問，其婦曰何以知之？婦告曰：此管輅神卜也。邠不信，遂請輅至，取印囊并山雞毛藏於盒中，令輅卜之。輅卜其一曰：內方外圓，五色成文；含寶守信，出則有章：此印囊也。其二曰：巖巖有鳥，錦體朱衣；羽翼玄黃，鳴不失晨：此則山雞毛也。劉邠大驚，敬為上賓。忽一日，春暮出郊閒遊，見一少年於田中耕鋤，輅立道傍，觀看良久，問之曰：少年

請管輅

奉命

□姓多少青春少年答曰姓趙名顏年十九歲矣輅曰汝眉間有死氣現三日之内必死矣吾曾觀見汝貌雖美可惜無壽趙顏聞之亦歸告其父父子趕上管輅哭拜於地求之輅曰此天數也安可禳之父曰吾止有此子望乞救之輅見父子哀痛之至乃曰汝可備清酒一樽鹿脯一塊來日往南山之下石盤上二人奕棊一人向南坐者衣白袍其貌甚惡一人向北坐者身穿絳衣其貌甚美汝子可將盤肉鹿脯而往勸之待飲食畢哭告其事必添壽矣切勿言我名字老人留管輅在家次日趙顏携酒脯入南山中行五六里果見二人於大松樹下着棋全然不顧趙顏跪進酒脯二人貪着不覺飲盡趙顏哭拜於地而求長壽二人方驚衣絳衣者曰此必管子之言也吾二人已受其私必須憐之穿白袍者身邊取簿看之曰汝只今年十九歲當死於十字上添一九字汝可壽至九十九回見管輅教他再休漏泄天機必有天譴衣紅者出筆添訖香風過處二人化作二白鶴升天而去趙顏歸問管輅曰穿紅者南斗衣白者北斗也顏曰吾聞北斗七星何其一也輅曰散而

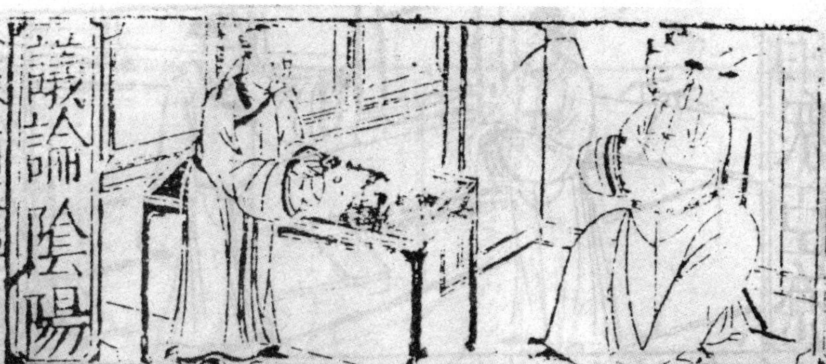

為七合而為一也北斗注死南斗注生令添千壽子復何憂矣拜謝管輅自此恐泄天機再不與人占卜令此人見在平原王上欲知休咎何不召之曹操大喜即時差人往平原召管輅至參拜畢操令卜左慈之事輅曰此幻術耳王上何必為憂操遂心安操令卜天下之事輅曰三八縱橫黃猪遇虎定軍之南傷折一將操又令輅卜看數輅曰獅子宮中方安神位王道鼎新子孫極貴操問其詳輅曰茫茫天數不可預知後有應驗[illegible]也操再與輅論云雲從龍風從虎之義操曰龍動則雲起虎嘯則谷風生至以為火星者龍參星者虎火出則雲應參出則風到此乃陰陽之感格非龍虎所致也輅答曰夫論當先審其本然後求其理失則機謬機謬則榮辱之生若以參星為虎則谷風更生為寒霜之風哭霜之風非東風之名是以龍者陽精以潛於陰幽靈上通和氣感神二物相扶故能與雲夫虎者陰精而居於陽依木長嘯助於巽林一氣相感故能運風若磁石之取鐵不見其神而金自來有徵應以相感也龍有潛飛之化虎有文明之變招雲招風何足為疑操問

曰夫龍之在淵不過一井之地虎之長嘯不過百步之中形氣淺弱以通首邇何能興雲而化東風輅答曰王上豈不見陰陽迭在掌握之中形不出手乃上引太陽之火下引太陰之水呼吸之間烟景以集苟精氣相感而懸象應乎二鼓苟不相感則如二女同居其志不得自然之道無有遠近也曹操大喜欲封管輅爲太史令輅曰輅命薄相窮不稱此職不敢受也操問其故輅曰輅額無主骨眼無守睛鼻無梁柱脚無天根背無三甲腹無五玉可以泰山治鬼不能治生人也操曰汝以吾君何輅曰位極人臣又何必相焉再三問之輅但笑而不答操令輅遍相文武官僚輅曰皆治世之臣也操問因由輅不肯盡言曹操令上東吳西蜀二處輅技卦云東吳必主亡一大將西蜀有兵犯界矣操不信忽合肥來報東吳陸口守將魯肅身故操大驚即便差人往漢中去探消息不數日飛報至言劉玄德遣張飛馬超兵犯下辨取東川操大怒要自引兵再入漢中此去如何

欲紀章見尉專解

曹操欲起兵伐蜀，令管輅卜之。輅曰：王上不可妄動，來春許都必有大災。操見輅言累驗，不敢輕動，寓居鄴郡，使曹洪領兵五萬去助夏侯淵、張郃同守東川；又差夏侯惇領兵三萬於許都來往巡警，以備不虞；又降王旨，令長史王必總督羽林軍馬。主簿司馬懿曰：王必嗜酒性寬，恐不堪用軍國重事。操曰：王必是吾披荊棘歷艱難時相隨之人也，應變相機，心如鐵石，國之良吏也，孤心甚信託焉。遂委之。王必遂領羽林軍屯於東華門外。時有一人姓耿名紀，字季行，洛陽人也，舊為丞相府掾，後遷侍中少府，與司直韋晃甚好。見曹操進爵魏王，出入用天子車服，心常不平。當於建安二十三年正月，耿紀、韋晃在私宅中共飲，起身密議：曹操篡逆之心多時，吾等世為漢臣，豈可同惡相濟？晃曰：吾有一心交友姓金名禕，字德偉，乃漢相金日磾之後，每見曹操入內，喟然長歎，素有討逆之心，更兼此人與王必厚，若得同謀，其事諧矣。我等當往說之。於是二人同到金禕宅，接入後堂坐定。晃曰：德偉與王長史甚厚，吾二人特有所求。禕曰：所求何事？晃曰：吾知魏王早晚受

耿紀晃與金禕

謀議殺操

紹天下公必驟遷公相須息賜爵若得提携平生感德偉拂袖而起令從者喝點茶逐客二人再拜於地曰德偉何故如此薄情也偉叱曰吾與汝交厚者爲汝等皆漢朝臣宰之後今不思報本欲欲造反之人吾有何顏與汝爲友當晃曰奈天數至此不得不爲耳禕大怒耿紀韋晃見禕有忠義之心故盡情告之曰吾二人實爲漢朝來求足下故反說也禕曰吾累世漢臣安能從賊汝扶漢有何高見紀晃曰雖有報國之心未有討賊之計禕曰吾欲使裏應外合殺王必奪兵權可修書付劉皇叔使爲外應操賊可滅矣又有兄弟二人曾與操有大仇吾亦用爲羽翼紀晃問誰禕曰太醫吉平之子長曰吉邈字文然次曰吉穆字思然昔爲董承衣帶詔時曾殺其父二人竄於遠鄉今見在此紀晃二人大喜便欲同見禕潛喚吉邈至言及其事二吉感憤淚泣怨氣中天誓殺國賊乃吾之願也金禕曰正月十五夜城中大放燈火慶賞元宵耿少府韋司直各起家童王必前營看燈若見營中火起分兩門殺入如殺王必逕報我不吾自入內請天子登五鳳樓以詔百官以

許都城內

大放燈火

萬民吉文然兄弟於城外叔人放火爲號各各聲張叫百姓誅殺曹賊以接漢[illegible]城外救軍衛天子降詔招安已定後進兵殺奔鄴郡郎發使賞節取劉皇叔今日約定至期初更如期而至勿效董承自取其禍五人對天設誓歃血爲盟各自歸家整備軍器臨行且說耿紀弟兄二人各有家童三四百人預備器械吉邈[illegible]兄亦聚到三四百人只推圍獵排揃已定却說金禕先期已定[illegible]見王必言方今海宇稍安魏王威鎮天下不可不放燈火以顯太平氣象必然之令報各處放燈火是夜明點花燈王必與羽林軍諸將在城中飲宴忽聞宮中吶喊人報西路火起王必慌出看時兩下大亂火光中見營中有變急上得馬出南門正遇耿紀紀不知是王必只顧引弓射之一箭中王必背幾乎墜馬遂出南門走背後有軍趕來王必無路棄坐下馬步走至金禕門首慌扣門那時金禕使人於營中放火却隨後去助戰家中聽得敲門只道金禕歸男子已都去了只有婦人禕妻隔門便問曰王必那廝殺了麼必大驚乃悟金禕同謀遂往曹休家報之金禕耿紀等謀反休

乃自披掛了飛身上馬引千人在城中相敵城中四下火起延燒五鳳樓帝避於深宮曹氏心腹牙爪死拒宮門城中是夜但聞人叫殺連曹操元來夏侯惇引三萬軍警巡離城五里屯札遙望城中火起就起大軍前來圍住許都不使一軍人接應曹休戰到天明耿紀韋無人相助人報金禕二吉皆被殺死耿紀韋晃奪路殺出城門正遇夏侯惇大軍圍住皆被活捉手下人皆殺了入城救滅殘火盡收各家老小宗族使人飛報曹操交腰斬于市就召漢百官盡赴鄴都聽處分夏侯惇監押耿紀韋晃至於街衢紀厲聲大罵曰曹阿瞞吾生不能殺汝死當作鬼以殺賊劊子以刀搠口流血尚曰吾被群鼠誤耳大罵而死韋晃以面頰頓地曰可恨可恨咬牙嚼齒而死夏侯惇將五家老小宗族皆斬于市王必箭瘡發而死惇將百官起發赴鄴曹操於教場立紅旗於左白旗於右乃降王旨曰昨者耿紀韋晃造反致火燒毀許都汝等有出救者有閉門不出者曾救火可立於紅旗下不曾救火立於白旗下衆官自思曾救火者必無罪多有奔紅旗下立三停內有一停立於

[illegible]教場

殺眾官員

旗下操教盡拿立於紅旗下者眾官各言贖罪操曰汝等之言
是救火實為助國圖吾宗族也盡命牽出漳河斬之死者三百餘
員靜軒先生有詩歎曰　耿韋徒懷輔漢忠
誰知天命屬奸雄　可憐俊傑遭誣死　血染漳河水浪紅
其立於白旗下者盡皆賞賜仍令還許都操命鍾繇為相國華歆
為御史大夫曹休總督羽林軍馬遂定侯爵六等十八級關內侯
爵十七級皆金印紫綬關內外侯十六級銅印龜紐墨綬五大夫
十二級銅印環紐受爵封官朝廷又換一班人物操方悟管輅火
災之應亘遂重賞輅皆不受卻說曹洪自到漢中張郃夏侯淵各
拒險要俱自進兵直駐下辨卻說馬超張飛各守一處隘口超取
下辨吳蘭為先鋒張飛守巴西閬中為先鋒兩邊皆來動兵曹洪
至下辨相遇先鋒吳蘭自引軍哨出正與曹洪軍相迎吳蘭欲退
手下牙將任夔曰今賊兵犯界若不挫其銳氣何顏見孟起乎於
是驟馬持鎗來與洪宣戰洪自提刀出馬與任夔交戰三合斬
任夔於馬下乘勢掩殺吳蘭大敗回寨去見馬超超責之曰不得

馬超令軍　緊守隘口

吾令何故輕敵以致挠敗蘭言任夔不聽故有此失馬超曰傳下
吾令勿與交鋒緊守關隘一面申報王公知王公背交進兵退曹
洪須待蜀中文字來曹洪恐馬超有謀引兵退回南鄭郡說張郃
來見洪問曰將軍既斬將如何退兵洪曰吾見馬超不出恐別有
謀又為在鄴時神卜管輅有言當於此處折一大將吾疑此言故
退張郃大笑曰將軍相持半世豈可以卜術惑其心哉洪曰不可
不信張郃曰人皆懼張飛吾獨視為小兒耳此去必擒洪曰倘有
疎失若何郃曰合當伏軍法洪勸了文字令郃進兵勝負如何

張飛關索取閬中

原來張郃屯兵三萬分為三寨各傍險山一名岩渠寨二名蒙頭
寨三名盪石寨軍兵分一半去取巴西留一半守寨張郃進兵前
行却說張飛往巴西閬中守城報馬到說張郃兵來飛喚關索商
議飛曰閬中地面山險可以埋伏叔叔引正兵出戰索出奇兵必
擒張郃也飛撥精兵五千與索飛自引兵萬餘離閬中二十里與
郃兵相遇兩軍擺開張飛出馬搦張郃戰郃亦使鎗驟馬相

張飛大戰

張郃敗走

到二十餘合郃軍大亂原來魏軍見背後山中有蜀兵旗旛郃急
便退張飛背後掩殺前面關索殺出兩下夾攻郃兵大敗張飛關
索連夜追襲直趕到岩渠山郃仍舊分兵守住三寨多置擂木礮
石堅守不出張飛離岩渠十里下寨次日引兵搦戰郃在山上大
笑大吹大擂飲酒並不下山張飛令軍士大罵郃只不出飛收兵
回次日令關索去山下搦戰郃又不出關索驅兵上山山頭擂木
砲石打下折了數十人關索急退盪石蒙頭兩寨兵出郃將雷同
遇着廝殺敗回張飛次日又去搦戰張郃又不出飛使軍人百般
穢罵郃山上亦罵張飛尋思無計可施相拒五十餘日飛就山前
扎住大寨每日在寨中飲酒至大醉坐於山前辱罵張郃玄德差
人來軍前犒勞見張飛飲酒回見玄德說飛飲酒恐失軍機玄德
大驚乃問軍師孔明笑曰元來如此恐軍中無好酒成都佳釀可
選好酒五十埕作十車裝載送到軍前與張飛將軍飲之玄德曰
吾弟自來飲酒失事軍師何故反送許多好酒吾弟醉中必被張
郃所算孔明曰主公與翼德多年兄弟豈不知其心地翼德

張飛飲酒　詐罵張郃

來剛強收川之時義釋嚴顏此非勇夫所為也今在宕渠與張郃相拒五十餘日近聞日飲醉時只在山前穢罵傍若無人此非貪盃乃賺張郃之計也玄德曰雖然如此未見真實可使魏延助之孔明令魏延解酒到軍前車上各插黃旗大書軍前公用美酒魏延解酒到寨中且說張飛傳玄德令賜酒了飛拜受訖分付魏延關索雷同各引一枝軍馬為左右羽翼只看軍中紅旗起便各進兵張飛交將酒攤列於帳前令軍士大開美酒而飲之有細作報上山來張郃自來山頂觀望見張飛坐於帳下飲酒令二軍健兒面前相撲為戲郃曰張飛太欺我即傳令今夜下山劫飛寨令蒙頭盪石二寨軍皆出救為左右翼張郃乘月色微明引軍由山側逕下逕到寨前遙望張飛大明燈燭正在帳中飲酒張郃當先大喝一聲山頭擂鼓為助直殺入營中但見張飛端坐不動張郃到跟前一鎗刺倒原來是個草人身披張飛盔甲郃刺見是草人急勒馬回帳後連珠砲起寨中一將當先攔住去路乃張翼德也挺矛躍馬直取張郃兩下并將各[illegible]定兩將在火光中交戰

曹洪遣使　催郃出戰

兩寨來救原來已被魏延閻索雷同說拔奪得山頭郃與飛死戰到五六十合山上火起原來被張飛後軍奪了寨柵張郃敗走張飛赶了一程回守岩渠山飛報入成都玄德大喜方知翼德飲酒是計却說張郃退守瓦口關三萬軍已折大半遣人問曹洪求救洪大怒曰汝不聽吾言務要進兵倒折了岩渠山緊要寨口不肯發兵接救却使人催張郃出戰郃心慌只得定計分兩軍於關前山僻埋伏分付我佯輸詐敗引過張飛汝等皆出截住歸路分付已定次日張飛遣部將雷同來搦戰被張郃引過埋伏去處剗殺於馬下敗軍回報張飛飛自來與郃戰郃又詐敗飛不赶郃又回如此者三次飛知誘敵收軍回寨與魏延等商議曰張郃用埋伏計殺了雷同又要賺吾何不以計就計延問如何飛曰我明日當先殺去汝却引精兵後待伏兵出汝可分兵擊之用車數十乘各帶柴草塞合小路用火燒之吾乘勢擒張郃與雷同報仇魏延聞令得了計次日張飛引軍前進張郃兵又至與飛交鋒戰到三十餘合郃詐敗走飛引馬步軍赶郃且走引張飛過山谷口去後

張飛詢問　逃走百姓

軍爲前部札住精兵，望見兩彪伏兵出，却被魏延、關索精兵到，趕入谷口，却將草車兩路塞住，點起火，滿燒及山上草木，皆着烟遮其逕，兵不得出。飛來衝張郃，兵敗走上瓦口關，收聚敗兵，堅守不出。却說張飛引十數騎自來關西邊哨探小路，當日忽見男女數人，各背小包，於山僻攀藤負葛而走。飛馬上用鞭指與魏延、關索曰：奪瓦口關只在這幾個百姓身上。喚步軍分付休要驚恐，好好喚那幾个百姓來。軍士去喚到馬前，飛用好言以安其心，問之。百姓告曰：某等皆是漢中居民，今欲回鄉，聽知大軍廝殺，剱門閬中官道今欲過蒼溪，從梓潼山出檜川入漢中，還家去。飛曰：這條路取瓦口關多少近遠？百姓曰：從梓潼山小路却好是瓦口關背後。張飛大喜，帶百姓到寨中，與了酒食，便與魏延、關索商議，明日文長引兵扣關攻打，賢姪引兵去山僻處埋伏，我親自引輕騎出漢關山襲關後，張郃可擒矣。飛從百姓引路，選輕騎五百，從小路而行。張郃披掛上馬，欲下關，忽報山後四五路火起，不知何處到。張郃自引□兵來迎

不隄防後面張飛趕起急張郃棄馬上山尋路逃走比及走脫被關索伏兵喊起截住厮殺張郃等死戰殺一條血路而走回頭只有十餘人跟隨入南鄭見曹洪洪見張郃只剩十餘人大怒曰吾交汝休去汝要下文狀要去今日折盡人馬尚不自死推出斬之時有行軍司馬交留入來見郃與說曰保汝取葭萌關將功贖罪若何張郃言願往此人乃太陽曲陽人也姓郭名淮字伯濟來見曹洪言曰三軍易得一將難求張郃雖然有罪乃魏王深愛者也不可誅之再與五千兵令取葭萌關則牽動諸處之兵漢中自安矣如不成功二罪俱罰曹洪從郭淮之言再與兵五千交郃進取葭萌關郃努力而去却說守關將孟達霍峻知張郃兵來霍峻只要堅守孟達定要迎敵引軍下山與張郃交戰大敗而回霍峻急申文字到成都玄德請軍師商議孔明交聚衆將於堂上孔明曰今葭萌關緊急必須往閬中取張翼德方可退張郃法正曰今張翼德屯兵瓦口關鎮住閬中亦是緊要去處不可取翼德回帳下諸將內選一人去破張郃孔明笑曰張郃魏之名將非等

黃忠嚴顏

往守葭萌

麾下可及不着劉德無人可當忽於堂前一人厲聲而出曰軍師何視人如草木也某雖不才願斬張郃首級以獻眾視之乃老將黃忠也孔明曰漢升雖勇爭奈老矣非張郃對手也黃忠聽之白鬚倒豎而言曰不老不老兩臂可開三石之弓渾身還有千斤力何爲老也孔明曰將軍年近七旬如何不老黃忠趨走下堂取架上大刀輪動如飛取壁上硬弓連折拽幾張孔明曰將軍要去誰可爲副將老將嚴顏曰我兩个同去看老的如何但有些疏虞先納下這个白頭玄德大喜即時交黃忠嚴顏同行勝敗如何

黃忠嚴顏雙建功

黃忠嚴顏行趙雲諫曰今張郃親犯葭萌關軍師休以爲兒戲若葭萌一失益州危矣若破張郃可以取漢中何故以老將二人當此大敵乎孔明曰汝以二人老邁不能成事也吾料漢中必在此二人手內可得趙雲等各哂笑而退卻說黃忠嚴顏到關上孟達霍峻見二將到心中亦笑孔明如此調度不能用人這般緊急去處如何只交兩个老的隨即交劉[illegible][illegible]黃忠嚴顏使兩个遞

將兩把寨柵上關口山上堅守張郃聽知黃忠嚴顏到[illegible]
來日引軍搦戰黃忠對嚴顏曰你見諸人動靜笑我二人年老必
建奇功以伏眾人之心嚴顏曰願聽將軍之命當日引軍出關與張郃
對陣黃忠出與張郃打話郃曰你許大年紀尤不識羞尚欲出陣
戰耶忠怒曰汝欺吾年老手中寶刀不老遂拍馬向前與張郃決
戰二馬相交戰到四五十合忽聞背後喊起嚴顏從小路抄在張
郃軍後一陣夾攻張郃大敗兵退八九十里黃忠嚴顏收軍下寨
各按兵不動曹洪聽知張郃又輸了一陣又欲見罪郭淮又諫曰
今張郃事急再激之必歸西蜀矣可遣副將相助就而監臨使不
生異外之心曹洪從之郎遣夏侯惇姪夏侯尚并隆將韓玄之弟
韓浩二人引兵五千前去助戰二將即時起身到張郃寨中問及
軍情郃曰老將黃忠甚是英勇更有嚴顏爲助不可輕敵韓浩曰
我在長沙足知老賊本事他和魏延獻了城池害吾家兄今既相
遇必當報仇遂與夏侯尚引新軍離寨前進元來黃忠連日哨探
已知路徑嚴顏曰此去其路通天蕩山山中乃是曹操屯兵積糧

屯之地此時聚百萬糧草作為深冬之用若取那個去處直教曹破漢中軍士自相離散矣忠曰將軍之說正合吾意分付如此如此嚴顏領了黃忠計自引一枝軍去了却說黃忠聽得夏侯尚韓浩共來遂令衆兵先退去舉寨中糧草先自搬了忠引馬軍出迎韓浩在陣前大罵黃忠無義老賊浩拍馬挺鎗來敵黃忠夏侯尚便出夾攻黃忠力戰二將略鬬數合忠敗走二將趕二十餘里奪了黃忠寨中又紮一營次日夏侯尚韓浩又來忠又出戰略鬬數合敗走二將又趕二十里奪了營寨却與張郃守後寨郃來前寨諫二將曰黃忠連退二日於中必有詭計夏侯尚叱張郃曰據你如此膽怯可知斯了岩渠山寨再休多言看吾二人建功張郃羞慚而退次日又戰黃忠又退二十餘里二將迤邐趕上次日二將兵出去黃忠兵望風而走連敗數陣黃忠直赶上關二將扣關下寨黃忠堅守不出孟達暗發書報玄德說黃忠連敗五陣見今退在關上玄德慌問孔明孔明曰此老將驕兵之計也趙雲等未信玄德差劉封到關接應黃忠相見了問劉封曰此來助戰何

天蕩山

意劉封又親出與將軍數敗故差封來忠笑曰此老夫驕兵之計也今夜一計可盡復諸營奪其糧食馬疋說是借寨與彼屯安輜重也今夜留霍峻守關隘孟將軍搬奪糧食馬疋小將軍看吾破敵是夜二更忠引五千人馬下關原來二將見關上連日不出盡皆懈怠被黃忠斬寨直入人不及甲馬不及鞍二將逃命而走軍器鞍馬無數盡被孟達搬運入關黃忠便催軍馬相繼而進劉封曰軍衆力困且可以暫歇忠曰不入虎穴焉得虎子顧隨者進不顧者退衆軍努力前進張郃兵反被自家敗兵行衝背後追兵大急都把不住望後而退棄了許多寨柵到漢水傍張郃尋見夏侯尚韓浩曰此去天蕩山乃是曹之所更連接米倉山屯糧之地乃是漢中軍士養命之源倘有疏虞是無漢中也夏侯尚曰米倉山有吾夏侯淵分兵守護那里正接定軍山不必憂慮天蕩山有吾兄夏侯德鎮守我等宜往投之就往此山張郃與二將連夜投天蕩山來夏侯德說黃忠用驕兵之計誘到關上軍馬突出勢不可當又被老賊連夜追赶自相衝擊故棄了許多寨柵又金鼓大振以

却說黃忠兵到，德大笑曰：老賊不知數，只恃勇耳。郃曰：黃忠有謀，非止勇也。德曰：川兵遠涉，連夜疲困而更深入我境，此死之際也。郃曰：亦不可輕敵，且宜堅守。韓浩曰：願領三千精兵擊之，無不克也。德遂與浩兵下山。黃忠整兵去敵，劉封諫曰：日已沉西矣，軍皆遠涉勞苦，且宜暫退。忠大呼曰：不然。昔日古人順時而動，智見幾而發。今蒙天賜奇功，是不取為天也。言訖，哨鼓大振，韓浩引軍來迎。忠揮刀直取韓浩，只一合斬浩於馬下。蜀兵大喊殺上山去。張郃夏侯尚領兵來迎，忽聞山後大喊，火光競天而起，上下通紅。夏侯德提兵來救火，正遇老將嚴顏，手起刀落，死於馬下。原來黃忠令嚴顏預先引軍伏於山僻小路，只等黃忠軍到，故來放火柴草，堆山一齊點着，烈焰飛騰，照耀山谷。嚴顏既斬夏侯德，從山後殺來。張郃夏侯尚前後不能相顧，只得棄天蕩山，望定軍山投奔夏侯淵去。黃忠、嚴顏守住天蕩山，飛捷到成都。玄德聞之，聚眾將慶喜。法正曰：昔曹操一舉而降張魯，定漢中，不因此勢以圖巴蜀，留夏侯淵、張郃屯守，此非[illegible]

□賞黃忠

內有憂亂故耳今料淵郃才畧不勝國之將帥舉大□□公親往討之則必有天定之機也地廣糧積上可以傾覆寇□原可蠶食矣雍涼土廣可以固守要害為閬據之久計此□其時不可失也玄德深然之遂下令趙雲張飛為先鋒玄□起蜀兵十萬選日出師以蜀漢中傳檄各處皆令隄備恐人□關防建安二十三年秋七月玄德大軍出葭萌關下寨差人□忠嚴顏到寨厚賞玄德曰人皆以將軍老矣惟師獨知其能今□立奇功世之罕有今有漢中定軍山乃南鄭之保障糧食之會□若得定軍山陽平一路無憂矣汝還敢取定軍山否忠慨然□願往孔明止住曰將軍雖自英雄非夏侯淵之本對也淵熟□畧深曉兵機曹操倚以西涼之保障昨屯兵長沙以拒馬超今□取漢中操不令他人守者為淵有將才也今將軍雖勝張郃未□敵夏侯淵吾欲斟酌一人到荊州去替關雲長來方可敵淵也□奮然曰昔日廉頗年八十尚食斗米諸侯畏其勇不敢侵□趙邦何況黃忠未及七十乎軍師不許只是疑吾老矣今吾並不□

副將只將一千本部軍立斬夏侯淵首級獻於麾下孔明三[illegible]
次不容黃忠去忠又曰斬不得夏侯淵再不來相見也孔明曰[illegible]
將軍要去吾用一人為監軍同去若何當時請問是誰

黃忠議斬夏侯淵

孔明分付黃忠汝既要去吾交法孝直相助凡事商議而行吾[illegible]
撥人馬來接應你今可小心黃忠應允和法正領本部軍去了[illegible]
明對玄德曰此老不着言語激之須不能成功今已去了須要[illegible]
人馬接應孔明喚趙雲來你可將一軍於小路出奇兵以應[illegible]
若勝汝可不出出倘忠有些疏失汝便救應又遣劉封孟達引三[illegible]
寅伏於山谷險處多豎旌旗為伏兵之虛使敵人驚駭各[illegible]
兵去了又差人往下辨授計於馬超令如此行又差嚴顏往[illegible]
閬中守隘替張飛魏延關索回來取漢中共是三路兵去[illegible]
與夏侯尚來見夏侯淵說天蕩山折了夏侯德韓浩今聞劉[illegible]
起兵馬出關漢中可飛報魏王早發精兵猛將來接應夏侯[illegible]
人啟奏去了曹洪不知這個消息當夜差人到許都[illegible]

蔡琰出迎

曹公入庄

操聞知遣兵去取漢中操然大驚即時聚文武商議行軍長安劉曄曰漢中地饒多有生息今若一失中原震動不可不親勞大駕征之操悔曰悔不用卿言以致如此遂傳王旨起大兵四十萬魏王親征時建安二十三年秋七月終曹操興兵九月起長安兵分三隊而進前部先鋒夏侯惇領中軍救應使曹休三軍陸續起行操騎白馬金鞍玉轡大紅羅銷金傘蓋左右金瓜銀斧捧金椅金鐙天子之儀鑾打龍鳳日月旗幟護駕禁軍虎賁二萬人馬分為五隊每隊五千按青黃赤白黑五色旗幟軍馬並依本色光輝燦爛旌旗雄壯兵出潼關操在馬上望山邊一簇林木極盛茂問近侍曰此何處也侍臣奏曰地名藍田林木間乃蔡邕庄也其女蔡琰曾被北番單于虜去與胡人生二子因作胡笳十八拍流入中原操深怜之使人持千金入番取蔡琰左賢王懼操之勢送蔡琰還漢操又賜金帛配與董祀為妻當日到庄前過忽想蔡邕令軍馬先行操引近侍百餘騎到庄門外下馬時董祀在任所牧民只有蔡琰在庄聞操至琰出拜迎操問起居畢侍立於

操偶見壁間懸一碑文圖，操起身觀之，問於蔡琰，琰曰此乃曹娥之碑也昔和帝朝會稽上虞有一師巫姓曹名盱能婆娑樂神五月五日醉舞舟中墜於江心而死其女年十八歲沿江啼哭七晝夜跳入波中後五日負父之尸浮於江面里人葬於江邊後上虞尹度尚奏聞朝廷表爲孝女尚令邯鄲淳作文勒碑以記其事淳年十三歲文不加點一筆揮就立在墓側先人因公幹經由會稽道過江邊誦碑觀碑索筆題詩於其背後往往印打故傳於世爲是先人遺跡故懸於此題八字曰黃絹幼婦外孫齏臼操問琰曰汝解此意否琰曰雖先人所題賤妾不知其意操回顧衆謀士曰汝等解否衆皆低首於中一人挺身而出答曰某解其意操視之乃主簿楊脩也見管軍錢糧兼參贊軍機事操曰卿且勿言容吾思之操上馬行三十里忽然猛語問楊修曰卿試言之修曰此隱語曰黃絹乃色絲也傍色絲絕字也幼婦者乃少女也女傍有少乃妙字也外孫女之子女邊着子是好字齏曰受五辛之器也受字傍辛是辭字也總而言之乃絕妙好辭四字也此是伯喈讚美邯

鄭渾之文乃絕妙好辭也操大驚曰正合吾意操以楊脩之才高出於己以有殺脩之心恐人議論故佯笑而行過遲到南鄭巴州曹洪接着具言張郃之事操曰非郃之罪兵家勝敗蓋不常耳洪曰郎目劉備使黃忠攻打定軍山夏侯淵聽知王上大軍至故未曾出戰操曰若不出戰是示人懦也便差人持節到定軍山交夏侯淵進兵長史劉曄曰淵性太剛恐中賊奸計操曰吾批手教與之批了使人賚到淵寨開拆淵看讀手教曰

魏王手教示夏侯淵如爲將之道當以剛柔相濟不但恃勇也然爲將固當以勇爲本行之以智計若但任勇則是一匹夫之敵耳吾今駐大軍於南鄭欲觀卿之妙才張郃同此知悉

夏侯淵得手教便與張郃商議今魏王大兵已到南鄭必欲征討劉備吾與汝久守安能建功來日便可出戰張郃曰黃忠智勇更兼法正用謀此間盡是山險路遙只可堅守彼必自退淵曰若人建了功勞吾與汝何顏見魏王乎汝只管守寨吾自用謀以擒黃忠淵傳令誰敢出哨誘敵夏侯尚出曰願往淵交尚自引軍直抑黃

黄忠引兵

擒夏侯尚

忠搦戰只要輸不要贏吾自有計尚引三千軍馬望定軍山大寨而行却說黄忠與法正自至定軍山寨界口累次相持夏侯淵不出欲待輕進又恐山惡路險難以料敵只得拒守當日伏路軍報說夏侯尚兵搦戰黄忠便待要出牙將陳式曰將軍且未可去待式一戰以識虛實忠許之式引一軍出與夏侯尚交鋒尚詐敗式赶去後面黄忠恐陳式中計急引軍赶來接應到半路被兩山上擂木砲石打下不能前進陳式急欲退回背後夏侯淵出戰生擒陳式軍士逃得性命的歸見黄忠說陳式被擒忠慌急與法正商議正曰淵為人輕躁恃勇少謀可激士卒連營稍進步步為營誘淵來敵此乃是反客為主之計夏侯淵一至可擒矣忠用其謀將應有之物盡賞三軍歡聲滿谷願得死戰忠即日拔寨而進步步為營住下數日又進夏侯淵知欲出戰張郃諫曰此乃法正用反客為主之謀不可出戰戰則有失淵不從郃苦諫淵交夏侯尚引數千兵出戰直到黄忠寨前忠上馬提刀出與夏侯尚交馬只一合生擒夏侯尚歸寨敗兵走回報淵知淵慌使人到黄忠寨……

把陳式換轉尚黃忠約至陣前往復以日兩軍皆起到山谷濶處布成陣勢黃忠夏侯淵皆跨馬横刀立於陣前打話已了各擁人出馬並無袍鎧只穿敝身衣服陳式夏侯尚各自歸寨陳式奔過來夏侯尚比及到陣門邊黃忠一箭後肩射中帶箭歸陣夏侯淵大怒驟馬徑取黃忠忠正要激淵厮殺二將戰到二十餘合淵軍中鳴金收軍淵慌回陣問撥陣官緣何鳴金官曰遥望山谷内有蜀兵旗旛數處恐是埋伏兵故招將軍回淵信其說元來却是劉封孟達那兩箇散在四下裡虛作疑兵因此夏侯淵不敢出戰却被黃忠一直趕到定軍山下法正用手一指曰定軍山嵬然其高四下皆險道此山足以看視定軍之處將軍若取定軍山只在掌中也忠仰看山前稍平山上有些小人馬是夜二更引士卒鳴鼓直上山頂有副將杜襲守把襲字子緒廣定陵人也時襲止有數百人守把見忠大隊擁上遂棄山而走忠得了山頭正與定軍山相對法正曰君夏侯淵一至吾舉白旗為號將軍可擊之此是以逸待勞必容為主之意淵無謀者也來日必到忠今半山多設鼓角以伺兵

到郤說杜襲走見夏侯淵曰今被黃忠奪了對山淵大怒曰黃忠占了對山不容不出戰郤又諫曰此法正之謀不可與戰淵曰彼占對山探吾虛實如何不出戰郤苦諫不聽郤撥軍圍住對山從辰罵至午忠不出戰法正在山見曹兵倦怠用白旗一招鼓角齊鳴喊聲大振黃忠一馬當先天崩地裂追趕到夏侯淵麾蓋之下大喝一聲如雷夏侯淵措手不及黃忠寶刀起處斬為兩段詩曰

蒼頭臨大敵　皓首逞神威　力趁彫弓發　風迎雪刃揮
雄聲如虎吼　駿馬似龍飛　獻馘功勳重　開疆展帝畿

又靜軒有詩讚黃忠之勇　詩曰　飛出山前鼓震天
歡呼馘斬夏侯淵　一朝奪盡中原氣　閃將何由效後先

此言雲長之功不及黃忠此一陣之高也兵馬大進乘勢出奪定軍山張郃領兵來迎又被黃忠殺退郃欲還山去山邊轉出一軍截住去路當頭大將乃常山趙子龍也從小路殺出性命如何

趙子龍漢水大戰

張郃被兩下攻擊殺開一條路走脫前面一軍乃都尉杜襲被劉

封孟達奪了定軍山引敗殘軍馬投臨漢水札寨張郃領兵一處襲令張郃權夏侯淵都督印以安軍士飛報曹操操聞知淵死放聲大哭方悟神卜管輅之言三八縱橫者乃建安二十四年也黃猪遇虎是年歲也在于已亥正月間也定軍之南者乃定軍山之南也傷折一將矣夏侯淵與曹操有兄弟之情操再使人尋管輅不知何處去了操恨黃忠遂自起兵來定軍山與夏侯淵報仇令徐晃為先鋒張郃杜襲接著曹操說定軍山已失米倉山粮食疏虞可搬運了以備軍用曹操就差張郃引一萬軍防護搬運倉山車粮移於北山屯紮屯積然後進兵郤說黃忠將夏侯淵首級來葭萌關見玄德玄德大喜加為征西將軍設宴慶賀忽牙將張著來報今曹操自統大兵二十萬來與夏侯淵報仇卽日差張郃在倉山搬米數千萬斛移於漢水之北山脚下孔明曰今曹操將大兵至此恐粮米不敷故勤兵來還若得一人深入其境一面毀其粮食一面奪其輜重殺操之威此為上計黃忠曰老夫願當此去孔明曰曹操領二十萬兵到此必有大將非比夏侯淵張郃之兵

黃忠趙雲

[illegible]閬行兵

也玄德曰夏侯淵須是總師乃一勇夫安及張郃吾意若斬張郃勝斬淵十倍黃忠忽然請子龍回寨議事雲曰今曹操引二十萬衆分屯十數營今主公交奪糧食非小可事將軍所見如何忠曰我先去雲曰我先去二人爭執不定忠曰我是主將你是副將如何爭先雲曰都是一般與主公出力何必計較我二人拈鬮着的先去忠曰也是當時黃忠拈着雲曰既將軍拈得先去約定時刻如將軍不應期而還雲必欲陣來救黃忠曰子龍言者極當二人約定了子龍自回寨和副將張翼曰今黃漢升約定明日去劫糧如日當午不回來我接應黃忠將汝可緊守寨柵不得輕動張翼與子龍約會了却說黃忠與張著曰吾斬夏侯淵張郃喪膽今日領命劫糧只留些少看寨軍士汝可助吾已議定今夜三更飽食四更領衆劫糧只離寨殺到北山脚下先擒張郃後取其糧如何張著依令當夜黃忠書載領軍馬三千忠在前著在後如劫寨相似軍偷過漢水叔名黃忠直到北山之時東方日出見數萬糧米如山堆積軍士看守見蜀兵到盡棄糧而走黃忠交馬軍一齊

下馬取柴火堆於其上而燒之方才堆得柴張郃兵到和黃忠殺退
戰操知令徐晃引軍接應把黃忠困住垓心張著引三百馬軍走
脫正要回寨當先一將攔住去路為頭大將乃是文聘後面曹兵
又至把張著圍定却說趙雲披掛了引三千馬出寨古等午時將看
看日已及未趙雲與張翼曰日已平西漢升危矣汝可牢守本寨
多設弓弩以為準備吾當救漢升矣雲遂上馬持鎗直犯曹軍迎頭
一陣兵攔住去路乃文聘手下戰將慕容烈驟馬舞大刀直取子
龍子龍手起鎗到刺於馬下曹軍敗散雲直入重圍又見一將攔路
為頭乃將焦炳使三尖刀來迎子龍子龍大怒搠於馬下殺散曹
兵直至北山之下見張郃徐晃兩軍圍住黃忠子龍殺開圍兵救
出黃忠子龍曰將軍先行吾斷後黃忠軍士被困已久遂先出重
圍子龍在後且戰且走曹操聽知蜀兵救應自於高阜處觀之見
子龍左衝右突如入無人之境操驚問左右曰此何人也有識者
對曰乃常山趙子龍也操曰昔日長坂坡英雄尚在操令所在之
處不可輕放於山上擺兵只看山上旗號指示指東則圍東指西

頭圍西子龍三千兵殺透重圍內有一人曰東南圍透甚緊必有蜀兵子龍不歸本寨殺奔東南上來所到之處但見常山趙雲旗號又曾在當陽長坂坡知其勇者互相說知見影而避雲殺入垓心認得是張著便與了趙雲旗號令張著先殺出子龍在後且戰且走所到之處無可迎敵曹操見雲殺透重圍自招呼左右騎追襲趙子龍殺回本寨張翼望見背後征塵滿天知是曹兵趕到甚見蜀兵入寨已盡交子龍閉上寨門衆皆上敵樓防護子龍大喝曰吾匹馬單鎗在長坂坡前覷百萬曹兵有如無物今又有軍馬又有羽翼何足懼耶交盡撥弓弩手出於寨外壕中伏定將寨內之旗幡金鼓偃了子龍獨乘匹馬手挺長鎗立於寨門之外曹操兵趕到趙雲寨前將及已到黃昏張郃徐晃見趙雲偃旗息鼓又見趙雲匹馬單鎗獨立寨門大開二將疑惑之間曹操自到見寨中如此模樣心中自此必有謀令兵大進攻之如寨中驚動乘勢殺入不動急便一喝前軍得令大發喊聲奔寨前見子龍全然不動曹兵曹轉身便回子龍把鎗一招壕內弓弩齊發又值天晚昏黑正不

[illegible]回南鄭

知多少軍兵趕過司馬定城聲大振背後趕來曹兵自相踐踏逃到漢水邊落水死者不計其數是夜子龍引兵背後追來黃忠張著再引軍殺來當夜曹操正走之間又被劉封孟達於倉山中殺出放火燒着糧草操棄北山許多糧米連夜走歸南鄭徐晃張郃札脚不定亦棄本寨而逃趙子龍占了曹操寨柵黃忠奪了糧草漢水邊軍器盡得無數遂使人請玄德孔明親至戰所觀看玄德與孔明並轡至漢水傍依高望之問曹跟子龍突陣之將曰子龍於此地如何厮殺衆將對言曹兵二十餘萬漫山蔽野子龍引二千兵直透重圍後救了黃忠領了衆兵只三千騎在曹操軍中來往衝突曹軍散而復合者七次子龍又在圍中救出三千騎不亡一人後回到寨中大開寨門獨立於門外曹操親自迎之疑有伏兵自引軍回子龍招弓弩射之曹兵死於漢水者無數護全功玄德聽罷看了山前山後峻險之路與諸將曰子龍一身都是膽也後人有詩贊曰

長坂坡前血戰時　[illegible]匹馬傍龍飛　今觀漢水全無敵　方表將軍有虎威

玄德封號子龍爲虎威將軍大賞軍士歡宴至晚人又報曰曹操令軍伍復遣後隊從斜谷相繼而來取漢水玄德笑曰曹操此來無能爲也我料必得漢水矣遂列兵於漢水之西以伺兵到操令徐晃作先鋒再來决戰時帳下一人出曰某深知地利願助徐將軍同去破敵劉備衆視之乃巴西宕渠山人也姓王名平字子均見充牙門將軍操喜立王平爲副先鋒相助徐晃前進屯軍於定軍山北徐晃王平引軍至漢水下令前軍渡水爲陣王平曰軍若渡水倘要急退如之奈何晃曰韓信用兵背水而爲陣此援孫子之法置之死地而後生也王平曰不然韓信可料陳勝無謀而用此計公今能料黄忠趙雲否晃曰汝可引步軍看吾馬軍破之令搭浮橋兩條郎日完備徐晃來决勝敗還是如何

劉玄德取漢中

徐晃引兵一半前渡漢水黄忠與趙雲曰徐晃恃勇而來且休與戰且等兵氣搖動分路擊之雲與忠各整一軍拒住寨柵徐晃軍從辰時分直到申時分見寨中不動晃盡使弓箭向前過寨射之

黃忠曰晃領前手亂軍軍後之乘時可擊果然徐晃後軍退動當中鼓響振地黃忠左出趙雲右出晃兵大敗盡退入漢水晃死戰得脫回到寨中大責王平曰汝見吾軍勢敗何爲不救王平曰我若出救此寨亦不能保吾當初勸公休去不用吾言故有此敗晃大怒欲殺王平平見夜引本部下百人就營中放起火來曹兵大亂徐晃棄寨而走王平渡漢水降了趙雲〻引見玄德盡獻漢中地理玄德大喜曰王子均陳首策吾得漢中無疑矣遂命王平爲裨將軍領鄉導使却說徐晃來見曹操說反了王平投降劉備操大怒自引大兵來奪漢水寨柵趙雲恐孤寨難立退還漢水之西兩軍隔水相拒玄德與孔明來觀形勢孔明見漢水下流頭有一帶土山可伏兵於土山之下或半夜或黃昏只聽我寨中砲響汝令一齊發擂一番趙雲領了計去埋伏元來孔明在高山上暗窺曹寨但只聞曹兵到來搦戰寨內盡教伏定無一人出弓矢並不發操將自回孔明更深見曹寨內燈火將息定軍士將歇放起號砲漢水邊趙雲金鼓齊鳴曹兵紛亂只恐劫寨及至出迎不見一軍

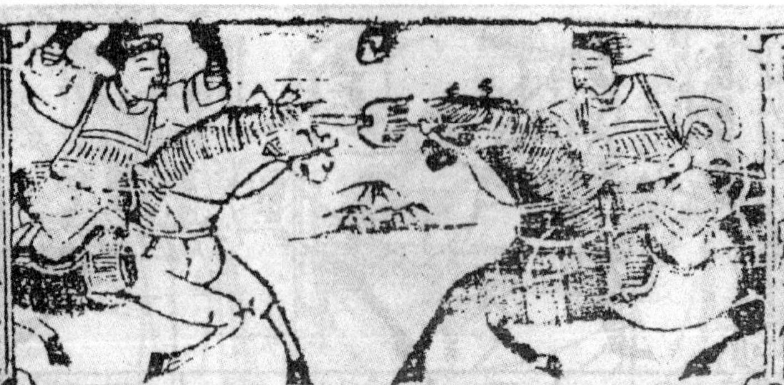

放號砲又起擂鼓吶喊山谷應聲軍士徹夜不安一連三夜曹操引兵退三十里就空闊去處屯住寨馬孔明笑曰今曹操雖知兵不識詭遂請玄德親渡漢水劫背後營玄德問計孔明曰可如此如此當時曹操見玄德背水結營心中稍疑使人下戰書孔明批約來日决戰次日兩軍皆起會於中路五合山前列成陣勢曹操出馬門旗下兩軍伍定列龍鳳旌旛擂鼓三通喚玄德打話玄德引劉封關索并川中諸將而出操揚鞭大罵玄德忘恩負義反背之人玄德曰吾乃大漢宗親奉詔討賊汝上欺天子僭竊自立爲王非反而何也操怒令徐晃出馬劉封出迎交鋒之際玄德先走入陣劉封敵住徐晃略戰數合詐敗撥回馬走操下令曰生擒劉備者便爲西川之主大軍吶喊殺過陣來蜀兵望漢水而逃盡棄衣甲馬疋軍器之物遺滿地曹兵爭取之曹操急教鳴金收兵休趕眾將在馬上曰待擒劉備丞相何故收兵操曰吾見蜀兵背漢水而結寨疑之一也多棄金鼓衣服前去二也可速收兵莫取此物操下令但取一物者斬引軍退之曹兵回頭

孔明號旗起處玄德便回左邊黃忠移出右邊趙雲殺出曹兵大亂孔明又連夜追襲曹操奔回南鄭四五路火起曹操退於陽平關玄德大兵郊入南鄭巴州安民賞軍已畢問於孔明曰曹兵敗速退者何也孔明曰操平生用兵多疑雖能用兵疑則必敗吾以疑兵勝之玄德曰今操退守陽平其勢已孤將何策以退之孔明差張飛魏延關索分兵兩路去斷曹操糧草趙雲黃忠分兩路放火燒山糧草盡絕操豈能久住玄德曰然各人本部鄉導官去了

却說曹操退守陽平令細作哨探回報蜀兵將遠近小路盡皆斷塞其破柴去處放火燒著不知兵在何處正疑間又報曰張飛魏延關索來劫糧必須軍馬救護操問帳前誰敢敵張飛許褚應曰某願往操令許褚引一千軍中於陽平關路上接糧當日押糧官參拜褚曰非將軍到此糧不能到陽平車上有酒肉來獻之許褚與諸將共飲不覺大醉褚乘酒興催糧草起行糧官曰前是巴州此處險惡只好來日過去褚大怒曰吾有萬夫不當之勇豈懼他人哉乘星月光明盡起糧車前行許褚當先橫刀在馬上引軍前

張飛刺中　許褚肩膀

進三更以後行過了一半忽然山凹裏鼓響振天一彪軍出當先一員大將乃燕人張翼德也挺矛拍馬直取許褚褚舞刀相迎只一合刺中許褚肩膀番身落馬衆將向前急救退了軍中亂箭射住張飛不追盡奪了糧車後人有詩贊張翼德云

雄哉翼德　銳氣如此　據水斷橋　横矛一擧
入川釋顔　襲糧刺褚　威鎮曹公　分茅列土

張飛盡奪其糧而回衆將保許褚見曹操操令行軍醫者看治操自持兵來與蜀兵共决雌雄玄德引兵出迎兩陣對圓玄德令劉封出馬闗索爲後接應操指封大罵曰賣履小兒假子拒爾父耶我若黃鬚來則假子爲骨醬肉泥矣劉封大怒直取曹操操顧左右曰誰敢出馬二將驟馬來迎乃是閬中降將閻伯王志與劉封交戰闗索看見二將來攻恐封有失遂拍馬挺鎗敵住王志戰不數合生擒王志過馬回陣閻伯見王志被擒心慌鎗亂被劉封一鎗刺於馬下追殺敗兵徐晃縱馬出戰不數合封敵不住撥回馬走徐晃乘勢趕至陣門闗索挺[illegible]來救晃戰七四五十合不分勝敗徐

二人大戰

晃喝曰君不活捉豎子誓不歸寨索亦曰吾定砍你頭方肯回陣
兩下大戰金鼓振天曹操在於高阜處觀看暗稱羨問左右曰
那少年將是誰有知者對曰乃關雲長之子關索也操歎曰虎父
還生虎子也關索佯輸撥馬而走徐晃追趕關索番身背箭便射
晃聽弦響馬上閃過盡力趕去四下裡喊聲如雷鼓角齊鳴操疑
是伏兵恐晃有失遂鳴金收軍回到陽平當兵東門放火西門吶
喊南門放火北門發擂操兵大亂棄寨而走背後蜀兵追襲正走
之間張飛攔住殺一陣趙雲從山背後又殺一陣曹操大敗諸將
驚惶操在馬上言笑自若正到斜谷界口塵頭起一彪軍到操曰
此處有伏兵吾等休矣視之乃曹操次子曹彰也傳曰
曹彰字文華善騎射膂力過人手格猛獸不避艱險操常戒之
曰汝不讀書而好汗馬此匹夫之勇何足貴也彰曰大丈夫學
衛青霍去病立功沙漠長驅數千萬衆縱橫天下是其志也何
能作傳士也操問諸子之志彰曰好為將操曰為將如何彰曰
披堅執銳臨難不顧為士卒先賞必行罰必信操大喜二十三

年代烏桓令彰引兵五萬討之臨行操戒之曰居家爲父子受事爲君臣動有王法汝可戒之彰到處身先突陣胡將應弦而倒直殺至桑乾北方皆平

彰聽得操在陽平敗績故來助戰操言黃鬚者乃曹彰也操見彰至大喜曰吾兒黃鬚遂來破劉備只在目前衆將曰今大兵勢弱何能再勝操曰吾兒一掃北方千里皆平今以得勝之兵來助於吾安有不勝之理遂勒兵回未知勝負如何

曹操殺主簿楊修

操傳下令後司有人報玄德說曹彰引生兵到來玄德問誰可敵劉封出曰操賞言吾黃鬚來以他兒無敵封今願往戰之孟達出曰某亦願往玄德曰汝二人同往看誰建功於是二人各引軍五千來迎劉封爲仗是玄德義兒強要先去孟達将兵在後劉封前進與曹彰相迎彰大戰劉封封與彰交戰封敗而走孟達以後兵前進方欲交鋒曹操陣後大亂原來是馬超吳蘭兩枝軍[illegible]

[illegible]

惇請問

操發號令

揚威耀武勢不可當與曹操軍回與吳蘭相遇章一戰斬吳蘭三事混戰曹操兵退於斜谷道內屯札累被馬超侵擊晝夜不安劉封悍恐無措見父聽知流遶自此結寨操屯兵日久欲進兵又被馬超把守險要張飛趙雲黃忠不時擁戰正要交鋒又被蜀兵把住險要欲要收軍回長安又恐被蜀兵恥笑心中判決不下適庖官進雞湯曹操見碗中雞肋因而感於懷正沉吟中夏侯惇入來稟請號令操隨口答曰雞肋雞肋夏侯惇隨與衆頭目傳說有行軍主簿楊修見傳雞肋二字修交隨行軍士收拾行裝準備還許有人來夏侯惇帳中報知惇大驚請楊修問公何收拾修曰以今夜之號就可知矣雞肋者食之無肉棄之有味今進不能退恐人笑此事無益不如早歸來日魏王必班師矣故先收裝束免臨時慌亂夏侯惇曰公何深知魏王肺腑也遂亦收拾行裝寨中將士無不準備是夜曹操心亂亦睡不着推枕而起遶寨閑看只見夏侯惇寨中軍士收拾操大驚急回帳召惇問其故惇曰主簿楊修先察王上欲行之意操喚楊修問之以雞肋之意答操操大怒

操出閑遊

見畫收拾

楊修字德祖漢太尉楊彪之子也博學廣覽目睹五行九流三教無所不通建安中舉孝廉除郎中曹操用為倉曹屬主簿出則參贊軍機總知內外事修為人恃才放曠數次犯着曹操喜怒操平生為人雖用才能之人只恐他人高於己一日命造花園一所一年造成請操觀之操不言好歹取筆於門上書一活字而去人皆不曉楊修曰門內添活乃闊字丞相嫌闊於是改牆圍門請觀之操大喜問誰知吾意人對曰楊修操雖喜而心惡之又一日塞北送酥合至操親書一合酥三字于其上操入請之修入見取匙分食操睡覺欲食不見問修修曰丞相有命令一人一口盡食之矣操雖大喜心甚惡之曹操嘗分付左右吾夢中好殺人睡着勿近前後一日晝寢於帳中錦被落地一近侍從拾被蓋之操躍起拔刀殺之復上床睡半晌驚起問何人殺我近侍衆以言對操操痛哭厚葬之人皆不識以為操果是夢中殺人惟修知之臨葬歎曰君乃夢中之錐也操聞而惡之操第三子曹植欲為王太子曹丕不容知其事遂請朝歌長

人怒

令殺楊修

吳質議事恐有人見用大簏盛絹藏于其中只說是絹入楊修知有此
事來告曹操操曰來日擒之早有人報曹丕丕慌報吳質曰若
須變處明日用大簏盛絹載入以惑之次日修又告入曹操操
使搜果有操以為大疑楊修有害曹丕之心操一日交曹丕曹
植各出鄴門卻密使人分付依交植先入門楊修曰世子今奉
王命如何攔當可斬之果然曹丕至門被當住自回植至城門
下門吏當住植怒曰吾奉王命如何敢當欲者立斬之操
知次子多能召而問之植對曰出於胸臆也操喜有人告操曰
此乃楊修之所教也操此時已有殺修之心矣修常答教數十
條與子建但操有問依條答之其中治國安民之道無所不該
載馬操常視子建見其對答如流心中甚疑至后曹丕暗結了
建左右偷答教與曹操操見了心中大怒曰匹夫敢搆吾見以
併祇即此時已有殺修之心只恐人議論故忍之後子建帶酒
乘輕車出司馬門人皆以為操出伏道而迎方知是子建曹操
聽知怒曰吾無事不出此門將以取信於他人也汝無禮可殺

曹操分軍

殺蜀二將

之衆官勸住方免曹操不容寄遣諸賓客收蓋用矣操斬修年
漢中觀毗時已有殺楊修之心恐將士議論姿假惡之
當時操大怒曰腐儒敢亂吾軍法叱刀斧手送出斬之號令首
級於營門以示其衆修死年三十四歲後人詩八句贊曰
聰明楊德祖　世代繼簪纓　筆下龍蛇走　胸中錦綉成
開談驚四座　捷對冠群英　身死因雞肋　今人哀怨生
又詩訓曹操忌才楊修遂見詩曰　奸雄倫的忌聰明
積怨存心恨易生　雞肋早知能喪命　曾如緘口得公卿
曹操作威欲斬夏侯惇衆官皆告饒之數十喝退操至次日進兵
出斜谷再復漢中忽一軍擺開爲首大將魏延出馬曹操招魏延
出降延大怒罵操操令龐德戰之二將正鬬間寨内人來報馬超
劫了後寨操拔劍在手曰諸將亂動者斬衆努力一戰殺退魏延
從山僻小路去了操方回兵來戰馬超背後喊聲起張飛後來操
於中分兵一半敵馬超一半敵張飛操立馬於高阜處正看兩
軍各爭放力曹兒之夜忽一彪軍徑衝而前當先是魏延[illegible]

龐德力敵

魏延救主

射中曹操，衣身落馬。魏延見了，綽刀搶上坡來，救曹操馬後一將大叫：「勿傷我主！」乃是南安狟道人也，姓龐名德，字令明。龐德勇向前戰退魏延，殺下坡來。魏延兵敗，閉索見延敗，挺鎗拍馬直來戰龐德。龐德無心戀戰，撥回馬，保曹操歸寨。索亦不趕，馬超已退。操歸寨看時，折却門齒，帶箭傷在帳中醫治。納悶，方憶楊修，令收葬之，遂下令班師。交張郃、龐德二將斷後，盡選精兵，令二將領。當夜乘車，馬延已備前軍先退，操患在車之中，左右及護衛虎賁數萬，俱起，忽報斜谷兩山人喊起。畢竟後來其事如何。

新刻湯先生校正古本按鑑演義通俗三國志傳卷之十三

劉玄德進位漢中王

建安二十四年秋七月魏王曹操兵自斜谷欲還又被魏延一箭射傷人衆因此收兵班師此及三軍起行元來諸葛孔明見操退於斜谷操必自漢中而走故差馬超等將分十餘路如常攻擊因此不能久住遂擺開兵殺到軍前方起兩丶火起乃是馬超施放曹操緊行三軍喑噫銳氣又聽火起人人喪膽個個亡魂只管逃生安能拒敵連夜徹夜奔竄而走背後蜀兵不住追趕軍至長安京兆知縣放心却說玄德分命劉封孟達王平攻取上庸諸郡申耽等聞操已棄漢中而去遂皆投降玄德大喜於東川之地遍勞三軍諸將皆有尊玄德爲帝之意未敢擅便遂稟諸葛軍師孔明曰吾意已定奪了也遂引法正等以見玄德孔明曰方今漢室衰弱曹賊專權天下百姓無主主公年過半百德及四海東除西蕩奄有九有可以應天順人法光武中興卽皇帝位名正言順以討国賊此合天理事不宜遲便請擇日玄德大驚曰軍師言者差矣

術雖然系居皇族乃臣下之輩若爲此事則反漢也孔明曰方今天下分崩英雄並起各霸一方四海有才德之士同聲相應同氣相求捨死忘生而事其主非爲名即爲利也今主公尚避嫌疑守義不擧手下之士皆無所望其心皆心不久自去矣願主公熟思之玄德曰僭居尊位吾實不敢汝等各宜商議諸將一齊曰主公若是推却三軍心変矣孔明止之曰主公平生以義爲重未肯便居尊號今有荆襄兩川之地可暫爲藩王以正其位方可用人玄德曰汝等欲尊吾爲王不得天子明詔是僭稱也孔明曰離亂之時宜從權変若守常道必誤大事張飛次問曰異姓者皆欲爲君况哥哥乃漢朝宗派若不如此半世辛勤成一夢矣孔明曰主公可進位漢中王吾辭自作表章申奏天子玄德再三推阻不過恐軍心変只得依允孔明遂命譙周作表申奏漢獻皇帝其表曰

平西將軍都亭侯臣馬超軍師將軍臣諸葛亮盪寇將軍漢壽亭侯臣關羽征虜將軍新亭侯臣張飛鎮東將軍臣趙雲等上言曰唐虞至聖而四凶在朝周成任賢而四国作難高后稱

先進

表于獻帝

而諸呂專命孝昭幼沖而上官逆謀皆憑世寵籍觸國柄濟惡極亂社稷幾危非大舜周公朱虛博陸則不能流放擒討安危定傾伏惟 陛下神姿聖德統理萬邦而遭厄運不造之艱董卓首禍蕩覆京畿曹操階亂竊執天衡皇后太子俛首酖殺亂天下殘毀民物久致 陛下蒙塵憂危起劫遷聖駕人神無主遏絕王命壓握皇極欲盜神器左將軍領司隸校尉豫荊益三州牧宜城亭侯備受朝爵秩思竭心殫力以殉國難東西馳驅赫然奮發與車騎將軍董承同謀誅操將安國家克復舊都會承機事不密令操遊魂得遂奸志殘民海內 臣等再懼王室大有閻樂之禍小有定安之變秦趙高使閻樂弒二世漢王莽篡位廢孺子爲定安公夙夜惴惴戰慄屏息昔在虞書敦叙九族周監二代封建同姓維持國祚歷年長久漢興之初割裂疆土分王子弟是以卒折諸呂而立之以成太宗之基 臣等以備乃肺腑枝葉宗子藩翰心存國家念在弭亂自破操於漢中海內英雄望風蟻附而爵號不顯九錫未加非所以鎮衛社稷光照萬世也奉辭在外禮命斷

絶皆河西太守梁統等值漢中與根據山河位居莅迫不能出
尚卑羨賞融以爲元帥卒立功績權隗囂今社稷之難急於隗囂
敵操外吞天下内殘群僚朝廷有蕭牆之厄而禦侮無聞元爲
寒心臣等輒依舊典册備爲漢中王拜大司馬整齊六軍糾合
同盟殄滅兇逆以漢中巴蜀廣漢犍爲之國所署部者依漢初
諸侯王故事八權宜假之苟利社稷專之可也然後功成事立
臣等退伏矯罪雖死無恨誠惶誠懼頓首死罪群臣等不勝瞻天
仰聖激切屏營之至
建安二十四年秋七月築壇於沔陽今屬陝西漢中府沔縣是也方圓九丈分布
五方各設旌旗儀仗群臣皆依次序排列許靖法正請玄德登壇進冠
冕璽綬訖南面而坐受文武群僚拜賀立劉禪爲王太子封許靖
爲太傅法正爲尚書令諸葛亮爲軍師總理軍國重事封關
馬張黃趙爲五虎大將魏延爲漢中太守其餘各擬功勳定爵
明奏曰荊州令關雲長鎮守但關中亦是咽喉之地可令翼德鎮
之雲長五路等事亦見國家藩籬乞令關某鎮之玄德依奏即

使孫權詣命之荊州閬中加關興爲校尉差令鎮雲南闕令李嚴領莅玄德既立王位乃遣使往許都進表表云

臣以具臣之才荷總將之任督率三軍奉辭於外不能掃除寇難平王室以致 陛下聖教陵遲六合之內否而未泰惟憂反側疢如疾首曩者董卓始造亂階自是之後群兇縱横殘剝海內仗 陛下聖德威靈人臣響應或忠義奮討或上天降罰逆臣授首好宗永消惟獨曹操久未梟除侵奪國柄恣意極亂 臣昔與車騎將軍董承圖謀討操機事不密承見陷害操窮兇極逆擅殺王后鴆殺皇子 臣雖糾合義勇同謀討賊懦弱不武歷年未效恐負國恩寤寐永歎今 臣群僚以爲在昔虞書敦睦九族庶明厲翼五常損益此道不廢周監二代並進諸臣實賴晉鄭夾輔之福高祖龍興尊王號六合九國卒斬諸呂以安太宗今操惡直醜正包藏禍心篡盜已顯既宗室微弱帝族失位斟酌古式依假權宜上大司馬漢中王 臣伏自三省受國厚恩荷任一方陳力未效所獲已過不宜忝居高位以重罪謗群

逆臣以義臣細推國賊不梟國難未已宗社傾危社稷將墜臣誠憂之若能應变以寧 聖朝雖赴水火亦不得辭敢從常以貽後悔臣輒順衆議拜受印璽以崇國威仰惟爵號位極寵厚俯思報德深切淵冰臣將大厲六師遍齊群義應天順人進討兇逆以寧社稷少報聖恩謹拜表章納還所假左將軍宜城亭侯印綬隨表上聞仰干天聽 建安二十四年七月 日漢中王領大司馬臣劉備表

遣使到許都進表曹操知玄德自立爲王大怒曰織蓆小兒安敢如此吾不滅汝誓不囘軍即傳下王旨令起遍國之兵來取東川與玄德大决雌雄忽班部中一人出曰陛下不可因一時之忿使無辜生靈屈死臣有一計不須張弓隻箭令劉備自受其禍待其兵衰力盡容用一將征之可一舉而成功也衆視之乃河内温人也姓司馬名懿字仲達見爲丞相府主簿操喜而問曰仲達有何高見懿曰今江東孫權以妹嫁劉備今已分離取囘江東有切齒之仇王上可差一舌辯之士賫書見孫權説使興兵取荊州[illegible]

興兵先取荆州與關羽相持劉備必發兵以救荆州王上那時發兵攻漢川劉備首尾不能相救勢必危矣操大喜即時修書令滿寵爲使星夜往江東孫權聞操遣滿寵到遂聚謀士商議張昭曰魏本與吳無仇蓋因一時聽諸葛亮之言以致閒諜累年征戰不休生靈塗炭今滿伯寧來必有講和之意可接待之權然其言遣衆謀士遠接滿寵入城見吳侯禮畢權以賓禮待之滿寵曰吳魏自來無仇皆被劉備離間今魏王差使來約會同破劉備共分地土誓不相侵遂將操書呈上書曰

操聞居於亂世之間列在至尊之上而卑於異域之臣者此王侯之耻也不論行而結交者此大夫之耻也以祖宗可得之基業一旦輕觸他人此家門之耻也仲謀乃東吳之至尊而受制於劉備此可耻一也備乃幽燕小輩素無行已天下共知一旦以賢妹妻之此可耻二也荆州九郡公父兄皆以此土養身何故如敝屣與劉備而不取此可耻三也夫備恃頑賴兒數有輕侮輕諾寡信素懷不仁先背王恩後殺呂布棄袁紹之義忿劉

表之愛併吞蜀土皇居漢上負明公與孤之德雖推牧亦切齒也今遣蒲龍前來所有舊怨一切勿言迷與仁義之師來取荊襄之土上與國家除兇下與家門雪恨清平之後自以江陵連接西蜀書不爲於公漢中襄陽孤當自取誓不相侵永結盟好書不盡言專[illegible]

孫權覽畢設宴待蒲龍送居官舍連夜與謀士商議顧雍曰雖是說詞其中有理一邊送蒲龍回約會曹公首尾相擊邊使人過荊州探視關公動靜方可行事諸葛瑾曰某聞雲長前妻生有一子名關平自到荊州喪了前妻劉玄德與娶一妻先生一男後生一女其女年幼尚未曾適人某願一往與主公世子求親若雲長肯許就與雲長計議破曹若雲長不許然後助曹取荊州凡征戰有名則人心皆順於是孫權用其謀遣蒲龍回許都後遣諸葛瑾往荊州來至江口人報知雲長雲長從來輕傲士大夫不令人出接瑾自入城來見雲長禮畢雲長曰子瑜此來何意瑾曰想劉玄德公與漢王[illegible]行永結兩家之好並無猜疑主人吳侯有一子甚聰

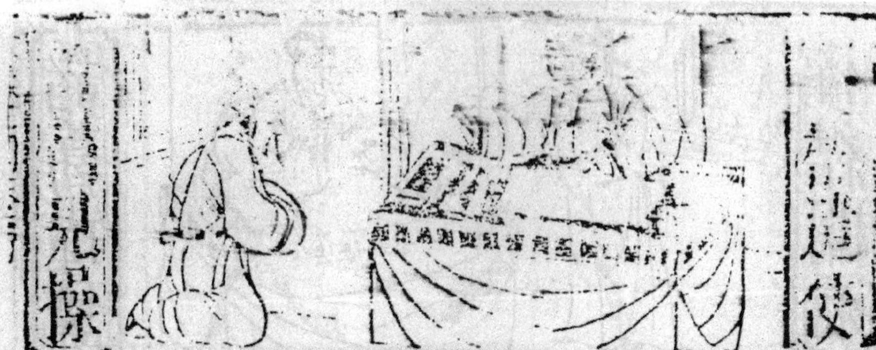

奇疑人皆畏之瑾知將軍有女特來作伐求婚同議破曹此誠美事願將軍熟思之雲長大怒曰吾虎女安肯嫁犬子也若不看汝弟之面立斬汝首再休多言令左右逐出諸葛瑾抱頭鼠竄回見吳侯不敢隱匿只得實告孫權大怒曰何太無禮也便聚文武商議進取荊州未知勝負如何

關雲長威震華夏

孫權與文武議取荊州參謀步騭曰不可曹操欲篡漢懼劉備而不敢今遣使來令吳與兵吞蜀此移禍於吳也不然操留曹仁見屯兵於襄陽又無長江之險如何不從旱路取荊州却令主公動兵此便見其心也孫權曰孤亦欲取荊州久矣騭曰主公可遣使直到許都見曹公令曹仁先動兵關公必徹荊州兵取樊城關公一動主公卽遣兵暗襲荊州一舉可得吳侯大喜卽時遣使渡江至許都見曹操上書陳說此事操見書大喜卽差滿寵往樊城助曹仁爲參謀官一同商議動兵便教東吳使回令水陸接應共取荊州却說漢中王留魏延總督軍馬守禦東川自回成都差官建

漢中王封雲長爲將

近宮庭議置驛舍自成都至白水關并建四百餘所廣屯糧草多積器械以圖進取細作飛報稱曹操結連東吳遲取荊州漢中王忙與孔明商議孔明曰亮已知曹操必有此謀今東吳謀士極廣必然交操令曹仁先興樊城之兵矣漢中王曰如此奈何孔明曰可遣使送官誥與雲長號勅起兵取樊城令魏兵膽寒自然瓦解矣漢中王大喜即差前部司馬費詩爲使（費詩字公舉南安人）賫誥命往荊州而來入報雲長出郭迎接入至公廳費詩將誥命與雲長雲長問加何職詩曰王上加五虎將之職將軍其一也雲長曰何爲五虎詩曰關張馬趙黃雲長大怒曰翼德吾弟也孟起世代名家子龍隨吾兄多年位與吾並可也黃忠何等之人敢與吾同列大丈夫終不與老兵同職詩笑而言曰將軍差矣聽愚一言夫立王業者所用非一昔日蕭何曹參自幼親隨高祖陳平韓信乃後亡秦命至論功序爵韓信封王位居其上未聞蕭曹以此爲嫌今漢中王以一時之功隆崇漢室故加將軍等爲五虎將漢中王待將軍之意豈與黃漢升同也況漢中王與將軍有結義之恩譬如一

雲長欲斬

糜芳士仁

體可同休戚不可以官品之高下爵祿之多寡爲意也僕乃一介之使銜命而來不得不告於將軍也願將軍思之雲長大悟乃再拜曰忠之不明非足下見教幾誤大事費詩方出王旨令雲長興兵取樊城雲長曰吾亦有心多時但未得王命耳即差糜芳傅士人二人爲先鋒先發一軍於荊州門外屯住候次日大軍同發二將得令先往城外點軍雲長設宴管待費詩飲至二更忽軍士報城外火起雲長即披掛上馬出來看時原來是糜芳傅士仁飲酒帳後遺火燒着火砲把軍器糧草盡皆燒毀雲長引軍救撲至四更方滅雲長入城喚糜芳傅士仁至階下大罵曰吾命汝爲先鋒未曾進兵折吾許多糧草器械火砲打死本部許多人馬喝令斬之司馬費詩告曰未經出師先斬大將於軍不利可以暫恕其罪雲長曰不看費司馬面立斬於市以正軍法你遂兩顆頭暫寄在項上若稍有差遲二罪俱罰決不恕也令武士將二人各打四十棒謫糜芳守江陵士仁守公安二人羞慚喏喏而退雲長令與廖化爲先鋒關平爲副將馬良伊籍爲參謀雲長自總中軍一同

雲長自提

兵取襄陽

征進當日祭帥字旗罷雲長晝伏於帳中忽夢見一猪渾身黑色奔入帳中逕咬左足雲長大怒拔劍斬之聲如裂帛雲長驚覺雲長左足隱ニ疼痛心中大疑謂子関平曰吾纔夢一黑猪咬吾左足覺來隱ニ疼痛吾今年衰矣平對曰猪亦能像猪龍附足乃升騰之象父親何必生疑雲長聚衆圓夢有言好者有言不好者雲長曰大丈夫年近六旬死何恨焉正說間忽報蜀使至拜雲長爲前將軍假節鉞雲長受命諸將賀曰此足見猪龍之瑞也因此雲長不疑遂起兵向襄陽而來曹仁聽知関羽自領兵至心中大驚欲堅守不出副將翟元曰今魏王欲將軍與吳侯約會取荆州今彼遂來是送死也何故避之曹仁然其說便欲動兵參謀滿寵曰某素知雲長勇而有謀不可輕敵不如堅守爲上驍將夏侯存曰文和所言何能破敵豈不聞水來土掩將到兵迎之說乎吾軍以逸待勞何足懼也曹仁從之使滿寵守城仁自提兵出襄陽迎敵雲長知曹仁兵來便喚廖化関平聽計了二將引軍擲戰仁陣内翟元挺鎗出馬戰不多時廖化撥回馬翟元引兵趕殺二十里関

関公斬夏侯存于陳

平又出接戰翟元乘勢追襲閔平廖化分兵夾攻曹仁差夏侯存把関平翟元𢬵廖化次日又來搦戰翟元夏侯存又勝赶去二十里忽聞後軍大喊曹仁急命前軍速回翟元夏侯存急退関平廖化後來曹兵大敗曹仁自領一軍飛奔襄陽離城数里逢着雲長曹仁知雲長勇不敢戰望襄陽而去雲長不赶夏侯存兵到與雲長交鋒被雲長斬之翟元被関平所殺曹兵大敗大半死於襄江之中曹仁退守樊城雲長遂得襄陽賞軍撫民司馬王甫進曰今君侯一鼓而下襄陽曹兵喪膽愚意東吳兵屯陸口倘逕襲荊州如之柰何関公曰汝可於沿江上下或二十里或五十里高阜去處置一烽火臺每臺用軍五十人守之倘吳兵渡江夜則明火晝則焚煙爲號吾當親往擊之王甫曰糜芳傅士仁守二隘口恐不盡心荊州必須再得一人以總之雲長曰已差荊州治中潘濬總之有何慮焉（濬武陵人）王甫曰濬爲人多忌而好利可用軍前督糧官趙累代之萬無一失関公曰吾素知濬之爲人既已差定何必改之趙累掌糧料亦是重事汝勿多疑王甫拜辭快二而去関公令関

關羽引兵

攻打樊城

可收集船筏渡江攻打樊城却說曹仁折了二將回至樊城謂滿寵曰不用伯寧之言將亡城失何計可復滿寵曰雲長虎將不可輕敵只宜堅守正議間人報關公兵渡襄江來打樊城曹仁驚慌首將呂常出曰某乞精兵數千掩來軍於襄江之內滿寵只勸堅守不可輕出呂常曰據汝文官只是堅守何能立名於後世乎今兵渡襄江不乘此時擊之直迯臨城下勢難退矣常願決一死戰曹仁大喜與精兵五千隨呂常出城迎敵繡旗開處關公提刀出馬呂常部士見關公威風凜凜不戰而走呂常止喝不住敗入樊城軍兵折其大半（史官曰曹仁前不聽滿寵之言折將失城既知其過悔矣今又復諫輕敵取敗明知故作曹仁之罪甚矣）曹仁急差人飛報曹操言雲長打破襄陽見圍樊城至急望早發兵救護曹操指于禁曰汝可引一軍去解樊城之圍于禁曰願求一將爲先鋒同領兵去操問誰可爲先鋒一人挺身出曰某願施犬馬之勞以報王上知遇之恩未知是誰

龐德擡櫬戰關羽

其人南安人也姓龐名德字令明操大喜曰關羽威鎮華夏未逢

對手今尚不令明正其敵也加于禁爲征南大將軍龐德征南先
鋒操謂于禁曰孤知汝深有良謀令與汝七軍皆精練之士于禁
拜謝分撥司馬法云五人爲伍二十五人爲一隊一萬二千五百人爲一軍七軍總計八萬七千五百人領軍兩員
上將董衡董超來見于禁與衡曰今將軍提兵解樊城之危期
在必勝今用龐德爲先鋒豈不誤事于禁驚問其故衡曰龐德原
是馬超副將不得已而降魏今故主在西川輔佐劉備其兄龐柔
亦在西川爲官今使爲先鋒是潑油救火也于禁聞此語急入見
操奏知此事操亦省悟喚龐德入令納下先鋒印德大驚曰某正
欲與王上出力擒關羽以安許昌王上何不用操曰孤得卿效
戮所用不曾猜疑今此一行不敢用卿德曰願聞其故操曰卿故
主馬超親兄龐柔俱在西川輔佐劉備孤縱不疑衆亦疑之德聞
知流拜言曰德自漢中投降感王上知遇大恩恨不能肝腦塗地
以報今出師何疑於德也昔在故鄉嫂甚不賢德數次毀罵德乘
醉提刀殺之兄龐柔恨入骨髓誓不相見故主馬超有勇無謀之
蕢不能下士今感王上大恩有倍豈肯萌異心而負王上哉願王

龐德出師

大會親朋

衆之操扶起龐德曰孤知卿忠義前言特以安衆心耳卿當努力
向前孤誓不負卿也龐德拜謝歸家令匠造一木櫬次日請諸親
赴宴列木櫬於堂前諸親大驚曰將軍出師何用喪車耶德舉杯
曰德受魏王厚恩誓以死報今去與關羽决一死敵若關羽死裝
回頭功若我死必當孤魂歸国也諸親皆灑淚德把盞畢喚妻李氏
子龐會曰會年方七歲我受国恩義在效死今去戰關羽我不殺他
必殺我汝可善養吾兒他日長大必報吾仇也妻子哭別後至鍾會
收川果然盡殺關羽子孫應父之言德令車載木櫬而行驍將伍伯問曰將軍載櫬
何意德曰汝隨吾多年今以大事付汝汝休負吾今與關羽決戰
吾若殺羽汝可急取其尸吾自取其首置於櫬中回獻魏王……
被羽所殺汝亦可取吾尸首置櫬中而回伍伯曰將軍為有一……
吾亦捨頭為將軍報仇於是引軍前進操聞知大喜曰龐德有此
志孤何憂也言龐大笑賈詡進曰王上差矣倚血氣之勇而……
非良策也况二雄相撃必有一傷切宜戒之操曰然……
命赴上龐德處傳王言曰關羽智勇雙全勿用力鬬之可……

可取則取務宜謹慎勿忽斯言龐德受命訖微微冷笑于禁曰將
軍何故哂乎德曰吾料此敵可挫關羽三十年之銳氣王上慮其
有失戒慎之言令勿用其血氣之勇示物於寡則也吾之膽已有吞
關羽之志矣于禁曰魏王令旨不可不從將軍宜自斟酌龐德已
至樊城界自揚威耀武金鼓喧天關公在帳中高坐人不敢隱禀
曰探知曹操用于禁為將領七[illegible]來前部先鋒龐德軍中
擡一口櫬口出不遜之言誓與將軍決一死戰關公聞知勃然變
色大怒曰天下英雄聞吾之名莫不畏服龐德豎子何敢藐視
吾也喚關平一面攻打樊城吾自去擒此匹夫以消其恨平諫曰
父親三十年英雄不可因其一言而輕棄泰山之重辱子不才願代
父往戰之關公曰吾自歷戰以來未嘗不身先士卒龐德何等之
輩敢辱吾也平又曰隋侯之珠不可彈雀怒蠅援劍徒費神威豈
龐德鼠輩何必父親自勞平願往公曰汝試一往吾隨後便至也關
平遂引軍迎敵門旗開處皂旗上白書南安龐德四字旗下龐德
青袍銀甲鋼刀白馬背後伍伯數個軍士肩擡棺櫬而出龐

雲長戰龐德

平喝曰負王匹夫何敢辱吾父耶龐德問是何人伍伯曰此關公長子關平也龐德大笑曰吾奉魏王旨來取汝父之頭汝乃孩小兒吾不殺汝快喚汝父來關平大怒舞刀直取龐德伍伯挺鎗迎敵鬬至三十合不分勝負兩邊各自暫歇早有人報知關公言如此如此關公大怒分付廖化圍住樊城自己逕到軍前關平言與龐德部將伍伯共戰二次勝負未分關公提刀縱馬直至陣前厲聲喝曰關羽在此龐德何爲不出鼓聲震處龐德出馬曰吾乃南安龐德是也今奉夫子詔魏王旨特來取汝之頭汝若怕死下馬投降汝若不信備與櫬在此關公大怒曰汝只是羌胡小卒可惜吾青龍刀斬汝鼠賊言訖縱馬直取龐德龐德拍馬來迎二將在陣前相戰二百合精神倍增伍伯恐龐德有失鳴金收軍二旗分開各歸本寨龐德謂伍伯曰人言關公英雄無敵今日方信說猶未了于禁到相見了于禁問曰聞將軍戰關公百合之上不得便宜不如且退兵避之龐德曰魏王命公爲大將何其弱也吾來日與關公決一戰再無遲疑于禁無語而回却說雲長與關平

龐德刀法甚熟真吾敵也平白俗言初生之犢不懼於虎父親縱然斬德只是西羌一小卒耳倘若有失以負父所託江山之重華如鴻毛之輕也關公曰匹夫辱吾不斬何以雪恨吾意已決汝勿多言次日引軍前進龐德亦引軍來迎兩陣對圓二將齊出二騎交戰三十餘合龐德撥馬拖刀而走關公趕來關平見父趕去恐怕有失隨後也來關公大喝曰賊將欲使拖刀計吾豈懼哉元來龐德虛做拖刀計就鞍前扎住刀取弓搭箭關平眼快見龐德取弓箭大叫賊將休放冷箭關公却擡頭看時一箭正中其額却將落馬關平馬到扶住送父回營龐德努力趕來未知性命何如

關雲長水渰七軍

龐德正赶只聽得魏軍中鑼聲大震龐德恐後軍有失急收軍回原來是于禁恐龐德成功特地令鳴金收軍龐德回問有何事故于禁曰你不記得魏王戒約云關將智勇雙全雖然中箭我恐其中有詐故急收軍龐德曰若不收軍吾今日必斬此人于禁曰急行無好步當緩圖之龐德不識其意懊恨不已却說雲長歸寨拔了箭幸喜無甚傷

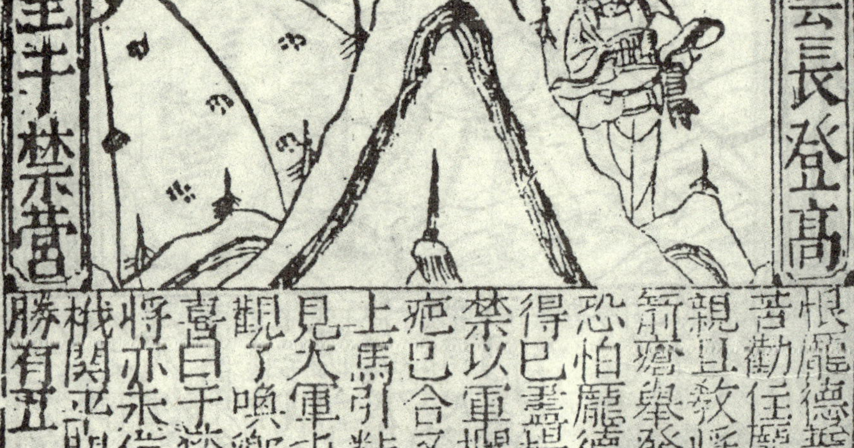

雲長登高

望于禁營

根龐德誓報一箭之仇却說龐德次日擺戰關公便要自出諸官苦勸住龐德令軍士連日毀罵關平自把隘口令軍士休報知父親且教將息龐德見十餘日雲長不出與于禁商議曰必是關羽箭瘡舉發因此不出不如引七軍揜殺將去可救樊城之危于禁恐怕龐德成功只把魏王戒約來推不肯發兵龐德累推于禁不得已遂提七軍離樊城北十里依山下寨却交龐德屯于谷內于禁以軍攔截谷口隔斷大路不令龐德進兵却說關平知父親箭瘡已合又見于禁移軍屯樊城之北未知其謀來報關公關公即上馬引數騎登高阜處觀之見樊城上面旗旛不整軍士慌亂又見大軍屯于樊城北山谷之內看湘江白水滔二水勢奔流關公觀了喚鄉導官問曰此何地名鄉導答曰此地名爲滑口川關公喜曰于禁必被吾擒矣諸將問故公曰于禁入滑口安能活耶諸將亦未信關公歸寨計定時八月霖雨大作數日公差人造搭船栰關平問曰陸地相戰何用船栰關公曰非汝所知也兵法云必勝有五一度二量三數四稱五勝度者地土之形勢量者量人

力之多寡數者數天地之陰陽稱者稱彼我能相當者料者敵人之情能知此五者取勝之道也方今秋霖累日漢水必發吾故差人往各處截住水口待水發吾乘高放水一渰樊城滑口之兵盡皆死矣平再拜曰父親妙算吾所知耶却說魏兵屯于滑口部將成何見累日霖雨不止來稟于禁曰今兵屯川口地勢甚低雖有土山離城稍遠近日秋霖不止荊州軍皆移于高阜處又于漢水備船栰倘漢水泛長軍無所逃于禁大喝曰匹夫亂言惑我軍心再言必斬成何羞慚而退來龐德寨中具言此事德曰汝言有理若于將軍不移我自移之言未畢忽萬馬爭奔鑼鼓震天龐德大驚出帳上馬之時見四面八方水至七軍隨波逐浪不可勝計平地水深丈餘于禁龐德及諸將被山水所衝盡皆逃命比及平明關公父子諸將皆搖船擂鼓而至于禁見四下無路口稱願降關公令其盡軍器收在船上撑船來捉龐德德與董超董衡成何伍伯左右軍士百餘人立于堤畔龐德當先接戰並無懼怯關公將船四面圍繞令軍士一齊放箭射之死者大半董超董衡見勢

周倉乘栰

生擒龐德

危急告龐德曰軍士損折又無退路不如請降免死龐德大怒曰吾受国家大恩安可屈膝于他人耶言罷斬二董於前厲聲言曰如有再言降者腰斬自平旦戰至日午勇氣倍增関公催四面急攻之矢石如雨龐德亦令人對射矢盡伍伯兵接戰龐德顧成何曰吾聞良將不懼死以圖利烈士不毀節以求生今日我死也汝等可乘勢力戰氣益壯而水益深成何被関平射死衆軍皆降只有龐德與伍伯二三人力戰正値荊州兵數人駕小舟近堤龐德湧身跳上小船將數人毒殺下水伍伯拖弓矢下船二人乘駕小舟欲投樊城忽上流頭一將乘栰而來當頭把小船衝翻龐德伍伯墮於水中栰上將跳下水生擒龐德上栰伍伯甲重沉於水底而死栰上擒龐德者乃関公部將周倉也于禁所領七軍皆沒于水其會水亦無去路只得投降二者有萬餘人却說雲長在寨升帳而坐令押于禁過來禁乃拜伏于地曰願降公曰汝何敢領兵敵吾耶禁曰上命所差身不由已望君侯憐之誓當死報関公笑曰吾若殺汝如殺犬豕乃斧押付荊州收監俟吾回來別作區處

[illegible]德抗立

[illegible]關羽

去訖交進龐德過來德揚眉怒目立而不跪關公曰汝兄龐柔見故主馬超起皆任川中事吾兄爲將佐汝何不早降被吾擒耶德罵曰豎子何謂降耶吾魏王帶甲百萬威鎮天下汝劉備庸才耳豈能及哉我寧爲國家鬼不降賊將也罵不絕口關公大怒叱令推出斬之龐德引頸受刑關公憐而葬之（後于禁從東吳二歲送還魏文帝令行于[illegible]帝畫于禁執家廟令于禁往謁之于禁見壁上關公坐上于禁像上于禁俯伏于地龐德作抗拒之狀立而不跪于禁大慚歸家服藥而死）史官有詩贊龐德曰

威武不能屈　節操不能改　生當立金鑾　死當披鉄鎧
烈士大丈夫　垂名照萬載　南安龐令明　日月增光彩

關公乘水勢未退再上戰船率大軍來攻樊城却說樊城外白浪滔天曹仁兵將見關公船來盡皆驚懼城垣崩壞男女負土擷[illegible]塡塞不住衆將曰今日之危非力可敵趁關公兵圍未合乘輕船棄城夜走尚可全身曹仁從其言便安排船隻要走滿寵聞知慌入諫曰不可仁曰城已將破何能守寵曰山水驟長不日自退關公雖來攻城遣將別屯在郟下（今河南郟縣是也）自許以南百姓擾亂

曹仁殺白馬于水中

關公所以不敢輕進者恐吾軍襲其後也今若棄此黃河以南非復國家之有也願將軍嚴守為國家之保障曹仁謝曰非伯寧所言幾誤大事遂牽白馬一疋登城聚衆將言曰吾受國恩今守此城但有敢言棄者以白馬為例言訖斬馬沉於水中諸將互相告誡願以死守城內設伏弩數百張軍士晝夜防護不敢暫離數日之內水勢盡退却說關公自獲于禁威聲大震其子關索來寨省覲道漢中王着令鎮雲南事關公曰伯伯漢王既有令旨你可即去索曰見欲在此攻樊城俟功成而去關公曰樊城一彈丸耳何足慮哉伯伯王命不可違也你可往荊州同弟關興賫衆將立功文簿親往成都奏漢王各擢升用關公拜辭就往荊州去說

却說關公分兵一半前抵郟下關公自領軍馬攻打樊城當日關公自至北門下立馬揚鞭指城上而言曰汝等鼠輩不早歸降更待何時吾若打破城池寸草不留正說間曹仁在敵樓上張見關公在麾蓋之下傍若無人身上只披掩心甲斜袒綠袍欲[illegible]攻城曹仁交招呼將手一箭望着[illegible]之下而射[illegible]

佗往荊　州醫關羽

馬時右臂中一箭翻身落馬未知性命何如

雲長刮骨療毒

城上曹仁見關公落馬急欲引軍出城衝出却被關平引軍殺回救關公回寨拔出臂箭血流不止右臂青腫不能舉動關平心慌與衆將商議曰父親損其右臂安能拒敵不如且退軍回荊州將息司馬王甫曰斯言正合吾意遂與入帳見關公問箭瘡見關公坐於帳上面上全無疼痛之意關公問汝等欲說何事王甫曰為見君侯右臂傷損但恐臨敵怒氣衝撞不便欲議班師暫回荊州關公怒曰吾取樊城只在目下拔去後患長驅大進直至許都勦滅操賊復興漢室吾之願也豈可因小瘡而廢大事汝等敢慢吾軍心耶王甫等惶恐而退關公雖叱退衆官終是臂疼少出衆官見關公又不肯退軍臂又不痊只得四遠求醫療治忽一人自江東駕舟而來聽知關公害箭瘡來寨求見小軍引見關平其人布巾闊服臂挽青囊自言沛國譙人也姓華名佗字元化聞君侯乃大義之士中箭特來醫治關公曰莫非昔日醫東吳周泰者

華佗用刀

刮骨療毒

佗曰然平曰聞名久矣幸得相遇即時與諸士相見了便引入中軍見關公公本是臂疼恐慢軍心無可消遣正與馬良在帳中博棋聞平引佗見佗拜關公慌忙答禮賜坐獻湯已畢佗請視之關公袒下衣袍伸臂令佗看視佗曰此是弩箭所傷箭頭烏毒之毒直透於骨中若不早治其臂無用矣關公曰用何法治之佗曰但恐君侯懼矣關公笑曰吾視死如歸有何懼哉佗曰當於僻靜處先立一標柱〃上釘一大環請君侯以臂穿于環中將繩繫之然後以被蒙其頭吾用尖利之刀割開皮肉直至於骨就骨上刮去箭毒方用藥線縫之以藥劑塗之自然無事但恐君侯懼耳關公笑曰此易事也一面交取酒相待華佗自飲數盃一面與馬良奕棋伸臂便交華佗割之佗取尖刀在手令小卒捧一大盆於臂下接血佗曰某便下手君侯勿驚關公曰吾豈比世間兒女子耶何以驚也任汝醫治佗下刀割開皮肉顯出其骨〃上已青佗用刀刮之有聲帳上看者掩面失色惟關公面不改容飲酒食肉談笑自若須臾流血盈盆臂直舒略無痛楚佗曰吾醫……

司馬懿勸

嘗見此真神人也後人有詩讚華佗云　刮骨便能醫箭毒
金針玉刃若通神　華佗妙手高天下　疑是當年秦越人
華佗刮盡其毒用水洗淨用線縫合以藥封閉關公待客飲酒無難色佗曰君侯切宜愛護慎勿怒氣觸之不過百日平復如故關公以黃金百兩酬勞謝佗曰吾爲君侯乃天下義士故來醫治何須賜金堅辞不受留藥一帖以傳瘡口辞別而去卻說關公自斬了龐德威聲大振華夏皆驚連路不絕報到長安曹操大驚慌聚文武議曰孤素知雲長英勇蓋世今據荊襄如虎生翼況新監于禁斬龐德吾兵銳氣頓挫若一旦兵到許昌何以當之吾欲迁都以避其銳一人大呼曰不可衆視之乃河內溫城人覆姓司馬名懿字仲達進前曰于禁等爲水所淹非戰之罪也於國家大計未足有損劉備孫權外親內踈關雲長得志不[illegible]也可急差使陳說利害令孫權暗起兵躡關雲長之後許割江南荊襄之地以封孫
也言未畢一人出曰仲達之論金石之言王上便
以動衆耶言者乃楚平河人也姓蔣名濟字子

也與司馬懿皆爲丞相府主簿操思念龐德之忠流淚滿面言曰吾思于禁二十年隨吾臨難反不如龐德耶司馬懿蔣濟勸操急遣使行操曰然遣使往東吳必須得一大將當先以當關公之銳譏可此行言未畢一將應聲而出眾視之乃河東陽郡人也姓徐名晃字公明操喜撥新軍伍萬營徐商呂建爲副將克日便起晃來前進陽陵坡屯駐看東吳有應然後進兵郤說曹操使命至建業來見孫權江南荊襄割地事說早早興兵以襲關公之後而取荊州吳侯得書令使命且回乃聚文武議事張昭曰近聞關雲長擒于禁斬龐德威震華夏曹操欲遷都避之今樊城之圍故遣使求救事定之後又反覆也孫權狐疑未定忽人報呂蒙乘小舟暗離陸口私回來見有面稟之事權喚入蒙禮畢權問來意蒙曰今關雲長提兵在樊陽妄有尊大以爲天下無敵蒙今欲乘彼遠出還與荊州一得荊州關雲長可擒矣況關公君臣矜其詐力所在反覆不可以爲心腹待也今若不取後必爲江東之禍願主公察之孫權曰吾欲先取徐州若何蒙曰徐州地勢所得不似水賊縱然一

吳侯遣陸遜視呂蒙

時而得便其七八萬人守之猶未可保不如先取荊州令據長江別作良圖斯爲上矣權曰孤正欲取荊州特以反說也子明速與孤圖之孤從後便起兵蒙曰道魏使回報令徐晃急掩其前分兵一半交空罷戰於後襲之大事可濟矣權大喜便令魏使回報曹操却說呂蒙辭了孫權回陸口便於江邊一帶上下觀看或二十里或三十里見高阜處有烽火臺又聞荊州兵馬嚴肅預有準備呂蒙大驚遂回陸口寨中推病不起遣人回報吳侯孫權見蒙不諧心中憂悶不決忽一人奏而言曰呂子明此病非真乃其詐耳孫權看時其人乃吳郡吳縣人也姓陸名遜字伯元權曰汝既知其詳可往視之陸遜領命星夜乘船至陸口寨中來見呂蒙果見面色無病陸遜至問病之意蒙請遜坐遜曰吾受將軍以重任付與將軍今乘此時而不動兵空懷鬱結何也蒙目視陸遜久不語遜又曰愚有小方能治將軍沉疴之疾未審聽納否蒙慌起坐屏退左右而問曰伯言良方願以教之遜曰將軍之志則大矣將軍之疑其盛乎某雖年幼見識淺短昨知將軍之來深有意於荊州

呂蒙詐病

遜見吳侯

矣今知託病不行有疑荊州兵嚴江有烽火臺之警乎愚有一計兢將軍之謀令沿江之守吏不能用烽火荊州之兵束手歸降可乎呂蒙聞言大驚慌拱手於陸遜曰伯言之見深知蒙心安可隱藏伯言教之遜曰關公倚恃英勇自料天下無敵心罔於人兵書云欺敵者必亡所慮者唯將軍也公趁此機會託疾辭職以陸口付與他人他人則必卑詞贊美關雲長以驕其心則盡徹荊州之兵以向樊城若荊州無備用一旅精師沿江用詭計而行則荊州在掌握之中矣呂蒙聽罷大喜曰真乃吳侯有福有德江東無足憂呂蒙託病歸建業來見吳侯權曰卿病体若何蒙曰其實無病乃慢兵之計耳雲長所慮者蒙也蒙一辭雲長無復隄備矣於中取事無有不克孫權曰卿辭陸口誰可代此職蒙曰遍觀諸將中非斯人不可權與閫蒙遂是保誰

呂蒙智取荊州

孫權曰陸口之職昔周公瑾保魯子敬後子敬保卿今必保有稱望乃可領此職也蒙曰陸遜意思深長才堪負荷觀其規模可付

大任今雖未有遠名關公甚無所慮若用守之當令外自韜晦內實驕縱使荊州可取無疑也若用名譽重者關雲長必然隄備荊州不可得也權大喜即日召陸遜拜為偏將軍右都督代呂蒙鎮兵守禦陸口遜拜辭曰遜年幼無學今領大事恐負所託權曰呂子明薦卿必不差矣卿勿推辭遜拜受印連夜往陸口交割軍馬遂修書一封遣賫名馬一疋異錦酒禮等件直來樊城寨中見關公卻說關公在寨中將息瘡口按兵不動小校報東吳陸口守將呂蒙病危吳侯取回建業醫治命在旦夕近差陸遜為將代其職遜遣人持書送禮來見君侯關公笑指江東而言曰孫權識見淺短何用孺子為將耶荊州有泰山之安吾復何憂便令召入來人拜於帳下言陸將軍特具書呈拜上君侯聊將薄禮獻賀等乞笑留關公拆封觀書曰

東吳陸遜謹致書百拜于大漢將軍麾下今觀釁而動以律行師小舉大克何壯哉敵国敗績利在同盟遐邇者威風相公席捲襄樊遜以不敏猥專陸口延慕光彩思禀良規又且于禁等見

獲遐邇籍二以為將軍之勳足以長世雖晉文城濮之師淮陰破趙之略蔑以加尚茲聞徐晃等步旗驅旌閭埋麾旗擯鋒虜也無不恐懼以皇其心雖云師老有驍悍且戰捷之後常若臨敵古人仗術軍勝彌顒唯將軍廣為萬計以全獨克僕書生疏遲忝所不堪喜領威德樂自傾盡雖未合策猶可懷也仰明公倘有以察之不勝欣仰之至

建安二十四年秋九月　　日東吳陸遜再拜

關公看畢仰面大笑令左右收禮賞來人回至陸口見陸遜書關公意思大安無憂江東之意遜密使人探關公果撤荆州之兵大半赴樊城寨中聽調只待瘡口瘥便以進兵遜察知備細即遣人星夜馳書往建業報知孫權二召呂蒙言關公果然提大半荆州兵已在樊城汝可與吾孫皎共領大兵為左右部督同取荆州皎皎字叔朗乃孫權叔孫靜之次子也呂蒙曰主公有能者可用之昔征虜將軍孫皎朗有能可用便請獨行蒙不同任權曰何也蒙曰昔不聞昔周瑜程普為左右都督共破江陵雖事決於瑜普自恃久舊爲[illegible]

川白衣人搖櫓

此不聽幾敗國事此日前之戒願主上思之孫權大悟遂拜呂蒙爲大都督總制江東諸路軍馬令孫皎在後接應粮草蒙選兵三萬餘人船八十餘隻上用能水者皆穿白衣扮作商賈之狀却將總甲兵歸於艣艫中吹調韓當蔣欽朱然潘璋周泰徐盛丁奉等引水步軍相繼而進其餘皆孫皎爲合後救應軍馬已調遣準備呂蒙來辭孫權交急發使往長安上[illegible]說呂蒙預先檄任陸遜隨後先發白衣人搖櫓作商船十隻望潯陽而上晝夜兼行直望北岸烽火臺上守把軍將見船近岸來問時船上二人回答我等皆做買賣的客買江中風吹來此避泊求免令數人登岸送些錢物買告軍士因此容泊在江邊約至二更船上艣艫中精兵齊出[illegible]往烽火臺守把軍將不留一人盡皆縛之因此不能舉火非止一處俱是如此但緊要去處分撥八十餘船於路盡皆縛之軍士一人不損收兄下船逕取荊州長驅大進悄無疑覺呂蒙於舟中將收伏沿江上下守憿軍士皆以厚恩撫之以自己所食賜之以自巳衣服與之軍將皆感恩無地蒙然後問取荊州之計諸降將曰

其等感將軍不殺之恩願獻荊州以報蒙問何以得之降者曰某等皆到城下虛報聲息賺開城門縱火爲號唾手可得呂蒙大喜重賞降將使其引領比及半夜到城下喚門守兵認得是荊州之兵火速開門縱門邊放火吳兵齊入呂蒙便令百餘騎賞文遍告諸處如有妄殺一人者夷其三族妄取民家一物一件者定按軍法當斬於市秋毫無犯次日天明家家閉門焚香迎接蒙告報但有原任官吏並皆依舊職及將關公家屬另置別院恩養足曰蒙自上馬點視四門忽見一人取百姓家一箬笠以覆官鎧蒙喝左右執下問之乃呂蒙同鄉故舊蒙曰吾平生不殺同鄉同姓今號令已出汝軍不許妄取民間一物汝今已犯吾雖知同鄉往日之盟私也安得以私已之盟而亂公法耶叱左右推出斬之鄉人泣曰其恐雨濕官鎧故取箬之非爲私也呂蒙亦泣曰吾知汝覆官鎧終是不應取民間之物也再有何說速推出斬之仍梟首示于已訖呂蒙垂淚而葬之荊州之民盡感其德軍中震慄路不拾遺呂蒙自說安荊州迎接吳侯入城再請濬爲治中掌管州事盡

放獄中于禁等軍民皆安獨有公安傅士仁南郡糜芳各據城池未曾收復呂蒙陸遜商議收復各處忽一人出曰不須將軍動張弓隻箭某憑三寸不爛之舌去說公安傅士仁來降可乎吳侯視之乃會稽虞翻字仲翔孫權曰仲翔以何術可使傅士仁歸降翻曰自幼與士仁至交以利害說之必然歸降吳侯令虞翻引馬步軍五百逕奔公安却說傅士仁聽知荊州有失望見塵頭起慌閉城門堅備堅守虞翻至城下見城門緊閉遂寫書拴在箭上射入城中小軍拾得將來見傅士仁乃拆開看書曰

竊聞明者防禍於未萌智者圖患於將著知得知失可謂賢哲知存知亡是避吉凶今吳大軍之行謀計不及施烽火不及舉此非天命必有內應也將軍不悟此理獨據孤城而不早降是欲毀身滅族也爲天下之譏誚荊州巳失坐落一寨瘦其地形將軍在吾軍手上耳奔走不得免患以公爲故慮之願熟思之無貽後悔故人虞翻謹啓

傅士仁得虞翻之書乃思關公昔日之恨不如早降遂大開門請

傅士仁授　劍斬來使

虞翻入城共訴舊日之情翻以吳侯寬洪大度說之傅士仁大喜即同翻賫印綬來降吳侯孫權大喜欲令傅士仁仍守公安呂蒙私語曰目今關羽未除君留之久必有變只可重賞而使招諭麋芳爲上權然之遂傅士仁曰南郡麋芳與君厚如手足君可招來同降孤當厚贈士仁慨然領諾遂帶數騎來說麋芳未知如何

關雲長大戰徐晃

却說麋芳聽知荊州已失正無計可施忽報公安守將傅士仁至接入城問其故仁曰吾非不忠奈勢困危矣不能支持今吾已降他人麋芳曰吾受漢中王厚恩安忍背之士仁曰關公去者痛恨吾二人倘或一日得勝回軍必無輕恕公細思之麋芳曰吾兄弟久事劉皇叔實難背之猶豫不定忽報關公有使至接入公廳使曰目今軍中缺糧特來南郡公安二處取白米十萬石星夜令二將市解赴軍前交割遲悞一日杖四十二日杖八十三日立斬麋芳大驚顧傅士仁曰即日荊州已被東吳所襲此糧如何得去傅士仁怒從士仁掣所佩劍斬使於階下麋芳大驚曰公何如此傅士仁

糜芳隨傅

士仁出降

曰雲長此言正是激吾二人也安可束手受死不如自降吾也闕
暫時公不隨順必被雲長所害糜芳尋思無計只得隨傅士仁降
正說間吕蒙兵至城下未定糜芳隨傅士仁出降吕蒙引見吳侯
各七重賞安撫數郡民皆欣悅話分兩頭卻說吳使至長安見曹
操呈上書言曉夜併力攻襲關羽切不可泄漏令關公不備也操
問眾謀士忽有濟陰定陶人姓董名昭進曰軍士各有所長不可秘
之令樊城圍至急引頸盼望救軍到來今君依聽孫權之言秘而
不露則樊城早晚危矣彼勢大焉可圖之不如令日人皆知及射
信入樊城令彼心寬不生他意及令關公知之心持兩端前後不
相顧彼思家基有失必速退兵以救荊州乘其兵退卻令徐晃
於路掩之可獲全勝君秘而不露使權得志非計之上也操大喜
即使遣人催徐晃急戰操自起大軍離長安逕報雖陽之南駐大
軍於摩陂以救曹仁先令人於路告報卻說徐晃聽知曹操自引
大勢兵過雖陽徐晃乃引副將徐商吕建提兵離雖陽望偃城進
發梓關平屯兵在偃城中廖化屯兵在四冢前後共下十二個寨

[illegible]道路不絕徐晃先差徐商呂建假設徐晃旗號去攻偃城晃自將精騎五百從偃水投小路來襲偃城之後先說關平聽知徐晃兵來自提本部五千軍出兩陣對圓旗鼓相迎關平出馬與徐商交鋒鬬十餘合商敗走呂建接戰五七合又敗關平乘勢趕去商建軍皆退走二十餘里平正趕之間忽後軍飛報屯上火起關平提大軍向北及到偃城下一彪軍馬擺開當先徐晃在馬上笑問賢姪好不知死汝荆州已被呂蒙奪了猶然在此關平大怒拍馬舞刀逕取徐晃戰不三合三軍發喊偃城寨中火起關平不敢戀戰殺條路逕投四冢寨中廖化接着對平曰人皆言荆州已被呂蒙襲了軍心惶惶如之奈何關平曰如有軍士再言者斬忽流星馬飛報正北第一屯告急徐晃引軍攻打平曰第一屯有失諸營何安此間背靠沔水必然賊兵不能到此吾與汝救第一屯廖化分付軍士看守如賊兵至可急放火平曰四冢鹿角十重雖飛鳥不能入何况賊兵平於是盡提四冢驍將與廖化同救第一屯遙望魏軍屯淺山之上平曰徐晃屯軍不得地理何不今夜往劫

彼處廖化曰將軍分兵去某當守寨以防不虞關平是夜二更引一軍逕投魏寨殺入看時並無一人平知中計急退回時左有徐商右有呂建大殺一陣回到第一屯時魏兵四面皆起關平廖化支持不住棄了第一屯逕奔四冢寨中早望見寨中火起來到寨前看時都是魏兵旗號急轉樊城大路而來前面一軍擺開乃徐晃也荊州兵大半多倒投沔水死者關平廖化死戰得脫來大荊見關公具言徐晃知此更新曹操自引大軍分十三路來救樊城多有人傳言呂蒙病了荊州關公大喝曰此疑兵之計也不可聽之呂蒙病危陸遜孺子無足慮馬正商議間人報徐晃引軍來到關公交備馬關平諫曰父親瘡口未合不可出戰關公怒曰徐晃與吾至舊深知吾能若不退兵時吾先斬之以戒魏將休把吾左右謀士皆勸不從乃披掛上馬提刀直出魏軍望見皆有懼色關公勒馬問曰徐公明安在魏軍門旗開處徐晃出馬背後十員魏將雁翅形擺列在兩邊徐晃見雲長在馬上欠身施禮而言曰晃自別君侯許久不想君侯鬚髮蒼白憶昔壯年相從多蒙教誨至今

關公揮刀

大戰徐晃

感德不忘君侯英風振於華夏天下之士莫不歎伏今幸一見雲長曰吾與汝交契甚厚非比他人何故數窘吾兒耶徐晃聽罷來軍器在手回顧衆將高聲大呼曰若諸將有得雲長首級者卽賞千金關公曰汝是何言也晃答曰此乃國家之事非某敢私也言訖揮大斧驟馬逕取關公公大怒揮刀迎之關公武藝雖高終是右臂少力兩將鬭到四五十合關平火急鳴金關公不戰撥馬歸寨霎時陣後喊聲大舉元來曹仁在樊城中見救軍大至率隊伍放開城門殺出荊州兵大亂急奔湘江上流頭呂蒙引軍殺來背後魏軍掩至多有死於水中者急渡江奔襄陽盡徹軍馬要望公安來又有探馬到告稱公安傅士仁已降東吳了關公驚不絕口催糧人伴同報傅士仁在南郡殺使命和糜芳都降了東吳也關公聞言怒氣沖塞瘡口迸裂昏絕在地衆將救醒關公與王甫曰悔不用公之言果然失其大事沿江上下何不舉火知者答曰白衣入擒櫓作商賈之士伏精兵艑艤中以致先擒士卒不能舉火關公頓足曰吾中孺子之謀也有詩歎曰　陸遜青年未有名

曹操班師

屯于摩坡

呂蒙詐病暗行兵　關公究待路危機　縱爲欺人一念輕
趙累曰事急矣請一面遣使往成都求救一面從旱路去取荊州
關公遣馬良爲使連發文書二通星夜前去一面引兵望荊州進
發却說曹仁得脫其危便整軍馬要來追襲關公司馬懿諫曰
昔孫權與關雲長結連恐我軍乘其弊而擊之故預來效此力今
雲長兵敗孤軍遠還尚可存之以爲孫權之大害若深入追之未
必便得則孫權改慮於彼而坐患於我也願熟思之曹仁用其言
不追關將引衆將來見曹操泣拜請罪操曰此天數非汝等之罪
也於是尋覓龐德尸首親自設祭而用棺椁載往許昌卜地葬之
操重賞三軍到四冢屯地而遍觀徐晃所戰之地顧與大小諸將
曰賊圍塹鹿角十重徐晃深入其中大獲全勝吾用兵三十餘年
及所聞古之善用兵者未有長驅逕入敵圍者也且解樊城之圍
即同徐晃之功過於孫吳穰苴矣衆皆歎服於是魏王曹操先班
師回摩坡屯住遣人召諸將賞功一一皆至曹操點視其軍各離
陣而迎之後聽知徐晃軍至操引數百騎離摩坡親接之比至其

雲長遣使　往見呂蒙

行各依隊伍一動一靜並無分毫錯亂曹操笑曰徐將軍真有周亞夫之風矣同至摩坡置酒大會操自舉盃勸徐晃曰全襄樊者皆將軍之力也徐晃再拜曰敵人未滅安敢望功再乞引兵去擒關羽以獻王上操大喜賞勞了畢再令徐晃來襲關公未知如何

關雲長夜走麥城

曹操封徐晃為平南將軍令夏侯尚同守襄陽以遏關公之師二將辭去操為荊州未定不敢回師遂屯兵於摩坡以候消息却說關公於荊州道上進退不得與趙累議曰今前有吳兵後有魏軍吾在其中救兵不至如之奈何趙累曰昔日呂蒙在陸口時常致書于君侯以結同盟共擒曹賊今却助曹擊闔是背盟也君侯暫駐軍手此差人責文與呂蒙看彼如何對答關公聽其言即差使往荊州來却說呂蒙在荊州傳下號令荊州數郡但有跟隨關公出征將士之家各掛榜文不許吳兵擾害月給粮依例應付如有患病之家差醫士登門療治時時給散並無缺少將士之家接諸不動徵聲相聞忽人報關公遣使至呂蒙自出迎接並馬入城荊

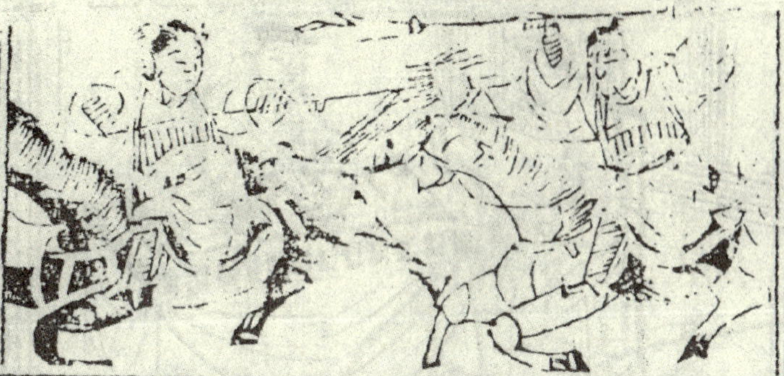

蔣欽大戰

州軍民知行使到填塞街巷盡來觀看呂蒙館使並馬而行無不欲奇此使至公廳待以上賓之禮使出書與呂蒙蒙觀書畢乃答使曰蒙昔日與關將共結盟好今日之事乃國家所差非蒙之過望使回見將軍善言致意即設宴以待甚以金珠厚賜來使其將士之家皆來問信連名寫平安信息令來使附信到軍前或有口信言家無事衣粮不缺使者被呂蒙留住荊州二日方且出城回到寨中見關公言呂蒙事兀不及回書及軍事乃國家之命非蒙之本心也荊州城中君侯寶眷并大小諸將家家無事供給不缺不須憂慮關公曰此呂蒙之計也吾生不能殺此賊死亦殺之以雪其恨叱退使者便令起兵諸將士皆問消息使答如前衆皆歡欣各無戰心軍行之次人報關公於路將士逃回荊州者極多關公越恨呂蒙催軍進發前面鼓聲大振一彪人馬來到爲首領兵大將九江壽春人也姓蔣名欽字子奕出馬橫鎗大呼雲長何不降關公大怒曰吾乃漢將豈降賊也言訖拍馬舞刀逕取蔣欽兩將戰數合欽敗走關公引軍趕去約趕二十餘里左邊山谷中

關平廖化

救出關公

一隊軍馬出爲首領兵大將遼西令支人也姓韓名當字公義關公撥馬來戰右邊山谷中一彪軍馬出爲首一員大將九江下蔡人也姓周名泰字幼平三路軍馬來併關公關公知深入重地慌撤軍行不數里山岡上白旗招颭上有荊州土人高呼本處人早歸降關公大怒欲上岡殺投降者山巖內兩路軍出右邊是瑯琊莒縣人也姓徐名盛字文嚮左邊是廬江安豐人也姓丁名奉二路軍馬喊殺振天關公困在垓心手下將士漸漸星散比及黃昏遙望四山之上都是荊州土居之民呼兄喚弟覓子尋爺呼號之聲軍心皆變都隨其呼號之聲而去關公止遏不住心中轉怒部從止有百餘人夜至二更正東上喊聲大振關公引百餘人隨聲而去元來關平廖化分兩路殺入重圍解救關公而出背後荊州之兵招喚間出之聲不曾斷絕皆呂蒙之計也關平止父曰軍心離失必得城郭暫時屯駐以待救兵關公聽平之言催殘敗軍行前至一城名曰麥城城郭雖小可以暫住關公入城分兵緊守四門與平商議平曰此去上庸劉封孟達守把可速遣人求救爲上

化往

上庸求救

待得此救留馬到可待川兵到來再商議開城上報吳兵大至遍迴圍繞水泄不通關公自登城觀看吳兵八面分佈整齊軍馬雄偉關公曰誰可往上庸求救於劉封廖化應聲出曰某當一往公曰但恐不得透重圍耳化曰觀死如歸縱不至公即修書遣化密藏食一飡飽上馬令關平送出開城門平先殺入正遇吳將丁奉被殺敗廖化乘勢殺出重圍投上庸去訖關平退去城中堅守却說劉封與孟達自建安二十四年同攻上庸太守申耽舉衆歸降因此漢中王加封副將軍令孟達同守上庸聽知關公兵敗二人正議間忽報廖化至遂請問之化入言關公兵敗困於麥城八面皆是吳兵望二將盡引上庸之兵以救之倘若少緩公必陷矣封曰將軍少歇待我等商議廖化去驛中安歇劉封與孟達曰叔父被陷如之奈何達曰今聞東吳精兵二十三萬俱在荊襄九郡皆屬於吳止有麥城彈丸之所耳更且曹操自提大兵四十萬橫截江漢勢若泰山量吾上庸山城之兵安敵如此之大勢乎正如驅羊入虎口耳封曰吾固知如此奈關公是吾叔父安忍坐視而

廖化单馬

成都求救

不救達笑曰公以彼爲叔彼以公爲草芥耳前者漢中王登位欲議立後問於孔明孔明曰此家法事也須問雲長翼德漢中王乃使人致書荆州問關公公勃然曰立嫡不立庶古之常禮何必問焉公乃螟蛉之子故付以由城而遠之矣豈爲親骨肉也以此觀之安得不以公爲草芥乎衆所皆知何以自隱劉封曰公言雖是將何以推之達曰但言山城初附民心未定不敢造次興兵恐失所守封然之次日請廖化言山城初附之事化大驚將以頭叩地而言曰若如此則關公喪矣封曰一杯之水安救一車之火請將軍勿以濃可速回化大慟而求之劉孟二人皆推病不起廖化知事不濟卻尋思往成都告漢中王去遂上馬大罵而出去訖說關公在麥城日夜望上庸兵到並不見動靜況城中無糧手下止有五六百人多有帶傷之士公與趙累商議似此如何累曰且兵堅守忽報城下有人叫休放箭有話來見君侯公交放入乃諸葛瑾也瑾與公敘禮罷瑾曰今奉吳侯命特來勸諭將軍凡居人世須識時務今以勢言將軍所統漢上九郡俱屬他矣止有孤城一所

諸葛瑾説

雲長不從

内無糧草外無救軍危在旦夕何不從瑾之言同歸順於吳復鎮此地以保全家示顯祖宗將軍熟思之關公正色而答曰吾乃解梁一武夫蒙吾主君待以手足吾安肯背義投賊城破但有死無二爲子死孝爲臣死忠視死如歸吾聞玉可碎不可改其白竹可焚不可改其節汝勿多言速請出城吾欲與東吳決一死戰也諸葛瑾曰吳侯與將軍結秦晉之好同力破曹共扶漢室亦非他意將軍何故執迷如是言未畢關平拔劍欲殺諸葛瑾關公叱曰彼孔明在蜀輔佐汝伯父若殺之恐傷其義遂令左右急催諸葛瑾上馬瑾惶恐滿面急急出城回報吳侯言關公心如鐵石不可說也孫權曰似此奈何帳下一人出曰某請卜其休咎衆視之汝南細陽人也姓吕名範字子衡權乃卜之範著草三爻占成卦象得地水師卦更有玄胎特應主敵人遠奔孫權乃問吕蒙曰卦主敵人遠奔將何策以擒之吕蒙笑曰卦象正合吾機關雲長使有冲天之翼飛不出這羅網吳蒙已算定這條路須得此人去守把非此人則有失耳孫權問用何人守甚處未知吕蒙言出何人

玉泉山關公顯聖

呂蒙曰麥城四門皆有大路吾料雲長兵少必不從大路而走正北山路險峻必投此小路去也先與朱然將五千精兵伏於麥城北二十里但有敵軍至不可擊只可隨後掩之其軍無戀戰之心必走臨沮却令潘璋亦將五千精兵四散伏於臨沮山僻小路可成事也其餘大路吾亦調遣已定惟北門盡用弱兵守之關公走北門無慮矣權令呂範卜之範占其卦象言曰卦中主敵人西北而走亥時必可擒之孫權便令呂蒙調遣朱然潘璋兩軍去了却說關公在麥城計點馬步軍士止有三百餘人更兼無糧夜間又被吳兵在城外招喚各兵姓名多有墜城而去者關公不見救兵至心中無計與王甫曰悔不用公言致有今日之苦王甫哭而對曰今日事極雖子牙復生亦無計可施矣趙累曰必是劉封孟達不發救兵何不棄此孤城奔走入川整兵來復漢上未為晚矣關公曰吾亦如此欲下城觀望見北門外旗幡不整兵士甚弱公問此去何所盛對曰此去皆山僻小路可以入川公曰今夜可

關公[illegible]刀

獨戰朱然

走此路王甫曰山路恐有埋伏不如走大路為愈公曰雖有埋伏吾何懼哉隨即下令交近侍將步軍各要嚴裝慣帶準備出城王甫伏地慟哭曰君侯於路小心保重甫與手下百餘人死據此城雖粉骨碎身亦無降意專望君侯早來救援關公亦大哭而別是夜黃昏上馬與子關平司馬趙累并手下百餘人開北門衝出吳兵莫敢當其鋒銳四下乱竄關公提青龍刀前進行至更初約走二十里山巖内火把齊明鼓聲大振一彪軍出當先一員大將乃丹陽故鄣人也姓朱名然字義封縱馬持鎗喝曰雲長早降免汝一死關公大怒縱馬提刀戰之朱然便走關公乘勢趕殺四下精兵皆起關公不敢戀戰望臨沮而走背後朱然掩殺行動止剩五十餘人又行三四里前面鼓聲振地一軍攔開當先東吳上將東郡發干人也姓潘名璋字文理向火光影裡驟馬横刀來戰關公關公大怒縱馬迎之戰不三合潘璋敗走關公追趕背後喊聲大振四下兵起關公不戀戰急回望山谷小路而走背後關平趕來說趙累已死於乱軍中關公不勝悲惶令關平斷後公自在前開

關公父子

臨沮被擒

路隨行止剩得十餘人前行至決石地兩下是山山邊皆蘆葦敗
草護亂樹木紛雜時五更將盡正走之間喊聲舉處兩下伏兵皆
用長鈎套竿一齊並出先把關公坐下馬絆倒關公身離雕鞍已
被潘璋部將馬忠所獲關平聽知父已被擒火速來救背後潘璋
朱然將兵皆至四下圍住孤身獨戰力盡父子皆受執吳侯孫權
恐不了事自引諸軍直到臨沮時東方已白聞知擒關公父子權
乃大喜聚衆將於帳中少時馬忠簇擁關公至前權曰孤久慕將
軍盛德欲結秦晉之好何相棄耶公平日間以天下無敵今日何
由被所擒將軍今日伏於孫權否關公罵曰碧眼小兒紫髯鼠輩
聽吾一言吾與劉皇叔義同山海今日誤中奸計但有死而已何
能伏耶權回顧與左右曰雲長世之豪傑孤深愛之孤欲以厚禮
待之若何主簿王咸曰不可昔日曹操得此人時三日一小宴五
日一大宴上馬一提金下馬一提銀爵封漢壽亭侯賜美女十人
如此恩養尚留不住其後五關斬將曹公悔其才而不忍除之今
日自取其禍欲遷都以避其銳况主公乃仇敵乎狼子不可養後

必為害孫權低首而言曰斯言甚急命推出是歲十月中旬關公於臨沮而亡與子關平一時被害史官有廟贊曰

壯哉熊虎將　糾二漢雲長　功跡過韓耿　聲名重馬張
恩酬曹孟德　死報漢中王　大義參天地　英雄播四方

又有史官廟贊關平

烈烈三分將　堂堂百戰身　金戈衝殺氣　鉄馬截征塵
報國忠心壯　隨親孝義淳　臨沮天數盡　父子共歸神

曰父子歸神之後關公坐下赤兎馬被馬忠所獲獻與孫權權就賜馬忠騎坐刀賜與潘璋其馬數日不食草料而死却說王甫在麥城中骨顫肉驚乃問周倉曰昨夜夢見主公渾身血污立於其側急問之忽然驚覺不知主何吉凶正說間一人報吳兵在城下將關公父子首級招安王甫大驚與周倉登城視之果是平南乃墜城而死周倉自刎而亡於是麥城盡屬東吳却說關公一魂不散悠悠蕩蕩直至一處荊門州當陽縣一座山名為玉泉山山上一僧名普靜元是汜水關鎮國寺長老是時靜禪師雲遊天下來

到此處見山明水秀就此結草爲庵每日坐禪參道止有一小行者化飯度日是夜月白風清正當三更禪師正在庵中坐定忽聞空中有人大呼還我頭來靜禪師觀之見空中一人騎赤兎馬提青龍刀左有關平右有周倉口口但呼如前言不息靜禪師已見是關公待馬到庵前禪師乃以手中麈尾擊其座曰顏良安在關公陰魂頓悟遂下馬叉手立於庵前曰吾師何人願求清號靜曰昔汜水關前鎮國寺中已曾相會今日何故不識普靜耶公曰獨離遭禍願聞其教靜曰昔非今世一切休論只以公所爲言之往日白馬坡顏良並不曾與公鬬刀忽刺之斯人於九泉之下安得不抱恨哉今呂蒙以詭計害公正猶此也公何迷惑如是關公方始俯首皈禮玉泉山靜長老爲師號山問往往顯靈使人於山頂建廟四時以牲羊享祭

按傳燈錄云唐高宗鳳儀年間有五祖禪師弘忍徒弟法名神秀雲遊天下至手玉泉山坐於樹下見一大蟒神秀端坐不動次日于樹下得金一斛遂於玉泉山創建道場因問大人此何

祀關廟雲長

廟對曰三分關雲長顯聖之祠也神怒欲毀之忽然陰雲四合見關公提刀躍馬出雲中𨿽驟神怖為問之關公具言前事神遂乃破土建寺立關公為本寺伽藍至今古跡尚存後至宋徽宗崇寧年間出現封為崇寧真君又解州（即解梁△山西平陽府解州也）鹽池蚩尤作亂亦是關公神力破之故累加封追至

聖朝贈號義勇武安王故前賢有詩贈云

憶昔將軍起解梁　彪彪九尺有餘長　眼如丹鳳朝天柱
眉若卧蚕侵鬢傍　鬚拂烏雲吞曉日　面如重棗傲秋霜
馬騎赤兔追電影　刀按青龍噴雪光　桃園結義過山岳
誓同生死共劉張　開刀先滅黃巾賊　烈烈英雄播四方
酒尚温時華雄喪　馬却到處車胄亡　不降曹公只降漢
一宅仍分兩院牆　曾於官渡施神勇　力誅文丑與顔良
千里獨行勢莫比　五關斬將誰敢當　古城重會表忠節
擂鼓之中斬蔡陽　華容道上酬恩德　荊州城內鎮邊疆
單刀赴會真豪傑　水渰七軍妙算良　操欲遷都避鋒鋭

張昭獻計孫

權議軍政

吳要求親奪荆襄　呂蒙一旦施詭計　白衣搖櫓渡關防
麥城受困軍旅散　臨沮父子魂渺茫　玉泉山頭夜顯聖
解梁地內神昭彰　歷代加封贈尊號　崇寧年間朝宋皇
生作三分熊虎將　死爲義勇武安王

自關公歸天之後孫權盡收荆州之地將關公父子首級招安各處人民忽張昭自建業來見孫權曰主公損却關公父子江東禍不遠矣權問其故昭曰昔此人與劉備關張桃園結義之時誓同生死今劉備兵粮具足文有諸葛之謀武有張黃馬趙之將若知東吳損其父子必起傾國之兵報仇吳兵何以當也孫權聞言頓足曰孤失計較也如此奈何張昭曰某有一計令蜀兵不來荆州有磐石之安矣權問其計如何

漢中王痛哭關公

張昭曰今曹操虎視華夏久思漢上之地若劉備急欲報仇必歸順于曹操操貪其利必然納之若二處連兵則東吳危矣不若遣人送雲長首級與操明教劉備知是操之所使必痛恨於操必興

關羽神降

揪打孫權

矣與操戰矣任蜀魏交兵吾坐觀勝敗不但可保江東西川亦可
圖也如得西川何懼曹操乎權然其言即時安勞諸將惟呂蒙兵
軍未至權便人催之人報呂蒙至權自出接撫其背曰孤久不得
荊州今稱心滿意皆子明之力也蒙謝曰一者主公洪福二者諸
將虎威蒙豈足掛齒乎權請入列之上位蒙再三謙遜坐于其次
孫權舉盃言曰昔日周郎雄烈蓋世破曹過人遂破孟德開拓荊
州不幸中道而亡後魯子敬繼見孤時便有帝王大略此一快也
孟德東下諸人皆勸孤降獨子敬與周瑜勸開大計赤壁鏖兵大
獲全勝此二快也今子明與孤設謀定計立取荊州勝於周郎魯
肅多矣於是以酒勸之呂蒙正欲飲酒擲盃於地一手揪住孫權
厲聲大罵曰碧眼竪子還認吾否衆大驚急起外之呂蒙推倒孫
權進坐於權位上睜目言曰吾自破黃巾以來縱橫天下三十餘
年被一旦以奸計害吾吾生不能啖汝之肉死當以誅其魂吾乃
漢壽亭侯關雲長是也孫權與衆下拜只見呂蒙七竅內鮮血迸
流死於堦下孫權盛具棺槨葬之追贈南郡太守孱陵侯其子呂

孫權送羽 首級與操

號龍驤戰歿家年四十二歲死于建安二十四年十二月孫權懼關公神威將木匣盛貯首級星夜送與曹操時操已班師回洛陽聞孫權令人送關公首級至乃大喜曰雲長已死吾無憂矣司馬懿笑曰此乃江東移禍之計也操問其故懿曰昔劉備張飛與此人誓同生死今吳殺之恐其復仇故將首獻來令劉備知是大王所使不去伐吳逆來攻魏魏蜀交兵東吳於中取事或取兩川或寇中原隨勢行之昔春秋有老龜烹不爛移禍於枯桑正此謂也操驚曰仲達之言有理然將何計解之懿曰易也王上可將關公之首刻以香木之軀用大臣之禮葬之使劉備知之必深恨孫權盡力南征看吳蜀交兵之後却乘勢擊之吳勝則擊蜀備勝則擊吳二處但得一處一處亦不久也操大喜思之操即將關公首級啓匣視之見雲長面如平日操曰久不見將軍耶言未絕忽然口開目動鬚髯皆動操驚倒半晌方醒操曰真天神也即具棺槨與刻沉香為軀以王侯之禮葬於洛陽南門外十里大小官僚並皆送喪操自往祭之褒贈荊州王之號於是遣吳使回江東卻說漢中王自東川回成都孔明啓曰

雲長陰魂

往見玄德

王上自先夫人棄世，更且孫夫人南歸，必難再娶。人倫之道，不可棄，須納正妃以正其位。漢中王從之。時成都有劉焉長子劉瑁之妻吳氏，守寡在家，美而且賢，群下皆勸可納爲妃。按吳氏乃吳懿之妹，懿少孤，父母將女入川，因劉焉有相士相吳氏曰：此女必當大貴。劉焉有異志之心，娶與子瑁為妻，不數日瑁得病心疼而死，吳氏寡居。漢中王曰：劉瑁與吾同宗，於禮不可。法正曰：論其親疏，何異晉文之與子圉乎？於是漢中王遂納爲夫人。漢中王在川中亦生二子：長曰劉永，字公壽；次曰劉理，字奉孝。二人皆蜀出。忽有人自荊州還言東吳求親於關公，公力阻之。孔明驚曰：荊州危矣，可使人替關公回。又得關興入報水淹七軍功績，因此未敢移動，每每擾聽得報，令藩江邊關防周密，無一失。忽一夜，玄德渾身肉顫，臥不安，秉燭看書，神思昏迷，伏几而臥。忽起冷風一陣，燭滅復明，擡頭見二人立於燈下。玄德曰：汝何人，黃夜得進我室？其人不答。問三次，皆不應。玄德怪疑，視之，見雲長立於燈影之下，往來閃避。玄德曰：賢弟中夜至此，別有事故？吾與汝恩同骨肉，何故迴避也？關公答曰：願兄起兵以雪弟恨。言訖，冷風驟起，忽然驚覺，乃是几上

玄德請孔

明至圓夢

一夢。至四更，玄德大驚，慌出前殿，使人請孔明圓夢。孔明入見，玄德細言其夢。孔明曰：此是主上思憶關公，故有如夢，何必多疑。玄德再三問之，孔明再三解釋。孔明辭出，至中門外，遇許靖。靖曰：纔到軍師府報一機密，聽知軍師入宮，故來至此。孔明曰：何事？靖曰：今晚有人傳報，東吳呂蒙已襲荊州，雲長危矣。孔明曰：吾夜觀乾象，見將星墜于荊楚之分，亦知禍及雲長，但恐主公之憂，不敢明言。纔言夢中之事，吾以善言覺解，恐傷其心。二人正言間，忽殿內閃出一人，手扯孔明之袖曰：雲長已故，何得相瞞？孔明視之，乃漢中王也。伏地告曰：適來所言，皆虛謬也，未足深信。願王上寬懷，勿生遠慮。玄德曰：吾與雲長猶一体，彼若有故，孤豈獨生哉？二人正勸間，忽報廖化至。玄德急喚問之，廖化哭拜於地，細說前因。玄德大驚曰：若此，吾弟休矣。孔明曰：劉封、孟達如此無禮，亮提一旅之師救荊襄之急。玄德遣人往閬中報知翼德來，自提大軍去救。吾孙一面傳令會集軍馬，未及天明，又連數次報說：關公夜走臨沮，被吳將潘璋部將馬忠所獲，義不屈節，父子歸神。玄德聞

王上痛哭關雲長

絕大叫一聲倒後便倒未知性命如何

曹操殺華佗神醫

玄德昏絕於地左右急救半晌方醒扶入宫内送龍茶湯孔明曰死生有命富貴在天雲長剛而取禍王上宜保萬金之軀以圖報仇玄德曰吾與二弟誓同生死今弟已亡吾豈獨享富貴若不報仇雪恨是負昔日之盟言罷又哭悶絕三五番自此連三日水米不入口但哀哭而已淚濕衣襟點點成血孔明再三勸曰今雲長不幸王上念舊日之盟理宜報仇若貴體殘損倘有不諱誰能盡心乎玄德曰吾誓不與東吳共天地同日月也孔明曰今日人報東吳將關公首級獻與曹操操以王侯禮葬之玄德曰此何意也孔明曰此是孫權欲移禍於魏魏多人物已知其心故令操厚葬之是令王上歸怨於東吳也玄德曰吾今提軍只問罪於東吳以報仇恨孔明曰未可也目今吳欲令我伐魏魏欲令我伐吳各懷詭計乘虛取事王上宜按兵不動且與雲長發喪待吳魏不和方可伐之衆將皆勸說玄德方始進膳川中大小軍將並皆掛孝玄德

操繫馬自

往砍梨樹

功而亡之日夜號哭却說曹操在洛陽每夜合眼便見關公驚懼問於
群下衆皆言洛陽舊殿多妖可造新宮以居之操曰吾欲起一殿
名建始殿恨無良工賈詡曰洛陽蘇越極善可用操喚蘇越至令
畫殿圖越畫成九間大殿及前後廊廡上操曰你所畫正合吾意
只恨無好木作梁蘇越曰此去離城三十里有一潭名躍龍潭々
前有廟名躍龍廟傍有大梨樹一株高十餘丈堪作建始殿梁
大喜即令蘇越帶領人工去伐木鋸解不動斧砍不入回報曹操
操不信自引數百騎直至廟前下馬仰觀其樹亭亭如車蓋直上
接雲並無少曲鄉老數人告曰此樹數百年矣常有神人居其上
伐之恐生災禍操曰吾習歷天下四十餘年誰不懼吾是何妖神
敢逆吾意了不語怪力亂神量此樹有何異哉言訖拔所佩倚天
寶劍親自砍之錚然有聲血濺于身再砍之血濺其面左右衣襟
盡赤操大驚擲劍躍馬而回是夜不睡立于殿後忽陰風起一神
披髮仗劍渾身皂衣立于其前操叱曰汝何人也皂衣者曰吾乃
梨樹之神也汝造建始殿意圖簒逆來伐吾樹吾知汝數盡殺

華歆推荐

神醫華佗

殺汝操怒急呼武士擒之皂衣仗劍向前劈頭砍之操大叫一聲忽然驚覺頭痛難當遍求良醫無效華歆進曰大王知有神醫華佗乎操曰莫非江東醫周泰者乎歆曰然佗之妙醫世之罕見凡有病者或藥石或鍼灸隨手而愈若病在藏腑藥不能效者乃以麻肺散飲之須臾醉死佗乃用刀割開其腹滌腸洗臟剜肺濾心然後用藥線縫合傅以藥末略無疼痛一月之間平復如故其神如此昔江陵相夫人有孕六月腹疼不安佗視之曰乃男胎也已死矣以藥下之而愈又佗見道上一人作呻吟之聲佗曰此乃飲食不下之病令取虀汁三升飲之可痊其人歸家飲之吐蛇一條長一尺患者便能飲食又有廣陵太守陳登胸悶面赤飲食不進佗曰胸中有蟲數升欲作內疽以藥飲之吐出蟲三升皆赤頭能動登問之佗曰此魚腥之毒也三年後又發必死又有一人眉間一瘤痒不可當令佗視之佗曰內有飛物所居人皆笑之佗以刀割開內有黃雀飛起而去有此妙醫鍼扁鵲叔和之聖手亦只如此今在金城離此不遠何不召之操聞之即時差人星夜召華佗

令其視疾佗曰此是大王風息所害之病病根在腦袋中風涎不能出空自用藥不可療治操曰孤平日所發五七日不能飲食痛楚難當你與吾治之佗曰須用痳肺湯服之然後用斧劈開腦袋取出風涎其病可除根矣操大怒曰汝殺吾耶佗曰豈不聞云日関雲長被藥箭射傷其臂某曾刮骨療毒自然無事大王何多疑也操曰臂可割吾腦安可劈也此人與関公情熟必是要與関公報仇耶叱左右收下拷問其故賈詡諫曰似此良醫世之罕有不可廢也操怒曰天下無此鼠輩急令追拷華佗被拷不過只得屈招欲殺親王獄中一禁子姓吳每日以酒食供奉佗佗感其恩乃與吳押獄曰吾眼見死於非命有一青囊書不傳於世深感汝恩無可以報吾作書汝可遣人齎書往吾家取此青囊可藏以記吾之神醫也吳押獄曰甚若得此書當棄此後行醫救天下之人佗即與書往金城佗家取得青囊付與妻深藏之待吾棄了獄役歸家行醫數日操病越重令盜死華佗佗獄中吳押獄歸家其妻已將青囊之書燒毀吳押獄問其故妻曰縱學得如華佗一

遣使

歸命稱臣

般只落死於獄中自此書不傳於世詩曰　神醫妙手最爲良
傳得仙翁海上方　愁煞奸雄身可恨　後人無福見青囊
後人有詩歎曹操云　奸雄曹操患頭風
不信神醫有妙方　若使華佗親劈腦　尚存性命洛陽宮
操自殺華佗之後病患不退又憂吳蜀未知若何忽報東吳又遣
使到操起拆封視書中之意乃稱臣歸命之事操堅辭不允司馬
懿曰今江東孫權既已稱臣歸命封之令拒劉備操喜曰此望
是遂議封吳之事如何
魏太子曹丕秉政
司馬勸操封權爲驃騎將軍兼領荆州牧即日遣使來權謝恩送
于禁等還都曹操病轉添是夜又夢三馬同槽及曉問於賈詡曰
孤昔日夢此曾疑馬騰馬超馬岱三人故馬騰先殺之今復夢之
何也詡曰祿馬者吉兆也或祿或馬皆向於曹何必疑焉操因
此不疑後唐軒先生有詩歎曰　三馬同槽事可疑
不知已植晉根基　曹瞞空有奸雄計　豈識朝中司馬師

曹操喚入同

馬受顧命

起夜覺昏暈起伏於几上忽聞殿中聲如裂帛操驚視見伏皇后伏氏皇太子二人國舅董承等數十人渾身血污立於陰雲之中隱隱聞索命之聲操急掣倚天寶劍望空擊之忽然一聲響亮將殿宇振塌西南一角左右急救操出別殿養病次夜但聞殿外哭聲不絕操喚群臣曰吾在戎馬之上行二十餘年未嘗信怪事今日如此為何群臣曰當命道士設醮以禳所禱操歎曰聖人云獲罪于天無所禱也吾天命若盡雖費萬金安能救之遂不肯設醮次日覺氣上冲目不覩操喚大將軍夏侯惇入惇至殿門見伏皇后董承等皆立于陰雲之中惇亦驚倒遂扶出惇從此得病操又喚前將軍曹洪侍中陳群中大夫賈詡主簿司馬懿四人近卧榻前囑付後事操曰吾縱橫天下三十餘年矣群凶皆滅止有江東孫權西蜀劉備未曾收伏吾今病沉困將已難必今以大事囑汝四人長子曹昂劉氏所生不幸早年沒於宛城今卞氏生四子丕彰植熊吾平生甚愛第三子曹植為其過於虛華少於誠實飲酒放蕩為此不立吾次子曹彰勇而少謀曹熊多病惟長子曹丕篤

庭非謹可任六事汝等宜輔佐之各懷忠義之心以圖悠久之計勿得怠慢言訖長歎一聲淚如雨下而死時年六十六歲建安二十五年正月下旬也史官贈擬曹操平生行狀云

操爲人善察難眩以非道侵奇才不拘微賤隨能任使皆獲其用與敵對陣意思閑暇如不欲戰者及其乘勝氣勢盈溢勳勞宜賞不吝千金無功不施分毫不亦用法峻急有犯必戮或對之流涕終無所赦雅飾節儉不好華麗故能芟刈群兇削平海內三十餘年手不釋卷晝則講武夜則思經登高必賦對景必詩深明音樂善於騎射曾在南皮一日射雉六十三頭及造宮室無不曲盡其妙是以遂成大業開創洪基也

晉平陽侯陳壽評孟德曰

漢末天下大亂雄豪並起而袁紹虎視四州強盛莫敵太祖運籌演謀鞭撻宇內覽申商之法術該韓白之奇策官方受材各因其器矯情任算不念舊惡終能總御皇機克成洪業者惟其明畧最優也眞可謂非常之起超世之傑矣

衆官塟丘人

史官贊魏王美云

雄哉魏武祖　天下掃狼烟　動靜皆存智　高低善用賢
長驅百萬衆　親征十三年　豪傑同時起　誰人敢着鞭

史官贈曹操行軍云　漢末挺生曹孟德　胸盤星斗氣凌雲
運謀召納數員將　才德徵麾萬乘君　雖棄權衡欺幼主
尚存禮義效周文　當時若使無公在　未必山河幾處分

後唐太宗贈祭魏武祖云
一將之智有餘萬乘之才不足

又前賢貶削曹孟德云
殺人空墮淚　對客強追歡　鴆酒時時飲　兵書夜夜觀
秉圭坐玉鑾　帶劍上金鑾　歷代奸雄者　誰如曹阿瞞

又宋　撫笑當年曹孟德　欺君罔上棄多才
劍履直上金鑾殿　荒草空遺銅雀臺　鄴土應難遮醜惡
漳河常是助悲哀　臨風慷慨還嗟歎　向日奸雄安在哉

曹操身亡百官發喪　一面是報魏太子曹丕　一面報鄢陵侯曹彰

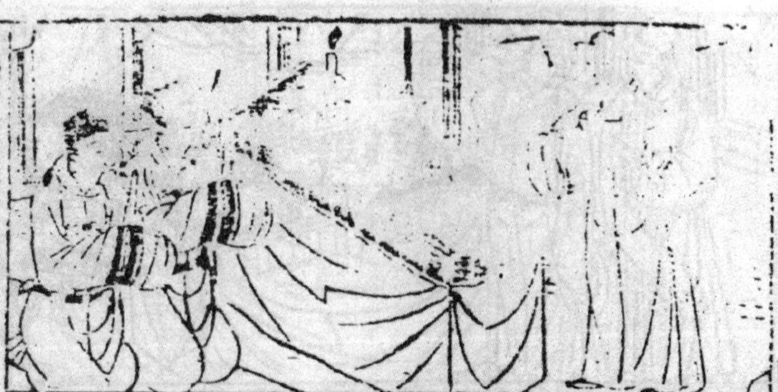

曹丕即位

隨遣使曹植蕭懷侯曹熊一面具金棺銀槨星夜舉靈柩赴鄴郡時曹丕在鄴聞父已死擧大小官僚出三十里伏道迎櫬入城停於偏殿掛孝舉哀百官哀聲震地忽一人挺身出曰請太子息哀百官暫止何不商議大事衆視之乃司馬懿之弟司馬孚見爲太子中庶子當時厲聲曰君王晏駕天下震動當早立嗣君以鎭萬國何爲泣耶群臣曰太子宜理登王位但未得天子詔命未敢造次行耳忽班部中一人出鹿陵東陽人也姓陳名矯字秀卿見爲兵部尚書矯曰王上已殂愛子在側彼若生變則社稷危矣何必直待詔命便宜發崇王位以安衆心郎時掣劍在手曰敢有亂言者劍袍袖爲例百官擁太子前殿欲立王位忽報華歆自許昌飛馬而至衆皆大驚比至問之歆曰魏王晏駕天下震動汝等久食君祿何不早立太子衆應曰正欲立之華歆曰吾星夜到許昌問漢帝索詔命在此了衆皆踴躍華歆取詔命令百官跪聽開讀詔曰魏太子丕昔皇天受命乃顯考以翼我皇家攘除奸兇畜定九州弘功茂績光于宇宙朕聞垂拱首表二十有餘年矣丕

曹彰舉兵

至鄴奔喪

慭遺一老示保予一人早世損館傷悼哀切丕奕世宣明宣[illegible]文武紹熙前緒今授御史大夫華歆奉策詔授丕丞相印綬魏冀州牧方今外有遺虜遐邇未寧鼙鼓震動邊境干戈偏於四方斯乃播揚洪烈立功垂名之秋也豈得循諒陰之禮曾完國之哉眞欽伏朕命[illegible][illegible][illegible]懷勞祇耿緒時亮庶功以稱朕意可不勉哉

建安二十五年二月　日詔

此時華歆諂事於魏故草此詔威逼獻帝降之帝懼其勢只得聽從故即命曹丕爲魏王丞相冀州牧百官並無敢言其非者即日登位受大小官僚拜舞起居正作宴慶賀忽報鄢陵侯曹彰自長安引大兵十萬來到丕曰黄鬚小弟此來必與吾爭王位也如之奈何忽階下一人應聲出曰臣素知鄢陵侯之所行當以片言拆之衆皆稱曰非大夫莫解此禍其人是誰

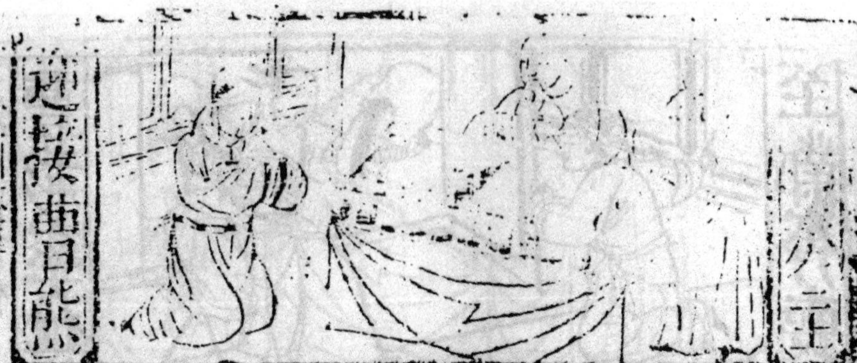

新刻湯先生校正古本按鑑演義通俗三國志傳卷之十四

曹子建七步成文

衆看其人乃河東襄陵人姓賈名逵字梁道見爲諫議大夫逵出迎曹彰彰勒馬問曰先王璽綬安在逵正色言曰家有長子國有儲君先王璽綬非君侯所宜問彰默然同至宮門賈逵曰君侯此來欲奔喪耶欲爭王位耶欲爲忠孝人而欲爲大逆人耶彰曰吾特來奔喪別無異心逵曰何故與兵入宮彰即叱退兵士隨逵入拜曹丕弟兄對哭各叙禮罷方始交服將本部軍盡數還丕自掌丕令曹彰還就本國鎮守鄢陵彰已辭去却說曹丕傳旨以建安二十五年爲延康元年加封賈詡爲太尉華歆爲相國王朗爲御史大夫其餘文武官僚各依資職遜謚魏王于高陵謚號武王華歆曰曹彰交付兵權已就本國臨淄侯曹植蕭懷侯曹熊二人坐視不來奔喪理宜問罪曹丕降旨差二使往二處問罪不一日曹熊使先回報稱熊懼罪自縊而死丕令厚葬謚蕭懷王次日臨淄侯使回告臨淄侯聞魏王宴罵終日與丁儀丁廙酣飲酒不坐

來傳王旨端坐不動丁儀怒曰昔先王在日欲吾主公為太子為說臣所敝今父喪未及旬日便問罪手足骨肉此何理也丁廙曰據吾主聰明天下筆成章有王者之大體今近不得其位汝廟堂之臣皆肉眼不識聖賢賊奸同臨菑侯此令提逐我出曹丕聞之大怒遣徐晃提虎衛兵三千來擒子建飛奔到臨菑比及到郡先遇守關將盡斬之入到城中口傳王旨誰敢當其鋒逕來府前曹子建與丁儀丁廙盡皆醉倒于是徐晃盡縛之丁儀丁廙載以檻車將臨菑侯府下盡誅之（丁儀字正禮丁廙字敬禮乃的親兒並沛郡人也二人亦當世文人之士）其母卞氏聽知不捨曹植慌忙丕入後宮卞氏哭曰汝弟子建平生好酒醉後踈狂為胸中有才故放肆也汝可念同胞而恰之吾死亦瞑目矣丕曰吾亦深愛其才安肯造次廢之母親勿憂卞氏哭謝曹丕出偏殿華歆曰適來莫非太后勸勿廢子建乎丕曰然歆曰子建懷才抱藏終非池中之物今若不除必為後患丕曰母已許之矣歆曰人皆言子建出口成章臣未深信陛下可召入以才試之若不能即殺之如果有才貶之以絕天下文人之口不從

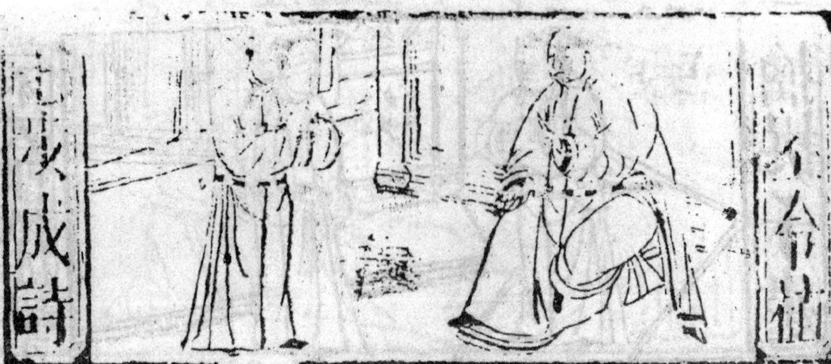

從其言召子建入子建惶恐拜詔丕曰汝恃才無禮以家法則兄弟論國法乃君臣吾先君在日汝常以文章自售疑他人代筆今吾命汝七步之內當成一詩果能之免汝一死若無此才二罪俱罰子建曰願乞題目時殿[illegible]畫二着兩頭牛相鬪其一墜井而死丕曰吾指此[illegible]箇字詩內不許犯着題目字題曰二牛鬪墻下一牛墜[illegible]建行七步其詩已成詩曰

兩肉齊道行　頭上戴凹骨　相遇凹山下　欻起相搪突

二敵不俱剛　一肉臥土窟　非是力不加　盛氣不得泄

曹丕及群臣皆大驚丕曰七步尤遲汝可應聲作一小詩指吾與汝乃弟兄其意若何子建應口占二十字句云

煮豆燃豆萁　豆在釜中泣　本是同根生　相煎何太急

曹丕聞言不覺淚下其母出後殿曰兄何逼弟之甚也丕離席對母曰國法不敢廢也于是貶子建爲安鄉侯斬二丁兄弟于市後人有詩嘆子建云

五車書傳藏心腹

七步才能動鬼神　不是當時能答對　殿前骨肉化爲塵

二

丕已登魏王之位法令一新威逼漢帝甚于其父却說人報知漢
中王言曹操已死曹丕即位東吳孫權拱手稱臣威逼漢帝過于
其父漢中王大驚聚會文武商議要伐吳與雲長報仇廖化伏地
哭曰昨送了關公父子乃劉封孟達之罪乞先問之漢中王曰吾
遂差了便差人去喚劉封孟達前來定治此明曰不可急則生變
先當除二人爲兩郡然後擒之漢中王從其言遣兵除劉封同守
綿竹使未及行有彭羕素與孟達甚厚即回家作書遣心腹人報
知孟達其人出成都南門被馬超軍士捉見超三問盡得其情逕
來見彭羕以酒待之酒酣超以言挑之曰超見漢用王待公甚厚
近日何薄耶羕乘酒情而罵曰蕫琥悖豈足道哉遂擬也超乃探知
又曰超亦怨久矣羕曰將軍引軍結連孟達爲外合羕引川兵爲
內應天下事定也超曰先生言甚當來日再議以時辭別將書并
人來見漢中王細陳此事漢中王大怒即時使收彭羕下獄勘問
漢中王將彭羕之事問于孔明曰此人如何孔明曰狂士也久必
生禍漢中王命獄內誅之彭羕已死有奸細報知孟達二大驚無

議不定次日使命至調劉封回綿竹守是夜與上庸都尉申耽申儀弟兄二人商議申耽曰吾有一計使漢中王不能加害于公也孟達求脫身之計如何　漢中王悔殺劉封

申耽曰吾弟兄亦欲投魏久矣公何不作一表辭漢中王去投魏王曹丕必得重用後吾弟兄二人亦來降矣孟達方醒即時寫表一道付來使當晚帶隨行五六十騎投魏去了劉封追之不及自守上庸使首帶表回成都見漢中王奏言孟達帶親隨投魏去了漢中王大驚覽其表云

臣伏惟陛下將建伊呂之業追桓文之功是以有爲之士深慕歸趍今臣内無輔佐之意外無將領之才列次功臣誠自愧羞臣聞范蠡識微浮遊于五湖吳犯謝罪逡巡于河上見幾而作請命乞身何則欲絜去就之分也臣自揣當時早思遠害昔申生至孝見疑于親子胥至忠見誅于君蒙恬拓境而被大刑樂毅破齊而受讒佞臣每讀其書未嘗不慷慨流涕其親當[illegible]

所有傷觸者劉湔覆敗大臣失節臣無一還惟臣尋事自致喪
陵上庸而復乞身自放于外伏想陛下聖恩感吾臣民之心悔
臣之舉臣誠小人不能始終爲之敢謂非罪臣每聞主德無爲
聲去臣無怨詞願君王克之臣不勝戰慄之至
漢中王覽罷大怒曰匹夫背我而去敢以文辭來便令孔明起兵
擒此背國之賊孔明曰未可就令劉封進兵令二虎相併然後主論
劉封成功或敗績必歸成都就而除之可絕兩害漢中王便遣使
到上庸令劉封以討不義部說孟達來投魏曹丕曰汝此來真非
詐乎達曰臣爲不救關公漢中王要殺臣因此歸降並無異心曹
丕未肯深信忽報劉封引五萬軍來取襄陽單搦孟達厮殺曹丕
曰你既真心可便去襄陽取劉封首級孫方準信達曰臣說以利
害不必動兵劉封亦自來降丕大喜加達爲建威將軍便令與夏
襄陽夏侯尚徐晃一同取上庸諸郡孟達到襄陽見了二將聽知
劉封離城五十里下寨達脩書一封選一能言之人前到劉封寨
下劉封覽書云

劉封

達致書于副將軍麾下伏聞古人有言疏不間親新不加舊此謂上明下直讒慝不行也若乃君理親賢猶忠臣蹈功以罹禍孝子抱仁以陷難白起伯奇皆其類也今執利所加改親爲仇况非親親乎故申生衛伋禦寇楚建受形之氣當嗣君之正而猶如此今足下與漢中王道路之人耳親非骨肉而據執權義非君臣而處上位征則有偏任之威居則有何君之號遠近所聞也自立阿斗爲太子以來有識之人相爲寒心如晉申生從子輿之言必爲大霸衛伋聽弟之謀無彰父之譏也且小白出奔入爲霸重耳踰垣以克復自古有之非獨今也僕據漢中王處定于外疑生于內王上疑慮之際臣下禍害之機也今足下在邊尚可假心一時若大軍遂進足下釋兵而還竊爲危之今足下棄父母而爲人後非禮也知禍將至而留之非智也見正不從而疑之非義也自號爲大丈夫非此三者何所貴乎以足下才能棄身速來繼嗣羅侯不爲背親也北面事君以正綱紀不爲廢舊也庶不致亂以免危亡不爲徒行也如漢王親辭虛

徐晃追殺

劉封大敗

心側席以德懷遠君足下翻然內向非但與僕爲論受三百戶邑
封統繼列國而以當更部符大帥爲始封之君則漢大軍今至
以振當韓都宛鄧今足下正宜因此時早定良計曷自[illegible]
人詩云自求多福足下勉之宜早決之達再拜
劉封看罷怒曰此賊悞吾叔父今又來間吾父子使我爲不忠不
孝之人遂扯碎其書斬來使次日引軍前進孟達知碎書斬使必
引軍來兩陣對壘劉封孟達皆出馬于陣前劉封大罵孟達反賊
汝何敢使間諜封耶大怒拍馬舞刀直取孟達二將戰不多合孟
達敗走劉封引軍趕去行不二十里兩下伏兵盡起左邊征南將
軍徐晃右邊右將軍夏侯尚孟達軍回三路夾攻劉封軍後奔走
上庸魏兵趕來劉封回到上庸城下慌叫開門城上箭如雨下申
耽在敵樓上大叫吾已先使人降了魏王劉封大怒欲攻城背
後夏侯尚孟達兩路軍到劉封停扎不住引軍[illegible]
言掃旗號只見申儀在城上把旗一招城後一彪[illegible]
晃也劉封抵敵不住望西川而走徐晃追殺劉[illegible]

劉封

禰見漢中王哭拜于地玄德大怒曰辱子有何顏見吾耶封告曰救父之難非封不救乃孟達阻之也玄德轉怒曰汝原食人之食穿人之衣安可為讒人所使封曰一時被孟達以利害說之致獲大罪玄德猶未決忽孔明入玄德問曰辱子如此何法處之孔明于玄德耳邊曰此子極剛強今不除之必為子孫之禍矣玄德隨喝武士推出斬之及問跟封將士已將孟達之言一一告訖就將出扯碎孟達書呈上玄德覽之急悔心曰吾兒雖剛忠義之心藹然可愛便呼晉入時已斬訖獻首級于前玄德抱首級哭曰吾一時造次廢殺肱矣孔明曰若欲嗣子久遠之計殺之何足惜哉玄德曰縱使他日殺吾兒之子孫吾亦不忍今日[illegible]殺之人吾兒于九泉之下必痛恨吾也眾官聞之無不淚下遂命葬之是時漢中王一者煩惱關公二者為憶劉封因此染病却說魏王曹丕因宮引甲兵三十萬南征至沛國譙縣鄉中父老望塵遮道捧觴進酒效漢高祖還沛之意七月間大將軍夏侯惇病危遂引軍還鄴惇已死曹丕親自掛孝殯送于東門之外厚禮塋葬焉八月報稱石

呈祥鳳凰來臨舊城麒麟出黃龍見于勤城魏王集眾官商議今天
華[illegible]家魏當代漢可安排受禪之禮令漢天子將天下讓與魏王
時有侍中劉廙（字恭嗣，南陽安平人）侍中辛毗（字佐治，潁川陽翟人）侍中劉曄（字子揚，淮南人）
尚書令桓楷（字伯緒，長沙臨湘人）尚書令陳矯（字季弼，廣陵東陽人）尚書令陳震（字長文，潁
川許昌人）一班四十餘人皆來見賈詡相國華歆御史大夫王朗共言
此事詡曰正合吾意來見漢獻帝要交割天下還是如何

廢獻帝曹丕篡漢

時建安改延康多十月朔文武官僚引中郎將李伏太史丞許芝
直入內殿來見天子華歆奏曰伏覩魏王自登位以來德布四方
仁超今古群臣會議言漢祚已終伏望陛下效堯帝之道將江山
社稷傳與魏王臣等議定今乃奏知獻帝大驚流汗滿面觀百官
哭曰朕想高祖提三尺劍平秦滅楚而有天下相傳四百年矣朕
無罪惡朕忍以祖宗之基業之汝百官再宜商議華歆引李伏許
芝出班奏曰陛下不信可問此二人李伏奏曰自魏王登位以來
祥瑞累現不時而得皇天[illegible]當代漢禪也奏未畢許芝奏曰臣

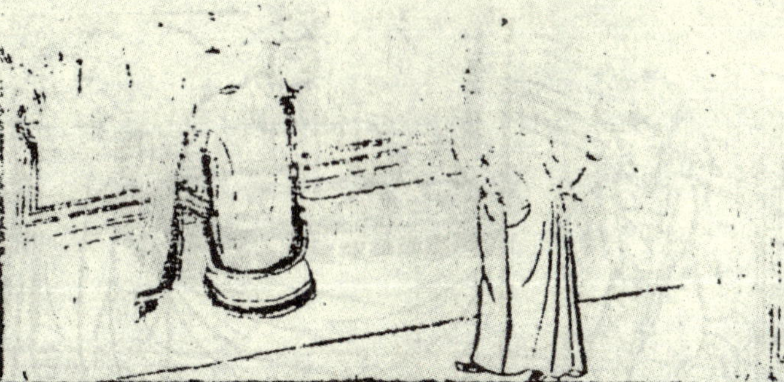

入後殿

職掌司天夜觀乾象見炎漢氣數已盡陛下帝星隱匿不明魏王之氣極天際地言之難盡更兼之應圖讖合主魏受漢禪圖讖曰

鬼在邊　禾相連　當代漢　與可言　言在東　午在西

兩日無光上下移

以此論之陛下可禪位鬼在邊禾相連是箇魏字言在東午在西是箇許字兩日無光上下移是箇昌字也應魏在許昌合受漢禪也請陛下思之獻帝曰祥瑞圖讖皆虛言之事何以虛言捨萬世不毀之基乎華歆曰陛下差矣昔日三皇五帝互相推讓次後三皇各傳子孫至于桀紂無道天下伐之春秋雖霸各相吞併入秦方歸與漢以此論之天下非一人之天下乃天下人之天下須不是陛下祖宗自傳到今陛下早決去就勿令生變王朗曰自古以來有興盛必有廢豈有不亡之國安有不敗之家陛下相傳四百餘年氣運已極不可違執而惹禍也獻帝哭入後殿百官皆哂而退次日百官又聚于大殿令宦官入請獻帝懼不敢出皇后曹氏曰令百官請陛下設朝問政何故推卸帝曰汝兄欲篡奪漢室故令

百官祖逼朕故不敢出也曹后大怒曰汝以吾兄子桓爲篡國之賊汝祖高皇乃豐沛無籍小輩尚自倚強奪大秦之天下吾兄累有大功吾父掃清海內有何不可爲君言訖便欲上車出外獻帝大驚荒束衣出前殿華歆奏曰陛下思臣等之言是否帝泣曰卿等皆食漢祿久矣豈無一人與朕分憂耶華歆曰陛下之意不肯以天下禪于魏王旦夕有蕭牆之禍非臣等爲不忠于陛下帝曰誰敢欲殺朕耶歆曰天下之人皆知陛下無人君之福以致大亂非武王在朝戕殺陛下之人已滿宮庭多矣陛下尚不知恩以報其德欲令天下人共伐之耶帝曰昔桀紂無道殘暴生靈故天下伐之朕即位以來兢兢業業未嘗行非禮之事誰忍伐之歆怒曰陛下無福德而居天位甚于殘暴之君也帝拂袖而起王朗目視華歆歆向前扯住龍袍曰陛下與不與許不許早乞一決帝戰慄不能答忽堦下曹洪曹休二人各帶劍上殿厲聲問曰符寶何在祖弼出曰符寶乃天子之寶汝問何爲洪大怒叱武士斬之祖弼罵不絕口而死靜軒先生有詩贊曰

姦宄專權漢室亡

詐稱禪位效虞唐　滿朝百辟皆尊魏　僅見忠臣符寶郎

帝見堦殿之下擐甲持戈入皆兵士也乃流涕出血嘆曰祖宗天下何期今日廢之朕九泉之下何面目見先帝乎泣告群臣曰朕若下預禪與魏幸留殘喘以終天年曹休曰臣等安有負陛下事至此可急降詔以安衆心帝令桓楷草詔禪國于魏詔曰

制曰朕在位三十有二年賴祖宗之靈得曹氏父子力為韓[illegible]仰瞻天道俯察民心大數已盡合歸于魏是以前王既樹神武之蹟今王又有明德以應昌期歷數昭然已可知矣夫人道相繼為賢能故唐虞不私于厥子而名無窮美而慕之今願為是獻上國璽追前堯典禪位于丞相魏王無致辭焉

是日百官賫冊詔并玉璽詣魏王宮獻納曹丕便欲受之司馬懿曰陛下不可輕易雖然詔璽已至可以上表謙辭以絕天下之謗曹丕于是從司馬之言令王朗作表虛辭謙讓表曰

臣丕昨奉受詔伏惟陛下以華世之詔禪無功之臣使人聞知肝膽摧裂不知所措昔以堯遜大賢巢由避迹後世稱之臣竊

帝載二女

德薄安敢奉命謂于盛世別求大賢以禮讓之則免萬年之議論也臣謹納璽綬待罪門下臣惶怖戰慄之至

帝覽表顧群臣曰魏王不受當如之何華歆奏曰陛下欲爲堯舜乎帝曰何也歆曰昔唐堯有二女長曰娥皇次曰女英遜國與舜舜敢辭不受送此二女妻之後世稱盛德今陛下亦有二公主何不效唐堯亦以女妻于魏王倣古迹也帝不得已再命桓楷草詔命張音持節捧璽并載二公主至魏王宮下開讀其詔曰

惟延康元年十月乙酉皇帝詔曰咨爾魏王匡扶朕躬漢明德之衷爲日已久幸賴武王奮揚神武芟夷兇暴淸寧海宇今王纘成前緒聖教被四海仁風遍宇區弘具天子之福歷數實在爾躬昔虞舜有大功二十而放勳禪以天下禹有疏通之績而重華禪以爲漢承堯運有傳聖之義皆賴神祇受天明命疇陟二女以嬪于魏使御史張音持節奉天子璽綬于其承萬國敢與大成允執其中天祿永終敬之哉

嫁于魏[illegible]

曰此係至易今須築一臺名受禪臺擇吉日良時聚集大小官僚并四夷之人盡至臺下令漢帝親捧玉璽致以禪天下於大王可以絕群謗之言也王大喜令張音捧璽還宮再作表以辭帝曰魏王無意禪位卿等君作歆曰陛下可築一臺名受禪臺對公卿士民明白禪位則陛下子孫世世必蒙魏恩矣帝只得聽說命太常院官卜地於繁陽築起三層高臺選十月庚午日聚集大小官僚武將御林虎衛禁軍及匈奴單于四夷化外之人至日寅時請魏王登臺受禪獻帝親捧玉璽奉之魏王受命臺上群臣跪聽讀勅曰

咨爾魏王昔者帝堯禪位於虞舜舜亦以命於禹天命不常惟歸有德漢道陵夷世失其序降及朕躬群兇肆逆宇內顛覆賴武王神武拯大難平復四方清區夏保我宗廟予及遐荒實受其賜今王恢文武之業英靈隆瑞大臣告傳是知天之歷數在爾躬允執其中天祿永終君其享茲萬國以肅承天命

讀勅已罷受八般大禮賀畢公卿行大禮罷改延康為黃初元

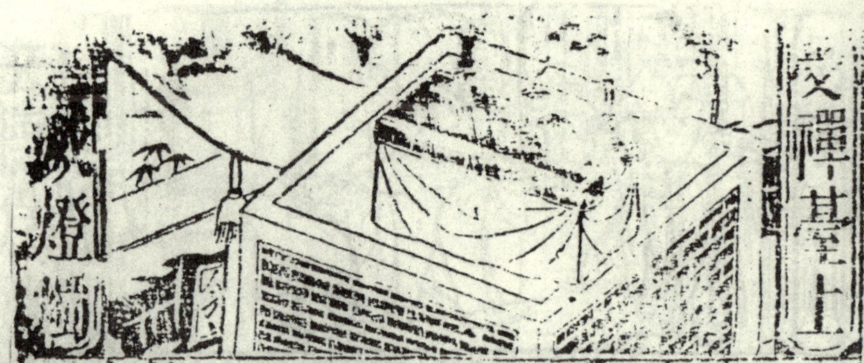

年大赦天下國號大魏謚曹操爲太祖武皇帝華歆曰天無二日
民無二王既受交割天下可令劉氏安置何地歆乃扶獻帝跪於
臺下聽詔魏王曹丕下勅封獻帝爲山陽公華歆曰立一帝廢一
帝古之常理今上仁慈不忍加害封汝爲山陽公今日便往彼處
歇馬非宣喚不許入朝獻帝拜在壇下謝恩百姓觀者無不感傷
曹丕顧謂群臣曰舜禹之事吾知之矣群臣呼萬歲後人有詩嘆
受禪臺曰　　　　　　　　　　兩漢經營四百年
小平津畔獨潸然　當初不改唐虞意　築土成臺教晉宣
又有宋賢詩爲証曰　　　　　　壘土曾推受禪臺
欺陵漢帝若孾孩　誰知天地無私曲　不久依然換主來
又有詩謊諷曹丕曰　　　　　　當年曹氏強吞劉
自爲兒孫立萬秋　一受禪臺還司馬事　山陽仍改作陳留
獻帝望山陽而去百官辭丕丕答謝天地丕方下拜忽於臺前起一
陣怪風飛沙走石驟雨不見將燈燭盡皆吹滅把丕驚倒於地

漢中王成都即帝位

衆官救曹丕下堂半晌方醒數日不能設朝後病稍愈封華歆爲司徒王朗爲司空仍將百官一一加爵曹丕在許昌染成氣疾甚重傳旨洛陽大建宮室卻說有人來成都報知曹丕殺了獻帝自立爲大魏皇帝見今調練軍馬遠出洛陽漢中王聽知大哭遂命百官發喪掛孝望許昌而祭謚曰孝愍皇帝是年冬漢中王憂悶過傷不能理事政務皆決於孔明次年辛丑春有襄陽人氏姓張名加於漢水內捕魚爲生忽見水底起一道紅光上衝碧漢加綱捕之但見金光散亂得一玉璽大篆文字受命於天既壽永昌加素知漢中王仁德入至孔明府中獻上此璽孔明請太傅許靖等商議譙周曰近時有景雲祥風從璿璣下來成都西北角有黃氣高數十丈衝霄而起帝星見於胃昴畢之間煳煳如月漢中王宜即帝位以繼漢統今得玉璽乃天賜也更復何疑於是孔明與許靖等一班上表勸漢中王即帝位其表曰

臣亮等言邇者曹丕篡弒湮滅漢室竊據神器上無天子海內惶惶靡所仰戴斯民感思劉氏群下前後上書者八百餘人咸

稱符瑞圖讖黃龍見武也九日天黃龍者君象也易乾九五飛龍在天大王當龍升帝位也近襄陽張加時獻玉璽璽潛漢水伏於淵泉暉景燭曜靈光徹天下漢高祖本初起定天下之國號也大王襲先帝軌轍興於漢水也今天子玉璽神光見漢水授與大王以天子之位瑞命符應非人力所致者周有火烏之瑞咸曰休哉今上天告祥羣儒英傑並進河洛伏惟大王裔自孝景帝中山靖王之胄本枝百世綿綿瓜瓞聖哲神武愛民好士是以四方歸心宜即帝位以纂二祖紹嗣昭穆天下幸甚

漢中王覽表大驚曰汝等皆欲陷孤爲不忠不義之人耶孔明曰非也曹丕篡漢自立何况大王乃大漢之苗裔乎漢中王作色曰吾豈效逆賊之所爲也怒入於後宮後三日孔明又約百官請漢中王出皆拜於前太傅許靖曰今漢天子已被曹丕所弒王上不即帝位而興師討賊是不忠不孝也今兩川之民皆欲王爲爲君與漢帝雪恨今王上不行是失民望也願大王熟思之孔明王[illegible]漢景帝之孫並不曾有半分德澤以及萬民今立爲帝

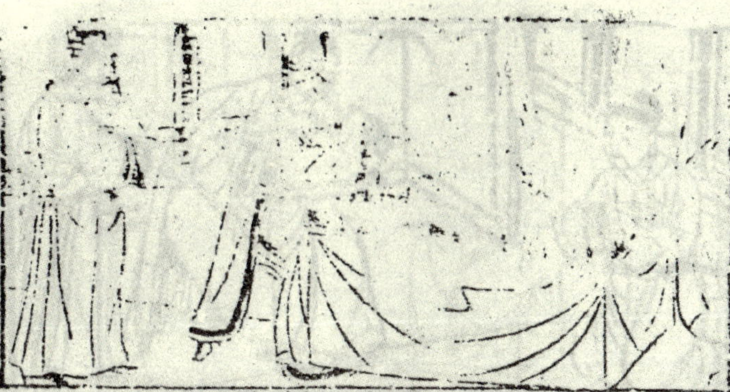

玄德問病

是篡逆也吾寧死不爲不忠不孝之事孔明苦諫不聽因此孔明託病不出漢中王聽知孔明病乃自詣孔明府下車直至臥榻問曰軍師所感何病孔明答曰心如火焚恐命不久漢中王曰軍師所憂何事孔明不肯言漢中王緊執請問孔明喟然歎曰亮自出茅廬之中得遇主上相從到今言聽計從幸主上有兩川之地不負亮夙昔之心今文武皆欲主上爲君共圖爵祿以耀祖宗不期主上堅執如是則文武皆有怨心不久必散文武一散吳魏來攻兩川休矣亮安得不憂也漢中王曰非是推阻但恐惹天下之議論耳孔明曰聖人有云名不正則言不順言不順則事不成今主上名正言順有何不可豈不聞天與不取反受其咎漢中王曰待軍師病起行之未遲孔明把屛風一擊外面一班大臣皆入拜曰大王既允便請擇日以受大禮漢中王視之乃是

太傅許靖　安漢將軍糜竺　青衣侯向舉

陽泉侯劉豹　別駕從事趙祚　治中從事楊洪

儀曹從事杜瓊　太常卿賴恭　光祿卿黄柱

偏將軍張裔　昭文博士伊籍　勸學從事張爽

祭酒何琮　學士尹默　從事中郎秦宓

司業譙周　司馬殷純　火府王謀

漢中王曰昭吾屬名者皆汝等也孔明奮然曰大事已定便可築臺於成都武擔之內孔明便遣博士許慈[illegible]理築臺之[illegible]旗金輅整排鑾駕迎漢中王登壇傳臣譙周於壇上讀文曰

維建安二十六年四月丙午皇帝備敢用玄牡敢昭告於皇天上帝后土神祇漢有天下歷數無疆前者王莽盜篡賴光武皇帝改誅社稷復存今曹操擅兵殘及主后罪惡見積操子丕篡其逆輒竊居神器群臣將士以爲社稷隳廢備宜修之嗣武二祖以行天罰備雖不惠懼忝帝位詢于庶民外及蠻夷僉曰天命不可以不答祖業不可以久替四海不可以無主率土咸望在備一人畏天明命又懼漢室將湮於地謹擇元日與百姓登壇及皇帝璽綬旗幡偏告類於天神惟神享祚于漢永綏四海

漢中王既受璽綬於壇上四面讓之曰備無才德請有德者王之

孔明曰主上平定吞功備於四海則是大漢嫡派宜即帝位復何讓焉於是自處帝號萬歲改元章武元年國號大漢立吳氏為皇后子禪為皇太子次子劉永為魯王劉理為梁王諸葛亮為丞相許靖為司徒其餘[illegible]官如故兩川之民無不欣躍次日早朝賀禮畢先主降詔曰朕[illegible]桃園與關張結義誓同生死不幸雲長被孫權所害此讐誓不[illegible]天地共日月也今朕即位賴卿等扶持君不與雲長報仇是忘昔日之盟朕欲起兵剪伐東吳生擒逆賊祭雲長以雪其恨朕之[illegible]將軍趙雲進曰不可未知何如

范疆張達刺張飛

趙雲諫曰國賊是曹操非孫權也且先滅魏則吳自伏操賊[illegible]爲子丕篡盜因衆心以討逆賊關東義士必衛糧策馬以從王師今捨魏伐吳兵勢一交急不能解願陛下熟思之先主曰雲長者糜芳傅士仁潘璋馬忠[illegible]不食其肉而夷其族卿何阻耶子龍曰天下重耶兄弟仇重耶先主曰不報兄弟仇雖有萬里山河何足爲貴遂不聽趙雲之諫即發使到南蠻取關索與新五谿蠻兵

帝遣使封

等各備攀兵甚相寃恨心一面差使賫詔往閬中封張飛爲西鄉侯車騎將軍領兵校尉兼閬中牧却說張飛自守閬中聽知雲長被東吳所殺終日號哭至於瀕死諸將以酒解之張飛一時忿怒越殺帳前帳後但有少犯即鞭撻之多有死者每醉罵罵切齒睜目牙多噴教其恨如此使者得詔至飛處入閬讀其冊曰

朕承天命除殘賊亂今寇虜作害民被荼毒朕坐不安廟食不甘味整軍誓將行天伐以君忠義追蹤召虎故特進車騎將軍領司隸校尉閬中牧賜爵西鄉侯茲將天威柔服以德懲違三軍以副朕意

張飛既受官爵乃對使者曰關公之讐實如山海朝廷大臣何不興兵使者曰大臣多有勸主上先伐魏後伐吳者張飛大怒曰是何言也吾當自見天子[illegible]願爲前部先鋒伐吳於是同使者起成都

却說先主每日自下[illegible]教演練軍馬分撥陣伍指日興師衆大臣來見孔明曰今天子初即大位自總軍伍非所以重社稷也丞相何不諫之孔明曰吾[illegible]主上不聽今日汝等可隨[illegible]

王訴□表情

□所諫之忿孔明引從官來奏先主曰臣聞天子之子坐不垂堂
□陛下所惜之統例從新位爲一朝之尊自統大兵陵山川之
險阻況且又新立漢統之重宗廟也陛下堅欲復仇可命一大將統
兵前進不亦可乎先主見孔明苦諫心中稍回曰朕且罷兵再圖
良策徐欲起怨張飛至急欲見之飛至演武堂拜罷抱先主而哭
先主撫其背而哭飛曰陛下今日爲君忘了桃園之誓爲兄之仇
如何不報先主曰爲眾官苦諫不敢輕舉飛叩頭出血曰他人豈
樂富貴豈知昔日之盟乎陛下不去臣當捨七尺之軀與兄報仇
若不能報死不回見陛下矣先主曰朕與御弟同往飛曰昔日誓
同生死天下共知休教他人笑先主曰汝可提本部人馬從閬中
出吾與汝會于江州勿得誤期飛曰何敢少延片時先主曰朕素
知汝醉後鞭撻士卒此爲禍道今後務宜寬容不可違一時之暴
飛拜辭便投閬中起軍去了先主次日登寶馬要行學士秦宓出
班奏曰陛下爲□長而□萬乘之軀□□長輕□□士卿而自□
以敘袞命此天人也願陛下思之先主曰關公與朕一體也大義

所[illegible]安可忿之宓曰陛下此行必有大敗可惜[illegible]
屬他人矣先主大怒曰吾方欲興師汝何出此不利之言叱武士
推出斬之宓神色不變回顧先主笑曰臣死不足惜但見川民歷
塗炭也諸大臣各出班奏曰宓乃良臣乞賜仁恕先主御因於獄
中待朕得勝回都斬之永晚乃因繫宓於獄中丞相亮知此事即
時寫表奏先主以救秦宓表曰
臣亮竊以吳賊逞詐致之心致荊州有覆亡之禍損將星於斗
牛摧天柱於楚地此情哀慟將與問罪之師廟同謀慈起雷
忿之義臣以爲遷漢鼎者罪由曹操移劉祚者過非孫權若
賊早能殄除則吳寇自然賓伏願陛下納秦宓金石之言抑士
卒刺虎之勇以養士卒之力別作良圖則社稷幸甚天下幸甚
先主擲表於地曰朕已決再諫者斬令丞相保太子禪守東西
兩川驃騎將軍馬超並弟馬岱助鎮北將軍魏延共守漢中以當魏
兵[illegible]雲[illegible]後[illegible]黃權程畿二人爲參謀馬良陳
[illegible]張[illegible]二人[illegible]將[illegible]張[illegible]中

范疆張達

……合後川將數百人共五萬餘谷處宣……
計七十三萬必定章武元年秋七月上旬出師卻說張飛回閬中
交軍馬皆打白旗人皆穿白掛孝伐吳與兄報仇定日要行帳下
部將張達范疆二人稟飛曰將軍苑日要行所有戰船白旗白袍
急不能完須是寬限方可張飛大怒曰吾欲與兄報仇汝焉敢違
吾將令叱軍士將范疆張達綁於柳樹上各鞭背四十放下飛曰
來日違吾令先斬汝二人示衆范疆張達被打口中出血到船中
商議曰今日雖然受刑來日如何分觧且本官性如烈火來日必
然殺我兩箇如之柰何張達曰如此他來殺我不如我先殺他范
疆曰我二人如何近傍得他張達道若我兩人不當死他今夜醉
睡於帳中我兩箇只做報機密事各藏刀直入刺之割其首級下
舡星夜去投吳國就報消息得此功勞進身如我兩箇當死他常
晚不醉二人商議已定使人探聽是日張飛神思昏亂動止不安
問部下曰我今好生肉戰心驚不知如何部將曰此是君侯思念
關將軍以致如此飛交取酒和部曲飲之不覺大醉臥於帳中范

張抹知二人各藏短刀夜至初更逕入中寨說言欲稟機密大事直至床前見張飛鼻息如雷張達下手將張飛殺之藏其頭便出下船二人引十數人星夜投東吳去飛亡年五十有五有詩贊曰

豹頭環眼大　燕頷虎鬚斑　長板橋頭斷　曹公鐵騎還
英雄過孟起　恩義釋嚴顏　西蜀人瞻仰　功名壓鎮關

又宋賢有詩贊云

安喜曾聞鞭督郵　黃巾掃盡動諸侯
虎牢關下人欽伏　長板橋邊水逆流
義釋嚴顏開蜀境　武掀張郃鎮中州
將軍更緩須臾死　吳魏山河總屬劉

比及軍中得知范疆張達已自順水而下追趕不上張將[illegible]綏後然後奏知天子與長子張苞具棺槨盛貯令弟張[illegible]守[illegible]苞來報先主於章武元年秋七月丙寅日出師大小[illegible]僚隨孔明送出十里長亭方回是夜先主步行御觀乾象忽見方一星其大如斗墜下於地先主大疑使人連夜去問孔明[illegible]回奏主曰折一大將先主因此按兵不動忽近侍奏曰閬中張[illegible]部下吳班遣人進表先主頓足言曰噫張飛死矣比及[illegible]

二人見帝

也

然先主放聲大哭至晚祭之次日人報有一隊人馬千餘騎盡掛
白旗穿白袍騎白馬至先主出營觀之乃張苞也伏地而哭先主問
苞軀張達范疆殺父首級投吳去了先主哀慟之甚群臣諫曰陛下欲
與二弟報仇何自殘龍體先主方止遂謂張苞曰汝與吳班引兵
作先鋒與父雪恨苞曰為父為國萬死不辭正欲行又報一隊人
馬盡是白縞素衣服飛奔而來

劉先主興兵伐吳

先主交看時見一少將白袍銀甲哭拜帳下衆視之乃關公次子
關興字安國鎮西都督先主令同關索鎮雲南因賞功授將軍先主見興問曰關某安在何不來與
曰吾兄亦病故矣先主想起雲長父子淪亡放聲大哭近侍奏曰
龍淚墜地元是三年陛下自將社稷為重不可自棄先主曰朕想
布衣與關張二弟結義誓以同死今朕貴為天子二弟皆死於非
命眼前見此二姪安能忍此痛淚乎言訖又哭皆絕衆番衆官受
小將軍暫退容聖上將息龍體關興張苞退先主曰二弟已亡吾
負卻前誓也言訖又哭馬良曰今主上初登寶位見統七十萬大

陳震奉詔

守去下江南終日為二弟而哭其兆不利陳震曰吾聞蜀中青城山有一隱士姓李名意人傳此老是漢文帝時人到今三百餘歲上通天文下察地理中知人間生死吉凶乃當世之眞仙何不宣知字上遣使賫禮備車請此老到令卜吉凶何如衆官昆皆曰可遂入奏先主具言李意之事先主從之即差陳震賫詔為使星夜到本處令里人領入小谷深處遥望仙庄見一童子曰來者莫非陳孝起乎陳震大驚曰童子安知吾姓字童子曰師父所言必有大蜀皇帝詔命來有陳孝起也陳震曰人言眞仙信不誣矣於是命敬拜伏李意請入震言天子急欲見仙翁之意李意推老不行震苦苦哀告李意遂行震先使飛報到營先主離宮五里引百官迎之見李意鶴髮童顏碧眼方瞳灼灼有光身如古栢之狀先主知入營中自親下拜李意曰老夫荒山村叟何勞聖上厚敬先主曰劉備與關張二弟結生死之交至今三十餘載衆皆以備中山靖王之後遂立為帝近者二弟被害仇在東吳故統領兵諸長一回[illegible]老仙知興廢休咎之事先主[illegible]

決意曰此乃天數非老夫所知也先主又問意乃索紙筆畫兵
馬器械營寨四十餘張畫訖片片皆扯爲粉碎又畫一大人臥于
路邊一道人將一小兒以土埋之上寫一大白字遂稽首便行先
主曰此狂士也何以信之遂以火焚之便使人催督軍馬起行張
苞入奏曰吳班軍馬已至臣乞爲先鋒先主乃取印與之苞方欲
掛印關興拜而言曰臣父被東吳所害覺在東吳望陛下付先鋒
之職上報父仇下酬己志張苞曰吾父仇人亦在東吳如何不往
險之我已奉詔命矣關興曰偏我不要報仇汝有何能敢受此職
苞曰自幼學習鞍馬件件皆精先主曰朕試觀賢姪施放以定優
劣苞乃取硬弓一張令軍士於三百步外立一白旗旗上有紅心
苞放三箭射中紅心衆皆大喜關興亦彎弓在手指而言曰射旗
上紅心何足爲奇正說間空中一群鴈飛翔興曰吾射行中右手
第三隻言訖弓弦響處鴈早落地衆皆驚訝張苞大怒上馬挈父
父所使丈八點鋼矛驟馬大呼曰敢與比較武藝否關興亦縱
亦飛身上馬掉家傳所使大桿刀縱馬而出二將便欲交鋒先主

侄曰二子不得無禮來聽約束關興張苞皆下馬跪于面前先主曰吾自涿州與汝二父結異姓兄弟甚於骨肉未嘗有半點差錯今汝二子乃昆仲之分合吉凶相救患難相扶庶不負其親也何以鬪力於吾前大義安在汝父喪未遂尚猶如此何況後日乎關興張苞悔罪再拜先主問曰誰年長應曰興長苞一歲先主命興拜為兄二人就帝前折箭為誓永相救護先主撥吳班為先鋒自留關興張苞在帳前各領兵三千軍馬為左右護衛先主命水陸並進船騎雙行浩浩蕩蕩殺奔吳國來卻說孫權聽知先主提大軍七十餘萬戰將一千員御駕親征急聚文武商議文武聽知先主自來勢若泰山人人失色皆不敢言惟有諸葛瑾進曰瑾食君祿並無報效願去見蜀主陳說利害使二國連和共問曹丕篡逆之罪免生刀兵之危孫權即遣諸葛瑾行前去說和先主還是如何

吳大夫趙咨說曹丕

章武元年秋七月先主大軍已至夔關駕屯白帝城前隊軍已出川口近臣奏曰[illegible]諸葛瑾至先主命休放入黃權曰諸葛瑾要

以俗在調教有事來見何以絕之宣入看其言可則從不可則遣之就借彼口回吳何如先主從其言宣入問曰子瑜此來必有緣故瑾曰臣託弟久事陛下故不避斧鉞之誅特來告陛下荊州之事近者雲長居於其地吳侯數次遣人求親雲長大罵不許以此積怨後雲長兵襲襄陽魏再三遣使者以天子爲名令襲荊州吳侯不許後呂蒙與雲長不睦擅自興兵吳侯悔之不及今呂蒙已死仇恨已消吳侯命瑾爲使願割荊州之地歸還陛下其降將遣歸並聽區處夫人孫氏久思見陛下之面瑾當送至求結盟好共滅曹丕以正篡逆之罪未知聖意若何先主怒曰汝既殺吾愛弟是廢吾股肱也今日尚敢以巧言令色以說朕也瑾曰臣請以輕重大小與陛下論之陛下漢室皇叔今天子被曹丕篡逆却不報之而爲異姓之親匕率大軍涉江山之險而與人决雌雄是舍大義而就小義也中原海內兩都皆大漢創業之地陛下不取而但爭荊州是棄重而取輕也天下皆知陛下即位與漢恢復山河今陛爲一將之忿棄却萬乘之尊願陛下思之先主大怒曰殺吾弟之

誓不共戴天欲朕罷兵除萬死方止若不看丞相之面先斬你可回對孫權說知交洗頸受戮踏平江南方雪朕恨萬分之一喝退諸葛瑾瑾知不可說自回東吳郡說張昭等見孫權而言曰諸葛瑾聽知蜀兵勢大故推作使而行必降劉備矣權曰子瑜不負孤昔者子瑜在柴桑時孔明至吳孤與子瑜曰卿與孔明同産何不留之子瑜言亮已委質於人義無二心弟之不留猶瑾之不往也孤聞子瑜往日之言如此今日焉得負孤降蜀乎正說間人報諸葛瑾回權曰孤言若何張昭等皆惶恐瑾回見權備說先主不肯通和之意孫權大驚曰似此奈何階下一人進曰某有一計可解此危視之乃中大夫趙咨也孫權曰有何良策咨曰主公作一表咨請為使徃許昌見魏主曹丕陳說利害使魏襲其漢中則劉備之兵自然回矣孫權曰此計大妙卿此一去勿失江東之志咨曰某若有小失則當投江而死安有目再觀江東乎權大喜更遣趙咨入魏咨星夜徑到許昌先見太尉賈詡次日早朝賈[illegible]

入拜舞已畢呈進表文魏主問趙咨曰吳侯乃何等之主也咨答曰聰明仁智雄略之主也魏王大笑咨曰陛下何笑乎魏王曰笑卿過獎失其真也咨曰臣請一一奏知陛下魏王曰卿言合朕意唯春童咨曰納魯肅於凡品聰也拔呂蒙於行陣明也獲于禁而不害仁也取荊州而兵不血刃智也據有三州虎視四方雄也屈身於陛下略也以此論之乃為聰明仁智雄略之主也魏王又問曰頗知學乎咨曰吳侯任賢使能志存經略雖有餘閑博覽書史然不效書生尋章摘句魏主曰朕欲伐吳可乎咨曰大國有征伐之兵小國有備禦之固魏主曰吳難魏乎難者懼也咨曰帶甲百萬江漢為池何難之有魏王曰吳國如大夫者幾人咨曰聰明特達者八九十人如咨之輩車載斗量不可勝數魏王歎曰使于四方不辱君命可謂士矣如趙咨者不辱其君也如是降詔命太常卿邢貞冊拜孫權為吳王加九錫趙咨出大夫劉曄出班諫曰今孫權懼蜀兵乃天亡也陛下可遣上將提數萬之兵經渡長江襲之蜀攻其外魏攻其內吳地之危不出旬日吳亡則蜀安能久存

魏主令邢貞封吳侯

願主上察之魏王曰孫權既然禮服於朕若攻之乃失信於天
下也朕初登大位此等詐謀不可用之劉曄又奏曰孫權雖有雄
才乃故漢驃騎將軍南昌侯之職也官輕則勢微江南士民有畏
中國之心不可加之王位也王位去天子一增耳禮服衣冠皆相
亂也今信其詐進升王位加以九錫是與虎添翼也孫權若退嘗
兵之後必然外盡禮臣事中國而內無禮以怨陛下若以兵伐則
孫權昔告江南之民曰我事中國不失臣下之禮今無故起兵而
來必欲掠我臣民據我金帛欲得江南子女為僕妾民信其言上
下用心而加十倍矣陛下不因此危急之時而併降之後有大悔
魏王曰不然但不助攻兵魏居正統安如泰山看吳蜀相戰若滅
一國則此一處亦何難哉朕已有主見卿勿多言太常卿邢貞與
趙咨同至吳郡先使人報魏封王號遂接顧雍進曰主公只宜自
稱上將九州伯之位不當受魏封爵權曰沛公當時亦受項羽封
為漢王蓋權宜耳何足損也乃率百官出郭迎接太常卿邢貞自恃
為上國之使入至郭不下車端坐遍觀吳國文武張昭大怒厲聲曰

之曰你雖上國之使安敢妄自尊大以爲江南無人物耶邢貞慚下車與吳侯相見並車入國車後一人放聲大哭乃偏將軍徐盛也回顧同列曰吾等不能奮身竭力拚命爲國併許吞蜀而令吾主受人封爵不亦大辱乎言訖下馬以頭撞地而哭邢貞聞知歎曰江東有如此之才非久下人者也權受命乃以鬪鴨長鳴雞等件遣人進納於魏張昭曰貢獻之物莫非太過孫權笑曰利足結人心何足惜哉卻說先主自白帝城遣諸葛瑾回之後便令大軍依期而進又有蠻王名沙摩柯引兵助戰又有五溪路將杜路劉寧兩路軍馬皆到於是水陸並進聲勢吞天前軍水陸已出巫口巫口地名旱路抄出秭歸秭歸亦地名孫權已受吳王之位奈何魏兵不來後應問諸文武曰蜀兵勢大何以退之諸將皆默然吳王曰周郎去肅呂蒙今俱已死無人與孤分憂也忽班部中一少年將軍奮然而出曰王上養國士待之如手足今一聞蜀兵至盡皆緘口結舌此何理也某雖年少頗習武藝臣聞君辱誠敢不效報以損無用之軀願統數萬之衆破蜀擒劉備必矣衆皆見其言大驚此人是誰

關興斬將救張苞

挺身出者乃吳人孫河之子孫桓也按桓字叔武其父孫河字伯海本姓俞孫策愛之賜姓孫將之如弟因此得爲孫氏宗族生四子河死後孫桓軍馬慕閑雅量過人常從孫權出軍有功官封安東中郎將孫桓字[illegible]

權曰姪大將李異謝旌有萬夫不當之勇乃數萬之衆即擒劉[illegible]

孫權曰吾姪勇則勇矣奈何年幼必得一人相助乃可忽一人[illegible]

曰臣願與小將軍同破劉備衆視之乃朱若外甥官帶虎威將軍[illegible]

姓朱名然封字義吳王大喜點水陸兵五萬與孫桓朱然統領[illegible]

都督然爲副都督即日進兵聽得蜀兵前隊已到宜都下寨[illegible]

令朱然督二萬五千兵於大江中結營孫桓引二萬五千人於宜

都界口下寨前後分作三營以進蜀兵前隊吳班迤進出門以來

所到之處望風而降莫敢抵敵[illegible]止不曾破刃前到夷陵宜都邊

得孫桓軍馬在彼遂亦下寨使人回奏先鋒馮習[illegible]

字[illegible]進二先鋒亦不敢擅便[illegible]奏先主將先主御駕[illegible]

縣當日近臣奏曰吳遣孫桓[illegible]宜都界口[illegible]

此等小兒豈足爲將與我[illegible]

將何以報父仇好請討吳先主曰賢姪去走一遭亦可關興辭
欲行張苞出奏曰既安國要去討賊臣亦請同行先主曰汝曾去
二人前去不可造次倘有疎危陣軍之變說關興張苞二人辭
到前軍見了先鋒同日往旭探聽探得到兵至近乃紮三
寨之兵齊起列於宜都山下紮營入遙漫山塞野鼓聲大振兩下
陣圓孫桓引李異謝旌二將出馬立於陣前遙望蜀兵陣中擁出
一隊素面白旗於內上將紮盔挂甲白馬白袍上首張苞手持丈八
點鋼矛下手關興橫攜青龍偃月刀二疋馬左右盤旋張苞揚聲
大罵孫桓豎子限死臨頭尚敢拒敵天兵耶孫桓復罵曰量汝劉備
乃織蓆販屨小輩如何妄稱帝位汝父作無頭之鬼復敢加兵於
此自送死耳張苞大怒挺鎗躍馬而出孫桓欲自戰謝旌驟馬而
出曰主公看吾擒之謝旌挺鎗來戰張苞二騎相交約戰三十餘
合謝旌遮攔不住撥回馬望本陣便走張苞從後挺鎗拍馬趕去李異
看見謝旌輸了遂拍坐下馬輪手中金蘸斧來迎苞驟馬就吳兵
陣前廝殺兩將戰到二十餘合不分勝負吳陣中一員裨將姓譚

關興陣上　生擒譚雄

譚雄見李異勝不得張苞暗中一箭正射中張苞馬腦膛那馬負痛奔回本陣將及到門旗邊那馬力盡絕前足便倒把張苞撇在地上人馬俱倒李異趕到輪起大斧望張苞腦袋便劈手未起處眼前一道電光李異頭落尸倒元來是關興見張苞馬回卻待接應忽倒於前因此飛馬斬之故救了張苞乘勢掩殺吳兵大敗馮兵飛報捷音次日孫桓見斬了李異忿怒越氣再引軍前進關興張苞二將雙出關興躍馬提刀立在陣前單搦孫桓出戰桓大怒自揮寶刀來鬬關興二騎相交約戰到二十餘合以上不分勝負張苞挺鎗躍馬便來夾攻孫桓敗走關興張苞二將殺入吳兵陣中蜀將馮習張南驅兵掩擊先說張苞戰馬當先入陣正遇譚雄一鎗刺於馬下往來衝突如入無人之境蜀兵大至殺敗吳兵馮習收軍只不見關興張苞大驚曰君折了安國吾亦不用命矣遂縱上馬來尋行不數里見關興跳馬上右手提刀左手扭撥一人而來張苞接着問之關興曰我在亂軍中正逢着你的仇人故生擒到此張苞視之是夜來陣上射君戰馬的譚雄張苞捉歸本寨

張南定計　　劫孫桓寨

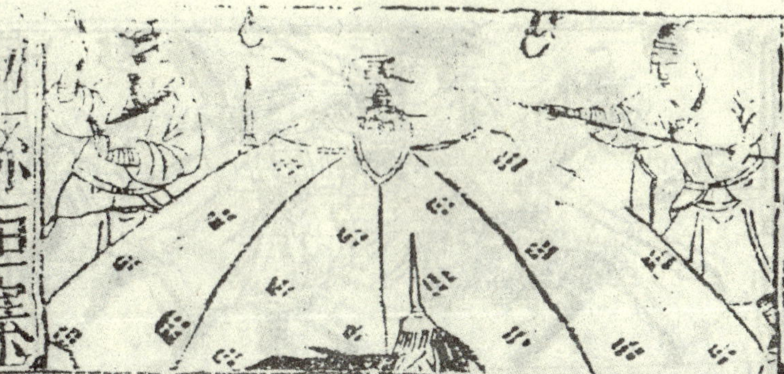

頭瀝血祭了死的戰馬却說孫桓折了李異謝旌兩箇左右護衛勢孤力窮川將關興張苞追入請馮習張南二人商議如今孫桓兵敗將亡可乘虛劫寨拔去根本則吳兵頓失銳氣不敢拒敵矣張南曰孫桓雖然折了許多軍將江中朱然水軍並不曾搖動一箇倘或去劫寨後水軍登岸截斷歸路兵必自乱馮習曰此極容易先交關興張苞各引五千軍伏於山谷中如朱然不來便休倘來時左右兩枝軍於半路間殺出彼兵自乱矣吳班曰莫若先使小卒只做降吳先將劫寨事告於朱然然見火起必然來救却令伏兵擊之馮習用其計先交關興張苞去埋伏了却令小卒來行此計却說朱然聽知孫桓折兵損將正欲去救忽然伏路軍引數个小卒來到然問其故卒曰我等是馮習帳前軍士爲賞罰不明故來投吳就報機密今晚馮習引軍乘虛去劫孫將軍寨必然舉火故先來報知朱然聽了先使人來報孫桓那報事的已被關興軍路上接住殺了朱然點兵自要去救部將崔禹稟曰小卒之言未可深信倘一踈危旱路水路並皆休矣將軍穩守水寨小將

傳將軍一行朱然準之令將一萬軍行至夜馮習張南吳班分兵三路殺入孫桓寨中四面火起吳兵大亂盡路奔走却說崔禹正行之間望見火光冲天而起令軍急進轉過山谷兩下鼓響左邊關興冲出右邊張苞殺到兩下夾攻吳兵進退不得張苞把崔禹生擒而回此時吳兵兩路俱休朱然退下水寨五六十里孫桓引敗軍走彝陵問前何何處城池堅固有粮草軍士答曰此彝陵言一城名彝道城可以屯住孫桓引軍便走彝道馮習張南引軍直出追到彝道四面圍住令[illegible]崔禹即時差使解赴歸城見先主[illegible]斬之大賞三軍自此威風振動江南吳王大驚慌聚文武商議入孫桓受困於彝道朱然敗退於江中如之柰何此時程普黃蓋孫欽皆亡張昭進曰今東吳舊將雖有幾世者尚存十數人何[illegible]備哉可命韓當為主將周泰為副將潘璋為先鋒凌統為合後甘寧為救應起兵十萬拒之何如權允所奏即時差諸將行時甘寧已患痢疾不得已而從之說劉先主自從巫峽建立寨屯直接彝

陵界七百餘里連營四十餘座先主[illegible]

往助黃忠

許功老使宣回賞賜[illegible]然歎曰昔日從朕諸將盡皆老邁無用今復有二將如何也東吳平正說間忽報江東命韓當為將周泰副兵前來先主便欲遣將近侍奏曰老將軍黃忠聽知陛下說老將無用引親隨五六十騎反投東吳去了先主曰黃漢升何肯反朕因朕言其老此人心不服老奮力而去相持也去必有失二賢弟便好上馬相助漢升略有寸功便可令回勿使有失關興張苞二人

帝上馬來助黃忠不知如何

劉先主猇亭大戰

卻說黃忠聞先主言老將無用因此性起當夜備戰馬引親隨五六十騎逕投夷陵寨中馮習吳班接着問曰將軍到此必有事故忠曰吾自長沙跟隨主上到今多負勤勞天子亦不曾虧負於我雖年七十有餘尚食肉十斤臂開二石弓能騎千里馬何為老也昨者主上道我無用故來臨陣斬將看吾老與不老正說間人報東吳前隊已到哨馬在營黃忠奮然而起便出帳上馬馮習吳班二人諫曰將軍且未可輕進黃忠不聽上馬逕去馮習吳班

馬忠引箭

射中黃忠

軍助敵黃忠驟馬提刀直至東吳寨前搦戰先鋒潘璋引軍出迎璋手下副將史蹟欺黃忠年老提鎗來迎與黃忠只交一合被忠一刀殺之潘璋自出提關公所使寶刀與忠鬪刀戰不數合黃忠獨奮神威潘璋力不及撥回馬走黃忠乘勢趕去吳班助戰大勝一陣而回關興張苞至曰聖旨令某二人來助老將軍既已立將速請回御營黃忠不聽次日潘璋又出搦戰關興張苞欲出助戰黃忠不許吳班要出忠亦不許自率五六千兵出與潘璋交戰不數合潘璋拖刀便走黃忠驟馬引軍追趕三十里忽聞喊聲大振四面兵出左邊韓當右邊周泰前面潘璋後面凌統把黃忠困在垓心黃忠心慌急欲退時山坡上馬忠拈弓取箭射中肩窩險些兒墜馬吳兵見忠力困併力向前忠將危急忽然喊聲大起兩路兵至殺散吳兵救出黃忠乃是關興張苞吳兵自退興苞保護黃忠直送到御營黃忠年老難禁疼痛死在旦夕先主御駕親自來看撫其背曰使老將軍中傷朕之過也忠曰臣乃武夫幸遇陛下今年七十有五死亦足矣望陛下善保龍體以圖中原言訖不

首人事是夜交手御營後人有讚曰

老將黃忠　收川立大功　頂披金鎧甲　雙挽鐵胎弓

臧斬驚[illegible]　智勇[illegible]　臨危頭似雪　左白顯威風

先主哀傷不已命具棺[illegible][illegible]先主嘆息曰五虎將已

亡三人吾尚不能復[illegible][illegible]自引移林里直進猇

亭大會諸將水陸並進其水路[illegible][illegible]路先主自披黃金

甲臨陣程畿馬良等諫皆不[illegible]二年二月中旬先主分

兵八路取猇亭韓當周泰[illegible]先主御營自至二將引諸將出迎

兩陣對完韓當周泰出陣見蜀兵門旗開處先主自打黃羅銷金

葫蘆頂九曲傘蓋左右列白旄黃鉞金銀旌節圍了韓當周泰馬

上奏曰陛下今為蜀主何自輕耶萬有一損切勿懊悔先主以鞭

指而罵曰汝等狗輩傷吾手足誓不共天地同日月也韓當回頭

曰汝等敢出衝突蜀兵否言未畢韓當手下一將名夏恂驟馬挺

鎗而出先主背後張苞看見　驟馬一條鎗直取夏恂夏恂只待

要走周泰弟周平見夏恂遮攔不住便刀縱馬而出先主背後關興

甘寧敗走

死于富池

正看見一騎馬一口刀飛出張苞大喊一聲一鎗刺夏恂於馬下周平大驚措手不及被關興一刀斬之二將拍馬來戰譚雄崔禹三人慌入本陣先主鞭梢一點大勢軍馬一齊掩殺水陸八路同時俱進各要爭功忿力向前殺得屍橫遍野血流成河却說甘寧正在舡中養病聽知蜀兵大至急上馬時一隊胡兵蹕亭為頭乃是胡王摩沙柯生得面如噀血碧眼突出蓬鬚倒捲使一個蒺藜鐵骨朵腰懸兩弓一張腰箭二袋背後自是番將軍馬披髮跣足使一口大刀甘寧見勢大不敢交鋒拍馬而走被摩沙柯一箭射中其頂帶箭夜走後到富池口身死一時坐於大樹之下上有群鴉數百以遶其屍吳人聞之哭吳王特與立廟一極靈有神鴉送客此時先主大獲全勝遂得猇亭吳兵大潰各自逃散却說先主收兵諸將上功只不見關興先主慌令人四下尋之却說關興殺入吳兵陣中正見潘璋乃殺父仇人如何不報驟馬趕潘璋入山谷中不知所在關興尋思只是此山內等有三天晚迷蹤失路幸得星月有光將出一山僻約二更時分到一主莊

乃下馬叩門有一老丈出迎與言我是戰將迷路至此求與公一飯
與見莊中神堂燈明視之中間繪塑關公神像與乃大哭老丈問
其故與曰此吾父也老丈便拜關興問之老丈曰此間皆是尊翁
所轄地面在生之日人家尚自供奉何况今日爲神老夫只望蜀
兵早復仇今日將軍到此荆州百姓有福遂乃以酒肉待之與卸
鞍喂馬約有三更以後忽听得有人叩門老丈出而問之乃吳將
潘璋也來此投宿却好入莊到草堂關興看見拔劍在手大呼逆
賊休走璋回身便走忽一人自外而入潘璋視之乃關公也潘璋
驚得躲呆再欲轉身被關興一劍斬之遂取心瀝血以祭其父後
得青龍偃月刀關興將潘璋首拴在馬額下便蔬騎了潘璋馬別
了老丈而回莊中自把屍燒化了關興行不數里人語馬嘶一彪
軍到爲首打吳軍旗號爲頭是潘璋部下將馬忠見關興殺了潘璋
刀首見在乃驟馬舞刀來鬬關興也認得是仇人安得不死戰馬
忠雖北不得關興本事手下有三百來軍一齊圍將上來果是寡
不敵衆忽然西北上一彪軍到乃是張苞也跟尋到此馬忠見彀

傅士仁殺馬

忠獻先主

軍到慌忙退去關公因張苞追趕不上行不數里糜芳傅士仁卻引一彪軍到與馬忠相合一處混戰之間皆後參綜又引一軍來到關興張苞兵少慌忙徹退兩個自回猇亭見先主具言其事先主驚異卻說馬忠回尋見韓當周泰收集敗軍各自分投守把其將中傷者不可勝數馬忠帶糜芳傅士仁於江渚扎住是夜糜芳聞軍士號哭哀痛之聲芳潛聽之皆曰我等皆是荊州關公軍被呂蒙詭計害了我主人今劉皇叔御駕親征東吳早晚休矣所恨的是糜芳傅士仁兩个我等何不殺了此二賊去見劉皇叔功勞不小數內一个道不要性急我每看个空便下手糜芳听罷來對傅士仁說軍心變動我二人性命不久蜀所恨者是我二人何不把馬忠來殺了將頭去獻先主稱我等不得已降了吳今知車駕前來特地到營請罪須免這遭禍也傅士仁曰今主上想國舅之親必然怨之二人商量定了上元偹下馬疋二更來帳內刺殺馬忠將首級連夜離營引親近士卒百十人奔猇亭御營伏路軍轉報先鋒吳班張南尋訴說備細後送入御營見先主二人將首級獻上哭告

曰臣等實懷反心因諸葛設計言稱關雲長已亡[illegible]不
得已降今聞車駕到來故將害雲長之賊將押來請罪先
主大怒曰朕自離成都許多時不來請罪今日勢危故來巧言令
色以說吾也朕若赦汝九泉之下有何面見雲長耶隨喚關興承
交就御營設雲長靈位將[illegible]首級祭先主自為享祭哭泣甚
切令關興親自下手將糜芳傅士仁二人[illegible]以享祭靈魂忽帳
下一人大哭曰俺父[illegible]人盡皆誅滅吾今被二賊所害何時得報
先主撫恤曰賢姪勿憂朕當踏平江南殺盡吴狗必當祭此二人
親臨以祭汝父汝父有靈知我心也張苞泣謝此時先主軍威大
振吴地之人心寒膽裂日夜驚惶大小皆號哭韓當周泰告急於
王具言糜芳傅士仁殺了馬忠歸蜀亦被[illegible]之孫權聚文武商議
步騭曰西蜀所恨者乃呂蒙潘璋糜芳傅士仁馬忠皆已結冤關
雲長者也今數人已亡獨有范疆張達乃刺殺張飛者也今見在
吴何不將此二人并張飛首級送還蜀使求和復還荊州再會
親情共圖滅魏平分天下則蜀[illegible]

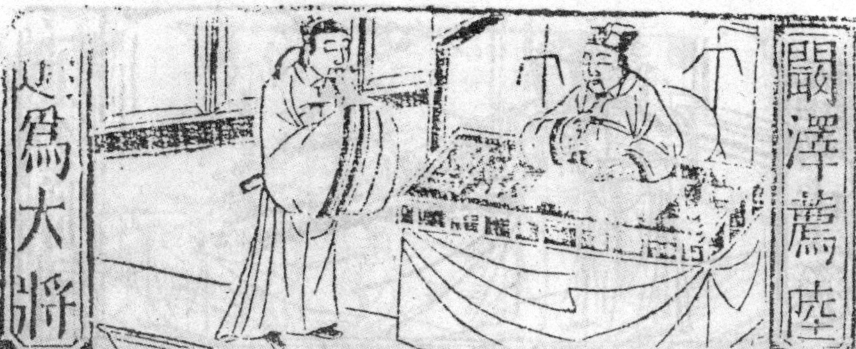

匣盛貯張飛之首捉范疆張達囚之檻車令程秉爲使賫書投猇亭來見先主近臣奏知此事先主以手加額曰此天之所賜二弟之靈也即喚張苞設父靈位先主自祭把開匣見飛頭面顔色不改先主哭之甚哀亦令苞將二人臨之馬良奏曰今仇人盡皆勦滅其讐恨矣今吳侯使程秉在此欲讓還荆土再進孫夫人還陛下永結親好共圖滅魏以分天下伏候勅旨先主怒曰吾切齒之仇乃孫權也今若求和是負二弟當時之盟也朕先掃滅吳次却收魏一統漢室效光武中興朕所願也堅執不听欲斬程秉以絶之衆臣勸免令程秉回吳見孫權奏知此事權大驚舉手無措忽堦下一人進曰東吳有一擎天之柱爲何不用衆視之乃闞澤也吳王問曰德潤足知其才還是何人

陸遜定計破蜀兵

闞澤曰昔日大事全仗周郎次後魯子敬代之子敬亾後次及呂蒙今子明雖亾還有陸伯言見在荆州此人雖是儒生却有雄才大略以澤論之不在周郎之下前破關公皆伯言之謀也大王若

侯將劍

賜陸遜

能用之破蜀必矣如其失事臣請先納此頭吳王曰非德潤提督

孤幾誤大事卽時差人召陸遜張昭曰遜乃書生非劉備敵也闞

澤亦曰遜年幼望薄恐諸將不伏必誤大事步騭曰遜只可聽縣

令而已若託大事非其才也闞澤曰若不用陸伯言則東吳休矣

臣請以全家性命保之吳王曰吾亦素知陸遜乃奇才也孤當試

之闞澤曰若不付以重任其才不能盡展也吳王曰然於是召陸

遜遜被遜乃吳郡吳人也漢城門校尉陸行已之孫九江都尉陸衣之子身長八尺面如白玉貌似凝酥此時官帶欽兩將軍

日召遜至拜畢吳王曰今蜀兵侵境孤欲命卿總督軍馬以破劉

備何如遜答曰文官武將皆大王故舊之臣也遜年幼不才安能

制之吳王曰闞德潤以全家性命保卿孤亦素知卿能今拜卿為

大都督卿勿推辭遜曰倘文武中不伏者如何吳王取所佩劍賜

之曰如有不遵令者先斬後奏遜曰臣受恩已久固不敢辭大王

來日聚文臣武將以賜之闞澤曰古之命大將者必當築臺會眾

以白旄黃鉞付之囑曰閫之內寡人主之閫之外將軍主之然後

名正言順事必成矣大王可遵此禮選吉日築壇[illegible]

吳王築壇

拜陸伯言

假以節鉞則衆皆伏矣吳王乃命築壇大會百官請遜登壇封爲平西相討東吳大都督假節鉞賜以寶劍印綬令掌六郡八十一州兼荊楚諸路軍馬遜領命訖下壇吳王撥徐盛丁奉爲護帳軍馬即日起行比及陸遜出師早調諸州軍馬水陸並進先有文字到邊稱陸遜爲大都督韓當周泰等各驚訝曰主上如何以書生總兵耶及遜至時衆皆不伏遜升帳坐衆只得參賀遜曰主上命吾爲大將令破蜀軍有常刑汝等皆宜遵守王法無親勿令自悔衆皆默然周泰曰即日安東行軍孫桓乃主上之姪見困在夷道城中請都督早設良謀救出吾料此圍非都督不可解也遜曰吾素知孫安東深得士衆之心必然能守城池不必救之但破蜀兵彼自出矣衆皆暗笑而退韓當與周泰曰此是東吳合休命此孺子爲都督汝見其所行否周泰曰我以此言試之耳早無一計安能退蜀兵耶次日遜傳下號令交諸處多立關防牢把隘口不得輕進諸將但相聚撫不笑懦陸遜升帳大會諸將遜下令曰吾領承王命總督諸軍昨已三令五申汝等各各堅守不遵吾令者

號令諸將

帳

韓當曰吾自跟破虜將軍平定江南大小歷數百戰矣其餘衆將或跟討逆將軍或跟今上皆披堅執銳出生入死之士也今主上以汝爲大都督令退蜀兵可宜早定大計調撥分兵征進以圖成功令却使守以待天自殺賊此何理也言訖帳上下皆曰韓將軍之言是也陸遜聽罷掣劍在手曰僕雖名聞天下曹操尚自懼怕今在境界此非容易敵也汝等皆諸將並受國恩當以和順共圖破敵以報王上今吾自有妙策非汝等所能料也今汝等各不相順故違吾令吾雖一書生今蒙王上受以大任爲吾有尺寸可取頗能任事負重故也各守險要不許妄動如違令者必斬衆皆散去却說先主自猇亭擺佈軍馬直至川口連接七百餘里前後四十餘屯夜則明火照天晝則旌旗蔽日細作報知東吳用陸遜爲將領大都督總制軍馬各守險要不出近臣奏知先主問陸遜何人也馬良奏曰江東一儒生年幼多才昨取荊州皆此人之謀也先主聞知怒曰孺子詭謀損君弟也便令前隊進兵討之馬良曰遜之才學不在周瑜之下不可以輕敵也

如一芻口孺子也卿勿多疑看朕擒之先主自來前軍攻打諸處關隘韓當見先主兵來使人報與陸遜遜恐韓當妄動自飛馬到隘口韓當在關上望蜀兵漫山塞野而來軍中隱隱見羅傘蓋知是先主自來欲下山擊之忽陸遜急至韓當指曰此軍中必有劉備吾欲擊之遜曰不可劉備舉兵下東吳連勝十餘陣其氣正盛且宜乘高守險不可輕出若再輕出而有不利損我大勢今但勵將士守御觀其動靜今彼兵馳驟於平原曠野之間正得其志彼若來戰不可得必宜屯於山林之間此時吾當用奇計也將軍宜息風火之性以國家之計韓當面雖應允心實不伏先主使前隊搦戰叫罵陸遜令塞耳休聽歷諸處關隘撫慰將士皆令堅守先主見吳兵不出在御營心焦馬良諫曰陸遜雖是書生見識甚遠今自春至夏不出相持此必待吾軍之動也陛下宜細思之先主曰彼有何謀但怯敵耳前者數敗於吾今安敢出馮習來奏曰即目天道炎熱軍屯赤日之下更且取水遙遠深為不便先主令各營移於山林茂盛之處馬良曰倘一[illegible]移營吳兵[illegible]

如之柰何先主曰朕令吳班將萬餘弱兵近吳寨於平地屯紮
親選八千精騎伏于山谷中如陸遜知吾移營急出衝突令吳班
詐敗而走若遜追之朕從山谷中出擒此孺子矣江東一鼓而下
群臣皆賀陛下神機妙筭豈陸遜所能及也馬良曰近聞諸葛丞
相在東川點看各處關隘恐魏兵入蜀陛下何不將各處軍營移
處畫成圖本問於丞相乎先主曰朕素知兵法何必問焉馬良曰
臨事而懼好謀而成聖人之言也先主曰卿可於諸處畫成圖本
自往東川問於丞相如有不便可速來報馬良領命而去卻說蜀
兵移營避暑早有細作來報韓當等知逕來告遜曰蜀兵四
十餘屯各移傍山林就水可乘勢擊之即將起兵來擊勝負如何

劉先主夜走白帝城

時衆軍皆[illegible][illegible]思就陰涼聽得聖旨移營衆皆歡喜韓當周泰各
請出兵乘虛擊之陸遜亦喜自引軍先來觀其動靜見平地一帶
不及萬餘人馬皆是老弱之衆大竪先鋒吳班旗號周泰曰吾觀此
等蜀兵如兒戲耳請與韓將軍分兵兩路擊之不勝願斬陸遜看見

吳班領兵　將罵東吳

又以鞭指曰隱隱望山谷之中殺氣冲天而起其下必有伏兵遏於平地絕吾之兵諸公不可出三日之內此谷中兵必然出矣周泰等皆以陸遜為懦各各自去守隘次日吳班直引軍至關前搦戰軍士或睡或坐多有解甲放馬閑行立身至於出形披膀辱之太甚徐盛丁奉二將請曰蜀兵太欺吾甚等願擊之遜笑曰汝等憑血氣之勇豈知孫吳之兵法耶後日汝等必見許也徐盛曰三日移營端坐不擊何也遜曰吾正欲彼移營諸將皆笑後陸遜率衆將於關上觀之見吳班退去遜指曰殺氣起矣劉備必從山谷中出須臾果見八千軍馬皆盡襲簇擁先主而過吳兵觀之盡皆膽寒遜曰汝等若攻擊之正遇此兵也今已盡出吾數日內將取之諸將曰斷備今中諸營深根固帶攻之必不利遜曰諸公不知兵也劉備是梟雄思慮極多其衆始集法度尊精未可平也今已七八月兵困意懶求戰不得計已不復生吾攻之必破也諸將方悉歎伏陸遜籌策已定遂乃遣人進箋奏於吳王其言曰

切以夷陵要害之地乃國家之關防雖為易得亦復易失[illegible]

遜上表奏

吳王大悅

失非徒得一郡之地則荊州可襲矣今日劉備于昌天當而營
送死臣雖不才憑奉天威以順攻逆破敵在即不足爲憂臣初
疑備水陸俱進今倘棄船就步處處結營察其布置必無良策
伏願至尊高枕無憂指日可捷也遜百拜
吳王曰江東復有此異人孤何憂哉諸將皆上書言其懦孤獨
不信以此言之真妙論也於是大興吳兵前至聽調却說先主在
猇亭驅水軍沿江屯扎大寨深入吳境黃權諫曰水軍沿江而下
進則容易退則恐難臣請先驅以當之陛下宜爲後則萬無一失
先主曰吳賊已落膽只顧長驅大進若延延日久何日成功權苦
三苦諫先主不從遂乃分兵馬兩路令黃權總督兵于大江北岸
主自督江南細作探知黃權督兵于大江北岸恐有侵魏之意連
夜報入許都近臣入奏知魏主言蜀兵連營七百餘里分四十餘
屯皆移山傍林下寨今黃權督兵在江北岸每日出哨百里不知
何意魏主聞知仰面大笑曰劉備死限至矣群臣問其故魏主曰
劉備不曉兵法也豈有七百餘里營寨而可拒敵乎包原隰險阻

也軍者此兵家之大患也劉備必遭陸遜之手群臣尤未信[illegible]
兵以備之魏王曰陸遜若勝盡率吳地之兵去取西川吳兵遠去
國中空虛吾託言以兵助戰令三路一齊動兵吳國唾手可取衆
群臣皆稱神算魏王下詔差曹仁督一軍出濡須曹休督一軍出洞
陸口曹真督一軍取南郡三路兵馬會合日期暗襲東吳朕隨後
自來應調遣已畢未說魏兵襲吳先說馬良到東川見孔明將圖
本呈上來問孔明看罷拍案叫苦問曰誰教主上如此下寨此人
可斬馬良曰此皆主上自爲非他人之謀也孔明歎曰漢朝休矣
馬良問其故孔明曰包原隰險阻兵法大忌而結此營倘一舉火何
以解之豈有連營七百里餘而可拒敵也禍不遠矣陸遜拒守不
出者正爲此也汝當速去諫天子改營不可如此遙遙則恐難
救應馬良曰倘吳兵來如之柰何孔明曰吳兵必不遠追成都無
虞馬良曰何也孔明曰恐魏兵乘虛而襲之故也主上若有失必
白帝城而避之吾入川時已埋伏十萬大軍在魚復浦陸遜若
[illegible]

于丹誘敵

[illegible]孔明已後必自知更勿多問馬良求了孔明表章星夜回
前來孔明亦還成都却說軍校應報說陸遜見蜀懈怠不得[illegible]
升帳聚大小將校聽令遜曰吾自受命以來未嘗出戰今已觀蜀
兵足見動靜了也今欲先取汝南岸一營誰敢去取言未絕韓當
周泰徐盛凌統等應聲曰某願往陸遜遮皆不用獨喚淳于丹聽令遜
曰與汝五千人馬去攻江南第一屯乃是蜀將傅彤所守令晚便
要成功吾自提兵救應淳于丹領軍去了陸遜又令徐盛丁奉二
人各引三千軍馬屯于寨外五里如淳于彤敗回有兵趕來當以
救之却不可趕去二將領軍安令去了却說淳于丹自引軍黃昏
進發到蜀寨時三更以後鼓譟而進蜀將傅彤挺鎗躍馬直取淳
于丹敵不過撥回馬走蜀將趙融攔路丹衝路走去折軍大半正
走之間山後閃出一隊蠻兵為頭蠻王摩沙柯攔住去路淳于丹
死戰得脫止剩得百餘人背後三校軍馬趕來離寨尚有五里[illegible]
勢下徐盛丁奉殺出救了淳于丹蜀兵自去淳于丹中傷回見陸
請罪遜曰非汝之過吾故欲試敵人之虛實也徐盛丁奉曰蜀兵

陸遜聽令

各帶茅草

勢大何以破之遜曰此計但瞞不過諸葛亮今幸此人不在[illegible]
成功於是大集諸將聽令朱然水路進兵來日午後東南風大作[illegible]
用船載茅草依計而行令韓當引十數枝軍攻江北岸周泰[illegible]
枝軍攻南岸每人各帶茅草一束內藏硫黃焰硝皆帶火種[illegible]
挑於槍刀之上但到蜀營順風舉火蜀兵四十營只燒二十營[illegible]
燒一屯間一屯則彼兵自乱矣乘乱之時以兵擊之各二[illegible]
不許暫退連夜追襲從此拿住劉備諸將得令皆去依計而行[illegible]
先主正在御營中尋思破吳之計忽見帳前中軍旗旛無[illegible]
倒程畿曰此何兆也莫非有吳兵今晚劫寨先主曰將已殺盡[illegible]
敢再來畿曰莫非陸遜以試敵耳先主未信有軍報曰山上遠遠[illegible]
望見吳兵已由沿山而東去了先主曰此疑兵也皆令休動[illegible]
興張苞二人各引軍馬五路去巡哨黃昏左側東南風[illegible]
回報江北寨中火起先主交探視張苞亦來回報望見南[illegible]
火起先主便交關興視往江北張苞視往江南看取虛實如吳兵至[illegible]
到可急回二將領兵去了初更左側御營左屯火起[illegible]

御營火發

蜀兵大敗

御營左邊寨中火起風緊火猛林木皆着喊聲動地西南寨亦御營軍自相踐踏死者無數後面吳兵殺到正不知多少先主急上馬引軍奔走馮習營中火光連天江南江北照耀如同白日馮習被吳將徐盛亂箭射死盛引軍又趕先主望西奔走前面丁奉後面徐盛兩軍夾攻四下無路先主正危急間喊聲震地張苞引軍殺入救出先主正走間前面蜀將傅彤到合兵一處後面吳兵大至前到一山乃馬鞍山張苞引軍上山時山下喊聲起陸遜大隊人馬已到遍迴把馬鞍山圍住先主叫傅彤張苞死據其山先主遙望遍野火光不息重疊死屍塞江而下次日吳兵越厚四面放火燒山軍馬亂竄忽見火光中一將引數千騎殺上山來先主視之乃關興也興曰四下火光逼近不可久停請陛下走白帝城再聚兵馬可也先主曰誰可斷後傅彤曰臣願舍死以當之其日黃昏張苞在後關興在前傅彤斷後火下山留傅彤當後吳兵見先主走皆要爭功前進俱各大火而來先主交隨行軍士盡脫衣甲塞於山路而焚之以止後軍正走間江內朱然引一彪軍馬截斷先主去

趙子龍領兵救先主

路先主曰吾死於此路矣關興張苞前來衝突被乱箭射回二將
各帶重傷廝殺不得背後喊聲又起陸遜轉山路殺出來正在危
急之際朱然兵馬紛紛落澗一彪人馬殺到爲頭領兵乃趙雲也
八陣圖石伏陸遜
此時趙雲在川中聽知蜀吳交兵故引軍出但見東吳火光照天
故縱兵而來不想於此救駕趙雲殺散朱然軍馬保護先主走白
帝城先主曰朕今走脫諸將奈何雲曰敵人在後不可以遲陛下
但入城臣却領兵救之先主止存百餘人入城時傅彤被吳兵八
面圍住丁奉叫曰川將死者無數降者極多汝主既被擒去汝何
不早降傅彤叱曰吾乃漢將軍肯降吳狗言訖戰氣填生吳軍齊
上傅彤乃戰死吳兵之中祭酒程畿單馬到江邊時吳軍驟至水
軍四散有部將叫曰吳兵在後可急走之程畿曰吾隨主上出軍
未嘗曾逢敵而走奮力殺敵吳兵四下無路自刎而死時張南圍虎
道城聞諸營見失遂引兵來救孫桓却從城中殺出吳兵四下圍
住力戰不能出亦死於亂軍中時馮習正與周泰戰不

陸遜迷　于八陣圖

敷合被秦斬之蜀將杜路劉寧盡皆降蜀營器械尺寸不存
兵多有降者趙雲恐東吳有失引軍保護白帝城却說陸遜引得
勝之兵望西追襲前離夔關不遠陸遜在馬上見前面沿江一帶
殺氣起遜曰三軍不得前進前面必有埋伏隨即把軍倒退十餘
里外地勢空濶處擺開以備戰敵使哨馬前去哨探回報並
軍陸遜不信下馬登高觀望殺氣從地起遜又使人仔細觀探回
報江邊止有亂石七八十硯堆着並無軍馬陸遜大疑尋土人問
之土人告曰此石乃諸葛亮入川之時將到此處驅兵採石壘
成陣勢於沙灘之上常常氣從內起此處地名魚腹浦是也遜聽
罷上馬引數騎來看亂石見四方八面皆有門戶遜不識笑曰此
惑軍之術耳有何異哉遜引從騎直入陣中部將曰日將暮請都
督早回陸遜却要出陣忽然怪風四起飛砂走石四面八方皆無
出路但見怪石嵯牙似劍重疊如牆江濤洶湧却似戰鼓之聲遜
大驚曰吾中諸葛之計也正無奈何忽一老人立于馬前笑曰將
軍欲出此陣乎遜曰願引出之老人策杖徐行引出石陣並無所

得至山坡上遜問老人姓名老人曰老夫乃黃承彥也吾婿孔明舊入川時於此排下石陣名八陣圖反覆八門遁甲休生傷杜景死驚開每日時變化無窮可比十萬之精兵也去時分付老夫云久後東吳有一員大將迷於陣中汝可指而出之老夫隱居於此多時矣適來在山岩上觀見將軍從死門而入料想不識此陣必然迷也老夫特來以生門中引出之遜曰還可學否黃承彥曰變化無窮不可學也遜遂拜謝黃承彥而回左右曰何不殺之遜曰[illegible]仁者之人也杜工部有詩贊八陣圖曰

功蓋三分國，名成八陣圖　江流石不轉　遺恨失吞吳

陸遜歎曰孔明真臥龍也於是下令班師回還左右曰劉備兵敗國守一城正好乘勢擒之今見石陣而退何也遜曰吾非懼石陣而退兵也曹丕為人奸詐與父無異明知吾勝料必追入西川必乘虛襲我根本我若不退何人當之求及三日飛報曹仁出濡須曹休出陸口曹真出南郡三路軍兵數十萬陸遜曰不出吾之所料眾將拜伏曰真神算也知何迎敵且看下分解　十四卷終

權降魏國

新刻湯先生校正古本按鑑演義通俗三國志傳卷之十五

白帝城先主託孤

章武二年夏六月先主在白帝城雲引兵拒守忽然馬良至見大兵已敗懊悔無及將孔明之言奏知先主曰若早聽軍師之言不致有今日之敗有何面目再回成都見群臣之面就白帝城屯住將驛改爲永安宮先主聽知馮習張南傅彤程畿沙摩柯等皆歿于王事傷感不已近臣奏曰黃權引軍降魏去了可將其家屬送有司問罪先主歎曰黃權爲吳軍隔斷江岸欲歸無路不得已投魏朕負於權權不負於朕也何必問罪於家屬權之妻子仍月給俸祿以養之卻說黃權引兵降魏諸將引見曹丕丕問曰卿今降朕欲追蹤於陳韓也權泣而對曰臣受先主厚恩今被陸遜截斷歸路降吳不可還蜀無路是以歸命陛下且敗軍之將免死爲幸何敢追慕於古人乎丕大喜即封爲鎮南將軍權拜辭不受近日有人自蜀中來言蜀主將黃權家屬盡誅權對曰劉主知臣信實必不肯殺臣家小帝許而責曰……降吳不可卻降曹

劉曄諫曹丕

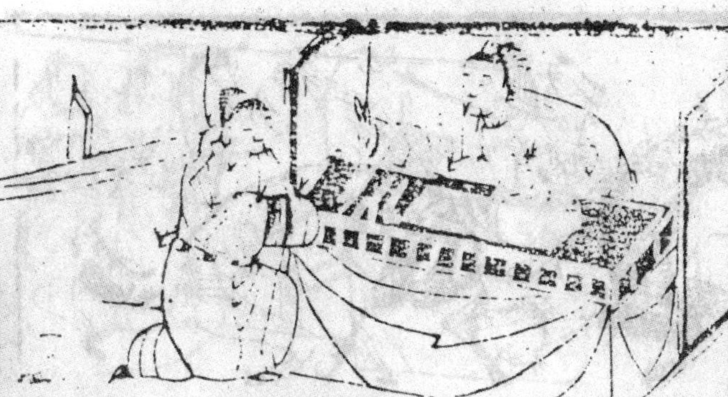

丕勿伐吳

忠義我安能事兩朝　堪笑荀權爲叛逆　紫陽書法不輕饒

曹丕問賈詡曰朕欲一統天下於吳蜀何先賈詡曰劉備雄才更有諸葛亮善治國家東吳孫權識虚實陸遜見兵勢據守險要隔江泛湖皆難卒謀以臣觀之諸將之内皆無劉備孫權之對手雖然陛下天威臨之亦未見萬全之勢也只可將守待其二國之變吾遣大兵三路伐吳安有不勝之理尚書劉曄諫曰近東吳陸遜足智多謀新破蜀兵七十餘萬上下齊心更兼有江湖之險不可[illegible]卒爲也曹丕曰卿前者勸朕伐吳今又阻之何也劉曄曰時[illegible]不同也昔吳累敗於蜀其勢頓挫可以擊之今東吳銳氣百倍難何以攻之丕曰朕意已決不必多言遂乃自引東部羽林軍[illegible]應三路大軍劉曄又奏曰東吳已令大將呂範引軍拒住[illegible]葛瑾引軍救曹真又遣朱桓引軍拒曹仁（桓朱桓字休穆[illegible]也年二十七歲[illegible]勇孫權甚愛之命督守濡須城）朱桓聽知曹仁大隊軍馬來取羨溪（羨溪[illegible]）[illegible]馬去守把羨溪止有五千人守城忽然報到曹仁遣大將常雕王雙率引五萬精兵飛奔濡須城來衆軍皆有懼色朱桓按劍言曰

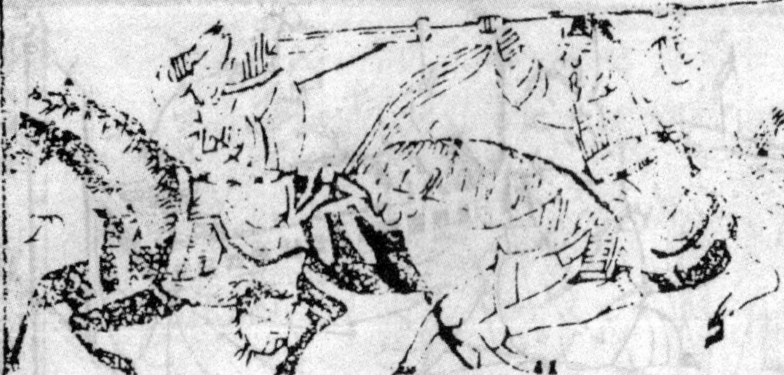

凡兩軍相敵勝負在將不在兵多寡兵法稱客倍而主人少者言矣在平川曠野之地吾觀諸葛亮之兵況兼千里長路而來人馬困乏吾與汝等坐守營城臨江靠山以逸待勞爲主制客此乃百戰百勝也雖曹丕自來吾何懼哉於是朱桓傳令偃旗息鼓只佐無人守把之意却說魏將常雕爲先鋒領鐵騎取濡須離城不遠城上一聲砲響一齊立起旌旗朱桓當先飛馬而出與常雕交鋒戰不三合斬常雕于馬下魏兵敗走吳兵乘勢掩擊損其大半曹仁只隨後又來却被吳兵從羨溪殺到因此曹仁大敗而退回見魏主說大敗之事丕大驚正商議之間探馬又報到說曹真夏侯尚圍南郡被陸遜伏兵大起內外夾攻因此大敗而退說不了探馬又到報曹休將領軍馬亦被呂範殺敗曹丕聽知三路軍馬皆敗喟然歎曰朕不聽賈詡劉曄之言果有此敗魏王丕遂引軍回洛陽矣魏自此不和却說先主在永安宮一臥不起欲要回成都又羞見群臣漸漸病重至章武三年夏四月先主自知病入四肢轉加沉重日久又哭二弟兩目微昏是夜叱退左右於

先主朦朧

夢見關張

燭影之上忽然陰風颯颯吹得燈滅復明只見燈下有二人侍立
先主怒曰朕心緒不寧汝等退避汝是何人故意在此惱朕也
叱之不退先主自執玉麈起而覷之上首者乃是雲長下首者
乃是翼德也先主大驚曰二弟原來尚在雲長曰臣非陽人乃陰
魂也蓋為平生不失信義天帝勅命為神陛下不久皆與兄弟聚
會也先主扯定大哭遂於龍牀之上作此一夢便喚從人觀見正
當三更時分先主歎曰朕不久於塵世矣遂差使往成都召丞相
諸葛亮尚書令李嚴等星夜到[illegible]城託以大事孔明等聞詔星
夜與先主次子魯王劉永梁王劉理一同赴永樂宮留太子劉禪
守成都且說孔明等到永樂宮見先主病勢甚危孔明等拜於龍
榻之下先主令二子扶起自執孔明之背曰朕自得卿成其大業
何期智術淺陋不納卿之良言自取其敗恥回成都與卿相見今
[illegible]危不容不召卿託以後事言訖淚流滿面孔明亦泣曰願陛
下善保龍體以副天下之望先主以目遍觀群臣見馬良弟馬謖
亦在其前先主喚令且退遂問孔明曰丞相觀馬謖之才如何孔

與孔明等

明對曰此人亦當世之英俊也先主曰不然朕觀其人言過其實不可大用丞相可深察之先主囑付了又喚諸臣等入先主乃索紙筆寫了遺詔先主曰朕雖不讀書粗知大略聖人云鳥之將死其鳴也哀人之將死其言也善朕欲與卿等同滅曹賊扶助漢朝不幸中道而與卿等分別將遺詔可付劉禪勿以為常言也卿等宜教之孔明泣拜曰願陛下將息龍體臣等必盡犬馬之勞以報陛下知遇之恩先主請起孔明一手掩住淚一手執其臂曰君才勝曹丕十倍必能安國終定大事若嗣子可輔輔之如其不才君可自取以為成都之主孔明聽罷流拜於地曰臣敢不竭股肱之力效忠貞之節繼之以死言訖以頭叩地先主又命孔明坐於榻邊喚魯王劉永梁王劉理近前囑之曰汝等皆記朕言朕亡之後汝兄弟三人皆以父事丞相稍有怠慢天地共誅汝等不孝之子丞相坐定喚兒就朕榻前拜丞相為父二王下拜畢孔明曰臣以肝腦塗地安能補報知遇之恩先主顧李嚴曰朕已託孤與丞相令嗣子以父事之汝諸大臣不可怠慢以負朕望先主又召趙

群臣拜哭

先主云殂

雲，先主曰朕與卿於患難中相從到今不想於此分别子龍想朕之故交早晚看覷幼子如看朕面趙雲泣拜於地先主又曰汝諸大臣朕不能一一囑付皆當保愛言訖帝崩壽年六十三歲章武三年四月二十日也按晉史官陳壽評曰

先主之弘毅寬洪知人待士蓋有高祖之風英雄之氣焉及其舉國託孤於諸葛亮而心神無二誠君臣之志古今之盛範也而機權幹畧不逮魏武是以基業亦狹然折而不撓終不為下者抑揣彼之量必不容已非惟競利且以避害云爾

當時西蜀史官楊戲字文然作詞贊先主曰

皇宗遺植　蔓延八方　慶自中山　靈精是纏　傾其挺生
傑起龍驤　始於燕代　得豫居荆　吴越並賴　望風請盟
挾蜀跨吴　庸漢以并　乾坤復扶　宗祀惟寧　躡基援迹
播德芳聲　華夏思美　西北其意　開慶來世　歷代假興

後至宋賢又有贊蜀先主云

涿郡生英傑　飄然逰出群　慈心安萬姓　情義動三軍

勑業心尤重　求賢禮益勤　虞廷歌頌美　大度[illegible]

宇文鼎昭作成都尹謁先主廟詩云　巍巍居聖君　心存忠信

掃攙搶　親冒血刃　義遂荊州　撫綏巴蜀　情親關張

德宗堯舜　繼漢華夷　代天休運　昭烈英風　讚之難盡

徐壽廷詩贊孔明云　大度將顛一木扶　非公孰可託遺孤

奇才直與伊周並　洪量能超管樂謨　十倍曹丕人罕及

七擒孟獲世應無　天心故把英雄沒　未得中原命已殂

後人過白帝城永樂宮有感託孤事詩云　三顧情勤意已投

託孤真可繼成周　至今白帝城邊過　一度思君一淚流

先主既崩百官哀痛至甚諸葛丞相奉梓宮還成都太子劉禪出郭迎接群臣奉遺詔以授太子當殿開讀其詔曰

朕初得疾但小痢耳後轉增雜病殆不自濟朕聞人年五十不稱夭壽今年六十有餘死復何憾但以卿兄弟為念近臣來奏言丞相歎卿智量甚大增朕過所望審能如此吾復何憂勉之勉之但勿以惡小而為之勿以善小而不為惟賢德可以服人

孔明扶立

新君即位

汝父德薄不足效也餘暇之時可讀漢書禮記歷觀諸子及六韜等書益人意智凡事皆從丞相之訓如父事之毋忌毋怠卿兄弟更求聞達至囑至囑

讀詔罷孔明乃上言後主曰

伏惟大行皇帝邁仁樹德覆燾無疆昊天弗弔遘疾彌留四月二十四日奄忽升遐臣妾號咷若喪考妣乃顧遺詔事惟太宗動容損益百僚發哀滿三日除服到葬復如禮其郡太守相都尉縣令長三日便除服臣亮親敕戒震畏神靈不敢有違臣請宣下奉行惟皇太子殿下察之

孔明曰國不可一日無君請立嗣君以承漢統乃請皇太子劉禪即皇位改章武三年改爲建興元年（劉禪字公嗣年一十七歲）加諸葛亮爲丞相爲武鄉侯領益州牧後八月葬先主于惠陵諡曰昭烈皇帝尊皇后吳氏爲皇太后入養老宮追謚甘夫人爲昭烈皇后大赦天下卻說大魏細作飛報入中原近臣奏知魏主曹丕聞之大喜曰劉備已亡朕無憂矣何不因其國中無主起兵伐之賈詡諫曰劉備雖亡

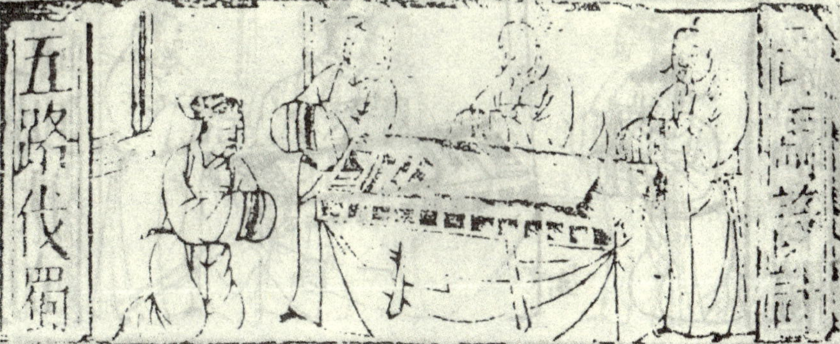

必託孤於諸葛亮亮必傾心竭力以扶幼主陛下不可倉卒伐之一
人於班部中走出大笑曰不因此時進兵更待何時衆視之乃河
內温人也複姓司馬名懿字仲達見爲兵部尚書曹丕大喜問之

曹丕五路下西川

魏王丕乃問司馬懿曰朕欲收川當用何策懿曰若只起中國之
兵急難取勝須用起五路之兵內外夾攻令諸葛亮首尾不能救應
雖有神機妙策亦不能施展矣曹丕問曰何爲五路懿答曰可修
書差使命往遼西鮮卑國見國王軻比能獻送金帛以賂其心令
起遼兵十萬從旱路取西平關攻川此第一路也可又修書賚官
誥賞賜蠻王孟獲令起蠻兵十萬攻益州永昌牂牁越嶲四郡以
擊西川之南此第二路也可又遣一使入吳分訴前事許以割地
爲報令起兵十萬攻擊西川峽口峻險關隘逕取涪城此第三路
也又差一使命令降將孟達起上庸之兵十萬西攻漢中此第四
路也然後令大將軍曹真爲大都督提大軍十萬由京兆逕出陽
平關取西川此第五路也此五路大軍分五路而入諸葛亮便有

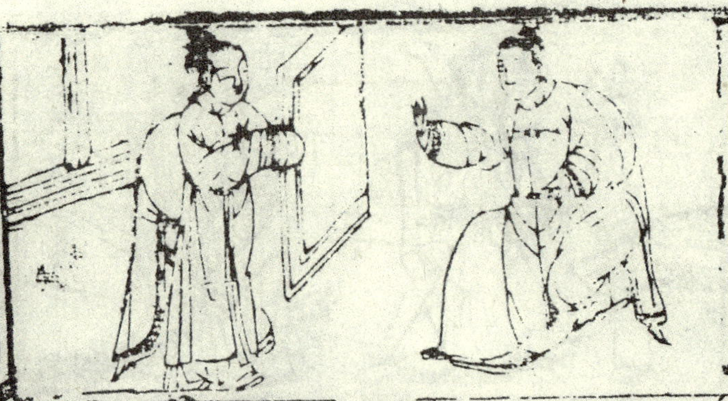

禪立張飛

女為皇后

以主之才何能當之曹丕大喜選能言之人前去約同起軍然後命曹真為大都督總領各將起兵十萬取陽平關此時曹仁等一班舊將皆封列侯都在各處守把關隘不及一一開說卻說後主劉禪自登寶位以來故舊大臣俱各加封一應朝廷選任錢糧出用詞訟等事並聽諸葛丞相裁斷為後主不曾立皇后丞相率群臣上言故車騎將軍張飛長女年一十七歲賢德宜立為皇后後主納之後來此女夭亡再立翼德次女為皇后二女皆賢德嫡女也建興元年秋八月近臣奏上禍事已至後主問其故近臣奏曰見今曹丕調五路大軍來取西川第一路是西番柯比能國王起胡羌兵攻西平關第二路是蠻王孟獲起軍馬來攻益州永昌牂牁越嶲四郡第三路是東吳孫權軍馬取峽口入川第四路是孟達起上庸軍馬來取漢中第五路是曹真為大都督引兵十萬取陽平關此五路軍馬最是利害欲稟丞相不知丞相為何數日不出不知丞相主何意見後主聽罷大驚汗流浹背即差使宣丞相入朝使命去了半日回報丞相染病不出後主慌又差黃門侍郎董允諫議大夫杜瓊來

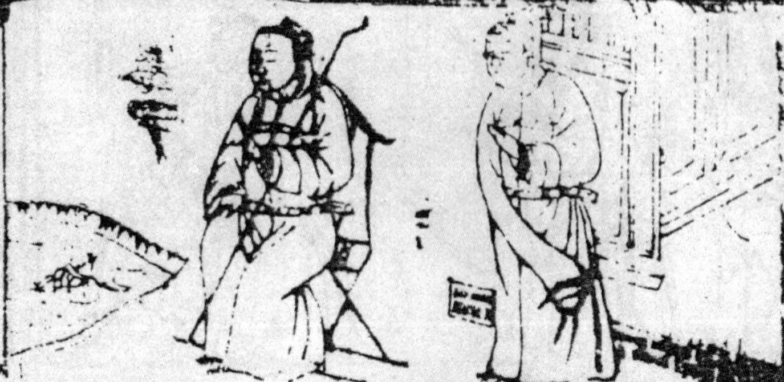

親臨相府

到相府稟問軍國重事董杜二人至相府皆不得入杜瓊曰先帝託孤於丞相今主上初登寶位被曹丕起五路軍馬犯境至急丞相何故推病不出少刻左右出曰丞相病稍可明日出都堂議事董杜二人歎息而退次日百官皆在相府伺候又不見出次日杜瓊啓奏請陛下聖駕親往丞相府下問討後主年幼恐丞相見怪引群臣入養老宮啓奏皇太后太后聽知大驚曰丞相何故有負先帝託孤之意我當自往董允奏曰娘娘未可行動臣思丞相必有高見待主上先往如其不然却請娘娘入太廟中宣丞相問之未遲太后依奏是日後主車駕親至門吏見駕至拜迎於道傍後主曰丞相何在門吏奏曰不知何處丞相鈞旨令當百官勿得輒入後主乃自步行獨進到第三重門內見孔明獨倚竹杖在小池邊看魚後主於背後立久乃徐徐言曰丞相安樂否孔明回顧見後主棄杖而拜曰臣該萬死後主亦答禮而言曰五路兵犯境界甚急相父緣何不肯出府視之孔明大笑扶後主於內室坐定後主曰心神驚惶不安孔明奏曰五路兵至臣安得不知臣非觀魚有

所患也後主曰如之奈何孔明曰羌胡蠻兵孟達并曹真四路兵
臣皆已退了只有東吳一路臣已有計欲遣一人爲使未得其人
故獨思之陛下何必憂乎後主聽罷大驚曰相父何神異若此願
聞退兵之策孔明曰先主以陛下託付老臣臣安敢怠慢旦夕苟
安成都百官不曉用兵之道兵乃鬼神不測之機何敢漏泄於人
老臣先知西番國王軻比能引兵犯西平關臣料馬超祖本西
羌人氏羌胡以超爲神威將軍臣已星夜遣一人持飛檄令馬超
緊守西平關嚴伏奇兵四路每日交換羌胡兵順則以幣帛禮
物送之逆則拒之此一路不足憂矣又有南蠻孟獲兵犯四郡臣
已遣使持飛檄令魏延領一軍左出右入右出左入爲疑兵之計
蠻兵恭其地利惟憑勇力其心多疑若見疑兵必不敢進此一路
又不足憂矣又知孟達兵入漢達頗知[illegible]有之義與李嚴曾結生
死之交前者臣回成都留李嚴守永[illegible][illegible][illegible]臣自作一書只
作他親與孟達孟達看了心中[illegible][illegible]必然推病不出以慢
軍心此一路又不足憂矣又知曹[illegible][illegible]一軍[illegible]犯陽平關此地險峻

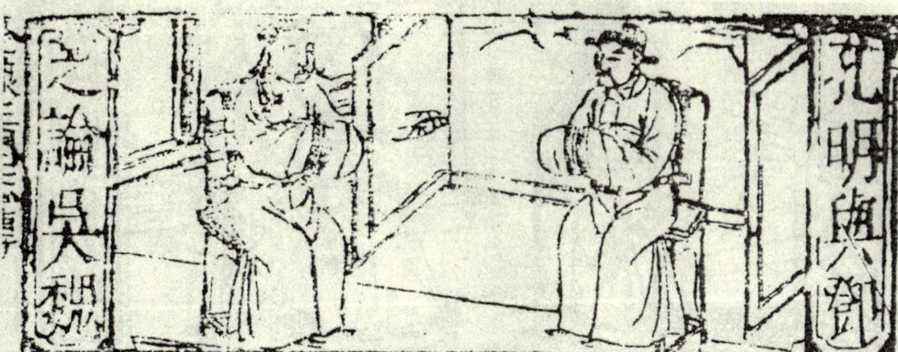

孔明與鄧芝論吳魏

可以保守臣已調遣趙雲領一軍緊守關隘不出戰曹眞兵自然退不久自退此一路又不足憂矣臣尚恐四路不能保全再密調關興張苞二將各領兵三萬爲左右五路救應使知道吳中要道處緊要便當救之只有東吳此一路軍馬未必便動如見四路兵勝川中危急東吳便來攻之若見四處不動安肯動兵臣想吳魏三處出兵之怨安肯從其言雖然如此必用一舌辯之士往東吳以利害說之但未得其人臣故思之何勞陛下車駕來臨後主曰太后亦欲見丞相今朕聞相父之言如夢初覺復何憂哉孔明與後主共飲數盃送出相府百官皆環立於門外後主別了孔明上駕回朝孔明於衆官中見一人仰面而笑亦有喜容孔明視之乃義陽新野人氏漢司馬鄧禹之後姓鄧名芝字伯苗見任戶部尚書孔明暗遣人留下鄧芝衆官皆散盡而去孔明又從人請鄧芝到書院內孔明問芝曰今蜀魏吳鼎分三國吾欲大漢也欲討伐二國一統中興當伐何國爲先鄧芝答曰以愚意論之魏雖漢賊其勢甚大急難搖動當徐徐討之今主上初登寶

仲謀心未安當以言說吳遜和結舊盟一棄先帝舊[illegible]

計慮意如此未知若何孔明大笑曰吾思之久矣今日始得其人矣

芝問曰丞相欲得為何孔明曰欲得一人為使以此觀之非[illegible]

不可鄧芝曰某才疏智淺恐辱丞相之命孔明曰伯苗勿辭吾來

日奏知主上便請投東吳一行鄧芝欣然應往次日孔明奏知後

主命鄧芝為使投東吳此去如何

難張溫秦宓論天

卻說陸遜自退魏兵之後拜遜為輔國將軍江陵侯領荊州牧[illegible]

此軍權皆歸於陸遜張昭顧雍奏吳王改黃武元年孫權[illegible]

時蜀章武二年吳黃武元年魏黃初三年也於魏蜀年號各取一字 其年五路兵取西川之時魏文

遣使到吳說吾今起四路軍馬取川汝可接應若得蜀土各分一

半吳王覽書不決乃問張昭顧雍等[illegible]曰今陸伯言極有高見何不宣

問之於是吳王召陸遜回問之陸遜答曰曹丕坐[illegible]

圖今王若不從必為讎矣然此亦慮於西蜀[illegible]

之[illegible]今但勉強應允整軍自己準備只待四路兵[illegible]

吳王設鼎

油鑊待鄧芝

焉不能當抵則發兵以應之先取成都亦爲上策如四路兵退則有商議吳王從其言乃答魏使云軍需未便選日起兵使者去後吳王遣人去打聽西番兵出西平關見了馬超不戰自退南陽孟獲起兵馬來攻擊四郡皆被魏延用疑兵計殺退孟獲回洞中去了上庸孟達兵至半路染病不行曹真兵到陽平關被趙子龍守住各處險道曹真不能取勝而回使回見吳王一一奏知吳王曰陸伯言真神算也吾若妄動又結怨於西蜀矣忽報西蜀遣鄧芝入國爲使張昭進曰此是諸葛退兵之計故遣鄧芝來爲說客吳王問昭當何以答之昭曰先於殿前立一大鼎貯油數百斤下用炭燒待其油沸可選身長面大武士一千人各執刀在手從宮門前直擺列殿上却喚鄧芝入見勿等此人開言下說詞責以酈食其說齊之事效此例以烹之看其人如何吳王從其言令置油鼎於命武士擺列於兩廊各執軍器却召鄧芝入見芝整衣而來到門下只見兩行武士威風凜凜各執鋼刀大斧直列殿上鄧芝已知其意並無懼色至殿前見油鼎內熱油正滾武

徑至而已到至簾前鄧芝長揖不拜吳王令捲起御簾大喝曰匹夫不拜何也鄧芝昂然對曰上國大使不拜小邦吳王大怒曰汝不自料掉三寸之舌效酈生來說齊也汝便是張儀再出陸賈重生亦不動吾心萬分之一也可速入油鼎芝笑曰人皆以為東吳多賢誰想懼一鄧芝也吳王怒曰吾何懼汝匹夫耶芝曰既不懼吾何愁來說汝等也吳王曰汝欲為諸葛作說客令吾絕魏而向西蜀是否芝曰吾是西蜀一儒生特為汝吳國利害而來何故陳兵設鼎鑊於殿前以懼一使何其局量之不能容物也吳王被鄧芝之一說叱退左右武士請上殿賜坐問之曰魏之利害若何吳蜀之損益若何先生勿惜剖露芝之曰大王實與蜀和欲與魏和吳王曰孤誠願與蜀和然恐蜀主幼小為魏所乘耳芝之曰大王命世之英豪諸葛一時之俊傑蜀有山川之險吳有長江之固若二國連為唇齒進可兼吞天下退可得鼎足而立若委質稱臣於魏二必望大王之朝求太子內侍若不從則奉詞伐叛蜀亦順流見可而進如此則江南之地非復大王有也願大王細思之臣將就死於汝[illegible]

吳遣張溫

以絕說客之名也言說罷褪衣服望油鼎內跳吳王急令左右
扯芝之請入後殿以賓客之禮待之吳王曰先生之言正合孤意孤欲
與蜀主連和先生肯往之乎芝曰今早欲見小臣亦大王也今欲
又使小臣亦大王也大王尚有狐疑未定何能取信於天下乎吳
王曰今孤之不明煩先生教之於是吳王留鄧芝住了數日吳王
問於群臣曰孤掌江南八十一州東有荊襄之地又不如西蜀一
彈丸之地今欲修書不辱君命孤可遣誰無一人入蜀以說之乎
眾官默然時有吳郡吳人姓張名溫字惠恕官拜中郎將出班奏
曰臣雖不才愿以片言入蜀共結永遠之好吳王曰恐卿到蜀見
諸葛孔明不能達吾意也溫曰大王何故自失其志孟子云舜何
人也予何人也有爲者亦若是堯舜尚猶可效況孔明哉吳王大
喜重賞張溫便令同鄧芝入川共議連和之事於是張溫辭吳王
同鄧芝入川來見孔明却說孔明自鄧芝去後來見後主曰吳必
有人來報禮也陛下當以禮貌敬之以通和好魏必不敢加兵於
川矣臣欲南征收平蠻夷之地然後圖魏魏若滅則東吳亦不能

秦宓論天人　學答如流

又有則可以復故漢之大統也忽報東吳張溫與鄧芝回朝後主
升殿鄧芝引張溫入見溫昂然上殿見後主施禮後主賜錦墩坐
於殿左設宴待之宴罷百官送至館舍次日孔明設宴相待亦甚
敬禮孔明在席上與溫曰先君與吳王不睦今已晏駕主上年幼
望大夫回國善言回奏當與吳永結同盟共好相與破魏張溫見孔
明亦無傲忽之意次日後主賜金帛孔明等各以異錦玩好
與張溫送路設宴於南郊亭上飲酒間忽見一人乘醉昂然而來長
揖入席溫怪色問孔明曰此何人也孔明答曰廣陵人也姓秦
名宓字子敕見為益州學士也張溫笑曰名稱學士未知胸中曾學
事否宓正色曰蜀中三歲小童尚且就學何況我乎溫曰且說汝所學
何事宓曰上通天文下曉地理三教九流無所不通古今興廢無
所不覽溫問我學何相恥乎張溫笑曰汝既出大言吾且問汝天
之事天有頭乎宓曰有頭溫曰在何方宓答曰在西方詩曰乃眷
西顧以此推之頭在西方也溫又問曰天有耳乎宓曰天處高而
聽卑詩云鶴鳴九皋聲聞於天無耳何能聽之溫又問曰天有足乎宓

吳王設宴

答曰有足詩云天步艱難無足何能行之溫又問曰天有姓乎宓
答曰豈得無姓溫曰何姓宓曰姓劉溫曰何以知之宓曰天子姓
劉故以知之溫又問曰日生於東乎宓曰雖生於東自沒於西此
時秦宓音語清朗答問如流滿坐皆驚張溫無語宓却問於溫
曰先生乃東吳名士旣以天之一二下問必能明天文之理昔混
沌旣分陰陽剖判輕清者上浮而爲天重濁者下凝而爲地至共
工氏戰敗頭觸不周山天柱折地維缺天傾西北地陷東南旣輕
清而上浮何能傾西北乎輕清之外還是何物願先生教之張溫
如醉如痴無言可對答乃避席而謝孔明曰不意蜀中豪傑挺出使
僕頓開茅塞也孔明恐張溫羞慚故以言解之曰適間問難皆戲
談耳張溫拜謝孔明孔明又使鄧芝入吳報謝張溫與芝之回見吳
王稱說孔明之德願永結盟好特令鄧尚書又來報禮吳王
大喜設宴待之吳王問鄧芝曰君吾二國同心滅魏二王分治天
下不亦樂乎芝曰天無二日民無二王如滅魏之後未識天命所
歸何人各修其德爲臣者各盡其忠則戰爭方治未可以爲樂

也吳王大笑曰君誠實之士也於是厚贈鄧芝還蜀自此二國通和細作報入中原魏主曹丕聽知此事大怒曰吳蜀連和必有圖中原之心不若朕先伐之於是商議起兵伐吳未知勝負如何

泛龍舟魏主伐吳

却說曹丕聞文武門近日孫權與蜀通和必生異心朕欲先伐吳後伐蜀汝諸大臣有何高見侍中辛毗諫曰天下新定土廣民稀而欲用兵未見其利莫若養民屯田十年然後用之則吳蜀方可伐也曹丕怒曰此迂闊之論也今吳與蜀通和早晚必來侵境何暇等待十年遂傳令交卸日起兵伐吳司馬懿奏曰吳有長江之險非船不可度陛下必欲御駕親征可選大小戰船從蔡潁而入淮從淮而取壽春却入壽春而至廣陵江口遂取南徐此爲上計曹丕從其言於是晚夜併工大造龍舟復長二十餘丈可容三千餘人收拾戰船三千餘隻魏黃初五年秋八月會集大小將帥令曹真爲前部先鋒將帶張遼張郃文聘徐晃等爲大將先行許褚呂虔爲中軍護衛曹休爲合後劉曄蔣濟爲參謀官[illegible]

吳王拜徐盛爲大將

陸軍馬三十餘萬克日便起封司馬懿爲尚書僕射留鎮許昌國
政大事並聽決斷却說東吳守界官聽知報入吳國近臣奏曰今
魏主曹丕親自御駕龍舟提水陸大軍三十餘萬從蔡潁出淮必
取廣陵而來甚是利害望爲隄防吳王急聚文武商議顧雍奏曰
今日既與蜀和可修書與孔明令起軍出漢中以分其勢
可選一大將屯兵南徐以拒之吳王曰非陸伯言不可當此大任
顧雍曰伯[illegible]鎮守荊州不可動[illegible]伯言
至此魏國夏侯[illegible]荊州[illegible]孤非不知奈何眼
前無替力之人言未畢班部中徐盛應聲出曰王上何待臣下之
薄也臣雖不才願統一軍以敵魏兵若曹丕親渡大江臣必生擒
於殿下如不應其言甘當滅九族吳王大喜曰如得卿守江南孤何
憂哉於是封徐盛爲安東將軍總督建業南徐軍馬徐盛領命謝
大集諸將聽令眾官一一聽諾內有吳王之姪孫韶官至楊威將
軍挺身出曰今日王公將軍何託將軍欲得破魏兵擒曹丕將
得不發兵馬過淮迎敵直待曹丕兵至江[illegible]動江

吳王問徐

盛救孫韶

竟之百姓也徐盛曰曹丕勢大更有名將爲先鋒不可渡江迎敵吾待彼舡皆集於北岸自有奇計破之孫韶曰吾手下自有三千人馬更兼深識廣陵路途吾愿自去江北與曹丕交戰如不勝當斬徐盛不從韶再三再四要行徐盛大怒曰吾令不從要制諸將乎斬訖報來群刀斧手推孫韶出韶手下人飛報孫權權聽知親自來救却待正欲下手只見吳王飛馬到喝散刀斧手救起孫韶韶哭奏曰韶往年在廣陵深知地理不就那里與曹丕厮殺直待他下了長江江酉即日休矣吳王直入營中來見徐盛徐盛接了吳王盛曰大王命盛爲都督今孫韶不遵約束違令當斬大王何故救之吳王曰韶負血氣之勇誤犯軍法萬望可饒初犯盛曰法乃國家所立若以親而免公論何在吳王曰此子若非宗黨任將軍處治吾不敢救此子乃孫伯海孫伯之親姪也少亡其父依傍其伯河本姓俞吾兄愛之認爲兄弟故賜姓孫今若殺之是負先兄之義絕滅俞氏之後也徐盛曰看吾王公面且記死罪吳王令孫韶拜謝韶不肯[illegible]韶曰吾今[illegible]也不伏韶厲聲曰據汝之見遲

魏主曹丕觀

吳兵江上虛實

也不伏徐盛意已爭權歸遁孫韶回徐盛曰便無此子何損於吳
今後再休用之當是吳主自回是夜人報徐盛說孫韶自引本部
三千精兵潛地過江去了徐盛恐孫韶有失喚丁奉也引三千精
兵接應臨行授以密計如此如此丁奉領計去了却說曹丕親御
龍舟至廣陵前部曹真已到大江復來請令魏主曹丕問曰江南
岸有兵多少曹真答曰隔江遠望並不見一人丕曰必有詭詐待
朕觀其虛實於是大開河道放龍舟直入大江舟上建龍鳳日月
五色旌旗儀衛簇擁光耀射目曹丕坐於龍舟之上打方心曲柄
黃羅繖蓋不百遙望南徐不見一人回顧劉曄蔣濟曰可渡江否
劉曄曰兵法實實虛虛彼見大兵到如何不做準
備今陛下停兵三日看其動靜然後發先鋒渡江以探之魏主
曰正合朕意是日月黑魏軍點燈照耀天地遙望江南並不見半
點燈火眾皆以為無人燃是夜三更魏主問江南消息近臣奏曰
多是聞陛下天兵來望風逃竄去也魏主暗笑比及天曉大霧
迷漫對面不相見須臾風起霧收遙望江南岸一帶皆是連城

魏主見連城自驚退

城上起敵樓遍插旌旗號鎗刀耀日魏主一見失驚哨探來報南徐沿江一帶至石頭城連城數百里城郭舟車綿綿不絕一夜成就（原來卻是徐盛束縛蘆葦為人穿着衣服執旗立於假城疑敵樓之上魏兵見許多人馬如何不膽寒也）魏主望見嘆曰魏雖有武士千群無所用江南人物如此未可圖也正疑訝之間忽然狂風大作白浪滔天水激波傾大舟將覆曹真急命文聘撥小船救駕船上人皆立腳不住文聘跳上龍舟負曹丕下得小舡奔入河港稍望見江中舡多有災者眾皆救得龍舟入港忽流星馬來報稱說趙雲引兵出陽平關來取長安魏主聽說大驚傳令便叫快回軍龍舟將次入淮刺斜裏一彪軍馬殺到為首乃吳將孫韶也魏軍未能抵抗其大半死於水中者無數眾將死救魏主從淮河行不三十里淮河中一帶蘆葦灌以魚油盡皆放火燒着順風而下烟火甚熾截住龍舟魏主大驚急下小舡傍岸時龍舟已皆被火燒着魏主急上馬岸上一軍殺來為首乃吳將丁奉也魏將張遼急拍馬來迎被丁奉一箭射中其腰幸得徐晃救了魏主……此折軍三停去其一……

蠻王孟獲

引兵造反

奏奪得馬疋車仗册舡無數魏軍大敗回許昌徐盛已成大功吳王重加賞賜張遼回到許昌而亡曹丕命厚葬之却說趙雲軍至陽平關忽報諸葛丞相有文字到說益州耆帥雍闓結連蠻王孟獲侵掠四郡因此宣趙雲回却說馬超拒住陽平關孔明欲自南征因此回兵魏主知蜀兵退去也自堅守怎敢輕動孔明在成都收拾軍馬以備南征勝負如何

孔明興兵征孟獲

建興三年春二月間孔明在成都事無大小皆親决斷於是西川之民欣樂太平更兼連年豐稔老幼謳歌器械衣甲無不完備米滿倉廒錢積府庫是年益州飛報蠻王孟獲大起蠻兵數十萬犯境建寧太守雍闓（乃漢朝雍齒之孫先曾封為什邡侯）結連孟獲造反雍闓又誘牂牁太守朱褒越嶲郡太守高定二人獻了城門止有永昌太守王伉不曾反如今雍闓朱褒高定三郡人馬與蠻王孟獲為鄉道官攻打永昌郡見今王伉與公曹呂凱會集死守其甚是緊急孔明乃入朝奏後主曰臣觀南蠻不伏實國家之後患也今雍闓等結連

孔明奏主

興師伐蠻

兵權皆反臣當自領大兵前去征討特奏主上後主曰東有吳地北有魏國此二處甚是利害相父棄朕而征南蠻倘有二國興兵如之柰何孔明曰臣已計定陛下勿憂目今東吳和好已定便有異心有李嚴在白帝城此人足可以當陸遜也大魏曹丕新敗鋭氣已喪必不遠圖雖有異心有馬孟起守把漢中諸處關隘何必憂也臣又留關興張苞等分兩路軍爲救應使萬無一失臣當先去掃蕩蠻方以絶後患然後北征以圖中原報先帝三顧之恩承託孤之重也後主曰朕年幼不知此事請相父自斟量而行忽諌議大夫王連(字文儀南陽人也)出諌曰南方不毛之地瘴疫之鄉丞相秉鈞衡之重而自遠征非所宜也只可遣偏將討之必然成功孔明曰南蠻離中國甚遠人多不習王化收伏甚難吾必親自征之非可容易託人即日孔明辭後主出師以零陵鄉人蔣琬字公琰爲參軍又用江夏鄳縣人費禕字文偉爲長史用董厥樊建二人爲椽史若趙雲魏延爲大將總督軍馬用巴西岩渠人王平字子均爲副將又用襄陽人張翼字伯恭爲副將外有川將數十員

魏延生擒　鄂煥回寨

不及一一載名在起西川日兵計十五萬起發六隊人馬夜併晚
行經過之處秋毫無犯卻說雍闓聽知孔明自引兵來與高定共
議分兵三路迎敵高定取中路雍闓在左朱褒在右且說高定差
先鋒鄂煥前來迎敵鄂煥使方天戟有萬夫不當之勇此鄂煥乃是永昌七平人也生
得身長九尺面貌醜惡卻說孔明前部魏延張翼王平前入界分早與鄂煥
軍馬相遇列成陣勢魏延出馬與鄂煥交鋒戰不數合魏延詐敗
鄂煥隨後赶來走不數里張翼王平兩路軍出絕其後路魏延復回三
將齊出生擒鄂煥解到大寨來見孔明孔明交去其縛以酒食待
之問曰汝是何人部下將鄂煥曰是高定部下孔明曰吾知高定
乃忠義之士被雍闓說誘以致如此吾今放汝回見高定早早歸
降免遭禍患鄂煥拜謝而去回見高定說孔明之德忽報雍闓來
到入寨禮畢問高定曰鄂煥如何得回高定曰諸葛亮以義釋之闓
曰此是諸葛反間之計令兄與吾不睦高定半晌不信忽報蜀將
魏延搦戰雍闓自引本部二萬行出迎兩陣對圓魏延出馬
大罵雍闓反國之賊闓被罵忿怒兩馬相交雍闓如何敵得魏延

孔明故放　擒來軍士

撥回馬便走魏延率兵殺退三十里次日雍闓又引兵來搦戰孔明令一連三日勿出至第四日闓會合高定兩路分兵親自來取蜀寨孔明已遣魏延趙雲分兩路伺候果然雍闓高定兵來被兩路伏兵起殺傷大半生擒者無數解投大寨來各寨被擒者百餘人雍闓的囚在一邊高定的囚在一邊却使軍中揚說但是高定的人免死雍闓的盡殺了被捉之人聽知此語皆驚孔明停片時先交取雍闓手下的人到帳下問曰汝等是何人部下衆軍皆曰是高定部下的小卒孔明盡與酒肉賞勞縱放回歸孔明又喚高定部下被擒的軍到帳下孔明亦與酒肉孔明佯言曰雍闓今日使人投降欲獻汝主高定并朱褒首級以為功勞吾甚不忍汝等既是高定手下之人吾放汝回再不可引兵來迎敵若使擒捉必不輕恕衆軍皆拜謝而去歸到本寨來見主將高定具說其事高定密遣人去雍闓寨中打聽都有這一班兒放回的軍人言說孔明之德因此雍闓寨中小卒多有歸順高定之心雖然如此高定之心終是不穩便一人來孔明寨中探聽虛實却被伏路軍人捉

往拿到帳下闓是何人其人曰稱是高定寨中人孔明故意說雍闓寨中人喚入帳後問曰汝元帥既約下獻高定首級何故誤了日期你這厮不精細如何做得細作其人便就錯應認孔明重賞脩書一封約定來日下手與雍闓說休得誤了成功之後必有重賞細作拜謝孔明而去回見高定說雍闓如此如此高定看書大怒曰吾以真心相待汝反欲殺吾情理難容急喚鄂煥商議此事煥曰孔明仁人背之不祥我等謀反皆雍闓所爲反懷二心不殺此人必生後患定曰如何下手煥曰可設一席令人請雍闓赴宴此人無異心坦然而來若有異心疑而不至若不來我王可攻其前某於寨外小路等之雍闓若來其必斬之高定從鄂煥之言作宴請雍闓闓果因前日放回軍人之言疑而不來是夜高定引本部軍士殺投雍闓寨中寨中原有孔明放免之人皆思高定之德乘暗助戰雍闓軍不戰自乱雍闓上馬望山路而走行不二里鼓聲響處鄂煥撞出一戟刺雍闓于馬下就梟其首餘軍盡降高定引本部人馬來見孔明入寨投降獻雍闓首級孔明在帳中見

高定與八鄂

鄂煥殺朱褒

高定來喝令左右推轉斬訖定曰某感丞相大恩今殺雍闓來降何故斬我孔明笑曰汝乃詐降也此非雍闓首級吾用兵半生多用詭詐汝何敢瞞吾定曰若丞相說得明白死亦無悔何以謂吾詐降也孔明於匣中取出一紙書付與高定言曰朱褒已使人來降言汝與雍闓結爲生死之交豈有一旦便殺倘若來降不可深信吾故知汝是詐降也高定叫屈曰朱褒乃反間之計丞相切不可信孔明曰吾亦難憑汝一面之詞汝若與朱褒面會方表真假高定曰不須丞相疑心吾自引軍去擒朱褒來見丞相如何孔明曰若如此吾無疑也高定帶鄂煥將本部兵投朱褒寨來離朱褒寨約十餘里山後正遇朱褒見高定軍來褒慌忙與高定打話定責之曰你如何將諸葛丞相處反間於我朱褒目瞪口呆不能回答忽然鄂煥於馬後躍出一戟刺朱褒於馬下高定厲聲言曰若不順者盡戮之於是衆軍齊降卻說高定帥兩寨之兵來見孔明獻朱褒首級孔明大笑曰吾故使汝殺二賊以表忠心遂命高定爲益州太守總攝三郡于是孔明無事太守王伉出迎孔明入城

呂凱獻地圖與孔明

問王伉曰誰與公同守以保無危王伉曰吾今日得此郡無危者

永昌不韋人姓呂名凱字季平此人之力也孔明召呂凱入見禮

畢孔明曰久聞公乃永昌高士吾今平蠻有何高見教之呂凱曰

某有一言令公相一鼓而收蠻貊也孔明問呂凱其計何如

孔明一擒孟獲

呂凱乃取一圖呈上曰凱自歷事以來知蠻夷欲反久矣故求差使入南蠻之地將下路可以屯兵下寨之地及有戰敵之場盡畫成一圖名曰平蠻圖又曰指掌圖以待後之賢者今遇明公不敢秘藏謹獻上孔明觀了大喜就用呂凱為行軍教授兼鄉道使於是催軍大進正行之次忽報朝廷差使命至請入寨中見其人素袍白服乃襄陽宜城人姓馬名謖字幼常為兄馬良新亡因此掛孝孔明問其事馬謖傳後主勅命賜諸將酒帛孔明看詔令散諸將馬謖在寨中見其高談闊論孔明甚敬之問曰今吾奉詔平蠻久聞公有高見望賜教之馬謖曰愚有片言望丞相聽納且南蠻之地恃其峻險不服中國久矣雖今日破之明日復反丞相大兵

馬謖與孔明論用兵

知彼必然平伏但恐班師之日必北伐曹丕蠻兵若知内虚必反丞相速兵若盡誅滅蠻類非仁人之心夫用兵之道攻心爲上攻城爲下心戰爲上兵戰爲下願丞相但服其心足以服蠻貊也孔明歎曰馬謖亦知吾心公合我心遂留馬謖爲參軍望南蠻而進却說蠻王孟獲知雍闓等皆被孔明誅之乃聚三洞元帥商議其一曰金環三結其二曰董荼奴其三曰阿會喃這三个皆是蠻夷之主各有蠻兵五六萬孟獲調遣是時孟獲對三洞元帥曰今蜀兵爲先犯我境界不得不併力敵之汝三人何不先往擒之金環三結元帥應聲要去董荼奴亦要去阿會喃亦要去孟獲曰你三人分三路兵去如得勝者便爲蠻洞之主金環三結取中路董荼奴取左路阿會喃取右路各帶五萬蠻兵分路而進却說孔明曰行五十里下寨三路報馬來報三洞元帥分三路而來孔明見說喚趙雲魏延二人至帳前却待分付又不開言又喚王平馬忠分付曰今蠻兵分三路而來吾欲使子龍文長去敵二人不識地理吾不敢用王平可往左路迎敵馬忠可往右路迎吾令趙子龍魏

孔明按激

趙雲魏延

文長隨後接應汝二人來日平明進兵王平馬忠聽令去了又
張翼張嶷分付你二人同領軍馬中路去敵蠻兵來日平明約會
左路王平右路馬忠一齊進兵趙子龍魏文長隨後接應張翼張嶷
張嶷聽令去了趙雲魏延面有怒色孔明曰吾非不用汝二人恐失
銳氣也趙雲曰倘我等識得地理如何孔明曰若如此吾用汝為
先鋒趙雲魏延辭退孔明隨即喚回分付曰你二人是中年人物
休被蠻兵所算自宜小心趙雲請魏延到自己寨中商議曰吾二
人是中年人不用我等為先鋒却用後生我輩真可氣也魏延曰
我二人即今上馬親去探路拿住土人交他引路趙雲從其言二
人上馬逕取中路而來行不數里遠遠望見塵頭起處二人策馬
上山坡看時見蠻兵哨馬數十騎來往巡哨趙雲魏延分為兩
路衝出蠻兵見了大驚而走趙雲魏延各擒一人回寨問其路逕
蠻兵曰前面是金環三結元帥大寨正在山口東西兩路却通五
溪元帥董荼奴寨并諸洞使阿會喃寨之後趙雲魏延聽知這話
高號點起五千精兵交擒來二人引路趙雲與魏延同去劫寨來

到金環三結寨時已及四更諸蠻方起造飯準備日間廝殺趙雲魏延兩路殺入蠻兵大乱子龍直到中軍正遇金環三結交馬一合刺殺金環三結於馬下割了首級餘軍皆散魏延便分一半軍投東路董荼奴寨趙雲分一半軍投西路阿會喃寨趙雲却從蠻兵寨後殺出比及到寨時天色已微明却說魏延殺奔董荼奴寨後董荼奴已自知了引軍出寨後拒敵只聽前寨大喊王平軍馬已到兩下夾攻蠻兵大敗董荼奴衝路走脫却說趙雲殺到阿會喃寨時馬忠引軍先到内外攻擊蠻兵亂竄阿會喃死戰得脫孟獲知三路敗医隨引本部蠻兵迎敵蜀兵四下圍來孟獲衝突不出衆將齊上生擒孟獲押赴大寨來見孔明孔明叱孟獲曰汝何反耶獲答曰西蜀是他人所占地土汝强奪之自稱為帝吾世居此地汝等無禮侵我州郡何謂背反孔明曰汝被吾擒心肯伏否獲曰因道路窄狹誤遭汝擒如何肯伏孔明笑曰既不伏吾放汝若何獲曰汝若肯放我回去必再整軍馬與汝决雌雄若能再擒吾方伏也孔明乃令便放汝去隨即差人道送出路孟獲逕奔本寨

孟獲築立　城池拒敵

而去未知再來若何

孔明二擒孟獲

孔明放了孟獲諸將言曰孟獲是南蠻之渠魁今幸已擒南方便定何故縱之而去以長其惡也孔明曰吾視擒此人如探囊取物耳須降伏其心自然平矣汝等試看不久孟獲自被蠻兵擒至也諸將聽知皆未深信却說孟獲行至瀘水北有手下敗殘士卒皆來尋着且驚且喜拜而問曰大王如何能勾回來孟獲曰蜀人監我在帳中被我夜間殺了七餘人因此得脫路上又逢着單馬亦被我殺之奪其馬來衆蠻兵簇擁過瀘水下住寨柵喚集各洞酋相繼而來約有十餘萬皆言董荼奴阿會喃亦回在洞中孟獲使人去請二人俱怕只得引兵來見孟獲傳令曰吾已深知諸葛亮之計切不可與戰戰則中他詭計彼川兵到此路途遙遠即目炎天彼兵豈能久駐吾等有此瀘水之險船筏盡拘在南岸一帶皆築土城深溝高壘不與他敵看諸葛亮如何用謀衆酋長盡然其計於是盡將船筏拘在南岸一邊築起土城堅起望樓樓上多設弓箭

馬岱出運糧

參見孔明

砲石準備長久之計所有糧食盡是各洞運至孟獲以爲萬全之策却說孔明前至瀘水軍報南岸盡是蠻兵寨柵水勢太急又無舡栰可渡正值五月炎天南方寨外燥熱孔明自至瀘水邊看罷喚衆將曰今孟獲只在瀘水之南深溝高壘以老我師吾旣提兵到此如何便回汝等各〻引兵依山傍林揀陰凉之地與我將息人馬吾更有號令喚呂凱提調離瀘水十里去揀着樹木茂盛去處分三四箇寨皆搭茅柵安養軍馬依令下寨參軍蔣琬看了回問孔明曰某見呂凱所造寨柵甚是不好正犯先帝敗於東吳之地勢倘若蠻兵偷過瀘水前來刼寨時若用火攻何以解之孔明曰非爾所知也吾自有妙筭耳蔣琬不曉其意忽報蜀中差馬岱解着暑藥幷粮米到孔明喚至參拜畢一面分撥與三寨孔明曰汝帶多少軍來岱曰有一千軍馬孔明曰吾軍累戰疲困欲用汝兵汝肯向前麼岱曰皆是朝廷所用之兵何分彼此丞相要用雖死不辭孔明曰今蠻王孟獲拒住瀘水無計可渡吾欲先斷其粮道令彼軍自亂岱曰如何可斷孔明曰離此一百五十里瀘水下流

馬岱引兵

夜渡瀘水

此地名沙口此處水緩地可紮筏而渡交提本部一千軍逕渡瀘水一直入蠻洞可先斷其糧道然後會合董荼奴阿會喃兩个蠻王使内變以取頭功馬岱欣然領命去了早引本部兵到渡口驅兵渡水大半不待紮筏見水淺裸衣而過到半渡軍馬皆倒急救到岸口鼻流血而死馬岱大驚連夜回報孔明言如此已折軍五六百人孔明隨喚鄉道土人問其事土人曰目今炎天毒聚瀘水日間溫熱毒氣正發人渡必感其氣或飲其水皆死若要渡時須待夜靜水冷毒氣不起飽食而過自然無事孔明就交土人引路又於寨內選五六百精壯軍士與馬岱來到瀘水沙口搭起木筏於半夜渡水果然無事馬岱引一千軍依着孔明所與圖本又隨土人選取蠻洞運糧總路口地名夾山谷兩下是山中間一條路止可容一馬而走馬岱占了夾山谷分撥軍士立起寨柵此時蠻洞人不知正解糧到被馬岱前後截住奪得糧百餘車蠻人晚逃去報孟獲孟獲在寨中每日飲酒歡後與諸酋長曰吾若與諸葛對敵必中他計今靠瀘水深灘高壘以待之蜀兵受不過酷熱必然

孟獲大怒

責董荼奴

走矣但一退走吾當與汝隨後擊之可擒諸葛矣數內有酋長曰汝口水淺倘或蜀兵過來深爲利害亦可分兵拒之孟獲笑曰汝是本土人何故不知吾正要蜀兵來渡此水皆爲泉下之鬼酋長曰倘土人陳說夜渡之法如何孟獲曰吾境內之人如何肯向敵人耶汝等不必多疑正說之間忽見運糧兵到聲說蜀兵不知多少偷渡瀘水截斷夾山谷糧道打着將軍馬岱旗號獲曰量此小蜀兵何足爲道隨即遣副將忙牙長引三千軍投夾山谷路來馬岱望見蠻兵到引三百軍擺開當住山前忙牙長出馬與馬岱交鋒只一合被馬岱斬於馬下蠻兵敗走回見孟獲ㄹ問誰敢去戰馬岱董荼奴出曰某願往孟獲恐怕又有蜀兵再渡瀘水遣阿會喃引一千軍汳口守拒去了却說董荼奴引蠻軍到夾山谷下寨馬岱引軍來迎數內有認得董荼奴的說與馬岱如此如此馬岱高聲大罵曰無義之徒吾丞相饒你性命今又背反豈不羞乎董荼奴無言可對不戰自退馬岱掩殺一陣而回董荼奴回見孟獲說馬岱英雄抵敵不過孟獲大怒曰吾知汝受諸葛之恩故不戰

而退正是寶陣推轉斬說衆酋長來告免死打一百大棍放還各營諸將來訪董荼奴曰我等雖居蠻貊未嘗敢犯中國守國亦不侵我等只因孟獲勢力相逼不得已而造反我想孔明神機莫測曹操孫權猶自懼怕何況蠻夷乎更兼有活命之恩無可報答今欲殺孟獲去報孔明亦可以保全妻子汝等心下若何都說原得孔明放回的軍皆言願從董荼奴手執剛刀引十餘人直奔大寨孟獲大醉臥於帳中衆皆提刀而入孟獲性命如何

孔明三擒孟獲

是日董荼奴引衆提刀而入帳中有兩將見董荼奴入便言曰吾等亦受孔明活命之恩特要報效汝等不須下手待我等生擒去獻董荼奴從之一齊入帳把孟獲縛了到瀘水邊駕舡直到北岸先使人來報孔明孔明交爲首酋長解孟獲入來其餘皆回本寨聽候卻說董荼奴入見孔明細說前事孔明用言撫慰便教回本寨聽候差遣董荼奴引衆酋長回寨孔明問孟獲曰今番三次擒汝還肯伏否孟獲答曰因吾酒醉吾本寨人造反故被擒今

孟獲設計

詐降孔明

非汝能擒我也何肯伏耶孔明笑曰既然不伏再交回去孟獲自回心生一計乃喚弟孟優行詐降之計內應外合必擒諸葛孟優領計帶親隨蠻兵數十人逕運到孔明寨中先使人報知孔明笑曰彼來詐降吾必將計就計行也遂喚孟優入問其降故孟優曰吾兄孟獲醉酒殺人將士怨叛誠恐禍及故來投降別無異心孔明曰汝別無異心就在此等候却交馬謖呂凱管待使其飲酒蠻醉酒中皆下藥醉倒渾如死人其有醒者但指口而笑孟獲不知中計却待孟優并一千兵出寨相應只見四面火光衝天蠻兵各自逃竄寨外馬忠王平當住去路孟獲奔往左寨撞着魏延殺將回來再奔右寨撞着趙雲又殺一陣四下無路孟獲棄了馬走望瀘水而走見水上有船蠻兵乘駕慌呼近岸人馬下船一聲號起一齊拿住却是馬岱扮作蠻兵在此等候擒了孟獲比及到寨孔明盡交招安蠻兵不許殺戮降者無數馬岱解孟獲至趙雲解孟優至孔明笑曰汝先交兄弟以禮詐降如何瞞得我過被吾以計[illegible]今番汝[illegible]孟獲曰此是吾弟貪口誤了大事若是吾外用[illegible]

來第吾公自應必成功矣此是誤敗非吾不能也如何肯伏孔明曰今已三次何爲不伏孟獲曰汝肯放我兄弟兩个回去再收拾家中大小親丁和你大戰一塲那次擒得我時方纔死心歸降孔明曰今番拿住決不肯輕恕汝可小心在意早用良謀勿生後悔孟獲手下被擒之人盡皆放回兄弟二人拜謝出帳時蜀兵已渡瀘水孟獲等到瀘水見馬岱陳兵列軍坐於岸口以劍指曰再來拿住必不干休孟獲到自己寨中時趙雲亦按劍而坐喚孟獲曰丞相如此相待莫忘大恩孟獲喏喏而去將出界口轉過山坡魏延引千百軍擺開魏延於馬上以刀指之曰今已入汝巢穴奪汝險要尚自愚迷太甚欲抗拒大軍耶這番拿住碎尸萬段孟獲等抱頭鼠竄而去諸將迎諸葛丞相渡瀘水聚衆將於帳上曰前番擒孟獲是以恩結其心聽其自亂後令與營中遍觀虛實者欲令孟獲來劫寨也孟獲一心要用火攻又恐不穩故令弟詐降吾今六擒而不殺要伏其心也不欲滅其種吾非故意放也馬幼常之見與吾相同今告汝等勿得辭勞務要用心報國衆皆拜曰丞相智

諸洞獠丁

……今雖古之子牙張良安可及乎孔明曰吾安敢效於古人耶皆賴汝等之力共成功業於是衆皆歡然喜悅却說孟獲受了三縱之氣忿忿怯歸到銀坑洞中差親信人賫金寶往八番九十三甸等處借蠻兵討荷使刀牌獠丁健軍十萬克日齊備聚各處洞中雲推霧擁俱來聽孟獲調用遠近探聽哨馬來報孔明令孟獲會九十三甸并諸洞軍馬壯丁前來迎敵孔明笑曰吾正欲蠻兵皆至見吾之能也遂自上車來決勝負如何見得

孔明四擒孟獲

孔明自駕小車引數百騎前來探路軍報前有一河名西耳河水勢雖慢並無一隻船栰可渡孔明交伐木作栰以渡其栰到水皆沉孔明遂問於呂凱凱曰某知西耳河上流有一山其山多竹大者數圍可令人伐來於河上先搭竹橋其軍可渡孔明遂遣三萬人入山伐竹數萬根於水面狹處搭起浮橋衆軍皆渡過河南岸一連下三个寨却說孟獲引衆蠻兵數十萬乘恩風而來近瀘西耳河頭看孟獲自選一萬刀牌獠丁直扣寨前來搦戰孔明使……

門束綸巾羽扇而出左右簇擁蠻王孟獲身穿犀皮甲頭頂朱
盔左手挽牌右手執刀騎赤毛牛於陣前舉罵孔明戰手下萬餘
洞丁各舞刀牌欲來衝突孔明急交退回寨中四面緊閉不許出
戰洞丁皆裸體赤形直來寨門外叫罵諸將忿怒皆來禀孔明情
願決一死戰孔明又不許曰蠻夷之人不遵王化者今此一來狂
氣正盛不可戰也可堅守數日待其猖獗之性少懈吾自有計於
是連守數日孔明窺見蠻兵懈怠乃聚諸將曰汝等敢出戰否諸
將欣然願出孔明喚趙雲魏延受計又後分付王平馬忠如此如
此又喚馬岱受計曰吾棄此三寨退過西耳河北吾軍一過汝
可斷後便折浮橋移於下流接渡趙雲魏延軍馬又分付張
嶷汝可斷後路皆退盡寨中多設燈火令蠻兵知會孔明傳令已
罷眾軍是夜退盡寨中點起燈火數千排蠻兵遙望尤恐是計因
此不敢衝突過來次日平明孟獲引大隊蠻兵徑到寨但見三寨
皆空於內棄了車仗糧食數百輛孟優曰諸葛亮不戰棄寨而去莫
非有計否孟獲曰吾料諸葛亮棄輜重而去必然國中有緊急之事

劉將馬忠

斬斷浮橋

者不是吳使必定是魏伐故虛張燈為疑兵盡棄車仗而去也可速追之於是自為前部直趕到西洱河邊見北岸寨中旗幟整齊沿江一帶又拾錦城蠻兵望之皆不敢進獲曰諸葛防吾追趕故就北岸少住一二日必走也將應有敵戰之兵屯於河上又使人去伐竹柢桃以備渡河卻不知蜀兵已自入境是日狂風大起蠻兵四面放火縱洞後丁但相攻擊孟獲急下毛牛引心腹洞丁殺開鹿角逕回舊洞見一隊軍從寨中殺出乃趙雲也左邊王平右邊馬忠將孟獲兵衝作兩段孟獲得到西洱河邊望山僻而走又撞着馬岱大殺一陣孟獲只剩數十人望山谷而逃見南西北三方皆有兵困逼不敢去只望東而走轉過山口見一大林之前數十從人推一小車車上坐的孔明見孟獲來呵呵大笑曰吾等汝多時孟獲回顧左右數人曰吾遭此人詭計數番今幸得這番相見汝等皆奮力向前連車和人砍為粉碎衆皆允諾孟獲當先吶喊搶到大林前踏了陷坑孟獲并手下人都跌下去只見林內轉出魏延領五百軍來个个拖出坑中捉起縛定孔明先歸寨招諭蠻

捉擒孟獲

知會諸洞酋長洞丁孔明皆以好言放回鄉去須臾解孟優至孔明諭之曰汝兄愚迷汝合諫之今被吾擒捉四番有何顏見人孟優惶恐伏地求告免死孔明曰吾若殺汝不在今日我饒你命留此勸諭你兄優拜謝而去須臾魏延解孟獲至孔明大怒曰匹夫汝今番被擒有何理說孟獲曰誤中村夫之計死不瞑目孔明喝令推出斬之孟獲全無懼色回顧孔明曰汝今再敢放我去必然要報四番之恨孔明大笑交去其縛與酒壓驚而問曰汝中心尚然不伏何也獲曰吾雖化外之人不似你中國人詭計擒人吾何肯伏孔明曰吾今再放汝去復能戰乎獲曰吾若今番再拿住我我必傾心降伏盡獻本洞之物犒勞軍不敢反也孔明盡放之獲欣然而去拖遲往西而行只望見孟優再收拾敗殘人馬前來與兄報仇兄弟二人相抱而哭訴說前事孟優曰我兵屢敗難以當抵吾軍只可就山洞退避[illegible]自然退去獲問曰何處可避優曰此去西南有一洞名曰禿龍洞洞主名朵思大王與弟甚好何不投之孟獲先交孟優去[illegible]大王引洞兵出迎孟獲

入見再拜進酒孟獲訴說被諸葛如此之原特來投託安身朶思曰大王放心若川兵到此令一人無得回鄉連諸葛亡死於此地孟獲大喜問朶思妙計還是如何

孔明五擒孟獲

孟獲問計於朶思朶思曰此洞之中止有兩條路而入東北上有一條路是大王來的路此路山平水甜人馬可行若以木石壘斷洞口雖有百萬之衆亦不能進此路矣西北上有一條路地險山惡軍馬難行多藏毒蛇惡蝎至黃昏瘴氣盛起直至巳午時方收未申酉三不時方可以往來水不可飲更兼其地有四泉甚毒一曰啞泉正在當道其水頗甜人若飲之口不能言不過旬日而死二曰滅泉此水與湯無異人若於中洗浴皮肉交爛見肉而死三曰黑泉其水微清人若濺之則手足皆黑而死四曰柔泉其水如冰之冷人若飲下咽喉無暖氣身軀軟如綿而死鳥雀亦無惟有伏波將軍馬援曾到此處今大王隱存於此但壘斷東北角大路縱有諸葛以來於路無水若飲其泉必皆死於此處孟獲以手加

曰[illegible]以報[illegible]之恨於是[illegible]
[illegible]泉[illegible]出說孔明不見[illegible]傳令[illegible]
過河而進蜀兵[illegible]不可當後[illegible]吟曰
山[illegible] 火光獲之處 不知天地[illegible] [illegible]何如
赤帝施權柄 陰風不敢生 雲蒸[illegible] [illegible]驚
亂流[illegible]坐 共持竹帛行 如何[illegible]者 [illegible]長生
時馬岱得報見孔明如今孟獲退入禿龍洞中不出將洞口緊要
處名壘斷內有兵守之山險峻嶺不能前進孔明請呂凱商
議凱曰曾聞此洞前有兩路實不知詳細蔣琬曰今四擒孟獲既
以勝衆安敢再出天氣炎熱[illegible]之征之無益不如班師孔明
叱之曰據汝之心正中孟獲之計道我只一退彼必隨後追襲既
到此地安有復回之理如有再言者[illegible]
的蠻兵引路數百蠻兵跟前部王平[illegible]泉水而來人皆枯
渴掏水飲之比及到寨皆不能言[illegible]孔明大驚情知
中毒乃自駕小車前到溪泉邊見一潭清水深不見底軍不敢飲

孔明下車登高看時但四壁見山鳥寂然不聞心中疑惑忽見山凹中有一古廟孔明攀藤附葛而行有一石屋中見一將軍傍有石碑孔明視之乃漢伏波將軍馬援之廟因平蠻到此土人立廟祀之孔明再拜曰亮受先帝[illegible]平蠻再復吞吳魏以安天下亮今到此不識[illegible]軍士誤食毒泉啞喉不能出聲望尊神以漢朝之事為重通靈顯聖護祐三軍孔明出廟看時隱隱見對山一老叟扶杖而來形容甚異孔明急命左右請之老叟到廟與孔明禮孔明邀坐于石上[illegible]以姓名老叟不拜孔明曰老丈何人也老叟曰老夫避居於此久聞丞相大名今幸得拜見孔明問泉水之故老叟答曰軍所飲者乃啞泉也飲之數日必死於此地西南上有一滅泉洗如沸湯浴之皮肉盡脫而死正南又有一黑泉人若濺之手足皆黑而死東南又有一柔泉其水至冷若飲之則骨軟而死有此四泉毒氣所聚無藥可治又有瘴烟盛起惟未申酉三个時辰可行餘皆不可行也孔明曰如此則蠻邦不可平矣蠻不平[illegible]吞魏而復興漢室乎有負先帝付託之重

[illegible]於此地亘託便欲投虜叟曰丞相不可如此老夫指引一處可以解之此去西南數里入一山谷再行二十里有一溪名萬安溪溪上有高士號為萬安隱者不出溪數十年矣在草菴中菴後有一泉名安樂泉若人中毒則汲其水而飲之自然無事或有人癩病者受瘴氣者於萬安溪內浴之自然平復更兼菴前有一等草名九葉芸香若人口噙一葉即時不染瘴氣也丞相可速往求之孔明曰如此深感尊長指點願聞高姓尊名老丈起身入廟曰吾乃本處山神也奉伏波將軍之命特來指路言訖揭開廟後石壁而入孔明驚訝不已入廟拜謝訖尋舊路上車而回次日孔明備禮物引王平及眾啞軍連夜投西入山谷依小逕而入行二十餘里望見長松大柏茂竹奇花環遶一莊週圍籬落中有茅屋數間眾人聞得芸香噴鼻孔明到莊前扣戶有一童子出迎孔明乃通了姓名早有人出迎竹冠布衣碧眼黃鬚邀孔明入草堂分賓主坐定孔明告曰亮受昭烈皇帝託孤之重坐六霊到此欲伏蠻夷以歸王化今不期而獲潛洞中故深入境以討之

孟節教孔明取芸香

軍士誤飲啞泉亮夜來得伏波將軍顯聖云高士有藥泉可治還高士忿亮匡扶漢室專受塗炭賜以神水救療殘生陰功莫大也萬安隱士云量老夫山野粗人也何勞丞相枉駕親臨泉水在於菴後令衆軍飲之就令王平等與一行啞軍飲衆軍到泉邊汲水飲之隨即吐出惡涎便能言語童子指教衆軍於萬安溪內洗浴盡取孔明芸香與之隱者於菴中進栢子松花酒以待孔明又指教之曰此去洞中有毒蛇出桃花飄落因此溪谷之澗水皆不可食但地掘井汲水方可孔明求取孔葉芸香隱者命衆軍盡采自帶回寨各軍口內含一葉自然瘴烟不侵孔明拜求隱者姓名隱者曰吾乃孟獲之兄孟節是也孔明愕然孟節曰丞相勿疑容訴一言昔日父母所生兄弟三人節長次者孟獲小者孟優父母喪後二弟強霸節累諫不從故乃更易名姓於此處今辱弟造反有勞丞相深入不毛之地如此生受節該萬死故先於丞相之前請罪孔明歎曰方信盜跖柳下惠之事近代還有此遂曰吾於天子處奏立公爲王可乎孟節曰吾嫌功名而逃避豈有貪貴官之意孔明贈以金帛

天　　禱求泉水

高節堅辭不受孔明遂乃相別（今云南諸處各川此水常有瘴氣而飲者病[?]）以孔明回寨
令軍士掘地取水掘下二十餘丈不得水軍心惶惶凡掘數十處
皆如之孔明焚香告天曰亮雖不才仰託大漢之福受命平蠻途
中無水軍馬枯渴倘上天不絕炎漢賜甘泉若氣數已終亮等
願死於此處是夜祝罷平明視之皆得滿井之水於是軍馬安然
遂穿小徑直入禿龍洞中下寨蠻兵探知報與孟獲曰蜀兵不染
瘴氣亦無枯渴之患請大王提兵進備朵思洞主不信自引軍來
於高山望之只見蜀兵全然無事大桶小桶搬運水漿造飯朵思
大驚曰此神兵也遂報孟獲曰今蜀兵已在君洞中了如之奈何
孟獲曰吾領帶兵同前兩陣[?]決一死戰豈能束手受縛朵思
曰若蜀兵勝吾妻子亦休矣於是宰馬殺牛大賞洞丁忽報洞後
銀冶洞二十一[?]洞主楊鋒引三萬兵來助孟獲大喜曰鄰洞助我戰必勝矣
既而接入楊鋒曰吾有精兵三萬皆披鐵甲能飛山越嶺足可以
敵蜀兵百萬又有五子皆熟武藝願助於大王獲見楊鋒五子皆彪軀虎
體心中歡悅安排筵席宴待楊鋒酒至半酣楊鋒曰軍中無樂吾

楊鋒父子

擒捉孟獲

軍中有蠻姑善舞刀牌以助一笑孟獲大喜交喚來須臾蠻姑五十餘人披髮從寨外跣舞而入群蠻拍手以歌孟獲大喜楊鋒令二子把盞二子舉盃至孟獲孟優前各待飲酒楊鋒大喝一聲二十軍把孟獲孟優執下眾忠却待要走已被楊鋒擒之蠻姑等横截于帳上誰敢近前獲曰兎死狐悲物傷其類吾與汝等無仇何故相擒而助外人也楊鋒曰吾兄弟子姪皆感諸葛丞相免死之恩無可以報汝今是反臣何不獻之於是群蠻皆散楊鋒將孟獲解投孔明寨來孔明升帳楊鋒等入拜具言其等子姪皆感丞相大恩故擒孟獲來獻孔明賞勞而遣之然後驅孟獲入孔明問曰汝今番心伏乎獲曰非汝之能乃吾洞中人自相殘害以致如此但要殺便殺心中實未伏孔明曰汝賺我以無人無水之地要以啞泉滅泉黑泉柔泉之毒害吾軍今吾軍無恙豈非天意孟獲曰吾祖居於銀坑山中有三江之險重關之固汝若就那里拿住我時我當子子孫孫傾心伏你孔明曰既如此吾放你歸去本鄉與吾決一勝負如再擒住不傾心歸順當滅九族獲得鬆綁去再來如何

聚集洞丁

亂閉[illegible]偷[illegible]獲

孫明千[illegible]縱[illegible]羅獲等前去將楊鋒父子六人皆封官爵遣人領而遣之

押說孟獲等與優并衆忠等回本洞洞外有三江一路是瀘水一路是西城水三路合

為三江 其洞北近平灘一百餘里多產方物西二百里有[illegible]

隔二百里南抵瀘水正南三百餘里乃是梁都洞一名濼州中央

一山環抱其地出銀礦故名為銀坑山中置宮殿樓臺以為蠻王

巢穴其中建一古廟名曰家鬼四時殺牛烹祭名為卜鬼每年常

以蜀郡并外鄉人殺而祭之即是採生之類也其人但人病患不

服藥只禱師巫謂無不應名為藥鬼其土無別法有罪則殺之有

女長大則於溪中沐浴男女相擇而配父母不禁名為學藝每歲

雨水均調則種稻若不熟則殺蛇為羹煮象為飯每坊隔之中上

戶號曰洞主其次酋長每月初一十五兩日則于三江城買賣交

易物件其地風俗如此且說孟獲歸到洞中叢聚衆黨千餘人共

飲宴於宮中內無坐榻皆席地而坐金銀器皿擺列於前孟獲於

席上言曰兩番如此羞辱於吾吾今誓言願報之恨諸蠻齊齊有個[illegible]

蜀兵八攻城

中箭而回

帳中有孟獲妻弟乃八番部長名曰帶來洞主進言曰某知八
大王數被諸葛亮之辱欲得報仇若以兵法必然難敵此去西南八
納洞中有一洞主名曰木鹿大王深通法術出則騎象如遂入
則呼風喚雨驅雷虎豹豺狼獅象惡獸皆隨此人而出其處
威猛手下有神丁二萬所到之處無不勝也大王可修書備禮親
當親往取這枝兵馬來退蜀兵必然取勝孟獲從之備禮修書交
國舅帶往八納洞中去取木鹿大王却說次後交朵思大王守住
三江城以為前部屏障却說孔明提兵至三江城下遙望城三面
傍江一面通旱道孔明便差趙雲魏延同領一軍打城城上弓弩
亂射元來洞中人多習弓弩一弩可發十矢箭頭上皆有藥倘有
中箭者爛見五臟而死趙雲魏延回見孔明說藥箭難當軍士不
肯向前孔明自到軍前看了回到寨中交退軍馬三江城上望見
蜀兵盡退眾皆大喜因此守城懈怠却說孔明回寨屯有五日並無
號令忽然一夜風起天氣微涼喚諸將聽令孔明傳令每人各要
衣襟一大幅一更為期伺候點視如無者斬之諸將亦皆不知其

土意初更文傳一令每一名軍將衣襟一幅包土一包如無者立斬
諸軍尚自不解傳令已了便調軍行都在三江城下交納先到者
重賞於是諸軍爭包沙土飛奔三江城來孔明傳令交積土為
凳道先上城者頭功因此蜀兵有十千萬包沙土一齊奔於城邊
堆作二十餘處[illegible]併上城蠻兵急欲放箭蜀軍已到城上蠻兵盡
皆下城而走蜀軍得了三江城亂軍殺死者不知其數所得城中寶
貝盡賞三軍敗殘士卒逃回來見孟獲只說朵思大王身死三江
城已失孟獲聞知大驚正然悶間忽報蜀兵已渡三江見在洞口
下寨孟獲身無所措忽屏風背後一人大笑而出曰既為男子何無
智也我雖夫人替汝出戰如何孟獲視之乃妻祝融夫人也夫人
是祝融氏之後世居南蠻能使飛刀百發百中[illegible]方醒便請夫人上馬
夫人點起猛將數百員宗黨洞丁五萬[illegible]出洞與蜀兵
對陣卻說蜀將張嶷引一彪軍在洞口[illegible]見洞中大隊蠻兵
出兩[illegible]夫人出馬披頭撒髮身著綠衣背插飛刀五口
手執長[illegible]驟不[illegible]合夫人回馬便走張嶷趕去被一

祝融夫人　大勝蜀兵

飛刀正中左臂翻身落馬[illegible]提將去了馬忠急出救時坐下馬倒亦被擒入洞[illegible]見夫人擒二將心中大喜夫人要將二人殺了孟獲曰[illegible]當今郎殺之不能彀擒住諸葛亮殺之未遲却說孔明[illegible]二將隨即喚馬岱受計又喚趙雲魏延分付如此如此[illegible]雲引一千軍搦戰祝夫人出馬與趙雲交戰趙雲[illegible]便走夫人不趕魏延出馬與祝夫人交鋒數合魏延便走夫人恐有埋伏又不趕次日趙雲又戰數合又走夫人不趕魏延又出馬詐敗夫人奮氣追之趕到山徑小路魏延回頭看時只見祝融夫人馬倒元來馬岱先引軍埋伏在彼早用套索絆番縛來諸蠻要救被趙雲殺散孔明便令人入洞中去打合欲換二將孟獲欣然送二將還孔明孔明即差人送夫人歸洞中孟獲正悶間人報八納國王到了孟獲出洞迎接見其人坐下一象身上用金珠為纓絡帶二萬軍中另有一班養猛獸之徒孟獲接入訴與前事木鹿大王許以報仇次日引部蠻兵帶猛獸出洞趙雲魏延見蠻兵出列成陣勢二將並轡於陣

木鹿王

驅獸伐蜀兵

前見蠻兵旗旛軍器儘別蠻人多不穿衣甲皆裸赤形身帶四口尖刀者極多軍中不鳴鼓角只是篩金為號木鹿大王騎象而出腰跨寶劍二口手執蒂鍾趙魏二人言曰我等出征一世未曾見此等人物如何不驚看得癡呆未敢交鋒只見木鹿大王口中不知念甚咒語搖動蒂鍾狂風大作飛沙走石於對陣中虎豹毒蛇張牙舞爪衝過陣來蜀兵如何敵得過後便走蠻兵隨後追殺直趕到三江方退趙雲魏延收聚敗軍來見孔明細說其事孔明笑曰吾未出茅廬之時已知南蠻有驅虎豹而戰者吾在蜀中已知破此陣之法隨軍有二十輛車今日且用一半收去取十輛紅油櫃來留十輛黑油櫃別有用處眾將只見二十櫃皆不知為何物是日取到打開櫃內皆是木刻彩色巨獸鬣毛皆用青紅五色絨線為衣今之獅子是也一獸身內可容十人孔明選精壯軍一千餘人領此獸一百口中儘牙以銀裝之口內藏以烟火之藥部裝束了藏在軍中次日孔明讓蠻大隊人馬於洞口擺開木鹿大王自為無敵再驅猛獸而出孔明綸巾羽扇坐於陣前左右諸將分列本

獸退蠻兵

孔明用假

蠻人王是日同孟獲出陣獲望見[illegible]車中先生便是諸葛若拿了他時大事便定木鹿陣中[illegible]鍾兩手掣出腰間寶劍直取孔明狂風起處猛獸[illegible]把羽扇一招其風便轉洞中兩下假獸湧出口吐[illegible]鈴猛獸見了此獸便急回頭先中倒蠻兵無數[illegible]蜀軍大勢大戰木鹿大王被亂軍所殺孔明驅兵直赶到洞中孟獲宗黨拋山越嶺而走孔明大軍占了銀坑洞中有許多去處次日人報蠻王孟獲妻弟帶來洞主因爲苦諫孟獲不從今將宗黨數百人并孟獲夫妻二人盡皆擒捉來獻丞相要做蠻王孔明知了交休問當令他來見我孔明卻喚張嶷馬岱引二千軍伏於廊廡之下果見帶引群刀斧手解孟獲夫人并宗黨等於階下孔明大喝一聲與吾擒下廊廡下軍士齊出盡皆執下孔明大笑曰量汝等詭計如何瞞得我過你見二次是洞中人捉孟獲來降道吾深信故來詐降欲就汝宮中殺我我今識破却被我擒了令搜身上果然各帶利刃孔明曰你道在你家中捉住方始心伏今日如何孟獲曰這是我等送死非汝之

投烏戈國

也孔明曰至今擒汝六次尚自不伏有何待時而伏獲曰汝若第七次擒住吾必傾心歸順誓無反悔孔明曰巢穴已破何慮於汝哉即時喝令盡放之孟獲問帶來曰吾今洞主已被蜀人所占今投何地帶來曰此有一國可以敵蜀兵不知肯來所指何國

孔明七擒孟獲

帶來洞主曰此去東南七百里有一國名烏戈國其國主名突兀國王身長丈二不食五谷但食生蛇毒獸身有鱗甲刀箭不能入手下有一等軍謂之藤甲軍其人矮者九尺面貌醜惡見者皆驚彼洞中有一等藤生於山谷之內盤絡於石壁國人採之浸於油內半年方取出晒乾又入油浸如此浸十數遍却纔用之穿成鎧甲胸背各用一片兩臂兩片下一大裙圍共五片爲一幅穿在身上渡水不沉經水不濕刀箭皆不能入因此謂之藤甲軍若得這枝軍馬來破蜀兵必矣孟獲見說大喜即時帶一行人投烏戈國來見突兀國王於洞中（其洞中無屋皆於土穴內居）孟獲再拜哀告前事突兀曰吾起兵與汝報仇於是喚兩個爲首酋長一名土安一名奚泥

孟獲借藤　甲敵蜀兵

點起三萬軍盡穿藤甲離烏戈國望東北而上有一水名桃花水

按此水兩岸有桃樹[illegible]飲之盡死只有烏戈國人飲之[illegible]是時兀突骨王引兵

下寨於桃葉渡口以待蜀兵[illegible]孔明[illegible]蠻洞之人探聽孟獲

消息回報曰今孟獲[illegible]引三萬藤甲軍見屯

於桃葉渡口孔明見說[illegible]隔岸望見烏戈國蠻

兵皆醜惡至甚[illegible]魏延守寨營次日聞金鼓大振

烏戈兵到魏延[illegible]起烏戈兵捲地而來蜀兵以弓弩射

之箭射到藤甲之上[illegible]皆不入刀砍不透蠻兵皆拿利刀

鋼叉魏延兵敗走數十里蠻兵不趕自回魏延見蠻兵帶甲渡水

而去或有疲困者[illegible]作一堆放於水上坐而渡之魏延看了急回

大寨來見孔明言說此事孔明請呂凱并本處土人問之呂凱曰

素聞蠻中有一烏戈國有藤甲護身急切難傷又有桃葉惡水本

處人飲之倍添精神若蠻兵勝[illegible]趕來若不勝盡皆渡水而去

似此頑類雖勝何益不如班師還蜀孔明見說大怒曰到此必去

是無終始吾自有平蠻之策於是又撥趙雲[illegible]魏延[illegible]

且休輜重孔明次日交土人蠻兵引路自領小車於逃處渡過山嶺去處遍觀地理忽到一山望見一谷形如長蛇皆是峭壁並無草木中間止有一條小路孔明問此谷何名土蠻曰此乃絕蛇谷也出谷即三江城大路谷前名塔郎甸孔明曰此天賜吾成功於此也即回寨喚馬岱分付曰與你十車黑油櫃之物又用竹數百根你可將本部軍去盤蛇谷兩頭把住依法而行與你半月限功完至期如此如此倘有漏泄定按軍律馬岱領計去了又喚趙雲提軍向來分付曰汝於盤蛇谷後三江城大路口如此守把所用之物至日完備又喚魏延分付曰汝可去桃葉渡下寨如遇蠻兵渡水汝可棄寨而走望有白旗處可以屯住明日蠻兵若來又棄此寨又望白旗而走今日爲始務要你連輸十五陣棄七个寨柵至半月後只望有白旗處便是脫身之所管是汝輸十四陣也休來見我魏延雖然領計心中不樂而去孔明又使張翼另引一枝軍依孔明所指之處築立寨柵各三營標旗已了然後交張嶷馬忠受計引本部所降蠻兵數千分付如此如此而行此一陣必定

義成功却說孟獲來對兀突骨曰蜀兵諸葛多有巧計凡到之處只是埋伏今後但見山谷中有樹木多處不是埋伏切不可趕去兀突骨曰汝也說得是今後依汝的言語而行我在前面厮殺汝隨後教道最好忽有人報蜀兵在桃葉渡口起寨兀突骨便差二酋長引藤甲軍殺過河來與魏延交鋒魏延領軍便走蠻兵恐有埋伏不趕又過水去了次日魏延又去立寨蠻兵又來厮殺魏延退走蠻兵趕來數里過迴見沒動靜却就寨中屯住次日來請兀突骨渡水入寨遂無疑懼又殺魏延一陣蜀兵皆棄甲拋戈而走只望白旗便是暗號於路所到之處先已立下營寨見成屯軍兀突見兵連勝心中大喜自在前軍破敵於路但見林木茂盛之處便不進兵却使人遠望樹影中果然有旗旛招颭兀突請孟獲說知此事二人大笑諸葛今番被我等識破果然連日殺勝蜀兵望風而走所棄寨柵便就屯扎連贏十五陣奪得蜀兵營寨七處雖桃葉渡已經三百餘里孟獲軍馬盡在後隨止離五七十里蠻兵連勝不以蜀兵爲念望着便趕至第十六日魏延整頓敗

國藤甲軍

[illegible]軍來旗烏戈國兵對陣兀突骨驅象當先頭戴日月狼鬚帽身[illegible]金珠纓絡兩脇下現出鱗甲眼中微有光芒指魏延大罵正[illegible]間魏延撥轉馬便走後面蠻兵大進魏延只望有白旗處走將入盤蛇谷中兀突骨往後趕上看時山上並無樹木草亦割去料無埋伏放心追趕到山谷中於路撇下糧草蠻兵曰此是蜀人運糧路道爭競取之將出谷口不見魏延軍馬只見前面横木亂石壘山上滾下壘斷谷口兀突交蠻兵開路而進只見谷口大車小車推裝乾草放起火來兀突骨慌忙交退只見後軍大喊報說[illegible]來路已皆壘斷大縱火起兀突見山上無樹放心追趕尚自不[illegible]只見兩邊山上亂撇下火把到處地下藥線皆着就土中飛出[illegible]砲滿路皆是火光飛舞藤甲上若意着火無有不着無鐵[illegible]草爆開內有硫磺焰硝引火之物兩擁烏戈國王兵三萬[illegible]死於盤蛇谷中孔明於山上看時見蠻兵互相在火光中拚命[illegible]半被鐵砲打着頭面皆粉碎而死其臭不可聞孔明歎曰吾雖有[illegible]功於巳必損壽矣生靈塗炭吾之過也[illegible]國王所帶軍馬無

馬岱計捉 孟獲宗黨

个走脫谷中喊聲大震卻說孟獲在寨中不見烏戈兵回忽有
兵數人來報烏戈國兵在盤蛇谷中與蜀兵大戰圍住諸葛亮請
大王便來接應孟獲引大小宗黨連夜上馬便交蠻兵引路郎[illegible]
未到盤蛇谷只見火光甚盛急待退步張嶷馬忠兩路兵出殺[illegible]
中大半蜀兵一齊下手把孟獲宗黨盡皆活捉孟獲殺出重圍望
小徑而走路逢一輛車孔明端坐其上大喝孟獲今番如何[illegible]
回馬走時一員大將引五百軍攔住乃是馬岱生擒孟獲皆歸大
寨一班宗黨皆已被縛了當脫走回寨的被王平張嶷趕上[illegible]
融夫人一應老小盡皆拿捉解到寨中孔明升帳曰吾今此計不
得已而用之大損陰騭也吾料敵人必算我於樹木多處定有埋
伏吾於林木多處虛立旌旗實無人馬令彼敵人疑也吾令魏延
連敗十五陣繼其放膽追趕吾料盤蛇谷只一條路兩邊石壁下
面有沙土故知天助吾也因此令馬岱先伐樹木令彼無疑[illegible]
車上黑櫃內盡是預先造下名為地雷一砲中藏九砲三十一步
埋之中用竹通節以引藥線纔一發動山[illegible]

宴待孟獲

已吾令趙雲預備草車滚木今魏延賺蠻兵入道隨後便斷其兩頭而焚之吾聞利於水者必不利於火也藤甲雖刀箭不能入乃油浸之物見火必著蠻人如此頑皮非火攻不能勝也使烏戈國之人不留種類而回此吾身之大罪也諸將拜伏曰丞相神機妙策用兵鬼神莫測之智也各押過孟獲等孔明交盡去其縛於帳外與酒壓驚教令人放之使謂孟獲曰丞相面羞不欲與汝相見故交我等放汝回去交汝意招集人馬再來共決勝負可速去之孟獲垂淚而言曰七擒七縱自古未有吾雖化外之人頗知禮義乃共弟并宗黨皆匍匐至帳下謝罪低頭而拜曰丞相天威也南人不復反矣孔明曰公心中肯伏乎孟獲泣而謝曰子子孫孫皆感生成之大恩安得不伏也孔明請孟獲上帳設宴作賀就令孟獲永遠為蠻洞之主所得地土盡皆還之孟獲宗黨及諸蠻兵皆感戴欣躍後人有詩曰

羽扇綸巾擁碧幢　親提[illegible]出南方
瘴烟邑地經瀘水　火日飛天守戰場
三顧深恩報漢主　七擒孟獲制蠻王
至今溪洞傳威德　為選高原立廟堂

孟獲立廟

四時享祭

孔明將洞中一應事務盡委孟獲長史費禕曰今丞相親提士卒深入不毛之地收伏蠻方既以歸順何不設官置吏一同孟獲守之孔明曰若留外人三不易也留外則當留兵留兵則無所食一不易也蠻兵傷折父兄死者留外人而不留兵必成禍患二不易也今吾不留人且蠻夷累有廢立之罪自有嫌疑留外人終不相信三不易也今吾不留人不留兵不運糧自然安矣蠻皆伏其寬洪蠻人皆感恩德與孔明立生祠四時享祭呼之爲慈父皆以金珠寶貨丹漆藥材耕牛戰馬送拜孔明以資軍用後感歲歲進貢終身不反此是孔明之功也南方已定孔明下令班師還蜀前部先行水忽然陰雲四起飛沙走石軍不能進回報孔明孔明請孟獲問其事端的未知如何

詢問

祭神

新刻湯學士校正古本按鑑演義全像通俗三國志傳卷之十六

孔明秋夜祭瀘水

時九月孔明班師孟獲率領蠻兵拜送魏延先到瀘水忽陰雲狂風從水面而起軍不能渡魏延差人回報孔明孔明問孟獲獲曰此水原有猖神作禍往來者必須用四十九顆人頭并黑牛白羊祭之自然波平浪靜更兼連年豐熟孔明曰吾又安忍害生靈遂自到瀘水見陰風大起波濤洶湧孔明尋土人問之老少數人來告曰自丞相經過之後夜夜鬼哭神號瘴烟之內陰鬼無數孔明嘆曰是吾之過也舊時馬岱引蜀兵數百死于此水更兼殺死南蠻兵盡棄于此怨魂不散以致如此吾當自祭之老者皆曰須用舊例可殺四十九顆人頭以祭猖神則怨鬼自散孔明曰吾自有主見遂喚行廚殺牛宰馬和麵為劑塑成人頭之狀肉以牛馬肉代之（[illegible]）當夜于岸上列灯四十九盞揚旛招魂將饅頭祭物陳設于地三更時分風息浪平孔明親自臨祭令董厥讀文曰

與祭瀘水

饅

維大漢建興三年九月一日武鄉侯領益州牧諸葛丞相謹陳
祭儀享于故沒于王事蜀中將校并本土神祇及蠻夷亡者
陰魂昨自遠方侵境異俗起兵縱蠆尾以興妖恣狼心而逞亂
據此興師且我大蜀皇帝威勝五霸明紀三皇定乾坤于戰伐
之中立社稷于干戈之內一自南夷困窮六道來扣皇風吾奉
君王請師弔伐過剔龍攘君難誅逆興師國家問罪于遐荒奠
不逢山開路息渡為橋大舉貔貅悉除螻蟻于是大軍雲集狂
寇冰消纔聞破竹之聲便是失猿之勢且士卒兒郎盡是九州
豪傑四海英雄習武從戎投明事主莫不同申三令共展七擒
齊堅奉國之誠並效忠君之志何期汝等偶失兵機緣落奸計
或為流矢所中魂掩泉臺或因刀劍所傷魂歸長夜志存忠孝
命終于刀斧之前正直奉君恢崇于塵埃之內生則有勇死且
成名今則凱歌南還獻俘將及汝等英靈尚在所禱必聞隨我
旌旗逐我部曲同回上國各認本宗受骨肉之蒸嘗領妻男之
祭祀免作他鄉之鬼徒為異國之魂當念親姻哭泣于朝昏

交號咷千疊夜吾奏聞皇帝使汝等各家盡沾恩露年〻給
衣粮月〻不絕俸祿用茲酬答以慰汝心父子傳孫名題
舍則聊表祀祭各領酒食以享一殞魂魄自守此靈
本國嗚呼哀哉伏惟尚享
讀畢孔明放聲大哭情動三軍蠻貊之人盡皆大哭只見雲霧之
中數千鬼魂號哭隨風而散祭物盡棄水中天明雲收霧散浪息
波平蜀兵盡渡回到永昌令王伉呂凱守四郡分付孟獲自回歸
軒然史詩曰　相國興師入不毛　滔〻流水起波濤
漢兵自信三擒易　孟獲安知七縱勞　鉄甲漸沾蠻雨濕
征袍初染瘴煙高　一從伐叛揚威武　應使南人識俊髦
孔明回到成都後主排鑾駕遠接下車登道傍以候孔明如子事父
之禮孔明慌下車伏道而言曰臣不能速平蠻夷使主上朝夕懸
憂臣之罪也後主扶起同輦而入設太平宴重賞三軍蠻夷進貢
者二百餘處却說魏王曹丕在位七年（魏黃初七年即蜀之建興四年）丕先有
夫人甄氏乃袁熙之妻當時打破冀州丕見美納之爲妻生一子

名曹叡字元仲自小聰明曹操甚愛之後丕又納安平郭永之女爲嬪生得極美曹丕甚愛之因此甄夫人失寵郭貴妃欲謀正宮與張韜商議時魏主丕有疾遂詐稱甄夫人位下掘得桐木偶人上書天子年月日時如此魘鎮曹丕大怒將甄夫人勒死于冷宮立郭氏爲皇后無所生養丕雖愛叡不立爲嗣當時叡十五歲便能弓矢春二月曹丕與叡出獵忽于山塢趕出子母鹿兩個曹丕扣弓一箭射倒大鹿丕回顧叡曰吾兒何不射小鹿叡曰父王已射其母臣安忍復射其子乎曹丕聞之擲弓于地曰吾兒真仁德之主也遂立爲齊公後改爲平原王夏五月曹丕病感傷寒百藥無效乃召中軍大將軍曹真鎮軍陳群撫軍司馬懿入寢殿指曹叡曰今朕病重多是不久此子年幼汝三人可以輔之勿誤朕心三人扣頭曰陛下何故出此言也願陛下千秋萬歲曹丕曰今日許昌城門無故自崩乃不祥之兆朕故知必死也忽報征東大將軍曹休視疾曹丕曰汝四人皆國家柱石之臣今咸在此願協力扶曹訖而崩于洛陽嘉福殿時年四十晉史官陳壽評曰

曹叡爲君

魏文帝天資文藻下筆成章博聞經史才藝無雙[illegible]之曠大厲以公平之紀綱志存道術充饒德心比古之賢主夫何遠之有哉

于是曹真陳羣司馬懿曹休四人舉哀冊立曹叡爲大魏皇帝謚曹丕爲文帝謚母甄氏爲文昭皇后封鍾繇爲太傅曹真爲大將軍曹休爲大司馬華歆爲太尉王朗爲司徒陳羣爲司空司馬懿爲驃騎大將軍其餘文武各有封贈大赦天下時雍涼無人守把司馬懿上表乞守西涼等處上許之命懿總督雍涼等處軍馬卻說細作報入川來孔明大驚曰曹丕已死曹叡登基餘皆不足掛意只有司馬懿乃魏之豪傑今已總督雍涼軍馬必然訓練成時爲蜀中之大患[illegible]興兵伐之參軍馬謖曰丞相平蠻而回軍士疲馬乏豈可復遠征乎某有一計使司馬懿死于曹叡之手

孔明上出師表

馬謖曰曹叡素疑司馬懿何不密遣人往洛陽等處布散流言道此人欲反却作懿告示天下榜文遍貼使叡自疑必殺此人孔明

魏群臣議　論司馬懿

太守偷差人行事於鄴郡鄴郡人揭告示見魏主叡叡驚覽其文曰魏驃騎大將軍總領雍涼等處兵馬事司馬懿以信義布告天下昔我太祖武皇帝創立基業本欲立陳思王子建為社稷主不幸奸讒交集遂久潛龍皇孫曹叡素無德行妄自居尊有負太祖之遺意今吾應天順人以慰萬民之望欲興師到闕及早歸順新君如不順者當夷九族先此告文想宜知悉

曹叡問計于群臣華歆奏曰司馬懿上表乞守雍涼正為此也先帝太祖嘗謂臣曰司馬懿鷹視狼顧不可付之兵權久必為國患今日反情已露可速討之王朗又奏曰司馬懿深知韜略善曉兵機常有吞併天下之心今日不除久必成王莽之禍曹叡降旨便欲興師御駕親征忽階下大將軍曹真止之曰不可先帝託孤于臣等數人是知司馬仲達無異心也今無故加兵而逼之反此是吳蜀二國間諜之計使朝廷君臣自亂彼則乘虛而入陛下不足信寔叡曰倘司馬心變悔之何及曹真曰如陛下心疑可效漢祖詐遊雲夢之計陛下出安邑懿必來迎觀其動靜若有

魏主訴情

反情就車前擒之亦必從之遂詔曹眞監國于是帯曹休領羽林軍十萬前至安邑此時司馬懿果然不知欲令天子知其威儀乃進兵甲數萬八來迎接衛士奏報司馬懿引軍抗拒實有反心魏主遣命曹休領兵迎之司馬懿見軍伍下爲伏道而迎曹休出馬言曰仲達受先帝托孤之重何故反乎司馬懿驚問其故曹休歷言備細懿曰此必是諸葛簡諜之計吾當自奏天子俯伏于魏主輦下陳說臣既受先帝托孤安有異心此必是諸葛亮之計臣請引出師先破蜀後伐吳魏主持疑未定華歆奏曰既君疑臣不可付之以兵請削去軍權放回鄉里此漢帝所以報周勃也魏主從其言令曹休代之司馬懿放回鄉里車駕還洛陽細作探知報入西川孔明大喜曰吾久有意伐魏奈有司馬懿總雍涼之兵今已罷之吾無憂矣于是後主大會群臣孔明出班上出師表曰

先帝創業未半而中道崩殂今天下三分益州罷弊此誠危急存亡之秋也然侍衛之臣不懈于內忠志之士忘身于外者蓋追先帝之殊遇欲報之于陛下也誠宜開張聖聽以光先帝遺

恢弘志士之氣不宜妄自菲薄引喻失義以塞忠諫之路也
宮中府中俱為一體陟罰臧否不宜異同若有作奸犯科及為
忠義者宜付有司論其刑賞以昭陛下平明之理不宜偏私使
內外異法也侍中侍郎郭攸之費禕董允等此皆良實志慮忠
純是以先帝簡拔以遺陛下愚以為宮中之事事無大小悉以
咨之然後施行必能裨補闕漏有所廣益將軍向寵性行淑均
曉暢軍事試用于昔日先帝稱之曰能是以衆議舉寵為督愚
以為營中之事悉以咨之必能使行陣和睦優劣得所親賢臣
遠小人此先漢所以興隆也親小人遠賢臣此後漢所以傾頹
也先帝在時每與臣論此事未嘗不歎息痛恨于桓靈也侍中
尚書長史參軍此悉貞良死節之臣願陛下親之信之則漢室
之興可計日而待也臣本布衣躬耕南陽苟全性命于亂世不
求聞達于諸侯先帝不以臣卑鄙猥自枉屈三顧臣于草廬之
中咨臣以當世之事由是感激遂許先帝以驅馳後值傾覆受
任以敗軍之際奉命于危難之間爾來二十有一年矣先帝知

臣謹慎故臨崩寄臣以大事也受命以來夙夜憂慮恐付托不效以傷先帝之明故五月渡瀘深入不毛今南方已定兵甲已足當獎率三軍北定中原庶竭駑鈍攘除奸凶興復漢室還于舊都此臣所以報先帝而忠陛下之職分也至于斟酌損益進盡忠言則攸之禕允之任也伏願陛下託臣以討賊興復之效不效則治臣之罪以告先帝之靈責攸之禕允等之慢以彰其咎陛下亦宜自謀以諮諏善道察納雅言深追先帝遺詔臣不勝受恩感激今當遠離臨表涕泣不知所言

後主覽表而言曰相父征蛮始回今又欲北征恐勞神乎孔明曰臣受先帝寄託夙夜未嘗敢怠自南征回國一載餘矣軍士養銳倉庫積糧不就此時克復中原更待何時太史譙周出曰臣夜觀天象北方旺氣正盛未可圖也丞相深明天文何故強為孔明曰天道變易不常豈可拘執吾駐軍漢中視其動靜行之譙周等諫不從于是丞相留郭攸之費禕董允等為侍中總管宮中之事又留有義陽宜城人向朗之侄向寵總督羽林軍馬又留蔣琬為長

史然蔣爲參軍掌管丞相府事杜瓊爲諫議大夫杜微楊洪爲尚書孟光來敏爲祭酒尹默李譔爲博士郤正費詩爲秘書譙周爲太史內外官僚一百餘員同理國中之事孔明歸廳下商議調軍爲隊伍出師以圖中原

前軍領兵使鎮北將軍領丞相司馬涼州刺史魏延

前軍都督領扶風太守張翼

後軍領兵使安漢將軍領建寧太守李恢（俞元人也孔明受遺詔之時 [illegible]）

（下辨亦管 戍武都陰）牙門將王平

正副將安遠將軍領中太守呂義（字季陽南陽人也）

兼管運糧左將軍領兵使征北將軍陳倉侯馬岱

副將飛虎將軍廖化　副將牙門將軍張嶷

右將軍領兵使奮威將軍博陽亭侯馬忠

中軍行中軍師車騎將軍都鄉侯劉琰

中監軍揚威將軍鄧芝　中參軍安遠將軍馬謖

前將軍都亭侯袁綝　左將軍高陽侯吳懿　右將軍[illegible]

宣猷　前將軍征南將軍劉巴　右將軍安樂侯吳班
史　後軍將軍楊儀　後護軍偏將軍許允　左護軍篤信中郎
將丁咸　右護衛軍偏將軍劉敏　後護軍典軍中郎將官雝
行參軍中郎將胡濟　行參軍中郎將閻宴　武略中郎將杜
祺　綏戎都尉盛勃　從事中郎將樊岐　典軍書記樊建
行儀同司馬董厥　帳前左護衛使龍驤將軍關興　帳前右護
衛使虎翼將軍張苞　平北大都督丞相武鄉侯領益州牧知
內外事卧龍先生諸葛亮
却說孔明分撥已畢又檄李嚴等守川口以拒東吳選定建興五
年春三月丙寅日出師忽一人厲聲曰我雖年邁尚有廉頗馬援之
雄何故不適用耶衆視之乃常山趙子龍也孔明曰吾自平南回
都馬孟起病故吾甚惜之今將軍年已七十但恐有差減却
西蜀之銳氣也子龍曰吾自跟隨先帝至今未嘗畏不思臨陣破敵
大丈夫得死疆場幸也吾乞爲前部先鋒孔明曰老將軍既要爲先
鋒必須得一人同贊軍機方可言未罷帳下鄧芝曰某願與老將

實撥堅破敵孔明大喜即撥精兵五千使鄧芝趙雲同領兵前去是日孔明辭後主出師後主率百官送于北門之外旌旗蔽野劍戟如銀望漢中進發卻說邊庭聽知消息飛報洛陽魏王升殿近臣奏曰邊關飛報諸葛亮率領三十餘萬軍出屯漢中使趙雲鄧芝之爲前部侵犯境界魏王大驚急問誰可爲將以退蜀兵忽一人應聲而出曰臣父死于漢中臣當自引本部猛將破蜀上爲國家出力下得復報父仇臣萬死無恨衆視之乃夏侯淵之子夏侯楙也按楙字子林幼曾過房與夏侯惇爲子後夏侯淵被黃忠斬之曹操故怜以女清河公主招夏侯楙爲駙馬自此朝廷皆重之雖掌軍權性貪懼怯不曾經大陣厮殺時魏王即命夏侯楙爲大都督調關西諸路軍馬前去迎敵司徒王朗奏云夏侯駙馬素不曾習戰今付以大任非宜也更兼諸葛多謀非久熟韜略者不可與敵夏侯楙曰司徒莫非結連諸葛欲造反也吾自幼從父習學六韜三略深知用兵汝何欺我年幼吾若不生擒諸葛誓不回長安于王朗等皆不敢言于是夏侯楙辭帝星夜到長安調遣關西軍馬來敵孔明

趙子龍大破魏兵

孔明領兵

見夏侯楙

建安五年夏四月諸葛亮出祁山相會到沔陽過馬孟起墳孔明親自設祭孔明令其弟馬岱同報知魏主差駙馬夏侯楙為都督盡起大軍拒敵魏延曰夏侯楙乃膏粱子弟怯而無謀可與延精兵五千直出褒中過循秦嶺而東當子午谷而投北不過十日可到長安夏侯楙忽聞延驟至必棄城而走丞相却從斜谷大驅軍馬一舉而可定也孔明曰此非萬全之計決不可用魏延又曰丞相若從大路而去彼與關中之兵于路拒敵何日而得中原也孔明曰吾從隴右平坦大道依法而進無有不勝差人令趙雲進兵却說夏侯楙在長安聚各路諸將時西涼州大將韓德有萬夫不當之勇引西涼兵八萬見夏侯楙楙賞勞了便遣韓德為先鋒使領西涼州太守韓德有四子韓瑛韓瑤韓瓊韓琪皆精通武藝兼西羌戰將皆雄偉之士引本部軍馬離夏侯楙來迎蜀兵至鳳鳴山相遇各自布陣魏陣韓德出馬四子列于兩邊厲聲大罵反國之賊敢侵吾境趙雲縱馬揚鎗大怒而出單搦韓德交鋒長子韓瑛挺鎗與趙雲交戰不三合趙雲刺韓瑛於馬下韓瑤大怒來與趙雲交戰

趙雲陣中

獨戰四將

雲抖擻精神韓琪不能措手韓德愛子被殺驟馬提戟來助韓瑤子龍全然不懼韓瑛見二兄戰趙雲不下也縱馬輪刀三個圍住趙雲雲在中央獨戰三將無移時韓琪中鎗翻身落馬二將慌了子龍倒拖鎗便走韓瑛取箭射之被子龍用鎗撥了連射三箭不中綽戟持刀趕來比及趕到被趙雲一箭射中面門墜馬而死瑤趕來子龍閃過寶刀劈擒韓瑤歸陣韓德見四子皆喪於趙雲之手心膽俱裂急走入陣躲避趙雲匹馬單鎗衝入陣中如入無人之境有詩為証

憶昔當陽趙子龍
年登七十建奇功
獨誅四將來衝陣
尤似當陽救主雄

鄧芝之率蜀兵一掩西京兵大敗韓德險被擒棄馬而逃趙雲收軍回寨鄧芝賀曰將軍壽已七旬陣前獨誅四將世之罕有雲曰丞相以為我年邁不肯用吾吾以此功表之遂差人解韓瑤報捷却說韓德來見夏侯楙哭訴其事楙怒自統大軍來與趙雲對敵子龍引千餘軍就鳳鳴山前擺開當日夏侯楙出陣看了子龍持鎗躍馬出陣搦戰楙欲自戰韓德曰殺吾四子之讐安可不報

圖趙子龍

一騎徑直取子龍子龍挺鎗來迎戰三合刺韓德於馬下便拍馬
挺鎗來捉夏侯懋懋慌閃入陣鄧芝驅兵掩殺魏兵大敗退十餘
里下寨夏侯懋聚衆將議曰我自來聞趙雲之名不曾見面觀今
日之威武方信當陽長坂之事也參軍程武乃程昱之子也進曰愚料趙
雲有勇無謀不日可先伏兩軍于左右都督臨陣先退把趙雲賺
到伏兵之處重重圍之可擒趙雲矣夏侯懋從其言便差神武將
軍董禧征西將軍薛則各引二千軍左右埋伏去訖趙雲引軍而
出芝與子龍曰昨日魏兵大敗今日又來必有詐謀將軍宜防之
子龍曰乳臭小兒吾今日必擒之夏侯懋引諸將擺戰趙雲挺鎗
驟馬而出魏偏將軍潘遂出馬二將交戰二三合遂便走入陣
部將一齊來迎趙雲乘勢追趕鄧芝隨後驅兵掩擊子龍深入重
地鄧芝急收軍時兩脇下伏兵已出左有董禧右有薛則鄧芝兵
少急救不及子龍被魏兵圍在垓心東衝西撞魏兵越厚趙雲手
下止有千百人衝殺到山坡下見夏侯懋坐在山上手持麈尾指
引三軍子龍引軍殺上山來山中木石打將下來不能上蜀兵傷

折數多子龍從辰到酉不能得脫蜀兵折其大半趙雲又且孩心少歇至半夜月明可以殺出魏兵殺到但聽得時趙雲早降矢石如雨子龍上馬迎敵見四面逼近人馬皆不能出趙雲仰天嘆曰吾今死于此地矣忽聽東北角喊聲大振魏兵紛紛亂竄趙雲見一彪軍殺入為首大將素袍銀甲持純鋼鎗乃虎翼將軍張苞也與趙雲相見說丞相特差某引五千精兵接應聽知將軍受困故已殺透重圍正遇魏將薛則攔路已刺殺了趙雲便與張苞殺出又一彪軍從外殺入當先將騎銀鬃馬使大桿刀乃龍驤將軍關興也來見趙雲曰奉丞相命差某將五千精兵接應却才遇魏將董禧被吾梟首在此趙雲曰汝二將軍已建奇功何不遂今日捉住夏侯楙大事便定矣關興張苞聞言便領兵去了趙雲乎是領軍亦行當夜三路軍殺來直奪夏侯楙性命如何

孔明智取三郡

魏軍被三路軍來殺得尸橫遍野血流成河夏侯楙年紀幼小不曾歷事見軍大亂引了帳下驍將數百人望南安郡而走

攻打南安

走各自逃生關興張苞聽知夏侯楙往南安連夜追[illegible]
閉上城門關興張苞把城圍住趙雲與鄧芝亦引軍到圍[illegible]
攻打不下忽報諸葛丞相留後軍于沔陽左軍屯陽平城右軍[illegible]
石馬城自領前軍來到鄧芝趙雲關興張苞皆來見孔明說攻打
不下孔明曰容吾自觀乃乘小車遶圍看了一遭到寨中升帳而
坐孔明曰此城濠峻不易攻也吾正事不在此城鄧芝曰夏侯楙
乃魏之駙馬若擒此人勝斬百將今圍在此豈可棄之而去孔明
曰吾自有計乃問此處連接何郡近侍曰西連天水北接安定孔
明問三郡太守何人近侍曰天水太守馬遵安定太守崔諒南安
太守楊陵孔明乃喚魏延領計又喚關興張苞依計而去又喚二
心腹人行計孔明却在南安城下堆積乾柴只做燒城之故城上
皆笑安定太守崔諒聽知蜀軍圍南安十分慌忙點起軍馬守住
城池忽報正南大路一騎馬飛風而來口稱有機密事崔諒喚入
城中其人曰我是夏侯都督心腹將裴緒今奉都督將令特來求
救于天水安定二郡即目南安甚是危急指望二郡來救並不見

到羌我殺出重圍特來告急可星夜把些軍馬爲外應都督若見你兩枝軍馬到便出接應也崔諒又問都督有文書否姜維取出與交看了換馬便出城望天水而去崔諒與府官商議衆官曰若不去救必送了夏侯駙馬性命也皆是我兩郡之罪只得發兵救之崔諒盡點本部軍馬望南安大路而來離南安尚有五十餘里前面關興截住去路後面張苞殺來安定諸軍四下亂竄崔諒引手下數百人從小路死戰得脫奔歸安定到壕邊喚門城頭上亂箭射來崔諒大驚魏延在城上喚曰我已入取城了也（孔明來部被魏延魚夜扮崇安定軍回應開城門已得了安定）崔諒慌投了天水來行不到一程前面孔明後面關興張苞崔諒不得已下馬投降孔明待以上賓之禮問曰南安楊太守與足下厚否諒曰楊陵與諒隣郡交契甚厚孔明曰今欲煩足下入城說楊陵同擒夏侯楙可乎諒曰丞相若令某說楊陵今可把軍馬暫退某當入城說之孔明即時令四面軍各退二十里崔諒匹馬到城下喚開門入到府中見楊陵把上項事情

諒見夏侯楙備言此事夏侯楙曰當用何計楊陵曰只推[illegible]
就應諸葛蜀將入城殺之崔諒依計而行出城到孔明寨[illegible]
陵獻門放大軍自入擒夏侯楙楊陵城中兵少不敢動手孔明曰
此事至易足下原降步卒數百人可只做安定軍馬帶入城中于
內暗藏蜀將同入城中先伏于都督府前然後到半夜郤交獻門
裏應外合如何崔諒暗思若不帶蜀將入去孔明必疑且帶入城
就先斬了郤舉火獻門孔明必先入也因此應允孔明囑曰汝引
軍到城下只推做救軍自外殺入以安夏侯楙吾令親信將關興
張苞先跟汝去到黃昏看火起吾親自入城也此時關興張苞扮
掛了引十數人雜在諒軍中來到城邊城上楊陵開道來的是何
人軍馬崔諒曰安定救軍到諒先射一隻號箭上城去箭上帶着
密書道今諸葛先遣一將伏于都督府下要裏應外合且不可驚
動恐防泄漏壞了計策可于府下圖之楊陵交且少待容稟都督
乃將書見夏侯楙說知此事楙曰既然諸葛中計可伏兵于城內
斬之今先賺二將入城亦除兩害交于府下先伏刀斧手數百如

王平出陣

擒夏侯楙

二人隨崔諒至府待下了馬便斬之部舉火應諸葛入城安排下了楊陵曰既是安定軍馬可放入城樓與當先張苞在後兩個見聽城開一鎗刺崔諒于馬下關興去城上放起號火四面大軍一齊都到夏侯楙開南門殺開條路大將王平把夏侯楙生擒過馬孔明入南安衆將各各獻功把夏侯楙囚下鄧芝問曰丞相何故知崔諒詐也孔明曰此人本無降心吾見其事情可知吾使二將此人欣然與之同去者恐吾疑也他意賺到城内殺之吾暗囑二將便在城門邊下手吾軍隨後便到此出其不意也衆將拜伏孔明曰吾已使人詐作裴緒去賺天水郡至今未至若得天水聲勢大振矣孔明令吴懿守南安劉琰守安定替出魏延去取天水郡却說天水郡太守馬遵聽知夏侯楙被圍乃聚衆商議功曹梁緒主簿尹賞主記梁虔等曰夏侯駙馬乃是金枝玉葉倘有疏虞則當不救之罪何不盡起天水兵馬救之馬遵以兵少未敢造次忽報魏將裴緒特到接入公廨裴緒將出公文言都督受圍交兩郡星夜救兵救之與安定所言同馬遵至次日又有告報者

安下一向發行文書于各縣起兵忽一人自外而來大笑曰太守中諸葛之計也眾視之乃姜維也按姜維字伯約其父姜冏昔為天水郡功曹因羌人亂沒于王事維幼喪父與母居朝廷以冏死王事賜維官為中郎將就參本郡軍事維博覽群書受習孫吳兵法長好武藝無所不通曰維料馬遵曰近聞諸葛亮殺敗夏侯駙馬於南安水泄不通安定有人發關文中稱出無名下將眾所不知況安定來之人又無公文以此論之此人乃是蜀使詐稱魏將誑賺太守出城城必然暗埋伏一軍于左右近處乘取天水也馬遵悟曰非伯約則誤中計矣似此奈何欲斬其人又恐是真誤了大事姜維曰太守放心維有一計可以捉諸葛亮解南安之圍馬遵即時問計其計如何

孔明智伏姜維

姜維曰那後必有埋伏維請五千人伏于要路太守先差人回報隨後發兵一齊離了天水郡只三十里便回看火起為號太守使來夾攻伏兵可擒矣如諸葛亮自在此處亦被吾擒矣馬遵用其謀先遣來人報安定說吾今晚離行只留梁緒尹賞守城那人

姜維[illegible]趙雲

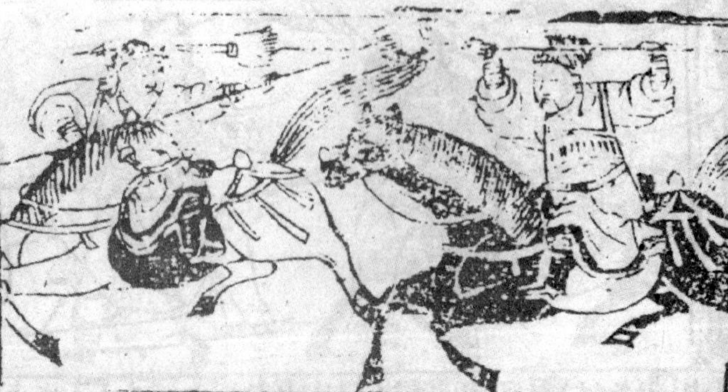

一人大戰

報趙雲說城中無軍只是些[illegible]守把要道今晚動兵趙雲卻要

那人去報張翼高翔于[illegible]只[illegible]原來孔明先令趙雲[illegible]只將兵伏在天水郡後[illegible]

竊兩處人只等馬遵動兵便要交管天水[illegible]先說趙雲五千軍遶

到天水城邊高叫曰吾乃常山趙子龍也知軍馬盡出巴中計了

獻城池免遭誅戮城上大笑曰你中吾姜伯約之計尚然不

知趙雲卻待攻城忽然四邊喊起火光沖天當先一將持鎗勒馬

而叫曰你認得天水姜維否趙雲挺鎗直取姜維交鋒數十合

龍精神倍長子龍戰鬬之間忽遇梁虔分兩路殺到趙雲大敗尋

開路而走姜維趕去卻得張翼軍出救了趙雲趙雲回見孔明說

中姜維之計孔明驚曰姜維是何等人知我玄機趙雲曰姜維

好鎗法與他人不同孔明曰吾正欲取天水甚輕易之不想有此

人乃起大隊軍來卻說姜維回見馬遵曰事定之後當以重[illegible]

維曰趙雲敗去孔明必自來攻彼必料我軍皆在城中可將軍馬

分為四隊維當在城東如軍到則截了太守可與梁緒尹賞各引

一枝軍于城外埋伏[illegible]

[illegible]出戰

孔明嘆伏

自引鐵騎天水郡諸將次到城孔明下令曰凡攻城以初到日鼓噪三軍鼓譟而上若候日久急難攻矣于是三軍聚於城下營進兵城上旗旛不整未敢便打候至夜半忽蜀軍背後四面火起喊殺震天地城上亦鼓譟吶喊應之孔明慌上馬關興張苞二將守護殺出重圍見正東上軍馬一帶排開一似長蛇陣孔明曰兵不在多觀此調遣真良將也遂使關興援之報曰乃姜維也孔明嗟嘆不已折了一陣孔明思曰量一姜維不能勝安能破天水問衆將曰姜維之母見住何處安定降者曰姜維見居冀縣孔明喚魏延分付汝可虛張聲勢去取冀縣姜維軍到可放入城去又問降者曰此間有甚處緊要答曰天水錢粮皆在上都若打破上都則糧道自絕矣孔明又遣趙雲引一千軍去攻打上都孔明三十里下寨有人報入天水城中說蜀兵分爲三路一困此郡一困冀城一取上都維聞之大驚謂馬遵曰維母在冀城今蜀兵圍城若有失非孝道也維乞一軍就守冀城以保老母馬遵從之點三千軍與姜維去了又守冀城又點三千軍與梁虔去保上都且說

孔明計放

夏侯楙回

姜維引兵往冀城來逢蜀將魏延與姜維交鋒戰不數合延詐敗
而走維乃到冀城看視老母詐兵守護那一路趙雲亦放梁虔走
都去了孔明令取夏侯楙至寨前謂之曰見今冀城姜維使人來
云但見夏侯楙在我便歸降吾今饒你性命你肯去招安姜維否
楙曰某情愿去孔明與了衣服鞍馬不令人跟獨自放夏侯楙去
夏侯楙得放路見土民奔走楙問之土民曰我等是冀城百姓
今被姜維献城降蜀蜀將魏延縱人擄掠因此我等棄家奔[illegible]
投上邽去也楙問了又行又見百姓抱男挈女遠來所說皆同
到天水城下叫門城上認得是夏侯楙慌忙開門接入馬遵[illegible]
問曰何以得回楙把招安姜維事說了又將百姓之言細說[illegible]
曰不想姜維反投了蜀梁緒曰彼意欲救都督故以此言虛降[illegible]
曰今維已降何得為虛是夜蜀兵攻城火光中見姜維橫鎗[illegible]
大叫曰我今為都督而降都督何別前言乎楙曰汝受魏恩[illegible]
故降蜀維曰汝寫書教我降却陷我于蜀蜀加我[illegible]
于是驅兵打城至曉[illegible]

拔城

箭射而走

晝夜姜維援（元來夜間火鼓叢中與城者乃是假扮的真亦分曉天明蜀兵退了）要維孔明拔寨

打冀城城中糧少軍食不敷姜維親見大車小車搬載糧草入寨

延寨中去維點起本部兵出劫寨搶糧蜀兵盡棄糧而走姜維奪

了糧車回城忽被蜀將張翼截住歸路姜維與張翼交戰數合

王平軍又到姜維不能當抵奪路歸城城上皆是蜀兵旗號已被

魏延襲了冀城姜維殺條路投天水郡來路上又逢張苞又殺一

陣只剩得一人一馬來到天水郡城下叫開門城上看得認是姜

維來報馬遵遵曰此是姜維故來賺城池喝令軍士亂箭射下姜

維大驚回頭見蜀兵至近遂奔上邽城上梁虔見姜維到大罵曰

反國之賊敢來賺我城池吾已知你降了蜀也城上亂箭射下姜

維分說不得回馬待取路去長安而走行不到一舍之地樹

林中閃出關興攔住去路姜維人困馬乏不能抵當回馬便走忽

然一輛車從山坡下推出中間端坐孔明曰伯約到此何為不降

姜維尋思後有關興前有孔明別無去路只得下馬請降孔明下

車迎之詐說相愛之意維不勝感激孔明曰吾自出茅廬以來遍

不賢者願盡傳平生所學今遇伯約已得其人矣當盡授之維拜謝孔明遂與同歸寨中商議取天水上邽之計維曰城中尹賞梁緒與維至厚某當寫二書射入城中的然歸順于是姜維當下寫書拴在箭上射入城中小校得書遞與馬遵遵疑梁緒尹賞與姜維欲內應外合欲殺梁尹漏了消息二人尋思不如歸順大蜀以爲進用是夜馬遵使數人召梁尹說話二人料事已急披掛上馬來殺夏侯楙馬遵夏侯楙馬遵引數百人開西門直奔羌胡地面梁尹二人迎接孔明姜維入城安民了當孔明問上邽何以取之梁緒曰守城梁虔是某親弟當招來降孔明大喜便遣緒行當日梁緒往上邽城喚出兄弟梁虔同來投拜孔明重賞了就交梁緒爲天水太守尹賞爲冀城令梁虔爲上邽太守設宴犒勞諸將孔明曰吾放夏侯楙猶放一鴨今得姜維乃得一鳳矣古云千兵易得一將難求正此謂也

孔明初出山概實眞

[illegible]建興五年冬十月[illegible]漢中[illegible]祁山[illegible]

報洛陽魏王叡升殿近臣奏曰夏侯駙馬已失三郡逃入羌[illegible]蜀兵已到祁山早乞發兵破敵魏王問群臣誰可為部督以退[illegible]兵司徒王朗奏曰陛下何不拜曹真為都督以退蜀兵魏主即宣大將軍曹真（真字子丹）至殿下魏主曰先帝以朕託孤于將軍今諸葛亮領兵入境鄉安忍坐視不救真曰臣才疏智淺不稱其職王朗曰大將軍乃社稷之臣不可固辭老臣雖駑鈍亦隨將軍上邊真曰臣受國恩安敢以辭願乞一人為副魏主令真自舉真曰臣舉雍州刺史郭淮為副（按淮字伯濟官授陽曲亭侯太原陽曲人）魏主准奏拜真為大都督賜節鉞命郭淮為副都督王朗為軍師（按朗字景興東海郯人[illegible]）魏主令曹真自行選調軍馬真舉宗弟宣武將軍曹遵為先[illegible]鋒[illegible]人盪寇將軍朱讚為副先鋒選兩京軍馬二十餘萬當四年十一月出師魏主叡親送于西門之外曹真等大軍到長安出屯渭水之西真與王朗郭淮共議退敵之策王朗曰來日可嚴整隊伍大展旌旗老夫自出用一席話可交諸葛拱手而伏蜀兵不戰自[illegible]走曹真大喜當晚傳令來日進兵次早兩軍列成陣勢于岐山之

孔明王朗

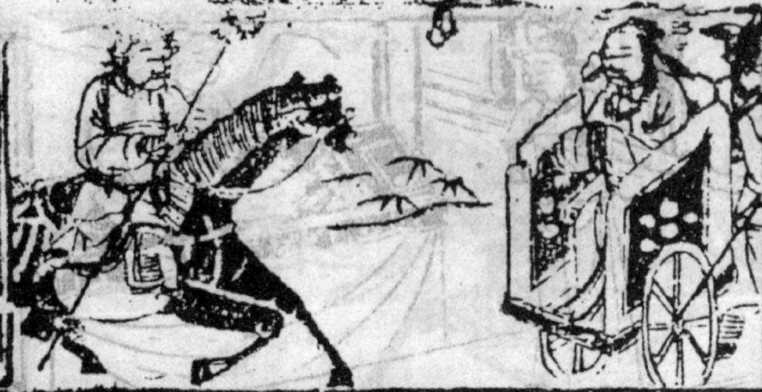

二人叙話

前蜀兵遠見對陣魏兵甚是雄壯非夏侯楙軍大不相同三
鼓角已罷司徒王朗乘馬而出上首曹真下首郭淮兩個先鋒壓
住陣脚傳言請蜀主將叙話蜀兵陣中門旗開處關興張苞分左
右而出各持兵器立于兩傍中央擁出一輛四門車孔明綸巾羽
扇素袍皂縧而出望見對陣三個麾蓋問護衛曰此何人也左右
中央白髯老者乃是司徒王朗上首是大將軍曹真下首是郭淮
都督郭淮孔明曰司徒自來必有說詞使近車者通傳旨休放冷
箭亦相諸葛亮與司徒施禮王朗亦縱馬出曰某有一言汝等靜
聽朗曰公既知天命識時務何故興此無名之兵孔明曰吾今奉
詔討賊何為無名朗曰天數有變神器更易而天命歸有德之人
此必然之理也曩自桓靈以來天下爭衡人人稱霸黃巾之亂天下
蛇龍張邈問罪于陳曹袁術建號于壽春袁紹稱王于鄴都劉表
占據于荊襄呂布虎吞于夫天下盜賊蜂起奸雄鷹揚宗社有累卵
之危生靈有倒懸之急我太祖皇帝掃清六合席捲八方萬民傾
心四方仰德非以權勢取之實乃天命所歸也世祖文帝神文聖武

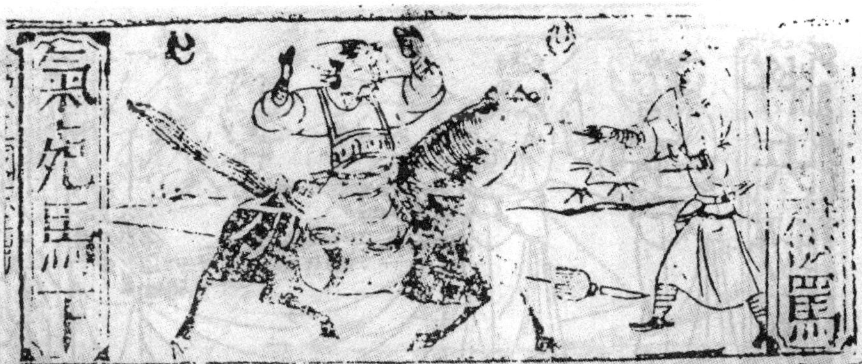

以膺大統應天順人法堯禪舜處中華以臨萬邦豈非天心人[illegible]
乎今公蘊大才抱大器自欲比于管樂何不倣效伊周強欲逆天
理背人情而行事乎豈不聞順天者存逆天者亡今我大魏帶甲
數百萬良將三千員量腐草之螢光怎及天心之皓月公可倒
戈卸甲以禮來歸不失封侯之位令汝國安民樂豈不美乎蜀兵
聞言嗟呼不已皆以為孔明被王朗問倒無言可對蜀陣上參軍
暗思昔季布罵漢高祖被漢軍今王朗用此計也只是孔明在
車上大笑曰吾以汝為漢朝大老元臣必有高論豈期出此言
吾有一言諸軍靜聽昔者桓靈纖弱漢道陵遲郡國猖狂群兇
亂段北紛斬于平津董卓又生于朝野八方動戮四寇仍興逆[illegible]
漢帝于闈闈之間殘暴生民于溝壑之內皆是朝堂之上朽木為
官殿陛之間禽獸食祿狼心狗幸之輩袞袞當途奴顏婢膝之徒
紛紛秉政以致社稷丘墟生靈塗炭吾其知汝空居東海之濱[illegible]
舉孝廉之仕理合匡君輔國安漢興劉何期反助逆賊同謀篡位
罪惡深重天地不容傾國之人思食其肉今諸葛亮尚在乃天之

孔明分撥

將兵劫寨

有意不絕于炎漢也吾今奉詔討賊仗義興師汝既爲諂諛之臣只可潛身縮首茍圖衣食安敢于軍伍之前妄稱天數耶皓首匹夫蒼髯逆賊汝尺歸于九泉之下何面目見二十四帝乎老賊速退可交大臣與吾共決勝負王朗聽罷大叫一聲氣死于馬下後人有詩爲証

兵馬出西秦　雄才敵萬人
輕摇三寸舌　罵死老元臣

孔明以扇指之曰吾不逼汝可整頓軍來日共決勝負于是兩軍皆退曹真交用棺木盛貯朗尸送回長安郭淮曰諸葛料吾軍值喪必然今夜來劫寨吾可從小路經去乘虛劫蜀寨另教馬軍于寨外左右而擊之曹真遂傳令喚曹遵朱讃聽計真曰你二人各領軍一萬抄去祁山之後但見蜀兵來汝二人便進兵去劫蜀寨如蜀兵不來便徹兵回曹遵朱讃選軍行計真與淮曰吾與汝各領軍伏于寨外寨中虛堆柴草如蜀兵到放火爲號衆將各自準備去了却說孔明喚魏延趙雲二人曰你二人各領本部軍馬去劫魏寨魏延曰曹真深明兵法料吾乘喪必來劫寨如何

劫寨

大敗而回

寨所備孔明笑曰吾正欲曹真劫吾寨也彼必有兵伏于祁山之左右吾兵去彼必來劫吾寨吾欲令汝二人領兵過祁山札住守魏兵寨後看火起劫入魏寨延定在山口子龍領兵殺回必遇魏兵也魏兵敗回乘勢攻之可得全勝與趙雲魏延領計去了孔明又喚關興張苞各領一軍伏于祁山要道放過魏兵卻從魏兵來路殺奔魏寨而去二人領計去了卻喚馬岱張翼王平張嶷四人分布四寨以禦魏兵孔明乃虛立寨柵寨中堆柴草以備放火孔明領諸將退于後寨以觀動靜卻說魏先鋒曹遵朱讚黃昏離寨前去二更左側遙望山前隱隱有軍馬行動曹遵遂催兵進到蜀寨先入寨中但見並無一人料道中計便撤軍退寨中火起朱讚兵到自相掩殺寨外馬岱王平張翼張嶷四路殺來曹遵朱讚部合兵從大路而走當先大將趙子龍殺來曹遵等奪路而走前面魏延又攔住殺一陣魏兵折其大半喊聲動地殺到魏寨看時魏寨中只見關興張苞兵來放起火號曹真郭淮自相掩殺卻不知背後中央魏延左邊關興右邊張苞三路殺到魏兵大敗退走數十里孔明方

曹真遣使

西羌國王

始收兵殺死魏將極多郭淮說曹真曹真與郭淮共議曰今蜀兵勢大將何策禦之郭淮曰勝負乃兵家之常某有一計使蜀兵首尾不能相顧自然走矣曹真問計如何

孔明大破鐵車兵

郭淮曰西羌遠夷自武祖時連入貢文帝朝甚以恩惠及之吾等且宜堅守不出遣人從小路直入羌胡求救許以和親羌胡必起兵以襲其後却以正兵擊之無有不克曹真從其計即時遣使入羌胡按西羌國王號曰徹里吉自曹操手內常遣人入貢手下有一文一武文乃雅丹丞相足智多謀武有越吉元帥青眼黃鬚身長一丈使一長柄鐵錘重一百斤有萬夫不當之勇是年曹真遣使將書賫金珠到國先見雅丹丞相送了禮物隨即引使見國王說中原魏國差人許以和親以退賊寇理合依從國王交與越吉元帥商量起軍馬去救中原雅丹丞相議越吉元帥說此事越差羌胡兵士五萬人按羌胡素昔是鐵車車用鐵葉釘上裝載糧食軍器什物或用駱駝駕車或用騾馬乘車驚走數千里不乏因此號為鐵車兵二將多是弓箭短鎗蒺藜飛鎚星鐵等項當時雅丹越吉辭國王領兵前來救魏蜀守西平關將韓禎報入川參孔明知西羌胡動兵問[illegible]

孔明救關興

也二人領往孔明曰你二人要去路逕不熟孔[illegible]作曰洛素居此地可作鄉導引路撥五萬兵與二人同行先[illegible]興引兵前去行了數日早與羌兵相遇關興引了百餘騎上山坡看時見番人把旗仗首尾相啣啣處結寨車上排着弓箭[illegible]如城池一般關興心中無破敵之策回寨與馬岱張苞商議苞曰未知番兵虛實來日見陣便可知也次早把軍分作三路關興在中馬岱在左張苞在右三路兵旅齊進但見皂鵰旗漫山塞野而來當先越吉元帥手執鐵鎚腰[illegible]刀騎烏龍馬關興招三路軍兵競進忽番軍中間放出鐵車如潮而進蜀兵大敗馬岱張苞兩軍先退關興在中被番兵一累直圍入西北角上去了關興左衝右突不能得出鐵車如城移山倒瀉併而來關興望山谷內尋路而走看看天晚但見一員番將手拿鐵鎚大叫小將休走吾乃越吉元帥也關興絕隔不住縱馬望澗中而逃走到前面正值斷河只得勒回馬却被越吉趕到一鎚打中關興坐馬那馬望澗中便倒關興落水掙起看時只見岸上一員大將殺退番兵關興提刀只

諸葛亮定

計破羌胡

見水中馬跼躍而來關興得了馬整頓鞍轡復番身上馬綽刀看時那員大將尚在前面趕殺番軍關興自思救我性命者不知何人必須見之拍馬看看趕上雲霧中見一大將手持青龍刀騎赤兎馬關興分明認得是父親關公却欲問之只見關公以手望東南一指道吾兒可從此去吾當護汝歸寨言訖回風不見關興忽南急走至半夜忽見張苞苞問關興曰汝曾見你父親否興曰汝何知之苞曰我被鉄車軍追急忽見汝父自空而下指曰汝從這條路去救吾兒因此引軍逕來尋你關興亦說前事二人同歸寨內馬岱曰此軍無計可退我守住寨柵你二人去請丞相來破之興苞星夜來見孔明備說此事孔明帶了姜維張翼進兵次日上高阜處視之見鉄車連路不絕人馬縱横往來馳驟孔明喚馬岱張翼如此如此二人去了又喚姜維曰汝知破陣之法否維曰羌胡人惟務使一勇之力豈知子牙之法孔明笑曰汝深知吾心也吾今關興張苞作伏兵況今彤雲密布朔風緊急吾計可施汝看紅旗為號可以進之于是姜維連日出戰鉄車兵來退後便走道

吉于馬下

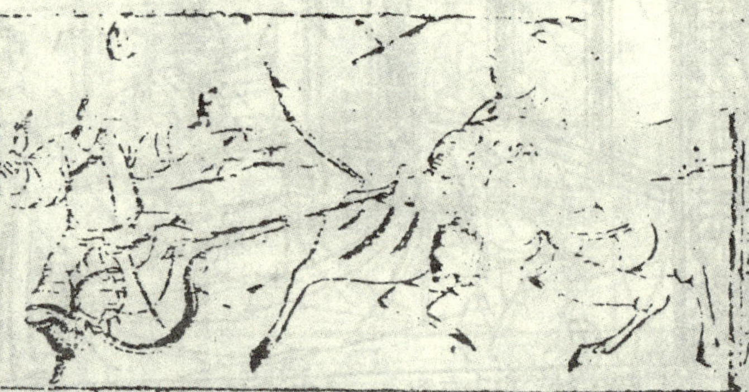

趕到寨前寨口虛立旌旗番軍疑而不進是時十二月果然天[illegible]
大雪姜維又引軍出越吉引鉄車兵來姜維退走趕到寨前姜維
從寨後而去番兵數千騎直到寨外觀看聽得寨內鼓琴之聲四
壁皆空堅旌旗番軍回報越吉雅丹曰此諸葛亮詭計虛設疑兵可
以攻之越吉兵湧至但見孔明携琴上車引數騎望後而走番兵
直趕過山口但見小車隱隱轉林而去雅丹率大軍前進又見姜
維一軍在雪地之中越吉大怒驅兵飛奔前來正趕之間只聽前
面鼓聲大振只見山崩地陷番兵并車都跌入坑内後軍急回兩
下關興張苞弓弩交射背後馬岱張翼姜維三路殺至番兵大亂
越吉正遇關興交馬一合砍于馬下馬岱捉住雅丹餘軍各自逃
散孔明將雅丹放免供待酒食用好言撫慰曰我等奉大漢皇帝
詔討賊與汝國為隣永結盟好休聽魏人之言壞了舊好將被擄
軍兵交隨雅丹歸國衆皆拜謝而去孔明回祁山傳令盡捲旗鉞
申拔寨起營却說曹真在寨中專聽羌兵消息伏軍來報蜀軍各
寨收拾起程郭淮曰此是羌兵攻得緊急蜀兵退也便點軍馬[illegible]

鍾繇保舉

用司馬懿

起曹眞郭淮兩路去趕曹遵正行之間忽被魏延攔住去路大叫反賊休走戰不數合魏延把曹遵斬於馬下朱讚正走趙子龍截住交馬一合刺朱讚於馬下背後關興張苞殺到圍住曹眞郭淮捹命殺出蜀兵大勝直趕到渭濱奪了魏寨曹眞見殺了兩個先鋒哀痛不已只得寫表申奏取救兵近臣奏知魏主說羌胡兵大敗曹都督連輸數陣折了兩個先鋒魏主大驚問群臣求退兵之策華歆奏曰須御駕親征可以退敵太傅鍾繇奏曰遍觀衆將非諸葛對手臣舉一人可退諸葛未知聖意若何魏主曰所舉何人

司馬懿智擒孟達

鍾繇奏曰昔日諸葛但怯驃騎將軍司馬懿今在宛城閑住若復用之諸葛自然退矣魏主差人加懿爲平西都督領諸路兵赴長安朕亦御駕親征卻說孔明連勝只全勝料長安指日可得忽報李嚴來寨報喜孔明請入問之嚴曰昔日孟達降魏曹丕甚愛之每將自用鞍馬玩好之物賜之封爲散騎令鎭守上庸自曹丕死後曹叡甚不相待孟達情願歸蜀又不敢擅便特差人說欲起新城之

孔明修書

孟達防懿

兵助永安拒路長逕來孔明大[illegible]而思忽然飛報魏主曹睿[illegible]親征暨司馬懿爲平西都督孔明頓足不止馬謖曰量曹叡就而擒之何必驚疑孔明曰吾豈懼曹叡獨司馬懿一人而已今孟達欲舉大事若用司馬懿必敗孟達若敗中原豈能得也馬謖曰何不修書令孟達準備孔明即修書星夜差人見孟達已觀書曰吾知汝忠義之心不忘故舊甚爲喜慰若大事得成乃漢朝中興之第一功也今知司馬懿領兵事宜慎密不可以托他人雖兄弟妻子亦難保之戒之戒之切宜提備公請詳察

孟達觀書覽曰人言孔明心多觀此則可見孟達即回書曰近承鈞教安敢怠忽以司馬之才達不懼矣宛城離洛一千二百里吾聞往深險司馬使來吾何懼哉丞相寬懷以待報捷

孔明看了頓足曰孟達必死于司馬之手馬謖曰何謂也孔明曰兵書云攻其無備出其不意魏主若聞孟達反不須十日兵到也汝何能措手不

却說司馬懿在宛城閑鄉魏兵累敗于蜀仰天長歎其長子司馬師字子元次子司馬昭字子上見父長歎問曰何也父曰

孟達發箭

徐晃見

終吾豈知之言未絕忽見一人來奉詔曰今有新城孟達太守言[illegible]
吾是大蜀人今仍反背歸蜀與諸葛相通謀反取長安今奉詔至
早來隨駕親征司馬懿即起軍而行到于山坡下忽逢徐晃軍
司馬懿後軍二子行了三日哨馬拿住孟達心腹人搜出孔明回
書來見司馬懿懿曰吾不殺汝備細説我實說心腹人只得一一
告禀懿嘆曰吾機先被孔明識之若天子無禍孟達之事成矣星
夜前進卻說孟達在新城約會申躭一同起兵忽報參軍梁機來
到孟達接入城中梁機曰魏王令司馬都督奉詔討太守孟達曰
司馬用機將[illegible]機曰某來時離宛城投長安去了孟達暗喜曰
大事成矣設宴待梁機送出城外暴事一夜換上大蜀旗號
忽報城外塵頭起不知何處軍馬孟達上城視之見一簇馬軍徐
晃領兵飛奔城下孟達大驚扯起吊橋徐晃馬收不住直到壕邊
叫賊臣早降孟達扯滿箭射之正中其額城上亂箭射下魏兵急退
孟達卻待要趕見後面司馬懿四面兵到孟達驚曰不出孔明所
料[illegible]徐晃[illegible]寨中[illegible]至晚而亡年

孔十九歲司馬懿△入舉抵還洛陽孟達見四面圍似鐵桶般
兩路軍馬殺入大寨申耽申義名字孟達見救兵到開門殺出申
耽見孟達大叫反賊休走達見事變慌入城來城上李輔鄧賢亂
箭射下達急殺出被申義一鎗刺于馬下梟其首級開門出降入
城安民便具表奏與魏主大喜加陞申耽申義官職李輔鄧賢守
新城司馬懿至長安入朝見帝魏主曰朕一時不明悞中諸葛之
計司馬懿曰臣欲先朝陛下恐往還遲滯故星夜而去孟達措手
不及被臣斬之魏主曰卿之謀才過于孫吳後為之事不必奏也
懿出班奏曰臣舉一先鋒破蜀必矣魏主曰卿舉何人懿曰臣舉
河間鄚州人姓張名郃字儁乂見為右將軍魏主准奏未知勝負

司馬懿定計取街亭

魏主令辛毗為軍師孫禮為護軍共領軍二十萬出關司馬懿請
先鋒張郃至帳下曰諸葛亮用兵如神其勢甚大吾算地理有數
處險路諸葛平生謹慎必然不行必然分一軍出斜谷來取郿城
一軍出箕谷吾已發曹子丹守郿城着孫禮辛毗截住箕谷蜀兵來

則出奇兵以勝此爲全之計也吾素知秦嶺西有一條路地名街亭傍有一城名列柳城乃蜀咽喉之路諸葛必然欺負曹直從此處無備吾取了街亭則陽平關不遠矣孔明若知吾截斷街亭要路絕其粮道一月無粮蜀兵盡皆餓死吾擒諸葛必矣張郃拜曰此神算也懿曰雖然如此諸葛不比孟達汝可分付諸將哨無伏兵可進不可輕進中諸葛之計張郃受計而行司馬懿移檄曹真依計行之却說孔明在祁山打聽人回報孔明曰司馬懿自宛城來孟達措手不及又被申義內變亂軍中身死司馬懿徹兵回長安郎自出關來也孔明大驚曰孟達作事不密死了今司馬出關必然來取街亭斷吾咽喉之路誰可去守參軍馬謖曰某願往孔明曰街亭雖小干係甚重倘街亭有失吾軍休矣此地又無城郭又無險要所守極難謖曰吾自幼歷學兵法量一街亭不能守耶作何用孔明曰司馬懿非等閑人況有張郃爲先鋒智勇足備恐汝不能敵也謖曰吾若有差失斬首無怨孔明曰軍中無戲言謖曰願立軍令狀孔明令立了文書撥與汝二萬五千軍撥王平與汝

相助汝等到彼安營可畫地理圖本來二人拜辭領兵而去孔
明尋思只恐二人有失又喚高翔曰街亭東北有一列柳城乃可
屯軍汝可將一萬軍去列柳城屯住過急引兵救之孔明又思高
翔非張郃對手又喚魏延曰你將本部軍馬去街亭背後屯住倘
魏兵來汝可迎之接應街亭當中要路總守漢中此大都督之任
也汝宜小心以代吾職魏延拜辭而去又喚鄧芝趙雲曰今司馬
用兵比舊日不同汝二人引一軍出箕谷以爲疑兵吾自統大軍
出斜谷逕取郿城長安破矣二人受命而去孔明令姜維爲先鋒
領兵出斜谷卻說馬謖王平到街亭看了地面笑曰丞相多心過
此山僻之處魏兵如何敢來就于五路總口下寨軍士伐木爲柵
以爲久計馬謖又看街亭側邊一山四面皆不相連更且樹木茂
盛就此處屯軍王平曰參軍差矣若屯軍于當道築起墻垣雖有
數萬之兵不能過也今若棄其要道立營山上魏兵四面圍定將
何以保謖大笑曰子兵法云憑高視下勢如破竹若魏兵來吾令片
甲不回平曰吾累隨丞相出征但到處丞相必指教之今觀此乃絕

地倘魏兵絕其汲水之路我軍不戰自亂也謖曰孫子云置之死地而後生丞相有事尚且請問于我汝奈何入敢阻吾意平曰若參軍必欲于山上下寨請分五千人於寨自于山西下一小寨為犄角之勢倘魏兵至可以救應謖曰汝既不聽吾令與汝五千兵自吾破了魏兵到丞相處分不得我的功平手領軍離山十五里下寨又聞高翔屯列柳城魏延屯中路馬謖無權怯却說張郃與知街亭有兵守禦郃按兵來見司馬懿二嘆曰諸葛亮真神人吾不如也昭曰父親何故自墮其志郃算街亭可取懿怒曰汝何敢出此言昭曰吾非往探過道無寨柵寧又屯于山上故知可破司馬懿自引十數騎來看一遭而回又使人打聽是誰人把兵守街亭人報曰馬良之弟馬謖也懿曰庸才耳諸葛雖有大謀却不識人此等為將可不誤事喚張郃曰街亭左右別有軍否郃曰離三十里有王平安營懿曰汝引一軍當住王平來路吾差申儀申耽率諸將四面圍山斷其汲道彼軍自亂乘亂敗之可得街亭吾當晚調遣以定天明張郃領一軍先往背後司馬懿大驅軍馬一擁

而進喊聲起處四面圍住山上蜀兵看時魏兵隊伍整齊盡皆你我相推不敢下山馬謖大怒手殺二將諸軍皆懼只得努力下山魏兵大叫有投降者重賞蜀兵多有棄戈投魏者謖再退上山交軍守寨門只待外應王平引軍來衝又被張郃殺退從早至暮山上無水軍不得食寨中大亂馬謖止不住半夜時蜀兵大開寨門下山投降馬謖料守不住殺下山西背後張郃趕上三十餘里前面魏延驟馬橫刀來戰張郃交馬不數合張郃勒馬回走魏延交馬謖退自引軍趕來欲復奪街亭趕到十五里忽兩彪軍出上首司馬師下首司馬昭却抄在魏延背後把延圍在垓心

孔明智退司馬懿

魏延死戰不得脫正危急間王平軍到魏延夾攻魏兵因此得脫二將慌奔列柳城來投高翔翔亦知街亭有失盡起列柳城之兵接應正遇王平魏延三人商議曰不如去劫魏寨再復街亭自說魏延來到街亭不見魏兵疑惑不敢輕動只見高翔兵到共言魏兵却在何處王平又不見來只聽得一聲砲響四下火鼓齊發

郭淮入城

見司馬懿

把二人圍住不能出得王平一軍殺到救出二將逕奔列柳城下城邊一彪軍殺到旗號上寫魏都督郭淮（淮因與曹真商議恐怕司馬懿得了全功此分郭淮追趕蜀兵來取街亭聽知司馬張郃二人成其大功遂引軍來攻列柳城正與三將相遇）蜀兵皆多羔着傷如何能戰又被郭淮大殺一陣延恐失了陽平關慌與王平高翔星夜望陽平關去淮大喜曰雖不得街亭却得了列柳城亦是大功逕奔入城來豈知司馬懿先已襲了淮大驚曰吾由不得此人之手也遂入城相見懿曰今既得街亭諸葛亮必走公與子丹星夜遠追來可擒孔明料魏延等必去拒陽平關吾若去取陽平關諸葛亮必從後掩殺吾兵在其中也兵法云歸師莫掩窮寇莫追若追之必死敵也今從小路而出奪其輜重遂喚張郃分付汝可從山後去不可掩奪其路于中截之盡得其糧草馬疋張郃領命去了司馬逕取斜谷徑西城然則山僻小路却是蜀屯糧處所又是南安天水安定三郡總路口若得此三郡再可復矣司馬懿留申耽申儀守列柳城自領大軍分二路而進却說孔明自使馬謖去守街亭心中快快不下忽報王平送地理圖至上孔明看了大驚曰

孔明城上 [illegible]退魏兵

謖此失見恐軍早晚必有長安之息[illegible]自起[illegible][illegible]急欲差人[illegible]
馬謖忽報馬謖已至街亭已失列柳城皆休孔明曰大事去矣
吾之過也喚關興張苞汝二人各帶三千軍馬分二路于武功山
小路而行如見魏兵不可大擊只鼓噪吶喊以疑之彼兵若走
亦不可追又差張翼去修劍閣以備退路又密令馬岱姜維斷後先
伏于山谷又差馬忠去搬運官員一面傳令人關報南安天水安定
定三郡人民俱入漢中孔明引五千軍退入西城縣正搬糧間忽
報司馬懿十五萬大軍飛奔西城來孔明身邊別無一將止有一
班文官五千兵分調一半先起只有二千五百在城聽得這個消
息盡皆失色孔明上城望見塵分二路而來孔明令將城上旌旗盡
隱藏軍士各守城鋪如有妄出入者斬又把四門大開每門要軍
扮作百姓城內灑掃街道若兵到不可妄動吾自有計孔明乃披
鶴氅戴綸巾攜琴一張引二小童于敵樓上凭欄而坐焚香操
琴故說司馬懿見了如此模樣皆不敢進懿看孔明笑容可掬一
童子捧寶劍一童子捧麈尾又見民人門外掃地傍[illegible]

若無人必伏後軍作前軍後隊作前隊望北山路走長子師曰莫非諸
葛無軍故作此態父曰諸葛平生謹慎不曾弄險今大開城門必有
我軍入必着埋伏只宜速退城上見司馬兵退盡皆駭然請問其
故孔明曰若以無人之心必棄城而走吾兵只有二千五百若棄
城而走必被司馬擒此故以疑之孔明言罷拍手大笑曰吾視司
馬不久必復來矣下令交百姓盡數隨軍入漢中孔明遂離西城
望漢中來二郡官民陸續俱到却說司馬懿望武功山小路而來
忽山後鼓聲震起喊殺連天回視二子曰吾若不退中諸葛之計
也張苞殺出魏兵皆棄甲倒戈而逃行不兩程關興又到抄出魏
兵盡棄輜重而去關興張苞不敢追趕多得軍器糧食而回懿見
山中有軍不出大路復回街亭山背後曹真引軍追襲山後馬岱
姜維兩軍殺出曹真大驚急回先鋒陳造被馬岱斬于馬下曹真
急引兵連夜皆入漢中却說箕谷中趙雲鄧芝商議曰魏兵知
吾兵退必然追趕吾先引一軍伏于後你打吾旗號徐徐而退却
說郭淮提兵[illegible]

而回行不數里運出趙雲喝曰你識常山趙子龍麼交馬只一合
剌薛顒于馬下餘軍皆散郭淮副將萬政來與薛顒報仇雲見約
兵追急獨騎立于路口萬政引數騎趕至大林只聽得背後大喊
子龍在此萬政急欲抵敵被子龍一箭射中盔上萬政大驚閃于
河中雲指曰吾饒你性命交郭淮來萬政得命而回因此子龍護
車仗人馬回漢中並無所失曹真郭淮復奪三郡司馬懿復欲分
道進兵蜀兵已退去了後到西城問遺下百姓皆云孔明只有二
千五百人在城別無埋伏山中人亦說關興張苞各只三千人在山
中擂鼓吶喊亦無多軍司馬懿懊悔不及嘆曰吾不如孔明司馬
懿盡皆復得諸處安撫了回朝見魏主魏主曰今復得隴上諸郡
卿之功也懿曰今蜀兵在漢中未盡剿滅臣當盡起天下之兵併
力收川以報陛下魏主大喜令懿急便與師尚書孫資奏曰臣有
定蜀平天下之策以獻陛下其策若何

孔明揮淚斬馬謖

孫資上言曰昔武祖收張魯之時危而復濟常對群臣言曰南鄭之

險為天獄中斜谷萬里石穴非用武之地也今欲盡起天下之兵則東吳入寇矣宜深慮之不若命大將鎮險要亦足以安百姓一二年之間中國自盛蜀必自殘此安國之本也乞陛下聖鑒魏主問司馬懿此 何如懿曰亦公論也魏王從之命懿撥將守險要郭淮張郃守長安大賞三軍卻說孔明到漢中惟有子龍鄧芝之軍到孔明差關興張苞去接應迴報接着軍並不曾折一人輜重亦無虞孔明大喜親自出營接着趙雲下馬伏地而言曰敗兵之將何勞丞相遠迎孔明自覺羞慚執其手曰是吾不識賢愚以致如此回寨取金五十斤絹三千疋賞子龍子龍曰且請留下今冬賜與軍士孔明從之忽報馬謖魏延高翔至孔明先喚王平入責之曰吾令汝與馬謖同守街亭汝何不諫之平曰某再三勸而不從乎自領五千兵離山十里下寨被魏兵四面圍合某領數十騎殺得脫路見高翔分三路去劫魏寨欲復街亭又被魏兵衝殺恐失陽平關急急回守非平之不諫也孔明喝退着喚馬謖謖自縛跪於階下孔明曰吾累次叮嚀說街亭重任今復如何汝依王平之

至如此今敗兵失地皆汝之過叱左右推出斬之謖泣曰[illegible]
謖如子某奉丞相如父念謖子幼可容孔明曰汝子即吾子也
勿牽掛退正軍法忽參軍蔣琬從成都來見斬馬謖大驚孔明曰
昔楚殺得臣而文公喜今天下未定而戮志謀之士豈不惜乎孔
明答曰孫武所以能制勝于天下者以其用法明也今天下未定
兵交方始若復廢法何用討賊急命斬訖獻頭堦下孔明大慟蔣
琬曰馬謖得罪既以正法何故慟之孔明曰吾非為馬謖而慟想
先帝在白帝城臨危之時囑曰馬謖言過其實不可大用果應斯
言是以泣之（謖死時年三十九）孔明既斬馬謖號示將尸縫葬之作文以
祭撫恤其家且表令蔣琬申奏自退丞相之職表曰
臣本庸才叨蒙重任親受斧鉞以勵三軍不能訓章明法臨事
而懼至有街亭箕谷之失咎皆在臣明不知人今乞貶臣職削爵
三等不勝慚愧俯伏待命之至
後主覽表言曰丞相國之元老豈可輕易官居舊職費禕奏曰臣
聞治國必先正法丞相有過請貶正其宜也若復其職何以激勸

三三一

群下後主從之貶丞相之職為右將軍行丞相事總督軍馬就差
費禕賞詔至漢中禕恐孔明羞慚乃賀曰蜀中之民皆知丞相收
攏民入川深以為喜孔明變色曰是何言也普天之下莫非漢民
國家威力未舉使百姓困于豺狼之口亮之罪也以此相賀豈不
深愧禕曰今聞添了姜維天子甚喜孔明又怒曰不曾復得寸土
量姜維何足道哉禕惶恐辭謝回成都孔明在漢中恤軍愛民置
備器械舟楫以為後舉報入中原魏主大驚欲起兵收川

陸遜石亭破曹休

魏主召司馬懿商議收川之策懿曰方今天色炎暑若吾軍深入
其地彼守其險要安可攻之魏主曰倘若蜀兵再入寇如之奈何
懿曰臣已算定今番諸葛必效韓信陳倉之道矣先已定下深有
謀略一人令此人陳倉口築下一城以守之若使諸葛再入此人
足可當之不敢深入也魏主大喜問是何人對曰乃太原人也姓
郝名昭字伯通見為雜號將軍鎮守河西十餘年民皆欽仰魏主
准奏即時加昭為鎮西將軍使守陳倉口揚州都督曹休表說東

吳鄱陽太守周魴密使人陳言七事言東吳可破乞早發兵取之
勿悞幸甚魏主展開與司馬懿同視懿曰此策極有理臣自引兵
以助曹休班部中一人進曰吳人之言未可深信恐是誘兵之計
衆視之乃建威將軍賈逵也司馬懿曰機會亦不可推過吾與汝
同去助曹休魏主大喜分三路而行曹休引大軍取宛城賈逵引
前將軍滿寵東莞太守胡質取陽直東關司馬懿率大軍取江陵
魏主賞了三軍望東吳進發卻說吳王孫權會集諸將曰今探知
魏軍三路而來諸公有何高見顧雍曰非陸伯言不可當也吳王
召陸遜爲輔國大將軍平北都元帥朱桓全琮爲左右都督統江
南八十一州并荊湖之衆七萬人分撥已定陸遜傳令護守江陵
以戰曹休與周魴曰吾將足下之書表聞天子起大軍三路而進
君得東吳足下之功不小人言足下多謀不實足下料必不爲此
事也魴掣劍欲自刎休急止之曰吾戲耳魴以劍割髮擲之于地
曰我以忠心待公公以爲戲吾無名今割父母所遺之髮以表其
心于是曹休深信之忽賈逵至曰又聞周魴割髮爲誓此乃詐也

首旻離斷髮刺殺急此未可深信也曹休大怒曰吾正欲進兵汝何出此言以慢軍心喝左右推出斬之衆將告曰未進兵先斬大將于軍不利且權恕免休令盡收賈逵之兵吾帳下聽調休進兵東關去魴暗思曰若用賈逵之計吾軍敗矣今一處進兵吾計成矣密遣人來琬城今之潛陽是也報知陸遜遜乃集衆將商議聽令曰前面石亭雖是山路可以埋伏先占了石亭濶處列開陣勢待魏兵來遣先鋒徐盛進兵卻說周魴同曹休引兵而進問曰前是何處魴曰石亭堪可屯軍曹休聽知盡率大軍并車仗器具俱集石亭哨馬來報前面吳兵不知多少把住山口休大驚曰周魴說無兵何爲有準備也交尋魴問之報曰魴引數十人不知何處去了休悔曰吾中賊之計也便差大將張普爲先鋒領數千兵與吳兵交戰徐盛與張普戰不數合張普敗回休曰吾用奇兵勝之仍差張普引兵伏于石亭之南薛喬引兵伏于石亭之北來日吾自領兵去迎佯敗前引到此山前放砲爲號三路夾攻必勝矣二將各引兵埋伏去了[illegible]引三萬兵從石亭

[illegible]敗走

路遇賈逵

後山抄去曹休寨後如到放火爲號吾親率大軍從中路而[illegible]
擒曹休矣二將領計去了却說朱桓領兵約二更時分抄出曹休
寨背後正迎張普伏兵張普不知是吳兵逕來問時被朱桓一刀
砍于馬下魏兵便走後軍放火全琮也撞在魏寨陣中殺死魏兵
無數吳兵兩路殺來曹休寨中大亂休慌上馬望夾石道奔走
小軍後來魏兵死者不可勝數却說曹休正走間忽見一彪軍到
休曰不用公言果有此敗公兵在此以待後兵逵曰司馬懿去許昌
吳兵截斷我等皆死矣逵當其後休遂得出徐盛趕來見了[illegible]
徠因此回了司馬懿聞知兵敗亦引兵退回却說吳兵奪得車仗
寵械不計其數陸遜大勝班師回武昌吳王親迎以御蓋覆遜而
入將御用金寶珍珠盡皆賜之魏既大敗諸葛亮又欲乘機起兵
以取中原未知若何

新刻湯學士校正古本按鑑演義通俗三國志傳卷之十七

東吳遣使

入蜀通好

孔明再上出師表

蜀建興六年秋九月吳輔國將軍陸遜破曹休於石亭休東使羞械皆盡棄連夜奔走到洛陽發背而死賈逵回奏魏主曹叡憐之勅賜厚葬司馬懿知曹休大敗恐蜀兵乘勢能奪中原急引軍回洛陽衆將皆曰曹司馬雖敗都督何故急回司馬懿曰諸葛知吾兵敗必乘虛取長安也吾若不急回倘隴上緊急何以應之衆以爲然却說東吳自破魏之後遣使將備細之事報入蜀中一顯自己威風二通和會之好後主得書使人持見孔明說魏兵已敗之事孔明此時糧馬器械攻戰之物一切皆備聽得這個消息倍添豪氣遂作宴聚集諸將商議出師忽然一陣旋風從東北角上起把庭前松樹吹折衆皆驚疑孔明卜之曰此風乃損將之風主折一大將也正飲酒間忽報鎮東將軍趙子龍二子來見丞相孔明驚然曰子龍休矣不覺擲盃於地二子入拜哭曰兒父於昨夜三更病死孔明哭曰不想今歲喪許多將佐子龍又亡使國家去一棟梁

遂遣。龍長子趙統次子趙廣赴成都回奏後主聞知哭曰朕非子龍死於亂軍之中矣於是下詔追謚子龍爲大將軍順平侯勅建成都錦屏山之東立廟四時享祭後來史官作趙子龍廟贊云

牧主功勲大　興邦名譽彰　扁舟飛漢水　疋馬向當陽
義膽包身體　忠心並日光　流芳青史上　應是與天長

又後賢有詩贊曰

常稱飛虎一身膽　不負子龍千載名　綠鬢當陽扶幼主
白頭其谷保殘兵　英雄到底無疑晚　謚法還應得順平

後主封趙雲長子統爲虎賁中郎將次子廣爲牙門將俱謝恩來守墳孔明車馬俱分撥定了乃遣楊儀上後出師表後主覽其表曰先帝慮漢賊不兩立王業不偏安故託臣以討賊也以先帝之明量臣之才故知臣伐賊才弱敵強也然不伐賊王業亦亡惟坐而待亡孰與伐之是故託臣而弗疑也臣受命之日寢不安席食不甘味惟思北征宜先入南故五月渡瀘深入不毛并日而食臣非不自惜也顧王業不可得偏安於蜀都故冒危難以

孔明再上後出師表

奉先帝之遺意也而議者謂爲非計今賊適疲於西又務於東兵
法乘勞此進趨之時也謹陳其事于左高帝明並日月謀臣淵
深然涉險被創危然後安今陛下未及高帝謀臣不如良平而
欲以長策取勝坐定天下此臣之未解一也劉繇王朗各據州
郡論安言計動引聖人群疑滿腹衆難塞胸今歲不戰明年不
征使孫策坐大遂并江東此臣之未解二也曹操智計殊絕於
人其用兵也髣髴孫吳然困於南陽險於烏巢危於祁連偪於
黎陽幾敗北山殆死潼關然後僞定一時尔況臣才弱而欲以
不危而定之此臣之未解三也曹操五攻昌伯不下四越巢湖
不成任用李服而李服圖之委任夏侯而夏侯敗亡先帝每稱
操爲能猶有此失況臣駑下何必能勝此臣之未解四也自臣
到漢中中間期年耳然喪趙雲陽群馬玉閻芝丁立白壽劉郃
鄧銅等及曲長屯將七十餘人突將無前賨叟青羌散騎武騎
一千餘人此皆數十年之內所糾合四方之精銳非一州之所
有若復數年則損三分之二也當何以圖敵此臣之未解五也

今民窮兵疲而事不可息事不可息則住與行勞費正等而不
及圖之欲以一州之地與賊持久此臣之未解六也夫難平
者事也昔先帝敗軍於楚當此時曹操拊手謂天下已定然後
先帝東連吳越西取巴蜀舉兵北征夏侯授首此操之失計而
漢事將成也然後吳更違盟關羽毀敗秭歸蹉跌曹丕稱帝凡
事如是難可逆見臣鞠躬盡瘁死而後已至於成敗利鈍非臣
之明所能逆覩也謹表以聞

建興六年冬十二月右將軍行丞相事臣諸葛亮百拜

孔明命魏延爲先鋒起兵二十萬逕取陳倉道口而進早有人報
入洛陽來司馬懿奏知魏主遂與文武商議曹真奏曰臣昨守隴
右功微罪大每求補過未有竭力之地臣得一大將力敵萬夫使
刀獨揮陷敵百發百中隴西狄道人也姓王名雙字子全臣保此
人爲先鋒再統三軍必生擒諸葛魏主大喜便宣王雙而君至殿
下拜畢宣上殿觀之其人身長八尺黃睛黑面狼背虎形魏主喜賜
以金甲錦袍加爲虎威將軍前部大先鋒於是曹真爲大都督

[illegible]說郝昭

軍十五萬會合郭淮張郃分道守把先說孔明出陳倉道前[illegible]
延來稟曰前面陳倉道口魏將郝昭當道築起一城[illegible]
厚四面遍栽鹿角十分嚴整不若棄了此城取太白而出[illegible]
便孔明曰陳倉道正北舊有之街亭也如不得此城難以進兵
得此城盡以城中之物賞軍不可遲滯魏延得了號令三軍四面
攻打連日不能破魏軍來稟孔明說城難打孔明大怒欲斬魏延
帳下鄭祥進曰某雖不才跟丞相多年未有寸功願去陳倉城內
掉三寸之舌說郝昭來降不須張弓隻箭孔明喜曰汝以何言說
之鄭祥曰郝昭與某同鄉自幼拜結兄弟某流落蜀中久不相見
今若到彼以利害言說之必來降矣孔明遣鄭祥行祥乘馬到城
下高叫曰伯道故人（伯道郝昭字也）鄭祥求見城上報與郝昭二時開門
放入至城樓上相見昭問曰故人自何而來祥曰某今在蜀丞相
諸葛孔明帳下參贊軍機待以上賓之禮郝昭勃然變色曰吾乃
亮吾仇人也吾事魏汝事蜀各事其主昔為昆仲今乃仇敵也不
必說須請出城祥欲開言昭已自去軍士催上馬趕出城外回

昭看時見昭倚欄干上祥勒馬指而言曰伯通賢弟何薄情也昭應曰魏家法度兄所聞也我之爲人兄所知也我受國恩多但有必死耳兄不須再說回見武侯便來攻吾不懼之鄭祥見說回羲孔明孔明曰汝曾以天命并勢利說之乎祥曰郝昭不待開言而便絕之孔明曰汝可再往就城外大叫而說之祥又往立馬於城下大叫曰伯通賢弟聽吾忠言汝以一孤城欲拒數萬之衆不亦愚乎城破身亡無益于事不順漢而屈膝事魏乃不識天命不辨濤濁也伯通細思之昭拈弓在手指鄭祥曰前言已定不必再說我識兄箭不識兄也可速退之鄭祥回見孔明言郝昭如此孔明大怒曰匹夫焉敢如此以我無攻城之具也吾已備在軍中速命取來吾自攻之是日孔明自來郝昭如何抵敵

孔明兩出祁山

孔明交壽士大問陳倉城中軍有多少士大曰雖不知的數料只有三千餘人孔明笑曰量陳倉小城便滿也軍馬安能拒我哉傳令休待救兵到可速攻之於是軍中裝起雲梯四下乘梯上

攻打陳倉

可容數十人周圍用板遮護下以輪推之每一門各用雲梯梯上軍以箭射之城下衆軍各抱短梯軟索只看城上磊動便上城中郝昭見蜀兵中裝起雲梯四面擁來昭已預先辦下箭喚軍士四百人分四門各執火箭待雲梯近城一齊射之孔明料城中無備大擁雲梯四面鼓譟進將近壕邊火箭齊發雲梯盡燃雲梯皆燒城上矢石如雨蜀兵不能前進孔明怒曰汝能燒吾雲梯須無燒衝車之法令軍中連夜排衝車次日四面擂鼓吶喊而進郝昭急令運石盤石磨用麻繩穿飛擊衝車衝車皆折孔明又取井闌百隻以射城中又驅兵運土填壕郝昭又於城中築起重牆以禦之孔明見攻不透喚廖化引三千鍬钁軍暗掘地道欲從城中踴出郝昭先於城中掘塹橫截之於地踴軍又不得進晝夜相攻二十餘日無計可施孔明在寨納悶忽報正南有救兵到了旗上寫先鋒大將王雙孔明問誰可迎敵魏延要去孔明曰汝既爲先鋒且未可去更問其次川將謝雄欲往孔明與兵三千教謝雄去迎敵又問曰謝雄雖然去了倘有踈危誰敢再去張

川將軍起願從孔明亦與兵五千兩枝軍馬去了孔明交把軍馬離城且徹退二十里恐防城內郝昭衝突之患且說謝雄引軍前去與王雙軍相遇兩軍對圓謝雄橫鎗立馬於陣前魏軍中王雙躍馬而出手提銅刀厲聲大罵反賊敢犯邊界謝雄大怒挺鎗躍馬直取王雙兩馬相交鬥不數合被王雙一刀砍於馬下蜀兵大敗而走雙率衆趕至前面正撞龔起一軍攔開乃龔起軍到出馬與王雙交鋒戰不數合龔起亦被王雙斬之餘兵敗報孔明孔明大驚忙差大將王平廖化張嶷三人引兵去戰王雙已到陳倉城下郝昭開門應之蜀中三將引兵至兩陣對圓張嶷出馬王平廖化把住陣腳王雙出陣張嶷挺鎗迎之兩馬相交戰到十餘合不分勝負王雙詐敗望本陣便走張嶷拍馬便趕背後王平廖化料王雙是計叫馬出陣大叫休趕張嶷忽勒馬回時王雙流星鎚卒到一鎚正中其背伏於馬鞍而轉王雙便得來趕却得王平廖化接住救得張嶷回陣王雙驅軍掩殺蜀兵折多王平引軍回張嶷口吐鮮血來報孔明說王雙英雄又于陳倉城外紮起連寨更城壕塹攻

備守禦孔明見折二將張嶷又被打傷遂喚姜維商議曰陳倉這條路攻不可行別出一計策姜維答曰陳倉道路難進更兼守把用心又添猛將輔助急不可得不若命一大將依山下寨固守更差將於要道守把以防街亭之攻還統三軍取小路襲祁山某却如此如此用計可擒曹真也孔明曰汝言如此而行事可成也差王平李恢二人去守街亭留魏延守陳倉谷口交馬岱爲先鋒關興張苞爲救應使從小路逕出斜谷望祁山進發却說大將軍曹真思前番被司馬懿奪了功勞回朝無顏今得蜀兵到怕司馬懿奪了功故請自行遂分調郭淮孫禮守東西門又接得陳倉報急使先鋒王雙去敵聽知斬將得功十分大喜乃令中護軍大將費耀爲前部總督諸將守把各處隘口忽報山路中捉得細作曹真令事將來見都督說被伏路軍捉來今道云有密事見都督直交帳下盡迴避其人曰小人是姜維心腹之人家本有密書是姜維令曹真交去其縛索其人於貼肉衣領內拆出密書

天水姜維百拜奉

呈大都督麾下念維世食魏祿[illegible]將[illegible]道諸葛[illegible]陷於巔崖之中思念老母[illegible]今諸葛兵西出諸將不相懾服若提兵而來如遇敵人可以詐敗維當舉火爲號先燒蜀人糧草却以兵番身掩之諸葛可擒矣非敢立功報國實欲[illegible]罪見祈倘沐昭察速須來命

曹眞看書畢大喜曰天使我成功也便賞來人回報令依期會眞與費耀商議曰今姜維暗獻密書令如此如此耀曰諸葛能用人恐防有詐眞曰姜維若無老母在天水即吾亦不信果有老母安肯在蜀乎費耀曰都督不可自去是日到期引軍接應姜維如是成功盡歸都督如有詐穩其自支當曹眞喜曰足見汝之忠心也於是遣費耀領兵五萬取斜谷而進行了數程軍馬暫歇當日申牌時分忽報斜谷道中蜀兵來到費耀忙引兵前進蜀兵未及交鋒便退費耀又引軍迤邐追趕蜀兵又來如此三次延到次日申時魏兵一日一夜不曾敢歇只怕蜀兵攻擊當時蜀兵叫[illegible]山寨四面來門旗兩分推出一輛車上孔明使人高叫請[illegible]

1036

至將打話費耀縱馬提刀而出遙見孔明心中暗喜回顧左右曰如蜀兵掩至便退後走若見山後火起便回身殺去自有兵接應衆皆知會了費耀大呼曰前番敗將今何敢來孔明曰喚汝曹真出來打話費耀罵曰吾都督曹真乃金枝玉葉如何與汝反賊相見孔明大怒把羽扇一招左有馬岱右有張嶷兩軍衝出魏兵便退走數里望見蜀兵後火煙大起喊聲不絕費耀回身殺來蜀兵便退費耀引兵望喊殺之處追趕追襲鼓聲響處兩路軍馬出左有關興殺出右有張苞山上箭如雨發費耀知中計急退背後[illegible]殺出掩殺魏兵自相踐踏死者不計其數費耀奪路殺開一條[illegible]望山坡道口一彪軍從小路而出爲頭大將乃姜維也[illegible]不義之賊誤中汝計矣姜維曰吾欲擒曹真誤中汝也速下馬受降費耀欲死戰奪路忽見山坡後一輛小車[illegible]合小逕皆後追急費耀自刎而亡餘衆俱降於是孔明連夜驅兵復至祁山下寨收聚軍馬重賞姜維三曰但恨不獲曹真耳孔明曰可惜大計小用曹真聽知折了費耀悔之不及使人請郭淮孫禮議退軍

之策却說孫禮與辛毗商議寫表申奏魏主聽知蜀兵又出祁山遂使宣司馬懿入內問曰曹子丹折兵損將蜀兵又出祁山當以何策退之懿曰臣不須發兵擒蜀已有退蜀之計魏王問計如何

孔明遺計斬王雙

司馬懿曰臣常奏陛下算諸葛出祁山必由陳倉意以運糧順便今以郝昭王雙守住此路運糧必不從此而出其餘小逕搬運艱難糧不易到也臣算蜀兵隨行之糧止有一月若食盡必走矣蜀兵利在急戰不在久守陛下可差使命持節令曹都督緊守關隘亟不可戰不須一月蜀兵必走而攻之諸葛可擒矣魏主曰卿既有先見之明何不引軍助之懿曰臣非惜身重命存此軍以防東吳耳吳王孫權不久必僭稱尊號若稱尊號恐魏伐之必先入寇臣故待之只在一月之間曹都督必報捷矣然此亦宜告戒曹都不可誤入重地中諸葛之計魏主即遣太常卿韓暨持節戒約曹眞切宜緊守探聽蜀兵退可以擊之司馬懿親送韓暨於城外[illegible]囑曰吾以此功讓曹子丹也汝見將但令堅守爲上追趕之

諸將守把

勿遣性急者追之，可云天子之意，勿說吾言。曹叡聽而往大寨見真，傳了詔旨了。真此時正與孫禮郭淮商議不定，將韓暨之言一一對二人說之。郭淮笑曰：此乃司馬仲達之見也。真曰：此見如何？淮曰：此深識武侯之用兵也。久後能破諸葛者，必仲達也。真又曰：倘若不去如何？淮曰：必遣人去報王雙，令引軍從小路往來巡哨，自然糧不敢運。待一月軍中糧盡，諸葛必走矣。走而追之，有何不勝。孫禮曰：君去祁山虛裝糧車，車上皆積薪草，以灌硫黃焰硝，却令人虛報是隴西運到之糧。蜀兵無糧，必然來搶。待入其中，放起火來，以伏兵應之，必勝矣。曹真曰：此計大妙。便令孫禮去祁山西行計。又差人報王雙如此行計。郭淮却去撥調箕谷街亭各處人馬遠去哨探，據險守把。曹真選張遼子張虎為先鋒，樂進子樂綝為副先鋒，二將共守頭營，並不許出戰，如得將令方可追擊。卻說孔明在祁山寨中，每日使人搦戰，魏兵堅守不出。孔明與姜維等商議曰：魏兵堅守不出，是料吾兵無糧也。見今陳倉道轉運不通，且小路搬運生受，吾計軍中之糧不勾一月支用，如之奈何？正躊躇

孔明遣將

大破魏兵

之間忽報隴西運糧數千車於祁山之西運糧官乃孫郡谷城人也姓孫名禮字德達孔明問其人如何有魏中降將曰此人曾隨魏主獵於大石山忽趕出一猛虎直奔至御前孫禮拔劍斬之其虎中劍而死因此魏主用爲上將乃曹真之心腹人也孔明笑曰此是魏家料吾無糧故以此計誘吾車上必裝茅草引火之物吾平生專用火攻彼安能燒我彼必知我劫糧必然來劫吾寨也吾可將計就計行之孔明喚馬岱你引一千軍逕入魏兵屯糧之處不可進其寨只於上放火燒其車仗如魏兵圍住吾寨馬忠張嶷二人各引兵來擊內外夾攻魏兵必破矣二人領了計策準備而行又喚關興張苞曰魏兵頭營連接西通之路今晚若山西火起魏兵必乘勢來劫吾寨你二人却伏在魏寨左右只等彼軍一出便可劫之又喚吳懿吳班二人各領一軍伏於寨外魏兵如過便可截之孔明調遣已了自於祁山上憑高而坐魏人報與孫禮孫禮遣人飛報曹真曰乃使人到頭營分付張虎樂綝只看今夜山西火起蜀兵必然去救乘虛可以出兵二邊又計了使人探望魏

魏兵大敗

卻說孫禮把軍馬粗埋伏在山凹只等蜀兵至是夜二更馬岱引三千軍馬徑到山西見許多糧車重重疊疊攢遶作營車上虛立旌旗是夜西南風大起馬岱徑引軍到西南上都把車子燒着孫禮只道蜀兵在營中號火起一齊掩殺背後馬忠張嶷兵團裹將來把魏兵困在當中火緊風急人馬亂竄殺死魏兵不計其數孫禮冒煙突火而走卻說張虎望見火起不知魏兵勝負只顧大開寨門和樂綝引本部軍馬殺奔蜀寨見寨中並無一人急提兵回吳懿吳班兩路軍出截斷魏兵張虎樂綝殺開重圍逕奔本寨時城上箭如飛蝗被關興張苞奪了魏兵大敗皆奔曹真寨方欲入城見一彪敗軍飛奔而來乃孫禮也各言中計之事曹真交緊守大寨靜軒先生詩嘆曰

鏖戰祁山經幾秋　至今渭水尚含愁
孔明妙算人無及　先奪曹真第一番

卻說蜀兵大勝回寨孔明使人授密計于魏延一面便交拔寨齊起楊儀曰今已挫動魏兵銳氣何故收軍孔明曰吾所慮進者為魏人不知吾病他吾病乃是無糧利在速戰魏知吾病矣不歸何待魏人

孔明令軍　拔寨而回

平敗中原必存添兵若用輕騎襲吾糧道此時要退不得今乘魏兵新敗便好退去曹真必不敢追也但所慮魏延一軍在陳倉道口拒住王雙急不能脫身吾故遣人授以密計令斬王雙使魏人不敢追也只令後隊先行當夜孔明只留金鼓於寨中擂更點分明提鈴喝號連夜盡退而去却說曹真在寨中納悶忽報有一彪軍馬來到打着魏兵旗號停人哨探乃左將軍張郃接入寨中相見了郃曰近奉聖旨差遣特來聽調曹真曰來時曾見仲達否郃曰仲達特使郃來路上聽知孫將軍其計不成近曾哨探蜀兵否真曰爲新敗之後未敢輕進張郃曰司馬公曾囑付來若是吾兵勝蜀兵必不去矣吾兵敗蜀兵必去矣此兵家之玄機不可不察也曹真尚未信使人哨探果是虛寨詐插旌旗數十把而其兵去兩日矣曹真急命張郃追之且說魏延接得軍師密計是夜命拔寨回漢中當夜二更兵退早有人報王雙魏延引軍西歸又報那山之兵大隊作小隊皆回山路而去王雙急揮刀上馬大呼寨中之兵盡數皆出併力追趕々到二十餘里看々趕上見魏延

…王雙大叫魏延休走，飛兵追不回顧，王雙從後縱馬趕將
…背後人大叫將軍休趕，背後魏延却在賊下寨中放火，王雙便勒
馬回看，果見一片火起，慌撥軍退，到山谷左側，忽魏延突出一彪
軍，王雙於馬下。魏兵疑有埋伏，各望山谷而逃。元來魏延只有三
十騎護送，望漢中而回。古人有詩讚曰：
破魏和吳定帝邦，進退行兵神莫測。孔明妙算勝孫龐，
陳倉道口斬王雙。
孔明當日授計，教魏延先存下三十騎伏於王雙寨外，只等起
兵趕時，去他寨中放火，魏延却於要路等候，故王雙回來，被魏延所
斬。卻說陳倉城中郝昭回報曹真，言折了王雙，曹真傷感
已，於是直得病，回洛陽，令郭淮、孫禮、張郃守長安諸道。却有
人入東吳說魏，諸葛瑾出兵，損折許多將士，於是大臣皆勸
吳王興兵伐魏，以圖中原，其意若何。
孔明三出祁山
張昭曰：臣近聞武昌山鳳凰來儀，江中黃龍累見，今主上德配唐虞，
明及文武，可即皇帝位，再議興兵未晚。群臣皆曰：子布之言是

是選四月丙寅日築壇於武昌南郊即皇帝位乃作告天文曰

皇帝臣權敢用玄牡昭告于皇皇后帝漢享國二十有四世歷年四百三十有四載氣數訖終祿祚運盡普天地絕率土分崩孽臣曹丕遂奪神器丕子叡繼世作慝淫名亂制臣權生於東南遭值其運承乾秉戎志在平世奉詞行罰舉足於民臣將相州郡有執事之人咸以爲天意已去漢世已絕茲惟皇帝位虛郊祀無主休徵嘉瑞前後雜沓歷數在躬不得不受權畏天命不敢不從謹擇元日登壇燎祭即皇帝位惟爾有神享之左右有吳永終天祿

是日大赦天下改黃武八年爲黃龍元年追尊父破虜將軍孫堅爲武烈皇帝母吳氏爲武烈皇后兄討逆將軍孫策爲長沙桓王立世子孫登爲皇太子命諸葛恪爲太子左輔張休爲太子右弼

[illegible]

入蜀連和

[illegible] 其餘各有封爵加[illegible]大將軍輔太子守武昌孫權復還建業

陵也[illegible]今共議伐魏[illegible]曰主上初登寶位不可動兵且宜廣設學

校以養民心遣使[illegible]與其共分大下[illegible]遠遣使入蜀見後主

後主曰可使人問[illegible]相後主遣陳震到漢中說東吳孫權已

即帝位今遣使同[illegible]共分大下孔明回報曰可交陳震為使賫禮

物往東吳上賀今[illegible]遣陸遜作與兵之意遣分其勢魏必遣司馬

懿拒之懿若向東[illegible]則吾可圖長安矣此萬全之計也於

是陳震賫名馬玉帶金珠寶貝入吳見孫權上表畢呈上國書吳王從

之便下詔令陸遜[illegible]遜曰此是諸葛畏

司馬懿之謀也既[illegible]不從吾且待諸葛攻魏吾急乘時

而取中原也於是[illegible]遜曰出師之意

[illegible]孔明孔明尚憂陳倉不便未敢

輕進細作忽報[illegible]陳倉城郝昭病重孔明曰吾事濟矣遂與魏延

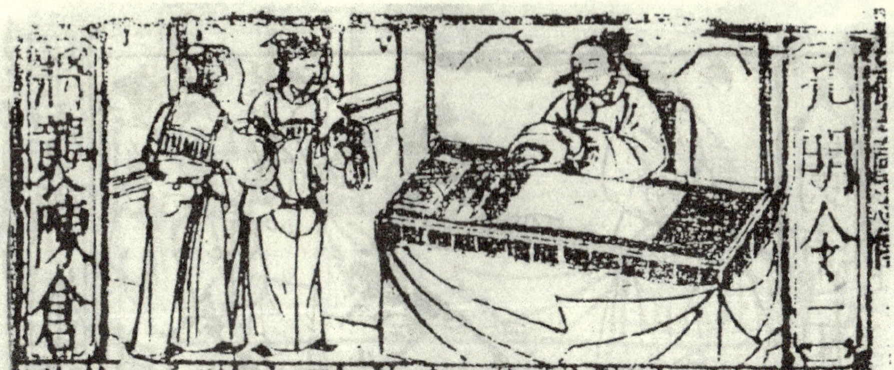

姜維引五千軍馬星夜徑奔陳倉城下如城中火起併力攻城二將問何日可行孔明曰三日內器械完備不須辭我便行二將領計自去孔明又喚關興張苞附耳低言如此如此二將亦領計自行却說郝昭臥病甚重慌使報知張郃郭淮聽知郝昭病重乃與張郃曰郝昭與汝有舊既有疾病汝可速去替把吾自寫表申奏別行定奪張郃恐陳倉有失帶引三千軍馬星夜前來却說郝昭當夜正危吟間忽報蜀兵已到城下昭急令人上城守把之時各門之內皆有火起城中大亂郝昭驚死蜀兵入城據守却說魏延姜維引五千軍馬星夜到城下時見城上並無旗幟心中懷疑不敢打城忽然城上一聲砲響四面一齊立起蜀兵旗號魏姜二人大驚立于城下看時一人在敵樓上大叫曰汝來何晚視之乃孔明也二人下馬而拜曰何神哉也孔明喚入城中乃說計曰吾尚聞陳倉之城使人打探細作報來說郝昭病重汝皆盡知吾今交你三日內引軍星夜取之此穩衆人之心也吾遣關興張苞只做點軍潛地出城星夜吾暗藏在軍中星夜倍道徑到城下吾已既

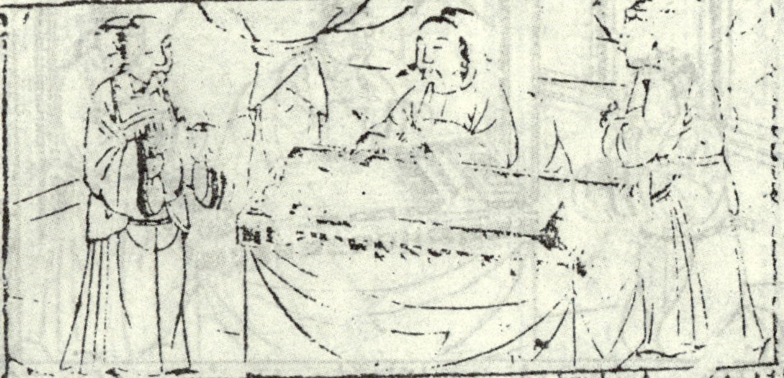

帳下議事

[illegible]細人在城中放火若無主將必自亂矣吾故取之此[illegible]
伏[illegible]其不意道今郝昭已死吾甚憐之令其妻小[illegible]
表其忠魏延姜維拜曰丞相用兵如神倘慮魏兵來乎孔明曰汝二
人且休解可便引兵去襲取散關把關將聞兵至必望風而走遂
進則有魏兵至矣魏延姜維即時上馬引軍投散關來果然把關
之人見蜀兵來棄關而走魏延姜維到關上方纔解甲只見關外
塵頭起處魏兵來到二人相顧曰軍師神算也二人把軍士關上
擺開來者乃魏將張郃也郃到關下見蜀兵已據險要便撥退軍
魏延引軍趕來殺傷頗多張郃去遠魏延回報之時孔明已自引
軍出斜谷取武威去了後面蜀兵陸續皆進後主又遣大將陳式
來助孔明孔明復出祁山下寨聚衆將曰二次出祁山未得其利
吾以魏人仍舊戰之地與我相敵彼意只疑我取雍郿二處將軍
馬把拒之吾觀陰平武都二郡與漢中連接若先得此城亦可分
魏兵之勢誰與吾取之姜維王平曰某願往孔明令姜維引一半
軍去取武都王平引一半軍去取陰平二將領兵去了卻說張郃

魏主宣司馬懿議事

陷長安見孫禮郭淮說陳倉城失守郝昭已亡散關亦被蜀兵奪了今諸葛亮軍馬分各道而出郭淮大驚令張郃守長安星夜起兵來據郿城使孫禮守雍城再發表告急魏主升殿群臣奏知魏主此時曹真病未痊乃宣司馬懿入朝議事魏主曰近滿寵申奏言東吳孫權僭稱帝號[illegible]盟今遣陸遜各處調練軍馬興師[illegible]諸葛亮[illegible]了陳倉[illegible]又出祁山兩下進兵當先退何處司馬懿奏曰臣[illegible]不動兵魏主曰何以知之懿曰孫權據有江東心滿意[illegible]續後又得荊州自為太過矣今稱帝號民心未安何[illegible]之諸葛常欲報街亭之仇恨力未及但恐中國從旱路伐之故[illegible]同盟耳蜀恐乘虛而攻之故遣人作賀使吳虛作興兵之勢以分中國之兵吳亦欲魏蜀相吞坐視成敗故從之東吳興兵乃詐謀也西蜀興兵乃實情也臣故知之魏主歎曰真將才也遂命司馬懿為大都督總攝諸道軍馬欲遣使問曹真取印懿曰臣自求之懿去曹真府下問病曹真請入臥房內懿動問畢懿曰東吳西蜀會合興兵諸葛亮已在祁山明公知

之平貞大驚曰家人焉敢漏故不令我知之以此瞞家
子何不拜公爲大都督以禦之懿曰某才微志淺不稱此職
取用與之懿再三謙辭貞曰公如不受國必危矣吾當親奏請
詔之懿曰天子已有恩命吾未敢受貞曰公儘皆我他回吾有征
伐其必努力矣於是司馬懿受之辭帝領兵投長安來勝負如何

孔明智敗司馬懿

蜀建興七年夏孔明兵在祁山分作三寨專待魏兵到來是時司
馬懿到長安張郃接見備言其事武都已被姜維打破前離蜀兵
不遠孫禮曰既是打破了城池如何陳兵於外莫非有詐不如速
叫懿令張郃爲先鋒戴陵爲副將領兵十萬前至祁山於渭水之
南下寨郭淮孫禮皆來參見懿問曰汝曾與蜀兵對陣否淮禮皆
曰未也懿曰蜀兵千里而來利在急戰到此不戰必有謀也又問
曰隴右諸郡皆有信息來否淮曰某亦使人各處去探來言十分
用心號燈提備俱各無事止有武都陰平二郡昔日差去無與
諸葛亮撥戰懿曰汝二人可從小路去救二郡却掩在蜀兵之後彼

關興八張苞　趕殺魏兵

必自亂矣郭淮孫禮得了將令引五萬軍馬從隴右小路投來襲蜀兵之後行了鼓曰郭淮在馬上與孫禮曰司馬仲達比諸葛如何禮曰諸葛勝如司馬十倍四五矣淮曰雖然勝之此一計顯司馬之能彼兵正攻兩郡吾從後出其當得不自亂哉兩個正說之間哨馬回報陰平已被王平破了郭淮便撥兵退前面一聲砲響山後撞出一軍當先諸葛孔明坐于車上左有關興右有張苞孔明笑曰司馬懿此計如何瞞得我使人每日叫戰却著你兩個來襲吾軍之後武都陰平吾已占了汝二人如何不降二人欲待驟兵與孔明戰只聽得背後喊起人報王平姜維人馬殺到前軍關興張苞各要立功殺入中軍來捉郭淮孫禮棄馬爬山張苞望見驟馬追之連人馬攧於澗中後軍救起頭面磕傷孔明令苞回成都養病患破傷風身死刎葬於成都後主封張苞弟張紹爲侍中郎將此是後話當日郭淮走脫回見司馬懿說諸葛自於要處埋伏前後掩殺以此大敗棄馬步行走脫懿曰非汝之罪乃諸葛智在吾先也汝二人可再引兵去守雍郿切勿出戰吾自有破敵之策

便喚張郃戴陵曰今諸葛新得武都陰平必然自去安撫百姓以安民心必不在寨中汝二人今夜各引一軍抄去蜀寨背後殺來吾自引兵於前以應之可奪蜀營也如得此山頭其餘營寨便立不穩矣此時戴陵在左張郃在右各引精兵五千從小路深入蜀寨之後軍到大路已三更時分張郃戴陵合兵一處從大寨後殺來行不到三里只見前軍不行張郃戴陵自策馬觀之見數百輛小車截斷去路張郃曰此必有準備可取舊路急回便退兵時滿山火把齊明蜀兵四起只見山坡上火光中孔明叫曰司馬懿料吾在武都陰平故來劫寨汝等皆是手下之人吾不忍殺害何不下馬受降張郃指孔明而罵曰山野村夫侵吾大國反出詐言君拿住時碎尸萬段縱馬挺鎗殺上山來山坡中矢石亂射張郃不能進拍馬於亂軍中衝突而出人莫敢當蜀兵把戴陵圍住張郃殺出舊路不見戴陵翻身回馬突開重圍救出戴陵去了孔明在山上望見出入反覆殺進兩遭勇不可當乃與左右曰昔聞張翼驍大戰張郃人皆稱羨方識其才留了此人必為蜀中大害吾

欲擒之君存此人使吾腹中又添一憂也於是孔明收軍回寨拯說司馬懿列兵只等蜀兵於是張郃救得戴陵回寨中說孔明之在寨後如此提備司馬懿歎曰真神人也吾且堅壁不出孔明便魏延每日搦戰魏兵不出似此半月孔明正思計間忽報朝廷差費禕親資詔書至孔明接入寨中開讀其詔曰

街亭之敗由於馬謖而君引愆深自貶抑重違朕意聽順所守前年耀師馘斬王雙今歲復征郭淮遁走降集氐羌興復二郡威鎮兇暴功勳顯然方今天下騷擾元惡未梟君受大任幹國之重而久自貶損非所以宣揚洪烈矣今復君丞相君其勿辭

建興六年夏六月　日詔

詔令孔明再復丞相舊職孔明欲辭費禕曰丞相秉軍國之重而堅辭不受令將士之心離也孔明受之費禕自回孔明思忖計定喚諸將指授密起望遠鎮上報司馬懿懿曰諸葛必然有謀且未可輕進張郃曰必然是糧盡退入漢中如何不趕懿曰吾料諸葛去歲多收今年麥熟糧食豐足雖是運轉艱難亦可支用半

賊未必便走也見吾連日不出故以此誘之使人遠遠哨探回報離三十里下寨懿曰吾料其兵必不走也且好生安排營柵不可輕進又歇下數日絕影不見消耗又使人探之報說蜀兵又拔寨十司馬懿自扮作哨探軍馬雜在軍中親自來看果見蜀兵又退三十里懿曰此諸葛亮之計也回寨又待數日使人哨探諸營併作一大寨又退三十里張郃曰蜀人使緩兵之計漸漸退去都督懷疑而不進則我軍皆被天下之人恥笑也願決一死戰以報朝廷懿曰諸葛詭計極多倘有賊虜喪吾軍之銳氣也郃曰不必都督親去某自引兵去戰戰敗則該軍令懿曰汝諸將既要出戰吾當分作兩隊汝先去敵之吾後行伏兵却於後應之此為首尾相救之計來日先進兵於半道次日後進此可不乏兵之力也張郃戴陵引副將十員精兵三萬來日先行到半道而宿司馬懿引二千後追元來孔明預暗使人哨[illegible]半路飛報入孔明寨中來孔明當夜請眾將士入帳中[illegible]兵能來必奮力搦之情願死戰者以一當十吾以伏兵[illegible]行引驍勇之將不可當此今司馬懿

數定分兵兩隊而吾伏兵之故若司馬過其兵正當在中要戰斷頭非大將不可當之孔明言訖見魏延魏延低頭不語忽王平出曰某願往孔明曰如有失何平曰殺身報國有何追悔某若有失情願獻首孔明大喜曰平平乃漢之忠臣也肯捨身報國親冒白刃竊此忠臣縱然如此魏兵前後兩該吾伏兵在其中王平只可敵得一頭安能分身兩處得一人輔助方可行事可惜吾軍中無一人敢捨死當先者交吾計不能成矣言未畢張翼出曰某願往孔明曰張郃乃魏之名將有萬夫不當之勇恐汝非其敵也翼曰如失不稱大事願該當令孔明曰汝既敢去吾有號令汝二人各引一萬軍只就此山谷中左右埋伏如魏兵到由他赶過將來軍馬追盡却出截斷其後若聽見背後再有軍來汝可分軍兩頭張翼引一半軍去當後隊王平引一半軍去當前面兩軍須要力戰吾自別有計策二將領了將令各揀一萬精兵去了孔明又喚姜維廖化分付一個錦囊與二人收了曰你二人同領精兵一萬偃旗息鼓伏於前山之上如魏兵圍定王平張翼十[illegible]

延守陰平

二人不可救之，只開錦囊看之，自有解圍之計。姜維、廖化領計去了。又喚吳懿、吳班、馬忠、張嶷四將，分付：如來日魏兵到，銳氣正勝，不可迎敵，退後且走。只看關興引軍馬來到掠陣之時，汝自便回身赶殺，吾自有兵接應。四將皆受計領兵去了。孔明又教魏延去武都陰平防護，以防魏兵透漏。孔明先把弱兵遠遠先退，只留壯健人馬等待魏兵。次日張郃、戴陵等軍馬如風雨驟到，蜀兵且戰且走。魏兵約赶到五十餘里，那軍盡皆喘息不定。孔明卻在高岸遠望見，把紅旗一招，關興軍馬來到，蜀兵一齊回頭，魏兵死戰不退。王平、張翼截出，殺斷魏兵歸路。張郃大喝眾將曰：到這里不即死戰，更待何時？魏兵奮力衝突。背後司馬懿引兵殺到，卻把王平、張翼圍在當中。張翼大呼曰：丞相既已算定，必有良謀，我自當決一死戰。翼分一半人馬來戰司馬懿，王平引一半人馬擋住張郃，交鋒兩下廝殺，振天。姜維、廖化伏在山上，窺見魏兵勢大，蜀兵當抵不住，漸至危急。姜維曰：可視計矣。於是開錦囊視之，其計如何？

司馬懿兵寇漢中

姜維廖化同觀錦囊之計其計曰若司馬懿兵來圍住王平張翼汝二人便分爲兩隊逕襲司馬懿之營司馬知之恐長安有失必然回之汝自乘勢擊之雖不得營寨可全勝矣姜維廖化即時分爲兩隊殺奔司馬懿營中而去元來司馬懿亦恐中計於路使人不絕傳報消息司馬正催戰之時忽流星馬飛報蜀兵兩路去襲大寨懿大驚曰吾料諸葛有計汝等皆不信之誤了大事即時便撥軍回惶惶自然心亂張翼從後掩殺將來蜀兵衝出殺得魏兵大敗張郃截後望見勢危亦併山僻小路而走於是蜀兵兩路孔明交關與接應諸路軍回司馬懿大折一陣歸寨責罵諸將曰汝等憑血氣武勇強欲出戰致有此敗諸將盡皆惶怖而退其中折了無名驍將極多史書不復紀錄卻說孔明收住大軍又欲分兵追吸忽有人自成都而來說張苞破頭傷風而死孔明哭之忽然口吐鮮血昏絕於地衆皆救醒静時有詩曰

孔明揮淚洒西風　屈死張苞未建功
要知勞恙焦心病　都在憂民爲國中

孔明與董厥樊建等吩咐曰吾自覺頭目昏沉不能理事此兵容

劉曄與魏主議伐蜀

泄知司馬懿知必然來攻不如暫回養病又作商議於是下令各處軍馬速回漢中孔明兵去五日司馬懿方知歎曰諸葛神出鬼沒吾不及也於是留兵分守隘口司馬懿自回洛陽却說孔明亮病御醫治日漸平復建興八年秋七月曹眞上表云蜀數侵疆界若不勦除必為後患況今秋糧在迩入馬久閑則生病臣乞與司馬懿統兵入漢中勦除奸黨魏主從之時司馬懿按御荊襄未回魏主差使宣召星夜還朝商議大曰魏主問侍中劉曄曰曹子丹勸朕伐蜀如何曄曰大將軍之言是也陛下便可行之魏主點頭少刻曄還私宅有數大臣相探問曄曰近聞朝廷公議興兵伐蜀足下近侍天子必知其詳曄對曰蜀有山川之險非易圖之不子亦心憚矣衆皆默然而退獨有中領楊暨疑之遂入見魏主曰陛下何不興師伐蜀魏主曰卿書生焉知用兵之事暨曰劉曄乃先帝謀臣曾云可伐臣故知可伐也魏主笑曰劉曄曾教朕伐蜀暨曰曄對大臣言不可伐臣故疑之魏主宣曄入問曰卿勸朕伐蜀又言不可何也曄見楊暨在側故意言曰臣熟思之蜀不可伐

魏主大笑少刻楊暨出班曰伐國之事大謀也臣雖夢中猶恐泄之兵者詭道也事未行務宜密之陛下何與楊暨問是非乎魏主大悟曰卿之言乃金石也因此敬之數月後司馬懿回魏主以曹真之言問之懿曰臣料荊襄看操亦有此意東吳決不敢動兵可乘此伐蜀也魏主封曹真爲大司馬征西大都督司馬懿爲大將軍副都督劉曄爲軍師點兵四十萬出長安殺奔劍關來取漢中其餘郭淮孫禮等皆分道而進漢中報入城都來此時孔明病可多時每日教演軍馬習學八陣變化之法盡皆精熟意欲北征聽得飛報消息孔明便喚張嶷王平曰汝二人先引五百軍去守陳倉古道敵住魏兵吾自隨後提兵便來王平曰丞相誤矣近報魏兵四十萬勢如山岳丞相如何只與某軍五百魏兵掩至將何以拒之孔明曰吾欲多與汝恐士卒生受也張嶷王平面面相覷孔明曰失了關非汝之罪汝不必多疑張嶷王平曰丞相若欲斬某二人就此斬之某等決不敢去孔明笑曰何其愚也吾昨夜仰觀天文見畢星纏于太陰之分此月內必有大雨魏兵雖有四十萬

司馬曹真

兵到陳倉

安敢深入山險故不必多疑恐同受其害也吾今衆士皆在陣安屯一月待魏兵自退之時天必晴光此時吾以大軍隨後掩之掛有不克以吾安逸之兵追赴勞苦之士雖千萬何足懼哉二人聽罷亦懷疑而去孔明斷漢中出屯漢中下令交各處預備乾草喂馬以防秋霖漢中諸軍賞給衣糧各各寬假一月候候出征王平張嶷到陳倉古道逐處高阜處搭起窩鋪以防秋雨却說司馬懿曹真提兵到陳倉之時見城內並無一間房屋此是孔明回日放火燒毀曹真便欲取陳倉道而進司馬懿曰不可輕進某夜觀天文見畢宿纏於太陰之分此月內必有大雨若深入重地如勝則可倘有蹉跌無處屯兵軍士受勞苦且就城中搭起窩鋪以為退步之計搭電砍伐木植搭蓋未及一半天降大雨不止陳倉城外平地水深三尺旗旗衣甲盡皆濕大雨三十餘日馬匹多死人有病傷切思歸魏主求晴不獲太尉華歆奏曰為國者以民為基民以衣食為本使中國無饑寒之患百姓無離土之心則二敵之釁可坐而待也今出師以來天降大雨此不祥之兆也乞降詔班師以

魏主遣使

勅令班師

軍心以蘇民力楊阜諫曰昔武王白魚入舟君臣變色
動得吉瑞猶尚憂懼況有災異而不戰悚者哉今諸軍始進便有
大雨之患轉運艱險所費已多宜陛下早召兵還免遭塗炭又有
散騎常侍王肅諫曰志云千里饋糧士有飢色樵蘇後爨師不宿
飽此謂平途之行軍者也又況深入險阻鑿路而前則其為勞必
相百也今又加之以霖雨山坂峻滑糧運艱繼實行軍之大忌也
聞曹真發已踰月而行纔到半谷險阻已遠則周武出關而復還
近則文王臨江而不濟此非順天時達權變者哉魏主曰卿等之
言是也於是遣使持節詔曹真司馬懿班師[illegible]之無不[illegible]
思歸曹真奏詔比及與司馬懿商議各軍皆已便行卻如何此時
得定司馬懿曰軍無戰心安能勞神不如且歸曹真曰倘諸葛亮
分進若何懿曰吾已先伏下兩軍斷後方可行矣便傳令後軍先
退而行卻說孔明計算時候月餘未晴明先提一軍伏於城固
領傳令三軍會於赤坂駐劄是日孔明升帳曰吾料魏軍必走[illegible]
曹真司馬懿未奉詔書必令班師吾算漢中西城子午谷[illegible]

四出祁山

關此五路兵一齊退去若追之必有埋伏宜徐徐退去卻作區處忽王平張嶷使人來報說魏兵皆去孔明交不可追待吾自有破魏之計引兵出城固勝負如何

孔明四出祁山

衆將曰魏兵遭雨思歸乘勢追之無有不勝何為不令追孔明曰司馬懿善能用兵彼必於險處埋伏以防追兵吾若追之正中其計吾亦逕出斜谷而取祁山使魏人不隄備也衆將曰取長安之地別有路途丞相只取祁山何也孔明曰祁山乃長安之頭隴上諸郡倘有兵來必須經由此地更兼前臨渭濱後靠斜谷左出右入可以埋伏是用武之地故必欲爭之先得地利也衆將曰然孔明乃命魏延張嶷杜瓊陳式出箕谷令馬岱王平張翼馬忠出斜谷並會于祁山先鋒首為上功撥兩隊人馬去了孔明令關興廖化為先鋒自總中軍續後而進卻說曹真司馬懿二人在後監督軍馬看一寨探後面蜀兵來趕今行不數里後面埋伏兵人回言蜀兵絕無動靜曹真曰此何故陰地棧道斷絕蜀人皆知

司馬懿領

兵守箕谷

等退軍那司馬懿曰蜀兵必從後而出也曹真曰何以知之懿曰連日晴靄蜀兵不出者料吾有埋伏也直將遠去待吾軍盡必入關中米麥祁山也曹真不信懿曰子丹如不信可以觀之諸葛亮軍必從兩谷而出我與子丹各守一谷十日爲期如無蜀兵面搽紅粉穿婦人之衣來到營中賠罪曹真曰若有蜀兵我情愿輸天子所賜玉帶御馬與之遂分兵於兩處曹真引一半軍屯於祁山之西守斜谷口司馬懿引一半軍屯於祁山之東守箕谷口各自安營下寨且說司馬懿屯兵於箕谷道口先教兩軍伏於山谷中其餘軍盡把要路哨探司馬懿自改換衣服雜在十步軍中遍觀諸寨忽到一營見一將仰面怨言曰大雨下了許多日不思回去簡直在這裏屯紮都督自要賭賽却害苦了衆人司馬懿記了回到寨中升帳喚集諸將皆在帳下台出怨言之人問曰朝廷養軍千日用在一朝你何故出怨言以慢軍心其人低頭不語懿令同伴訐之果伏其罪懿曰吾非爲賭賽之故實欲勝蜀令汝等各得功回都以汝等何能勝蜀推出斬之須臾獻頭於帳下衆皆悚然

汝各自盡心以備□廣吾軍中纔纔四面皆邊諸將得令而退
却說魏延張嶷杜瓊陳式四將引三萬人馬取箕谷而進正走之
間忽然參軍鄧芝來到四將問其故芝曰丞相有令如出箕谷道
口提防有魏兵埋伏不可輕進陳式曰丞相用兵何多疑也昔當
先便起適上司馬懿多將吾料魏兵遭值久雨衣甲皆損只思歸
計豈有心再戰今宜我等會祁山又交休進是何號令也鄧芝曰
丞相計無不中謀無不成汝安敢如是式笑曰丞相若能用計不
致有街亭之敗魏延心中恨孔明前次進兵之時掾謝他往武都
陰平全然無功常有怨言當時亦笑曰若初出祁山聽吾之言出
子午谷此時休說一個長安連洛陽亦得矣陳式曰本部自有五
千兵先到祁山下寨看這老子羞否鄧芝之阻當不可是夜魏延要
與孔明爭競激起陳式式自潛地引軍去了鄧芝比及知覺軍已
去遠飛馬來報孔明却說陳式引五千兵逕出箕谷路上並無一
人陳式在馬上大笑曰人皆以孔明何神遠謀略吾今見之如等
閑行谷口行不數里忽聞一聲砲響四面八方伏兵盡出陳式急

曹真令人奏

良追蜀兵

退斜谷口兵已危滿得鐵桶相似得魏延一軍在谷中出困此魏兵救開故得陳式性命五千兵只剩下四百帶傷人回谷去了魏兵又赴張嶷杜瓊引兵接應魏兵方退魏延拒住下寨方知孔明神通二人悔之無及卻說鄧芝回見孔明說陳式如此如此孔明曰魏延素有反意常懷不平之心若留而患之久必生患吾當除之正言間飛馬報陳式折了四千餘兵四在谷中孔明命鄧芝急往用好言以慰其心以防生變吾料司馬懿在箕谷曹真必在祁山吾遣攻之再來截懿之後必自走矣鄧芝去了孔明急喚馬岱王平速往斜谷如有魏兵守把您二人越山頭晝伏夜行出祁山之左舉火為號又喚馬忠張嶷二人亦從山僻小路晝伏夜行出祁山之右舉火為號共劫曹真營寨吾自出谷口三面攻之真可破矣於是四將引兵分頭路去了孔明令廖化關興亦引兵出谷卻說曹真不信有蜀兵因此心中怠慢一任軍士歇息只待十日要羞司馬懿等至七日忽報谷中有些少蜀兵曹真令大將秦良引兵五千直延入谷去趕得蜀兵離寨十里不見動靜秦良[illegible]

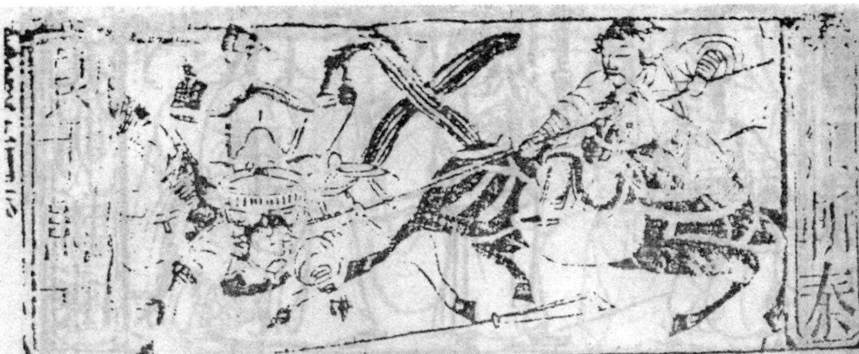

了司馬懿分付三軍盡偃旗息鼓却說秦良赶入谷口與廖化
覺後而走秦良赶了五六十里不見蜀兵心下疑惑令一人上山
了望之見山後塵起報道蜀兵有埋伏秦良正欲退兵前面喊聲
懿引兵突出背後廖化關興殺來兩邊是山皆無走路大叫降者
免死魏兵多降秦良被廖化斬于馬下孔明又將降軍收在後却
將秦良等降軍衣甲旗幟盡戰馬撥五千蜀兵扮作魏軍便令
出谷吳班吳懿關興廖化押後逕奔曹真寨去先使一二報馬虛
報蜀兵些少皆已遠去如說司馬懿差人將檄到真寨說蜀兵已
到被吾斬首四千餘級望休以賭賽爲念手萬用意隄防曹真曰
我這裡並無一個却遣使回使人去斜谷去探回報蜀兵去遠秦
良兵回曹真出寨迎接果是自家兵回比及到寨人報後寨兩路
火起真大驚急回看時蜀兵就前寨殺將起來王平馬岱馬忠張
翼之兵復到魏兵措手不及各自逃生諸將保護曹真望東而走
前面一軍金鼓喧天自西而來曹真心驚膽碎背後蜀兵赶來近
前視之乃司馬懿也懿曰某見子丹同檄稱說無兵料中諸葛之

討故來救援曹真偟恐懿接住蜀兵戰了一陣懿曰蜀既占了
山此地不可久居遂退於渭濱下寨曹真軍折大半臥病不起懿
恐軍亂就留真在軍中安眾却說孔明於祁山下寨賞勞三軍魏
延等皆於箕谷孔明召至問曰前日誰陷軍馬魏延曰陳式不聽
號令致此失陷式叫曰某罪自有魏延亦教行來孔明怒曰魏延
救得你回你到扳扯他違吾將令推出斬訖懸頭寨門以示眾將
按陳式之孫陳壽作三國故以魏為正統以孔明入寇中原后魏兵餒自言曹真臥病不起見
在寨中治療孔明曰吾用片紙令曹真氣死何如

孔明祁山布八陣

却說孔明知曹真與司馬懿賭賽羞愧成病謂眾將曰曹真病勢
必重故司馬懿留之於軍中以安眾心今吾寫一紙書與秦良降
卒至帳下問曰汝等雖是曹真帳下人有五七人應曰我等皆是
孔明賞了各付一紙書曰子丹與我有舊可以達之分付了盡皆
放之眾卒歸見司馬懿俱言放回之事懿曰此諸葛結吾軍心也
將此書遞至運糧處眾用出戰發內曹真帳下人呈上孔明書

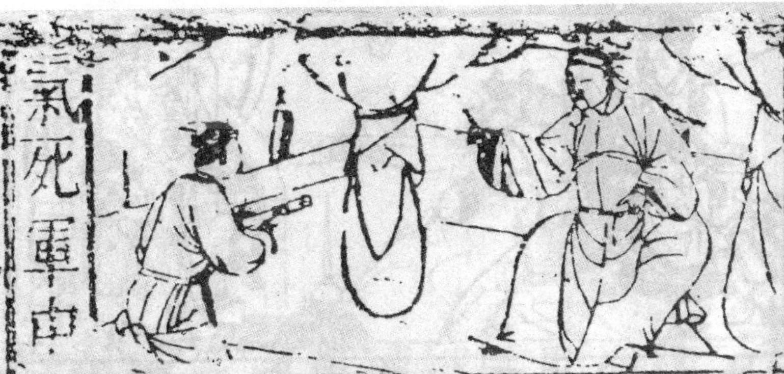

曹真見扶病起看數紙略曰書云漢丞相武鄉侯諸葛亮致書于大司馬曹子丹麾下夫為將者日就月將能去能就能柔能剛能進能退能弱能強不動如山岳難知如陰陽無窮如天地充實如太倉浩渺如四海炫耀如三光預知天文之旱澇先識地理之險夷察陣勢之期會揣敵人之短長嗟汝無學後輩上逆穹蒼助篡國之逆賊稱帝號於洛陽走殘兵於斜谷遭霖雨於陳倉水陸困乏人馬猖狂盈川之戈甲棄滿地之刀鎗都督心崩而膽裂將軍鼠竄而狼逃無顏見關中之父老何面居相府之廳堂史官秉筆而記錄百姓眾口而傳揚仲達聞陣而惕惕子丹望風而鼠竄吾兵強而馬壯大將虎奮以龍驤掃秦川如平地蕩魏國作荒坵天書無一遂來早降

曹真看畢恨氣塞胸至晚死於軍中司馬懿令人送靈柩還洛陽魏主知曹真已死速催司馬懿出戰懿只得提兵交戰令人下戰書已偏諸葛亮來日決戰孔明批回當日與姜維授密計如此而

行文喚關興受計去了次日孔明盡起祁山之兵前赴渭濱擺軍相近各將軍馬擺開三通鼓罷諸將隨司馬懿出於陣前遙望諸葛孔明打話蜀兵門旗分開孔明端坐四門車手搖羽扇懿叱曰吾主法堯禪舜相傳二帝坐鎮中華汝乃南陽耕夫不識天數每每趣兵犯界理宜殄滅吾主寬仁恐傷百姓汝若省身改過各守邊界以成鼎足之勢免致生靈受苦汝等皆得保全矣孔明曰吾受先帝託孤敢不竭力討賊汝曹氏世爲漢臣纂居國何得不誅懿曰你既與我共決勝負休出奇兵以正兵一戰你若勝我我再不爲將孔明曰你欲鬪兵乎鬪陣法乎懿曰先鬪陣法孔明曰汝先布來我看懿入陣上將黃旗招颭左右變成陣勢出陣問曰汝識吾陣否孔明笑曰乃混元一氣陣也吾軍中末將亦能排之懿曰你却布與吾看孔明入陣略爲招動布成陣勢復出問曰你識吾陣否懿曰量一八卦陣如何不識孔明曰你敢打陣麼懿曰既識如何不敢打孔明乃入陣仲達亦入陣喚戴陵（太原人氏官拜建威將軍）張虎（[illegible]）樂綝（[illegible]）三將分付曰今諸葛所布乃八卦陣也陣有

將衝陣

八門按休生傷杜景死驚開也生景開三門吉休傷杜死驚[illegible]
凶今正門向東乃生門也可打西北乃景門也可打西南開門[illegible]
汝你三人牢記之東門打入從西南門以出或從西北門出自然[illegible]
衝餘門皆不可入今日戊申正應如此三人各帶二十騎分作前
後中三隊好接應張虎當先殺入戴凌第二樂綝第三依次從東
門打入兩軍吶喊相助且說張虎殺入只見陣如連城衝突不出
張虎將引三十騎轉過陣腳從西南衝出戴凌樂綝二將打到陣
裡見重重有門那里分得東西南北只顧乱冲喊聲起處個個被
縛送到中軍孔明曰打陣者小將也捉汝等何足為奇放你回見
司馬懿教他熟讀兵書那時再來決雌雄盡以墨搽其面放回魏寨
司馬懿大怒曰久戰不勝何顏回國即指揮三軍奮力掠陣兩軍
纔合忽然陣後戰鼓齊鳴關興從南上殺來懿分兵當之姜維又
從背後殺來四下蜀兵掩進魏兵大敗懿回渭南下寨堅守不出
孔明亦回祁山此時李嚴差都尉苟安解粮到寨苟安好酒於路
怠緩違限十日安曰因丞相與魏交戰不敢早行孔明怒曰吾掌

可專以糧食為重悞三日者流五日者斬汝悞十日有何理說推出斬之楊儀諫曰苟安乃李嚴所用之人錢粮多出西川若斬此人後無人敢送粮也孔明令去其縛杖八十放回苟安懷恨連夜逕投魏寨來降司馬懿將送粮被責事一一告知懿曰孔明多謀似此難信汝若能回成都布散流言說孔明有怨望之意早晚欲稱為帝若後主召回孔明即汝之功吾那時保汝為將苟安應允回到成都見大小官官散布流言說諸葛自有大功早晚欲篡奪之意諸官官聽信奏知後主言可宣孔明回都囊其兵權免生篡逆後主降詔宣孔明班師蔣琬奏曰丞相自出師以來累建邊功聖上何故宣回後主曰朕有機密事非見面不可言也急令使者宣丞相還都議事使者到祁山傳旨罷孔明曰吾正欲收功奈何天子使吾罷兵如不回是欺主也遂撥軍馬為五隊而退下令曰如一日退此營寨而去營內屯一萬軍掘一千竈明日掘一千後日掘三千每日退軍添竈楊儀曰昔孫臏擒龐涓因添兵減竈今丞相退兵添竈何也孔明曰司馬懿善用兵知吾退兵必來追趕[illegible]

於舊寨毋日添竈使懿疑吾有伏而不敢追吾緩緩而退自無追之患孔明傳令退兵司馬懿料苟安行計停兵待之見蜀兵盡祁山而去懿懼其多謀不敢輕進引兵踏其舊寨令人看其竈多少火竈軍士報其數明日再趕到一寨中比昨夜火竈三分又添一分懿與諸將曰諸葛多謀效孫臏添兵減竈之法也毎日添竈退兵使吾疑也若盡力追之必有龐涓馬陵之禍因此懿不趕孔明不折一兵而回次日有人報說孔明毎日退兵只添竈未嘗添軍懿悔曰此與昔日西城之智無異今日孔明退兵添竈是效孫臏之法嚇吾也於是懿班師回洛陽且看孔明回都面君何如

孔明五出祁山

孔明到漢中把諸軍一分撥賞賜了當遂徃成都面君孔明曰臣欲進兵取長安陛下宣詔何也後主曰久不曾見思慕之甚欲相見也孔明曰此必有人讒間以迷主上說老臣有篡逆之心也後主無言可對孔明曰若內有賊臣臣何能討賊耶後主曰此皆宦者之言朕今悔甚孔明詢索宦者根源方知是苟安也急捕苟安已

王親送

司馬征蜀

投魏矣孔明將官者盡殺之餘皆發出宮孔明深責蔣琬費禕二人寡言不知孔明曰今落賊彀中必當再出師矣於是拜辭後主復往漢中一面持檄令李嚴應付粮米克日起軍楊儀曰前日行軍於路多有怨望不若以蜀中軍士分為兩隊以三個月為期循環相換此不勞兵之力也然後於祁山久住可圖中原也孔明曰汝言正合吾机於是將軍分作兩隊以百日為期循環交換違悞三日者皆以五十五日者杖一百十日者處斬於是建興九年二月孔明出師却說魏主曹叡聞邊報知孔明又出祁山急宣司馬懿至懿奏曰今者大司馬子丹棄世臣當竭力討賊以報陛下主大喜設宴待之次日排鑾駕送司馬懿出師懿辭帝至長安會集各處諸將聽令定議先鋒之職張郃曰某願一軍以守雍郿司失悞甘當軍法懿曰吾遍觀諸將之中能當先破敵者只有汝也汝卽據守雍郿却非上將之職你却與吾當先破敵若何郃曰郃每欲盡心報國惜乎未遇其主今都督肯與重職萬死不辭懿曰天子盡心托我我欲倚仗於君郃大喜曰惟命是聽於是懿命

馬

五出祁山

爲大先鋒總督六軍文委郭淮鎮守隴上諸郡其餘諸將各分[illegible]
道征進郤說孔明率軍再出祁山進發先鋒王平張嶷直出劍閣[illegible]
陳倉度散關迳出斜谷郎說司馬懿提兵出關先鋒張郃前來[illegible]
討懿曰今諸葛亮出祁山必來割隴西之麥以資軍用汝[illegible]
山吾委郭淮巡拉天水諸郡以防蜀兵劍麥遂開兵門[illegible]
懿自望隴上來郤說蜀兵到祁山下馬劉孔明爲軍中粮少遣人[illegible]
李嚴處催併粮期[illegible]到孔明見說魏兵於渭濱提備孔明曰必司
馬懿也郎曰軍中之粮各料隴上麥熟者自引兵暗去取之乃[illegible]
王平張嶷吳班吳懿在祁山孔明令魏延姜維爲先鋒前至[illegible]
守把孔明問今年麥何處更熟段祐曰隴上麥熟惟上邽第一[illegible]
明留張翼馬忠守南城自提兵登上邽來忽報司馬懿已[illegible]
在彼孔明笑曰他又算吾來割麥也吾試驚之於是沐浴更衣[illegible]
取四門車一般三輛一樣裝束此是孔明先預備來了令姜維引一千[illegible]
百鼓手去上邽後埋伏魏延馬岱各是如此每人將一輛車去[illegible]
後擁軍二萬分左右割麥孔明選軍人二十各穿皂衣披髮[illegible]

孔明行遁

甲縮地法

旋推車左右令關興結束如天丁之狀手執七星皂旗在車前步精壯者二十五人推車離寨望魏軍中而去卻說魏兵見[illegible]司馬懿懿出軍前看了便差五百軍趕之孔明便交回軍但見陰風颯颯冷霧濛濛魏軍趕上一程心中大驚皆勸住馬孔明皆令回車朝着魏軍歇住魏軍又趕孔明又回車上走了一程又歇下[illegible]着魏軍驚得痴呆司馬懿亦在後交休趕此遁甲縮地法也正說軍回只見左邊戰鼓齊鳴有軍馬殺來只見千百軍中二十五個人穿皂衣擁一輛車車上也有孔明魏兵心疑不敢近前右邊戰鼓喧天一軍殺到也有一般孔明在車上背後鼓聲大振一軍殺到也有一般孔明在車上魏軍驚駭退走入上都城堅閉不出於是孔明放出二萬軍只顧割麥魏兵三日不敢出城後見蜀兵退去差人哨探称說前者三路伏兵每路只有一千五百餘送車子後五百擂鼓車上孔明是假的只有正中自來的是真的懿數曰諸葛真神出鬼沒之計也忽報郭淮來到相見了淮曰近日蜀兵在南城割麥可以攻之懿說孔明之計淮曰只好[illegible]

孔明伏兵　破司馬懿

識破其計一軍攻城必之後郭淮費其前可徐質先懿從其言郭淮先行懿續後進發却說孔明回南城集諸將聽令曰南城西秦田宋劉尚可埋伏吾料魏兵必分前後而來與姜維魏延二將各引兵五千去西城東南角上斷處埋伏馬岱馬忠各引兵五千去南城東北角上埋伏吾選壯健一百人各帶鐵砲伏於麥田之中如魏兵歇定三更之後放砲爲號四邊齊進兵諸將領計去了却說司馬懿將至南城與諸將曰若白日進兵南城必然隄備至黃昏滿至城下城可破矣於是遣人四處關報二更已後魏兵齊至城下城上砲磁如雨魏軍知有準備四面圍合忽然於已圍中一百鐵砲齊發魏兵大驚正不知如何而來急令搜麥田之時西下角上火起鼓聲四路兵到城中四門軍出殺得魏兵尸山血海司馬懿占住山頭下寨郭淮在山後屯扎孔明令魏延等四人就城外下寨郭淮來與司馬懿曰相拒已久蜀兵不退可撒召雍涼各處軍馬併力勦捕以當絕糧一軍去截劍閣襲蜀兵歸路自然蜀兵慌矣懿從之即時撒召雍涼各處軍馬令孫禮統領前來約會

司馬懿檄

雍涼軍馬

又郭淮引兵二萬去襲劍閣卻說孔明在南城相拒日久見魏兵
不出喚馬岱姜維二人聽令曰魏兵守住山險久不出戰一者料
吾糧盡二者從正西小路去襲劍閣汝二人領一萬軍星夜前去
分把各處隘口魏兵見有準備必自退矣馬岱姜維受計去了長史
楊儀入帳告曰丞相在漢中許谷軍士一百日一換今已百日漢中
已出川口今這裡存兵八萬有四萬日期已足合去交換孔明曰
既有令便教速行忽報孫禮聚集雍涼等處軍馬二十餘萬來助
司馬懿攻打南城眾軍皆驚楊儀入告曰雍涼兵既到合留替軍一
月等新軍到卻放回家以備不虞孔明曰不可吾行師以信為
本既然得令豈失信于人吾不爲也凡去軍者裹糧以待其妻子前日
而望便令催併當去眾軍聞言皆大叫曰丞相如此愛我等我等
皆不願回情捨一命以報丞相大恩孔明曰既汝等肯戰只今出
城扎營待雍涼兵到不容喘息下寨便可擊之於是四萬合歸之
衆皆持刀鎗踴躍出城來迎雍涼之兵未知勝負如何
木門道萬弩射張郃

忽報永安軍馬已到欲將後營被蜀兵一湧以一當十殺得魏兵
之兵尸橫遍野血流成河背望本寨逃生蜀兵大勝孔明親自
城犒勞三軍忽報李嚴有急文書孔明大驚拆開視之書中
說東吳遣使與魏通和魏使東吳興兵取蜀此時軍馬將起待患
未萌宜早定良策孔明驚曰若東吳陸遜興兵誰可與敵只得退
歸乃傳令交祁山寨中且退彼知吾南城有兵必不敢追擊就
張郃來見司馬懿言蜀兵自退未知何意懿曰諸葛詐謀極多
須相持待其粮盡必自退矣郃曰都督懼諸葛如虎必被天下之
恥笑也仲達曰兵法云善戰不如善守大將魏平曰蜀兵拔寨
歸可以攻之懿不從郃說孔明知祁山兵退遂喚楊儀馬岱
領計曰你二人可帶一萬弓弩手去劍閣木門道埋伏若魏兵
必有魏兵趕到聽吾砲響可推下木石斷其去路兩頭發箭射
二人領計去了孔明喚關興魏延二人引兵斷後於南城上遍
插旌旗重望木門道緩緩而行彼只疑城中有兵不敢追襲又
城中亂堆柴草處處放火煙於是兵行入報懿曰蜀兵已退不知

輪鬭張郃

關興與魏延

中吏有幾多軍馬懿看了曰此空城也必無軍矣令人探聽果是
空城司馬懿曰諸葛亮此去必有東吳消息誰可追之張郃願往
曰你性燥不能忍耐恐中諸葛之計汝不可往郃曰都督出關之
時命某爲先鋒今遇立功却不用某何也懿曰今日蜀人雖急
於山林險隘去處必有隄備得一謹細者方可去張郃堅執要
懿曰汝既要去勿得後悔郃曰大丈夫捐軀報國死乃分也
司馬懿交郃引精兵五千在前又令賈逵魏平引兵二萬在後
防埋伏懿自引軍一千作三隊接應張郃看看趕着魏延延
馬擺開與張郃戰到十餘合魏延便走張郃趕了四五里勒住馬
不趕四下觀望並無埋伏縱馬又趕關興在前面擺開攔截
張郃與關興戰到十餘合關興便走張郃縱馬追去到一茂林
處勒馬不趕四下搜八哨探並無伏兵放心又趕前面魏延又來
廝戰ヒ了十餘合又走張郃又趕前面關興又等着兩個輪流交
鬭於路無金鼓鑼施魏兵爭取將近黃昏張郃趕到木門道口
魏延大罵曰匹夫只顧趕我今與你決一死戰兩個又鬭十餘合

木門道萬弩射張郃

魏延撥馬回時兩邊盡是鬼火漫山谷而進張郃當
乃怕馬追趕後面軍馬大叫休趕張郃正趕之間只聽得一聲砲
响山上木石盡滚下來塞断去路中間一段約有里餘盡是峭壁
一聲梆子响處萬弩齊發張郃與數百騎皆射死於木門道在後
着見塞断歸路欲救無計忽聽得山頭一人高叫諸葛丞相在此
衆仰視之孔明指衆軍而言曰你等傳語司馬懿吾今日圍獵欲
射其馬誤中一獐早晚必當再擒矣衆軍回報司馬懿懿曰張郃
身死吾之過也遂收軍還洛陽魏主聞張郃死哭曰西蜀未平良
將先亡如之奈何陳群亦哭曰張郃真棟梁也郃死國家折一柱
淚奏諫議大夫辛毗叱曰陳公是何言也初建安年間皆曰天下
不可一日無武祖及至升遐傳位文帝於初之間皆曰不可一日
無文帝至文帝崩今上龍興文武如雨豈少一張郃乎魏主曰辛
大夫之言是也命厚葬之却說孔明回漢中欲往成都李嚴先差
表奏後主曰兵粮曹足丞相今回將欲領賊入川也後主遣費禕
至漢中見孔明問其言孔明大驚曰是李嚴發書稱東吳欲入寇

後主貶李嚴爲庶民

因此回兵。費禕將李嚴上表之事，先與孔明。孔明心疑李嚴，令人密
知是李嚴因粮食不辦，恐孔明見罪，故發書喚回，又以表奏後主，
以塞已責。孔明大怒曰：汝爲一已之私，廢却朝廷大事，欲殺之。
禕諫曰：昔日李嚴與丞相同受付託，若殺之，恐人言丞相不
也。留之亦難，可貶爲民。孔明從之，即寫公文，達於尚書。其極曰：
李嚴既爲大臣，不思忠報，捏造無端，粮餉不辦，迷罔上下，
棄科尋人，爲奸挾情，肆志若無天地，自度奸露，嫌心遂生，今
賊未滅，社稷多難，不可包容，以隳大業，可將本人削去官職，
爲庶民，以杜絕內外奸黨之路，宜急施行。
後主聞之，亦大怒，欲斬李嚴。蔣琬奏曰：李嚴乃先帝託孤之臣，不
可斬也。於是貶爲庶人，徙於梓潼。孔明仍用李嚴之子李豐守
安。自此孔明在蜀中積草屯粮，禮士講武，民物殷阜，衆皆仰德。
建興十二年十二月，孔明奏後主曰：臣今存恤軍士三年，兵精糧足，
臣伐魏，以報先帝之恩。臣今若不能收復長安，再不回見陛下。
後主曰：方今已成鼎足之勢，吳魏皆不入寇，丞相何不安享太平？

耶孔明曰吾息兵三載寢食之間未嘗不思伐魏之策今

之當與陛下克復中原重興一統之基業也忽一人出班

可衆視之乃巴西充國人也姓譙名周字允南其言若何

孔明六出祁山

譙周出班奏曰臣掌司天但有災福不敢不奏近有鳥數百自南

飛來投於漢水而死此不祥之兆臣夜觀天文見彗星躔於太白

之分亦不利於興師況兼成都西川人聞柏樹夜啼有此數事丞

相只宜守之不可妄動孔明叱之曰吾受先帝遺詔當竭力以討

賊豈可因虛謬之兆以廢國家大事孔明乃具太牢致祭于先主

之廟哭曰臣亮五出祁山未獲寸土負罪匪輕今日出師誓除

賊以復中原竭力盡忠死而後已祭畢辭後主與百官送之

孔明到漢中人報關興病亡孔明哭曰可憐忠義之子天不肯

壽於是差魏延姜維為先鋒將兵分作五隊而進先差李

於斜谷道口等候孔明提兵二十四萬五路並進至祁山

關報入洛陽時乃魏青龍二年也

司馬懿差左

兵拆浮橋

臣奏蜀兵五路入寇中原魏主宣大將軍司馬懿入朝議退兵之策懿奏曰臣夜觀天文見中原旺氣正盛彗星犯於太白之分不利於西方諸葛亮恃才逆天行事臣托主上洪福今番破蜀必矣臣保舉夏侯淵長子夏侯霸次子夏侯威（霸字仲權威字季權）此二人弓馬熟閑韜略精曉三子夏侯惠四子夏侯和（惠字稚權和字義權）此二人深諳韜略曉兵機此四子常欲與父報仇臣今保霸威二人為先鋒惠和二人為司馬共破蜀兵魏主曰卿為都督不錯用人於是降詔差懿諸道軍馬並聽司馬懿調用魏主曰卿到渭濱但堅壁勿戰挫其銳氣彼進不得志退無與戰久停則糧盡彼必走矣因而追之可全勝也懿拜命而行到長安會集各處軍馬有四十餘萬前至渭濱安營差兵五萬砍伐林木於渭水中搭起九條浮橋夏侯霸兄第二人於渭水浮橋又於大寨後東原邊起大城以備不虞卻說郭淮孫禮二人來見司馬懿禮畢郭淮曰今諸葛軍屯和山必來戰曰若蜀兵跨渭登北原連北山隔斷隴道搖蕩民心非國之利也懿曰公言甚善公可總督隴右軍馬直抵北原下寨深溝高壘

隊兵不動待戰郭淮要攻之郭淮領令向北原下寨卻說孔明自出祁山分左右中前後下了五個寨自斜谷至劍閣一連又下了二十四寨各寨分屯軍馬以爲久計哨馬報曰郭淮孫禮領兵於北原前立寨孔明曰魏兵屯北原者懼斷隴上之兵故前北原下寨吾今名取北原暗取渭水命衆將先搭木筏數百隻上拈積草揀熟識水者五千人駕之令夜去渡渭濱攻打北原司馬懿必盡發兵救之軍若少敗把後軍先下水渡過岸後然把前軍下筏順水從浮橋放火焚斷卻攻其後兵自引兵攻前寨門也若得渭水之南勢自大矣於是巡哨軍人報知司馬懿懿曰孔明雖攻北原暗渡渭水也分付夏侯霸曰汝若聽得北原納喊汝便提兵伏於渭南山中蜀兵若過汝可擊之又喚張虎樂綝曰汝二人引數千弓弩手伏於浮橋北若見順水放木筏來令近橋可以射之又喚郭淮孫禮曰諸葛亮雖攻北原暗取渭水汝將兵伏於半路若蜀兵午後順水邊北原黃昏必入汝寨虛來攻打定詐敗而退水陸並進來取渭水此聲東擊西之計也汝可併力直追到渭水無妨二人領計去了

懿令二子司馬師司馬昭領兵救應前營懿自引一軍往救北原孔明問栰搭完否報云已皆完足孔明令魏延馬岱領兵渡渭取北原吳懿吳班掌管水栰燒浮橋王平張翼為前隊姜維馬忠作中隊張嶷廖化為後隊分作三隊去打渭水寨栅當日午時軍至渭水揚旗擂鼓渡渭水列成隊伍緩二吳北原而去吳班吳懿把住渭水準備去燒浮橋魏延兵至北原天色已晚鼓噪而進近前看寨中無多人馬棄寨而走魏延見有准備急退回渭水時左有郭淮右有司馬懿兩路殺出蜀兵大敗魏延馬岱死戰得脫大半死於水中吳懿見敗軍過岸抱住吳班分一半栰順水放下却被張虎樂綝岸上亂射吳班死於水中餘軍跳水逃生木栰盡被魏兵所奪却說王平張翼不知北原兵敗只顧奔渭南寨而來到寨已是二更只聽後面喊起王平曰軍打北原未知勝負渭南寨前如何無一人伏路莫非此計被司馬懿識了今且看浮橋上火起便可進兵二將勒住馬匹忽見後面飛馬來報曰北原兵敗浮橋令軍馬急回二將欲退山上伏兵已出大敗軍馬已渡浮橋城

費禕賚書

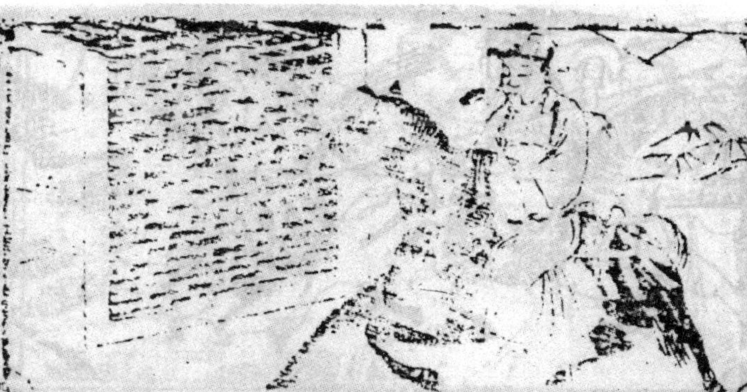

往見吳王

魏兵而來王平張翼那里敗退兩個大戰一場殺到天明兩軍各自退回孔明點軍傷折蜀餘楊儀曰魏延口出怨言因此不用心厮殺故有此敗孔明曰吾自有見汝勿獻讒言也楊儀懼恐而退忽報費禕來到入見禮畢孔明曰吾作一書煩你入吳為使何如禕曰丞相之命不敢逃遂領書望東吳來見吳主呈上書曰

漢丞相臣亮齋沐再拜獻書于

大吳皇帝陛下漢家不幸皇綱失紀曹氏篡逆蔓延及今皆思剿戮未遂同盟亮受昭烈皇帝顧託之重敢不竭力盡忠今大軍已會於祁山征寇將以於渭水伏誅 陛下以同盟之義命將北征共取中原同分天下書不盡言萬祈聖聽

吳主看畢與衆權曰朕久欲動兵未得會合今親征入居巢門攻魏合肥新城又遣陸遜諸葛瑾入江夏沔口取襄陽又命孫韶張承入淮向廣陵取淮陰等處三路各起兵十萬剋日興師費禕曰誠如是則賊指日可破矣吳主設宴相待席間問曰諸葛丞相軍前用武推堅破敵者誰為首禕曰魏延也吳主又問規畫軍務

鄭文斬秦朗于馬下

悮慶糧草者誰爲首禕曰長史楊儀奏主曰朕聞此二人皆小量耳於國無益若一個無孔明必生禍亂汝歸中宮臣何不遠慮曰陛下言者當也遂辭回至祁山見孔明說三路起兵之事及後主親征孔明曰明問甚來費禕說楊儀魏延之事孔明歎曰真聰明之主也吾非不知但惜其才不忍害之禕曰亦宜袪除孔明曰吾已定停了也費禕辭去忽報魏將鄭文反來投丞相孔明與至帳下問其故文曰某在魏爲偏將軍之職與秦朗一同引軍來司馬懿帳下聽調懿徇私將朗陞爲前將軍將某不用今背暗投明來歸丞相正問之間報秦朗搦鄭文出戰孔明曰汝武藝比秦人若何文曰某雖不及而願斬之孔明曰汝要吾重用必先斬秦朗然後無疑鄭文欣然上馬孔明自出寨外視之秦朗在軍前大罵反賊盜我戰馬出來我和你併個輸贏鄭文亦罵司馬懿天亡心不公偏用汝等[illegible]挺鎗來戰鄭文持刀迎之交馬一合斬秦朗於馬下魏軍便走孔明交休趕交取尸首入寨孔明交喝下鄭文[illegible]坐帳中喚鄭文至跪左右拿下鄭文叫無罪孔明

懿喝曰吾自別便識秦朗你何故瞞吾鄭文便轉語曰此秦朗之弟也孔明曰司馬懿令你來詐降於中取事是否若不實言即當斬首鄭文只得招了孔明遂將計就計來擒司馬懿其計何如

孔明造木牛流馬

孔明喚鄭文曰要吾饒你你可修書一封交司馬懿親來劫寨如捉住司馬懿便是汝的功勞鄭文只得寫了書孔明令將鄭文監下樊建問曰丞相何以知其詐也孔明曰司馬懿不輕用人如秦朗為前將軍必其武藝高也鄭文一合斬之便知非秦朗也吾故[illegible]以疑其心後用言以探之便知其實樊建等皆拜稱為神明孔明選一能辯軍士交去下書只說見用鄭文為先鋒特使某來下書懿問曰汝何人也其人曰某乃中原人民流落川中與鄭將軍同鄉故遣某來懿問了的當先交本人回報來日二更為期懿聽罷即欲與二子親往劫寨司馬師曰父親憑他一紙之書深入重地萬一有失如之奈何不如遣別將去父親遠遠接應可也懿然之差秦朗帶一萬人馬前去劫寨懿自為後應是夜月白

司馬懿令

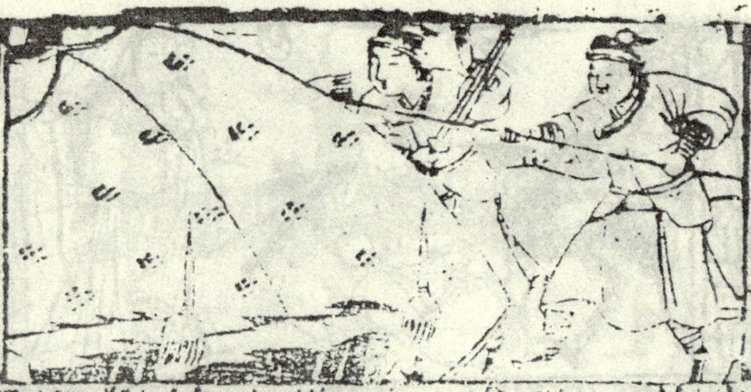

秦朗劫寨

風清忽然雲生霧起滿天陰暗懿喜曰天賜吾成功也急催秦朗進兵將到蜀寨〻內火起喊殺振天秦朗撞入見寨內無人急便退回左右王平右有張翼馬岱馬忠四面圍來秦朗死戰不能得出死於亂軍之中司馬懿來救被姜維魏延殺退魏兵敗回再不敢出郡說孔明斬了鄭文再議取渭南寨柵每日使人搦戰魏兵堅守不出孔明自乘小車在祁山前後渭水東西來看地理忽到一谷形似葫蘆其內可容千人谷口只容得一人一騎而過孔明問鄉導官曰此何名也答曰地名上方谷俗號爲葫蘆谷孔明看了分付馬岱密囑曰吾與你一千五百軍只在此間安營五百軍把住谷口餘人不得放入此是擒司馬之計汝等漏泄盡皆斬首馬岱自在上方谷安營孔明回至寨中楊儀入告曰即目糧米皆在劍閣之內人夫牛馬搬運甚難軍糧不敷如之奈何孔明曰吾已運計多時可將日前所積木植吾自親教作木牛流馬搬運糧米可以晝夜不絕衆皆驚曰自古及今並未聞有木牛流馬之事請丞相發人匠到與你千餘人依法製造（人言孔明妻黃氏能曾此法孔明學之）

高翔押送

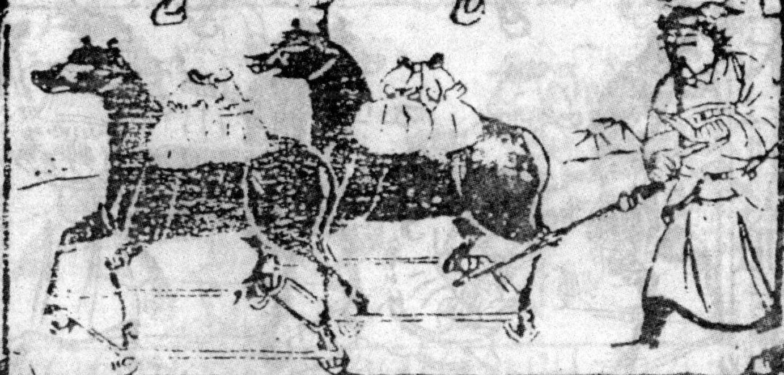

木牛流馬

[illegible]木牛流馬之法方腹四蹄方股四腳頭入領中舌着於腹載多而行少單行者數十里群行者三十里曲者為牛頭雙者為牛腳橫者為牛領轉者為牛足覆者為牛背方者為牛腹垂者為牛舌曲者為牛肋刻者為牛齒立者為牛角細者為牛鞅攝者為牛鞦軸牛仰雙轅人行六步牛行四步人不大勞牛不飲食流馬版長三尺五寸廣三寸厚四寸二分各[illegible]同前每馬裝米一斛三斗

半月之間木牛流馬造成果然轉動如生上山下嶺各盡其便眾皆大喜孔明差[illegible]木牛流馬搬運糧米於劍閣內直到祁山

後人有詩為證詩曰

六出祁山用計謀　運糧盤道到兩軍
劍關險峻驅流馬　斜谷崎嶇駕木牛
心地玲瓏人與謝　萬流騰大兒難收
誰能記得神仙術　古往今來讚武侯

却說有人信報木牛流馬搬運司馬懿不信再使人去探聽果如其言懿曰吾堅守不出蜀人糧盡今用此法蜀人爲久遠之計不思退矣遂喚張虎樂綝引五百軍從斜谷搶木牛流馬吾試看

之二將領命扮作蜀人於夜偷過小寨伏在山兒谷中果見高翔在後押送木牛流馬過山而來二將殺出蜀兵各自奔走魏軍每人搶了一兩頭盤下粮米星夜回到魏寨司馬懿交當面行使果然進退如生懿喜曰汝用此法吾何不用也氣殺諸葛也遂喚巧匠折開依其尺寸隨樣造之果然一般懿造木牛流馬各二千餘匹搬運粮草赴寨却說高翔被搶了木牛流馬來告孔明孔明曰吾正欲他搶去必然效吾法也數日後人報魏人亦造木牛流馬於隴右搬粮孔明曰不出吾之所料喚王平曰汝可引一千軍扮作魏人星夜偷過北原逕到運道之上殺散押粮之兵盡驅木牛流馬而回逕到北原寨口必有人來攔汝爭但見兵至將木牛流馬口內舌扭轉便不能行動盡棄於後且戰且走欲拉牽不動扛之不去之時吾再有兵到汝卻引兵復紐轉其舌自然能行魏人以爲神異必不敢追王平領計去了又喚張翼曰汝可引五百玄甲軍各打神頭旗號穿上是鬼獸面粧異之物以疑其軍心也夜則各另裝鬼面獸臉以藏烟火等類伏於山側護送木牛流馬魏軍

王平斬岑威于馬下

以為神兵必不敢追張翼領計去了又喚魏延姜維曰你二人總
五千人馬直至北原寨口接木牛流馬又喚張嶷廖化曰你二
人可引五百步軍粧作司馬懿來路又令馬忠去渭南寨口搦戰
盡皆分撥去了郭淮說司馬懿差鎮遠將軍岑威管押車仗正行之
間忽見二隊軍來岑威向前迎之被岑威一刀斬於馬下神兵掌
兵趕上盡驅木牛流馬而回敗軍飛報北原大寨郭淮聽知
車糧被劫急引軍來救王平見魏兵來近令軍士盡把牛馬口內舌
都扭轉王平與魏軍交鋒且戰且走郭淮只顧驅趕牛馬之時盡
皆不動正無奈何魏延姜維引軍馬殺至殺退魏軍山後張翼五百
軍出將木牛流馬之舌撥轉長驅而去魏兵看見以為神異並不
敢追郭說司馬懿知軍糧被劫自引軍馬飛奔北原而來被張嶷
廖化伏於山谷中兩路殺出未知司馬懿性命何如且聽下卷分
解

三國志十七卷終

新刻湯學士校正古本按鑑演義通俗三國志傳卷之十八

孔明火燒木柵寨

魏軍正行忽然蜀兵驟到司馬懿單騎奔逃廖化飛馬趕來懿撞入一林遶樹而轉廖化一刀砍在樹上急拔刀時司馬懿復出林去不知何往只見金盔棄于地東廖化取盔與轂轆望東追趕不見蹤跡遂趕于東廖化殺出路口迎見姜維同歸大寨張翼得木牛流馬糧米數百石廖化獻司馬懿金盔記爲頭功却說司馬懿逃回忽報朝廷有使命到說天子有詔爲東吳孫權三路入寇天子自引大兵御駕親征詔勅將堅守北原勿使有失司馬懿聽得東吳動兵轉添憂悶遂閉營不敢出寨長子司馬師曰蜀人奪去許多糧又喚集土居之民與軍相參向渭濱屯田以爲久計似此國家何日除害父親何不與諸葛大戰共決勝負懿曰吾非不欲如此恨未有計耳師曰有智鬬智無智鬬力父親百萬之衆何懼一諸葛亮也忽報魏延將都督金盔掛于陣前百般罵辱懿曰小不忍則亂大謀且不可出却說孔明在祁山喚集鄉民布散穀種與軍

雜屯田于渭水之濵三分軍一分民並無侵犯民皆樂然馬岱搭柵寨完成回報孔明曰其塹四圍皆掘深塹暗積乾柴其寨中松木盡搭引火之藥周圍山上虛搭窩舖皆是乾柴燥柴寨內外皆伏地目今月餘無雨又及炎天此計可行矣孔明密計曰汝可將葫蘆谷後路盡皆塞斷却伏軍于谷口如司馬懿到盡兵從之但見谷中盡力燒焚便是你的功也如見魏兵與蜀兵交鋒白晝懸起七星號帶于谷口夜則明七碗燈籠于山上是其號也吾素知汝忠義故以大事托之勿誤了馬岱領計去了孔明又喚魏延至分付曰你可引佰兵往來引誘魏兵如他軍殺來你可勝之如司馬懿來你可佯輸詐敗迤邐引誘投渭水山谷而走但見谷口有七星號帶者便可進入伏于深處引魏兵趕入五岩有計如夜只着七碗紅燈籠便是號也魏延去了又喚高翔分付交將木牛流馬或三十一群或五十一群各裝米糓于上方谷往來若魏兵來搶聽從將去只此是汝之事高翔去了孔明把祁山寨內之兵一一撥調開去只敎屯田之故你我皆不相援若別軍出寨不要

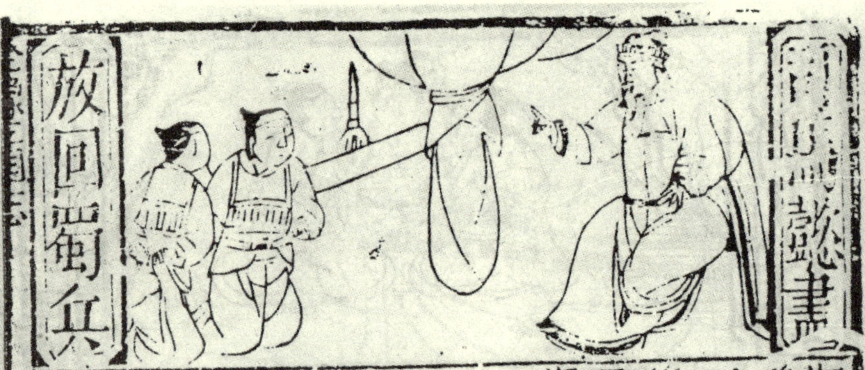

你處只要你輸司馬懿自出可併力只顧渭南絕其歸路一一都機關了孔明亦自上方谷下寨却說夏侯惠夏侯和二人來稟司馬懿曰下今蜀兵四散結營各處屯田以為久計若不除之日後滋根固蒂難以搖動懿曰恐是諸葛之謀惠曰如此疑惑何日見太平耶吾弟兄二人當努力干是司馬懿交夏侯惠夏侯和分投出戰當日報來擒得木馬五六十并兵匹金鼓旗幡等件次日又報得勝解到蜀兵數十人司馬懿問其備細皆曰諸葛料魏兵不出只要屯田以為久計懿將各人不殺以恩結之盡皆放回懿問諸葛在何處被獲人告曰每日運糧于上方谷中諸葛也在山西下寨備細問了司馬懿喚諸將聽令自令諸葛不在祁山移屯上方谷西你明日一齊去取祁山寨柵我自攻其後諸將得令去了司馬師曰父親攻其後何也懿曰祁山乃蜀人出沒之地也若見吾大軍攻之必盡往救矣彼若去救我却去上方谷燒盡其糧蜀人首尾不相救必大敗矣乃命張虎樂綝引五千軍在後救應命中軍預備火把却說孔明在山上遠望每日魏軍出寨或三千

或二千便行是日分撥隊伍前後顧盼孔明曰料必取吾祁川也下令以兵去救諸將勒兵只等司馬懿中軍出時便奪渭南寨柵當日魏兵望祁山一齊進發兩邊虛意吶喊作去救之勢司馬中軍來山前將引一行進奔下方谷來魏延行得將令每日只等司馬懿出谷口見了大喜領五百兵來迎懿欲去救祁山又見魏延兵少二三百圍來魏延見谷內七星號帶風內飄揚五百軍進入谷中去了司馬懿使前軍哨探谷內是個寨柵司馬懿引軍馬入內不見魏延軍兵四下峭壁別無埋伏之處見寨內有許多草房只道是屯糧之所看時盡是油薪司馬懿見魏延在前心中猜疑曰君有兵斷谷口如之奈何後軍大喊谷口山上太東小束撇下火把燒斷谷口見山上火箭火砲如飛煙而下四面火起數千人馬併作一處司馬懿下馬抱二子哭曰吾兒父子不想死于此處忽然怪風大作陰雲布合一聲霹靂響處大雨平傾滿川之火盡皆息滅大雨由兩時前後到初更平地水深三尺司馬懿曰不就此時殺出更待何時司馬懿引軍殺出谷口蜀將馬岱不敢當隨後追

孔明假意

欲斬馬岱

趕懿見前面一彪軍到乃張虎樂琳殺退馬岱懿回渭南時已破蜀兵奪了郭淮孫禮正在浮橋上和蜀兵死戰司馬懿剌斜里捲散蜀兵得浮橋而渡于是折斷浮橋拒住北岸得到大寨原來打祁山之兵聽得失了大寨急回時被蜀人殺散各自逃生却說孔明遠見魏延引司馬入谷時不勝之喜忽然天降大雨火皆盡滅報到死了司馬懿孔明喟然嘆曰謀事在人成事在天孔明收軍于渭南寨中魏延來告馬岱將葫蘆谷口堵斷若無大雨某與五百軍皆燒死于谷中孔明喚馬岱出罵之曰魏文長吾之大將也汝當初聽令時吾只教你燒司馬懿不曾教你燒魏文長若哎火燒着失吾左臂也速命推出斬之當時馬岱性命如何

孔明秋夜祭北斗

孔明令斬馬岱出衆官告免孔明教打背杖四十削去官職孔明密遣樊建諭馬岱曰丞相知公忠義故令汝行此計後成功當爲第一汝可與楊儀以解之馬岱方知是計次日見魏延曰非某欲如此是楊儀教某也魏延大恨楊儀却將馬岱收爲部下裨將孔明

許之却說司馬懿傳令但有言戰者以違制論忽郭淮來見司馬懿告稱諸葛亮每日哨路必欲別圖懿曰亮若出攻祁山而來吾營皆危道可發也若出西山而次五丈原諸將無事矣使人探之孔明果出五丈原懿以手加額曰魏之幸也諸將但堅守勿出者將且只坐待諸葛必有變却說孔明屯軍五丈原累次搦戰司馬懿並不出孔明乃取一盒內盛巾幗婦人之衣并縞素之服修書封盒使送至魏寨諸將引見司馬懿懿拆開見巾幗衣服有書一封書曰

漢丞相武鄉侯諸葛亮聞管子有云禮義廉恥國之四維四維不張國乃滅亡切惟仲達既為大將統領重兵不思披堅執銳以決雌雄甘居守土巢而避刀箭與婦人何異今遣巾幗素衣如不出戰可拜受之倘有男子胸襟早與批迴依期赴敵

懿笑曰汝識我為婦人耶吾權受之懿問使曰諸葛公起居飲食若何使者對曰丞相夙興夜寐罰二十杖以上皆親覽焉所噉食不至數升懿曰食少事煩其能久乎使者回見孔明說懿受了巾幗但問寢食之事並不問軍旅某如此對之懿曰食少事煩其能

久乎孔明嘆曰彼深知我也靜軒詩曰　興師伐魏報先王
大命何期有短長　仲達料人真妙算　頃知食少事煩亡
主簿楊顒曰某聞為治有體上下不可相侵所見丞相雖在軍中
自校簿書朝廷大小事務必須經歷請譬喻言之治家之道必使
奴耕婢爨雞司晨犬吠盜牛負重馬涉遠家主雍容高枕而已身
形疲神困諸事終無一成豈其智不如奴婢雞犬哉失為家主之
法也昔丙吉不問死人陳平不知錢穀誠其分也今丞相自理所
事流汗終日不亦勞乎司馬之言洞然肺腑孔明泣曰吾非不知
但受先帝托孤之重恐他人不似吾之心負先帝重恩所眾皆慟
哭孔明自覺神思不寧未敢進兵卻說魏將皆知孔明以
巾幗之辱與人帳中曰吾等乃大國之臣安忍受小邦匹夫之辱
請出戰司馬懿曰吾非不出戰甘心受辱為天子有詔命吾堅守若輕
出戰是違天子之命眾將皆不平懿又曰吾遣使星夜上表求戰
如天子允從出戰未晚遂遣使赴合肥奏知魏主魏主覽表曰
[illegible]司馬懿言[illegible]漢兵[illegible]深寨[illegible]分兵堅守不戰以待其敝

今者偽蜀諸葛亮輕臣如奴隸待臣如婦人遺以巾幗恥辱之甚臣先奏達聖聽旦夕與諸將效一死戰以答先帝之大恩陛下之重臣不勝激切之至

魏主曰朕令且守何故求戰衛尉辛毗奏曰司馬公本無戰心必是諸葛相逼故上表求制之魏主便令辛毗持節以制之詔可如有敢言出戰者以違制論辛毗星夜到軍前傳詔已訖諸將方始不敢再言司馬懿與辛毗曰公知我心也于是欽布其言魏主遣人節制三軍令休出戰董厥樊建以此言來告孔明孔明笑曰此司馬懿安三軍之計也姜維曰何以知之孔明曰彼本無戰心所以請者以示武于衆耳豈不聞將在軍君命有所不受豈千里而請戰也衆皆曰然忽報蜀臣探東吳消息使命費禕至孔明召入問之曰魏主聞東吳兵分三路乃自提兵至合肥命滿寵田豫劉邵分道迎之滿寵設計盡焚東吳戰具糧食吳兵多病陸遜上表與孫權約會不意于路進表人被魏人所獲因此計泄吳兵大敗俱已退回孔明聞知長嘆一聲忽然昏絕于地口吐鮮血衆將慌

孔明仗劍　禳謝北斗

救半晌方甦孔明曰吾心昏亂舊病忽發壽必不遠是夜孔明扶出帳仰觀天文乃慌入帳中喚姜維曰吾死必矣維哭曰丞相何故出此言也孔明曰吾觀三台之星客星倍明主星幽隱相輔列曜其色昏暗命只在旦夕維曰維聞昔日有能禳者丞相必能知之孔明曰吾學此法久矣未知天意若何汝可引甲士四十九人各執皂旗穿皂衣環繞帳外吾親于中禳之七日內如燈不滅吾可更增一紀之壽如滅吾死必矣一應閑人不得放入吾當禳謝北斗姜維得令一應合用之物只是二童子進入帳中姜維親領四十九人監守帳房是時八月半間當夜銀河耿耿玉露滚滚旌旗不動刁斗無聲孔明于中軍帳內拈陳香花祭物中布燈七盞順布小燈四十九盞內置本命燈一盞于地孔明再拜祝曰亮生亂世隱遯隴畝承先帝三顧之恩託幼主孤身之重竭力犬馬之勞統貔貅之眾六出祁山誓以討賊不期將星欲墜陽壽將終謹以靜夜敢告于穹天后土北極元辰伏望天慈俯垂昭鑒乃俯滿詞曰

姜維拔劍

欲斬魏延

伏以周公代姬氏之危且乃廖孔子值匡人之圍自然不死臣亮受託孤之重竭報國之誠統領將兵欲平魏寇率大兵于渭水安營將于祁山伺則有妖星犯臨身陽壽將盡謹以尺素上告蒼穹伏望天慈曲賜臣算上報先帝之恩德下救黎庶之倒懸非敢望神將用延切于情不勝懇切之至

孔明禱罷俯伏待旦次日還在帳中扶病而起口吐鮮血不止却說司馬懿在帳中無事皆步出仰觀天文大驚曰將星失位諸葛亮只伏病篤及後必伏待可行觀其家見將星失大位諸葛必然不久你可引一千軍哨探到五丈原寨前去如蜀人慌亂相攜不出是諸葛病也我當衝力追必是無事汝可去探聽賞覆司馬懿令將分引軍而來却說孔明在帳中是第六夜了見主燈不明心中暗喜姜維入乃令觀拜孔明撥發伏劍踏罡步斗壓鎮將星忽聽寨外大喊方欲遣人問時魏延慌入帳中報曰魏兵至矣延腳步流速將燈撲滅孔明棄劍曰死生有命富貴在天不可得而禳也姜維拔劍欲斬魏延不知如何

孔明將兵

法授姜維

孔明秋風五丈原

孔明喝止之曰是天命也非魏延之過分付延曰此是司馬懿覩星知吾將星欲墜故令人探虛實汝可急遏之魏延追趕去了孔明謂姜維曰吾欲盡忠恢復中興漢室奈何天命如此旦夕必亡矣吾平生所學著書二十四篇計十一萬四千四百二十四字數內有八務七戒六恐五懼之法吾遍觀諸將無可授者惟有汝可以付託汝可秘受勿違吾志姜維泣拜而受孔明又曰吾有連弩之法不曾用之汝久後必得其用一弩十矢二以鐵打長八寸吾已圖成圖本汝可依樣造之以預備用又分付曰蜀中諸道不必多憂惟有陰平之地雖然險峻久後計較不到必然着失[illegible]又有錦囊一個汝可密受馬岱吾知其忠義故托以大事久後魏延必反之之曰可開視之依計而行孔明一一分付了當夜昏暈數番此時連夜表達朝廷後主遣僕射李福問病孔明對福曰吾今不幸中道而亡虛廢國家大事得罪於天下也吾死之後白有遺表上奏天子汝等公卿大臣依吾平日定下法度行之

孔明遺表

表達後主

不可改易吾所用之人亦不可廢馬岱忠義後當重用吾兵書已授姜維他日能守西蜀者必姜維也李福辭去孔明臥于几上不覺秋風吹面徹骨生寒孔明嘆曰吾再不能臨陣而討賊也悠悠蒼天何此其極嘆息良久病勢轉加喚長史楊儀入帳曰王平廖化張嶷吳懿吳班等皆隨吾征戰忠義之人多負勤勞可堪為用吾死之後汝依吾法旋師而退汝久諳兵事不必多囑但有姜維可為斷後魏延久後必反但恰其才而不忍加害吾今與汝一錦囊可以秘藏若魏延反臨陣之時方可開視內有斬魏延之計其餘諸將各依舊法不可輕動楊儀泣拜領命訖又數日孔明病勢危篤及取文房于臥榻之上自寫遺表其文曰

臣亮伏聞生死有命難逃定數死之將至願盡愚忠伏念臣賦性拙直遭時艱難分符擁節專掌鈞衡興師北伐未獲全功何期病在膏肓命垂旦夕伏願陛下清心寡欲約己愛民達孝道于先皇布仁恩于寰宇提拔忠隱以進賢良屏黜奸邪以厚風俗臣家成都有桑八百株薄田十五頃子孫衣食足有餘饒至

孔明扶病

夜鎮將星

于臣在外任別無調度隨時衣食悉仰于官不別治生以長尺寸臣死之日不使內有餘帛外有餘財以負陛下也臣亮不勝涕泣懇切之至

寫訖分付楊儀曰我死之後不可發哀司馬懿必然來追汝可一順一遞分作長蛇之陣迴旗返鼓若將近敵司馬必走三後方可發哀可作一龕將吾坐于車上用米七粒置于口中并抄水口中足下安明燈一盞置于車上軍中安靜如今夜將星墜地吾靈自起鎮之令後軍一寨一寨緩緩而退汝諸文武各宜用心楊儀得令而去依此行之是時建興十二年歲在甲寅八月二十夜三更孔明令二人扶出仰觀北斗遙指曰此吾將星也眾視之其色煌煌如欲墜之狀孔明取劍指之口中念咒畢扶歸帳中不省人事忽報李福再至眾接入福見丞相不能言大哭曰我誤朝廷大事須臾開目視之見李福立于床前孔明曰公此來乃太子問誰可以任大事乎福曰前者實不敢問丞相百年之後誰可任大事故命星夜至此孔明曰蔣公琰可福曰蔣公琰去誰可繼之孔明曰

李福再出　閑亮後事

曹交輕可福久問孔明不答衆官視之孔明已薨壽五十四陳壽

評曰

亮爲相國撫百姓示儀軌約官職從權制開誠心布公道盡忠竭力者雖讎必賞犯法怠慢者雖親必罰服罪輸情者雖重必釋游辭巧飾者雖輕必戮善無微而不賞惡無纖而不貶庶事精練物理其本循名責實虛爲不齒終于邦域之內畏而愛之刑政雖峻而無怨者以其用心平而勸戒明也可謂識治之良才管蕭之亞匹矣

蜀臣楊戲乃作諸葛丞相之贊曰

忠武英純　獻策江濱　攀吳連蜀　權我世眞　受遺阿衡　整武齊文　敷陳德教　理物移風　賢愚感心　命至其身　誕靜邦內　四裔以綏　屢臨敵庭　實耀其威　研精大國　恨于未夷

唐元微之爲作諸葛丞相廟贊曰

撥亂扶危主　殷勤受託孤　英才過管樂　妙策勝孫吳　凜凜出師表　堂堂八陣圖　如公全盛德　應歎古今無

仗劍長驅

緩緩退兵

唐白樂天詩曰　先生晦迹臥山林　三顧那逢聖主尋
魚到南陽方得水　龍飛天漢便為霖　託孤既盡殷勤禮
報國還須忠義心　前後出師遺表在　令人一見淚沾襟
程伊川詩曰　六出雄師渡劍關　運謀決策笑談間
巍巍功業蓋三國　糾糾威風鎮八蠻　羽扇綸巾驅駟馬
忠肝義膽鎮江山　壯懷未遂身先喪　掛起令人血淚斑
宋尚書趙句善作古風以哀諸葛曰　炎精湮沒漢鼎虧
奸雄兩下爭雄橫　據蜀漢相賈漢賊　逼脇萬乘于神京
三家鼎足爭破虜　坐鎮王室揚旗旌　豫州哀慼世無主
殷勤三顧草廬行　先生感激許馳驅　出師笑許誅鯨鯢
運謀教權破赤壁　長銜兩揮羽扇清　氣吞孤淚灑諸將死
頭動忠良鴻股肱　神出六出世罕比　抗衡不用施刀兵
中興功業效神武　威伏鳳岩雷無聲　恭承天命事絕炎漢
半夜耿耿長星傾　我觀豪傑志不遂　嗚咽忿氣為淚零
宋陳同甫先生嘆武侯曰　亘古英雄世罕傳

忠君功業郁伊周　出師未捷僧從棟　始覺天心已厭劉
宋賢楚菊先生有詩贊曰　七星壇上東風惡
五丈原頭秋月明　先生不是無才調　天意俄然欲變更
宋泰政議十能有詩贊曰　退若追兮進若攻
來如風雨去無蹤　神機妙算誰能識　只是人間一卧龍

卻說天愁地慘月色無光孔明奄然歸天姜維楊儀遵依孔明舊制不敢發哀動兵已令了如法葬之欲置車上護喪車十三有守之秘不發喪傳令魏延斷後各寨將校次第先退卻說魏寨守更之軍望見有一大星光芒有角自東北流于西南墜於蜀營寂然但見守更人報與司馬懿懿曰諸葛亮死矣引兵追趕

死諸葛走生仲達

司馬懿聞星墜急引兵追趕臨欲出營猶疑曰吾聞諸葛亮素能遁甲之術以吾不出戰遂以此術詐我二村追之必中奸計因名復按兵不動令夏侯霸領數騎投五丈原山僻窺北動靜夏侯霸領命去了卻說魏延反尋一步忽然奔須上[illegible]

魏文長請計

趙直圓夢

問曰久聞先生深通易理吾夜來得一夢夢見頭生兩角求先生決一吉凶趙直曰此大吉之兆麒麟蒼龍之頭皆有角乃變化飛騰之象主剋陽曰獲全勝矣延曰果如公言當有重報直辭魏延回大寨路逢費禕禕問曰何來直曰適到魏文長寨內文長夜來夢見頭上生角求我斷吉凶此本非吉兆但恐見怪故以麒麟蒼龍解之禕曰卿何知是凶兆直曰角字乃刀下用也今頭上用刀其凶兆也君切勿泄漏禕別趙直到魏延寨中屏退左右告曰昨夜丞相辭世臨危可囑曰且宜密秘不可發喪令將軍親自斷後以防司馬懿追兵將軍便可起兵魏延問曰誰替丞相行事禕曰丞相一切事務委託楊長史矣此乃楊長史之令也魏延怒曰丞相雖亡吾今見在汝等府下親隨官屬便可將靈柩歸川遷葬吾自率諸軍擊賊豈可因一人死而廢國家大事禕曰丞相令教退兵違令何故欲戰也延轉怒曰丞相當時若聽吾言已取長安多時前者楊儀欲燒死我于木柵幸天降雨滅火尚不曾報恨吾官為前將軍征西大將軍南鄭侯豈可與楊儀作斷後耶費禕曰將軍言是

也楊儀只是長史豈可總督吾當守塞死亦不辭延曰吾自令諸將不可妄動以圖進取禕曰某須聽將軍之命延曰公可助吾行事連名僉押禕從然曰雖然如此不可令敵人笑話吾回見楊儀陳說利害令彼回避丞相靈柩歸蜀楊儀乃言曰吾言禕辭去大寨見楊儀把上項事一一說了楊儀曰丞相分付以魏延勇猛使爲斷後但有不然聽其自便令姜維自爲斷後令魏延果應丞相之言即喚姜維商議楊儀曰丞相分付魏延之計盡爲伏此吾等內事不必交外出依計施行姜維領計去了却說魏延見費禕去了不復來心中疑惑喚馬岱商議岱曰某見費禕所言必詐延令馬岱去探消息岱報曰後軍是姜維總制前軍大半退入谷中去了延大怒曰無能儒夫焉敢戲吾吾必盡斬之拔寨便起却說夏侯霸引數騎扮作蜀兵來五丈原窺探見了動靜火速回寨見司馬懿曰蜀人大寨一應軍兵盡皆退去獨姜維領兵斷後魏延拔寨去了望見遠三投山谷僻路而去懿曰諸葛亮死矣于是點起諸將兵馬出寨一齊令去姜維追赶當直

死諸葛能

走生仲達

侯惠曰都督不可輕往且差副將追之懿曰他人不識高低吾當
自往乃飛奔五丈原殺入寨中果見無數散去訖便問後寨鄉
子曰汝二人可後從中路來民曰師去令前進司馬懿引軍趕至山
腳遙望蜀兵不遠乃追之忽山後一聲砲響前面有軍數隊大旗
旗擎前司馬懿在馬上驚慌失措只見綢影中風捲出一大旗上
上書漢丞相諸葛武侯司馬懿定睛看時中間數十人擁一輛車
車上有一個先生綸巾道服乃孔明也其前一將挺鎗乃姜維也
大驚曰國賊司馬懿休走諸葛丞相在此司馬懿撥轉馬頭盡力
加鞭望後而走未曾交兵魂飛魄散而走自相踐踏死者不計其
數歸朝有詩曰

六出祁山苦伐勤　要將忠義報諸君
此魂伏怒誅張郃　死後猶旗走魏軍
非是兵機無八陣　只因大意死三分
兩川從此今何在　惟有先生一古墳

司馬懿走五十餘里背後夏侯霸夏侯惠曰都督休慌可盡力趕
之懿半晌方定神色撥轡而回使人遠探鄉民曰蜀兵入谷之時
哀聲大振軍中揚起白旛諸葛果死矣惟姜維斷後止有軍馬一

魏延放火

燒絕棧道

懿聞鼓聲大振，何歸人曰：此是蜀人之計，一面擂鼓一面退走。軍士孔明死了，蜀人都言：死諸葛走生仲達。懿曰：吾能料生，不能料死。後人贊曰：　高聲漢丞可料生
不能料死勒追兵　這瘋鳴鼓先奔走　司馬懿知諸葛能

當時司馬懿復追趕至赤岸，謂衆將曰：蜀人去遠，追之何益？不如轉回。衆將曰：前蜀人退後還界若何？懿曰：諸葛已死，誰可領此賊？汝等皆高枕無憂矣。於是不趕而回，看賊遺下路所下營寨，前後左右整齊有法。懿嘆曰：天下之奇才也。衆皆駭然。司馬懿令衆將各守邊寨，自回洛陽見君。卻說楊儀令姜維結作長蛇陣緩緩而退。後有人報：司馬懿趕到赤岸，已退去了。因此楊儀令軍中發喪，大小三軍一齊舉哀，忽報數內軍士號哭不食而死。蜀兵行到棧閣，忽見棧道上火起，前面有伏兵攔路。衆皆驚曰：誰料這里又有伏兵？丞相已死，後有此等事，若難怎生奈何？

武侯遺計斬魏延

楊儀忙使人哨探，回報曰：前面火絕棧道，首將乃上將魏延。

楊儀驚曰不相料此人必反誰想在此斷絕歸路如之奈何費禕曰我等可差人表奏魏延反情然後啚之姜維曰此間有條去路名槎山雖然崎嶇險峻可以到棧閣之後一連差五七個心腹人賫表到成都開奏一面把車馬從槎山道進發如過此人看急討之却說後主從夢見錦屏山崩倒遂驚覺懼而曉聚文武百官說夢山崩之事譙周奏曰臣夜觀天文見一星赤而光明自東北流于西南此應丞相有凶陛下夢山崩者正與此合後主問李福知何未回忽報李福到後主急宣問之福曰臣到五丈原參丞之時丞相已不省人事發哀伏地而哭丞相見臣在側便言曰汝來問後事蔣公琰可托也臣傳陛下聖言再問其次丞相曰費禕可也臣又問其次丞相不答臣看之已亡後主大哭曰天喪我也哭倒龍牀之上侍臣扶入後宮吳太后聞之亦大哭內外群臣如喪考妣忽報魏延有告急表奏楊儀劫奪丞相靈柩與衆謀反群臣大驚只得入宮啟奏太后近臣宣讀魏延表章說楊儀自提軍權劫奪靈柩率衆造反欲引魏兵入寇臣故燒絕棧道引軍勦捕等事

蔣琬董允

奏保楊儀

後主曰魏延乃英雄之將可拒楊儀矣吳太后曰我聞先帝有言諸葛丞相識魏延腦後有反骨常欲反意今奏稱楊儀等干中不明楊儀一文人丞相委為長史今若反背必投魏矣此事汝等大臣宜仔詳細正議論間忽報長史楊儀有表申奏近臣宣讀云丞相臨終將大事委於楊儀今依舊制不敢變更使魏延斷後姜維次之今魏延不遵丞相遺令自提本部兵燒絕棧道欲使魏人盡殺臣等今延入奏上勅除群臣覽畢皆駭然吳太后曰汝諸大臣所見若何蔣琬曰臣非敢為一己之私願陳公道楊儀為人性急不能容物至于籌度糧草參贊軍機多與丞相辦事故以全事委之非反背之人魏延恃功高常有不平之心久矣今見楊儀總兵心中不伏故斷其歸路而欲殺之臣願以全家性命保儀不反實不保魏延也董允亦奏曰楊儀雖有市井之志實不敢反背朝廷魏延雖然功高常有怨丞相之意欲殺楊儀反情顯然可見諸大臣皆曰二公之言是也亦皆保楊儀不保魏延後主曰魏延果反將何計禦之蔣琬曰丞相素疑此人必然遺計與楊儀矣若楊儀無

才安能退兵于谷口乎陛下宜寬心正議論間魏延又有表至告稱楊儀反正看間楊儀又有表至告稱魏延反表帝中各陳是非後主疑惑未定後費禕至說備細言魏延反備其臣皆言魏延之罪後主令董允前去解勸却說魏延燒絕棧[illegible]兵南谷把住隘口楊儀與姜維從槎山取路晝夜兼行至南谷之後楊儀使先鋒何平先領三千軍馬當先楊儀與姜維統兵先奔漢中而去且說何平到南谷魏延大怒披掛上馬引軍來迎何平大呼反賊魏延何在延出馬罵曰汝助楊儀爲反賊何平曰丞相新亡身尚未寒汝何敢反耶復謂諸軍曰汝等諸軍今念丞相舊恩休助反賊各歸受賞衆軍聞言大喊一聲走了大半魏延大怒提刀直取何平平挺鎗迎之戰到數合何平敗走魏延趕來衆軍亂箭射住魏延回見諸軍奔潰心中轉怒只有馬岱一軍不動延曰吾平生有眼不識好人舊跟我者皆棄我而去惟公在此吾若殺了楊儀取西川易如反掌與公同享富貴生死休離馬岱曰吾恨諸葛不用今遇明公當爲效力延大喜曰我今軍少恨懶投魏若何馬岱曰大丈

魏延引兵

攻打南鄭

夫不自爲王霸之業何故屈膝于人愚觀將軍文武雙全兩川之士誰敵得將軍一人今某與將軍先取漢中得民足爲兵根足爲食兩川唾手可得將軍何疑也魏延曰公言是也遂與馬岱殺到南鄭城下城上拽起吊橋姜維坐觀魏延馬岱在城下耀武揚威姜維請楊儀曰魏延勇猛更兼馬岱助之難以退也儀曰丞相將終遺下一錦囊囑付如魏延反臨陣對敵之時方可開拆內有斬延之計今已如此何不取看姜維與楊儀所開錦囊看行上封題云臨與魏延對陣馬上方可拆之切勿有誤維曰既丞相有戒約長史可掌此計某當領軍出城公便可來維披掛上馬開門放下吊橋引三千軍一齊衝出兩軍吶喊布成陣勢姜維大罵魏延反賊丞相有何虧你延曰不干你事只教楊儀出來儀在門旗影裏聽得就馬上拆開看了乃來如此如此隨即出到陣前指魏延罵曰丞相知你必反教吾防你多時你敢口稱三聲誰敢斬我乃真大丈夫也我當便獻漢中城池魏延大笑曰楊儀匹夫孔明在日我懼他三分今已身亡天下誰敢當我也休道三聲便叫三十聲

馬岱出斬魏

延于馬下

何妨遂持刀按轡大呼誰敢斬我於時一聲有人應曰我敢斬你手起刀落把魏延斬于馬下殺魏延者馬岱也殺武侯當前院才標密將當欲教其遺延故以五百軍爲引誘之計不與入陣大兩其計不成後卻[illegible]之吾于楊儀將馬岱密授一計却合儀密寄敷延已被其計且出之言[illegible]十餘延因此不得于馬岱爲[illegible]交鋒大叫誰敢下計[illegible]第諸相合楊儀已知臨陣伏馬岱在後故[illegible]行之果然應[illegible]隨馬岱斬于楊儀之傳令將魏延三族盡誅之具備奏聞後主後主降旨既已明正其罪仍念其功且稱揚之然後宣一班出征官員延成都面君楊儀將武侯靈柩載往成都後主率文武公卿盡皆掛孝出迎于三十里外哭之聲聞于四野上至朝廷臣宰下至山野百姓無不痛哀太[illegible]嚴廖立等號哭終日迎入成都府民各家門前設祭哭拜哀聲振天停柩于丞相府中其子諸葛瞻守喪後主還宮楊儀自縛請罪後主曰君非卿能承相靈柩何由得回魏延何由得滅乃卿之功也加爲中軍司馬馬岱有忠義之功就領魏延官爵後主覽武侯遺表終日大慟欲卜塟地費禕奏曰丞相臨終遺命塟于漢中定軍山以土爲墳塋不用垣墻磚石之費及一應祭器等物後主從其言是年十月後主自送武侯靈柩至

立武侯廟　四時奉祭

定軍山遷葬百官盡皆掛孝後主致祭降詔謚號武侯詔曰惟君體資文武明叡篤誠受遺託孤匡扶朕躬繼絕興微志存靖亂爰整六師無歲不征神武赫然威鎮八方將建殊功于季漢參伊周之巨勳如何不弔事臨垂克遘疾殞喪朕用傷悼肝心若裂夫崇德序功紀行命謚所以光昭將來刊載不朽今贈君丞相武鄉侯印綬謚君為忠武侯魂而有靈嘉茲寵榮嗚呼哀哉

後主令立廟于沔陽及成都四時享祭（今廟前大柏樹[illegible]）後主回成都之後忽報東吳令全琮領兵于巴丘屯札不知何意後主驚曰丞相新亡東吳負盟如之奈何蔣琬奏曰臣舉王平張翼亦將數萬軍屯于永安以防不測然後將一辨士入吳報喪就探其意後主問誰可行班部中一人應聲曰微臣願往不知是誰

魏折長安承露盤

欲往吳者乃宗預也（預字德艷官帶中郎將南陽安衆人）蔣琬曰得其人矣令宗預行預到建鄴見吳王孫權禮畢吳王作色曰東吳西蜀已同一

後主命宗預往東吳

家何故添兵于白帝城宗預對曰臣爲東益巴丘之城西合白帝之守皆事勢宜然俱不足問吳主大笑宗預曰朕增巴丘之兵實無外意但恐魏知孔明新亡乘虛取之朕替汝守護朕既許盟必有侵吞之理就取箭折之爲誓曰朕若背盟絕滅子孫宗預拜謝吳主令諸將理家大小掛孝使人入蜀致祭自此兩國通和後主重賞宗預及從武侯者言加將琬爲大將軍録尚書事費禕爲尚書令同行丞相事吳懿爲車騎大將軍姜維爲輔漢將軍平襄侯總督諸軍與吳懿出屯漢中以禦魏人其餘將即各各封爵楊儀見不與軍權口出怨言曰早知有今日丞相新亡吾便引軍投魏不致如此寂寞有人奏知後主後主大怒將琬議將楊儀殺之蔣琬曰楊儀雖有罪多與丞相出力可廢不可殺後主從之貶楊儀爲庶人儀羞慚自刎而死姜維積軍糧爲十年之計却說魏主曹叡青龍三年吳蜀各不侵界國家太平封司馬懿爲太尉總統天下軍馬按治諸邊魏主于許昌大興宮殿又于洛陽起昭陽殿築觀總章觀高千餘丈又立宗華殿凌霄閣九龍池等待士馬均監造不

御財力但要極其華麗盡飾以金玉珠翠大役民夫三十餘萬司徒楊阜諫曰伏自建安以來戰死殫門若宮室狹小當併大之猶宜隨時不妨農事況作無益之物哉孔子曰君使臣以禮臣事君以忠無忠無禮國何以立臣之秉筆流淚心與世辭將奏沐浴以待王命左右曰可誅之魏王曰但廢爲民後有諫者斬魏王召馬均問曰朕所造高臺其意望與神仙往來以求長生不死馬均曰陛下曾見漢武帝所建栢梁臺乎魏王曰未知其詳卿試言之馬均曰漢朝二十四帝享國最久壽算極高蓋爲服天上精華之氣也于長安宮中造一臺名曰栢梁臺上立一銅人手捧金盤名承露盤接之于手降下沆瀣之水名曰天漿又曰甘露將美玉爲屑和調服之能返老還童體無有病魏王大喜使差馬均往長安大起人夫上臺先拆銅人其臺高二十丈用人夫數萬連繩引索牽之臨至于手忽見銅仙人潸然流淚衆皆驚駭就臺邊起一陣怪風吹折銅柱如天崩地裂聲聞數十里壓死千餘人均就於臺下焚之獨取銅仙人并承露盤回啟奏魏王言銅柱計數萬

張茂披髮

當道而諫

斤不可取之魏王令鑿碎銅至洛陽鑄銅人兩個號為翁仲列坐于司馬門之內又造黃龍鳳凰置內殿又起土山于芳林園中栽種奇花異物畜養禽獸又選宮娥彩女數千人充作宮庭之用少府楊阜上表伏于殿下諫魏王曹叡其表曰

堯尚茅茨而萬國安寧禹卑宮室而天下樂業及至殷周堂崇三尺度以九筵桀作璇室象廊紂作傾宮鹿臺以喪其國楚靈築章華而身受禍秦皇作阿房二世而滅今陛下乃自暇逸宮室是飾必有危亡之禍君為元首臣為股肱存亡一體得失同之臣雖駑鈍敢忘斯義言不切不足感悟陛下謹備棺槨沐浴謹表

魏王覽很裂碎其表命武士推出殿門魏王上馬至別花忽見馬前一人頭披其髮身穿紙錢號哭當道乃太子舍人張茂（茂字彥林沛國人也）于攀轅而諫上奏魏王下馬坐于殿門以觀其表曰

臣聞人君有天下不得萬姓之歡心者無由而治也近者軍旅在外數年內人一日之發作徒于今樂天下之賦以奉此役尤時不給況宮庭應錄之女椒房母后之家賞賜橫與內府漢武好

魏王郭后　後園取樂

神仙信方士掘地爲池封土爲山當彼時天下莫敢與爭自漢末變亂馬不捨鞍士不釋甲每一交戰血流丹野號哭之聲于今未已陛下不兢恭思所以安人乃奢靡是務作玩弄之物造承露之盤快耳目之觀長殺縱之志惜乎舍堯舜之節儉而爲漢武之奢縱臣切爲陛下不取也願陛下沛然下詔恤百姓之饑寒問民間之疾苦寬倉廩賑貧乏恪恭以臨天下如是則吳人面縛蜀虜具覲不待誅而自伏太平之略可計日而得今群公緘口結舌臣不敢不獻瞽言臣年五十常恐無以報國是捐軀隕身冒昧以觸帷陛下裁察幸甚

魏主覽表怒曰張茂進言譏朕推出斬之茂大罵曰無道昏君旦夕必爲虜矣魏主既誅張茂詔出鼎于殿前如有再諫者以此鼎烹人諫魏主龍五年改爲黄武元年是歲魏主有皇后毛氏初內人也微爲平原王時寵批出入同輦及即位加爲貴妃太元和年立爲皇后後因寵愛郭夫人毛后廢棄一月之内有二十五日在郭夫人宮中是時魏主同郭夫人在後花園飲酒作樂郭夫人曰

賈範諫公

孫淵不聽

今日何不請皇后同赴此席魏主曰如有此婦人朕消遣不能下咽因此不許其至元來毛后却在後苑樓上聽得一派樂聲問誰宮中宮娥對曰天子在後園宴飲毛后次日在宮門內迎魏主曰陛下昨日遊園其樂不淺魏主大怒喚宮娥把毛后殺死更喚昨日後園伏事宮娥盡行殺了郭夫人問其故魏主曰朕令左右休言彼必有漏泄令毛后知之朕故殺之遂立郭夫人爲皇后景初二年正月幽州刺史毋丘儉奏遼東公孫淵同漏崇王改元紹漢反背朝廷興兵侵界按公孫淵乃遼東公孫度之孫公孫康之子也建安十二年曹操追袁尚等到遼東公孫康斬袁尚等首以獻曹操封康爲襄平侯康死二子幼長名晃次名淵皆幼康弟公孫恭繼位文帝封恭爲車騎將軍襄平侯太和二年公孫淵長大文武兼備性剛好鬭奪其叔公孫恭位魏封淵爲揚烈將軍遼東太守後孫權遣張彌許晏齎金珠至遼東封淵爲燕王淵懼中國乃斬張許二人送首於魏魏主乃封淵爲大司馬樂浪公當時魏主大命誰出師

司馬懿大破公孫淵

却說公孫淵聽知魏國議欲起軍賈範諫曰魏以重爵加封主公令鎮守遼東不缺錢糧今若反背殊爲不祥加之司馬仲達善能

魏主召懿

出師破淵

用兵諸將孔明尚自憚之何況我乎淵大怒縛下賈範又有倫
直諫曰聖人有云禍福將至善必先知之不善必先知之今國
中數有怪犬戴巾幘衣紅上屋作人行一不祥也城南炊飯甑中有一
小兒蒸死甑中二不祥也襄平北市中忽然地內湧出一塊肉有頭
有眼有耳有口都無手足刀箭不能傷有人占曰有
形不成有口無聲國家滅亡故見其形此三不祥也主公不趨吉
避凶而欲背反以我身乎公孫淵大怒將賈範倫直斬于市曹乃
令大將卑衍楊祚為先鋒起軍馬五十萬一路放火搶虜魏主乃
宣司馬懿至洛陽此時司馬懿在長安星夜赴洛陽面君魏主曰
今公孫淵負義謀反不可不誅懿奏曰臣部下馬步軍四萬足可
破公孫淵也魏主曰兵少路遠恐難收復懿曰臣托主上洪福兵
不在多用智謀而破淵也魏主曰卿料公孫淵何以禦卿懿曰棄
城預走上計也守遼東拒大軍其次也守襄平而不動必被臣
擒矣魏主曰卿往回幾日司馬懿曰四千里之遙一年足矣魏主
曰倘吳蜀侵界若何懿曰臣已定奪守禦之策了魏主大喜即令

司馬懿領兵撥遼東來前部先鋒胡遵先到公孫淵使卑衍楊祚引兵八萬屯遼隧圍塹二十餘里周圍鹿角密護甚嚴胡遵回報司馬懿懿曰彼欲老吾兵耳吾攻之正中其計且遼東賊眾大半在此其巢穴必然空虛我棄了此處攻襄城賊必往救之就于中路破之必獲全勝矣眾皆曰然遂勒兵從小路望襄平而去卻說卑衍與楊祚議曰若魏兵攻打之時休備他至不可亂發魏兵數千里而來糧以久行糧盡必退去用奇兵一鼓可擒司馬懿矣昔日司馬懿以堅壁而拘死諸葛亮今日吾亦效前篇復作此言間忽報魏兵傳過南山而去卑衍大驚曰彼人知襄平無軍必去攻也若襄平有失此處亦無用矣可拔寨起遂隨之兵從後擊之兀來司馬懿寨下十數人扮作鄉民哨探懿隨起兵欲起飛報前來懿三曰彼知吾取襄平故來與吾戰中吾計矣乃命夏侯霸夏侯威引一軍埋伏于濟水邊待遼兵過來聞號炮響一齊引兵追之懿衍楊祚兵至不遠忽然一聲炮響鼓響二將從後進發司馬兵從兩下夾攻遼兵大敗殺死無數卑衍楊祚殺得

脫前至首山正逢公孫淵到合兵一處卑衍任先鋒被魏將夏侯霸一刀斬于馬下公孫淵引敗兵退入襄平魏兵四面圍合時値秋天降下大雨河邊水泛漲運糧船隻從遼河口直到城下只雨連綿月餘不止魏營水深三尺牛八驚恐左都督裴景入中軍禀曰雨水連綿營內泥濘不能停住望移屯于前面山上司馬懿大怒曰擒賊在適安可亂移後等再言者斬裴景諾諾退少時右軍都督仇連又禀曰軍士皆怕水意欲移營懿怒曰擅敢亂言慢我軍心推出斬之號令首級于轅門于是三軍鎮靜懿傳令交城北軍馬暫退放賊軍樵採牧放陳珪問曰昔日太尉攻上庸八部齊並進八日至城擒孟達斬之今數千里而來按兵不令攻打一任霖雨滿營又縱城中人樵柴牧放愚切疑之懿曰汝不知用兵之道昔孟達兵少糧可支一年我軍四倍于孟達糧不勾一月以一月之糧而敵一年之糧以四倍之兵而敵一倍之兵不容不速是以不計死傷與爭今遼兵多我兵少賊饑我飽因此不必攻打以待自走也走而擒之無有不勝吾不掠牛馬不絕樵採是容賊走路也

司馬懿出帳觀星斗

夫用兵者詭道也若取小路以殺之賊必衝突而死戰也此雨數日必晴一晴并力攻之賊可擒矣衆皆拜曰此神算也卻說魏主在洛陽宮中群臣來奏近日秋雨不止軍馬勞苦可宣太尉罷兵魏主曰司馬懿臨將機變必有良謀擒公孫淵可計日而待何必憂也卻說數日果然雨霽司馬懿出帳仰觀忽見一星大如斗流火長數十丈降于襄平城東南衆將皆驚問曰此何兆也懿曰五日後星落處必然斬公孫淵矣來日四面圍合併力打城諸將得令次日築土山掘地道豎雲梯砲石晝夜攻打城中糧盡人皆相食衆欲殺公孫淵乃使王建柳甫出城到司馬懿寨中投降懿問曰汝來何也王建曰望請太尉稍退軍二十里吾君臣自縛而降懿大怒曰輒敢輕吾耶叱左右推出斬之將首級付與從者書檄令將回見公孫淵懿檄

奴從宗將且十有老人身言司馬公撫下公孫淵切謂楚鄭列國鄭伯尚肉袒牽羊以迎之孤乃天子上公而王建等欲使退兵甚是無禮二人老耄傳言有失已皆斬首若更有求可再遣年少聰

公孫父子

對面受刑

朋者前來告變俱若楷違恐皆已誅戮故檄
公孫淵大驚許侍中衛演曰臣願往司馬懿寨中說降淵命衛演到
魏中軍左右叱演膝行演跪告曰望太尉息雷霆之怒克日送世
子公孫脩為質君臣自縛以降懿曰軍事大要有五能戰當戰能
守當守不能戰不能守當走既皆不能有降與死耳汝等不親面
縛不須送子為質當洗頸待戮叱衛演回報演抱頭鼠竄而回
公孫淵二驚惶乃與子公孫脩是夜二更帶百騎開城門望東南
而走行不到五里一聲砲響一軍攔路當中司馬懿左有司馬師
右有司馬昭大喝反賊休走公孫淵急欲回馬尋路後面吳遵盡
馬到來左邊夏侯霸右邊夏侯威背後又兼張虎樂綝軍馬四合
圍住公孫淵父子下馬受縛司馬懿視諸將曰吾前夜丙寅日見
流星墜於此處曾有云五日之後當斬淵於此地也今夜壬申以
應其言令斬之父子對面受刑于是勒兵來取襄平安寨竟向

司馬懿謀殺曹爽

司馬懿到襄平魏兵盡已入城誅公孫淵宗黨官僚七千餘人出

魏主宣司

馬懿托孤

撫安民所有僉貢軌被公孫淵所殺欽封其塋葉其子孫令將外地守把班師回洛陽孫後魏主夜見皇后毛氏魂數十來索命因此得病選劉放孫資二人爲秘書監掌樞密事務魏主病加沉重選魏武子燕王曹宇爲大將軍欲令輔太子曹芳曹宇乃溫和之人辭以才淺不能任此職魏主乃問劉放孫資曰朕宗族內誰可任此職二人人得曹真之意乃曰惟有曹子用之子曹爽可以輔政魏主從之放曰可先免燕王官然後可行魏主曰卿等傳朕旨放曰必得陛下手詔魏主曰朕不能寫矣劉放下那御床執魏主之手使寫之出詔曰免燕王等官限目下出國無宣喚不得入朝燕王等淚出而去遂立曹爽爲大將軍魏主病危急使持節召司馬懿還京初三年正月司馬懿到洛陽入見魏主魏主曰朕恐死以待卿回懿曰臣在途中聞龍體不安恨不能插翅飛至省視陛下魏主宣齊王曹芳并皇后郭氏大將軍曹爽及劉放孫資等到御榻之前魏主曰朕聞昔日劉玄德在白帝城以劉禪托孤于諸葛亮亮盡忠而後已朕太子曹芳年幼不堪掌社稷之重幸有

曹芳卽位

大封功臣

太尉司馬公并曹宗姪曹爽輔政二人效學伊尹周公同輔吾見宗廟生靈之幸也喚太子近前指司馬懿示之曰此與父同也可以抱之齊王詞前攬抱司馬懿之項懿頓首假渺魏主以手指太子口不能言而卒〔時□□□元年至□□月□□歲□□在位十四年〕陳壽史官評曰明帝沉毅明敏任心而行蓋一切能屏浮偽行師動衆論決大事蓋有人君之至槩焉于時百姓凋弊四海分崩不先聿脩顯祖闡拓洪基而遽追秦皇漢武宮館之營何以遂敵共殆殘乎是日魏王卒于加福殿太尉司馬懿大將軍曹爽輔政郎立太子齊王曹芳卽皇帝位〔按曹芳字蘭卿乃曹叡之養子秘在宮中並無知是誰家所生時年八歲諡魏〕主爲明帝尊郭氏爲皇太后葬明帝于高平陵此時魏主尊司馬懿與曹爽如父一應之事必先咨稟曹爽〔字昭伯〕自幼出入宮庭明帝見爽謹慎甚愛重之故託孤于爽二有門下客五人明帝在日見皆是浮華之士故不用爽初秉政五客俱來輔助那五人姓甚名誰〔何晏字平叔南陽人○鄧颺字玄茂鄧禹之後南陽人○李勝字公昭南陽人○丁謐字彥靖沛國人○畢軌字昭先東平人〕又有人司農桓範字元則並皆諂諛何晏教爽曰重權不可與外

人久必成禍爽曰司馬懿素與吾父同領大兵安可廢之何晏曰昔司馬懿常施尊君尊君受氣而亡明公何不察之爽遂聽眾人之言乃奏天子曰司馬公功高德重可立為太傅曹芳八歲小兒如何主張得定並皆由曹爽之意立司馬懿為太傅盡奪其權命弟曹義為中將軍曹訓為武衛將軍曹彥為散騎常侍三人各領禁軍用何晏鄧颺丁謐為尚書畢軌為司隸校尉李勝為河南尹朝廷大權皆歸于曹爽司馬懿知其意乃託病不出曹爽與何晏終日飲宴取樂爽之飲食衣服與宮庭一般各處進獻奇珍異寶美女皆入充滿後庭黃門張當私選先帝美女七八十人送入爽府中又詐傳旨拘刷女子入宮付意遊之于府中起樓閣于自家樂一日何晏與鄧颺談易颺曰有平原管輅深明易理見在此衛何不問之晏使人召管輅至何晏問曰我夢青蠅數十餘來鼻上此祥瑞也擬我入品得做三公否輅曰元凱輔舜周公輔成王皆以和惠謙恭亨有多福今君侯位尊勢重懷德者鮮畏威者眾非求福之道也願公宜勞欲心非禮不履然後三公可至鄧颺曰此常

司馬懿詐

病見李勝

談也輅遂拂衲而出何鄧笑曰眞狂客也其舅責之曰何鄧二人
威權在手天下誰不懼之汝何出狂言也輅曰鄧颺行步筋不束
骨脈不制肉行立傾倚若無手足此乃鬼躁之相何晏魂不守盈
血不華宅精爽烟浮容若槁木此名鬼幽之相此二人早晚尸首
時分棄及三族何足懼之其舅罵管輅爲狂士而去却說曹爽何
鄧等遊獵不息常出田獵其弟曹義諫曰今兄日圖宴樂以威勢
加于天下非久長之計也爽叱罵之義大哭而退司農桓範亦諫
不聽前軒先生詩曰　　　　　極欲窮奢總是非
忠言逆耳不知幾　剝床災近猶行樂一旦將朝陽血污衣
何晏曰今司馬懿托病不出必有事焉曹爽笑曰量此老有何患
也此時魏主曹芳改正始十年爲嘉平元年曹爽專權日久並不
以司馬懿爲念是年除李勝爲荆州刺史曹爽久不見司馬公不
知何意故令李勝只做辭太傅往探消息却說李勝到司馬懿府
門吏報入懿與二子曰此是曹爽探我消息故交此人來乃急去
冠亂髮上床擁被而坐請李勝到床前勝拜曰久不見太傅誰想

司馬父子

起兵內變

如此今某出刺荊州特來拜辭懿曰并州近吳好爲之備勝曰天子命某刺荊州非并州也懿曰你方到并州勝曰漢上荊州懿曰你從并州來勝乃索紙筆寫荊州示之懿曰年老耳聾不見你到荊州好建功勳言訖指口言渴侍婢進粥以口就而飲之粥流胸臆勝曰衆以太傅舊病風發誰想如此瘋重懿作哽咽之聲曰年老疾篤死在旦夕二子不肖望乞教之傳語大將軍看顧吾二子言訖倒于床上聲嘶氣喘李勝回見曹爽備言懿之事爽曰此老尸居餘氣何足懼哉却說司馬懿見李勝去後對二子曰李勝回報消息曹爽再不准備我也只待他離城便可圖之却說曹爽請魏主駕謁高陵乃明帝陵大小軍士皆隨駕出爽之兄弟等皆備馬行桓範諫曰總萬機領禁兵兄弟不可同出倘有人閉上城門如之奈何爽以鞭指之曰誰敢如此遂行當日司馬懿知曹爽等並出城遂點家童數千令二子上馬入省議事不知如何

司馬懿父子秉政

魏加平元年正月曹爽并何晏等並隨魏主出謁高陵就行

懿奏太后

謀誅曹爽

田獵司馬懿即時來到省中先教把城門閉上加司徒高柔假節鉞行大將軍事先據曹爽營又喚太僕王觀領軍據曹羲營遂召曹爽舊日所閉官僚皆入後宮啓奏太后言曹爽專權亂政當廢之太后驚曰天子在外當如之何司馬懿曰臣自有奏天子表章太后恐懼只得從之懿乃命太尉蔣濟尚書令司馬孚一同書表遣黃門賫表直往天子御前司馬懿勒兵來據武庫有人來報曹府知爽妻劉氏急出回王公在外太傅起兵何意把守門將潘舉曰夫人勿驚吾當問之乃引弓弩手數十人上門樓司馬懿引軍過府潘舉發弩而射劉懿駕車二十餘人懿不能入潘舉正射府下將孫謙止之曰不可射之天下事未可知潘舉不敢射懿乃命司馬伷把住武庫提兵出屯于洛水浮橋說曹爽司馬魯芝見城中事亂來與參軍辛敞商議曰可引本部軍閙而出去見天子辛敞入見其姐憲英曰天子在外太傅閉門必然欲奪天下憲英曰司馬公非奪天下乃誅曹爽耳敞曰此事勝負未知其姐曰曹爽非司馬公對也必然敗矣辛敞曰今當出否與我同出若如此不可往矣

憲英曰別人難中尚然往救之何況主人乎便可與衆同馬出頭敞信辛之言乃引數十騎斬關奪門而出人報司馬懿知懿恐桓範走使人召之範與子商議其子曰車駕在外可往南去範乃上馬至平昌門城門已閉把門將乃範故吏司蕃範乃袖出詔曰太后有詔可速開門司蕃曰請看之範叱曰你是我故吏何敢如此司蕃遂開門放之桓範謂司蕃曰太傅造反吾乃假詔也汝可速隨我去範縱馬而去人報知司馬懿懿大驚曰智囊泄矣如之奈何蔣濟曰駑馬戀棧必不能用懿又召許允陳泰二人往見曹爽言太傅別無他意只是削汝兄弟兵權而已許允陳泰去了蔣濟作書令殿中校尉尹大目賫見曹爽說司馬公與蔣濟以洛水為誓絕無他意大目去了卻說曹爽正射獵間忽報城中有變太傅有表奏天子爽大驚幾乎墜馬乃觀表曰

臣懿以從遼東來先帝詔陛下及臣升御床把臣臂言以國事為念黃門令董箕等侍疾皆所聞也今大將軍爽背棄顧命敗亂國典內則僭擬外則專權破壞諸營盡據禁兵群官要職皆置

範勸爽劫

駕往許昌

所親殿中宿衛歷任舊人以新人黨根據盤結縱恣日甚又以黃門張當爲都監專用交關看察至尊伺候神器離間二宮傷害骨肉天下洶洶人懷危懼此非先帝召陛下及臣升御床之本意也臣雖朽邁敢忘前言昔趙高極意秦氏以滅呂霍早斷漢祚永世此乃陛下之大鑒太尉臣濟尚書令臣孚皆以爽有無君之心兄弟不宜典兵宿衛奏永寧宮皇太后令臣如奏施行臣輒勅主者及黃門令罷爽羲訓吏兵以侯就第敢有稽留車駕便以軍法從事臣輒將兵屯洛水伺察非常謹表上聞伏于聖聽曹爽看畢與二弟曰如之奈何曹羲曰劣弟曾諫兄執迷不聽致有今日之禍司馬懿譎詐諸葛亮尚自懼之何況我兄弟乎不如自縛見之求免一死正議間參軍辛敞到說城內把得鐵桶司馬懿自在浮橋調兵[illegible]桓範飛馬到說爽曰大事變矣主公可劫天子車駕幸許昌招外兵問罪于司馬懿天下誰敢不從爽曰吾家老小皆在城中豈可投他處去耶範曰今主公與天子相隨號令天下誰敢不應今許昌倉廩府庫足可支用所憂者食而已大司農

司馬懿接

魏主入城

印某帶在此不須疑也可急行之爽曰汝休催逼容我細思少刻侍中許允尚書陳泰至言司馬懿只爲主公權太重而削之別無他意可將此印綬先送去只要削官而已又有尹大目至賫蔣濟書言二公皆以洛水爲誓並無傷害之心不如早自歸罪爽信爲良言桓範頓首告曰休聽外言而就死地爽與劍在手從黃昏至天明與决不下桓範催曰主公尚猶豫不决爽擲劍嘆曰我亦不失作富家翁範聽了出外哭曰曹子丹佳人也生汝兄弟豚犢耳何圖今日坐着汝族滅也許允陳泰令爽先納印綬主簿楊綜扯住印綬而哭曰主公挾王權捨此而出必東市就戮矣爽叱之曰司馬懿必不負我于是散了軍馬只與手下僚數十騎到浮橋司馬懿曰曹爽兄弟並各私回其餘監下聽候勅旨爽等入城時傍已無一人相隨桓範至司馬懿以鞭指之曰桓大夫何故如此桓範低首不能對懿曰天子有詔教復官職範懼而退于是司馬懿請車駕還宮教爽兄弟歸府之後懿以大鎖鎖其門差居民八百餘人于府四角起四座高樓以望之爽心中愁悶弟羲曰倉中無米

可作書與太傅求之書曰賤子爽哀惶恐怖無狀乃受禍前遣家人迎糧于今未到數日欽乏當煩見餉以繼日夕司馬懿得書便使人送糧乃答書曰初不忖乏糧甚懷踧踖今致米一百斛并肉脯鹽豉大豆相送望之笑納爽得米肉大喜曰司馬公無害吾之心也元來懿將張當所指何晏一千人私謀天位又將何晏鄧颺李勝丁謐畢軌等皆勘問完備招稱于三月內謀反曹爽用長枷下獄司蕃告桓範矯詔稱太傅謀逆懿曰誣人反情抵罪反坐亦送桓範下獄然後拿出曹爽曹羲曹訓與一干人犯皆處斬于市夷其三族後有詩嘆曰

曹爽渾如井底蛙
痴心恣意學豪華
不知身死鋼刀下
猶自貪圖作富家

又言辛敞二人斬關而出楊綜奪印不與皆可斬之司馬懿曰彼各為其主此是忠臣也各還舊職辛敞嘆曰吾若不問姐險失其大義後來史官有贊辛憲英詩曰

為臣事主當全義
赴難持危合盡忠
辛氏憲英曾勸弟
至今千載播高風

懿誅曹爽已訖出榜曉諭門下之人盡皆放免有官者依例陞

夏侯霸入

蜀降姜維

用自此皆安撫後方揺朝廷封懿為丞相加九錫懿辭不受父子三

同領國家大事懿召征西將軍夏侯玄歸洛陽玄乃曹爽外弟夏

侯伯之侄伯聞懿召玄疑其害也故引兵造反畢竟如何

姜維大戰牛頭山 一作牛頭

司馬懿雖然出楊曹氏夏侯氏兩枝宗黨終是不安夏侯霸聽得司馬懿召夏侯玄心中大懼引本部三千人造反雍州太守郭淮聽知即時點起雍州兵來與夏侯對陣郭淮出馬罵曰汝既是大魏宗族朝廷又不曾負你何故反背霸亦罵曰吾宗族于國多勞司馬懿何等匹夫將曹爽兄弟三族必有謀逆之意我今仗義討賊為爽報仇你可來助于我郭淮挺鎗來戰數合郭淮敗走夏侯霸隨後追趕忽然後面陳泰一軍殺到郭淮兵殺回兩下夾攻夏侯霸大敗思量進退無門遂引敗軍投漢中來降姜維二使人拨從得實方始放夏侯霸見姜維哭訴前事維曰君肯匡扶漢室青史留名遂設宴管待維問霸曰今司馬懿既掌重權必有征伐之志否霸曰司馬懿始立家門豈復有外意且朝廷新得三太在劉

姜維奏帝

請兵伐魏

齡之際若得管領軍馬乃吳蜀之憂也姜維問是誰人霸曰一人
爲秘書郎潁川長社人也太傅鍾繇之子名鍾會字士季司馬與
之談論每稱王佐之才又一人見爲尚書郎義陽棘陽人也姓鄧
名艾字士載年幼失父素有大志但有高山大澤輒規度指畫何
處可以屯軍何處可以積糧何處可以進兵何處可以埋伏人皆
笑之司馬懿見而奇之此二人皆後進可畏之人將軍宜討之姜
維笑曰量此孺子何足掛心于是姜維引夏侯霸朝見後主
姜維曰今司馬懿新滅曹氏專權曹爽偏將已在漢中根可支數
年民兵强將盡歸曹氏新報國今又得夏侯霸來投願作鄉道臣
請效諸葛丞相之志統領王師克復中原斷死無恨尚書費禕曰
近者蔣琬董允繼亡蜀中缺員將軍且宜靜守以俟天命姜維曰
人生處世如白駒過隙似此遷延歲月何時恢復中原也禕曰孫
子云知己知彼百戰百勝吾等皆不如丞相遠矣丞相尚不能恢
復中原何況吾等乎且不如保國治民以守社稷君不如志海之
興復維曰某久居隴上深知羌胡之心今外結羌胡內招庶民雖

陳泰殺敗

苟安李歆

不能克復中原自隴西可斷而有也後主曰既將軍要伐魏必盡其心姜維拜領聖旨與夏侯霸至漢中先遣使往羌胡通報次後出西平進雍州先築二城于曲山之下各二將守之為掎角之勢盡撥糧草于前山口依舊式次第進兵於崎嶇山路當後三面[illegible]之是年秋八月錢銀[illegible]備[illegible]用將苟安李歆二人各引兵一萬五千前進於曲山之前連築二城苟安守東城李歆守西城哨馬報入雍州郭淮一面申報洛陽一面令陳泰起雍州之兵五萬來與蜀兵交鋒苟安李歆在城中分糧減食郭淮與陳泰[illegible]勢傾高城中必然無水必汲城外澗泉飲之若斷其上流軍皆渴死矣陳泰曰然遂差軍掘斷上流之水城中果然無水李歆乃引軍出城死戰又敗退入苟安城中二將并于一處苟安城中亦無水軍皆枯渴忽然一夜天降大雪城中取雪飲之苟安曰姜都督軍馬許久不到何也李歆曰吾捨身殺出求救苟安許之李歆遂引十數騎殺出魏兵圍合歆死戰得出只帶重傷從西谷小路行兩日迎着姜維軍馬細説曲山頭築二城被魏軍斷絕水澗甚

姜維陳泰

二人大戰

晃危急姜維曰吾非救遲為因聚集羌胡之衆來到遂遲李歆入
川義不濟維問夏侯霸曰羌胡兵未至賊兵圍曲山甚急公有何
高見霸曰若等羌胡兵齊二城皆陷矣吾料魏兵在曲山必攻重
兵斷糧雍州必虛可逕奔牛頭山抄雍州之後魏人必撤曲山自
解其圍此乃圍魏救韓之策也魏兵兩頭不能接應雍州可得也
維曰然遂逕取牛頭山而來却說陳泰對郭淮曰蜀人大隊在後
救兵不至者乃欲聚羌胡之衆齊備長驅而取雍州也今李歆告
急于姜維一公料吾兵皆在曲山彼定出牛頭山抄出其後將
軍可引一軍取洮水斷絕蜀兵糧道吾分軍逕往牛頭山擊之彼
必知糧道斷自然走矣郭淮遂引本部軍馬暗襲洮水陳泰分
一軍馬逕取牛頭山來忽聞前軍發喊魏兵斷絕去路陳泰大驚
曰汝欲擊吾雍州吾已等候多時姜維忿怒與陳泰交鋒泰敗走
蜀兵掩殺魏兵退守牛頭山姜維亦就牛頭山下紮寨夏侯霸曰魏
兵連日在此久戰必有別謀不如且走正論間忽報郭淮引一軍
襲洮水斷絕糧道姜維大驚慌令夏侯霸先退自為斷後陳泰分

司馬懿病

危囑二子

兵王路趕來姜維急退到渭水之時與魏兵大戰衝脫折卒大半飛奔陽平關正走之間忽見山谷中湧出一員大將橫刀躍馬而出其人生得面圓眼大唇闊口方左眼上生一肉瘤瘤上有黑毫數十根乃司馬懿長子驃騎將軍司馬師也攔住姜維後路維挺身戰敗司馬師遂得脫身歸陽平關司馬師引兵殺到兩傍伏弩齊發每弩一十矢箭頭帶藥司馬師必命如何（按諸葛武侯在日曾於此處置下千閑前寫日司馬師趕到兩下伏弩欲殺）司馬師于亂箭中進出引兵回到[illegible]安出城投降兵亦折數萬姜維回漢中托病不出嘉平三年秋八月司馬懿病重喚二子于榻前囑曰吾歷官太傅人臣之位極矣人皆以吾有異心吾何敢言吾死之後汝二人善事主上勿生他意負我清名若有違者大不孝也吾言畢

開言崇孝敬、一用武若通神　三國英雄士　四朝將相臣
屯兵驅虎豹　養子得麒麟　諸葛常談羨　能回天地春
戰餘堪吳魏交兵、

司馬懿身亡之後魏封司馬師為大將軍總領機密事司馬昭為

孫權托孤

召諸葛恪

驃騎將軍却說吳主孫權先有太子孫登乃徐夫人所生于赤烏四年身亡乃立次子孫和為太子乃瑯琊王夫人所生與公主不和被公主譖間吳夫人廢之孫和亦死乃立潘夫人所生孫亮為太子此時丞相陸遜已亡以朝廷重權盡歸于諸葛恪太元元年秋八月初一日忽起大風江海騰湧平地水深八尺吳主所栽松柏盡皆拔起直飛來建業西門外倒插于路因此吳主孫權驚病至次年四月病危乃封諸葛恪為太傅呂岱為大司馬聽詔托孤囑以後事終年七十一歲[illegible]十五年也晉史官陳壽評曰孫權屈身忍辱任才尚計有勾踐之奇英人之傑矣故能成鼎峙之業然性多嫌忌果於殺戮暨臻末年弥以滋甚至於讒說殄行胤嗣廢斃豈所謂貽厥孫謀以燕翼子孫哉其後葉陵遲遂至覆國未必不由此也

太傅諸葛恪集衆冊立孫亮登基大赦改太元二年為建興元年諡孫權為大皇帝葬於蔣山有人報入魏國司馬師知孫權已亡遂議興兵伐吳尚書傅嘏諫曰吳國兼有長江之險先君屢次征伐

魏司馬師興兵伐吳

皆不如意不若各守邊境惜軍愛民此為上策司馬師曰吾昔侍
吳之心多時今孫權身亡幼主守國正好伐之遂命征南將軍
王昶引軍十萬伐南郡征東將軍胡遵引軍十萬攻東興鎮南將
軍毋丘儉引兵十萬攻武昌三路前進遣司馬昭為大都督總
領三路軍馬是年冬十二月魏兵進發司馬昭到邊界屯兵
喚令昭曰東吳最緊要乃東興也東吳今築大堤左右置兩城以
防巢湖攻擊今吾自取中路汝左右將枝軍馬未可出戰待吾
取了東興郡那時一齊進兵王昶毋丘儉令去了又喚胡遵諸葛誕
二人為先鋒同領三路兵前去搭浮橋取東興大堤若奪得左
右二城便是大功二將得令引兵來搭浮橋却說東吳太傅諸葛
恪聽知魏兵來大會諸將恪曰今邊關飛報魏司馬昭令胡遵等
來取東興搭浮橋見屯兵堤上攻打兩城又遣王昶攻南郡見屯
兵于東領上寨毋丘儉攻武昌亦于界首下寨今諸公高見先拔
何處平北將軍丁奉曰東興要地盡在東興若東興有失南郡武
昌皆危矣彼必併力先取東興諸葛恪曰既然如此汝可引水軍

丁奉引兵

大殺魏兵

三千從江中去吾還是虞禽資劉贊各引一萬馬步軍分三路而來接應放連珠砲為號齊進兵吾亦自引兵後至丁奉領了將令引三千人馬駕船望東與揚帆而去却說胡遵諸葛誕渡浮橋屯兵堤上差韓綜桓嘉二將攻打兩城左城吳將車全右城吳將留略見魏兵勢大死守城池二城高峻急切攻打不下二先鋒下寨之處地名徐塘是時天降大雪胡遵與諸葛誕置酒高會衆將入報江上有戰船三十餘隻使順風而來胡遵自出寨觀之見船將次傍岸遵曰每船上只有百人共三千人馬何足懼哉令將士觀其動靜丁奉曰大丈夫立功名正在今日交軍士脫去身上衣甲頭去兜鍪手中長鎗止帶短刀魏兵望見皆笑更不准備忽聽三聲連珠砲響丁奉當先拔刀一躍上岸衆將皆提短刀砍殺魏入前寨魏兵大驚措手不及韓綜拔帳前戟迎之被丁奉一閃搶入身去一刀砍翻桓嘉從側提鎗來刺丁奉被奉挾住鎗桿桓嘉棄鎗而走丁奉一刀飛去正中其肩砍倒在地便以鎗刺殺之吳兵三千人馬在寨中左右衝突魏軍大亂殺到中軍魏將胡遵[illegible]

勿伐魏國

懿上馬與衆奔路撞過浮橋而去浮橋斷折魏兵落水死者不計
其數王累引兵後聽知司馬懿兵敗遂走燒營而走吳兵不追諸葛
恪有東吳大賞三軍遂下令曰司馬懿兵敗就此機會恢復中原
以成大業盡起江東之兵二十萬攻魏一面差使齎書入蜀使姜
維進兵攻取其北共分天下恪兵臨行忽然一道白氣從地而起
遮斷三軍前後遮然不見恪遂驚下馬未知若何

孫峻謀殺諸葛恪

衆將救恪上馬問其吉凶時有中散大夫蔣延曰此氣乃白虹貫
日之兆大傳不宜伐魏諸葛恪大怒曰汝何敢出不利之言慢吾
軍心令武士推出斬之衆將告免貶蔣延為庶民丁奉曰[illegible]新
城為盟口告兄[illegible]新城魏師代[illegible]恪曰然遂提兵[illegible]
門將軍張特見吳兵入進門閉[illegible]恪令兵[illegible]至
洛陽司馬師為二路兵不利[illegible]進入之[illegible]
遣使令諸葛恪回新城[illegible]令毋[illegible]一[illegible]把
白吳兵驟戰功不可[illegible]急必然走[illegible]此時[illegible]曰

全懌也都督且提防蜀人因此司馬昭引軍助郭淮[illegible]姜維令毋丘儉避守吳兵將恪督兵攻打新城不下連日數將衆將勇力攻打城東北角將陷張特使人出城到吳寨見恪曰魏法令守城一百日外救兵不至雖降亦不問罪今已九十餘日再容數日統兵出降恪信其真令休攻打元來是張特緩兵之計只等吳兵少退盡拆城中屋宇樹木補其城闕畢上城大叫曰城中尚有半年之糧不降吳狗恪大怒督兵攻打城上一箭射中其額翻身落馬諸將救起恪恪金瘡將愈士卒因熱病者大半日死數百人諸將告恪恪論斬將司欲自攻城衆將曰諸軍皆病恪曰再說病者斬因此軍心離散逃校尉蔡林引軍投魏恪往各寨總之果見軍皆黃腫而死恪下令收兵回吳人報知毋丘儉隨後追殺吳兵大敗而回恪羞慚無面回只推病患不入朝見[illegible]到私宅公卿皆往見之恪恐人議論先搜自己官員過失重則斬首輕則流遠方朝廷內外無不悚懼又遣心腹人張約朱恩管羽林軍以為牙爪太常卿滕胤來見[illegible]

恪欲赴宴

大啣衣服

孫峻孫静之曾孫孫恭之子也孫權甚愛之令掌禁軍用孫峻聞其來故亂曰吾當恪殺公
帥有不仁之心將謂何不奮雷之威孫峻曰我亦有[illegible]今正是二
人來見吴王戩奏此事亮曰朕見此人亦是恐懼常欲除之朕
亮曰孫子遠已掌內兵陛下可設宴[illegible]恪[illegible]伏武士[illegible]以
絕後患亮令孫峻滕胤行事[illegible]恪[illegible]府[illegible]心神恍惚
一日步行出堂見一人披麻而入恪叱之令拿下其人告曰某新喪父
親入城請僧做功果初見是寺院而入不期却是府中恪等
如何放此人來左右告曰某等數十人皆持劍戟在門並不曾見
此人入廳恪大怒令拿出斬之是夜恪睡不安正廳中一聲響亮恪出
視之廳中梁折為兩段恪驚入寢室又見[illegible]提頭在手而來恪就驚倒
半晌方醒入口[illegible]聞水血臭令婢進水數十次皆有血腥侍者不
衣服亦臭恪驚恐不悅忽報使者請入宮赴宴商議機密之事恪
方欲出府忽行一黃犬啣住衣服嗚嗚作啼如哭之聲恪曰犬不欲我
入朝乎於是少坐又起犬又啣衣如此三次恪怒曰犬亦戲吾令從
者斬之乃上車行忽車前一道白虹自地起如白練衝天恪問從

[illegible]不祥乎從者[illegible]吉兆也主公勿疑恪至宮
門孫峻[illegible]迎[illegible]若貴體不安請回府安息峻自
[illegible]入見天子行不
數步[illegible]今日[illegible]峻[illegible]知何意主公且不可入恪命回
[illegible]大[illegible]使回恪曰吾[illegible]疾病回天子見太
[illegible]之[illegible]人後殿吳主
[illegible]大[illegible]以犬[illegible]恪問何事充
[illegible]體未痊不敢飲酒孫
[illegible]可也[illegible]恪[illegible]至于
[illegible]先入孫峻[illegible]刀大
[illegible]恪之[illegible]殺
[illegible]刀[illegible]約
[illegible]欲走被武士斬之[illegible]餘
[illegible]不[illegible]之
[illegible]中有一婦人

恪房中反目嚙齒跳躍起來大叫諸葛公被孫峻所殺全家驚懼
忽報軍馬至將恪全家擒縛斬其三族諸葛恪未死之時諸將出
兒說曰試觀恪歸府衣服落了成子图[illegible]
也誠于閣中反常作了嗣眺躍始恪果死于孫峻建興二年冬十月也
昔子瑜在日見恪聰明盡顯于外嘆曰此子非保家之主也
果應其言卻說魏光祿大夫張緝曾對司馬師曰東吳諸葛恪不久必
歎矣師問其故緝曰威震其主功蓋一國焉得能久乎孫峻已殺諸
葛恪吳主孫亮封峻為大丞相大將軍富春侯總督內外軍事自此
權柄盡歸孫峻卻說姜維得諸葛恪書奏聞後主起漢中之兵出
祁山魏將報與司馬師師曰蜀兵來侵當如何

十八終

可擒姜維郭淮大喜使令羌兵為先鋒魏兵[illegible]
是夜三更到蜀寨使人報知羌王引兵到姜維大喜曰引馬[illegible]
淪矣袞請迷當入寨姜維正欲問之[illegible]掌引兵殺將過來姜維[illegible]
[illegible]魏兵[illegible]大[illegible]殺得蜀兵各自逃生[illegible]
姜維[illegible]殺得[illegible]荒只剩得[illegible]
谷中而走郭淮背後趕來姜維[illegible]無箭[illegible]連[illegible]
箭鄧便知姜維有弓無箭郭淮乃[illegible]箭射之姜維閃得箭[illegible]
到以手一接[illegible]之郭淮[illegible]所接之箭[illegible]弓搭上便射[illegible]郭淮
面上盡力射之郭淮應弦落馬未知性命如何
司馬[illegible]廢新君
姜維正欲下馬取其首級郭淮被救回寨中拔箭[illegible]去[illegible]回到[illegible]
箭血流不止而死司馬昭下山退殺蜀兵郭淮[illegible]姜維[illegible]許多人
馬收拾敗兵[illegible]化[illegible]至[illegible]前事姜維自回漢中[illegible]
見[illegible]郭淮[illegible]郭淮乃魏之名將臣合有[illegible]
以功[illegible]後[illegible]太[illegible]言而入都說司馬昭命陳泰[illegible]遂[illegible]

（上原缺）

胡兵攻伐，還京都。是時司馬師縱橫朝廷，大臣莫敢違其意，每朝引兵帶劍入朝，魏主下殿迎之。師笑曰：豈有君迎臣之禮？陛下要依臣奏聞，合臣收拾，凡奏下條件，皆出師本意，發落並不問魏主。司馬師辭出，魏主退入後殿，回顧止有中書令李豐、太常夏侯玄、光祿大夫張緝三人。夫張緝乃皇后之父，魏主叱退左右外人，入內密室謀曰：昔先帝在日，司馬安敢如此？今視我如孩童，百官如草芥，天下早晚必歸司馬矣。言訖大哭。李豐奏曰：陛下寬心，臣等雖不才，願奉陛下明詔，招四方英傑，必勦此賊。夏侯玄曰：如殺此賊，夏侯霸必令蜀人來犯。若曰：但恐不諧，李豐、夏侯玄也。臣願以死，以報陛下。魏主乃卸下龍鳳汗衫，咬指出血，寫詔曰：朕司馬師兄弟，共把大權，將圖篡逆，所行詔制，皆非朕意，但各部官兵將士，可同扶社稷，勦滅逆臣，扶此社稷，天下幸甚。寫畢付與張緝，緝收藏了。曰：昔吾祖誅董承，蓋為此也，卿等宜慎之。李豐曰：陛下何出此不利之言？臣等非董承之輩，司馬焉能知之？陛下勿憂。三人辭出，東華門正逢司馬師帶劍而來。

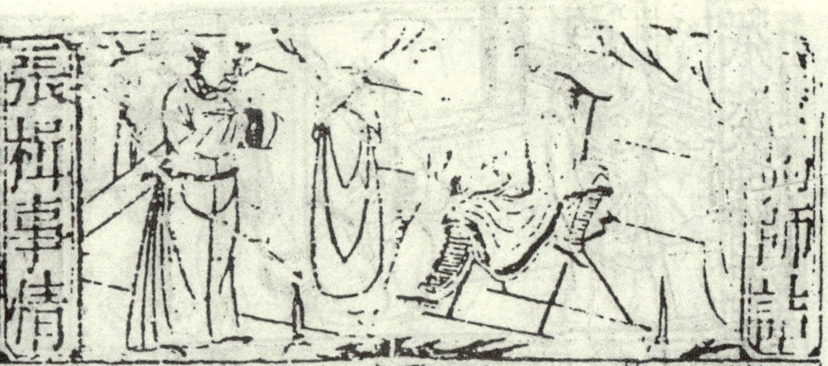

三人立于道傍師曰汝三人何故出近[illegible]言[illegible]
讀已久師曰所看何書曰看三代之書師曰所問何事[illegible]曰問
伊尹周公[illegible]也師笑曰汝等[illegible]伊尹周公[illegible]心[illegible]吾[illegible]
事[illegible]曰[illegible]此司馬師怒曰[illegible]
汝三人[illegible]天下[illegible]然曰
所恨者汝[illegible]天下[illegible]人如[illegible]師怒[illegible]義大
臣此左右[illegible]是[illegible]押令[illegible]司[illegible]
手[illegible]一鐵[illegible]打死[illegible]令[illegible]之[illegible]大怒
曰汝等[illegible]殺[illegible]心[illegible]人[illegible]司馬師
帝令[illegible]之家[illegible]
[illegible]入後[illegible]
事[illegible]必[illegible]見司[illegible]大人[illegible]師[illegible]
曰臣[illegible]陛下[illegible]公之[illegible]何[illegible]陛下
今[illegible]以功[illegible]王曰朕無[illegible]司馬
師[illegible]曰[illegible]何人所作[illegible]飛[illegible]皆

司馬師會

衆廢魏主

他人之過非朕本心師曰大臣致人作反當治何罪魏主低首縮
請師免之魏主哭而告曰師曰陛下若將軍怒之師自陛下
魏國法度可廢臣但已斷將張緝之女理宜勒除
喝左右推張緝于東華門外一併處斬
可免之令左右用白練縊死于東華門外魏主大哭司馬師盡收
其親族誅之後人有詩曰　當年密詔藏衣帶
國賊宗親盡遭殃　司馬今朝依此例　天教還報在兒孫
次日司馬師大會群臣于省中師曰魏主荒淫無道聽信讒言其
罪已甚吾按伊尹霍光之例別立新君以安天下汝衆意若何衆
臣曰將軍行伊霍之事應天順人某等安敢不從乎師曰既如此
請百官同赴永寧宮奏太后衆皆隨入司馬師奏太后太后曰今
廢主上却立何人師曰臣已選定彭城王曹據聰明仁孝可主天
下太后曰彭城王乃妾之叔若立之我何以當今有高貴鄉公曹
髦乃文皇帝長孫明皇帝親姪可以立之汝等大臣從長商議太
尉司馬孚師之宗叔也起曰太后之言是也郎遣人去請師

請太后登太極殿召魏主曹芳至責之曰汝荒淫無度褻近娼優
耽家正統可紹纘緒降爲齊王即日出宮不許入朝魏
主芳拜辭下傳國寶璽乘王車從太極殿而出群臣送者百餘人含
淚而不敢啼哭辭門 昔日曹瞞相漢府
欺他寡婦與孤兒 誰知四十餘年後 寡婦孤兒又被欺
魏主芳拜哭而去次日入請高貴鄉公曹髦髦字彥士乃文帝之孫東海定王曹霖之子
至文武百官皆具鑾駕於西掖門外拜迎髦忙答禮太尉王肅曰主上不宜答
禮髦曰吾亦人臣也豈敢不答禮扶上輦入宮迎至太極殿司馬師接着髦
先下拜師急令扶起問候之令見太后后曰吾見汝幼年有帝王之相當爲
帝王太平爲天下主汝今當以仁德施之休辱先帝髦再
三謙辭司馬師令群官迎髦出太極殿立爲新帝改嘉平六年爲正元元年大赦天下
大將軍司馬師假黃鉞入朝不趨奏事不名帶劍上殿其餘文武各依原職
正元二年春正月淮南鎮東將軍都督揚州刺史文欽
廢主爲名起兵造反要來問罪司馬師師大驚未知如何迎敵
文鴦單騎退雄兵

知淮南揚州都督毋丘儉（字仲恭河東聞喜人也官帶鎮東將軍總領淮南兵馬）聽知司馬師廢了齊王立高貴鄉公心中大恨未有計策長子毋丘甸曰大人掌方面之寄今司馬廢主國家頗覆大人安然自守受四海唾罵儉曰吾兒之言有理即請揚州刺史文欽商議（欽故曹爽門下）欽至府堂參禮已畢儉流淚不止欽問其故儉曰司馬師專權天地反覆安得不動心乎文欽曰都督鎮守方面若仗義討賊欽合命助之欽長子文叔小字阿鴦能使雙鎚有萬夫不當之勇當在側曰吾父子願助都督以討逆賊儉大喜酹酒爲誓二人許矯太后密旨集淮南大小官吏軍士皆入城中上壽昌城西五里立寨煞一壇宰白馬歃血爲盟宣言司馬師大逆無道今奉太后密旨盡起淮南軍馬仗忠義討賊衆皆悅服犒勞已了當老弱守壽昌城自提兵六萬屯于項城令文欽領兵二萬于外往來巡護移檄諸郡盡令起軍此時司馬師在洛陽爲因目上一瘤不時痛發令醫割之瘡口未閉聽得這個消息就請河南尹王肅入府問計肅曰昔日關雲長威鎮方面天下知名孫權使呂蒙襲了荊州撫恤軍士

兵討毌丘儉

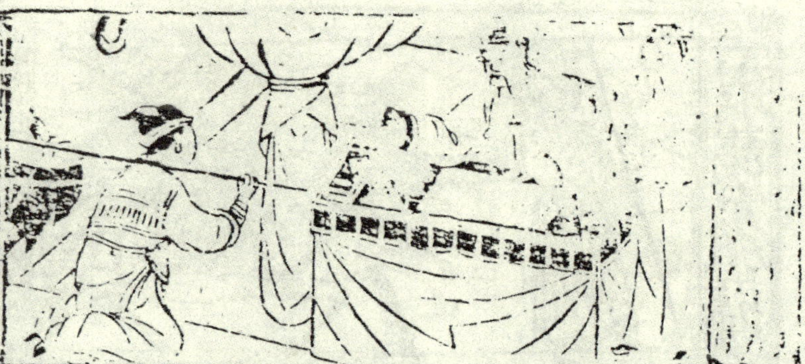

家俱在荊州者關公然此兵勢危解今淮南戰士家多在中州可差人守住歸路必為土崩之勢也師曰公言極是乃不顧新瘡自痛不能自整守住若使人行兵心有不穩中間有變師會逆司淮楚兵強其鋒甚銳若使他人總兵倘有疎虞則大事去矣司馬師驟然曰吾非自行不可破賊遂留弟司馬昭守洛陽總攝朝政師辭帝帶病乘軟車而行使鎮東將軍諸葛誕總督豫州諸軍出長安風洋收壽春又差征東將軍胡遵督青州諸軍出譙宋絕其歸路又差荊州刺史王基領前部取鎮南之地司馬師屯大軍于襄陽集文武于帳前商討光祿勳鄭袤曰毌丘儉好謀無斷文欽有勇無謀今出奇兵以絕歸路且淮港一帶以塞其氣此強大之長策也王基曰不可淮南之反非軍民思亂乃毌丘儉勢逼不得已而從之若大軍一臨必瓦解矣師曰王基之論是也遂進兵于隱水之東屯于隱橋王基曰南頓之地極好安營可星夜進兵取之若遲必爲彼也師令王基夜兼行至南頓下寨卻說毌丘儉在項縣知師日至聚衆商議先鋒葛雍曰南頓依山傍水極好屯兵若

鄧艾領兵取落加城

得之極難，乘此挫動，可速取。儉即遣兵將望南屯進發，前哨報說，
已上南屯下寨。儉自到前軍，果見旌旗遍山，營柵齊整。儉引[illegible]
正思破敵之策，忽報東吳孫峻提軍馬過江來襲壽春，儉大[illegible]
若壽春一失，吾歸于何地。遂夜退兵回項城，細作飛報[illegible]
眾問曰：今有何計可破此賊？尚書傅嘏曰：儉之心慌，想必
壽春。今回項城，必分兵拒。應令當調一軍從落加城逆取[illegible]
賊項城，如不出迎，當以兵打之。兗州刺史鄧艾足智多謀，可遣
城。更以重兵應之，破賊必矣。師從之，先令兗州刺史鄧艾[illegible]
加城。儉只恐有兵來，暗暗聽候。忽然文欽到，儉以此言告之。欽[illegible]
督放心，我與拙子文鴦只消五千人，馬到落加城[illegible]
五千軍馬與之。文欽父子，引兵投落加城進發。前軍哨馬回報：落加城
西都是魏兵，約有萬餘。遙望中軍白旄黃鉞，皁蓋朱旛，圍[illegible]
必然司馬師自至，營寨未完。長子文鴦，時年十八歲，身長八尺，[illegible]
立于父側，聽得此語，乃曰：趁他營寨未定，可分兵擊之。欽[illegible]
可引二千五百軍自落加城北面進，吾亦引兵自[illegible]

到三更爲約，入寨會合。兩路分兵兩路，文鴦全身披掛，腰懸鋼鞭，綽鎗
上馬，遙望司馬師寨而進。是夜，師引兵到樂嘉城，遙爲因鄧艾令左
右，故就此處下寨。因眼下割了肉瘤，瘡口疼痛，臥於帳中，週圍甲士百
餘護衛。將至三更時分，忽然喊聲大震，人馬大亂。師急問之，左
右報曰：一軍從寨北斬圍直入，爲頭一將，勇不可當。師大驚，眼珠
從瘡口內迸出，血流滿床，恐[illegible]亂，只[illegible]痛[illegible]。[illegible]
將[illegible]軍中亂，文鴦在軍中左衝右突，所到之處無人敢
當，鎗刺鞭打，死者無數。只望父文欽兵到爲外應，並不見來。四五
次殺到中軍，被弓弩射退。文鴦殺至天明，只聽得東北鼓角喧天。文鴦
只道父兵已至，縱馬殺來，看時，乃是魏兵，一員大將
[illegible]，大叫：反賊休走。文鴦大怒，挺鎗來
迎。兩將交鋒，戰五十合，不分勝敗。文鴦見魏兵勢大，望南而走。魏
將數百員，各[illegible]趕來。將至[illegible]城，見後面人馬看看至近。文鴦回頭
大喝一聲，殺入魏將陣中，鞭起處紛紛落馬。文鴦大勝，回來。鄧艾又見一
人一騎，又來追趕。趕過到橋邊，文鴦勒馬，又殺入魏軍中，鞭起鎗[illegible]

[illegible]

[illegible]

死者無數魏兵退文鴦又冲殺如此五番魏軍莫敢近傍文鴦
鴦乃文欽之子不敢當 昔日當陽喝斷橋
獨威名震 樂加城外應難敵 又見文鴦膽氣高
却說文欽在城上分付入山谷去了半夜北反尋路而出見魏兵
勢大不能迎敵文欽父子相見說廝殺一晝領兵退回壽春
時中散大夫尹大目元是曹爽心腹說司馬懿殺了曹爽就隨司馬
師當住軍中已知司馬師病目不能迎敵黑白文欽本是明公
心腹欲赴城下以儉之以全如此若大目去說必然歸降師應允
大目披甲上馬趕上文欽大叫曰見君大目也文欽回頭看見大
目披甲 欽曰使君何不忍耐數日 大目
欽不解其意厲聲罵曰汝乃先帝家人不思報
本順逆天公曾助戒直無義之賊留了便欲射之大目大
哭而回事以反回文欽與五千人馬奔回壽春時諸葛誕
已入壽春城文欽徒走項城文欽子到基軍又三路殺到文欽
見勢大乃投東吳去了且說項城母丘儉聽知文欽兵敗壽

司馬師與昭嗣後事

失蠹起城中之兵出戰與鄧艾相迎儉遣常雍出馬與艾交鋒被艾一刀砍于馬下、眾軍中來拿毌丘儉未知性命如何

姜維洮西敗魏兵

鄧艾引軍直入來投毌丘儉二兵大亂儉乃死戰胡遵王基引兵則合儉引數十騎奪路而走前至項縣二令項伯出迎以飲食待之酒醉項伯遣人殺之將頭出迎鄧艾此時淮南未定却說司馬師與諸將談入帳中傳以卯毅加爲征東將軍都督揚州諸軍事延謝而出兵亦退遂班師回許昌司馬師病痛不能當常自見李豐夏侯玄張緝前于榻前師自料不能好使人取弟司馬昭乃與諸將已到弟昭不敢心恐諸公同心事之衆將泣拜曰王公善保體師自知命在旦夕又差人催督司馬昭二自洛陽至叩拜于榻下師側身囑曰權重一身重如泰山雖欲卸肩不可得也汝可繼之大柄不可付人自取滅族之禍言訖昭再欲問時師大叫一聲眼睛突出而死（按師死年四十八歲正元二年）司馬昭掌了大權發表上聞魏主曹髦知司馬師已死差使降詔曰東南未定暫令司馬昭屯

帝遣王肅

封司馬昭

守許昌以防外虞鍾會曰人心未安不可屯此萬一朝廷有變悔之無及昭從其言即時點軍還屯于洛水之南魏主聞昭不受詔命大驚曰昭引軍還屯洛水是何意也王肅曰昭顧大軍未敢領權宜特封賜以安之魏主遣王肅齎詔封司馬昭為大將軍錄尚書事于是司馬昭入朝謝恩自此內外大權盡決于司馬昭矣後司馬師亡昭既安葬大事已定却說西蜀姜維探知此事奏後主曰司馬師抱病而亡司馬昭當權人心未附臣知司馬昭無能今請興兵恢復中原如不成功當治臣罪後主從之姜維遂傳旨再興兵伐魏于漢中調撥軍馬出征征西大將軍張翼諫曰吾蜀地淺狹錢糧稀少不宜累次行兵宜勞民力不如據險要以惜軍愛民此為保國大計也維曰不然昔諸葛丞相未出茅廬之時早知三分天下後猶且六出祁山以圖中原不幸中道而亡以此功業不成今吾既受丞相遺命當盡忠竭力死而後已今魏司馬師新亡其勢不穩不趁其亂圖之更待何時翼曰兵法云攻其無備出其不意若吾進兵魏必有準備今日此去此為上計冒矣

謂曰可謂輕論先主所疑 後部出安西將軍鄧艾諸郡可定矣卻說雍州刺史王經忽告急文字中表征西將軍陳泰三遂引兵七萬迎取洮西前來迎敵兩陣對圓王經出陣布完姜維望中軍張翼在左夏侯霸在右姜維分付二人交鋒不要戀戰二人分兩路而迎便繞其後進兵當住後面此路兵後退兵也于是蜀兵皆在洮水列成陣勢姜維出與魏將答話王經引數十騎可將而出經問曰今大魏已成帝之業汝將何事犯境無恥也維曰司馬師無狀殺主亂國何不共戰敗歲馬出馬經回顧而將曰蜀人皆近洮水而來關山不戰則皆死汝於水矣汝等四將可併力戰之姜維不利便可追擊經自當戰姜維三合戰敗合撥馬便奔王經引軍來追姜維不面逃經不數里兩下伏兵齊起左張翼右夏侯霸兩陣殺入魏陣大亂姜維挺刑喊大吁而斬兵將者刀向前來經望魏軍兩邊魏兵圍在核心維奮怒殺入魏軍左衝右突無人敢當魏兵大亂自相踐踏落水死者無數走處如山小將王經引敗兵迎而逃走入狄道城堅守卻說姜

鄧艾陳泰

議論兵機

維大獲全勝犒勞已畢便欲進兵去打狄道城張翼諫曰將軍功績已成威名大振可以止矣倘或有失頓廢前功維曰不然今日洮水一戰魏兵心膽碎裂吾想狄道唾手可得汝勿阻吾志遂勒兵前進却說陳泰正欲領兵救應王經忽報新任兗州刺史安西將軍鄧艾引兵來到陳泰迎接禮畢鄧艾曰某奉大將軍差遣來助將軍破敵艾曰不容軍務急急見救陳泰聚諸將曰今姜維圍狄道城諸公有何高見衆將皆曰王經新敗蜀兵大勝今若引烏合之衆當之必不可勝不如拒險自保待蜀人無糧自竭方可攻也鄧艾聞知冷笑不言陳泰曰公言甚善奈將有不同姜維後人來也正欲與各爭鋒惟求一戰當深溝高壘挫其銳氣可也今若與之戰使維計得意不可也若姜維洮西得勝便進兵東向櫟陽積穀招納羌胡東爭關隴傳檄四郡此吾之大患也今不思如此坐而待死耳狄道城高地險急切難得空勞兵力役智費維兵也吾今乘高則險進兵到了項嶺縱然後擊之蜀人必奔此謂客主不同勢各有異也鄧艾起身挨

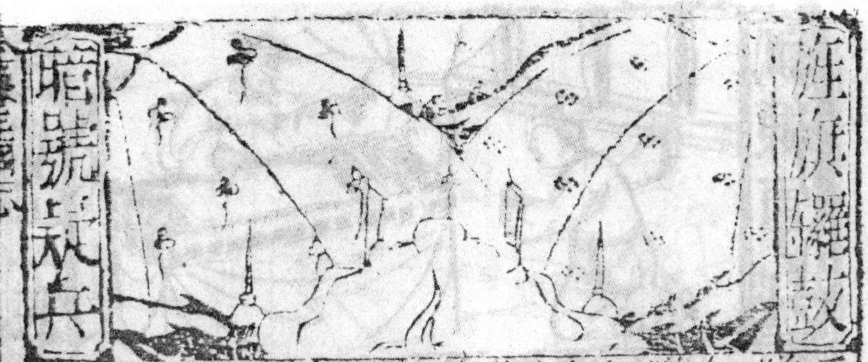

手曰將軍之謀真妙算也于是傾兵換一百五十八一隊計二十七隊多帶旌旗烽火鑼鼓之類日伏夜行去狄道東南谷各將為鼓兵日鳴鼓角夜則以火驚之于是陳泰郭淮各領兵前進却說姜維圍狄道城數日攻打不下心中納悶是日黃昏流星馬報兩路軍馬到旗號分明一路征西將軍鄧艾一路安東將軍陳泰姜維大驚曰吾素聞鄧艾英雄今兩路兵來遂請夏侯霸商議霸曰艾深通兵法善曉兵機今引兵來待他立定寨柵今晚便擊之維從其言留張翼攻城令夏侯霸引兵迎陳泰自引兵來戰鄧艾當夜三更兩軍齊出宜說姜維出戰鄧艾行不數里忽聞東南鼓角大振烟火滿山又覺週圍火起料必魏兵大驚曰吾中鄧艾之計也急令退兵回漢中維引敗後全兵入劍閣然而中原方知魏兵何隊止有二百[illegible]十人維為最疑兵而欲起兵此時寨害歸心如箭止不住後主勑姜維屯洮西有大功封為大將軍假節領兵鎮守維表謝恩此職再議興兵未知何如

鄧艾自段谷破姜維 四伐中原

鄧艾立寨

訓練軍兵

却說魏軍屯于狄道城外王經迎接陳泰鄧艾入城拜謝救援之德設宴相待賞勞三軍申奏鄧艾之功司馬昭封鄧艾為安西將軍假節領護東羌校尉與陳泰共屯雍涼陳泰得詔乃與艾設宴稱賀泰曰姜維夜遁而去氣力已竭不敢更出矣艾曰王經洮西之敗非小可也破軍殺將幾致危亾姜維雖夜遁不曾損折兵將今駐兵鍾提必然再出某料蜀兵必至有五陳泰曰何者為五艾曰蜀兵雖退終有大乘之勢吾兵從有虛弱之名其必出一也彼皆諸葛訓練之兵容易調遣更兼[illegible]將[illegible]未嘗訓練甲仗不完彼必取我二也蜀兵[illegible]不同其必出三也狄道隴西南安祁山四處皆是守戰之地不知蜀人先攻何處必須四處守把蜀必料吾兵分於[illegible]守禦難以合其兵必出四也蜀人若出南安隴西則可取羌人之穀為食若從祁山則祁山熟麥千頃以此圖之必出五也姜維又乃諸葛亮之後有智謀必用此矣陳泰[illegible]曰朝廷有[illegible]人蜀人何足慮哉于是與艾結為忘年之交[illegible]

寨柵以備各處。司馬昭屯扎，陳泰見鄧艾專一有法，心中十分[illegible]
姜維于鍾提作一大會，邀請蜀中諸將，共議伐魏之事。令史樊建
言曰：將軍累出，未獲全功。今洮西大捷，魏人畏伏，何故又欲出征？
萬一不利，必悔之。[illegible]維曰：汝只
知魏兵廣大，不知吾勝魏有五。眾將曰：請問其五。維曰：彼軍洮
西一敗，銳氣喪盡；吾兵雖敗，不曾損傷。吾軍一進，一可勝也。吾軍
久練之士，彼皆烏合之徒，不曾經法度，二可勝也。吾兵用船，不致
勞困，彼軍從旱地而來，三可勝也。彼兵分各處設備，守把不住，吾軍
一出，彼必多須分兵救援，四可勝也。今出祁山，收拾糧穀，為
食，五可勝也。不趁此時伐魏，更待何時？夏侯霸曰：艾雖年幼，機謀
深遠，必然于路有備，不可輕入也。姜維曰：公休長他人威風，滅
自己銳氣。吾已決定，今番先取隴西諸郡。眾將皆諫，不從。姜維
乃自為前部，令三鎮隨後而進。卻說鄧艾恐出武功，發兵奔祁山來。
前軍哨馬報道：蜀兵九個寨柵，各有軍守，[illegible]特來報得。
遂引數騎登高望之，見祁山九寨，勢如長蛇，首尾相顧。艾曰

兵貴神速之言信不誣也此乃兵法雖不相能也今觀鄧艾所為不在吾師之下矣今本兵強將勇多姜維令曰魏兵已有準備艾必在此間汝可虛立旗號據此谷口下寨每日差數百出哨一遭換旗號一番打青黃赤白黑旗以示吾兵多各是大兵在此當守要南安大道維引兵而去大將說廖化引蜀兵出祁山取路奔上邽敵鄧忠曰不可輕戰一日五番哨馬出寨或十里或五十里回報鄧艾寨前兵馬只是這幾旗並不更改色號艾謂陳泰曰將軍守此一寨攻打可以勝矣若打破寨柵便殺姜維之後竟拒董亭要路斷其勢必危矣艾今領兵去救南安從小路取武城山若據此山姜維必假上邽其路有一谷名為段谷地狹山險正好極好埋伏兵今來爭武城山吾先遣一軍伏于段谷擒維必矣陳泰曰吾守隴西二十年未嘗知此地理公真神人也公當速去吾自理會了是鄧艾引數萬人馬星夜倍道逕取武城山訖鄧艾本寨已了隨差帳前司馬將其子鄧忠[illegible]出段谷[illegible]谷引兵五千先去段谷埋伏依計而行鄧艾令偃旗息鼓

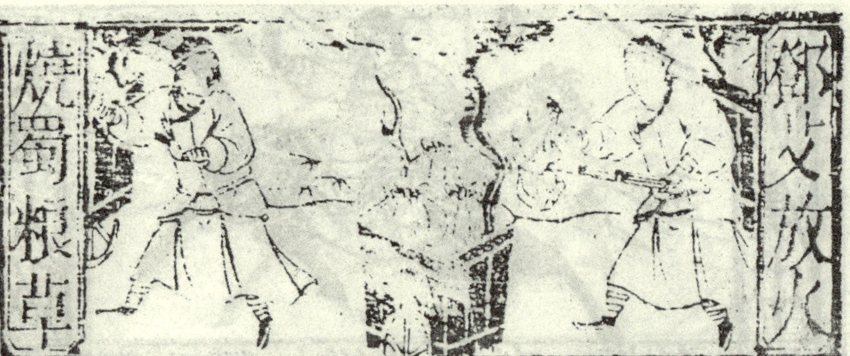

以待蜀兵却說姜維引兵自董亭望南安而來問夏侯霸曰此去南安先取何处為上霸曰近南安有一山名武城山若先得此山奪盡南安之勢只恐鄧艾多謀此山先有準備維曰魏人知吾兵至祁山必皆聚于彼處于是提軍前進至武城山下只見山上旗旛竪立鼓聲大振鄧艾引兵分十面殺來勢不可當蜀兵大敗姜維急去救時魏兵已退姜維暗忖自謂深得武侯傳受天下無敵不想中原又生此人吾與鄧艾勢不兩立次日再整兵備戰艾在山上逃不下來維至晚欲退山上鼓角齊鳴蜀兵欲要衝突上山被木石嚴阻不能得進守至三更欲回山上又鳴鼓角維屯兵下營兵又折一陣退回舊寨次日姜維催驅車至武城山下將車兵連為木寨當夜艾差五百人分路各執火炬下山燒著糧草車輛後以兵衝之兩兵混戰一夜營寨又立不成姜維退回寨與霸議曰南安急切未易取不如先取上邽上邽乃南安屯糧之所若得上邽南安必危姜維乃留霸屯武城山下盡起精兵沿山渡水取上邽行了一夜比及天明維見山勢險惡問左右曰此何地也答

姜維大敗　　退回漢中

曰乃段谷也地名姜維自忖曰倘或于此斷絕糧道如之奈何正躊
躇間前軍來報山後塵烟起處必有埋伏維急將兵看時司馬望
鄧忠引軍齊出維大驚且戰且走前面喊聲大舉鄧艾自引軍殺來
三路夾攻蜀兵大敗死者不計其數忽得夏侯霸一軍殺至救姜
維去了靜軒有詩嘆曰　　堪嗟姜維雖武侯
出師不料敵人謀　中原入地難恢復　損將傷兵國勢休
維欲再往祁山翻曰祁山寨被陳泰打破鮑素已喪軍中兵皆投
漢中去了于是姜維不往祁山從山僻小路回漢中後面鄧艾引
軍隊追姜維親自斷後令諸兵前進西蜀之停已回二停去了只
有姜維在後忽然魏將陳泰突出大戰姜維未知勝負如何

司馬昭破諸葛誕

姜維被兵圍住衝突不得脫蜀將張嶷引數萬軍馬抖擻精神衝
突殺入人不敢當姜維見有救軍至乘勢殺出二將相合殺散陳
泰之兵姜維馬回曰今之張嶷言某自斷後將軍先行張嶷亦川中
名將姜維放心前行後面魏兵圍住將張嶷走馬與鄧艾來魏兵亦

司馬昭遣使封鄧艾

敵追近陳泰交鋒部張翼盡力難敵被亂箭射死維回營只得
張嶷鮑素沒于陣中乃嘆曰吾因北伐蜀中將士多遭陣亡皆
怨姜維維乃依武侯舊例上表請罪後主乃降姜維為後將
軍行大將軍事副將胡濟等皆降一級鄧艾等大勝回軍陳
泰上表言艾之功此時魏主改正元三年為甘露元年司馬昭得
表大喜遂遣使持節往隴西加鄧艾官爵及賞軍錢絹
制曰進破姜維進征而西上不辭勞悴忠勇奮發斬將搴旗
威揚西蜀武振大邦今以艾為鎮西將軍都督隴右諸軍事封
其子鄧忠為都亭侯仍賜黃金五百兩甘露元年七月日詔
自封鄧艾之後司馬昭欲篡天下僭為大都督出入引三千鐵甲馬
軍前後呼擁以為護衛夜則就相府安歇此時已有篡位
之心只恐兩川未順故不敢即行乃召賈充（賈充字公閭平陽襄陵人賈逵之子）
為帥府長史商議昭曰今主公掌大權恐四方人心未安且當緩行探訪
昭曰我今若欲以何人為名而行之賈充曰…商議而行
前至淮南見鎮東將軍諸葛誕（誕字公休琅琊陽都人也諸葛亮之族弟）

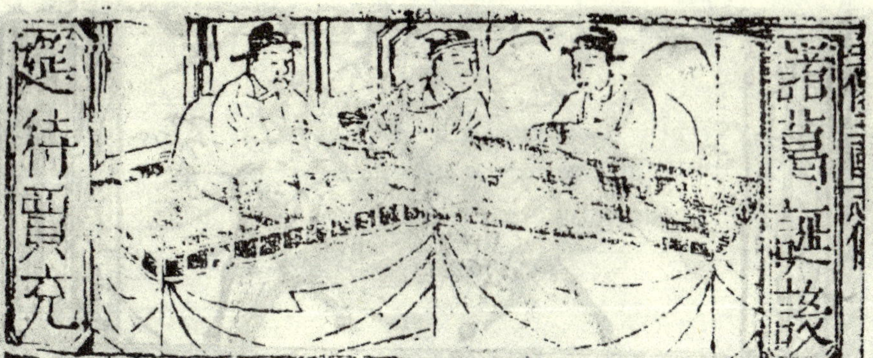

（誕不得重用今因武庚叛魏乃封為高平侯總攝兩淮軍）賈充徑勞軍事畢誕設宴待之充酒中以言挑曰充自洛陽來見魏帝懦弱朝廷大臣見大將軍三世輔國欲傳魏位明公心中如何誕乃作色曰汝乃賈豫州之子世食魏祿安敢出此亂言充急轉言曰充見他人之言特來告誦明公耳誕曰若朝廷有亂吾當以死報之安忍匹夫誑也充默然辭回見昭以誕之言告昭昭怒曰匹夫安敢如此充曰今誕在淮得士卒之心今若便召必然部反為禍不少若不召久則反雖遲其禍大不如早召之昭曰若大反吾自討之乃先發密書與揚州刺史樂綝（綝是樂進之子）然後封誕為司空使其召誕得詔書已知賈充告變遂擒使命勘問使命曰實是賈充告變之書已下樂綝矣誕將使命斬訖設筵令親隨心腹千餘人誕曰吾前至下衣甲帶刀殺賊今朝廷除我為司空此太尉之令出於賈充眾皆曰願從王公誕遂引隨誕投揚州來至南門見城門緊閉吊橋扯起誕至城下勒馬言曰吾是諸葛誕何為閉門汝等欲反乎城上並無人應誕引兵轉至北門亦緊閉誕大怒

進表斬首

殺入長安

曰樂綝乃吳夫何敢如此便令將士攻城爲首數人飛身上城[illegible]
退避于是大開城門軍士殺至樂綝家綝走上城躲避誕提劍
上城大叱綝曰汝不思父母受魏禄大恩反欲順司馬逆賊乎綝
無言以對遂殺之梟其首以厭衆心誕亦寫表往洛陽表曰
臣誕受本朝重任統兵在東爲楊州刺史得專征伐今梟譏臣
與吳交通又被詔爲代臣位無狀日久臣接國命以死自誓並
無異端忿樂綝不忠輒將步騎七百餘人以今日初六日殺樂
綝部日斯首封函傳送聖帝明臣之節魏不明臣節吳臣不罷
發兵以誅奸頓即日拜表備陳懇款泣血哽咽不知所云已竟
廷覽表孤忠于臣受誅拜表以聞甘露元年七月日臣誕表
諸葛誕表畢會聚兩淮户口十數萬兵楊州新附兵四五千人囤
聚粮草一年遣長史吳綱將幼子諸葛靚爲質子與求救此時東吳
孫相孫峻病亡從弟孫綝輔政綝爲人殘暴吳主亮雖然聰明無
可奈何此時吳綱引諸葛靚拜見孫綝綝問其故綱曰諸葛誕
乃諸葛武侯同宗兄弟今不得已被司馬昭欺凌以此特來歸降

司馬昭請魏主親征

只恐上國不信今親身詣魏爲質望相救平定之後就納糧淮人戶錢糧永爲臣下孫綝大喜重賞吳綱便遣全懌全端爲主將王伯爲合後朱異唐咨爲先鋒文欽爲鄉道官大起吳兵七萬分三隊而進却說吳綱回報諸葛誕大喜却說使命將樂琳首級并表到洛陽司馬昭大怒遂欲自討賈充諫曰主公承父兄之業未曾乃棄天子而行儻一有變悔之何及不若請太后并天子一同出征可保萬全昭遂入見太后奏曰諸葛誕謀反今與大臣計議請娘娘與天子御駕親征以壓衆心太后從之次日昭奏請魏主曰都督出征從自調遣何以御朕昭曰不然昔日武帝文帝皆遇大敵必須自行陛下正宜追配先君掃清妖孽魏主懼其威權只得從之司馬昭盡起大軍二十六萬使鎮南將軍王基爲正先鋒安東將軍陳騫爲副先鋒監軍石苞爲左軍兗州刺史周泰爲右軍保車駕望淮南進發諸葛誕曰先着東吳朱異爲先鋒引本部兵二萬五千迎敵魏軍王基出馬朱異與交鋒戰不十合敗走唐咨出馬又戰不數合大敗退五十五里小將飛報

諸葛誕敗

吳人入壽春

諸葛誕自引三千人馬出陣誕曰有敢死者出戰陣出文欽兵
二子文鴦文虎來退司馬昭未知勝負如何
忠義王子銓守節
司馬昭聽知諸葛誕合會吳兵來戰乃喚參謀鍾會二人共商議
退軍之策會曰吳兵救諸葛誕者貪圖利也昭曰[illegible]
泰引兩軍去石頭埋伏邦令王基陳騫伏精兵[illegible]援
二萬弱兵令偏將軍成倅領去誘敵門後車載牛馬驢騾及[illegible]
之物四面聚集當日諸葛誕在中文欽在左朱異在右三處要不
打話人殺成倅軍馬皆[illegible]敵不住望後便走[illegible]大亂
放起砲來石苞周泰聽得砲響兩軍齊出隨後[illegible]兵殺
來勢如山倒司馬昭隨後亦引軍殺至[illegible]入壽春
司馬昭令軍士四面併力攻打此時吳兵退入[illegible]
于城鍾會曰今諸葛誕兵雖敗城內[illegible]吳兵
在壽春為犄角之勢若四面圍住[illegible]來內
外攻擊吾軍無益不如只攻三面留南門容賊自走[illegible]而擊之可

司馬昭用

計破吳兵

全禕。司馬昭喜曰吾兒之子房也交王基徹退南門之兵只東西北門久諸誕俱在城為久計元來淮水長發一衝便倒壽春城上壘土竪了大營外圍矣吳兵屯于安豐孫綝喚朱異等責之曰量一壽春城不能取得如何吞中原再若不勝必殺朱異等商議牙將于詮曰城中有軍士心不一吾等可分兵一枝軍攻外吾等攻內殺出城去合諸葛誕守城此為上計朱異從之一面行令全懌全端二人皆將領人城從全異令文欽單馬引一彪于詮等引一萬軍入壽春城頂見魏兵不得將令不敢迎住任大軍去了衛士報知司馬昭昭令王基陳騫可帶五千兵伏于吳兵來路待朱異兵救壽春不要爭先迎敵只截其後吳兵自亂王基陳騫領命去了忽然朱異自引馬步軍來正行之間後面喊聲大舉兩隊馬將王基陳騫已殺吳兵大半朱異不敢回安豐直投淮來見孫綝告說被吳兵劫殺因此損兵折將孫綝大怒曰累敗之將要汝何用叱令斬之遂斬朱異于鑊里又責全端子曰汝若不得城休來見我孫綝自離建業來救壽春略無不恤軍士更以言語恐嚇全懌之

全懌父子

投降魏寨

子全揮懼罪投魏司馬昭加爲偏將軍懌等遂退兵于淮上却說
鍾會與司馬昭曰孫綝退去外無救兵城可圍矣于是魏兵圍合
四面却說全禕感司馬昭之恩遂寫家書入城中言孫綝不仁
責我等慢功盡要誅戮今日揮降魏以保身命全懌收了子書與
長子全端引本部兵開門出降于是魏兵急攻諸葛誕親督文鴦
催督城上箭石如雨城內城外死者無數血流盈塹且說諸葛誕
謀士蔣班進曰城中糧少不宜久守可驅本部及吳兵出城決戰
今若堅守非爲上計誕怒曰吾欲守汝欲戰莫非有異心乎再言
必斬蔣班嘆曰誕將亡矣吾等不如降魏是夜偷城出降司馬昭
皆重用之因此城中有敢死之士不敢言戰城外皆築土城以防
衛矣諸葛誕每日見晉兵守只望水發衝倒土城便引兵出直秋至冬
並無霖雨淮水不發城中糧盡文欽寨在小城內與二子守把見
軍士漸漸餓倒來告誕曰糧皆盡軍皆餓死不如將北方之兵
盡放出城以省軍食只與吳兵同守可保久長誕怒曰汝交我盡
去北方之兵欲謀我也遂叱左右將文欽斬了又欲斬欽二子鴦

已泄漏文鴦文虎欲點軍誅之，已到壽春，各執短刀殺死二三十人，湧身上城，一跳而下壕，暫赴魏寨投降司馬昭。昭恨文鴦昔之事，欲殺之。鍾會諫曰：文欽罪不容誅，今欽已亡，二子歸降，今欲殺之，是堅賊內之心。昭乃喜文鴦為勇冠三軍，要之以助征討。昭曰：然。乃召文鴦文虎至帳下，加為偏將軍，賜爵關內侯。二人拜謝上馬，遶城大叫曰：我今蒙將軍赦罪封爵，汝何如不早降。城中人因曰：文鴦[illegible]文鴦乃司馬昭之大仇，尚自重用，何況我乎。三十五人偷出城門降魏。諸葛誕轉怒，日夜自出巡城，以殺為威。鍾會料知城中有變，與司馬昭曰：城可攻矣。於是霎時攻打北門，守將曾官獻門，迎請魏兵入城。乃與麾下數百人從城中衝出，至吊橋邊，正撞魏將胡奮，手起刀落，斬誕於馬下。數百人欲出，皆被亂箭射轉小城之中，皆被擒捉。魏將王基殺到城門，內遇把門軍吳將于詮，王基喝令投降。于詮叫曰：大丈夫受命救難，既不能退汝圍之兵，又不能收帮之城，反降他人，實所不為也。以手執盔擲地，當刀大殺，被亂軍所殺。魏兵殺進入城中，將諸葛誕

司馬昭班

師回長安

虜其三族麾下士卒數百人驅至司馬昭之前昭曰汝等若降饒其性命衆皆曰願與諸葛公死不降汝也昭令縛于城外一一問人問曰降者不斬並無一人言降又斬一人再問衆皆曰義士斬何必再問乃盡斬司馬昭見說深加嘆息盡埋之史官有詩曰

忠臣矢死無移改　諸葛公休帳下兵　薤露歌聲猶未斷　遺踪直欲繼田橫

吳兵盡降裴秀曰東吳之兵君盡留之久必生變不如坑之鍾會曰古之用兵者降處以仁義其元惡而已若盡坑之非仁義之心不如盡放回以顯中國之寬大昭曰此論是也遂將降兵放回唐咨上祚懼孫綝之暴不敢回國亦來投魏昭亦加官重賞下令三軍分布三河之地淮南已平班師回京卻說姜維在祚聽魏主駕起淮南東戍來襲秦川有長安細作飛報司馬昭大驚未知退敵如何

姜維長城戰鄧艾　六伐中原

卻說姜維恨四年後改為景耀元年姜維在漢中選得川將蔣舒傅僉十分驍猛用為心腹姜維與夏侯霸曰公昔在鄉黨交小兒可避不

姜維夏侯霸論鄧艾

可轉吾未敢信今見其能方知公言不謬但恨未識其面霸曰方面大口濶頥大目身長七尺但言語蹇澁人呼為吃子維曰我平生不服天下人反中此人之計甚欲報之忽報淮南諸葛誕起兵討司馬昭東吳孫綝起兵助之司馬昭事盡起兩都之兵請太后魏主一同出征維聞之於漢中聚兵遂奏後主興兵伐魏譙周諫曰主上遣征伐傷者多矣維不識時務欲反天行事主上溺于酒色聽信黃皓不理國事今不動兵國將危矣乃作仇國論一篇其詞曰或問于伏愚子曰古者能以弱勝強者果何術伏愚子曰據大國無患者常多慢處小國有憂者常思善多慢則生亂思善則生治理之常也故文王養民以少聚多越勾踐恤衆以弱斃強此要術也曩賢卿曰嘗昔日楚強漢弱約分鴻溝各歸息民二志既定則國定也于是率兵追項羽終以亡豈不出文王勾踐之事乎伏愚子笑曰譬卿只知其一不知其二昔商周之際王侯世居非久固深根者當此之時漢能伏劍謀焉取天下乎秦罷侯置守厭後民疲秦役天下土崩于是豪傑並爭狼分虎裂必得者

司馬望立調

兵敗姜維

褸多許發者有先解故不可勝數矣方今之世諸國擾[illegible]進[illegible]
秦未能并之時三分六國歸併之世故司馬懿文王難爲[illegible]
大民之苦弊則驕者之兆生上下離而先解之形[illegible]
射之數織不如齊發見故智者不爲小利而動其心移日以[illegible]
先觀後動數合而後發故武侯之師不再戰而克誠重民勞而
違時者也如遂穆行曠武窮兵不顧天時及發號施令智勇者將
不能遏之若乃其縱橫出入[illegible]所敗[illegible]於祭山不出所
損而多出將此伏思[illegible]之所言不爲也
雖得今人論者後來見美維之爲然上[illegible]之論遂列發其論是
兵用[illegible]何從以公之見先取[illegible]地然後以然積糧之所待在
長城而後臨谷渡洮[illegible]然後先斷其糧後取秦川隴右自然
兵矣維既已出兵谷渡洮攻長城而來[illegible]長城將司馬
望[illegible]
多[illegible]夫死戰以拒敵兵與維相戰城下姜維出陣前司馬望
曰汝今大人可與汝決一死司馬望答曰汝無禮來

付僉殺死

[illegible]姜維[illegible]鄧艾

犯大國若不早早退兵令汝片甲不回維大怒遂與傅僉挺鎗出馬
[illegible]數十合傅僉詐敗走去維一鎗刺來傅僉
[illegible]王眞
[illegible]僉拔[illegible]李鵬至近將王
[illegible]猶[illegible]刀斷砍
[illegible]李鵬奔回門上一箭射中眼珠併流
[illegible]多托來被傅僉一鐵鎗刺死姜維掩殺將
來[illegible]門不出姜維令軍上[illegible]一宿來
[illegible]攻打將火箭火砲打入城中城上房
[illegible]大[illegible]姜維令[illegible]各寨[illegible]
[illegible]下一將如飛城中軍士吐喝[illegible]只見蜀兵
後[illegible]姜維[illegible]飛馬而回時後魏兵[illegible]而來姜維挺鎗馬
[illegible]馬挺[illegible]旗下[illegible]鄧艾上官征西將軍
[illegible]大叫賊將姜維早早投降姜維問曰來將
之[illegible]艾也何今不道名姓飛馬挺鎗來戰

姜維戰鄧忠

三將大戰

姜維抖擻精神戰到五十餘合勝負未分姜維尋思贏他不得賣
箇破綻回馬便走入本陣望左手小路中走了小將後趕來姜
維綽住槍取弓搭箭欲射小將又被小將見了把身望後一倒那
箭從身上射過去了維見箭不中回頭又走小將趕上提
鎗望姜維後心便刺姜維把身一閃那鎗從脇下過被姜維挾
住鎗鄧忠急回走本陣而走姜維大叫小兒走那里去縱馬趕到
陣門旗影裏一將飛馬提刀而出乃是鄧艾也大叫姜維匹夫勿
趕吾兒鄧艾在此姜維方知是鄧艾之子也欲來戰鄧艾又恐馬
乏乃與鄧艾回陣各已罷兵了次各各出營來對陣大戰鄧艾
見戰多不利乃就機會回陣後知此處甚是牢固并無失處於是兩
軍各退屯於渭水下寨維自爾與鄧艾各知地理
持與司馬望大戰[illegible]姜維與鄧艾兩三面
來攻維不勝又令造長子[illegible]一面飛報司馬昭知說
維使人來下戰書約來日大戰鄧艾回書寫了約至日姜維五
更造飯平明布陣諸將各各奮勇殺姜維自中軍中後勒在左傳会

在右山谷等魏兵到來却說鄧艾在寨中傳令偃旗息鼓有妄動者斬却說姜維使人哨看回報曰寨門深閉姜維至晚而回次日又使人下戰書到以兵約戰又曰吾身小疾有誤相持來人自回又約日又不出戰姜維知此五六番傳令曰此必有謀可以防之維曰鬢是鄧艾陽中收兵為三面擊吾軍也吾今往書入吳國令孫琳并力攻魏分兵取大下忽報諸葛誕被司馬昭打破壽春殺其三族吳兵皆降司馬昭班師回洛陽便欲引得勝之兵到此姜維大驚曰吾所望又成畫餅矣不如退兵

孫琳廢主立孫休

姜維恐司馬昭兵到便起軍退入漢中御作般知艾曰維必國事而去退不可追追之必有奸謀令人過空之處用積柴草追兵回報鄧艾報服知此先見表奏朝廷司馬昭又加官賞却說東吳孫琳聞知全擇周各王前等軍反降魏書都各家老小殺之此時孫琳教戮大臣吳王孫亮欲除之不得其便孫亮為人至聰明[illegible]一日往宮後[illegible]生梅使黃門問中藏取蜜蜜中有鼠屎乃召藏吏責之[illegible]黃門[illegible]中[illegible]召中藏吏問之中藏吏[illegible]曰[illegible]

吳主孫亮

議討孫綝

門[illegible]此是黃門之所爲也黃門不服亮曰若原有在蜜中內外皆濕如新故在內者內乾外濕剖開果然內乾黃門伏罪吳主雖聰明被孫綝一權把住又有孫據統領禁軍宮帝威遠將軍孫恩偏將軍孫幹長水校尉孫闓分屯諸營孫綝乃築太府于米顧橋南托病不出一日孫亮問坐黃門侍郎全紀在側按紀乃皇丈全尚之子郎今國舅是也亮密告紀曰孫綝專殺大臣把權欺朕今不除之必爲後患汝可密告汝父令便把各門吾當自出誅討逆賊此事切不可令汝母親知之汝母乃孫綝之嫡妹卿若泄漏誤朕非輕也紀曰主上當先發詔與臣行詔孫綝手下人盡皆[illegible]必不敢妄動亮即寫詔付紀紀持詔歸告其父全尚尚見此事諸將懼孫綝強暴自欲背之知事必就入與妻曰三日內孫綝必受刑也妻曰殺之是也口雖應允卻密使人將書報孫綝綝大怒連夜使叫兄弟四人點起大兵先圍住內院後將全尚劉承全家盡殺之比及平明吳主亮聽得金鼓齊鳴內侍慌入宮報說孫綝舉兵圍住內院亮罵全后曰汝父[illegible]安能成大事乃拔劍而言曰吾乃大帝嫡親孤在位五年誰敢不從遂與從

孫綝廢帝

再立孫休

者數十人相率而出孫綝兵把住不得出殺孫綝集百官于朝曰小帝荒淫不可以奉宗廟今可廢之若不從者以全尚爲例衆官懼曰聽將軍命忽班部中一人厲聲曰孫綝匹夫汝無伊尹之志敢廢聰明之主吾今寧死豈順賊臣乎衆視之乃桓懿也孫綝大怒掣劍斬之于是引領自宮入內庭擒下孫亮叱之曰無道昏君本欲誅絕以謝天下吾看先帝之面廢汝爲會稽王吾當自選賢德之主立之叱中書郎李崇奪其璽綬令鄧程收孫亮大哭而去孫綝遣宗正孫楷中書郎董朝往武林郡迎孫休爲君休字子烈乃孫權第六之子也武林今杭州是也孫休夜夢騎龍上天回顧不見龍尾失驚而覺次日孫楷董朝至乃謁邑都休初疑惑二人備說其事乃同至于曲阿不進孫楷叩頭曰事久生變願陛下速行孫休行至布塞亭孫恩將車駕來迎休不敢升輦乃乘小車而來百官迎拜道傍休下車答禮孫綝乃扶升御座休再三謙讓然後受傳國璽綬百官朝賀改爲永安元年封孫綝爲大丞相荊州牧封其弟孫皓爲烏程侯孫綝一家皆封王侯兼禁兵權傾人主凡有所請並不敢違吳主孫休[illegible]

丁奉張布

謀誅孫綝

內變遂召諭陽以安其心冬十二月休使左將軍張布[illegible]
臣之家有兆送至孫綝府中綝已大醉見酒列于前綝[illegible]
曰吾初廢帝將人出[illegible]為君者以孫休賢孝立之如無吾他只
是一鄉[illegible]耳今待我如[illegible]明發你早晚[illegible]悔之不已張
布入後奏孫休休日夜不安都說與丁奉將魏邈武衛士施朔二
人[illegible]孫綝[illegible]外又[illegible]心[illegible]軍器殿[illegible]分付號[illegible]
有[illegible]令[illegible]大王
遂[illegible]將人[illegible]陛
[illegible]請[illegible]見
[illegible]外[illegible]孫綝府[illegible]起[illegible]起宋
如[illegible]人[illegible]十餘人[illegible]求入[illegible]一夜在[illegible]
今[illegible]又[illegible]命不可[illegible]過[illegible]近我
倘有變動[illegible]入內[illegible]于御座
迎之[illegible]一巡左右[illegible]外[illegible]覓失[illegible]行休止
之曰[illegible]孫多[illegible]也[illegible]引武

士二十餘人擒之敗來麾下將呼曰有所收反賊孫綝餘者赦下還其綝[illegible]時將武士擒下綝而前曰臣無反意又無入出異發吳主曰汝[illegible]不從綝徵呂據也綝又曰臣不得死乎朝廷休又曰汝何不從滕徵呂據殺道[illegible]武士用出斬之從者皆不敢動[illegible]斬[illegible]孫[illegible]綝兄弟[illegible]其[illegible]之宗黨死者[illegible]其三族附協者[illegible]之擒[illegible]首將[illegible]滕徵呂據等重建墳墓以[illegible]流[illegible]

姜維六出戰鄧艾 六伐中原

[illegible]景耀元年冬姜維復還[illegible]化張翼為先鋒下令將武為左將軍偶令[illegible]右將中郎將為入[illegible]谷口總兵也每領兵二十萬欲圖復取中原從將後主劉禪川出告諸川中[illegible]自後飲[illegible]黃女兒戲不德[illegible]時有劉琰妻胡氏擬有美色因入宮朝賀皇后留宮中一月而歸劉琰疑妻與後主私通喚帳下軍五百列子面前將妻胡氏鞭之數十[illegible]後主聞知大怒勅有

[illegible]道劫蜀營

司[illegible]有[illegible]卒不[illegible]人軍撻妻意有失人倫理宜棄市令將斬劉
琰[illegible]斬了當[illegible]今命婦人不得入宮[illegible]姜維與夏侯霸同掌
中軍維曰前者累次不能成功[illegible]是[illegible]今魏朝[illegible]將乘虛
而之當取何地霸曰祁山用武之地可進兵必[illegible]前[illegible]姜維從
其言前[illegible]祁山下寨卻說鄧艾知蜀兵到火速來祁山隔蜀
兵在祁山後下寨[illegible]馬[illegible]屯于谷口[illegible]說姜維發怒要與鄧艾決
一戰艾令人[illegible]諸將曰吾依姜維不許出戰[illegible]文[illegible]之金
曰不出戰之所料待蜀兵來以此計勝之此時姜維[illegible]合分
下左右中三寨地道正在谷營之中今夜三更[illegible]令將氣右營
王將將傳令兵卒一半付劉多[illegible]收[illegible]部[illegible]司馬
鄧[illegible]各引馬軍一萬[illegible]衛[illegible]去[illegible]將鄭倫引五百[illegible]手
軍人今當夜一更時地道而入去營後從地道出于今齊[illegible]防
出來不敢向中忽聞[illegible]中人喊急[illegible]時[illegible]外[illegible]忠引兵到內外
攻擊二將戰敵不住[illegible]戰[illegible]說姜維在軍中聽得左寨中人
喊人報左寨被魏兵內應外合寨已潰散姜維上馬立於中軍

姜維鄧艾 演八陣

外下令妄動者斬但有到營邊休問姓名並皆射之姜維差流星馬
報在營依令而行因此衛營不動不敢妄入殺到天明鄧艾收兵
回營嘆曰姜維深明諸葛之法不致亂次日蔣斌王含收敗軍
來寨兩下相見罷維曰非汝之過乃吾不明地脈之過也傳令再分撥軍
馬令領三千兵安定了王寨將殺傷之屍盡埋于地道中以土掩之
令人下戰書單搦鄧艾來日交鋒艾欣然回書交戰維傳令
與各路將分合要依武侯八陣之法天地風雲鳥蛇龍虎之形至交
日布陣已完遂一擊見鄧艾之兵亦殺奔前來兩軍皆下寨
訖鄧艾親身出馬陣前來看姜維陣見布成八陣之圖艾曰諸
姜維出馬打話維亦出馬于陣前艾曰汝之八陣能識變化否姜
維笑曰八陣上合天地左右按八卦變成八八六十四個門戶維出曰
君之變法如何艾曰雖然不差你把吾圍八陣圖陣有何
不可鄧艾下擂鼓親軍鄧艾各依隊伍而進鄧艾初時見八陣變法
却是中軍左右變陣而行後到中間只見維把旗一招變成長蛇
掩地陣鄧艾處在垓心四面八方喊聲大起但見周圍盡是

司馬望救

姜維鬪陣

兵漸漸逼近。鄧艾引衆衝突不出，只聽得外面大叫：「鄧艾早降！」
嘆曰：「吾一時自逞其能，今中姜維之計！」忽然見西北上一彪軍殺
開蜀兵，衝散大隊來，鄧艾乘勢殺出。救鄧艾者，乃司馬望也。比及救
得鄧艾出，祁山九寨皆被蜀兵占了。魏軍退于渭南下寨。艾問司馬望曰：
「公何以知其陣法，救出吾也？」望曰：「吾幼年嘗與崔州平、石廣元
為友，講論此陣法。今日姜維所變，乃長蛇陣也。若擊他處，不得出。吾
自西北頭擊之，破其陣也。」鄧艾謝曰：「吾雖學陣法，實不知有此變
化。公既深明陣法，來日布陣，復奪祁山寨，如何？」望曰：「姜維深明武
侯傳授，我所學者，彼不過我。來日與姜維排鬬陣法，却令一軍襲
祁山之後，兩下混戰，可奪祁山也。」遂遣人下戰書，約姜維來日
鬬陣法。維看了大笑，批回了，與諸將曰：「吾得諸葛丞相所傳秘法，
八陣通變三百六十五樣，按周天之數。此等無能者，敢吾鬬變
法，正是掉刀弄斧也。然其中必有詐謀。」乃與廖化曰：「來日陣前相
對，汝可引一萬兵與張翼前去山後埋伏，如此而行。」到次日，二將
得令前去。姜維布陣于祁山之前。却說鄧艾差鄭倫為先鋒，暗引

襲祁山司馬望引兵離渭南到祁山也布成陣勢望出馬與姜
維打話維曰汝斷吾鬪陣汝試布之于是望將旗招颭變成八陣
維曰此乃八陣是吾師所教汝何盗學望曰汝師亦盗學他人者
維曰此乃八陣有何所變望曰九九八十一變維曰汝試變之望
乃入陣變數陣而出曰汝識吾變化乎維笑曰汝乃井中之蛙望立
知玄妙吾之陣法按周天三百六十五度望亦知如此變化實望
未全只要俄延姜維待鄧艾後面成功望曰汝之陣法不爲佳妙
可變一二與吾觀之維曰汝交鄧艾出來吾衍與他看望曰鄧將
軍自有良謀不肯陣法維笑曰汝晚吾在此布陣却交鄧艾去襲
祁山後之寨是否司馬望大驚自思維乃神莫之人欲混戰被
姜維鞭梢一指兩翼兵圍合將來殺得魏兵大敗却說鄧艾一軍
前進先鋒鄭倫將至山後忽廖化兵出一刀斬鄭倫于馬下張翼
兵出亂箭射來殺得鄧艾兩下無路死戰得脫到渭南和司馬望
商議望曰近日劉禪用中貴黃皓每日以酒色爲樂可用計使召
姜維回川此危可解艾曰誰可去西川帳下党均頭往

黃皓奏帝

詔維班師

道均賫金寶入蜀均到成都結搆黃皓布散流言說姜維怨[illegible]
廷令欲歸魏黃皓聞左右所言乃奏後主可以早詔姜維班師免
先後患後主聞奏火速差人宣姜維星夜回朝維受宣詔不知所由
為隨即回川分付張翼等提調軍馬司馬望知計已成只等蜀兵
起程隨後追殺未知何如

司馬昭南闕弒曹髦

姜維被詔促令班師廖化曰此間謀之計也將在軍君命有所不
受且不可動張翼曰將軍連年動兵蜀人皆怨不如乘勝收兵以
安民心廖化曰倘魏兵躡後若何翼曰兵依次而退至鳳公斷後
以拒魏兵鄧艾與陳泰隨後追去二將斷後鄧艾引兵追趕見旌旗齊肅
人馬徐徐而此人深明韜略之法遂不敢追而回鄧艾嘆羨姜維回
成都朝后主后主曰為卿不還軍士勞苦召卿還都別無他意維
曰臣已奪祁山寨正欲收功不期半途而廢此必中魏人間諜之
計請復出師伐魏必復中原上報先帝之恩下雜武侯之志後主
默然因此黃皓深恨之維辭後主往漢中收拾軍馬未得次第魏

司馬昭帶劍欺朝廷

說鄧艾屯祁山報知此事艾曰君臣不足必有內變令黨均賫金入朝備陳此事昭見大喜召賈充議曰吾欲伐蜀君何充曰未可昭曰何為也充曰今上深疑主公若一旦輕出蜀未能伐內必生變昭曰何以見疑于我充曰去年黃龍兩見于寧陵井中此國祥瑞群臣賀表今上曰非祥瑞也其龍上不升天下不在田屈于井中乃憂愁之象遂作潛龍之詩以發歸怨于主公也詩曰

傷哉龍受困　不能躍深淵　上不飛天漢　下不在花田
蟠居于井底　鰍鱔舞其前　藏牙伏爪甲　嗟我亦如然

以此詩譏諷于主公也昭聞知大怒曰此人欲效曹芳耶當時成倅成濟弟兄立于堦下昭與賈充曰倘旦夕有變只在你身上幹功這二人極有膽勇交付你須要事要明白充應聲曰主公放心某自有處調度時甘露五年夏四月司馬昭帶劍上殿魏主曹髦以目視之昭叱曰視吾何為群臣奏大將軍功德巍巍宜封為晉王加九錫魏主亦不言昭厲聲曰吾父子三代有功于魏今為晉王莫非不容魏主曰誰敢不從昭曰潛龍之詩視人為鰍鱔此何

魏主自出

討司馬昭

理也。髦不能對，汗流如雨。昭冷笑下殿。眾官凜然。髦退回後宮哭曰：司馬昭篡逆之心，人皆知之，吾不能坐受廢辱。次日召侍中王沈、尚書王經、散騎常侍王業三人入後宮，髦哭曰：司馬昭篡逆，諸汝三人至此，一同起兵討之。王經曰：不可。昔春秋時魯昭公不忍季氏，敗走失國。天下[illegible]久，今重權已歸司馬昭之門，朝廷公卿不顧逆順，皆願為之致死。且陛下禁兵寡弱，何所資用？一旦不能隱忍，是欲除疾而疾愈深矣。髦取懷中黃詔擲于地下曰：是可忍也，孰不可忍也！吾意已決，便死何懼！髦回身入，却說王沈謂王業曰：事已極矣，空求誅族，當往自免死。業曰：然。乃喚王經，經曰：雖有智慧，不如乘勢。今不去，死在目前。王經怒曰：主辱臣死，天下至理，安有求免以害己乎？願殺身為報。髦集殿中宿衛蒼頭官僮三百人鼓譟而出。髦仗劍升輦，王經伏輦下，奏曰：陛下欲以數百軍而伐昭，是驅群羊入虎口耳，空死無益。臣非惜命，實見事之不行也。髦曰：吾軍已行，卿勿阻。當下望龍門出，望見賈充戎服乘馬，引數千鐵甲禁軍，叫如雲集。魏主仗劍大喝曰：吾乃天子也！汝等

成濟弒曹髦

髦于南闕

突入宮庭欲弒君乎于是禁軍面面相覷皆不敢動賈充喚成濟
曰司馬公養汝何用正為今日之事若事一敗汝等全家誅戮矣
成濟乃掣劍在手顧問賈充曰當殺之當縛之充曰司馬公有令只
要死不要活成濟撚戟在手逕奔輦前髦叱曰匹夫敢無禮乎言
未畢一戟刺中髦前胸而死成濟大叫曰奉命殺無道昏君
見了持槍迎殺被成濟殺死衆皆逃避王經奔來大罵曰逆賊焉
敢弒君充喝左右縛之使人報司馬昭昭入內見髦已死佯作大
驚之狀以頭撞輦哀哭太傅司馬孚入內見髦屍首枕其股而哭曰
尸橫于地以股枕其頭哭曰弒陛下者臣之罪也司馬昭曰國不可
一日無君仍將天子首用棺木盛貯停于偏殿魏主在位年二十
歲聰識立新君王恭曰武帝有孫燕王曹宇之子見居安次縣封
為長道鄉公司馬昭召之即令發車輦迎之昭會大臣定擬
弒君之罪獨有尚書僕射陳泰不至昭使其舅尚書荀顗召之泰哭曰
人皆以泰比舅今舅所為不如泰也使人催逼泰乃披重孝
而入哭拜于地昭亦佯哭而問曰公以此事何以處之泰曰獨斬

賈充以謝天下昭良曰所思其次泰曰不知其次昭曰[illegible]
逆不忠殺其主上推誅之更其三族成濟大叫曰非我之罪[illegible]
充傳晉祖之命放吾右昭令先割其舌至死時屁不絕[illegible]
斬于市盡夷三族後官有詩嘆曰
南闕拔身強哭尸
公然弒主待誰欺
欲誅成濟瞞天下
天下人人盡數知
昭既弒主入奏太后曹髦欲弒太后殺大臣致被成濟弒之臣
已殺了成濟請太后[illegible]以安民心太后懼之只得任意寫詔又將
尚書王經全家俱赴[illegible]廷尉擬罪王經在廷尉見縛母至叩頭哭曰
不孝子辱累慈母王公笑曰誰人無死今爲國亡死何根焉神色
不變當日押王經至東市曹處斬其母顏與經曰子母今日得其死
莫大矣受刑故吏尚經大哭淚而老幼無不垂淚史官詩贊曰
漢祖諱伏劍　漢室見王經　貞烈真無比　賢名智更清
節如泰華重　命似鴻毛輕　母子聲名在　應同天地明
司馬昭以王禮葬[illegible]賈充密勸司馬昭就魏國正統還是如何
[illegible]

王瓘引兵　詐降姜維

昭曰：文王三分天下有其二，以服事殷，故聖人稱為至德。昔曹丕德不肯禪漢，猶曹之不肯而禪魏也。因此眾人已知司馬昭篡意，立公子司馬炎長道鄉公曹璜改名曹奐（字景明），是年六月甲寅日入洛陽見皇太后，是日立曹奐為君，改年為景元二年，進昭為大丞相晉王，賜黃鉞白旄、金瓜鉞斧，鑾駕數大臣各各封贈了。當早有細作報入蜀中。姜維聽知司馬昭弒魏主髦，又立曹奐為君，大喜曰：今日征伐有名矣。遂上表，令後主一面發書遣使入吳，問弒君之罪。姜維遂起蜀兵士五萬，糧草數千輛，命廖化出子午谷，張翼出駱谷，姜維自出斜谷，皆令于祁山取齊，蜀兵進發。此時鄧艾在祁山訓練軍士，忽報蜀兵三路而來，鄧艾聚眾商議。帳下一人出曰：參軍王瓘，獻一計，呈上鄧艾。艾曰：此計雖好，只恐瞞姜維不過。瓘曰：捨一命報司馬公之恩。艾曰：汝心智若堅，此事必然成功。遂撥五千人馬與王瓘。瓘連夜從斜谷出來，撞入蜀兵前隊。瓘曰：我是魏國降兵，可報與主帥知。哨馬回報姜維。維教當日住餘兵，只交為頭的來見了。[illegible]瓘拜見姜維，維[illegible]曰：某是尚書王

經之姪。司馬昭弑君，更將叔父滿門誅戮。瓘在邊廷，因免其禍。今幸大將軍興兵問罪，故來投降。今引本部兵五千來投，必當效死，報叔父之讎，以殺弑君之賊。姜維大喜，與王瓘曰：汝既以誠心而來，吾寧不誠心相待？吾軍中所患者，無糧耳。今有糧車數千輛，見在川口，汝可運至祁山。吾今去取祁山寨也。王瓘暗喜中計，欣然領命。維曰：汝去不必五千軍，自有推車人夫。汝只可引三千人去，留下二千人與吾引路，以打祁山。王瓘恐維疑惑，只得引三千去了。維令傅僉引二千魏兵隨營聽用。忽報夏侯霸到，霸見維曰：都督何故准信王瓘之言？霸在魏時，多知其詳，未聞王瓘是王經之姪。其中多詐，請將軍察之。維大笑曰：吾已知其詐，特將計就計。霸曰：司馬昭奸雄過於曹操，既殺王經，滅其三族，安肯存親姪於關外，又令引兵？故知其詐也。今

[illegible]

維遂暗遣人於要路伏之，以擒王瓘。暗遣消息于王瓘，令交割得許

王瓘遣人

暗傳消息

多糧草，乃遣人暗藏秘書回報鄧艾，下書人到半路，果然被蜀兵捉見姜維。維搜出秘書，見書中云：我已得姜維糧草，可以遂進與姜維交戰[illegible]將蜀兵糧草及從歸蜀兵無糧必自敗也。姜維[illegible]將下書人殺了，便將書改作八月十五日，望將軍親領[illegible]兵于斜谷外[illegible]山寨中接糧，可先期速日總催姜維交鋒，免生後患。差人扮作魏兵，去魏寨下書。一面將見在糧車數百輛以乾柴茅草引火之物[illegible]上用青布遮蓋，書糧字旗號，卻教原降魏兵執之。令傅僉、張翼各引一軍去壇山伏在谷口，卻教蔣舒、廖化各領[illegible]進兵與魏兵交鋒。姜維分撥已定，卻教[illegible]下書人回[illegible]約定，遂乃與司馬望各引一軍，[illegible]將來谷口搦戰，[illegible]自迎敵，未分勝敗。至八月十五日，鄧艾引三萬精兵，逕投壇山谷口，遠遠地使人憑高觀望，果見無數糧車接連不絕，從山谷口出。鄧艾自勒馬于高坡看之，果見魏兵[illegible]將，天色已暮，可速接出此谷口。艾自前面山勢險峻，倘有伏兵，急難退步，只就這裏等候。說言未了，只見兩騎

馬飛奔而來報曰王將軍已得了糧道見蜀兵見了招兵馬隨後趕來望將軍早來救應鄧艾令不知是計急領兵前來聽得山後喊聲大起此時初更左側東方月上皎如白日又不顧車馬只道王瓘在後面廝殺逕奔過山後時只見林中背後蜀兵閃開傅僉挺鎗高叫曰鄧艾你中我將軍計策何不下馬來降鄧艾勒馬便回只見車上火起兩下伏兵便起殺得魏兵七斷八續傅僉大叫着拿得鄧艾者賞金千兩封萬戶侯說得艾喪膽亡魂鄧艾盤山穿續而逃姜維首尾只揀為頭的馬逕來擒拿鄧艾鄧艾棄馬步行得脫原來王瓘押糧車到了半路姜維便招得勝之兵就前路來劫有魏兵圍不得祁山寨的只在這邊來報王瓘道事已泄漏鄧艾不知性命如何王瓘大驚使人哨探三路軍馬圍裹將來背後又有蜀兵起四下無路王瓘大怒令左右盡把糧車休要放了火烈焰沖天王瓘大叫事已敗矣諸軍可以死戰乃提兵望西殺去所見車伏盡皆燒盡不若姜維追趕前來姜維只道王瓘在前面救應不想逕殺往漢中舊路而去背後兵分少敵當不住因此王瓘燒絕棧閣

姜維班師

姜維回漢中

并又憂閑謚姜維恐漢中有失不敢出祁山遂提二路兵回達夜
趲程投小路去救時此時王瓘被蜀兵四下圍合無路可出投江
而死餘兵盡被殺訖鄧說姜維雖然得勝却折了許多糧車又毀
了棧閣遂收兵回漢中去鄧艾又折了一陣也回祁山寨中來請
罪司馬昭為艾有大功不肯加貶復加賞賜艾盡分與將士並被
害將錢老小昭又恐蜀兵再出又添兵五萬與鄧艾部說姜維連
夜修了棧閣又議出師勝負如何

譙周諫後主　王勿興師

姜維洮陽戰鄧艾　代中原

蜀景耀五年冬十月，姜維令人脩理棧閣，儲備糧草，于漢水調撥船
隻，上表奏曰：臣累次出征，雖未成功，已自挫動魏人心膽。
今養兵日久，不戰則懶，懶則致病。今師爭死，將思用命，不勝，臣
當受死罪。後主覽表猶豫不決。譙周出班奏曰：臣觀天文，見西蜀分野將
星暗而不明。今大將軍又欲出戰，必不利也。陛下可阻之。後主曰：且看此
行若何，果有失却當阻之。譙周再三諫不從，歸家嘆息不已，推病不出。周故
歎曰：君王溺于酒色，不理朝政，信用黃皓，寵用讒邪，而疏遠賢臣，國家
[illegible]西蜀國[illegible]不振矣。乃作詩歎曰

在能蜂蟻藏山洞　中原慽復難為理　國小民疲會粟倘　君閤閭諂媚多

且說姜維臨行，先見之，問何不拔魏乎？維謂曰：吾受先帝之恩
未能輔助，社稷今國破家亡，當盡命報本，安忍行不忠不孝之
事也。張翼不以為然，乃問廖化曰：公是慣征老將，吾今欲伐
魏，將軍何取何地？廖化曰：連年征伐，軍民皆不寧，更兼魏有

艾與司馬

望議戰蜀兵

鄧艾足智多謀而君強行難爲之事未必深許也如聽老夫之言只可息兵養民此爲上策姜維厲聲曰昔丞相六出祁山亦爲國也吾今八番出師非爲私也議定今取洮陽違者輒喝退廖化不用留守漢中遂起大軍二十萬逕取洮陽行軍到魏寨鄧艾正與司馬望在祁山寨中談兵聽知此信使人打探蜀兵在何處而來人報劉兵盡出洮陽而去司馬望曰姜維多計莫非虛取洮陽實取祁山不成艾曰今姜維實出洮陽也望曰何以知之艾曰蜀兵累出祁山皆望吾有糧之地今洮陽無糧却接羌胡維必料吾只守祁山却去襲洮陽如此得城却有糧食在內外結羌胡以圖久計今撥此處之兵去救洮陽離洮陽二十五里侯和地名亦有小城通道可以引大軍屯於洮陽城中偃旗息鼓大開城門以行此計某却領一軍伏于侯和候接姜維司馬望領計提兵望洮陽城來却說姜維令夏侯霸望洮陽進發廖化問維曰今將軍往無糧之地何意維曰吾七番出師皆取魏兵有糧之地并好屯兵之所魏人深知吾意了今取洮陽空城交魏人不防一鼓而下若得洮

百姓老幼

奔死出城

陽揺墢梁城殺蜀中粮草屯於城内然後外結羌胡水陸轉運以爲久計此番不勝真可羞也鄧曰此論甚妙某當爲前部維曰吾當隨應于是夏侯霸引兵逕取洮陽見城上並無旗旛四門大開霸勒馬亦門莫非有計眾將曰眼見城上無軍聽得大軍到盡皆棄城而走霸未信由馬城南望之果見城後老幼百姓無數望北而走霸曰此空城也當先殺入到甕城邊城上一聲鼓响旗旛齊竪吊橋扯起夏侯霸却欲退時城上弩箭石如雨可憐夏侯霸與數百騎皆被射死霸時有詩嘆曰 大膽姜維妙算長 誰知鄧艾暗隄防 可憐投漢夏侯霸 頃刻城邊箭下亡 司馬望縱兵殺出蜀兵大敗姜維引兵到殺退魏兵就傍城下寨是夜鄧艾于侯和城内暗伏軍切寨姜維被艾切中大寨蜀兵大亂城中司馬望又引一軍殺出兩下夾攻蜀兵四散奔走姜維死戰得脫收聚敗兵聽知折了夏侯霸心中搓動乃聚眾將聽令曰勝敗乃兵家之常今折將損兵不足爲憂今魏兵至此勝負之機在此一戰如何[illegible]張翼曰鄧艾移兵在此祁山必然空虛

姜維鄧艾

二將大戰

將軍可整肅軍馬整日攻打洮陽候和與鄧艾交兵分一兵逕取祁山寨若得祁山便驅兵向長安不容鄧艾不丞也姜維用其謀交張翼後軍去了次日引軍來候和城搦戰鄧艾引軍出陣鄧艾與姜維交鋒姜維大喝孺子早分勝負以定太平鄧艾大怒舞刀直取姜維二馬相交五十餘合不分勝負各歸本陣次日姜維又搦戰鄧艾按兵不出姜維一連去搦三日卻說艾在候和城內尋思蜀兵被俺大殺一陣今不退兵每日搦戰必然分兵去襲祁山守山將師纂兵少必敗矣我自往救乃喚子鄧忠分付在意守把若姜維來搦戰切不可輕出我今夜即去救祁山是夜擂鼓發喊虛作夜戰之勢蜀兵欲出搦救住不得驚動鄧忠引軍至姜維寨哨了一遭去了鄧艾乘勢動兵姜維也帶三千軍去助張翼軍馬圍住祁山每日攻打守將師纂兵少抵當不住看看待破鄧艾一軍卻從蜀兵背後殺來張翼見魏兵到慌忙退時已被魏兵一衝把張翼逼在一邊絕了歸路張翼正荒之間姜維兵到將鄧艾大殺一陣荒忙退上祁山寨中不敢出戰蜀兵四面圍住卻說後主在成

姜維領兵

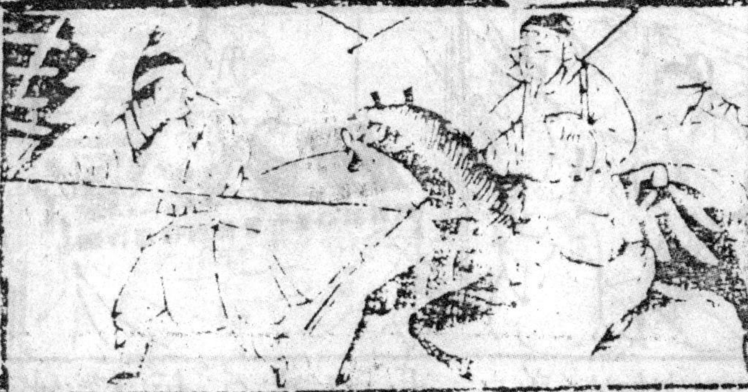

退回蜀中

御聽信宦官黃皓之言日夕飲酒于是各官俱投中貴黃皓門下右將閻宇身無寸功結投黃皓門下得大將軍之職聽知姜維困兵守祁山皓啓奏後主說姜維累戰無功當命閻宇代之後主從之差人齎詔姜維回朝維兵在祁山攻打一日三道詔維回朝只得令洮陽兵先退次日洮城兵斷後徐徐而退艾一夜只聽得鼓角之聲不知何意次明名時不見蜀兵方知蜀兵退去只疑有計不敢追襲維徑回漢中歇住軍馬維回成都而君後主一連三日不出維心疑是日到東華門正遇秘書令郤正維問曰主上召維班師公知其意否郤正笑曰將軍何不自曉也黃皓欲使閻宇立功奏主上發詔姜維大怒入宮求殺黃皓畢竟何如

姜維避禍屯田計 九犯中原

郤正急止之曰將軍之職極品武侯之位不可造次萬一帝不然公位反臣也維謝曰先生之教是也次日維同後主往後園飲宴遂帶從者數人入內有人報知黃皓皓急避于湖山之側姜維至亭下拜泣奏曰臣困鄧艾在祁山陛下一連三詔召臣回都未審

理言後主默然不能回答維曰黃皓奸巧專權陛下遠鑑趙高近察張讓將皓誅戮天下自然清平魏可吞併矣後主笑曰黃皓乃趨走小兒縱使專權亦待如何昔日董允切齒恨皓朕每怪之卿何足介意維叩頭奏曰陛下不殺黃皓禍不遠矣後主曰愛之欲其生惡之欲其死卿何不容一閹宦耶後主令近侍于湖山側喚黃皓至亭下令姜維伏罪皓哭拜告曰皓早晚侍聖上安敢有干國政明公休聽外人之言欲殺黃皓皓之命無與心望明公憐之扣頭流血維悵恨而出靜軒見先生不語嘆曰

閹宦專權從古有　明君安肯近險邪　姜維不逞誅黃皓　郤縱荒唐喪國家

姜維來見郤正訴此事正曰明公若此國即滅矣維曰先生以何策教我保國安身正曰隴西有一去處名曰沓中此地極其肥饒明公何不以武侯屯田之事奏知後主前去沓中屯田一者得麥熟以助軍食二者可進取隴右諸郡三者魏兵不敢正視漢中四者將在外掌握兵權人不敢圖五者足以避禍安身此五者兒利明公何不行之姜維謝曰先生金玉之言也次日入朝奏後主曰臣求

姜維引兵

沓中屯田

往沓中屯田收諸葛[illegible]相[illegible]之更後主敕之姜維遂還漢中聚集
將商曰吾九番出師爲糧食不繼恐功不能成功吾今提本部軍
八萬往沓中種麥以爲屯田之計却去取[illegible]川[illegible]寺久戰疲勞把
[illegible]兵[illegible]守漢中[illegible]三[illegible]六千里[illegible]
[illegible]不[illegible]合[illegible]屯漢壽存城王含守樂城蔣斌
[illegible]以各分撥已畢遂引兵來沓中種麥以
[illegible]鄧艾知姜維用在沓中屯田于路下四十餘營連路不
絕如長蛇之勢乃使細作相了地理形勢畫成圖本具表申
奏晉公司馬昭看了大怒曰姜維九次犯中原不能剿除此
賊乃吾之大患也賈充曰姜維深得孔明傳授急難退之今蜀止
引十萬姜維耳何不求勇士行刺之則免動刀兵司馬曰吾亦欲
從如此若無[illegible]之[illegible]遂召所欲從事荀勗曰明公爲天下主宰
引仗義以伐無道劉禪荒淫政務日溺酒大臣各有疑心姜
維在沓中屯田亦爲避禍耳若將軍伐之無有不勝何故行刺客非
爲以刑于四海也昭[illegible]欲伐蜀誰可爲將荀勗曰鄧

司馬昭議

興師伐蜀

乃世之良才若得鍾會爲副大事可成也乃召會入昭曰吾欲伐吳可乎鍾會答曰主公之意不在于吳在于蜀耳昭笑曰子既知我心肯替我行否會曰某料主公伐蜀畫伐蜀圖本在此矣乃袖中取出一路安營下寨之處屯糧積草之所何由而進從何而退一一有法昭大喜曰真良將也乃曰子誠可與鄧艾同去收川如何會曰某當竭力以報主公蜀川路廣非一日可進若得一軍調出與鄧征西約會各路進兵可以成事昭乃拜會爲鎮西大將軍假節鉞都督關中諸路兵馬調遣徐豫荊揚諸州軍馬差人持節令征西將軍鄧艾都督關外隴上諸路約會鍾會收川次日子朝中官人聞之相顧皆有難色衆皆曰蜀未可伐忽班部前將軍鄧敦出奏曰姜維九犯中原吾兵傷折太多只今守禦尚未保全何况涉山川危險之地若自取禍也切不可行昭大怒曰吾與國家除害興仁義之兵伐無道之主汝何敢逆吾叱武士推出斬之須臾呈敦首級于堦下衆皆失色昭曰諸公勿生發疑吾自征東平定壽春已來息兵六年治兵繕甲俱欲征伐吳蜀且

司馬昭命

鍾會為將

吳地廣濶況兼下濕攻之稍難不如先定西蜀三年之後因順流之勢水陸並進此滅虢取虞之道也吾料西蜀戰士守成都者不過八九萬守把疆者不過五六萬姜維及在屯者不過六七萬今吾征西大將軍鄧艾提關外隴右將軍十餘萬絆住姜維于沓中使不得東顧吾又遣鎮西將軍鍾會將精兵二三十萬逕至駱谷而出其不虞之地以襲漢中以劉禪之闇其亡可知也衆皆曰然各二恐懼而退却說鍾會得大權乃下令差人往青徐兗豫荆揚等處皆造大船又遣唐咨于登萊傍海之所拘集海船司馬昭不知其意乃召鍾會問之曰子成從旱路收川何用諸處造船鍾會曰蜀若聞吾兵進必求救于東吳故布聲勢作伐吳之狀吳必不敢妄動也一年之內蜀已破矣那時已成船只而得勝之兵伐吳豈不順乎昭大喜令鍾會選日出師會曰已選定景元四年秋七月初二日昭甚悅會辭出有西曹掾邵悌曰乞退左右悌願伸一言昭乃退左右問悌曰子有何言悌曰主公獨遣鍾會將十萬衆伐蜀愚料會志大心高若掌獨權恐有不然何不再使人同分其職昭大笑

邵悌諫昭勿任鍾會

曰我豈不知也悌曰主公既知何故獨任其權

鍾會鄧艾取漢中

司馬昭曰蜀[illegible]興師民不得安我今伐之如指諸掌矣眾人皆言蜀未可伐則人心怯耳人心怯則智勇竭使之強戰必敗之道也今眾人皆心怯惟鍾會獨主伐蜀是伐蜀之策合吾之機故遣伐蜀君蜀一破民必恐懼將士各自思歸誰肯與彼也若有異心自取滅族卿不須憂此言只吾與汝知之切不可泄漏邵悌曰真高明遠見者也却說鍾會選日出師升帳大會諸將聽調時有監軍衛瓘字伯玉護軍胡烈以下大將是田續龐會田章爰清影夏侯咸王買句安丘建皇甫闓許儀等所領收川大將八十餘員一一聽遣已了乃曰前路崎嶇必得一先鋒前行逢山開道遇水叠橋汝等誰敢當此職帳下許儀出曰某願往許褚之子也乃許眾將曰非此人不可會曰汝乃虎將之子今諸將保汝二掛先鋒印與汝五千馬軍一萬步軍令取漢中三路而行一軍出斜谷左軍出駱谷右軍出子午谷若崎嶇險要汝引軍前行尋一處平地道修理橋梁鑿山開

路勿交阻礙吾提軍星夜前進若遲吾今必依軍法儀領命而去
郤說鄧艾在隴西既受伐蜀詔命一面令司馬望往遏羌胡又調
雍州刺史諸葛緒天水太守王頎隴西太守牽弘金城太守楊欣
各調本處軍馬前來聽令比及軍馬雲集鄧艾忽得一夢夢見過
一高山遙望漢中忽於腳下迸出一泉水勢上湧須臾驚覺渾身
冷汗召討虜將軍爰邵問之邵素明周易艾故問之邵答曰易卦云山上
有水乃蹇卦也此卦利西南不利東北孔子曰蹇利西南往有功
也不利東北其道窮也將軍此行破蜀成功可惜蹇滯而不得還
艾愀然不樂次曉鍾會檄文至約艾起兵絆住姜維于沓中同會漢
中取齊于是艾遣諸葛緒引兵絕姜維歸路次遣王頎引兵往沓
中左攻蜀營牽弘引兵右攻沓中又遣楊欣引兵前詣甘松襲姜
維之後艾親領五萬甲兵往來接應郤說鍾會辭司馬昭出師百
官送行但見旌旗蔽日隊伍分明百官莫不稱羨惟有相國參軍
劉寔微微而笑太尉王祥見寔冷笑就馬上握其手曰鍾鄧二將
此行果可平蜀乎寔曰破蜀必矣但恐皆不得還耳祥問其故寔笑

後主禱師

巫謂禍福

而不答王祥更不復問各々送鍾會去訖細作報入沓中姜維寫表申奏後主早降詔遣左車騎將軍張翼守護陽平關口右車騎將軍廖化守陰平橋頭此二處最爲緊要若二處有失是漢中也更遣人入吳求救臣起沓中之兵拒敵表到成都此時蜀改景耀六年爲炎興元年後主覽表大驚與黃皓曰今魏國遣鍾會鄧艾分道而來如之奈何皓曰此是姜維欲立功名故以此言驚陛下也臣家有一師巫請神降於禍福立應陛下可禱之後主于後殿陳設香燭祭享之物令皓用小車載入宮中乃一婦人于龍床上坐後主焚香而告之其婦人忽然披髮跣足于殿上跳躍至龍床將几而轉皓曰此神降矣陛下盡退左右親禱之後主再拜其婦人曰吾西川土神也陛下欣樂太平何故問吾他事魏人數載之後亦歸于陛下彼安敢正覷蜀中勿生疑慮言訖倒地半晌方醒後主得此言大喜遂賜師婆金千兩蜀錦千疋自此不信姜維之表每日只在後園取樂靜軒有詩嘆曰

魏國先興入寇圖　無謀後主信師巫
臨危不信姜維表　與亂投降祇自愚

但有告急表文黃皓盡皆隱匿且說鍾會大軍望漢中進發先鋒
許儀要立頭功急催兵馬至陽安按陽安即南鄭關此便是漢中許儀回顧諸
將曰關上無多軍只令使可搶關元來把關蜀將姓盧名遜只有
一千人在關上當見魏兵來排起武侯遺下連弩之箭各自守護
許儀引軍馬搶上關來連弩齊發箭如雨下許儀急回射倒數十
騎了急報鍾會々自引數百騎前來關下看時關上連弩齊發鍾
會急回盧遜引五百兵殺下關來會拍馬過橋々上土陷住鍾會
馬腳險被掀下來那馬掙不起會棄馬步走盧遜一鎗刺來被魏
將荀顗回身一箭射盧遜于馬下乘勢搶關々上蜀兵無主不敢
抵當會得了關把關將全付錦甲鞍馬賜與荀顗々亦拜謝鍾會
喚許儀問曰汝為先鋒吾屢分付汝開造橋道使大軍進發今橋
陷吾馬若非荀顗吾被蜀人所殺汝違吾令叱刀斧手斬訖諸將
告曰其父有功朝廷名標當思望都督恕之會大怒曰吾若犯刑
司馬公皆恕吾否命令斬之于是眾人俱怕不安會縱軍前行時
蜀將王含守樂城將蔣斌守漢城見魏兵勢大本部兵少不敢迎敵

鍾會分兵

閉門堅守。鍾會令前將軍李輔圍樂城，護軍荀愷圍漢城，會自兵貴神速，遂徹兵二十万，星夜進發，勢不可當，前至陽安關。二將蔣舒、傅僉二人商議。舒曰：魏兵前來，勢不可當，不如守之。傅僉曰：魏兵遠來疲困，若不出戰，漢中二城休矣。蔣舒沉吟不定，人報魏兵已到。鍾會揚鞭言曰：吾今統數十萬雄師到此，汝等早早歸降，各依品從收用；如是愚迷不省，打破關隘，玉石俱焚。傅僉聽了，令將部守關，引三千軍殺下關來。鍾會引兵便走，傅僉乘勢引兵追殺。魏兵復合，傅僉急回關上，已竪起降旗。傅僉大罵忘義之賊。只見蔣舒在關上大呼曰：我已降魏，汝可隨吾投降。僉大怒罵曰：汝這反賊，有何面目見天下人乎！關上矢石如雨。傅僉反身殺回，四下魏兵合至。傅僉死戰不得脫，嘆曰：臣力竭矣，願作蜀中之鬼以報陛下。乃奮力衝陣，身被數鎗，坐下馬倒，遂自刎而亡。餘兵盡降。鍾會已得了陽平關，城中所收糧草軍器極多。鍾會大喜，犒賞三軍。

靜軒先生有詩嘆曰：

魏將西驅十萬兵，
漢人無計守陽平。
嗟蔣舒偷傅僉死，尚有流芳遺真名。

姜維大戰劍門關

鍾會是夜宿于陽平城中忽聞西南喊聲連天會大驚披掛引兵迎時將無動靜會不敢睡向曉無事心中甚疑當夜不敢解甲而至三更西南喊聲又起會大驚天曉使人去哨數十里不見一人第三夜亦復如是將士皆不敢卸甲無不驚疑第四日會披掛引數百騎前至一山四面殺氣愁雲布合山頂會問此何山也左右答曰此乃定軍山昔夏侯淵沒于此處會聞知悄然心中大驚勒馬轉山坡行不二里忽聞狂風捲地數千鐵騎從山後突出會大驚擁馬而奔諸將墜馬失盔者不計其數而至陽平關查點不折一人只有落馬跌傷面目者會喚將問曰定軍山有何神廟否曰並無祠廟止有諸葛武侯墳塋會曰此必先生之靈顯也當來日宰牛設祭物親到武侯墳塋再拜而祭之文曰

維大魏景元四年秋八月朔鎮西將軍鍾會致祭于漢丞相諸葛武侯之靈曰惟帝王之傳統公有威有謀得將相之扶持兮以安以危昔先生之隱居兮遯世無悶遇昭烈之三顧兮欲平

四夷而白帝託孤兮繼之以死每祁山出八出兮神鬼莫知師出
五丈原兮將星忽墜天命已絕劉氏兮大數難移今後主荒迷兮
朝綱頹弛社稷崩摧兮同盈覆之天子命吾兮保民全國先
生照鑒兮決不敢欺謹拜墓下兮伏聽太傅恐懼叢愆兮無不
傷悲乞息風雲兮以待天命望安山岳兮以順天時
鍾會祭罷忽陰雲細雨如天昏地慘之狀諸軍皆投戈羅拜回至
陽平是夜會坐帳中忽見一人綸巾鶴氅手執羽扇緩步而來會
迎之曰公何人也其人曰早間蒙將軍見顧吾有片言特來告汝
然劉祚已終天命如是兩川生靈誠可憫之汝不可妄害生靈言
訖拂袖便行鍾會挽之忽然驚覺乃是南柯一夢遂聚
衆將問之乃武侯也會乃令前軍立一白旗上寫保國安民四字
下令軍士但過之處秋毫無犯靜軒詩曰　數萬陰兵遶定軍
致令鍾會拜靈墳　生能決策安劉氏　一死尚遺言保蜀民
却說姜維聽知鍾會兵至星夜差人飛報廖化張翼董厥提兵接應
人報魏兵已到姜維提兵迎之天水太守王頎出馬大罵無端亞夫

今大兵已到汝不歸降尤然抗拒姜維大怒自戰王頎三敗[illegible]
提兵捲轅趕至二千餘里鑼聲響處一軍攔閉隴西太守[illegible]也
維因此道非吾敵手縱兵追趕又至十里喊聲大振當先一軍截
出乃征西將軍鄧艾也姜維已趕二三十里人困馬乏又逢生力
軍姜維[illegible]擻精神與鄧艾大戰數十合不分勝負後軍鑼響姜維
急回[illegible]將曰將軍休在此戀戰後面金城太守楊欣引兵把甘松
諸寨盡皆燒毀從後殺來姜維令副將虛[illegible]與鄧艾相持維
領兵奔回甘松正遇楊欣兩馬相交楊欣敗[illegible]山路而走姜維趕
入山上木石打將下來不能進前比及回到半路[illegible]已被鄧艾
殺敗而回維見魏兵勢大退入大寨待救兵來[illegible]細作報說
鍾會已自打破陽平傅僉戰死蔣舒投降漢中[illegible]王
[illegible]漢城將[illegible]知漢中已失亦降魏矣胡濟守把不住[illegible]部去
[illegible]姜維大驚下令拔寨盡起是夜兵至漢川一軍攔[illegible]太守
楊欣姜維大怒與楊欣決戰欣敗走維開弓射[illegible]箭不中
維自折其弓提鎗趕戰馬失前蹄把姜維掀下馬[illegible]復回馬

來殺姜維〻〻從地上躍起就搶刺中揚欣背後魏兵齊到救楊欣去了維換了馬却欲赶去背後鄧艾兵到首尾不能相救收兵回漢中前軍報道雍州刺史諸葛緒絕了歸路魏兵皆屯陰平橋頭維嘆曰天喪吾也痛恨當時不合吾大事副將寧隨曰魏兵拒塞陰平橋雍州必然兵少將軍可從孔函谷逕奔雍州諸葛緒若知必撥陰平兵往救雍州却回兵奔劍閣却復漢中維然之提兵入孔函谷佯取雍州奸細探知飛報諸葛緒〻大驚曰雍州是吾所守之地倘有疎失朝廷見罪即撤兵守橋遠引兵救應雍州姜維行三十里細作報來諸葛緒兵已去了姜維使交後隊作先鋒逕奔陰平橋頭果有些少兵攔當不住被姜維燒盡寨柵而過比及緒知提兵急回時維已過了半日緒不敢追仍屯橋上姜維兵過橋頭趲程前進前面一軍來到乃左車騎張翼〻曰黃皓信鬼巫不肯發兵聞漢中危急自起兵來時陽平已被鍾會所奪聞知都督受困特來解圍遂合兵一處到白水關〻前一軍擺開乃右車騎廖化〻說黃皓不肯發兵某等自起兵來漢中已失權屯兵

維怒諸葛

緒衆皆免

于此二地四面受敵轉運生受不如退守劍閣再作商議人報鍾會鄧艾分兵十餘路殺到維欲與廖化張翼分投迎敵化曰白水路多非爭戰之地不如退守劍閣劍閣一失是絶路也維從之退往劍閣之前一聲砲響一隊軍馬擺開姜維大驚出馬觀之為首大將乃輔國大將軍董厥也引一萬兵守住劍閣一見姜維接至關上哭曰主上溺于酒色聽黃皓之言並不理朝政大臣但奏使請以救魏兵入寇國將危矣如之奈何維曰公等勿憂維若在不使魏人吞蜀也且守劍閣養成氣力併軍出戰董厥曰劍閣雖是可守只是成都無人倘魏兵襲成都必然瓦解矣維曰山勢險惡非易取之汝等勿憂人報魏兵追至關下乃雍州刺史諸葛緒也維大怒選一千精兵殺來諸葛緒兵不能當抵引軍退走維追殺二十餘里方回關上分兵守把人報鍾會大軍已到姜維聞言便欲下關衝殺未知勝負如何

鑿川嶺鄧艾藏川

卻說鍾會離劍閣二十里下寨會責諸葛緒曰吾令你屯陰平橋

頭截斷姜維歸路如何違吾節度今番不得號令自徹兵劍閣大折一陣有何理說緒曰姜維詐取雍州某恐有失引兵救之故走透此人因此赶到關下誤有此失鍾會大怒喝令斬之監軍衛瓘曰諸葛緒雖然有罪是鄧征西所調之人都督殺之恐傷和氣會曰吾奉晉公之命特來伐蜀鄧艾有罪吾亦殺之衆官力勸會將諸葛緒檻車載送往洛陽聽晉公決斷將緒兵盡收部下聽調早有人報知鄧艾艾大怒曰吾與汝官品一般且久鎮邊疆于國多有功勞汝安敢妄自尊大其子鄧忠諫曰小不忍則亂大謀父親與會不和必誤國家大事艾曰吾兒之言是也艾雖忍忿終心懷恨乃從此結寃先引數十騎來見鍾會會聞艾到便問帶多少人來報曰隨行止有十數人會此時有疑艾之心令帳下帳上帶刀提戟者數百人艾下馬入見會會亦不遠接就帳中相見禮畢分賓主而坐艾見帳前軍士威儀整肅以言挑之曰將軍成此大功國家大幸今蜀人心膽已碎今屯兵于此必有前謀以取劍閣會曰以將軍之見如何艾再三謙言不能會再三問之艾曰若

以愚意可引一軍自陰平小徑出漢德陽亭取劍閣之西一百里用騎兵衝之逕取成都姜維必撤兵來救取劍閣之軀大進可成全功矣會曰將軍高見請將軍本部便行吾專候捷音二人飲了別酒會相待送鄧艾至帳外彼回與諸將曰人言鄧艾有能今日觀之乃庸才耳陰平小徑皆高山峻嶺如何進得兵若蜀以百人守其險要其兵路絕矣吾今正道而行何愁蜀不破[illegible]劍閣邪說鄧艾上馬而回從者曰將軍與鍾鎮西一[illegible]是先非何故相輕也艾曰彼倚其功也遂回本寨師纂鄧忠等[illegible]拔入問曰今日將軍見鍾鎮西必有高見艾曰吾以真心待之彼[illegible]吾庸才彼得漢中為莫大之功若無吾在沓中絆住姜維[illegible]能成功也吾今用奇計取成都不勝似得漢中乎當夜下令[illegible]數沒寨而起望陰平小道進發鍾會聽知艾去大笑[illegible]鄧艾令人齎書呈司馬昭其書曰

[illegible]功見蜀寇失其城中退守劍閣直速乘之今選精兵從陰平小徑斜谷陽德亭趣沿出劍閣西百里去成都三百里以奇兵衝

艾與衆將議

魚貫下嶺

其腹心劍閣之守將必還成都則鍾會方執而進若劍閣兵不還破蜀必矣謹以上聞乞祈照察此是入將傳入蜀之功

艾聚衆將曰吾今欲乘虛取成都汝等能從吾否諸將曰將軍之命萬死不辭艾曰吾先遣五千壯兵各將繩鑿二山開嶺造橋梁開道路吾自選兵三萬各帶乾糧繩索前進約行百里選退三千就彼處扎寨又行百里再選退三千也依前扎寨當年冬十月自陰平進兵至巔崖峻嶺之中凡二十餘日行七百餘里皆無人烟之地有些小人家也逃竄去了選練將士于中途屯扎七營只剩二千餘人前至一嶺名摩天嶺馬不堪行鄧艾下馬步行上嶺見開路壯士盡皆哭泣艾問其故答曰吾自行七百餘里選退二萬七千餘人今過嶺俱是江油雖死何慮哉鄧忠于衆軍士曰前面乃嶺崖峻壁人不堪行虛廢前功因此悲泣艾與諸將曰若得成功富貴共之汝等非吾軍士乃吾兄弟也衆曰一聽將軍之命于是艾將繩索繫于軍士腰間令援藤負葛而下自取氈衫裹于身上先滾而下首將有氈衫者亦裹身體滾下山去無者各以繩索束腰攀

[illegible]下于是過度此嶺方才盤桓因[illegible]艾見道傍有一碑

[illegible]故丞相諸葛武侯親題數行于上云

二火初興有人越此二士爭衡不久自死

鄧艾觀畢[illegible]慌忙望碑再拜而言曰武侯乃神人也吾恨不得以師事之

[illegible]後人有詩贊曰 陰平峻嶺與天齊

[illegible]徘徊 鄧艾包氈從此下 分明諸葛已先知

[illegible]將曰向前有生退後必死前面江油城中粮食足備

[illegible]得此城而全然[illegible]艾遂引二千來搶關口

諸[illegible]大戰鄧艾

[illegible]炎興元年十一月鄧艾逕逕江油江油守將馬邈聽知東川已

[illegible]只防大路又[illegible]姜維[illegible]劍閣不十分隄防當日在教場點軍

[illegible]妻李氏[illegible]邈曰[illegible]何也邈曰大事

[illegible]此城不為不重邈曰天子聽信

馬邈出城

拜降鄧艾

黄皓誤耳。[illegible] 其妻李氏嘖其面曰：汝爲男子，先懷不忠，枉受國家爵祿，吾何面目與汝共立于天地乎！馬邈[illegible] 詩讚曰：馬邈先懷旨逆回，其妻一[illegible]忠誠[illegible]。堪嗟此婦能全義，愧殺人間大丈夫。

忽報魏將鄧艾軍已過入陰平，馬邈大驚，慌忙出降，曰：某有心[illegible]久矣，今將[illegible]此[illegible]地[illegible]降。艾曰：君如此，便封汝爲[illegible]鄉道使人報知，馬邈夫人自縊而死。艾問其故，邈[illegible]之。艾憐其賢，令其[illegible]葬[illegible]。後人有詩爲證：

後主昏迷漢祚顛，天差鄧艾取西川。可憐巴蜀多名將，不及江油李氏賢。

鄧艾既得江油，[illegible]陰平小徑諸將盡至江油取齊，徑取涪城。[illegible]城守史聞知[illegible]疑是天降，飛報成都。後主聞鄧艾取涪城，已至成都界[illegible]急宣黄皓問之，皓曰：此是訂傳，神人必不誤陛下。後主[illegible]不知所在。譙周[illegible]詩曰：

[illegible]左道惑人爲國禍，皆因方寸理難明。[illegible]蜀邦將滅悲黄皓。

告急表[illegible]不絕。後主設朝，聚大臣商議。郤正奏曰：事在危急

陛下何不宣丞相之子而問之（武侯只有此子名瞻字思遠[illegible]）後主聞言宣瞻至殿下後主泣訴曰鄧艾兵至涪城成都危矣卿看先君之面救朕則箇瞻曰臣[illegible]肝腦塗地不能補報願陛下盡起成都之兵付[illegible]與鄧艾決一死戰後主即撥成都兵七萬與瞻[illegible]進曰[illegible]其地勢坦平難以[illegible]拒住險隘可以退敵瞻曰吾受先人遺言[illegible]外用兵汝勿多言[illegible]嘆曰國已顛危斯人可保乎瞻默然良久[illegible]父掌大兵子願為先鋒尚年方一十九歲亦曾習武藝瞻命尚為先鋒離成都進發却說鄧艾往涪城[illegible]地理圖[illegible]至成都路三百六十里山川道路狹險要艾看了大驚曰只守涪城若蜀人拒住前面山險何能成功若遲延不久姜維兵到是我與鍾會皆難也遂喚師纂鄧忠引萬兵徑取綿竹拒住蜀兵我隨後便至也不可怠失違令必

諸葛瞻奉　命敵魏兵

斷師纂引兵去果離綿竹一舍之地早遇蜀兵師纂布成陣勢方一
入立馬陣前蜀兵一到也布成一陣名為八陣〻圓擂畫鼓三通
門旗下數十員川將簇擁一輛四門車〻上一人綸巾羽扇鶴氅方袍
一年少纔纔立馬車傍一面黃旗上書大漢諸葛丞相師纂鄧忠
看了慌得遍身流汗大呼曰元來諸葛孔明還在我等休矣撥回
馬走蜀兵掩殺將好鄧艾兵到艾升帳喚師纂鄧忠問曰汝二人
不戰而歸何也忠曰但見蜀兵中推出諸葛孔明認旗某等大驚
而還致被掩殺艾大怒曰諸葛縱真在吾何懼哉汝等未見真僞
便走僭吾軍心推出斬之衆將告免艾怒方息探人報曰乃孔明
之子諸葛瞻小將者乃諸葛瞻長子諸葛尚也艾曰無名下將便
可擊之汝二人各引一萬兵前進如不勝二罪俱坐鄧忠師纂
再引兵前進蜀兵又來忠出馬與諸葛瞻交鋒瞻指揮兩袖衝出
魏兵大敗將隨後掩殺師纂中箭鄧忠傷而回鄧艾報知二人
中傷亦不見罪自思功不速成必有後禍監軍丘本曰何不作書
以誘之艾從丘本計作書令人送至蜀前將看其書云

諸葛瞻斬

鄧艾使命

征西將軍鄧艾謹致書于諸葛護衛將軍麾下切思近代賢才未及如公之尊父也自出茅廬一言以分三國掃平荊益以成霸業古今鮮及者後六出祁山非智力不足只恨天數耳今聞後主昏弱王氣已終吾奉天子之命統兵伐蜀已皆得其地也止有成都危在旦夕公何不順天應人仗義來歸當表公為瑯琊王以光耀祖宗幸也決不虛言幸其照察

諸葛瞻且看之問其子尚曰父親有忠降魏乎瞻叱曰吾父如何為降將[illegible]魏使入祭與之相見一也將其說其來意二也見封為瑯琊王誰不怒三也瞻從其言曰吾不及子也命斬其使將頭令從者齊回鄧艾大怒即起兵大戰[illegible]勝少卻使[illegible]師纂鄧忠兩兵伏于後艾自進兵與瞻對敵魏兵詐敗瞻引兵趕來兩下伏兵皆起諸葛瞻大敗退入綿竹魏兵圍之諸葛尚曰可發使求救于東吳瞻命副將彭和賚書殺出投東吳去了瞻曰久守非計可出戰留子尚與尚書張遵守城瞻自引三軍開門殺出艾徵軍退瞻奮力追趕一聲砲響魏兵四下把瞻圍在垓心瞻[illegible]兵西[illegible]

蜀諸葛瞻

父子死難

而尋艾令亂箭射之瞻中箭下馬被步軍斬首去了尚在城上見父以被掛上馬張遵曰小將軍勿得輕出尚曰吾父子受國恩不早斬黃皓使其敗國殄民何用生爲乃驟馬出城死於陣亦被亂軍射死後人有詩嘆曰

蒼天有意絶炎劉　漢室江山自此休
諸葛子孫皆效死　成都鄉相謾添愁
智謀難可扶危主　忠義頑堪繼武侯
古往今來多少事　行人冤怨水東流

蜀後主輿櫬出降

鄧艾怜其忠義令將諸葛父子俱葬于城西遂乘勢取綿竹張遵等皆死却說彭和見東吳王孫休呈上諸葛瞻求救書孫問丞相濮陽興曰既西蜀與吳國同盟合往救之吳主遂差大將丁奉留贊孫異同將出二路兵發彭和自回却說後主聽知諸葛瞻父子已死急聚文武商議近臣奏曰成都百姓扶老挈幼哭聲振天逃生而去兵微將寡難以迎敵不如棄成都奔走南中閒蠻王借兵救後來運後主便欲南奔譙周諫曰不可南蠻久反之地平時無患今若投之必遭其禍近臣又奏曰東吳亦危若不投吳可投魏

東吳稱上譙周又曰自古以來無倚他國爲天子者臣料魏兵吞吳何能併魏若稱臣于吳此固辱矣若吳又被魏吞陛下再臣于魏是兩番之辱臣恐不若降魏爲上　上意未了御屏後三王第五子劉諶□□北地王出殿前大喝譙周曰（後後王第七子長□□三□四□五□六）[illegible]偷生腐儒豈敢妄議社稷大事自古安有降天子哉可斬譙周臣請出戰後王曰今大臣議降汝仗血氣之勇欲令滿城流血也劉諶曰昔先帝在日譙周未嘗干預政事今妄起亂言甚非其理臣料成都之兵尚有數萬姜維全師皆在劍閣若知魏兵犯闕必來解救內外夾攻可獲全勝豈可聽腐儒之言輕廢先君之基業乎後王叱之曰汝小兒豈識天時也諶叩頭哭曰若勢窮力盡禍敗將至便當父子君臣背城一戰同死社稷以報先帝可也奈何降乎後王令推出殿諶大哭曰吾祖翁不容易得此基業一旦棄之吾寧死不辱靜軒先生有詩歎曰　後王當時不信忠諫（一）不思守國欲降仇（□□）將詩若聽兒話　未必山河屬他休（二）

後王令譙周作降書遣私署侍中張紹駙馬都尉鄧良賫降款并玉璽

後主統臣

接降鄧艾

艾軍前接降時鄧艾引伏路騎哨到成都見城上豎起降旗軍士報艾艾使人遠接張昭鄧良至雒城二人下拜呈上降款艾開視云降臣劉禪謹獻征西將軍麾下切聞秭何之水終歸大海燕雀之從伯鷹揚洪念魏懸限分江漢過高深遠階緣士絕一隅千載目犯往冒歷載遠與京畿攸隔萬里黃初中文皇帝命虎牙將軍鮮于輔宣溫密之詔申三好之恩開示門戶大義炳然而否德闇弱竊據遺緒俛仰累紀未率大教天威既振人鬼歸能不投戈釋甲華府順從官庫帑藏一無所毀百姓布野餘糧棲畝以俟全生之賓賞於百姓倒懸伏惟大魏布德施仁宰輔伊周謹遣侍中張昭駙馬都尉鄧良齎書奉璽納款告誠存亡敕賜惟所裁之輿櫬在近不敢縷陳降乞將軍鈞鑒

鄧艾觀畢受了璽綬請待張昭鄧良二人即時發書送二人回成都以安民心張昭鄧良回見後主呈上鄧艾回答之書其書云艾切爲王綱失道群英並起龍爭虎鬥終歸于真主此蓋天命去就之道也自古帝王建國受命而王者莫非在乎中土河圖

洛書聖人則之以昔帝王承業莫不由此亦未有顛覆若也淵據
冀倚仗而亡蜀據一陽寵世而背前世遺顧之盟可不戒哉聖
王明哲守備忠賢將行此北降承天秉義受命以來征恩聞崔
況果煩來使告以綸音此非人事豈天啓歟昔微子歸周實為
上賓君子豹變義存大體遜辭謙以禮興觀貴前哲歸命之
典夫大國為上小國次之自非聰明睿智何以見王者之義乎
一相見在郎先以布間又再拜謙書
後主見書大喜遣尚書郎李虎送所轄地圖文籍其戶口二十八萬
男女九十四萬帶甲將士十萬二千官吏四萬存倉糧米四千餘
萬金銀綢絹絲絹珠玉皆在庫藏不及見數十二月初一日君臣
出降此時北地王劉諶常劍入宮見妻崔氏問曰今日大王面色
非常何也諶曰魏兵在外王上來日出降吾欲死見公〻不欲屈
膝于他人也崔氏曰賢哉〻〻得其死矣汝當先殺我你死未遲
諶曰汝死何故崔氏曰父之事我之事夫其義一也夫死妻亡
何足問焉言訖觸柱而亡死諶將三子盡殺并提妻頭至昭烈廟前

伏地流血曰臣之肝胆[illegible]盡知羞見基業與他人先殺妻子以絕後念如祖有靈知吾痛切大哭一場自刎而亡史官嘆曰

君臣甘屈膝　何代自忠良　可惜西川土　誰傷北地王
哭聲聞四遠　流淚濕千行　妻子先誅絕　來朝漢巳亡

後主令人收葬次日君臣出自縛佚輿櫬出北門投降(輿車載棺也其意待誅)鄧艾(先自縛其棺木也)鄧艾見蜀君臣伏道下馬親解其縛燒櫬乘輿與後主同入成都靜軒詩曰

魏兵數萬入川來　後主偷生失自裁
黄皓終存欺國智　姜維空負濟時才
全忠義士心何烈　守節王孫意可哀
滅漢來期鍾鄧死　一朝功業總成灰

蜀人香花燈燭迎門而接艾出榜安民交割倉廩推加後主爲驃騎將軍其餘官員別職聽明降艾欲收黄皓殺之皓將金帛賂左右得免艾遣太常張俊別駕張紹諭各郡盡皆歸順艾遣太常[illegible]顯招姜維史官詩曰

憶自婁桑起義兵　縱横萬里[illegible]與
南陽聘定忠臣出　西蜀方能伯業成
烈烈煌煌流渭水　推師踏三渡瀘平
君臣自縛興櫬　今古令人憶孔明

姜維領兵

投降鍾會

鄧艾得成都，差人飛報邀功，具說降了蜀，見姜維傳後主命，備言歸降之事。帳下將士一齊怒曰：吾等欲死戰，何故先降？號哭之聲相聞數里。姜維喚諸將曰：吾有一計，汝等勿憂。衆皆請問。且看如何。

鍾會鄧艾大爭功

姜維喚幾個心腹之人，上帳耳授其計。衆皆領命而去。忽聞諸將消息成都投降之事，盡已知之，即于劍閣豎立降旗，先令人到鍾會寨中報知。姜維引張翼、廖化、張嶷前至會寨，太來見鍾會。會曰：伯約來何遲也？維正色曰：國家全師在我，今日到此，猶為速也。會大喜，相迎待以上賓。維曰：某聞將軍大名外聞，甚有心服。勝事之如鄧艾之輩，維雖死而不願降。會大喜，折箭為誓，與維結為兄弟，情愛甚密（維按此是姜維之計也）。會一見如故，並不收姜維印綬，仍管前項軍馬。維欲於中取事，且說奏之，便將領回報鄧艾，言姜維領軍已降鍾會矣。卻說鄧艾自得成都，以師纂為益州刺史，牽弘、王頎各領兵守綿竹，勒石以彰戰功。大宴蜀中文武，酒至半酣，艾指蜀中諸將曰：汝等遭遇于我，故守今日。如遇吳漢之徒，已皆殄滅矣。艾

武皆拜謝艾艾曰姜維自恃巳之英雄撞了鄧艾却不能展手文武皆稱其功心中暗笑其自負將頭回報言姜維全師已降鍾會西也艾深恨之乃上言于司馬昭差人至洛陽其書云

艾切謂兵有先聲而後實者今因平蜀之勢以乘吳人震恐席捲之時也然大舉之後將士疲勞且徐緩之可效武祖屯田之計留隴右兵二萬蜀前者一萬利屯于田米而興冶鹽并作舟船預為順流之事然後發使告以利害吳若歸化則不煩兵不然入令宜崇優後主劉禪以致孫休安士民以來遠人若便送劉禪于京都彼觀以為流徒則向化之心不勸宜留禪于來年秋冬而發矣亦足觀可封禪為扶風王賜以金帛其左右爵以公侯以顯歸命之寵開廣陵城以待吳人之觀彼必望風從矣

司馬昭覽畢疑艾有自專之意先降詔封艾為太尉其詔曰

征官艾耀威奮武深入虜廷使僭偽之主稽顙繫頸歷世逋寇一朝而平兵不踰城戰不終日雲徹席捲蕩定巴蜀雖白起破楚韓信破趙吳漢除子陽亞夫滅七國不足比其勳也封艾為

太尉增邑三萬戶封子一人為亭侯各食千戶主者施行鄧艾頓訟已罪來使又出晉公手教曰昨書中專頓報不宜輒行艾又曰將在鎮君命有所不受吾今已出如何聞乎再上書爲艾卿命征行元惡既伏至于承制拜假以安初附謂今權宜合蜀歸命城池內盡南海東連吳會宜早鎮之若待國命往復道途延引日月春秋之意大夫出疆有以安社稷利國家專之可也今吳未賓勢與蜀連不可拘滯以失事機兵宜速進不足退也艾雖無古人之節終不自嫌以損于國也先此申禀施行鄧艾使命使回一一應事務前不禀便行司馬昭知之怒曰艾倚功公將艾令部曰如之奈何賈充曰何不封鍾會為司徒以制之昭曰艾遣使星夜齎詔封鍾會就令衛瓘監督兩路軍馬詔曰會所搆厭前無強敵緘制眾城網羅群逆蜀之豪帥面縛歸命謀無遺策舉無廢功凡所降誅動以萬計全勝獨克有征無戰拓平華夏方隅以會爲司徒增邑萬戶即便施行使命告會曰晉公說艾有反心教令衛瓘監軍以制之會亦恨艾

鍾會自遣使

奏艾欲反

功在已上又封太尉之職乃請姜維商議此事維會曰吾事已
諧矣入見鍾會三寶告之維曰某聞艾出身微賤幼為農家養犢
長甚貧窮非名臣子孫不識大體今僥倖成功非出良謀皆賴國
家洪福今日後自尊大不遜孫令郎今封後主為扶風王結好蜀
人之心其反情不言而知明公疑之是也會曰若非君與將軍拒
於劍閣彼焉能成此大功姜維曰乞退左右有密事上告會叱退
左右袖中取出一圖以獻會觀良久與維曰此圖若何維曰昔孔
明出茅廬以此圖示先主曰益州之地沃野千里民殷國富高祖
因以此成帝業今日劉禪得此處安得不狂心會曰若此以何
策可除之維曰趁晉公疑艾急上表言艾反狀晉公必令將軍
討之一舉可除會從之遣使上表言艾專權自恣結好民心早晚
必反會能寫諸家字體使人要道攔截鄧艾表章盡改狂悖之言
卻進入洛陽司馬昭大怒乃議自起兵以討鄧艾當晚昭妻王夫
人曰鍾會見利忘義寵過必亂不可深信昭笑曰吾豈不知今日
先遣使到鍾會軍前令會取艾又令賈充引三萬兵入斜谷昭乃

請魏王車駕同去收川收服鄧艾卻見晉公曰鍾會之兵多于艾
兵十倍遣鍾會收艾足矣何勞明公親出昭笑曰卿忘昔日之言
鍾會必反之事吾今此行非爲艾實爲鍾會也賈充亦笑昭曰此事
只你我知之不可漏泄我以信義待人人不負我也正可晉主亦
疑鍾會昭應曰如我使你行亦疑你耶[illegible]自有
明白于是前至長安却說鍾會得詔收艾問計于姜維維曰何如

姜維一計害三賢

維曰可先使衛瓘收艾艾必殺瓘瓘可見反情實矣將軍起兵討
之此正道也會然之先遣衛瓘引數十人去成都收艾艾部將曰
今司徒遣此行實令艾殺將軍以表正反情也瓘曰吾自有計擬詔
檄數道付與艾部下諸將曰奉詔收艾其餘一無所問先來計宣
者爵賞如故有不出者誅及三族于是備檻車二乘連夜入成都
比及雞鳴得檄文者皆到時鄧艾卧于府中衛瓘引數十人入卧
室大呼曰奉詔收鄧艾父子艾大驚滾于床下瓘叱武士縛之并其子
鄧忠入于檻車推出城外艾帳下將士數百人趕出城欲劫之瓘

姜維與鍾會議謀反

大呼曰詔書在此妄動者夷三族鍾司徒太尉[illegible]衆軍士堅[illegible][illegible]頭起處文黨拔刀而走鍾會至大責艾曰養犢小兒何敢如此[illegible]馬鞭擊其首姜維指而罵曰匹夫何不立功名于萬世耶艾亦大罵會遣衛瓘將艾并徒京師自入城都盡收艾部下兵馬威聲大振乃謂姜維曰吾今日大稱平生願也維曰明公自淮南以來算無遺策入復定蜀威德振世欲以此安居乎何不效陶朱公耶會問其故維曰昔日智力明公之所能無煩于老夫矣（維之意是姜維論鍾會必反也）會笑曰君知吾心也每日與姜維議論調兵維密報後主曰願陛下受數日之辱臣欲社稷危而復安再得舊日之業矣鍾會正欲謀反忽報司馬昭大軍屯于長安有書到此會觀書云恐司徒收之不下吾自將兵屯于長安相見在近先此報知會大驚曰吾軍多艾數倍晉公知我獨能收之今自引軍來是疑吾也遂請姜維商議維曰君疑臣必死豈不見鄧艾也會曰吾意決矣成事當得天下不成退守西蜀不失作劉備也維曰近聞郭太后新立可作太后遺詔令伐司馬昭以正弒君之罪據明公之才可席捲中原也會

鍾會勸諸

將簽姓名

曰公當與我作前部富貴共享之維曰願施犬馬之勞以報明公之德但恐諸將不伏奈何會曰來日上元節于蜀宮大張燈火請諸將飲宴不從者殺之維曰此計大妙是日上元請將士飲酒飲至三更會執盃大哭諸將驚問其故會曰郭太后有遺詔在此為司馬昭南闕弒君大逆無道早晚欲篡大位特命吾討之汝等各各簽名共行此事衆官盡皆失色會乃掣劍在手曰如有違令者斬衆將一一畫字畢會將諸將閉于宮內維曰某見諸將心中不伏不如坑之會曰我已于宮中掘一大坑置白棒數千條如不然者打殺納于坑內時有帳下心腹將丘建乃胡烈手下舊人多受胡烈恩惠當日見胡烈坐于廡下丘建密報曰鍾會掘下大坑置白棒數千條但有不伏者杖死埋于坑中胡烈哭告曰吾兒胡淵領兵在外豈知會此心汝可想舊日之情通消息與吾兒死無恨建曰恩主放心某當為之建出會曰命汝監臨無令走透消息建曰主公勿憂建自監之建至宮門先喚親信人取烈書付其子胡淵淵得父書詔各營將營中報曰鍾會欲反朝廷宮內已掘大坑置白

棒數千條如不從者盡坑之丘建入聽了大驚自亭有是理我言
雖怨豈從反也淵曰十八日會二中皆在宮門相會先令丘建報知
胡烈二內傳宮中將校十八日郤說鍾會姜維相議會曰吾夜夢
大蛇數千條咬吾因此驚覺維曰夢龍蛇皆吉兆也會喜曰器仗已
備嘗坑諸將如何維曰衆觀諸將必雖順從中心不伏久必爲亂
不如坑之（此是姜維要先會欲除之此是不從姜維）會曰然纔欲給鎧杖與姜維姜維忽
一陣心疼暈倒于地左右扶起忽人報曰宮外洶洶如失
火之狀會令人探之喊聲大舉四面八方無限軍到會曰此是如
何維曰必是作亂可先殺諸將又報軍兵已入會交閉上宮門宮
中諸將上殿以手擊之互相殺死無數宮外四面火起矢石如雨
外兵欲入會自掣劍手殺數人城上亂箭射倒先梟首姜維揮劍
衝突心痛轉加仰天嘆曰吾計不成天也遂自刎而死時年五十
九歲宰相有詩嘆曰　大膽姜維智勇全
頓令一計善三賢　蜀邦未復身先喪　成敗由來總是天
衛瓘曰衆軍還還以待王命衆軍碎割姜維腹中見其膽如卵大

差田續

瓘殺鄧艾

各軍殺盡姜維鍾會老小鄧艾部下兵見鍾會姜維死連夜趕去取回鄧艾父子人報衛瓘瓘曰我當日捉鄧艾今若留回吾即死矣護軍田續曰昔江油之時欲斬田續得衆告免今日當報此恨衛瓘遣續將軍五百路接出到綿竹正遇鄧艾父子已出陷車欲回成都見田續來只道是本部軍馬不作隄防却被田續斬之鄧忠亦被亂軍所殺

後人詩曰

後主投降獻西川　天欲姜何計謀全　鄧艾道開鍾會殺　姜維一計害三賢

後史官因鄧艾有蓋世之功死非其罪亦作廟贊曰

自幼能籌畫　多謀善用兵　凝眸知地理　仰面識天文
馬到山根後　兵來石徑分　功成身被害　魂遶漢江雲

史官亦有鍾會廟贊云

潁川長社後　幼作祕書郎　當世誇英俊　時人號子房
壽春多智畫　劍閣逞軒昂　不學陶朱去　遊魂還故鄉

史官為姜維託志忠雅委身扶蜀身雖刎死忠亦可嘉有廟贊云

涼州誇上士　天水產奇才　曾得高人受　親傳秘訣來

東吳陸抗

分兵防魏

中原曾九伐　爵位顯三公　竭力扶西蜀　臨危志不摧

當日張翼等皆死于亂軍。師纂砍分其尸。後主太子劉璿及皇族多有被害。賈充至此仍代，而衛瓘守成都，招諭流民還業，乃送後主往京師。尚書令樊建、侍中張紹、光祿大夫譙周、秘書令郤正、殿中都尉張通隨從于起洛陽。董厥、廖化皆托疾不起。

司馬炎復奪受禪臺

魏改景元五年為咸熙元年。春三月，東吳聞蜀已亡，丁奉等各引軍還。中書丞華覈上表于吳主曰：伏聞成都不守，社稷傾危，司馬昭必有篡魏吞吳之心。望陛下豐嚴防吳。吳主從之，命將提防沿江一帶屯數百營，中軍命老將丁奉總之，拜陸遜之子陸抗字幼節為鎮軍大將軍、益州牧，守川口；左將軍孫龔等守南徐諸處隘口，以防魏兵。卻說後主劉禪至洛陽，時司馬昭引後主朝見魏君。禪與公衆俯拜于殿下。魏王曹奐命司馬昭定擬官爵。昭曰：你荒淫失政，理合賜死。為汝早降，可以原赦，加為安樂公，賜住宅，月給俸米隨行。御正郤正等皆封為列侯。宦官黃皓蠹國害民，虜赴于市曹後

司馬昭讌　宴會群臣

主拜謝而出次日後主到司馬昭府中拜謝昭請入後堂設宴待之命樂舞奏酒半酣昭命虜蜀樂人奏作川中[illegible]所降文武皆淚而不敢哭惟後主談笑自如並無憂色[illegible]思蜀否禪曰此間快活不思蜀也昭曰人之無情乃至[illegible]當不能輔何況姜維乎靜軒嘆曰

追歡[illegible]開　不念危亡半點哀　快活異鄉忘故國　方知[illegible]才

須臾禪起更衣郤正隨至廂下與禪曰主公如何[illegible]蜀也倘再問可答曰先人墳墓遠在巴蜀心意悲[illegible]湯酒淚則有放歸之日也禪切記再入席禪不[illegible]蜀否禪曰先人墳墓遠在巴蜀心意悲切無[illegible]淚遂閉其目昭言曰此郤正之教語也禪開目驚[illegible]昭及左右大笑因此信禪誠實再不疑也朝廷[illegible]功宜合進爵為王遂册立昭為晉王謚其父懿為宣王兄師[illegible]初晉王昭娶王伯之女生二子長子炎二人物魁偉[illegible]過膝更聰明膽量過人英武軒昂次子攸情性溫和[illegible]昭[illegible]

（下原缺）

大臣立司馬炎爲王

愛之爲兄無子過房繼其後昭常言曰天下者吾兄之天下也百年之後大業宜付司馬攸至是年昭爲晉王欲立攸爲後山濤諫曰廢長立幼于理不祥賈充何曾裴秀皆曰長子聰明神武有超世之才人望既屬天命如此非人臣之相也昭猶豫未定太尉王祥司徒荀顗諫曰前代立少多有亂國大王思之昭乃決定立炎爲世子官帶忠撫軍大臣又奏晉王宜戴十二旒冠冕建天子旌旗出警入蹕乘金根車備六馬進王妃爲后當年長武縣奏曰嘗日正午從天降下大神身長三丈餘腳跡長尺二曰影髮蒼[illegible]巾着黃裳拄藜杖口稱吾乃民王今來報汝天下換主立見太平自此地中從行三日忽然不見是時秋八月司馬昭在銅堂聽知此事回到宮中正欲宴忽然中風不能言次日病危太尉王祥司徒何曾司馬荀顗及諸大臣入宮見昭不能言以手指司馬炎而死時秋八月辛卯日也何曾曰天下大事皆在晉王可立世子炎爲晉王然後殯葬是日炎即位封何曾爲晉丞相司馬望爲司徒石苞爲驃騎將軍陳騫爲車騎將軍諡父昭爲文王大事已定炎

召賈充裴秀問曰曹操有言若天命在吾吾為周文王矣果有此事否充曰操世受漢恩恐人議論篡逆之名故有此語是明使子曹丕為天子也炎曰吾父比曹操若何充曰文王輔魏已歷三世與曹操大不同也曹操雖功蓋天下民畏其威不懷其德其子承統差役繁重東西征討無有寧歲今吾王景王文王累世立大功布恩天下民心歸之久矣故與曹氏不同炎曰曹丕尚受漢[illegible]得不紹魏統也充等[illegible]受禪臺布告天下以即正位炎大喜次日帶劍入[illegible]朝[illegible]失措炎直入後宮奐大驚避席迎之炎賜[illegible]曰陛下為君何人之力與奐曰皆[illegible]文王之賜[illegible]陛下[illegible]道武不能安邦何不擇有德之者讓之奐大驚口噤不[illegible]郎張節應曰太王之言差矣昔日魏武祖東蕩西除[illegible]不容易得此天下現有[illegible]有德無罪何故讓與他人炎大怒曰此天下乃漢家之天下也曹氏挾功奪之吾祖[illegible]魏[illegible]三世[illegible]天下乎吾非曹氏之能實[illegible]司馬氏之力天下[illegible]不[illegible]統[illegible]張節

司馬炎復奪受禪臺

曰汝君行此事實篡國之賊也炎大怒曰吾爲漢家報仇有何不可乃呼武士將張節拿下殿用瓜鎚打死魏主跪曰望晉公之命炎起身而出靜軒先生詩嘆曰

天理循環不可逃 張節可憐忠國事 一拳怎障太山高

魏主問賈充非我篡道當如何充曰天數如此陛下不可逆天行事當脩築受禪壇具大禮禪位與晉王上合天心下便令賈充築受禪臺選定十二月甲子日大會群臣于壇下魏主親捧傳國璽授與晉王然後下壇列于群臣班首稱臣再拜賈充仗劍指曹奐曰自古漢建安二十五年魏受漢禪已經四十五年今天祿永終曆數在晉司馬功德彌隆可即皇帝位已紹魏統大小文武及魏主皆北面山呼是日大氣清朗群臣拜舞跪聽晉王詔旨晉帝司馬炎封曹奐爲陳留王就金墉城居止魏主拜謝而行太傅司馬孚哭拜魏主曰臣死之日固大魏之純臣也（孚乃炎之叔祖也）炎見孚如此乃封爲安平王太傅孚不受而退是日大赦改元爲太始元年史官詩曰

獻帝稱臣韓路傍 咸熙又見拜新王

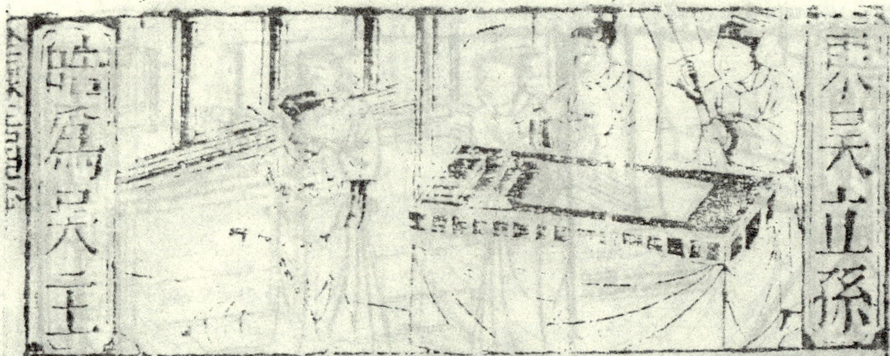

金墉城外山川舊　受禪臺前草木黄　魏國規模如漢代　千古令人淚幾行
陳留蹤跡似山陽　一還一報皆天理　花墻前陵漢家扶
又希明討子覩了有感嘆曰　山陽陳留俱舊跡　帳去大綱欲如何
司馬今朝負篡弒

晉武帝司馬炎謚祖懿爲宣皇帝伯師爲景皇帝父昭爲文皇帝立七廟于大殿先亦七廟漢征西司馬鈞□生豫章太守司馬量量生穎川太守司馬雋□生京兆尹司馬防□生宣帝懿□生景帝師文帝昭是爲七廟

羊祜病重薦杜預

吳主孫休病篤而卒群臣欲立太子孫𩅦爲君左典軍萬彧曰𩅦幼弱不若取烏程侯孫晧立之左將軍張布亦曰晧才能明斷可以爲帝丞相濮陽興入奏朱太后太后曰我婦人也焉知社稷之事汝公卿從長商議或備駕請孫晧立之晧字元宗乃孫權之孫和之子也當年七月即位改元元興元年封太子𩅦爲豫章王命丁奉爲左右大司馬晧爲君凶暴嗜酒好色張布乃諫晧大怒誅之丞相濮陽興又諫晧

亦誅之乃封陸抗萬彧爲左右丞相改元寶鼎又作昭明宮大興工役費用無度後又改鳳凰元年丞相萬彧將軍留平大司農樓玄苦諫盡皆斬之前後殺忠臣四十餘人皓出入皆帶鐵甲禁兵五萬人晉咸寧二年十月征南大將軍羊祜上表請伐吳表曰夫期運雖天所授而功業必因人而成今不大舉掃滅則兵役無時休息昔蜀之爲國皆云一夫荷戟萬夫莫當及進兵之日無藩籬之限逕至成都乃騎至力不能拒也今江淮之險不如劍閣孫皓之暴過于劉禪矣吳人困乏甚于蜀都也而今大晉兵力盛于往時不就此時削平四海而更阻兵相守使天下何見太平也今引梁益之兵水陸俱下荊楚之衆進臨江陵平南豫州直至夏口青徐之衆並會秣陵以一隅之地當天下之衆勢分形散可席捲矣若使吳更換賢主雖百萬亦難動搖願陛下察之

晉武帝見表欲從之賈充馬統等沮爲未可乃沉不行至咸寧四年羊祜入朝辭帝歸鄉養老帝賜坐問曰卿有何安邦之策教朕

晉帝往羊

祜第視病

祜曰孫皓暴虐可不戰而克若皓沒別立賢主施仁布德雖有百萬之眾長江未可窺也帝曰卿總兵一行祜曰臣老疾難願此職願陛下選智勇之士平吳之後領[illegible]主[illegible]命賜宅養病十一月病危帝親往祜家問疾祜曰臣[illegible]死不[illegible]陛下也帝曰悔不用卿伐吳之言以致遷延卿若不諱誰可繼卿志者祜曰臣薦一人于陛下[illegible]焚[illegible]之恐人知也帝曰舉[illegible]薦賢乃是美事卿何不令人知祜曰官拜公朝受謝私門臣不取也帝嘆曰正直之臣也祜含淚言曰右將軍杜預堪可重用若欲伐吳非此人不可言訖而亡後人有詩嘆曰　羊祜病後舉杜預

叔牙因薦英豪　古來四海英雄輩　是箇男兒誰丈夫

晉帝大哭回朝勅贈太傅鉅平侯杜預為鎮南將軍都督荊襄諸軍事羊祜死後南州居民罷市巷哭吳守邊將士亦盡舉哀祜在襄陽時常遊峴山人思其德與建廟立碑四時山上但望見碑無不下淚[illegible]先生有詩曰

曉日登臨感晉臣　古碑零落峴山春　松間殘露頻頻滴

好似當年墮淚人
咸寧五年冬十一月晉帝下詔伐吳命鎮南將軍杜預爲大都督引軍十萬出零陵琅琊王司馬伷出涂中後將軍王渾出江油王戎出武昌右將軍胡奮出夏口各領兵五萬並聽杜預節制又令龍驤將軍王濬監軍王琳大起水軍二十萬戰船數萬艘順流而下令賈充爲大都督假黃鉞以冠軍楊州副之出屯襄陽節制諸路軍馬充固陳衰老不堪元帥帝曰卿若不行朕當自出充不得已而行孫皓荒淫無度凡飲宴必令群臣沉醉群臣若有過失或剖其面皮或鑿其眼睛中外大怒邊關奏聞晉兵水陸並至皓宣丞相張悌司馬何植司空循議迎敵之策張悌曰可差車騎將軍伍延爲都督進兵江陵敵杜預驃騎將軍孫歆進兵拒敵夏口等處臣敢爲左右將軍沈瑩諸葛靚引兵十萬出牛渚接應諸路軍馬孫皓從之即令張悌出師皓回宮有一心腹宦官岑昏見皓憂悶問之皓言晉令王濬發川船萬隻順流而下深可憂也岑昏曰臣有一計令王濬之船皆爲粉碎孫皓大喜問計如何

王濬計取石頭城

岑昏曰可用連環大鎖索數百丈每環二三十斤一百餘條沿江要害橫鎖截之又造鐵錐長一丈餘數萬枝暗置江中如戰船乘風而來逢錐輒破吳孫皓大喜便大起工匠于沿江要害處打造鐵錐鐵索却說杜預兵出江陵先使牙門將管周旨領八百善水軍士八百人乘小舟偷過江南夜襲樂鄉多立旌旗于山林間處立多處放火為號周旨領將令夜渡大江伏于巴山左側次日杜預水陸俱進吳國伍延行小兒將水陸都督陸景[illegible]迎敵吳孫歆來迎晉兵佯敗而走東吳陸景令水軍上岸一齊追之二十餘里西邊晉兵大至掩殺死者不可數計及奔回到城邊周旨八百軍混雜于中便就城下放火孫歆大驚曰北來諸軍乃飛渡江也急欲走時被周旨斬于馬下陸景下船望見江南岸一片火起巴山上顯出晉兵旗號陸景復上岸被晉兵四至斬于軍中伍延棄城而走被伏兵擒至預令斬之江陵既失沅湘交廣望風納降杜預差人安撫進攻武昌守將出降道威大振會議進兵胡奮曰

王濬作筏

順流入吳

百年之寇未可盡克今春水泛漲宜暫住歇候來冬天舉預曰吾
殺濟西一戰以勝強齊今兵到此勢如破竹數節之後迎刃而解
無復着力處也可乘勢取建業齡陰遂差人會王龍驤將軍王濬大
順流而下無敢敵者人報濬曰吳作鐵鎖鐵錐如此章備濬大笑
隨命先縛大筏數十萬長五六丈上縛草人披鐵甲持仗于筏上
作火炬長十餘丈灌以麻油但遇鐵索燃着油炬燒之須臾皆斷
因此大江無阻所向莫敵胡曾先生詩曰 王濬戈船發上流
武昌洪纂去崩秋 思量鐵鎖真兒戲 誰與吳王畫此籌
此時張悌與沈瑩諸葛靚率兵出渚使楊州刺史周浚戰于板橋
從大敗諸葛靚引兵迎之見勢不可回慌報張悌曰東吳危矣何
不去之悌曰吳之將亡賢愚共知若君臣俱降無一人死國難不亦
辱乎靚曰存亡天數非公能支悌曰吾在主承相今日是吾死日
安可逃生以求不義之名靚大哭而去張悌沈瑩欲進兵退周旨
羅尚先入寨悌死戰于亂軍之中被周旨所殺詩先生詩云
忠勇張丞相 堂堂大丈夫 捐軀能報國 英氣振[illegible]

吳人飛報孫皓，皓大驚。文武叩頭告曰：今日之禍，皆岑昏致之。請
誅之。皓曰：量岑昏一中貴，何能敗國？數內一人大呼
曰：豈不見蜀中黃皓乎？孫皓曰：既此人爲[illegible]，衆皆奮怒，碎剮岑昏
之肉，生啖之。于是命陶濬率羽林軍迎敵，遣前將軍張象領水軍
迎敵。此時西北風大作，王濬船揚帆而過三山，[illegible]風聲太緊，
[illegible]不得往。濬[illegible]劍曰：吾正欲取石頭城，何言[illegible]。[illegible]大進。張象
等降濬。濬曰：汝欲立功名，使爲前部。象[illegible]兵入
城。人報孫皓，皓欲自刎。中書令胡衆、光祿[illegible]效安樂
公劉禪乎？皓乃輿櫬自縛，引群臣詣王濬[illegible]解其縛，
焚櫬，請起，邀入中軍，待以王禮。皓[illegible]先生有
詩嘆曰：　　孫[illegible]休，
臨危俯首作降囚。　祖宗基業輕歸晉，[illegible]庚。
州郡四十三，軍三十二萬，三千糧二十三萬，大[illegible]撫安民。
陶濬不戰而散，司馬伷、王渾、王戎大軍皆至。次日杜預開倉賑濟，
吳民大悅。乃遷孫皓赴洛陽，而召正迎賈充、王濬，請孫皓見賈充。

晉帝封皓　為歸命侯

充曰汝在南方鑿人眼睛剝人面皮此何等刑也皓曰人臣有弒君及奸滑不忠者皆受此刑充怒欲殺之王濬力勸退之晉太康元年夏五月皓至洛陽拜伏稱臣帝宣上殿賜綉墩而坐帝曰朕設此座待卿多矣皓曰臣在南方亦設此座以待陛下帝大笑設宴待之封為歸命侯封其子瑾為中郎將隨降之臣皆封列侯丞相張悌死節封其子孫封王濬為輔國上將軍預為大將軍其餘官員重功加賞史官詩曰：

憶昔孫堅建業時　東南王氣覆江湄
龍蟠虎踞安居坐　地裂天崩又改移
楊子江中沉鐵鎖　石頭城下豎旌旗
可憐錦片東吳地　一旦從此晉朝基

後來故魏主陳留王曹奐殂于晉太安元年蜀主安樂公劉禪殂于晉太始元年吳主歸命侯孫皓殂于晉太康四年三國之主盡皆歸于晉武帝司馬炎承一統之基後人有古風一篇附錄于此云

高祖提劍入咸陽炎炎紅日升扶桑光武中興成一統金烏飛入天中央哀哉獻帝紹海宇紅輪西墜咸池傍何進無謀中貴

北京藏湯賓尹校本通俗三國志傳

殘存二卷本

三國

淚滿巾不覺爲之太息者

鑑非能逆睹武侯[illegible]

惜陳氏以正統予魏

[illegible]陽[illegible]校正三[illegible]氏

1262

[illegible]文官至[illegible]讀太守

[illegible]部校沆

王運官

[illegible]然

俞[illegible]政[illegible]

楊[illegible]字

張裔 字君嗣蜀郡成都人官至長史 [illegible]

[illegible] 陽人 [illegible] 太守 [illegible] 成 [illegible] 常 [illegible]

高貴鄉公

陳留王

后妃紀

武宣卞皇后 琅邪開陽人　文昭甄皇后 中山無極人　文德郭皇后 安平廣宗人

明元郭皇后 西平人　明悼毛皇后 河內人

臣紀

夏侯惇 字元讓沛國譙人　夏侯淵 字妙才

曹仁字子孝操從弟官至大司馬謚忠侯生子泰

曹真字子丹操族子生子名爽

曹植字子建操次子封陳留王王子名志

荀攸字公達彧之姪官至尚書令

張範字公儀河內修武人官至諫議大夫

田疇字子泰右北平無終人官[illegible]

[illegible]人字[illegible]

曹洪字子廉操從弟[illegible]

夏侯尚字伯仁[illegible]

曹熊[illegible]

賈詡字文和武威姑臧人[illegible]

袁渙[illegible]

崔琰[illegible]

[illegible]

曹休字文烈[illegible]

曹彰字子文[illegible]

曹彧[illegible]

秦[illegible]

國淵[illegible]

王[illegible]

鮑勛[illegible]

鍾[illegible]

王[illegible]

[illegible]

劉[illegible]

張[illegible]

□溫 [illegible]

劉廙 字恭嗣南陽人官至侍中關內侯

桓階 字伯緒長沙人官至侍中安樂鄉侯

衛臻 字公長陳留襄邑人官至長垣侯

常林 字伯槐河內溫人官至高陽鄉侯

趙儼 字伯然潁川陽翟人官至司空

崔林 字德儒清河東武人官至司空安侯

王觀 字偉臺東郡廩丘人官至[illegible]鄉侯

高堂隆 字升平泰山平陽人官至常侍

辛昭 字士敬安平關津人官至[illegible]大守

胡質 字文德楚國壽春人官至征東將軍

王淩 字彥雲太原祁人官至太尉

[illegible]

王肅 [illegible]官至侍中

傅嘏 字蘭石北地泥陽人官至僕射陽鄉侯

陳矯 字季弼廣陵東陽人官至司徒

盧毓 字子家涿郡涿縣人官至司空容城侯

楊俊 字季才河內獲嘉人官至南陽太守

裴潛 字文茂河東聞喜人官至[illegible]大夫

高柔 字文惠陳留[illegible]人官至太尉

辛毗 字佐治潁川陽翟人官至衛尉

滿寵 字伯寧山陽昌邑人官至太尉

郭淮 字伯濟太原陽曲人官至車騎將軍[illegible]侯

王基 字伯輿東萊曲城人官至征南將軍

毌丘儉 字仲恭河東[illegible]人官至鎮東都督

衛□ [illegible]

陳群 字長文[illegible]

徐宣 字寶堅[illegible]

和洽 字陽士汝南[illegible]

杜襲 字子緒[illegible]

韓暨 字公至[illegible]

孫禮 字德達[illegible]

楊阜 字義山[illegible]

田豫 [illegible]

徐邈 字景山[illegible]人官至司空

王昶 字文舒太原人官至司空京陵侯

諸葛誕 字公休瑯琊人官至司空

鄧艾字士載義陽人官至太尉　鍾會字士季潁川長社人官至司徒　華佗字元化沛國譙人善醫

杜夔字公良河南人官至軍謀祭酒參太樂事　朱建平沛國人官至五官將善相　周宣字孔和樂安人官至中郎……太史

管輅字公明平原人官至少府丞善相

武帝生二十五男

卞后生丕彰植熊　尹氏生矩　劉氏生昂鑠　王氏生幹　環氏生沖據宇　孫氏生……

杜氏生林袞　李氏生整京乘　秦氏生玹峻　劉氏生棘　周氏生均　趙氏生徽

文帝生九男

甄氏生叡　李氏生協　潘氏生蕤　朱氏生鑒　仇氏生霖　徐氏生禮　蘇氏生邕

張氏生貞　宋氏生儼

……別傳……

……袁紹……汝南汝陽人……　袁術字公路……

史渙　曹純　曹璺

畢軌　李勝　桓範　胡昭　王烈　張臶　婁圭

鍾毓　王肅　董遇　枚生　隗禧　周生烈　孫皝　劉[illegible]

楊沛　杜恕　杜預　臧霸　張恭　張敬　徐幹　陳琳　阮瑀

劉禎　繁欽　路粹　丁儀　丁廙　楊修　荀緯　應璩　阮籍　[illegible]

桓威　吳質　潘勗　王象　繆襲　仲長統　穡林　韋誕　[illegible]

夏侯惠　杜摯　裴秀　李傕　胡威　令狐愚　唐咨　[illegible]

王弼　徐恕　棧潛　郭汜　袁譚　袁尚　伍孚　逢紀　祖授　[illegible]

審配　辛評　陳溫　劉良　蒯越　蔡瑁　邯鄲淳　鄧忠　[illegible]

丁原　陳宮　陳珪　公孫淵　陳登　徐璆　文欽　文鴦　文虎

吳國帝紀　右四王共五十九年

武烈皇帝姓孫名堅字文臺吳郡富春人也孫武子之後壽三十七獻帝封爲破虜將軍孫權黃武元年追尊爲帝

長沙桓王名策字伯符堅之子前爲討逆將軍後追尊王

太皇帝名權字仲謀策之弟在位三十年壽七十一歲起壬寅號黃武七酉改黃龍三壬子改嘉禾六戊午改赤烏十三辛未改太元一止

會稽王 名亮字子明權之少子在位六年壽七十歲起壬申號建興二甲戌改五鳳二丙子改太平二止

景帝 名休字子烈權之第六子在位六年壽三十歲起戊寅號永安六年癸未止

烏程侯 名皓字元宗孫和之子在位十七年壽四十二歲起甲申號元興一乙酉改甘露一丙戌改寶鼎三己丑改建衡三壬辰改鳳凰四丙申改天冊一丁酉改天紀四庚子止降晉封為歸命侯

后妃列傳

孫堅夫人吳氏 吳郡人權之母　吳主權謝夫人 會稽山陰人孫登之母　徐夫人 吳郡富春人權之室[illegible]

潘夫人 會稽人權之妻　步夫人 淮陰人權妃生二女　袁夫人 和之妃[illegible]

全夫人 全尚之女　朱夫人 休之妻　滕夫人 [illegible]之妻

何姬 丹陽人和之妾

宗室紀

孫靜 字幼臺堅之弟官[illegible]　孫瑜 字仲異靜之子官至[illegible]將軍　孫皎 字叔朗瑜之弟官至征虜將軍

孫奐 字季明[illegible]將軍　孫賁 字伯陽[illegible]將軍　孫輔 字國儀[illegible]將軍

孫[illegible]　孫匡 [illegible]　孫韶 字公禮[illegible]

孫[illegible]　孫慮 [illegible]

劉繇 字正禮東萊牟平人官至揚州刺史

張昭 字子布彭城人官至輔吳將軍婁侯

步騭 字子山臨淮人官至丞相臨湘侯

程秉 字德樞汝南南頓人官至太子太傅

周瑜 字公瑾廬江舒人官至偏將軍領南郡太守

程普 字德謀右北平土垠人官至蕩寇將軍

蔣欽 字公奕九江壽春人官至右護軍

徐盛 字文嚮琅邪莒人官至安東將軍

朱治 字君理丹陽故鄣人官至安國將軍

朱桓 字休穆吳郡吳人官至前將軍青州牧

虞翻 字仲翔會稽餘姚人官至騎都尉

駱統 字公緒會稽烏傷人官至建忠中郎將

朱據 字子範吳郡吳人官至驃騎將軍

太史慈 字子義東萊黃人官至建昌校尉

顧雍 字元歎吳郡吳人官至丞相

張紘 字子綱廣陵人官至長史

闞澤 字德潤會稽山陰人官至太子太傅

魯肅 字子敬臨淮東城人官至橫江將軍

黃蓋 字公覆零陵泉陵人官至偏將軍

甘寧 字興霸巴郡臨江人官至西陵太守折衝將軍

潘璋 字文珪東郡發干人官至右將軍

朱然 字義封丹陽故鄣人官至左大司馬右軍師

周泰 字幼平九江下蔡人官至奮威將軍陵陽侯

陸績 字公紀吳郡吳人官至偏將軍

陸瑁 字子璋陸遜之弟官至選曹尚書

陸遜 字伯言吳郡吳人官至丞相

士燮 字威彥蒼梧廣信人官至衛將軍龍編侯

諸葛瑾 字子瑜琅邪陽都人官至大將軍

嚴畯 字曼才彭城人官至尚書令

薛綜 字敬文沛郡竹邑人官至太子少傅

呂蒙 字子明汝南富陂人官至南郡太守孱陵侯

賀齊 字公苗會稽山陰人官至後將軍

凌統 字公績吳郡餘杭人官至偏將軍

丁奉 字承淵廬江安豐人官至大司馬

呂範 字子衡汝南細陽人官至大司馬

陳武 字子烈廬江松滋人官至偏將軍

張溫 字惠恕吳郡吳人官至太子太傅

吳粲 字孔休吳郡烏程人官至太子太傅

陸抗 字幼節陸遜之子官至鎮軍將軍江陵侯

賀齊 字公苗山陰人官至後將軍

周魴 字子魚陽羨人官至後將軍

陸凱 字敬風武陵人官至大僕射

吳範 字文則會稽人官至騎都尉太史令

趙達 無字河南人官至太史丞

王蕃 字永元廬江人官至散騎中常侍

華覈 字永先吳郡武進人官至中書丞

全琮 字子璜錢唐人官至大司馬左將軍

劉璟 字子幹山陰人官至前將軍

呂琮 字子則汝南人官至大將軍兼左執法

諸葛恪 字元遜瑾長子官至太子太傅

滕胤 字承嗣北海人官至衛將軍

樓玄 字承先沛國人官至大司農

韋曜 字弘嗣吳郡人官至僕射高陵亭侯

呂岱 字定公廣陵人官至大司馬

潘濬 字承明武陵漢壽人官至太常

是儀 字子羽北海人官至尚書僕射

劉惇 字子仁平原人官至太史令

濮陽興 字子元陳留人官至丞相

賀邵 字興伯會稽山陰人官至中書僕射高陵亭侯

附傳

劉基 張休 張尚 呂據 劉纂

士徽 張奮 裴玄 虞汜

士廞 顧邵 唐固 虞忠

[illegible] 顧譚 薛務 虞聳

徐貢 顧承 薛珝 虞昺

徐琨 諸葛融 陳表 陸宏

徐麟 步闡 朱績 陸[illegible]

張承 張玄 朱纓 徐詳

新刻湯先生校正三國志傳目錄

[illegible]步[illegible]奉[illegible]　[illegible]雲長[illegible]　[illegible]　[illegible]張擒劉岱王忠

禰衡裸衣罵曹操　曹孟德三擒吉平　曹[illegible]殺董[illegible]　玄德[illegible]馬[illegible]冀州

第五卷

張遼義說關雲長　雲長策馬刺顏良　雲長延津誅文醜　關雲長封金掛印

關雲長千里獨行　雲長五關斬六將　雲長三鼓斬蔡陽　劉玄德古城聚義

孫策怒斬于神仙　孫權領兵據江東　曹操官渡戰袁紹　曹操烏巢燒糧草

第六卷

曹操倉亭破袁紹　劉玄德敗走荊州　袁譚袁尚爭冀州　曹操決水渰冀州

曹操引兵渡壺關　郭嘉遺計定遼東　劉玄德赴襄陽會　玄德躍馬過檀溪

玄德遇司馬德操　玄德新野遇徐庶　徐庶定計取樊城　徐庶走薦諸葛亮

第七卷

玄德三顧諸葛亮　玄德風雪訪孔明　定三分亮出茅廬　孫權跨江戰黃祖

孔明遺計救劉琦　諸葛亮博望燒屯　王粲說琮獻荊州　諸葛亮火燒新野

劉玄德敗走江陵　長坂坡趙雲救主　張翼德拒水斷橋　劉玄德敗走夏口

第八卷

第九卷

第十卷

第十一卷

第十二卷

曹操漢中破張魯
張遼大戰逍遙津
甘寧百騎劫曹營
魏王宮左慈擲杯

曹操試神卜管輅
耿紀韋晃討曹操
張飛關索取閬中
黃忠嚴顏雙建功

黃忠馘斬夏侯淵
趙子龍漢水大戰
劉玄德智取漢中
曹操殺主簿楊修

第十三卷

玄德進位漢中王
關雲長威震華夏
龐德抬櫬戰關羽
關雲長水渰七軍

關雲長刮骨療毒
呂子明智取荊州
關雲長大戰徐晃
關雲長夜走麥城

玉泉山關公顯聖
劉玄德痛哭雲長
曹操殺神醫華佗
魏太子曹丕秉政

第十四卷

曹子建七步成文
漢[illegible]怒殺劉封
廢獻帝曹丕篡位
玄德成都即帝位

范疆張達刺張飛
劉[illegible]興兵伐吳
吳趙咨智說曹操
關興斬將救張苞

劉先主猇亭大戰
陸[illegible]計破蜀兵
先主夜走白帝城
八陣圖石伏陸遜

第十五卷

白帝城先主託孤
曹[illegible]下西川
難張溫秦宓論天
泛龍舟魏主伐吳

孔明興兵征孟獲
諸葛[illegible]一擒孟獲
諸葛亮二擒孟獲
諸葛亮三擒孟獲

諸葛亮四擒孟獲　諸葛亮五擒孟獲　諸葛亮六擒孟獲　諸葛亮七擒孟獲

第十六卷

孔明秋夜祭瀘水　孔明前上出師表　趙子龍大破魏兵　諸葛亮智取三郡

諸葛亮智伏姜維　孔明祁山破曹真　孔明大破鉄車軍　司馬懿智擒孟達

司馬懿計取街亭　孔明智退司馬懿　孔明揮淚斬馬謖　陸遜石亭破曹休

第十七卷

孔明後上出師表　諸葛亮兩出祁山　孔明遺計斬王雙　諸葛亮三出祁山

孔明智敗司馬懿　司馬懿兵寇漢中　諸葛亮四出祁山　孔明祁山布陣圖

諸葛亮五出祁山　木門道弩射張郃　諸葛亮六出祁山　孔明運木牛流馬

第十八卷

孔明火燒木柵　孔明秋夜祭北斗　孔明秋風五丈原　死諸葛走生仲達

武侯遺計斬魏延　魏折長安承露盤　司馬懿破公孫淵　司馬懿謀殺曹爽

司馬懿父子秉政　姜維大戰牛頭山　戰徐塘吳魏交兵　孫峻謀殺諸葛恪

第十九卷

文鴦[illegible]　司馬師[illegible]立[illegible]　[illegible]　姜維洮西敗魏兵

鄧艾段谷[illegible]姜維　[illegible]　鍾會[illegible]　姜維[illegible]

孫綝廢主立孫休　姜維祁山戰鄧艾　司馬昭南闕弒君　姜伯約[illegible]

第二十卷

姜伯約洮陽大戰　姜維避禍屯田計　鍾會鄧艾取漢中　姜維大戰劍門關

鑿山嶺鄧艾襲川　諸葛瞻大戰鄧艾　蜀後主輿櫬出降　鍾會鄧艾大爭功

姜維一計害三賢　司馬炎復受魏禪　羊祜病重薦杜預　王濬智取石頭城

全漢總歌

一從混沌分天地　清濁剖判陰陽氣　開天立教治乾坤　伏羲神農與黃帝

少昊顓頊及高辛　唐堯虞舜相傳繼　夏禹治水定中華　殷湯去網行仁義

成周歷代八百年　戰國縱橫傳十二　七雄戈戟亂如麻　始皇一統纔二世

高祖談笑入咸陽　平秦滅楚登龍位　惠帝懦弱呂后權　文景無爲天下治

聰明漢武崇神仙　昭帝方年棄塵世　霍光廢立昌邑王　孝宣登基寰寧謐

元帝成帝孝哀帝　王莽篡位朝綱廢　六載光武復中興　明章二帝合天意

和殤安順幸濟平　沖質兩朝皆早逝　漢家氣數至桓靈　炎炎紅日將西墜

獻帝遷都社稷危　開尼初分天地碎　劉曹孫號蜀魏吳　萬古流傳三國志

青蛇繞殿

新刻湯學士校正古本按鑑演義全像通俗三國志傳卷之一

平陽 陳壽 史傳
東原 羅貫中 編次
江夏 湯賓尹 校正

祭天地桃園結義

後漢桓帝崩靈帝即位時年十二歲朝廷有大將軍竇武太傅陳蕃司徒胡廣共相輔佐至秋九月宦官曹節王甫弄權竇武陳蕃謀誅機謀不密反被曹節王甫所害宦官自此得權建寧二年四月十五日帝會群臣於溫德殿中方欲升座忽狂風大作見一條青蛇從梁上飛下約長二十餘丈蟠於椅上靈帝驚倒武士急慌救起文武互相推倒於丹墀者無數須臾不見此從大雨大雷降以冰雹到半夜方住東都城內壞却房屋數千餘間建寧四年二月洛陽地震省垣皆倒海水泛溢登萊沂密盡被大浪捲掃居民入海遂改元熹平自此邊界時有反者熹平五年改為光和雌雞化雄六月朔黑氣十餘道飛入溫德殿中七月[illegible]

[illegible]帝大驚[illegible]

遇僊傳法

張角採藥

[illegible]侯覽[illegible]把握朝綱[illegible]
其門。靈帝待十人如師父，由是宦官出入無忌[illegible]
造中平元年甲子歲，鉅鹿郡有一人，姓張名角，有弟張梁、張寶[illegible]
角初是下第秀才，因往山中採藥，遇一老人，碧眼童顏，手執藜杖，
喚角至洞中，授書三卷，名太平要術，囑付以道為念，代天宣化，普
救世人。若萌異心，必獲惡報。角拜求姓名，老人曰：吾乃南華老仙。
化陣清風而不見。角得此書，曉夜攻習，能呼風喚雨，號為太平道
人。中平元年正月內，疫氣流行，張角散施符水，稱大賢良師，請符
救病者，無有不應。患者親詣座前自說已過，角為懺悔以求福
利。角從弟五百餘人，雲遊四方救病，續後徒衆極多。角立三十六
方，分佈天下，（方者乃將軍之稱渠帥）大方萬餘人，小方六七千人，各立渠帥。散
處訛言：蒼天已死，黃天當立，歲在甲子，天下大吉。令衆人取白土
於各家門上及州城縣鎮官觀寺院門上皆書甲子二字。青、幽、徐、冀、
荊、揚、兗、豫八州之人，家家侍奉大賢良師張角名字。角遣懷異
心道大方馬元義賂買金帛，結交中常侍封諝、徐奉，以為內應。角

張角惑民

[illegible]飛已謀反

與劉梁商議曰吾聞得者民心也今民心已順若不乘勢取天
下誠爲萬代之可惜梁云正合吾機一面造下黃旗約會三月初
五一齊舉事遣[illegible]唐周馳書報封諝唐周逕赴朝中告變帝急
召大將軍何進調兵先擒馬元義斬之次收封諝等一千人下獄
張角聞知事發星夜起兵自稱天公將軍弟寶稱地公將軍梁稱
人公將軍召百姓云今漢運數將終有大聖人出汝等皆宜順天
從正以樂太平四方百姓裹黃巾從張角反者四五十萬賊勢浩大所過
縣放火劫人所在官吏望風逃竄何進奏帝火速降詔令各處備
禦討賊立功一面遣中郎將盧植皇甫嵩朱雋各引兵五萬分三
路討之卻說張角一軍前犯幽州界分校尉鄒靖來見幽州太守
劉焉[illegible]焉問曰黃巾生發侵犯境界將
如之何靖曰天子自詔令各處討賊明公何不招軍以[illegible]
焉然其說隨即出榜[illegible]不擢用[illegible]
涿縣張掛去涿縣樓桑村一箇[illegible]
樂美衣服少言語[illegible]

劉備看榜　初遇張飛

有大志生得身長七尺五寸兩耳垂肩雙手過膝目能

遂殊姓劉名備字玄德【音釋】按劉備字玄德中山靖王劉勝之後漢景帝閣下玄孫昔劉勝之子劉貞漢武帝時封爲涿縣陸城亭侯坐酎金之罪而削侯爵因此遺這一枝在涿縣玄德祖劉雄父劉弘弘曾舉孝廉亦嘗作吏早喪玄德事母至孝家貧販屨織席爲業玄德所居屋東南角有一桑樹高五丈餘遙望之童童如車蓋往來者皆言此樹非凡必出貴人玄德少時與鄉中小兒戲於樹下曰我爲天子當乘此羽葆蓋車叔父劉子敬謂曰汝勿妄言滅吾門也年十五母使行學與同宗劉德然遼西公孫瓚爲友德然父元起常資給之元起妻曰各自一家何能常爾元起曰吾宗中有此兒非常人也中平元年

涿郡招軍時劉備年二十八歲立於榜下看罷長歎一聲隨回首

後一人厲聲言曰大丈夫不與國家出力何故長歎玄德回顧見

其人身長八尺豹頭環眼燕頷虎鬚聲若巨雷勢如奔馬玄德見

此人形貌異常遂與同入村中問其姓名其人曰某姓張名飛字

翼德世居涿郡頗有莊田賣酒屠豬專好結交天下壯士却纔見

公看榜何故長嘆玄德曰我本漢室宗親姓劉名備字玄德今聞

黃巾賊起劫掠州縣有心要掃除此輩以扶社稷恨力不能爾飛

曰正合吾機吾有莊客數人同舉大事飛遂邀玄德入店飲酒正

飲間見一大漢推車入店喚酒保快臨酒來我待進城投軍相通

劉關張桃

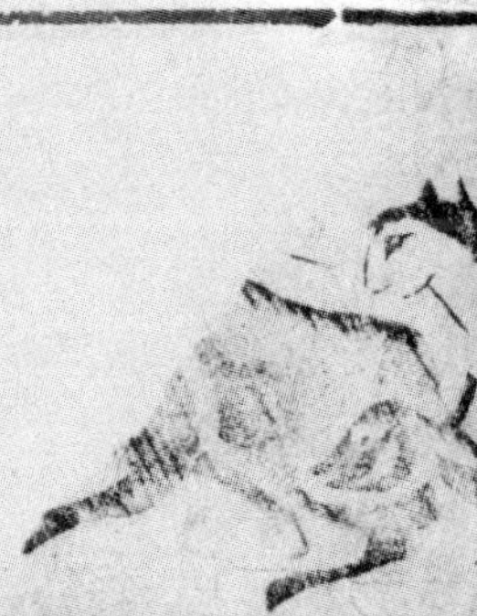

玄德見其人身長九尺三寸髯長一尺八寸面如重棗[illegible]
丹鳳眼卧蠶眉玄德見其相貌魁偉就邀同坐問其姓名其人
曰姓關名羽字雲長河東解良人也因本處豪霸倚勢欺人被
吾殺之逃難江湖數年矣今聞招募義士破賊欲往應募遂
以己意告之三人遂同到張飛莊上共議天下之事飛曰我莊
後有一小園桃花盛開明日可宰白馬祭天烏牛祭地三人結生
死之交如何三人大喜次日於桃園中列下金錢紙燭宰烏牛白
馬祭獻天地三人焚香再拜而誓曰念劉備關羽張飛雖然異姓
結爲兄弟同心協力救困扶危上報國家下安黎庶不求同年同
月同日生只願同年同月同日死皇天后土以鑒此心背義忘恩
天地共戮關張年紀皆小于玄德共拜玄德爲兄關羽次之張飛
爲弟祭罷天地商議玄德老謝將祭物聚鄉中豪傑三百餘人
於桃園中痛飲一醉來日收拾器械無鞍馬可乘忽人報有二人
客人趕馬一群投莊上來玄德曰此天佑我等當成大事[illegible]
家人[illegible]其主[illegible]姓張[illegible]

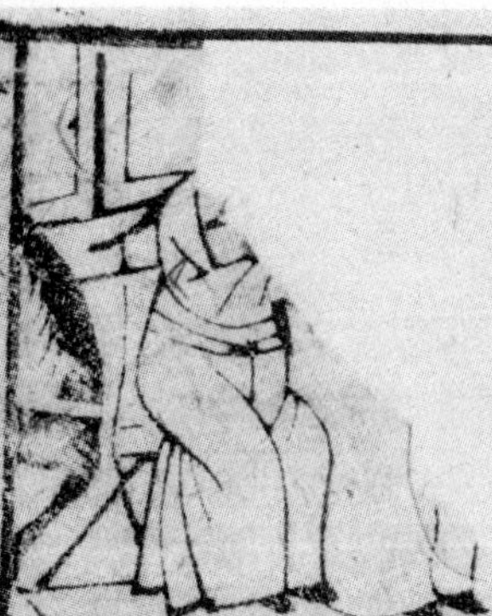

玄德馬疋

世□往北地販馬值寇□歸見玄德亦邀二人名姓畢遂置
酒管待二人席間詢說欲與民除害扶助漢室世平蘇雙大喜願
將良馬五十疋送玄德又贈金銀五百兩鑌鐵一千斤以資器用
玄德求良匠打造雙股劍關羽造八十二斤青龍偃月刀一名冷艷鋸
張飛造丈八點鋼矛各置全身鎧甲聚衆五百來見鄒靖鄒靖引見
太守劉焉三人參拜畢問其姓名玄德說是宗派劉焉大喜既是漢室
宗親但奏功勳必當重用因認玄德爲姪人報黃巾賊程遠志哨
近涿州人馬五萬劉焉令鄒靖劉備爲先鋒前去破敵玄德與關
羽張飛飛身上馬來尋大功怎生取勝

劉玄德斬寇立功

玄德兵至大興山下與賊相遇將陣勢擺開玄德出馬左有關羽
右有張飛大罵反賊何不早降程遠志大怒遣副將鄧茂出馬張
飛睜環眼挺矛刺中鄧茂心窩翻身落馬而死後人讚翼德曰
欲致勇震三分國　先試衝鋒丈八矛
程遠志見折了鄧茂拍馬舞刀直取張飛關羽舞刀直出程遠志

玄德驅兵八

戰敗賊衆

見了心膽俱碎措手不及被關羽一刀斬爲兩段後人讚書曰

雄憑立國安邦手　挨試青龍偃月刀

衆賊見程遠志被斬皆倒戈卸甲投降者不計其數斬首數千級大勝而回劉焉親自迎接賞勞三軍次日忽報青州太守龔景被黃巾圍城將陷乞賜救應玄德曰備願往救之劉焉令鄒靖將兵五千隨玄德徃救玄德與關張至青州遂見賊人皆披髮以黃絹抹額畫八卦文爲號賊衆見救兵來分兵混戰玄德兵寡不勝退三十里下寨玄德與關張曰賊衆我寡必出奇兵方可取勝分關羽引兵伏山左張飛引兵伏山右鳴金爲號齊出救應次日玄德與鄒靖引兵鼓噪而進賊衆大喊如潮湧到玄德便退賊衆乘勢追趕過山玄德軍一齊鳴金左關羽右張飛兩軍齊出玄德軍回三路掩殺賊衆大敗玄德直趕至青州城下太守龔景亦率民兵出城助戰賊被勦戮極多餘黨走散遂解青州之圍太守犒賞諸軍鄒靖欲回玄德曰近聞中郎將盧植與賊首張角戰于廣宗備而嘗師事盧植就之同力破賊鄒靖曰糧食可以應付軍馬

關羽大戰

張角大敗

動問此人玄德曰本部五百人投廣宗劉焉引身自回玄德與關張到盧植寨前此人報從良久植喚三人入帳施禮畢植問玄德行藏玄德說了植大喜賞勞留在帳中聽調時盧植雖連勝張角幾陣未見大勝植謂玄德曰我圍張角在此張梁張寶在穎川與皇甫嵩朱儁厮殺你可領本部官兵前去勦捕玄德與關張星夜投穎川來時皇甫嵩朱儁領兵與賊大戰賊不敵退入長社依草結營嵩與儁四面圍定商議曰賊在此依草結營除非用火攻可勝嵩曰候大風起可施此計遂令軍士每人帶草一把是夜大風驟起約至二更一齊放火嵩與儁引兵出奔賊寨風起火焰賊衆四散奔走殺到天明張梁張寶引敗殘軍奪路而走前面遇着一彪人馬截住去路為首一英雄身長七尺細眼長髯機謀出衆笑晉文齊桓無匡輔之才論趙高王莽少縱橫之策官拜騎都尉姓曹名操按曹操字孟德沛國譙郡人也乃漢相曹參二十四代孫[illegible]

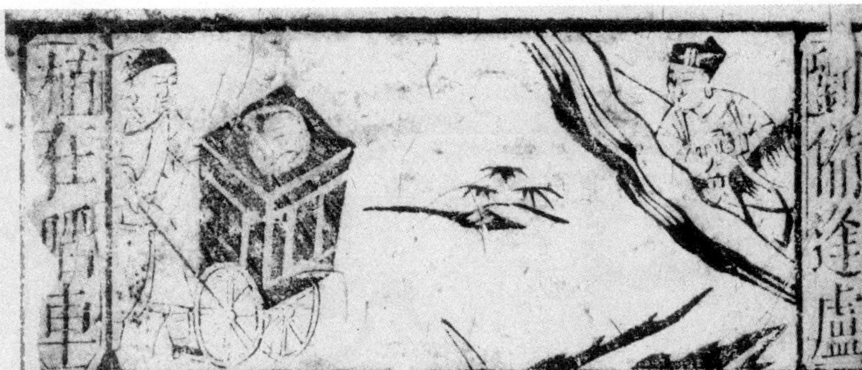

劉備遇盧植　植在檻車

好飛鷹走犬遊蕩無度叔父數言于嵩嵩常加責操心生一計一日見叔父來詐倒於地敗面喎口叔父問之操曰卒中惡風叔父歸家告嵩嵩驚問操操曰自來無此病但失愛于叔父故見罔耳嵩信其言後叔父但言操過嵩並不聽因此操得恣意放蕩時人有橋玄者謂操曰天下將亂非命世之才不能濟能安之者其在君乎南陽何顒見操言漢室將亡安天下者必此人也汝南許劭有知人之名操往見之問曰我何如人劭不答又問劭曰子治世之能臣亂世之奸雄也操聞言大喜年二十舉孝廉為郎除洛陽北部尉初到任即設五色棒十餘條於縣之四門有犯禁者不避豪貴皆責之中常侍蹇碩之叔提刀夜行操巡夜拿住就棒責之由是內外莫敢犯者威名頗震後為頓丘令因黃巾起拜為騎都尉引馬步軍五千前來潁川助戰正值張梁張寶敗走曹操攔住大殺一陣斬首萬餘級二人賞勞畢後令操領兵追張梁張寶去了玄德欣然而去卻說玄德引關張來潁川至時賊已敗散持書見皇甫嵩嵩言盧植非常已知張梁張寶勢窮力乏必投廣宗依張角去玄德可星夜往助玄德領命遂引軍復回路逢三百餘人護送一輛檻車車中之囚乃盧植也玄德大驚問其緣故植曰我圍張角將次可破因角用妖術因此未能今上遣小黃門左豐前來體探問我取賄賂我不與之左豐挾恨回奏曰廣宗之賊極容易破高壘不戰惰慢軍心因此聖上遣中郎將董卓代我取我回京

張飛戰張寶

角救董卓

□張飛要斬護軍人以救盧植玄德止之曰朝廷自有公論汝豈可躁暴耶關公亦阻之軍人將盧植□擁去了關羽曰盧公罷軍機我去無依不如且回涿郡玄德遂引兵北回行到二日忽聞山後喊聲大震玄德三人縱馬上高岡望之見漢兵大敗賊旗號上大書天公將軍玄德曰此必張角也可速戰之三人飛馬而出角軍大亂退走五十餘里救了董卓回寨三人拜見卓問曰見居何職玄德對以白身卓甚輕之不與賞賜張飛怒曰我等親負血戰救了這廝倒說人如無物吾不殺之難解忿氣提劍欲殺董卓□□（董卓字仲穎隴西臨洮人也數討羌胡累有邊功官拜□□中郎將自來驕傲物以致張飛性發欲殺之）

張飛忿言[illegible]

關羽急抱住玄德叱之曰他是朝廷命官汝今殺之將欲反耶飛曰若往他部下聽令吾必去殺玄德曰吾三人生死共處安可異也不如仍投朱雋與玄德合兵一處待之卓軍是時曹操跟皇甫嵩討張梁大戰于曲陽朱雋與玄德進討張寶寶引賊衆八九萬屯於山後雋令玄德為其先鋒雋令副將高升出馬搦戰張飛驟

玄德箭射

張寶左臂

鬥夠十戰不三合一刀刺高升落馬張寶就馬上仗劍作法風雷大作黑氣中無限人馬殺來玄德軍大亂被張寶殺敗一陣玄德來見朱儁商量曰此妖術也來日可宰豬羊血以解其法次日張寶搖旗擂鼓引軍搦戰玄德令關張引軍伏於兩山上令五百軍在高岡備豬羊血并穢物聽候分撥已定玄德引軍出戰交鋒之際見張寶作法平地風雷大作人馬自天而下玄德撥馬便走張寶人馬趕來一鼓過山頭伏兵將穢物齊潑但見空中紙人草馬紛紛墜地風雷沙石頓息張寶見解了法急引兵退山後左關羽右張飛背後玄德三路掩殺賊兵大敗張寶奪路而走玄德飛馬趕來一箭射中張寶左臂寶帶箭逃入陽城堅守不出朱儁引軍圍月餘不下差人打探皇甫嵩消息人回報云皇甫嵩連勝董卓連敗朝廷差皇甫嵩代董卓嵩到時張角已死張梁用王者衣冠統之皇甫嵩進戰斬張梁於曲陽發張角棺戮尸梟首送京朝廷加嵩爲車騎將軍領冀州牧皇甫嵩奏除濟南相皆已赴任朱儁聽說催軍攻城甚急賊勢危急賊將嚴政刺殺張寶獻首投降朱儁使人奏功

荷陛用兼新黃巾餘黨南陽趙弘韓忠孫仲聚衆十餘萬[illegible]
據稱與張角報仇大臣復保奏朱儁討之儁領旨前去[illegible]
遣韓忠迎戰朱儁遣玄德出陣廝戰從辰至午賊衆不退朱儁自
將鐵騎三千而進賊恐失城急回玄德從背後趕殺賊敗入城儁
四面圍定城中糧絕韓忠使人乞降儁不許玄德曰昔高祖得天
下爲能招降納叛明公何不容忠儁曰時有不同耳昔項秦之際
天下大亂民無定主故招降賞附以勸來耳今海內一統惟黃巾造逆
若容其降無以勸善非良策也玄德曰今四面圍緊賊乞降不得
必然死戰莫若去東南之圍盡力攻打西北賊急必棄城而走無
心戀戰賊可擒也儁即命撤東南軍馬併力攻打西北韓忠果引
軍棄城而走儁率兵掩殺剌死韓忠趙弘孫仲復引賊衆與儁交
戰儁見弘勢大引軍暫退弘乘勢復奪宛城儁正欲攻打忽正東
一彪人馬競到爲首一將生得廣額闊面虎體熊腰姓孫名
堅（[illegible]孫堅字文臺吳郡富春人也乃孫武子之後年十七歲[illegible]時[illegible]與父同至錢塘遇海賊十餘人）
（劫取商人財物於岸上分贓行旅皆住不敢進船堅[illegible]之父曰此賊可擒也[illegible]）

劉備遇張鈞說功績

頭以爲官兵捕之委財物散走堅趕上殺死一級由是顯名府召署郡司馬校尉後爲會稽妖賊許昌造反自稱陽明皇帝聚衆數萬堅與州郡召[illegible]精勇千人會州郡破之斬許昌并其子許韶刺史臧[illegible]上表奏孫堅功績除堅爲鹽瀆丞又除爲盱眙丞又爲下邳丞

時孫堅見黃巾賊起聚集鄉中少年及淮泗壯士一千五百餘人前來助戰朱儁接見大喜即令堅攻打南門玄德打北門朱儁打西門皆東門與賊走是日孫堅先登城斬首二千餘級賊衆奔潰趙弘直取孫堅堅奪弘搠刺死趙弘孫仲引衆突出北門正逢玄德被玄德一箭射中孫仲翻身落馬朱儁催兵掩殺斬首數千級降者無數南陽悉平朱儁班師還京拜車騎將軍河南尹朱儁奏劉備孫堅之功孫堅有人情除別郡司馬惟玄德聽候日久不得除授鬱鬱不樂一日往街行見張鈞車到玄德攔住訴說功績鈞大驚入朝奏帝曰黃巾造反皆由十常侍賣官鬻爵非親不用非讎不誅以致天下大亂宜斬十常侍懸頭南郊遣使布告天下有功者重加賞賜則四海自清平也十常侍曰張鈞欺主可令武士推出朝門張鈞氣倒帝與十常侍議曰此是破黃巾有功得除授故生怨望權且令各家遷注微名向後有功却再擢

授玄德定州中山府安喜縣尉玄德與關張到安喜縣卸事與民秋毫無犯爲盜者皆化爲良民玄德三人食寢則同在衙人廳坐關張終日侍立不倦一日柳督郵至縣察訪乃[illegible]參軍判官之職極有權柄者玄德出廓迎接見督郵到荒州下馬施禮督郵於馬上微以鞭梢回答關張氣塡胸臆到館驛後下督郵問曰劉縣尉是何根腳玄德告以是中山靖王之後廢說破黃巾功勞督郵大喝曰亂道你詐稱是親虛報功績負今朝廷正要閗這等人少時遣官逐出館驛玄德咄咄而退縣吏與督郵作威無非要些賄賂玄德曰我與民秋毫無犯那得錢物與他次日督郵提縣吏勒狀又書交指玄德害民玄德自往見之後衙住不肯參玄德回縣心中怏怏知說張飛飲了數盃悶酒來日過館驛前過見衆老人在門首啼哭飛問其故老人曰督郵欲勒縣吏誣陷劉縣尉我等欲入苦告交破門見趕打張飛大怒滾鞍下馬還入館驛後堂見督郵坐於廳上將縣吏綁倒在地飛大喝害民賊認得我麼督郵急喚左右捉下被張飛揪住頭髮拖至縣前馬柳上縛住乃馬繫樁

張飛入館

擒捉督郵

[illegible]張飛拏柳條鞭督郵兩腿打折柳條千數哀告玄德聽得縣前喧
嚷鼎沸問左右答曰張將軍綁督郵在縣廳痛打玄德忙出廳問其
故飛曰此害民賊不打死等甚督郵曰玄德公救命玄德喝張飛
住手關公曰兄長建下許多大功只得縣尉之職又被督郵如此
無禮吾想棘林非鸞鳳所棲不如殺督郵棄官歸鄉別圖大計玄
德取印綬掛於督郵之頸責之曰據汝害民合當殺汝吾有所不
忍還汝印綬吾已去矣玄德與關張連夜回涿郡縣民解放督郵督
郵將印綬回到定州入宅次日文書申聞省府差人捕捉玄德三人
見有急公文從代州投劉恢劉恢見玄德乃漢室宗親乃藏匿在
家十常侍趙忠等人閣破黃巾將士求金帛不從者奏罷官
職皆十常侍不從趙忠等奏帝曰皆由黃巾傷二人並無賞
功官職其官帝准奏罷了二人官職封趙忠為車騎將軍段珪等
十三人皆為列侯司空張溫為太尉崔烈為司徒[illegible]
時漁陽張舉稱天子張純號為大將軍長沙區星[illegible]
靈帝自黃巾息十常侍隱不奏只奏天下無事一日帝[illegible]

1293

劉陶陳耽　二人下獄

十常侍後諫議大夫劉陶逕至帝前哭奏曰漢天下危在旦夕陛下尚與閹宦共飲耶帝曰國家承平有何危急陶曰四方盜賊蠭起侵掠州郡十常侍蔽而不聞陛下不省禍在眉矣十常侍皆免冠跪而哭曰大臣不容臣等不能活矣願乞性命歸田里盡將家產以助軍資帝曰汝家亦有近侍之人何不容朕耶喚武士推劉陶出斬之陶大呼曰臣死不足惜可憐漢天下四百餘年到此休矣推至宮門司徒陳耽喝住不得下手我入保奏天子

何進謀殺十常侍

陳耽逕入奏帝曰劉諫議何罪受死帝曰毀謗大臣冒突朕躬耽曰天下之民皆欲食十常侍之肉陛下敬之如父母且十常侍身無寸功皆封列侯而封諝結連黃巾欲為內亂陛下今若不自省社稷休矣帝曰封諝之事不明十常侍中豈無一二忠臣乎陳耽以頭觸階而諫帝大怒命與劉陶同下獄夜從獄中殺之趙忠差人以孫堅為長沙太守討區星不五十日平之捷奏封堅為烏程侯封劉虞為幽州牧就領兵出漁

何進

陽張[illegible]張純劉焉討西川賊寇皆降[illegible]閻[illegible]賊[illegible]代州
劉[illegible]以德於劉虞虞大喜令玄德與都尉毋丘儉[illegible]
戰連勝數陣張純兒暴專一鞭撻士卒帳前數人一齊心變刺殺
張純將頭投降張舉勢窮自縊而死漁陽盡平劉虞表奏劉備大
功朝廷赦其鞭督郵之罪除下密丞後遷高唐尉公孫瓚表陳玄
德前功封為別部司馬守平原縣令平原頗有錢糧軍馬玄德重
整舊日氣象朝廷封劉虞為太尉中平六年四月帝病篤欲立
子協為帝中常侍蹇碩[illegible]乃[illegible]奏曰若欲立協必先誅
何進以絕後患帝從之降詔宣大將軍何進入宮商議托以後事
祭[illegible]進[illegible]何進起身[illegible]宮為貴人生[illegible]
家宮[illegible]王美人生子協何后[illegible]立之[illegible]
進到宮門司馬潘隱謂進曰蹇碩欲謀殺公不可入宮進大驚急
歸私宅召諸大臣[illegible]欲盡誅宦官典軍校尉曹操曰宦官之勢起
於沖質之時[illegible]朝廷滋蔓極廣倘機不密必受其禍進叱曰汝
小輩安知朝廷大事忽潘隱至報曰帝已崩于[illegible]

十常侍商議祕喪不發欲宣司馬入朝以絕後患冊立太子協爲帝不多時使命至宣進速入以定後事進猶豫不決謂曹操曰何以教我操曰今日宜先正君位然後圖賊進曰誰敢與吾正君討賊司隸校尉袁紹出曰願假兵五千斬關入内冊立新君盡誅閹臣掃淸朝廷以安天下吾之願也【蔡攷】核袁紹字本初汝南汝陽人漢司徒袁安之孫袁逢之子四世三公門多將吏何進大喜遂點御林軍五千紹披挂入宮何進引何顒荀攸鄭泰等相繼而入就靈帝柩前扶太子辯即位百官山呼畢袁紹入捉蹇碩碩引軍出對敵紹提劍直取蹇碩碩走入御園花陰下轉過中常侍郭勝一刀砍於蹇碩劍頭而去餘軍皆降紹謂進曰中官結黨可盡誅之張讓等知之慌入告何太后曰始初設謀害大將軍者蹇碩也並不干臣等之事今大將軍信袁紹之言欲誅臣等望娘娘憐憫能痛哭何太后曰卿等勿憂我當保之傳旨宣何進入宮太后密曰我與你出身微賤非張讓等推薦焉得到此今蹇碩既已伏誅吾聞汝又欲盡誅宦官此事切不可行何進聽太后之言出與衆官曰蹇碩設謀害吾可滅其族餘者

山呼

何后設宴

何后勸董后

勿問袁紹曰斬草不除根後必有患進曰吾意已決汝等多言者
斬衆皆默然何太后命進錄尚書事餘皆封官爵董太后與張讓
商議曰何進之妹始是我擡舉他入宮今他孩兒即位內外臣僚
皆他心腹我將如何讓曰娘娘可臨朝聽政封太子協爲王加國
舅董重大官用臣等參預國事漸可圖何進矣次日董后設朝垂
簾聽政封協爲陳留王董重爲驃騎將軍張讓等共預朝政一月
之間朝廷大事並聽董后區處何后見董后專政於宮中設宴請
董后赴席酒至數巡何后捧盃勸董后曰我等婦人參預朝政非
其所宜昔日呂后因握重權宗族皆破誅戮今後我等宜深居九重
朝廷大事任大臣商議此國家之幸也願垂聽納董后怒曰汝荒
妒忌酖殺王美人今日汝子爲君倚兒何進之勢輒敢亂言吾
勑驃騎斷汝兄之頭如反掌耳何后亦怒曰吾以良言相勸何不
逆之甚耶張讓等各勸還宮何后詔何進入內告其事情進出宮
三公議允來日早設朝大臣共奏董后交通州郡輦致財利不合
留朝聽政合遷於河間安置又點三千禁軍圍驃騎府第追索

何苗解冤

張讓思投

驛驛印綬星重知事急自刎家人發哀發喪方散張讓等見何后已慌遂以金珠結賂進弟何苗并其母舞陽君令早晚以善言於何后前遮蔽因此張讓等又得近幸六月內何進遣人酖殺董后于河間驛庭舉柩回京葬于文陵進托病不出袁紹入見進曰張讓等流言言公酖殺董后欲謀大事乘此時不誅閹宦後必為禍昔日竇武欲誅內豎機謀不密反受其殃今主公部曲將吏皆英俊名士事在掌握此天授之時不可失也進曰且容商議左右密報張讓讓等去告何苗受賄賂多乃入奏何后曰大將軍輔佐新君不行仁慈專務殺伐今國家無事又欲謀十常侍此取亂之道也后納其言少頃進入見太后言欲誅宦侍太后曰中官統領禁省漢家故事先帝新棄天下汝欲誅殺舊臣非重宗廟也進內無決斷之言而出袁紹問曰大事若何進曰太后不容紹曰可召四方英雄之士勒其到京盡除閹豎此時不容太后不從進曰此計大妙乃得我違太后之意云濟陳琳曰不可俗云掩其目捕燕雀是自欺也今將軍總掌機要高下在心欲誅內臣

如鼓烘爐毛髮耳欲徵兵于外殺入臨闕各懷一心必生亂矣

何進曰此儒夫之見也曹操此事至易進問曰孟德有何高見

董卓議立陳留王

操曰宦者古今皆有但近代最盛若欲治罪當以元惡付獄吏足矣何必召外兵乎欲盡誅之事必敗矣進怒曰孟德亦懷私耶操退而自曰亂天下者必進也進竟降詔暗差人投各道去詔曰朕聞敗絕亂常不可無誅宦官因傷時貴能彌久切惟常侍張讓等濫叨寵榮恣生狂逆不思報本之恩復造滔天之惡意者一門榮貴心怨者九族誅夷今諸侯於四方挾天子於內闕上下切齒咸思殄滅朕素知卿等心懷忠義志義好勦速促熊虎之師就定蕭墻之禍詔書到日火速奉行宜体朕懷遵進知悉

先發四道詔書併召四路軍馬第一東郡太守喬瑁第二河內太守王匡第三武猛都尉并州刺史丁原第四路前將軍鰲鄉侯西涼州刺史董卓參考[illegible]

[illegible]卓得詔大喜統領大軍二十萬[illegible]

1299

董卓遣使

洛陽上表

便行令婿中郎將牛輔守住陝西，帶李傕、郭汜、張濟、樊稠四
提兵望洛陽而進。謀士李儒曰：今雖奉詔，中間必有暗昧，何不差
人上通表章，名正言順，大事可圖。董卓喜，令儒作表。表曰：
臣伏惟天下所以亂逆不正者，皆由黃門常侍張讓等侮慢天常，擅
操王命，父子兄弟佔據州郡，京畿腴田皆屬讓等，致使怨氣上
蒸，盜賊蜂起。臣前奉詔討賊於扶羅，將士饑乏，不肯渡河，皆言
欲詣京師，先誅閹豎以除民害。臣隨撫慰，以至新安。臣聞揚湯
止沸，不如去薪；潰癰雖痛，勝如養毒；臨溺呼船，悔之無及。臣輒
鳴鍾鼓以入洛陽，請除讓等，則社稷幸甚，天下幸甚矣。
何進將表示大臣。尚書鄭泰諫曰：董卓豺虎也，若引入京，必食人
矣。盧植亦諫曰：董卓面善心狠，常有不仁之心，若入禁庭，必生禍
亂。不如早遣之回，庶絕後患。進叱之曰：汝等皆無志之士，枉食君
祿。泰謂植曰：何公不聽吾言，禍在朝夕。皆棄官去。衙僚亦皆閑居，
朝中大臣去者大半。進使人接卓於澠池。張讓等知各路兵到，共
眾常侍議曰：此何進之謀也。我等不如先伏刀斧手於長樂宮門內

誘入殺之議遂入告何太后曰今大將軍矯詔欲滅臣等宗族望娘娘垂憐乞賜臣等歸田養老免死萬幸太后曰汝等可詣大將軍府下謝罪讓曰若到相府必無生矣望娘娘詔大將軍入宮解釋其事太后乃降詔宣進入宮議其進得詔便行主簿陳琳曰此詔必是十常侍之謀切不可去去必有禍進不聽袁紹曰形勢已露將軍尚欲入宮乎不早決事必變矣曹操曰先當詔出十常侍然後可入進笑曰吾掌天下兵權十常侍敢待何如紹曰主公堅執要去我等可引甲士輔助以防不測袁紹與操選精兵五百與其弟袁術領之袁術（袁術字公路紹之弟家長折衝校尉虎賁中郎將）術披精兵五百布列青瑣門外紹與操各帶百餘人送進至長樂宮前黃門傳懿旨云太后詔將軍入禁宮深處商議國事侍兵不得輒入袁紹曹操等都止在門外何進入至嘉德殿門張讓等迎而罵曰董后何罪妄加酖殺太后葬又托疾不出汝乃屠戶小輩我等薦之天子以致榮貴不思報本反欲謀害進默默無言欲尋出路見宮門盡閉讓令眾刀斧手將進砍為兩段史官詩曰 漢室垂危天數終

張讓宮中

謀殺何進

與謀何進作三公。這番不聽忠臣諫，難免宮中受劍鋒。
議等乃令樊陵代進職位。袁紹久不見進出，大呼曰：請將軍回府。
內侍將何進頭擲出牆外，曰：何進謀反，已伏誅矣。其餘並皆赦下。
紹厲聲曰：閹官謀殺大臣，誅傷正義，誅惡黨者來助戰。進部將吳
匡聞言，領門衣紹等斬關而入。樊陵、許相出，紹呼曰：不得無禮。紹
立斬二人。趙忠、程曠、夏惲、郭勝走上翠華樓，紹就樓下放火，四人
跳下，紹就樓前剁做肉泥。宮中火焰，張讓、段珪、曹節、侯覽與太后
太子及陳留王從複道走。時盧植為官本去，亦持戈立於閣下，見
段珪擁逼何后，植呼曰：段珪逆賊，敢劫太后！即珪回身便走，植方
救太后。吳匡殺入，前出，大呼曰：何苗同謀殺兄，願斬殺兄之賊。
苗被匡砍為粉碎。紹令軍士將閹官無分大小盡皆殺之。曹操差
人救滅宮中火。張讓、段珪擁逼少帝及陳留王望北邙山而走。袁
紹請何太后權攝大事，分兵追尋少帝。張讓、段珪與帝奔走北邙。
天已昏黑，約至二更，喊聲大舉，後面河南中部掾閔貢大叫：張讓休走。
段珪慌忙而逃，張讓投河而死。帝與陳留王伏於河邊，相抱而哭。

崔

崔毅見帝

伏于山崗

此是中平六年八月二十四日時陳留王曰宜尋諸路不可戀此帝曰路暗奈何無光流螢成群光芒照耀陳留王曰此天救吾兄弟也二人以衣相結一步一跌隨螢火而行史官有詩歎曰　亂兵如蝟走王師　往樓傾危孰爲持　夜逐螢光尋道路　漢家天子步歸特　二帝走至五更行過山岡見一庄所有草堆二帝臥于堆邊庄主見而問曰二少後是誰陳留王應曰吾兄大漢皇帝遭十常侍之亂逃難到此庄主大驚拜曰臣乃先朝司徒崔烈之弟崔毅也因見十常侍弄權遂隱耕於此毅扶二帝入庄進食相待卻說閔貢拿住段珪問天子何在珪言于半路失散不知何處貢遂殺段珪懸頭于馬項下來尋天子到崔毅庄毅見首級問之貢備言其事崔毅引貢見帝君臣痛哭貢曰國不可一日無君請陛下還都崔毅備馬與帝騎貢與王共乘一馬離庄數里司徒王允太尉楊彪左軍校尉淳于瓊右軍校尉趙萌後軍校尉鮑信中軍校尉袁紹數百人馬接着車駕君臣皆哭先使人將段珪頭往京號令[illegible]帝未出奔路中有小兒謠言曰侯非侯王非王千乘萬騎走北邙至此始驗行不到數里忽見旌旗蔽

董卓迎接

三帝回京

曰一陣人馬來到百官失色袁紹出馬曰來者何人説攔聖駕董卓慌答曰天子何在帝戰慄不能言陳留王向前叱曰你乃何人卓曰西涼州刺史董卓主曰你來劫駕耶或來保駕耶卓曰特來保駕王曰既來保駕天子在此何不下馬卓大驚下馬拜於道左陳留王以言撫慰之卓暗暗稱奇帝還宮見太后俱各痛哭失却傳國寶璽董卓每日帶鐵甲數千人入城橫行街市百姓惶惶不安喬瑁王匡知何進已死各引兵回董卓出入宮庭略無忌憚鮑信謂袁紹曰董卓縱橫朝廷必有異志紹曰朝廷新定未可輕動刀兵鮑信見言不從分付部兵回泰山去董卓招何進之兵盡歸部下召李儒曰吾欲廢帝立陳留王何如儒曰不就此時行事遲則有變次來日於溫明園中大會百官有不從者斬之則昔指鹿之謀宜在今日矣卓大喜便令排筵於溫明園請百官飲宴次日卓飛騎遍請公卿懼卓皆到酒至數巡卓舉盃曰今有大事衆官聽察衆皆側耳而聽卓曰今天子懦弱不可以奉宗廟先帝有密詔曰劉辯浮盪不可爲君劉協聰明可承大漢宗廟吾欲廢帝仍

李儒勸卓

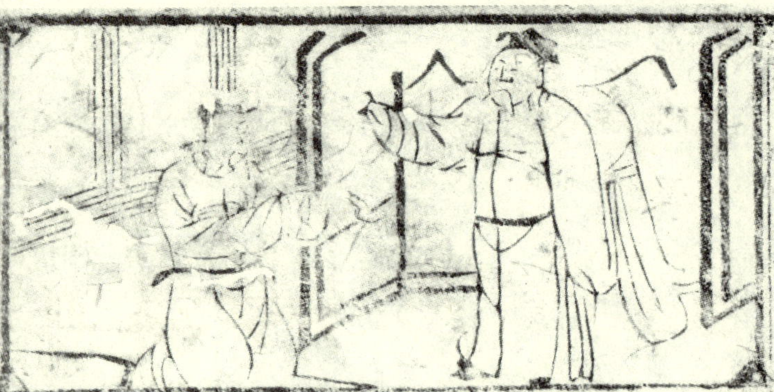

[illegible]殺丁原

[illegible]廢王立陳留王為天子你等大臣以為何如眾官默然并州刺史丁原[illegible]出曰不可你乃何等之人敢發此語天子乃先帝嫡子又無過惡安敢言廢吾知汝懷逆謀久矣吾豈能容耶

呂布刺殺丁建陽

卓大怒叱之曰朝廷大臣尚不敢言汝何等之人敢出多言拔劍欲斬之李儒[illegible]見呂布手執畫戟立于丁原之後急向前曰今日飲宴不可以談國政來日向都堂公議未遲眾官勸丁原上馬而去[illegible]丁原目視董卓而出（呂布字奉先五原郡九原人也自幼[illegible]身長一丈腰大十圍弓馬熟閑眉目清秀）卓與百官曰吾所見公道否盧植曰子之所見差矣昔太甲不明伊尹放之於桐宮昌邑王登基二十七日造罪三千餘條霍光告太廟而廢之今皇上年紀雖幼聰明仁智並無過失汝乃外州刺史並不曾參與國政又無伊尹之志寧非欲篡耶卓拔劍欲殺植侍中蔡邕（蔡邕字伯喈陳留人也[illegible]江州十二年[illegible]李儒薦其才於卓卓曰伯喈非常人也[illegible]用之大事可就卓使人[illegible]徵邕邕托疾不赴卓怒曰我能族人[illegible]為祭酒[illegible]相敬重三日[illegible]為侍中）議郎彭伯諫曰盧尚書海內人[illegible]

呂布出戰

董卓大敗

儒今先害之天下危矣卓乃止盧植長歎而去隱於上谷司徒王允曰廢立大事酒後不可商議別日再聽約束於是百官皆散卓按劍立於園門意欲傷百官忽一人躍馬從來卓問曰此乃何人儒曰此丁原義兒呂布極是勇猛卓潛退入園百官因此得還次日丁原引兵擬戰卓亦引兵出敵見呂布頂束髮金冠披百花戰袍擐唐猊鎧甲繫獅蠻寶帶縱騎一疋衝陣徬馬持方天畫戟往來馳驟貌若天神卓心中驚駭丁原縱馬直出指卓罵曰此時不幸閹官弄權萬民塗炭爾乃外郡刺史於國無半節之功焉敢亂言廢立卓默然呂布挺戟殺來丁原麾兵一掩卓大敗而回卓聚衆議曰呂布非常人也吾若得之何慮天下哉中郎將李肅出曰主公勿憂吾與呂布同鄉足知其人勇而無謀見利忘義某往說之來降卓大喜曰汝說呂布以何而進肅曰聞主公有赤兔馬一疋得將此馬并金珠以結其心布必反丁原來投主公也卓問李儒儒曰主公欲取天下何惜一馬卓欣然與之更與金千兩珠千顆玉帶一條李肅騎馬投布寨來伏路軍圍住肅曰可報將軍道故

李肅獻赤

兎馬與布

人相訪軍士入報布令喚入肅見布曰賢弟別來無恙布曰足下何人也肅曰某乃故人李肅也布致敬曰久不相見今居何職肅曰見任虎賁中郎將聞賢弟忠勇敬贈名馬一疋名曰赤兎日行千里渡水登山如履平地布叫牽來看見那馬身似火炭般赤無半根雜毛頭至尾長一丈蹄至項高八尺嘶喊咆哮有騰空入海之狀布見了大喜史官有詩贊馬云 奔騰千里蕩塵埃 渡水登山紫霧開 掣斷絲韁搖玉轡 火龍飛下九天來

布謝曰兄與此龍駒將何報之肅曰某為義氣而來豈望報乎布置酒相待酒酣肅曰某與賢弟少得相見令尊多得會來此處亦不可說布曰兄醉矣布之先人棄世多年安得與兄多會肅大笑曰某說今之丁刺史耳布慚恐曰在丁建陽處亦出無奈肅曰賢弟有擎天架海之才取功名如探囊取物何言無奈布曰布欲大恐其能恨不逢明主肅曰良禽相木而棲賢臣擇主而佐書春不再悔之晚矣布曰兄在朝知何人英雄肅曰某遍觀大臣皆不如董卓禮賢敬士賞罰分明終成大事布曰布欲從之恨無門路肅

呂布提刀

刺殺丁原

股金珠玉帶列于布前布驚曰兄何得此物肅令叱退左右告布曰此是董刺史久慕賢弟之德特令某賫此禮物赤兎馬亦董公所賜也布曰董刺史如此相愛某將何禮報之肅曰如某之才尚爲虎賁中郎將弟若到彼貴不可言布曰恨無功可進報之肅曰功勞在翻手之間弟自不爲耳布良久曰容吾殺丁原引軍歸董刺史若何肅曰但恐賢弟不肯耳布提刀入中軍丁原秉燭觀書見布提刀至原曰吾兒來有何事故布曰吾乃世之大丈夫安能爲汝之子乎丁原曰奉先何故心變布一刀斫下丁原首級大呼曰丁原不仁吾已殺之從者從不從者去軍中散去大半布提首級見肅肅急報卓卓出迎呂布布獻丁原首級卓携手大悅卓先下拜曰卓得將軍如枯苗得甘雨也布納卓坐拜曰公今棄願拜爲義以父待之卓大喜以金甲錦袍賜布歡飲而散董卓又得呂布軍馬其勢越大自領前將軍事封弟董旻爲左將軍鄠侯封呂布爲騎都尉中郎將都亭侯李儒勸卓早定廢立之計卓於省中設宴會集公卿令呂布將甲士千餘侍衛左右是日太傅袁

董卓議宴

挾衆大臣

隗與百官皆到酒及數巡卓按劍曰天地爲大君臣次之所以爲治今皇帝闇弱難奉宗廟吾依伊尹霍光故事廢帝爲弘農王立陳留王爲君你諸大臣意下何如群臣莫敢對袁紹應聲出曰昔大甲不明伊尹放之昌邑有罪霍光廢之今上富於春秋未有不善汝欲廢嫡立庶將欲反耶卓叱之曰豎子天下事在我我今爲之誰敢不從將謂我之劍不利也紹亦拔劍曰汝劍雖利吾劍獨不利乎兩個在筵上敵對未知性命何如

廢漢君董卓弄權

卓欲殺紹李儒止之曰事未可定不可妄殺袁紹提劍長揖百官而出懸節東門奔冀州去了卓謂袁隗曰汝姪無禮吾看汝面不欲殺之廢立之事汝意若何隗曰大尉所見是也卓曰敢阻大議者軍從法衆官皆云一聽尊命卓問侍中周毖校尉伍瓊議則何顒問曰袁紹此去若何周毖曰紹懼禍出奔非有他志今購之急勢必有變袁氏樹恩四世門生故吏遍天下若收豪傑英雄並起山東非公有也不如拜爲郡守則紹喜釋而罪必無患矣禁

邕曰居侍中周者是也卓大喜即日差人拜紹為渤海太守
史官論曰袁紹志大智小好謀無決色厲膽薄不能就朝堂誅
董卓反長揖而去得一郡守而喜之是也
董卓權重眾臣皆懼于九月朔請帝陞嘉德殿大會文武不到者
斬是日各官皆到卓掣劍在手曰少帝闇弱全無威儀不可以掌
天下奉宗廟社稷今有廢立策文可當殿宣讀即命李儒讀策曰
孝靈皇帝不究高宗眉壽之祚早棄天下嗣子皇帝承紹大統
海內仰望而帝天資輕佻威儀不恪居喪慢惰忘哀如故
凶德彰露淫穢發聞損辱神器忝辱宗廟皇太后教無毋儀統
政荒亂永樂太后暴崩眾論惑焉三綱之道天地之紀而乃有
闕罪之大者陳留王協聖德偉茂規矩儼然有堯圖之表居喪
哀戚言不及邪有成周之懿休徽美譽天下共聞宜承洪業以
孝宗廟廢皇帝為弘農王太后還政應天順人以慰生靈之望
李儒讀罷卓叱左右扶少帝下殿解其璽綬北面稱臣少帝號哭
百官悽然而呼太后去服候勅[illegible]羣臣含悲尚書丁管大

少帝見飛燕吟詩句

……曰賊臣董卓敢為欺天之計廢賢明之主不若與之同盡死押手中象簡直擊董卓卓大怒喝武士牽出斬之肯至死罵不絕口御史不變靜軒先生有詩贊曰

董賊潛懷廢立圖　漢家宗社委丘墟
滿朝臣宰皆囊括　惟有丁君是丈夫

卓請陳留王登殿群臣呼萬歲畢卓令扶何后弘農王於永安宮閒住唐貴妃及宮女二人月給食粮諸臣下敢輙入者夷三族

茲（按少帝四月即位至九月被董卓所廢所立陳留王協即獻帝也年九歲即位）董卓自為相國贊拜不名入朝不趨劍履上殿封董旻為太尉楊彪為司徒荀爽為司空韓馥為冀州牧張邈為陳留太守張咨為南陽太守是歲庚午改為初平元年何后與少帝唐貴妃囚於永安宮日夜憂歎衣服飲食皆闕少帝淚下不曾乾偶見飛燕入庭中帝吟詩一首云

嫩草綠凝煙　裊裊雙飛燕
洛水一條青　陌上人稱羡
遠望碧雲深　是吾舊宮殿
何人仗忠義　洩我懷中怨

卓常使宮女探其動靜見曰得此詩來呈於卓卓曰觀辨怨望故作此詩殺之有名矣乃令李儒帶武士來殺少帝時太后與帝在樓

李儒奉鴆

酒毒帝后

上嘆宮女報李儒至帝大驚儒執鴆酒與帝曰春日融和董太
尉特上壽酒帝曰何相逼也儒曰壽酒勿疑太后曰既云壽酒汝
先上汝爲儒怒曰汝不欲飲耶呼武士持短刀白練於前曰汝不
飲酒可飲此二般唐妃跪告儒曰妾代帝飲酒相公憐其母子儒
叱曰量汝何等可代王死儒舉盃與太后曰汝可先飲后搥胸大
罵何進無能之賊孩引董卓入京致有今日之禍儒催逼帝至急
帝曰容吾與母相別大慟而作歌曰　天道易兮我何安
棄萬乘兮退守藩　爲臣逼兮命不久　勢將去兮空淚潸
唐妃抱帝大哭而作歌曰　皇天將崩兮后土頹
身爲帝姬兮命不隨　生死異路兮從此畢　奈何煢速兮心中哀
三人大哭李儒叱曰太尉立等回報汝等俄延望誰救耶太后大
罵董卓逆賊逼我母子天必誅之汝等助其爲虐亦當族滅李儒
大怒直扯太后下樓帝揪李儒衣服唐妃向前攬做一團儒喝武
士絞死唐妃鴆酒灌殺少帝史官詩曰　太后飛身下玉樓
唐妃系練繋咽喉　君王被[illegible]　漢室江山自此休

[illegible]宮女命拖出城外埋之又卓後入宮姦淫宮女夜宿龍
牀禁庭公主盡皆淫之常引一校軍出城外到陽城時當二月村
民賽社男女聚集卓引軍圍住將男子盡殺之擄其婦女財物萬
件裝載在車上懸頭千餘顆于車下連軫還都先使人報董太尉
殺賊大勝而回於城門外焚燒其頭以婦女財物盡散與宿衛軍
越騎校尉伍孚字德瑜見董卓殘暴太甚群臣畏懼孚乃于
朝服內披小鎧藏短刀候董卓入朝孚迎到閣下掣出短刀直刺
董卓卓力大兩手擒住呂布便入擒倒伍孚卓問曰誰教汝反孚
睜目大罵曰汝非吾君吾非汝臣何反之有汝亂國篡位罪惡盈天
今吾已死恨不能車裂汝屍於市以謝天下董卓大怒命呂布將
出剮之孚至死罵不絕口史官詩曰　漢末忠臣說伍孚
沖天豪氣世間無　朝堂殺賊名猶在　萬古堪稱大丈夫
董卓自此出入常帶劍披甲武夫前後圍繞卻說袁紹在渤海知
董卓弄權乃差人齎密書來呈王允其書曰
卓賊欺天廢主人不忍言入亂宮神亦不祐又恣其殘暴

王允宴享

臣議誅卓

知不聽閒此豈效職報國之臣哉細令集兵纔馬欲圖掃清帝室不敢王舉公相食祿在朝當秉問圖之如有驅使即當奉命咨乎不辭言訖宣嘆嗟

王允尋思無計一日於侍班閣內見先朝舊臣皆在王允請曰今日是老夫賤降晚間煩列公到舍小酌眾官皆曰必來添壽允當晚就後堂設宴燈燭熒煌公卿皆到允細視皆漢朝舊臣心中暗喜酒至半酣王允舉盃大哭眾官曰司徒貴降何故發悲允曰今日非老夫賤降要與列公聚會恐賊生疑故推賤降吾哭者哭漢天下也吾想高帝提三尺劍斬白蛇起義兵子孫傳四百餘年不想喪於董卓之手吾等皆死無益於國眾官皆掩面而哭東騎校尉曹操撫掌笑曰滿朝大臣夜哭到明明哭到夜還能哭死董卓否允大怒責之曰汝祖宗食漢祿四百年不思報本反欲從賊汝去告卓吾雖死亦漢家鬼操曰非大別事笑諸大臣無一計殺卓操雖不才略施小計可殺董賊頭懸之都門以謝天下王允聽罷乃離席問曰有何高見扶持漢室敢請道來

曹操刺卓

許吉獻劍

曹操設謀殺董卓

[illegible]操曰近日進身事卓者實有意圖之今卓疑操有謀必共商議往聞司徒有七寶刀一口願借操入相府刺殺之雖萬死無恨王允曰孟德果有是心漢天下幸甚操設誓於允前允取七寶刀與操[illegible]百官皆散操次日帶刀逕至相府問丞相出來人指云丞相在書院內操入見卓坐於牀上呂布侍立于側卓曰孟德來何遲操曰馬瘦行遲卓謂布曰昨西涼進到良馬吾兒去選一疋來賜與孟德操思曰董卓合休意欲拔刀刺卓有力不敢下手卓胖大不奈久坐遂倒身而臥轉身背向操又思曰此賊當休矣急掣寶刀在手卓仰面看衣鏡中照見操拔刀急回身曰孟德何爲時布已牽馬至閣外操刀已出鞘就便執刀跪下曰操有寶刀一口獻上恩相卓接視之果寶刀也遂與呂布收了操急解鞘與之卓引操看馬操拜謝曰願試一騎卓交與鞍轡操牽馬出府加鞭望東南而去布謂卓曰恰纔曹操有刺父之狀急忙破妝推獻刀卓曰吾亦疑之忽李儒至卓以其事告知儒曰操無

1315

老小必有干處可差人令密知操便來則是獻刀若推托不來便是行刺卽可擒而問之卓差獄卒四五人徑與李肅回覆爲曹操不曾到干處拾繫騎馬奔出東門門吏問之操云丞相差他有緊急公事縱馬而去李儒曰操賊心虛逃竄而去卓大怒曰吾知此重用汝反欲害吾今便行文書圖形畫影無分星夜捉拿此賊拿住者千金賞爵封侯李儒曰必有同謀者拿住曹操便知曹操直奔譙郡路經中牟縣過把關者見之曰此必是曹操也攔住問曰汝何姓那裏來操曰我覆姓皇甫從泗州來把關者曰朝廷捕捉曹操你的服色模樣正與對同衆人拏了馬尼擁操至縣提見縣令操賴曰我是客人縣令曰我在洛陽求名認得汝汝如何隱賴且把監下來日起解萬戶侯我做千金分與衆人把關人與了酉閣皆散當喚縣令取出曹操于後院問之曰我聞董卓待汝甚厚何故自取其禍操曰燕雀安知鴻鵠志哉既拿住便當解去請賞何必多問縣令曰你休小覷我我有冲天之志奈何不遇其主耳操曰吾乃漢相國曹參之後祖宗[illegible]百年不思報本與賊獸

曹操陳宮

謁呂伯奢

何異吾屈身事董賊者實欲為國家除害耳今事不成乃天意也縣令曰孟德此行將欲何往操曰吾歸鄉里發矯詔召天下諸侯共興兵誅董卓吾之願也縣令聞之親釋其縛扶之上坐再拜曰公乃忠義之士也吾願棄官相從操問其姓名縣令曰吾姓陳名宮字公臺老母妻子皆在東郡與公更衣易服共謀大事是夜宮與操各乘馬背劍出城三日至成皐天色已將晚操以鞭指村深處言曰此間有吾父結義兄弟呂伯奢在此可往覓宿并問家信若何宮曰最好二人到庄入拜伯奢伯奢曰我聞朝廷移文拿你甚緊汝父避於陳留去了汝如何到此操備說陳宮救護事細說一番伯奢拜謝陳宮曰小姪不得使君曹氏滅門矣言罷謂操曰賢姪相陪使君寬懷安坐家無好酒容往西村沽一樽以待使君言訖上驢去了操坐久聞庄後磨刀之聲操與宮曰伯奢非吾至親此去可疑當竊聽之二人潛步入草堂後但聞人語曰縛而殺之操曰不先下手必遭擒矣與宮拔劍直入殺死男女八口搜至廚下見縛一猪欲殺之靜軒有詩斷曰

夜逢宮識故人容

曹操拔劍　殺呂伯奢

疋馬東還尋舊踪，一念誤將良善殺。方知曹操是奸雄。

陳宮曰：孟德誤殺好人。操曰：可急上馬。二人行不數里，見呂伯奢驢鞍前懸酒二壺，手抱木瓜而來。伯奢問曰：賢姪何故便去？操曰：被獲之人不可久住。伯奢曰：吾已分付宰一猪在家相待，使君何爭此一宿？操不答，策馬便行。不到數步，操拔劍復回，大叫曰：叔叔來者何人？伯奢回頭看時，操揮伯奢於驢下。陳宮曰：適纔誤耳，今何故也？操曰：伯奢到家見殺其妻子，安肯罷耳？吾等必遭禍矣。宮曰：知而故殺，大不義也。操曰：寧使我負天下人，休教天下人負我。陳宮嘿然。（宮後想曹操不能流芳百世，亦當遺臭萬年。何言語教萬代人唾罵為曹操。）（只此兩句言語教萬代人唾罵。）宮夜二人月下行數里，敲門覓宿，操先睡了。陳宮尋思曰：我以曹操為好人，棄官跟他，不想是個狠心狗幸之徒，若留之必為國患。拔劍欲殺曹操。

曹操起兵殺董卓

陳宮臨欲下手，復思曰：我為國家報本，跟他到此，殺之不義，不若棄之。宮插劍入鞘，連夜投東郡[illegible]。操覺來不見陳宮，尋思此人

曹操招兵　天下英雄

我說這兩句言語寧我不仁棄[illegible]而去當急奔不可久留操連夜到陳留尋見父親說上件事欲散家資招募義兵父言資少恐不成事此間有衛弘疏財仗義其家巨富若得相助事可圖矣操置酒拜衛弘到家告曰今漢家無主董卓專權欺君害民天下切齒操欲匡扶社稷恨力不足聞公乃忠義大丈夫故來告之衛弘曰吾有此心久矣恨無勁力之人既孟德有志願將家資相助操大喜於是先發矯詔馳報各道然後招集義兵豎立白旗一面上書忠義二字是日應募之士如雨駢集有一人從衆中出曰某願從明公討董卓操問之其人曰某陽平衛國人也姓樂名進字文謙操大喜遂留於帳下是時夏侯惇夏侯淵各引壯士三千亦來投操[illegible]聞操起兵[illegible]弟曹仁并曹洪引兵千餘來助[illegible]操[illegible]中調練軍馬一人於操前大呼曰願從將軍以誅國賊操問之其人曰某姓李名典字曼成山陽鉅野人也操大喜留在帳前衛[illegible]

操作檄文

布告各路

登辦衣甲器械，本乃送糧米者不可勝計。操招白衆五千屯於

伊吾，衛表衍得操謀，乃聚謀士田豐、沮授、許攸、審配、郭圖，武將顏

良、文丑等引兵三萬，離渤海來與操會。問操作檄文送諸郡。檄曰：

操等謹以檄文布告天下：董賊欺天罔地，篡國弒君，穢亂禁宮，

殘害生靈，狼戾不仁，罪惡充積。今操奉天子密旨，大集義兵，誓欲

掃清華夏，勦戮群兇。望興仁義之師，來赴忠烈之會，扶持王室，

拯救黎民。檄文到日，速可奉行。

曹操檄文去後，各鎮諸侯皆起兵。

第一鎮 交嘯豪傑結納英雄後將軍南陽太守袁術字公路

第二鎮 濶論高談知今博古豫州刺史孔伷字公緒

第三鎮 貫通諸子博覽九經冀州刺史韓馥字文節

第四鎮 孝弟仁慈屈已待士兗州刺史劉岱字公山

第五鎮 疎財仗義揮金似土河內郡守王匡字公節

第六鎮 賑窮救急忠大心高陳留太守張邈字孟卓

第七鎮 惠及諸人聰明好學東郡太守喬瑁字克需

第八鎮忠直元亮務雅文華山陽太守袁遺字伯業
第九鎮有智多謀能武能文濟北相鮑信字允誠
第十鎮聖門宗派好客禮賢北海太守孔融字文舉
第十一鎮英武疏狂威儀出衆廣陵太守張超字孟高
第十二鎮仁義君子德性溫良徐州刺史陶謙字恭祖
第十三鎮威風凜凜名聞四海西涼太守馬騰字壽成
第十四鎮豪傑英雄威鎮北平太守公孫瓚字伯珪
第十五鎮慷慨剛勇忠孝上黨太守張楊字稚叔
第十六鎮英雄蓋世剛勇絕倫烏程侯長沙太守孫堅字文臺
第十七鎮四世三公門多故吏祁鄉侯渤海太守袁紹字本初
諸侯軍馬多少不等，各領文官武將，投洛陽來。却說北平太守公孫瓚統領精兵一萬五千人，起發路從平原縣經過，正行之間，遙望見桑林中有數騎來迎，瓚視之，乃玄德也。瓚問曰：賢弟何故在此？玄德曰：舊日蒙兄保備為平原縣令，何故失忘？瓚見關張乃問曰：此二位與兄同破黃巾者乎？玄德曰：然也。瓚曰：有何職祿

衆人推袁

紹爲盟主

玄德教關羽爲首張飛爲先弓手萬人作亂天下諸侯共往誅之賢弟可棄微官一同討賊力扶漢室若何玄德曰願往張飛曰當時若容我殺了此賊免有今日之事關羽曰事已至此收拾便行玄德關張引十騎直回公孫瓚來且說那一路諸侯先到乃富春人官拜長沙太守孫堅也其人身長八尺英須雙全橫跨三江威伏六郡後人有詩贊曰

誰道江南小將才　明星夜夜照金臺
欲誅董卓安天下　爲首長沙太守來

曹操接著孫堅相見罷衆諸侯陸續皆到各自安營連接二百餘里操乃宰牛殺馬大會諸侯商議進兵之策太守王匡曰今承大義必立盟主衆聽約束然後進兵衆相推讓操曰袁本初四世三公門多將吏可爲盟主紹再三推讓衆皆曰非本初不可爲也紹方應允次日築壇三層遍插五方旗幟上建白旄黄鉞兵符將印請紹登壇紹整衣佩劍慨然而上焚香再拜曰漢室不幸皇綱失統賊臣亂流動如綱常廢絕社稷傾危今紹糾合共興大義來赴國難凡在同盟齊心戮力以盡臣節必無二志有違此盟天人共誅漢祖有

華雄願代

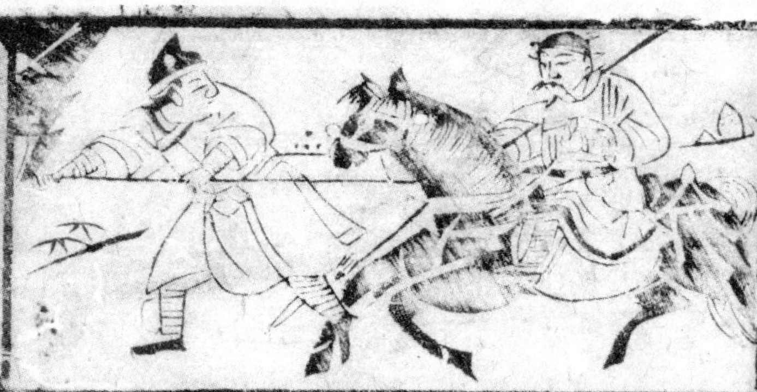

呂布出兵

靈同照臨聽誓畢眾皆歃血為[illegible]生踴躍切齒甚思誅戮卓賊盟罷下壇眾皆扶紹升帳合施禮罷分齒列爵而坐操謂曰今日既立盟主各聽調遣同扶天下勿以強弱計較紹曰吾無[illegible]眾之心汝等推戴我為盟主有功必賞有罪必罰國有常刑各宜遵守眾皆曰惟命是聽紹曰吾弟袁術總督糧草應付諸營勿使有缺不知那位肯為前部先鋒直抵汜水關與賊相持餘皆各處險要以相策應孫堅挺身出曰堅雖不才願為前部紹曰文臺勇烈可稱此職遂即奉命作督隊點本部人馬遷發殺奔汜水關把關將緊守關隘着人往洛陽相府告急董卓自專大權之後每日飲宴更深方散李儒接得告急文書逕來見卓卓大驚召眾將商議卓曰今袁紹曹操聚各路軍馬直抵關下眾將有何妙策呂布進曰父親勿慮兒觀關外諸侯如芥耳兒親出陣盡斬其首懸於都門卓大喜曰吾有奉先吾何憂哉言未絕布背後一人高聲曰割雞焉用牛刀不勞溫侯虎威吾觀斬眾諸侯之首如探囊取物耳卓視其人身長九尺虎體狼腰豹頭猿臂關西

人也姚華名雄卓大喜加爲驍騎校尉撥馬步軍五萬同李肅[illegible]道不迭夜飛奔汜水關來。卻說衆諸侯內有濟北相鮑信尋思孫堅爲前部若幹大功都不顯我等，暗撥其弟鮑忠先將馬步軍三千逕由小路直到關下搦戰。華雄引驍騎五百飛下關來大喝賊將休走。鮑忠急待退避，華雄手起刀落斬鮑忠於馬下，生擒將校極多。華雄上關，將鮑忠首級來相府報功。董卓重賞加爲都督。公其後孫堅迎敵。孫堅領四將直至關前搦戰所領四將第一員程普字德謀右北平土垠人也使一條鐵脊蛇矛第二員黃蓋字公覆零陵人也使鐵鞭第三員韓當字義公遼西令支人也使一口大刀第四員祖茂字大榮吳郡富春人也使雙刀孫堅披銀鎧裹赤幘頭錦抹額之類手橫古錠刀騎花驄馬指關上而罵曰：助惡匹夫何不早降。華雄副將胡軫曰：[illegible]下關必斬孫堅。雄從之，引兵三千出關迎敵。堅見胡軫出馬，欲出戰，程普飛馬提矛直取胡軫，鬬不數合，程普刺中胡軫咽喉，死於馬下。直殺上關，三上炮石如雨，孫堅引兵回至梁東屯住。堅使人於袁紹處報捷，就於袁術處催糧。時有人對袁術曰：孫堅乃江東之猛虎，若打破洛陽，殺董卓，正是除狼得虎也。今不可與糧，彼軍

華雄縱馬

追趕孫堅

必收術聽之不發糧草細作報入關孫堅軍缺食李肅與華雄商議曰我引一軍下關從小路襲孫堅寨後汝引兵半夜到堅寨首尾夾攻堅必成擒矣雄依教軍中飽食至更披掛下關見夜月白風清夜到堅寨時已是半夜鼓譟直進堅荒忙披掛上馬正遇華雄兩人鬥不數合寨後李肅軍到大敗放火孫堅軍人無食四散亂竄堅撥回馬走從者皆各不相顧止有祖茂與數十騎跟定突圍而走背後華雄趕來孫堅勒回馬又戰十餘合堅詐敗雄趕來堅連放兩箭皆被華雄躲過再放第三箭用力太猛拗折弓縱馬奔林而走祖茂曰主公頭上赤幘射目賊望之必不可脫下與某戴之堅就馬上摘盔分兩路而走華雄見赤幘者投東去了引軍從東追趕孫堅走小路得脫祖茂被華雄趕急追趕得緊將赤幘掛於人家火燒柱上卻入林後雄軍月下見赤幘四面用箭射之方知是柱逕向前取赤幘華雄縱馬追尋祖茂二於林後手揮雙刀欲劈華雄雄大喝一聲砍祖茂於馬下雄收兵上關程普黃蓋韓當尋見孫堅再收軍馬屯劄[illegible]折了

公孫瓚稱

玄德功勞

鄉人祖茂傷感不已却說袁紹升帳流星馬報說孫堅大折一陣紹大驚曰不想文臺敗於華雄之手請衆諸侯商議都至會集紹曰前日鮑將軍之弟不遵調遣擅自進兵以致殺身折將今日文臺又敗吾等極挫動銳氣衆諸侯嘿然紹舉目遍觀見公孫瓚背後三人容貌異常都冷笑紹問曰公孫太守背後何人也瓚指玄德曰此乃自幼同舍兄弟平原縣令劉備是也曹操曰莫非破黃巾劉玄德乎瓚曰然也瓚令玄德拜見玄紹遂將玄德功細說一遍紹曰既是漢室宗派取坐衛來令堦下坐備曰小縣令安敢有坐位紹曰吾非敬汝爵祿敬汝帝室之冑於國多功且玄德拜謝坐於階下正商議間人報華雄用長竿挑孫太守赤幘直來寨前大罵搦戰紹曰誰敢去戰此賊袁術驍將俞涉曰小將願往紹喜便交俞涉出馬不多時報來俞涉與華雄戰不三合被華雄斬了衆諸侯大驚太守韓馥曰吾上將潘鳳可斬華雄紹急令與至潘鳳飛奔而出手提大斧上馬去不多時飛馬來報潘鳳又被華雄斬之衆諸侯皆失色袁紹歎曰可惜吾上將顏良文丑俱未到

但得一人在此，豈放華雄施威！言訖，衆諸侯許多將士，豈無一人可敵華雄耶？衆官嘿然。忽階下一人厲聲曰：小將願往斬華雄之頭，獻於帳下。衆視之，其人身長九尺三寸，髯長一尺八寸，丹鳳眼，卧蠶眉，面如紅棗，聲似銅鐘，立於帳下。紹問何人。公孫瓚曰：此玄德之弟關羽也。紹曰：現居何職？瓚曰：跟隨玄德，充馬弓手。袁術大喝曰：汝欺吾衆諸侯無大將耶！量一弓手，安敢亂言！與我亂棒打出。曹操急止之曰：公路息怒。此人既出大言，必有大用，試教出馬。如其不勝，罰亦未遲。術曰：不然，使一弓手出戰，必被華雄恥笑。操曰：據此人一表非俗，華雄安知他是弓手？關羽曰：如不勝，請斬某頭。操教釃熱酒一盃與關羽飲了上馬。關羽曰：酌下，去便來。出帳提刀，飛身上馬。衆諸侯聽得寨外鼓聲大振，如天摧山崩，衆皆失驚，却欲使人探聽，鸞鈴響處，馬到中軍，雲長手提華雄之頭，擲於地下，其酒尚溫。史官有詩贊曰：

威鎮乾坤第一功，
轅門畫鼓響鼕鼕。
雲長停盞施威武，
酒尚溫時斬華雄。

衆諸侯皆大喜。玄德背後轉出張飛，大叫曰：俺哥哥殺了華雄，不

董卓令誅

袁隗家小

就這時殺入關去活捉董卓更待何時紹亦欲出援關畢竟何如

虎牢關三戰呂布

張飛便要上馬袁術大怒喝曰俺是朝廷大臣尚自謙遜量一縣令手下小卒敢在此耀武揚威都與我趕出帳去曹操曰得功者賞何分貴賤袁術曰既然汝等用一縣令我廻避便了操曰皆以一言而誤大事耶命公孫瓚且帶玄德關張回寨衆官皆散操暗使人賫牛酒來慰三人却說華雄敗軍報上關來李肅忙寫文字申聞董卓卓聚呂布李儒商議儒曰今折了華雄賊勢浩大皆是袁紹爲盟主紹叔袁隗見爲太傅倘或裏應外合深爲不便可先除袁隗然後分領大軍禦備卓然其說喚李傕郭汜領兵五百圍住袁隗家不問老小盡皆誅絕將袁隗首級去關外號令董卓遂起大軍二十萬分兩路而來先令李傕郭汜領兵五萬把汜水關不要厮殺卓自將十五萬同李儒呂布樊稠張濟收虎牢關[illegible]卓到關上令呂布領兵三萬去關前扎住大寨卓自在關上屯住得報入袁紹大寨張給

呂布刺方悅于馬下

聚衆商議操曰董賊屯兵虎牢關衆諸侯中路分與形勢可斷兵一半迎敵繇力分王匡喬瑁鮑信袁遺孔融張揚陶謙公孫瓚八路軍馬徃虎牢關迎敵操引一軍往來救應使八路諸侯知會各自起軍河內太守王匡引兵先到呂布聽得有軍來欣然上馬領精兵三千飛奔來迎王匡列成陣勢勒馬門旗下看見呂布出陣頭戴簪纓束髮金冠体掛西川紅錦百花戰袍身披獅子吞頭連環鎧甲腰繫蠻方帶綰寶刀手提畫桿方天戟坐下嘶風赤兔馬徃來馳驟王匡見了心中慌恐回顧問曰誰敢出戰陣中一將縱馬挺鎗而出匡視之乃河內名將方悅兩騎相交戰無五合被呂布一戟刺于馬下王匡便勒馬入陣呂布挺戟直衝過來匡軍大潰四散奔走布在陣中如入無人之境背後喬瑁袁遺一軍齊至來救王匡呂布方退三處各折人馬退三十里下寨八路軍馬都到一處商議言呂布英雄無人可敵正憂慮間忽報呂布搦戰八路諸侯各自上馬歸本寨軍分八隊布列山前遙望呂布一彪軍馬繡旗招颭先來衝陣張揚陣中有將穆順挺鎗去迎呂布手

關張玄德 三戰呂布

把一戟刺穆順於馬下八路諸侯心膽俱喪北海太守孔融部將武安國驟馬出曰吾受父兄十年大恩何不以死報之揮五十斤鐵鎚飛馬而出呂布挷戟抝馬而來與安國戰戰到十合布一戟刺着安國手腕安國棄鎚於地而走八路諸侯一齊吶喊呂布衝公孫瓚身瓚揮鉄搠直迎呂布布掙日揮畫戟來戰兩合瓚[illegible]回馬落慌而走呂布驟赤兔馬趕來那馬日行千里飛走如風看看趕上公孫瓚將畫戟望瓚後心便刺傍邊一將睜圓環眼倒豎虎鬚挺丈八蛇矛飛馬大叫三姓家奴休走燕人張飛在此呂布棄了公孫瓚便戰張飛一抖擻神威酣戰呂布八路諸侯一齊吶喊關雲長見張飛鎗法漸漸散亂呂布越添精神張飛性起大喊一聲八路諸侯見張飛戰住呂布各結住陣勢立馬在門旗下看兩戰將戰到五十合不分勝負雲長把馬一拍舞八十二斤青龍刀來戰呂布三足馬丁字兒廝殺又戰到三十合兩員將戰不到呂布劉玄德看了心中思想我不干等待何時掣雙股劍驟黃鬃馬刺斜裏去砍呂布三個圍住[illegible]轉燈兒般廝殺八路人馬

呂布施戟

敗走上關

却着得呆了呂布架隔遮攔不住倒拖畫戟飛馬便走三箇那裡肯捨拍馬趕來八路軍兵喊聲大震一齊掩殺呂布軍馬望山上奔逃玄德關張死隨定呂布古人曾有篇古風單道着玄德關張三戰呂布之處詩曰

漢室天數當桓靈　炎炎紅日將西傾　奸臣董卓廢少帝
劉協懦弱魂夢驚　曹操移檄傳天下　諸侯奮路皆起兵
議立袁紹爲盟主　誓扶王室定太平　溫侯呂布世罕比
雄才四海誇英偉　護軀銀鎧砌龍鱗　束髮金冠簪雉尾
參差寶帶獸平吞　錯落錦袍飛鳳起　龍駒跳踏起天風
畫戟熒煌射秋水　關前搦戰誰敢當　諸侯膽裂心惶惶
踴出燕人張翼德　手挺蛇矛丈八鎗　虎鬚倒豎翻金線
環眼圓睛迸電光　酣戰未能分勝負　陣前惱起關雲長
青龍寶刀燦霜雪　鸚鵡戰袍花蛺蝶　馬蹄到處鬼神號
目前一怒應流血　梟雄玄德掣雙鋒　抖擻天威施勇烈
三人圍繞戰多時　遮攔架隔無休歇　喊聲戰動天地番
殺氣迷漫斗牛寒

張飛欲上

闖搶董卓

呂布力窮尋走路　遥望家山拍馬還　倒拖畫桿方天戟
亂散鋪金五色旛　頓斷絨縧回赤馬　番身飛上虎牢關
玄德關張直赶呂布到關下張飛擡頭見山關上面風颭動青羅
傘蓋張飛大叫關上必是董卓旗旛赶呂布有甚強處不如先拿
董賊便是斬草除根拍馬上關來擒董卓畢竟如何

董卓火燒長樂宮

張飛拍馬走到關下關上矢石如雨遂不能進八路諸侯共請玄德關張賀功報入袁紹帳中紹大喜遂移檄孫堅令堅進兵堅連夜引程普等直到袁術寨中相見拔劍畫地曰董卓與我無仇今奮不顧身冒矢石而决戰者上爲國家討賊下爲將軍家門報仇將軍却聽讒言不付粮草致令敗將軍何安術惶恐遂斬進讒言之人以謝孫堅正飲酒間人報堅曰關上有兩騎馬至寨中要見將軍堅辭術回寨與來問時乃是董卓愛將李傕堅曰汝來何爲傕曰丞相所敬者惟將軍耳今特使傕來議親事丞相有女欲配將軍之子但有宗族子弟連名保上卓爲郡守刺史庶幾不失

人才堅大怒曰董卓逆天無道蕩覆王室吾欲盡夷九族以謝天下則吾安肯與逆賊結親也吾不斬汝當速去獻關可若遲誤粉骨碎身李傕抱頭鼠竄回見董卓說孫堅如此無禮李儒曰今温侯新敗兵無戰心不若引兵回洛陽遷帝于長安以應讖近日街市童謠曰東頭一箇漢西頭一箇漢鹿走入長安方可無斯難此言正應丞相興在長安福壽九五西頭一箇漢乃是漢祖旺於西都長安一十二帝東頭一箇漢乃應光武旺於東都洛陽亦一十二帝天道合回丞相遷都長安方可無危矣董卓大喜遂引呂布之夜回洛陽商議遷都聚文武於朝卓曰漢室東都二百餘年氣数已衰吾觀氣色在長安吾欲奉鑾駕西幸汝等各宜促裝司徒楊彪曰關中殘破今無故損宗廟棄皇陵恐百姓驚動天下動之甚易安之甚難望丞相明鑒卓怒曰汝欲阻國家之大計耶太尉黃琬出曰楊司徒之言是也往者王莽篡逆更始赤眉之時焚燒長安盡爲瓦礫之地更無人民流移百無一二今棄宮室而就荒地非所宜也卓曰關東賊起天下播亂長安有崤函之險更近

十八

衆將諫卓

不可遷都

隴右木石磚瓦廣有不須用費可成宮室官府汝等再休亂言
空荀爽諫曰丞相若遷都洛陽百姓皆危矣董卓大怒曰吾爲天
下之計豈惜小民哉荀爽曰民爲邦本本固邦寧若使遷都民不
聊生天下亦危卓曰亂道即日罷楊彪荀爽爲庶民卓出上車二
人跪于車前尚書周毖校尉伍瓊卓問有何事毖曰今聞丞相欲
遷長安故來諫耳卓大怒曰我始聽汝二人保用的人今日反着
皆是汝等一黨若不斬絕必生後患命武士牽出都門斬首[illegible]
莫不垂淚李儒曰今錢糧缺少洛陽富戶極多皆是袁紹等宗黨
今若抄估其家必得巨萬卓即日差鐵騎五千遍拿洛陽富
戶頭上插旗上寫反臣逆黨數千家盡斬於城外取其家貲妻小
分俵與軍一邊着李傕郭汜出驅洛陽之民數百萬口前赴長安
每隊間軍一隊互相踏死溝渠中者不可勝數又縱軍士淫人
妻女奪人糧食號哭之聲震動天地既絕[illegible]交諸門放火焚燒
居民房屋獻帝并皇族上車縱火燒宗[illegible]宮庭盡爲焦
土又差呂布發掘先朝帝妃陵寢取[illegible]勢掘取官民

曹操引兵

追趕董卓

墳塚車載金銀玩好之物數千餘車生長安去了守關將趙岑獻了汜水關孫堅驅兵先入洛陽玄德關張殺入虎牢關衆諸侯各引兵入先說孫堅飛奔洛陽遙望火光連天黑雲鋪地二三百里並無雞犬之類堅先救宮中火衆諸侯都到各於荒地屯住軍馬曹操謂袁紹曰今董賊西去正可乘勢追赶本初按兵不動何也紹曰諸軍疲乏赶之無益操曰董賊焚燒宮室劫遷天子宇內搔動莫知所歸此天亡之時也一戰天下定矣諸侯何疑而不進衆諸侯皆言不可輕動曹操大怒曰豎子不足與謀乃自引兵萬餘共夏侯惇夏侯淵曹仁曹洪李典樂進星夜進發來追董卓卓正行之間榮陽太守徐榮引軍出接李儒曰丞相新棄洛陽防有追者可交徐榮屯軍於榮陽城外山塢之傍若有追兵放將過來待我這裏截住掩殺令後來再不敢望長安卓喜賞賜徐榮後令伏兵又令呂布引精兵斷後正行之間曹操一軍看看赶上呂布笑曰不出李儒所料也將人馬擺開曹操出馬大叫逆賊好生留下天子百姓呂布笑曰背主懦夫豈足為道夏侯惇挺鎗躍馬

徐榮追趕

曹操大敗

惇出呂布與惇戰不數合李傕令一軍從側邊殺來操急令夏侯淵迎敵西邊喊起來郭汜又引軍殺到操急令曹仁迎敵三路軍馬勢不可當夏侯惇抵敵呂布不住飛馬回陣呂布引鐵騎追殺操軍大敗連夜走榮陽敗殘軍馬各自逃生却纔聚得四五千人衆將欲到呂布軍不趕操軍就荒山脚下造飯時約二更月明如晝軍士尚未得飯山邊四面喊聲大起徐榮伏軍盡出曹操急上馬奪路而走轉過山坡正撞徐榮被榮一箭射中曹操肩背曹操帶箭逃命轉過土坡兩軍伏在草中見操馬來二鎗齊發曹操身落馬下中二鎗死倒二卒擒住曹操揪下草坡正危急間忽見曹洪驟馬而到兩刀砍死兩個步軍扶起操時箭瘡痛裂昏倒在地操曰吾死於此矣弟可速去洪曰主公上馬洪願步行操曰賊兵趕上汝將怎生洪曰寧可無洪不可無主公操曰吾若再生實汝之力也洪脫去衣甲拖刀跟曹操馬走約四更時分後面喊聲不絕人馬趕來曹操與洪正走前面一條大河後面追兵漸近操曰命已至此不可復活洪曰主公可脫去袍鎧洪負主公渡

衆諸侯引

兵入洛陽

水洪背着曹操渡過大河已得上岸後軍已到隔河放箭洪扶操帶水而走方始天曉約走三十餘里土岡下少歇喊聲起處徐榮從上流頭渡河一彪人馬趕來未知曹操性命如何

袁紹孫堅奪玉璽

徐榮趕到正待要擒曹操夏侯惇夏侯淵引數十騎到大喝勿傷吾主徐榮撥馬來迎夏侯惇交馬數合惇刺徐榮於馬下殺散餘兵隨後曹仁李典樂進各引軍齊到見了曹操一憂一喜同回河內再聚軍馬卓軍自從長安却說衆諸侯分屯洛陽孫堅救滅宮中火其餘大兵屯於宮內堅扎住帳房於建章殿基上堅令軍士掃除宮庭瓦礫但卓開掘陵寢盡皆閉塞於太廟基上草創殿宇三間衆諸侯立漢代神位宰太牢祀之祭畢皆散是夜星月交輝驟風習習孫堅按劍露坐於建章殿堦下仰觀天文見紫微垣中白氣漫漫堅歎曰帝星不明賊臣亂國萬民塗炭京城一空言訖淚如雨下有軍士指曰殿南有五色毫光上衝天道堅看之果見五色毫光照入眼目下堦尋之見毫光起於井中堅喚軍士點

起火把下井打撈撈起一婦人尸首雖久其尸不爛宮樣粧束項下帶一錦袋兩手團定綉龍紫袱取開看時内有硃紅小匣紐開金鎖見一玉璽方圓四寸上鐫五龍交紐傍缺一角以黃金鑲之上有篆文八字云受命於天既受永昌堅得璽乃問程普普曰此傳國寶也此璽是春秋時卞和往遊於荊山之下見鳳凰棲於石上載而進之楚王解之果玉秦始皇即位二十六年令良匠琢為璽李斯篆八字於其上云受命於天既壽永昌名曰傳國璽始皇巡狩至洞庭湖風浪大作舟船將覆始皇急投玉璽於水風平浪靜至三十六年始皇巡狩至華陰有人持璽遮道與從者曰持此還祖龍言訖不見此璽復歸于秦始皇崩子嬰將璽獻於漢高祖後至王莽篡逆元后丟印於井欄上去其一角以金鑲之光武得此寶於宜陽傳位至今近聞十常侍作亂劫少帝出北邙回宮失此寶今天授主公必有登九五之分此處不可久留宜速回江東別圖大事堅曰吾足知此寶正與汝合来日託疾辭衆回軍商議已定令勿漏泄如漏泄者斬數中一軍是袁紹鄉里無由進身連夜偷

孫堅袁紹二人相併

出營。衆軍報袁紹，紹賞賜留之。次日，孫堅來辭袁紹曰：堅抱小疾回長沙調養，特來辭公。紹笑曰：吾知汝疾，乃害傳國寶耳。堅失色曰：本初何故出此言？紹曰：今舉大義興兵，討賊為漢朝天下。玉璽乃天子之寶，既然獲得，當對衆諸侯納於盟主之處，候誅了董卓復歸朝廷。汝何匿之而歸，必思反耶？堅曰：豈有玉璽在吾處？紹曰：建章殿井中之物何在？堅曰：吾本無之，汝來逼我，將欲反耶？紹曰：早將出來，免致生禍。堅指天誓曰：吾若果得玉璽，不將出來，令吾使於當鋒刃之下。衆諸侯曰：文臺如此說誓，想必無此寶。紹喚軍人出曰：打撈之時，有此人否？堅大怒，拔劍立斬軍人。紹曰：汝斬軍人，乃欺我也。紹亦拔劍來殺孫堅，堅揮劍迎之。紹背後顏良、文丑皆拔劍來助。堅背後程普、黃蓋、韓當皆掣刀在手。衆諸侯一齊勸住，昔日發誓設盟，共舉大義，今豈可自相併耶？衆人勸開孫堅。堅上馬回寨。堅隨即拔寨離洛陽而去。袁紹聞知大怒，曰：得寶而去，欲自霸耶？遂寫書一封，差人連夜送與荊州刺史劉表，交就路上截而奪之。比及差人起程，人報曹操追董卓，戰於滎陽，大敗而回。紹令

蒯越蔡瑁

攔阻孫堅

入迎操曾聚諸侯置酒與操解悶操於席上言曰吾興大義為國除賊諸君既仗義而來吾始欲使渤海引河內之眾臨孟津酸棗諸將固守成皋據守倉厫塞轘轅大谷制其險要袁將軍率南陽之軍丹析入武關以鎮三輔深溝高壘莫與戰益為疑兵示天下形勢以順誅逆可隨定也今持疑不進大失天下之望竊為將軍恥之紹等無言可對既而宴罷操見紹等各懷異心料不成事自引軍投揚州去了公孫瓚與玄德曰袁紹無能為也久必有變吾等且歸遂拔寨北行到平原縣令玄德為平原相自回北地兗州刺史劉岱問東郡太守喬瑁借糧瑁推辭不與岱引軍突入瑁營殺死喬瑁盡降其眾袁紹見眾人各自分散即亦引軍拔寨離洛陽投關東去了却說荊州刺史劉表字景升漢魯恭王之後山陽高平人也年幼時結名士七人為友時號江夏八俊那七人汝南陳翔字仲麟同郡范滂字孟博魯國孔昱字世元渤海范康字仲真山陽檀敷字文友同郡張儉字元節南陽岑晊字公孝表長八[illegible]表乃漢室宗族三代為荊州刺史時受得袁紹書說孫堅盜去漢朝傳國寶奔回江東望截其路奪之表隨差蒯越蔡瑁按蒯越字異度乃蒯良弟也延平郡人氏蔡瑁襄陽郡人氏引精兵出城截住孫堅兵馬已到蒯越

孫堅撞見

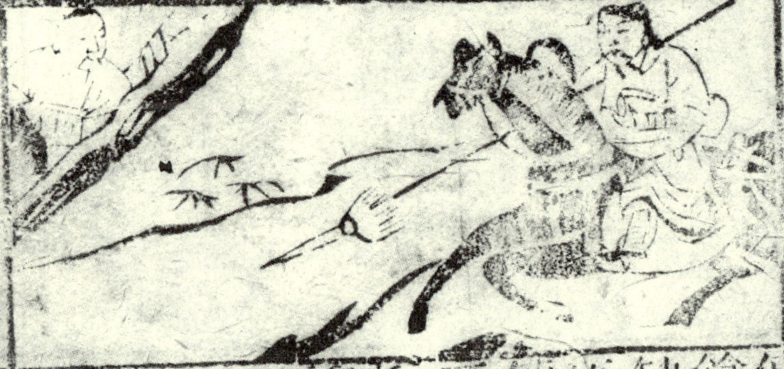

劉表問瀾

當先出馬孫堅出馬問曰蒯異度何故將兵攔路越曰汝爲漢朝
傳國璽而歸故忙留下堅怒曰汝何人敢來問我言未畢黃蓋挺
鎗便出蔡瑁舞刀相迎鬪到數合黃蓋提鞭打瑁後面護心鏡打
缺一半瑁撥回馬走孫堅乘勢殺過界口山後轉出劉表孫堅就
馬上施禮曰景升何故信袁紹之書相逼鄰郡之友耶表曰汝匿
傳國璽將欲反漢耶堅曰吾若有此物死於刀箭之下表曰汝若
要吾聽信將隨軍行李任吾搜之堅曰汝有何能敢小覷我拍馬
衝過劉表便退堅趕去背後左側兩山後伏兵齊起背後蒯越蔡
瑁趕來將孫堅圍在垓心未知性命若何且聽下卷分解

三國志一卷終

孫堅兵敗

奔回江東

新刻湯先生校正古本按鑑演義三國志傳卷之二

趙子龍磐河大戰

却說孫堅當晚被表圍住得程普韓當黃蓋死戰得脫折兵大半孫堅連夜奔回江東劉表回書報紹自此孫堅與表結冤却說袁紹屯兵河內缺糧食冀州牧韓馥遣人送糧給之凴紀說紹曰大丈夫縱橫天下何待人送糧冀州錢糧廣盛將軍何不取之紹曰未有良策紀曰可暗使人持書與公孫瓚令瓚進兵取冀州韓馥無謀之輩必請將軍領州事就中取事唾手可得紹大喜即發書與瓚約取冀州平分瓚喜即日興兵紹又令人報韓馥馥荒聚荀諶郭圖商議荀諶曰公孫瓚總燕代之衆長驅而來其鋒難當兼有劉備關張之助冀州指日休矣今袁本初智勇過人名將極廣乃當世之豪傑也將軍可請本初同治州事彼必厚待將軍[illegible]孫如見戲耳韓馥即差別駕關紀去請袁紹長史耿武諫曰袁紹孤客窮軍仰我鼻息譬如嬰孩在股掌之上絕其乳哺可立餓殺奈何欲以州事委之此謂引虎入羊群耳馥曰吾乃袁氏故吏

立斬耿武

顏良逞兵

才德又不如本初古人尚擇賢而讓位諸君何嫉焉衆皆嘆曰冀州休矣棄職而去者三十餘人獨耿武閔紀伏於城外以待袁紹數日紹至二人提刀而出欲殺袁紹紹將顏良立斬耿武文丑砍死閔紀紹入冀州以韓馥為奮威將軍安民用賢以田豐沮授許攸逄紀分掌軍務盡奪韓馥之權馥欲懊之手下無一人矣遂棄老小單馬投陳留太守張邈公孫瓚知袁紹已得冀州遣公孫越來見袁紹說分土地紹曰可請汝兄自來吾別有商議越辭歸行到五十里道傍涌出一彪人馬稱是董丞相家將亂箭射死公孫越從人逃回見瓚道越已死瓚大怒曰汝教我起兵襲韓馥汝就裏取事今又詐作董卓家將射死吾弟此冤如何不報盡起本部兵馬殺奔冀州來紹知其來亦引軍出迎二人會於盤河之上紹軍河東瓚軍橋西瓚橫槍立馬於橋上大呼曰背義之徒如何不見紹亦策馬至橋指瓚曰韓馥無才將冀州讓吾汝何不卿瓚曰昔日洛陽以汝忠義推為盟主今之所為真狗彘也尚有何面目立于人世耶紹大怒令文丑出戰公孫瓚與文丑戰到

趙子龍

救公孫瓚

十合瓚入敗走入陣中文丑追趕過橋跑入陣中往來衝突瓚交將四員接戰被文丑鎗刺一將落馬二將奔走公孫瓚望山谷而逃文丑驟馬厲聲高叫快下馬受降瓚披髮縱馬轉過草坡其馬失蹄瓚墜於馬下文丑急撚鎗來忽草坡左側轉出一將身無鎧甲拆馬拈鎗直取文丑公孫瓚得脫扒上坡去看那少年與文丑戰到五六十合勝負未分瓚部下救軍已到文丑撥馬去了那少年也不去趕公孫瓚忙下坡問曰將軍姓甚名誰其人曰某常山真定人也姓趙名雲字子龍瓚言公自何來救我一命雲曰某本袁紹轄下之人今見袁紹無匡救之心特來相援不期於此相見瓚曰冀州之人皆傾心以投袁紹公何獨回心何某也雲曰方今天下洶洶民在倒懸雲願從仁義之主以安天下瓚大喜遂同雲歸寨整頓甲兵次日一色白馬二千疋哨到界橋紹退二十里扎住瓚引大隊步兵二萬餘人過界橋布成陣勢瓚將馬軍分作兩隊如於步軍之側勢如兩翼左右馬五十疋多半皆是白馬

參考 後瓚多與羌胡交戰瓚選白馬爲先鋒號爲白馬義兵羌胡但見白馬便走因此白馬號多紹令顏良文

白馬白旗

號令陣勢

兵爲先鋒各引弓弩手一千分作左右又令麴義引弓手八百兵一萬五千列於陣中袁紹自引兵數萬於後接應瓚初得趙雲不知心腹令其另引一軍在後瓚遣大將嚴綱爲先鋒瓚自引中軍立於橋上豎大紅綉金帥字旗於馬前從辰時擂鼓到巳紹軍不進麴義號令弓弩手皆坐於遮箭牌下令其勿動嚴綱鼓譟吶喊直取麴義中軍義見綱軍到一聲炮響八百弓弩齊發綱急待回麴義勒馬舞刀斬嚴綱於馬下瓚軍大潰左右欲救被顏良文丑軍一齊射住中軍麴義趕殺到界橋邊麴義馬到先斬把橋將砍倒紅綉旗公孫瓚戰麴義不退回馬下橋而走麴義引軍直趕到後軍被趙雲一鎗刺麴義於馬下趙雲一騎飛入紹軍中左衝右突如入無人之境公孫瓚復引軍殺回紹軍大敗東西亂竄當在前公孫瓚在後殺入紹來紹正與田豐在馬上呵呵大笑公孫瓚無謀之輩豈可遇趙雲衝到面前田豐荒對紹曰矢石如雨至公宜於空牆中躲避紹以兜鍪撲地大呼曰大丈夫臨陣鬥死豈可入牆中而求活乎於是眾軍鬥言齊心死戰趙雲衝突不入

袁紹大敗

走過界橋

後面袁紹大隊掩至瓚急召雲回陣左顏良右文丑中袁紹三路併殺趙雲保瓚殺透重圍復到界橋紹驅兵趕過界橋瓚兵落水死者不計其數袁紹追瓚過橋將到五里山背後閃出一彪人馬飛奔而來大叫曰吾乃平原劉玄德孫知故友與你相爭特回二弟前來助戰袁紹聞言驚得魂飛天外寶刀絲韁皆墜攬而逃

孫堅跨江戰劉表

衆將死救袁紹去了公孫瓚收軍歸寨玄德關張動問了畢瓚曰若非玄德救助幾乎狼狽交與趙雲相見玄德甚相愛敬便有不捨之意却說袁紹輸了一陣堅守不出兩軍相拒月餘有人至長安報說此事李傕來見董卓曰袁紹與公孫瓚皆當今豪傑見在盤河廝殺宜假天子詔差人往和解之二人感德必順太師矣卓曰善除傕（後接卓自到長安郭汜擁入爲師后 侯日之上出入乘金花皂蓋車）卓次日奏知天子便差太傅馬日磾太僕卿趙岐賫詔往關東來飛馬報知袁紹紹出迎於百里再拜奉詔次日紹移書告瓚瓚回書曰朝廷既差馬太傅趙太僕代我兩家和解吾不幸也紹得書大喜矣曰馬趙二人

到瓚營各宴數日而回瓚奏玄德爲平原相朝廷准奏瓚班師回趙雲與玄德別雲嘆曰某前日誤認公孫瓚乃當世英雄今觀所爲袁紹等耳玄德曰將軍且屈心事之相見有日洒淚而別却說袁術在南陽聞袁紹新得冀州遣一使往來求馬千疋紹不與一騎術大怒自此兄弟不睦又遣一使往荆州問劉表借糧二十萬斛表不與一粒術恨之乃密遣人說孫堅曰昔日奪印截路乃吾兄袁紹之謀也今紹又與表相議起兵襲取江東吾不忍焉公可速興兵取荆州吾當與汝夾攻劉表二仇可復汝得荆州吾取冀州也切勿遲悞堅得書曰叵耐劉表昔日斷吾歸路今不乘時報恨又待何年聚帳下程普黃蓋韓當等相議程普曰袁術多詐言不可信吾欲報仇豈望袁紹相助乎於是黃蓋先來江邊安排戰船五百隻多裝軍器糧草剋日興師江中細作探知來報劉表表大驚聚文武商議曰今孫堅起兵欲報舊恨奈何謀士蒯良曰不必憂慮可令黃祖部領江夏之兵爲前驅主公率荆襄之衆作後應堅跨江涉湖而來安能用武揚威乎表用其謀令黃祖設備隨後

黃祖刻子

弩射孫堅

使起大軍。却說孫堅臨登程，其弟孫靜引諸子列於馬前而諫曰：今董卓專權，天子懦弱，海內大亂，各霸一方。江東方始稍寧，以小恨而起重兵，非所宜也。願兄詳之。堅曰：非汝所知也。吾誓縱橫天下，濟世安民，有仇不報，豈可拙守而待死乎？遂不聽諫。長子孫策願隨父同往。堅曰：此子自幼英氣過人，可隨我。引兵權、翊保守江東，帶策上船，同奔樊城。孫堅有四子，皆吳夫人所生：長子名策，字伯符；次子名權，字仲謀；三子名翊，字叔弼；四子名匡，字季佐。吳夫人之妹為孫堅次妻，亦生一男一女：男名朗，字早安；女名仁。堅又過房俞氏一子，名韶，字公禮。堅弟名靜，字幼臺。却說黃祖領弓弩手伏在江邊，請兵為後。祖見船傍岸，亂箭俱發。堅令諸軍不可妄發一箭，只伏於船中，來往誘之。連三日，黃祖軍中箭皆放盡，孫堅所得之箭十餘萬。當日正值順風，堅令眾軍一齊發箭，岸上支吾不住。程普、黃蓋分左右直入，韓當於中殺進，三面夾攻，祖兵大敗，棄樊城走往鄧城。堅令黃蓋守住船隻，大軍望鄧城進發。黃祖引軍出迎，孫堅引眾將出門旗之下。當日孫策披掛立馬於父之側。黃祖令張虎、陳生出馬，[illegible]張虎江夏人，陳生襄陽人，[illegible]張虎手撚鋼叉而出。[illegible]回頭

孫堅令程

普戰蔡瑁

曰認新此賊韓當應声而出兩馬相交戰三十餘合勝負未分陳生見張虎力怯飛馬挺鎗助陣孫策在後傍望見拈弓搭箭射中陳生面門應弦落馬張虎見陳生墜地措手不及被韓當一刀削去半個天灵程普縱馬直來陣內捉黃祖祖棄却頭盔戰馬雜於步軍內逃生孫堅掩殺敗軍直至漢水之上一面擺黃蓋船隻放入漢江黃祖敗見劉表說孫堅勇猛勢不可當表慌請蒯良商議良曰黃祖兵敗挫衄銳氣兵無戰心只可深溝高壘以避其鋒潛地令人求救於袁紹此圍可解蔡瑁曰子柔（蒯良字）之言非也兵臨城下當可束手而待死某雖不才願請一軍出戰劉表許之蔡瑁引軍離城列於峴山之下孫堅長驅而進蔡瑁出馬堅令程普迎敵蔡瑁與普交戰數合瑁大敗而走堅驅兵殺進蔡瑁逃入襄陽蒯良言瑁不听良策以致大敗依軍法當斬劉表以新娶其妹不肯加刑人報孫堅圍定襄陽蒯良令緊守城池寫告急文書令人去投袁紹却說孫堅打城數日不下忽一日狂風驟起將軍中帥字旗竿吹折程普逕到帳中見孫堅曰中軍帥字旗被風吹折

呂公領計

埋伏山林

於軍不利可以班師堅怒曰吾累戰累勝取襄陽只在旦夕豈可因風吹斷旗竿而罷兵耶韓當曰此旗乃主之兆亦不可輕易堅曰風乃天地呼吸之氣方今隆冬朔風暴起折斷旗竿何足為怪吾平生用兵不信此等異事兵理攻城蒯良入對劉表曰吾夜觀星象見一將星將欲墜地以分野度之必應孫堅身上表急書焉就主公問誰敢突圍而出表問之鍵將呂公出因吾觀往良曰汝既敢去可多帶馬軍能射者直奔峴山若有人來趕汝可分百人上山尋石準備另人帶弓弩伏於林中但有追兵到時不可逕走迤邐引到埋伏之處矢石其發若能取勝放起連珠砲城中便出接應如無追兵不可放砲趲程而去呂公所計拴束軍馬及調遣兩門所號接應當夜黃昏悄開東門放呂公人馬出城孫堅在帳中聞喊声急上馬領三十餘騎趕到東門用上問軍士說有一彪人馬殺奔峴山而去堅不報諸將自引三十騎趕來呂公已於山林叢雜去處上下埋伏堅馬快單騎獨出望前軍不遠堅大叫休走呂公勒馬來戰詐敗入山堅拍馬追趕只見山上石子亂下

孫堅亡峴山

被箭射身亡

林中亂箭俱發堅體中箭腦漿迸流人馬皆死於峴山之下孫堅按堅壽止三十七歲時漢獻帝初平三年辛未十一月初七日也呂公放起連珠號砲城中黃祖蒯越蔡瑁各引兵殺入江東寨內諸軍大亂黃蓋所得喊聲大振引水軍殺來正迎黃祖交馬兩合生擒黃祖過去程普保着孫策正逢呂公程普縱馬從鎗刺呂公於馬下兩軍戰至天明各自收軍孫策至漢水方知父被亂箭射死屍首被劉表軍士擡入城去賞孫策痛哭幾絕諸將悲號策曰父屍在於彼處安得回鄉[illegible]黃蓋曰今已活捉黃祖在此若得一人去說將黃祖換主公屍首可也言未畢軍吏桓階出曰某與劉表有一面之交願請令使行[illegible]令桓階上馬階到城見劉表直說其事表云屍首吾已用棺木盛貯在此可速放黃祖還吾各各罷兵再休侵犯桓階拜謝欲行蒯良出曰可斬桓階吾用一計令江東諸軍片甲不回

劉表問計何如蒯良曰方今孫堅已喪江東無主堅子皆幼不能理事可乘此時大進軍兵江東一破可得若付屍還黃祖容其回都

養成氣力荊州之大患也表曰吾有黃祖在彼營中安忍棄之良
曰捨一無謀之黃祖而取萬里之江東此大丈夫之所為也表曰吾與
黃祖心腹之交捨之不義遂將孫堅之屍換回黃祖孫策迎接靈
柩[illegible]江東葬父於曲河之原[illegible]歸江東招賢納士四方賢士
漸漸投之卻說董卓聞孫堅已死[illegible]曰吾心腹已除一患也自此
[illegible]自號尚父出入僭天子儀仗封弟董旻為左將軍鄠侯兄子
[illegible]為侍中總領禁軍不問宗族長幼皆封列侯受金紫交差二
十五路入大築郿塢與長安城郭一般宮圍九里[illegible]
[illegible]
[illegible]
[illegible]公卿但見卓出皆拜於車下朝廷大臣
[illegible]一日御史中丞皇甫嵩拜卓卓曰義真今日
伏我乎[illegible]嵩曰安知明公位至於此卓曰鴻鵠固有遠志但燕
雀自不知耳嵩曰昔日嵩與明公皆是鴻鵠不意明公變為鳳凰
[illegible]大笑曰義真怕我乎嵩曰明公所為天下皆懼豈獨嵩乎卓
家屬在御鳴或回之時公卿皆拜送於橫門之外於路大施帳幔

卓殺張温　筵席上畫

與公卿聚飲一日北地招安降士數百人到卓令將降士列於座前或斷其手足或鑿去眼睛或斷其舌以大鍋煮之皆未死於卓几前反覆掙命百官戰慄卓談笑自若百官告散卓曰吾殺叛心者何怕之有數日太史院奏卓曰黑氣沖天主大臣有災卓於省臺大会百官酒至數巡呂布遷入卓耳边言不數句卓嘆曰原來如此即命於座上腦揪司空張温下堂百官失色卓曰太史所言大臣有災原來應在此人身上不多時侍從將盤托張温頭入獻卓令呂布勸酒毋一人面前將頭過過百官面面相顧卓笑曰諸君勿驚張温結連袁術欲圖害我使人將書錯下在吾兒奉先処吾故斬之汝等順吾吾不相害衆官唯唯而散司徒王允回府允陵字子師太原祁人尋思席間之事行坐不安至夜深月明策杖步入後園仰天垂泪立於荼蘼架側沉吟忽聞有人在牡丹亭畔長吁短嘆允潛步窺之乃府中歌伎美女貂蟬也【貂蟬】自幼選入允家允見其聰明教以歌舞吹彈一過目無所不通年二八色伎俱佳允以親女待之當允听良久大喝曰賤人有私情耶貂蟬大驚跪答曰賤妾安敢有私情允曰汝無私情何深夜在此

長嘆貂蟬曰答妾傾肺腑之言允曰汝勿隱匿當實告我貂蟬曰妾賤軀自幼家大人見養作親女相待妾雖粉骨碎身莫報大人之德也妾見大人兩眉不展必有國家大事妾今晚又見大人行坐不安妾故長歎不想大人窺見倘有用妾之處萬死不辭允以杖擊地曰誰想漢天下却在汝手中耶允令貂蟬到閣中允叱去婢妾交貂蟬端坐允叩頭便拜貂蟬伏地曰大人何故下拜賤妾允曰汝可憐漢朝天下生靈言訖淚如泉湧貂蟬曰適間賤妾曾言但有使令萬死不辭允曰百姓有倒懸之急君臣有累卵之危非汝不能救也貂蟬再三拜問允曰賊臣董卓將欲篡位朝中文武無計可施董卓有一義兒呂布勇冠三軍董卓恃爲手足但二人皆酒色之徒今欲用連環之計將汝許嫁呂布然後獻與董卓汝就中間他父子分顏令布殺卓以絕大惡漢室重興皆汝之力也不知汝意何如貂蟬曰大人將妾獻到彼處妾自有道理允曰事若漏泄我當滅門矣貂蟬曰大人勿憂妾若不報大人厚恩死在萬刃之下世世不復人身允再拜謝次日王允令匠人將寶珠嵌一

允將貂蟬

許[illegible]

金冠遣人密送與呂布布大喜親往王允宅致謝允料布必來備酒肴侍布果至允接入後堂讓之高坐布曰布乃相府一將佐耳司徒乃朝廷元老何故錯敬允曰方今天下英雄惟有將軍耳允非敬將軍職位實敬將軍才德也布大喜曰布早晚望司徒於天子處保奏允曰將軍言者差矣允望將軍於太師前提携終身不忌大德布大笑暢飲允交左右皆退只留侍妾數人勸酒允曰喚孩兒出來與將軍把盞少刻二丫鬟引貂蟬到席前再拜布問何人允曰小女貂蟬也無可以敬將軍當出妻獻子貂蟬與布把盞布目不轉睛允推醉曰孩兒可與將軍痛飲幾盞我一家人全靠將軍哩布請貂蟬坐允曰將軍吾之恩人孩兒傍坐無妨交飲數盃允又笑曰老夫欲將小女送與將軍為妾還肯納否布稱謝曰願當犬馬之報允曰早晚選一良辰送至府中布大喜頻以目視貂蟬貂蟬亦以秋波送情允曰本欲留將軍止宿誠恐太師生疑故不敢耳布謝允而回允至夜與貂蟬曰此謀若就社稷之福也吾早晚請太師汝亦以歌舞事之貂蟬應諾次日允在朝堂

允命貂蟬　歌舞勸卓

見董卓左右却無呂布允拜言曰允欲屈太師車駕到舍小酌未知尊意若何卓曰司徒乃國之老臣既然有請來日當赴允歸家畢陳設饌内外各設幃幙次日人報太師來到允具朝服迎入拜於堂下卓命扶上賜坐於側允曰太師盛德伊尹周公莫能及也卓大喜進酒作樂至半酣允請入後堂卓令軍士休進允奉觴稱賀曰允自幼頗習天文夜觀天象漢家氣數已盡太師功德振於天下當代漢而立以合天心卓曰吾安敢望此允曰自古無德讓有德豈過分乎卓曰果天命歸吾司徒當爲元宰允再拜稱謝堂中點起畫燭允進曰教坊之樂不足以奉鈞顔頗有草舍女樂敢承應乎卓曰深感厚意允教放下簾櫳擁貂蟬於簾外歌曰

原是昭陽宮裡人　驚鴻宛轉掌中身　只疑飛過洞庭春

按徹梁州蓮步穩　好花風裊一枝新　畫堂春煖不勝春

又詩曰

紅牙催拍燕飛忙　一片行雲遶畫堂

眉黛縱成遊子恨　玉容初斷可入腸

榆錢不買千金笑　柳帶何須百寶粧

舞罷隔簾偷目送　不知誰是楚襄王

呂布大怒

欲殺王允

舞罷卓命近前貂蟬入簾內再拜卓曰此女何人允曰樂童貂蟬卓問能唱否允命貂蟬執檀板謳一曲云一點櫻桃啟絳唇兩行碎玉噴陽春丁香舌吐衠鋼劍要斬奸邪亂國臣卓稱賞不已允命貂蟬把盞卓問曰青春幾何貂蟬答曰賤妾整年二旬卓笑曰真神仙中人也允再拜曰老臣欲將此女獻上太師肯容納否卓曰實入見惠何以報德允曰此女得侍太師其福不淺卓曰尚容致謝允見天色已暮令備氊車先送貂蟬到相府允後亦送董卓至府卓命允回離府行不數步遙見呂布半醺醉正與王允相撞布就馬上一把揪住王允衣襟手掣寶劍指允言曰汝既以貂蟬許我今又送與太師何相戲耶

鳳儀亭呂布戲貂蟬

呂布怒罵不休王允急止之曰此非說話之處同到草舍敘明布隨允到家坐定允曰將軍何故怪老夫耶布曰有人報我說汝將氊車送一女入府非貂蟬而何允曰將軍元來不知布曰我豈知就裏允曰昨日太師在朝中對老夫道我有一件事明日來汝家

呂布入府

竊窺貂蟬

允因此準備小宴等候太師今日到寒舍飲酒間說道我聞你有一女字貂蟬已許我奉先我恐你不准成特來告肯老夫見太師之命怎敢少違隨引貂蟬拜見公公太師曰今日良辰可送在吾府中我明日作一大宴配與奉先以助一笑將軍細思太師親臨老夫安敢阻滯布曰布一時錯見來日自當負荊允曰小女有些粧奩首飾來日待到將軍府上便當送至布謝而去當夜卓幸貂蟬次日至午牌未起呂布在府前打听絕不見動靜遂入堂中問諸侍妾侍妾對曰夜來太師與新人共寢至今未起布潛入卓臥房後窺之貂蟬起於窗下梳粧忽見窗外池中照見人影頭戴束髮冠偷眼視之見呂布立於池畔貂蟬蹙雙眉故作憂愁之態復以香羅頻拭泪眼布竊視良久始出思忖未得其實少刻復入卓起坐中堂見布來問曰外面無事乎布曰無事布侍立卓側偷目窺望見繡簾內一人往來須臾微露半面以目送情布知是貂蟬神魂蕩漾卓見布語言不順遂曰奉先無事可退布出心中愈疑到家妻見布情緒不樂問曰你今日莫非被太師所責來布曰太

卓怒呂布

李儒勸解

師安能制我哉妄不敢鬧布自此心在貂蟬身上每日逕進府堂不得一見董卓自納貂蟬被色所迷月餘不出理事卓有小疾貂蟬衣不解帶曲意奉承卓心愈喜一日卓睡布立於床前貂蟬於床後探身望布以手指心布以頭點而答之貂蟬背以手指董卓強擦眼淚布心如醉卓朦朧見布動靜回身視之見貂蟬立於屏風後卓大怒叱布曰汝敢竊吾愛姬耶喚左右逐出今後不許入堂布大慚懷恨而歸府中人報知李儒儒忙入見卓曰太師何事責奉先卓曰竊吾愛姬吾故逐之儒曰太師何以小過責溫侯如其心衰大事去矣卓曰奈何儒曰來日喚入多賜金帛以好言慰之自然無事卓次日令人喚布入堂卓曰我昨日病中心神恍惚失言責汝汝勿記懷今後休離吾左右隨賜金十斤錦二十疋布曰大人見責何敢懷恨自此再入堂中略無禁忌卓疾愈每自入朝呂布必執戟乘馬前導直至殿前卓劍上殿布執戟立於堦下百官拜伏丹墀拱所約束何能布倚持戟乘馬導卓往朝布一日引卓進內堦下略立片時見卓與獻帝共話呂布即提戟上馬

鳳儀亭呂

布戲貂蟬

逕投相府繫馬門傍提戟入尋貂蟬見布來府曰妳可去後園鳳儀亭邊等我我便來也（卓□□府夜有鳳儀亭取□鳳來之總）布急提戟逕往亭下良久見貂蟬分花約柳而來果然如月宮仙子泣謂布曰我雖非王司徒親女然司徒待我如子一見將軍即以妾許配妾平生之願足矣誰想太師起不仁之心將妾淫汚恨不得死耳今見將軍表明此心此身既汚不可復事英雄願死君前以絕君念言罷手攀曲欄望荷花池便跳呂布慌忙抱住泣曰我知汝心久矣恨不能共語貂蟬曰汝今生不能爲吾妻願相期於後世布曰我今生若不能得汝爲妻非世之英雄也貂蟬曰妾度日如年願君憐而救之布曰我在內庭偷空而來恐老賊見疑今當速回待我思一計共你團圓提戟欲去貂蟬牽其衣曰妾在深閨聞將軍之名如雷貫耳以爲當世一人誰想懼怕老賊如此想妾身無見天日之期矣言訖淚如雨下兩個忿忿行不忍相離却說董卓在殿上回頭不見呂布心下甚疑辭帝回府見布馬在府前問門吏曰溫侯何在吏稟曰溫侯入後堂卓入後堂又尋貂蟬不在卓入後園見布

董卓大怒

赶殺呂布

與貂蟬在鳳儀亭下卓走至跟前大喝一声布回頭見卓大驚卓奪布手中戟呂布便走卓趕來被布一拳打落戟於草中卓拾起再趕布已走離五十步卓趕出園門李儒飛奔前來與卓相撞卓跌倒在地李儒扶卓起再拜曰儒爲社稷計撞倒恩相死罪死罪補遺（侯卓尋布時李儒到[illegible][illegible]人言曰太師大怒去尋呂布李儒[illegible]入正適呂布呼曰太師殺我儒急入救止正與卓撞）不知太師何事怒趕溫侯卓曰叵耐逆賊今番又戲吾愛姬吾誓殺之儒曰恩相錯矣昔日楚莊王後宴諸侯令愛姬勸酒忽風起燭滅座下一人手扯愛姬愛姬扯其人冠上纓告知莊王莊王曰酒後取盆盤一面盡絕諸侯纓然後秉燭名其會曰絕纓會竟不知戲愛姬者何人也後莊王被秦兵圍住見一大將殺入陣中救出莊王其人身帶重傷王問之其人曰臣蔣雄也昔日絕纓會上蒙大王不殺之恩故來報答太師何不效絕纓之事就此機會以貂蟬賜與呂布布必感恩盡命以報太師矣卓低頭意舊曰汝可說與呂布吾以貂蟬賜之儒曰昔日漢高祖以黄金二萬斤賜陳平遂興大業今日太師所爲正類此也儒拜謝而出

王允定計設董卓詞

卓見儒出遂入後堂喚貂蟬問曰汝何與呂布私通貂蟬曰妾
溫侯乃太師之子甚相敬重誰想今日提戟入內欲強姦妾妾逃
避後園這廝提戟趕到鳳儀亭妾欲投荷池而死被他抱住正
在生死之間得太師來救了性命卓曰我欲將汝賜與呂布何如
貂蟬曰妾身已侍貴人今欲與呂布妾寧死不辱遂取壁間寶劍
欲自刎卓慌奪劍擁抱曰吾戲汝耳貂蟬哭倒卓懷曰此必李儒
之計儒與布厚故設此謀卓曰吾安能捨汝耶貂蟬曰只恐太師
不與妾為主卓曰吾寧捨命保汝貂蟬曰久居此處必被呂布之
害卓曰我明日和你歸郿塢去快樂貂蟬曰可宜否卓曰郿中有
二十年糧食門外列數百萬甲兵成事則汝為貴妃不成則亦為
富室之妻也慎勿憂慮貂蟬拜謝次日李儒入見曰今日良辰可
將貂蟬送與呂布卓變色曰汝之妻肯送與呂布乎儒曰因捐首
酌量寬彼婦人所惑卓曰婦人安能惑我切勿多言言則必斬李
儒嘆曰我等皆死於婦人之手矣卓命遂出李儒只今收拾車馬

便還郿塢百官拜送呂布於稠人中眼望車中貂蟬在車中見呂布虛掩其面如哭泣之狀布亦綣戀於土倚上望車塵而遊董卓車從已遠王允至布後拍其背曰溫侯何故發悲耶布曰吾為公女耳允佯驚曰許多時尚未送與將軍耶布曰老賊自寵幸已久允掩其面曰禽獸之所為也布將上項事情逐一告允允曰同到敝處商議布隨允到宅中下馬允引布入於密室置酒相待布怒轉加王允曰太師淫吾之女奪將軍之妻誠為天下笑端非笑太師笑允與將軍耳允老邁無能不足道也可憐將軍半世之英雄耳布氣衝于腦允急救之曰老夫失言將軍息怒布曰誓殺老賊以雪吾恥允急止之曰將軍言勿妄恐累老夫九族布曰大丈夫生於天地之間豈能鬱鬱久居人下允曰似將軍之才過韓信百倍信尚為王將軍豈可久作[illegible]卿布曰吾欲殺老賊柰父子之道恐惹人議論允大笑曰將軍自姓呂卓自姓董擲戟之時豈有父子耶布奮然曰非司徒言之則布險被老賊之害矣允曰將軍扶漢乃忠臣也青史留名不朽將軍扶卓乃反臣也史官開名

王允與衆議誅董卓

萬代名揚曰吾意已決司徒勿疑允曰祇恐事又不成反招大禍何不刺臂出血為誓允謝曰漢祚得延皆將軍賜也天子已有明詔將軍除之勿泄布慨然領諾允即請僕射士孫端司隸校尉黃琬商議士孫端曰今上有疾新愈可遣一能言者往郿塢請卓議事伏兵於朝門內引入誅之此上策也琬曰何人可去端曰呂布同郡騎都尉李肅近日好生怨卓不陞用令此人去卓必不疑允遂請呂布共議布曰昔日說布殺丁建陽亦此人也今若不去吾先斬之遂使人密請肅至布謂之曰前者兄說布殺丁原而歸董卓今卓不仁上欺天子下虐生靈罪惡貫盈人思其戮汝可傳天子詔往郿塢去宣卓入朝如見司徒有言一齊下手力扶漢室汝意若何肅曰吾久欲除老賊恨無牙爪今天賜也遂折箭為誓允曰汝若能幹此事討賊有官次日李肅引數騎到郿塢令人入報天子有詔卓曰教喚入來李肅入再拜說卓曰天子有甚詔肅曰天子病體新痊欲會文武於未央殿待將天下讓與太師故有此詔肅知此事飛馬來宣王卓曰王允如何肅曰王司徒已差

卓辭母入

長安即位

入宫受禪李主孫僕射已卓交天部兵等主上到來卓大笑曰吾夜得一夢一龍罩身今日得此佳兆時不可失即命心腹回京覇曰獅子上垂拱舉年朝之子孫有所賴矣卓曰可若登基汝爲執金吾肅拜謝稱臣卓臨行謂貂蟬曰吾昔日許汝爲貴妃今番定矣貂蟬拜謝卓入辭母母曰吾兒向往卓曰兒去長安順受漢禪母親早晚爲皇太后也母曰我近日骨肉驚恐恐非吉兆李肅曰爲萬代之國母豈不預有驚報卓曰吾心腹人所見甚明卓出郿塢數千軍兵遮擁行至二十里車忽折一輪左右扶侍卓改登逍遥玉面馬來卓整衣上馬又行不到十餘里馬咆哮嘶喊掣斷轡頭卓問肅曰車折輪馬斷轡若何肅曰乃天師絕漢舊而與新也卓曰吾心腹人所見極明卓行至次日忽然狂風四起昏霧蔽天卓問肅曰此何祥也肅曰主上登龍位必有紅光紫霧以壯天威耶卓曰吾心腹人所見極明卓至城外百官出迎王允黃琬士孫瑞王子服皆伏道稱臣言天子來日大會未央殿有禪國之議卓命百官回來日平明朝下迎接呂布入賀曰大人

呂布持戟

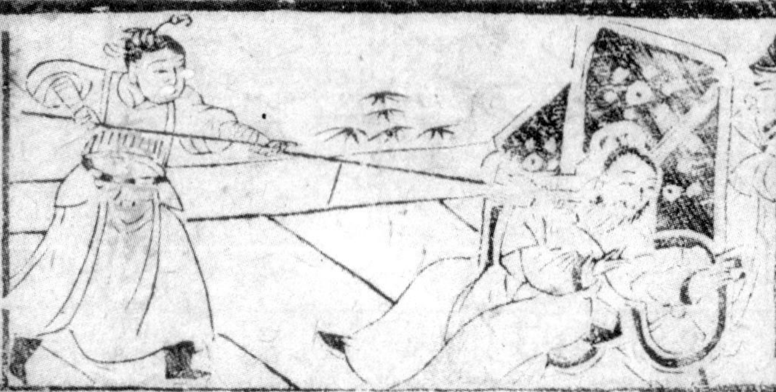

刺死董卓

衆曰宮齋戒沐浴入城以承萬載不磨之業卓曰吾登九五汝當總督天下兵馬布謝就宿帳前是夜聞數十小兒於郊外作歌風吹歌聲入帳歌曰千里草何青青十日卜不生歌聲悲切卓喚李肅問曰童謠主何吉凶肅曰亦只是言劉氏滅董氏興之意卓曰肅之言是也次日清晨擺列儀從卓見一道人青袍白巾執一長竿上縛布一丈大書呂字卓問肅曰此道人何意肅曰心恙之人也呼軍士拖之道人倒於地上肅令衙從一擁車進內前群臣各具朝服迎謁於道李肅手執寶劍扶車而行到北掖門軍兵盡擋在門外獨有御車二十餘人同入卓見王允士孫瑞各執寶劍立於殿門卓大驚問肅曰持劍者何意肅不應推車直入王允大呼曰反賊至此武士何在兩傍轉出百餘人操戈刺卓衣入轂（恐人篡害每入朝常披心鐵甲隨身故刺不入）戈傷其臂墮車大呼曰呂布何在布在車後厲聲應曰有詔討賊一戟直透咽喉李肅割頭在手布仗戟執詔大呼曰奉詔討賊臣董卓其餘不問內外將吏皆拜伏呼萬歲（按卓死時年五十四歲漢獻帝初平三年壬申歲四月二十二日此時[illegible]）

呂布誅殺

董卓家屬

史官有詩歎曰

董卓遷都漢室憂　生靈滾滾喪荒丘
大街骸骨筋猶動　鴉啄骷髏血尚流
郿塢追魂憑李肅　宮門取命有溫侯
奸雄已死戈矛下　直到如今罵不休

又一絕句詩歎云

董卓欺君自古無　豈知天意有榮枯
宮門攔透方天戟　萬姓歌歡滿道衢

康節先生有詩歎曰

董卓無知擅大權　焚燒宮闕毀陵原
兩朝帝主遭磨障　四海生靈盡倒懸
力斬亂臣憑呂布　舌誅逆賊是貂蟬
世間造惡終須報　上有分明不老天

呂布曰卓賊欲篡皆李儒也誰可去擒拿李肅願往忽朝門外報道李儒家奴自已綁儒來獻上允曰卓賊家屬俱在郿塢誰去誅殺呂布願往允令皇甫嵩同呂布領兵飛奔郿塢董卓心腹將李傕郭汜張濟樊稠在郿塢內守把聞卓已死呂布領兵來四[illegible]走往[illegible]郿塢接西涼州[illegible]呂布到郿塢先取貂蟬送回長安皇甫嵩曰內有八百良家子女驅作一處其餘但是董卓家屬不分老幼盡皆誅斬卓母年九十餘歲出告曰乞饒一命[illegible]

來了頭尸落地示衆被誅者一千五百餘人收得塢內所藏黃金
三萬斤銀九萬斤錦繡羅綺玩好之物堆積如山倉中米粮八百
萬石允令一半納庫一半賞軍士號令卓尸於通衢卓肥看屍軍吏以火點卓臍中光明達曙膏流滿地百姓過者手擲卓之頭至於粉碎將李
儒綁在市上百姓爭啖其肉內外老幼踴躍歌舞於道男女貧者
盡賣衣服沽酒相慶曰我等今後夜臥方帖席也卓弟旻兄子璜等
皆懸四足於城市但是卓門下向附者皆下獄死王允會大臣設
太平宴於都堂忽人報曰有一人伏卓尸而哭允大怒曰長安士
庶皆相慶賀是何人敢如此喚武士擒來須臾擒至衆竟是誰人

李傕郭汜寇長安

衆視之大驚乃侍中蔡邕也允叱之曰董卓國賊幾亡漢室汝受
漢重恩不思協力誅賊反傷悼之邕伏罪曰邕雖不肖猶識大義
古今安危耳所厭聞口嘗言當向卓也狂瞽之詞謬出於口身
雖不忠願黥首刖足綴成漢史贖罪公卿皆惜邕之才盛力救之
太傅馬日磾密謂允曰伯喈曠世逸才多識漢事當續成後史爲一

王允令人

捉獲伯喈

代大典且邕忠孝素著若以微罪殺之恐失士望允曰不然昔漢武不殺司馬遷使作謗書流於後世方今國祚中衰戎馬在郊不可令佞臣執筆於幼主左右既無益於聖德使吾黨蒙其訕議日磾退而言曰王公所為其無後乎善人國之紀也制作國之典也滅紀廢典其能久乎允遂將邕下獄縊死當時士大夫聞邕死戚與不識盡皆流涕【史官曰】按蔡邕哭卓固自不是殺之非其罪[illegible]然士大夫亦當擇主而事邕之死自取之也靜軒有詩歎曰

董卓專權肆不仁　侍中何自竟亡身
當時諸葛隆中臥　安肯偷生事亂臣

卻說李傕四人逃居陝西使人上表求赦王允曰卓之過惡皆此四賊助之大赦天下獨不赦這一夥[illegible]馬使人回報傕曰求赦不得各自逃生謀士賈詡曰諸君若棄軍單行則一亭長能縛君耳不若起陝西軍士殺入長安為董太師報仇事濟奉國家以攻天下若其不勝走亦未遲傕遂流言於西州曰王允欲洗蕩此方之人人皆驚惶不及半月聚眾十餘萬分四路殺奔長安路逢卓婿牛輔引兵五千欲為丈人報仇合傕遂使別為前驅進發至允

赤兒殺牛輔

輔奪金寶

聽知西京兵來請呂布商議布曰司徒放心量此鼠輩何足道哉遂引李肅將兵出迎肅曰某領前鋒先討賊呂布令提兵前進至陝與牛輔相戰輔敗走肅贏一陣當夜二更牛輔來劫李肅營寨肅軍亂敗走三十餘里折軍大半來見呂布布大怒曰汝敢挫吾銳氣立斬李肅懸頭轅門肅已死三軍見呂布法嚴皆有變心布自負其勇懶於撫士卒軍心已離次日呂布出戰牛輔大敗而走牛輔與心腹人胡赤兒商議曰我素知呂布驍勇必不能敵不如暗藏金珠棄了敗軍而去胡赤兒應允是夜牛輔與赤兒隨行三人各帶金珠棄營而逃將渡一河赤兒欲謀金珠殺死牛輔將頭來獻呂布從人出首胡赤兒謀殺牛輔奪其金珠布怒將赤兒等盡誅之引軍前進正遇李傕軍馬布觀傕等如無物縱馬直衝傕軍大敗退三十里守住山口請郭汜等商議傕曰呂布雖勇猛卻無智謀不足為慮我列軍谷口每日誘他廝殺郭汜可引兵抄出布後日夜攻擊效彭越撓楚之法鳴金進兵擂鼓退兵呂布兩下不能相顧張濟樊稠卻分兵兩路逕取長安呂布首尾救應不迭必然大敗

李傕郭汜

大亂長安

衆用其計却說呂布勒兵到山下李傕引軍下山搦戰布忿怒衝殺過去傕退走上山山上矢石如雨布軍不能進陣後郭汜領兵殺來布急回皷鼓大震汜軍已退鑼鼓響處布謂郭汜收軍正欲來與李傕對敵郭汜在背後大刀濶斧殺來呂布回兵來敵汜又擂鼓收軍去了日夜被郭汜在背後惱亂李傕任前面不時搦戰呂布進退不得長安城中飛報呂布曰今有張濟樊稠兩路兵殺到無人可敵布急領軍回背後李傕郭汜殺來布軍多有投順李郭者因此呂布失勢比及到長安城中四下軍兵圍定曉夜攻打呂布引軍衝出一陣喊起都往李傕軍中投拜布心甚憂慮及十日董卓部下李蒙王方獻了城門四路軍馬一齊擁入呂布左衝右突當攔不住引數百騎驟馬到青瑣門外布呼王允曰賊兵勢大急切難敵請司徒上馬同出關去別圖良策允曰若蒙社稷之靈安國家者吾之願也若不獲已則奉身以死朝廷幼主恃我而已臨難苟免吾不為也努力謝關東諸君以國家為念布勸王允死不肯去但見各門火焰呂布帶妻小引百餘騎飛奔袁術去了李

李郭挾天

子殺王允

傕郭汜縱兵殺入放火淫人妻女無所不爲太常种拂引家奴數十人與賊死戰被其射死太僕魯馗大鴻臚周奐城門校尉崔烈越騎校尉王頎皆死於國難賊兵圍繞內庭至急近侍請天子上宣平門止亂李傕郭汜等望見黄蓋約住軍士同呼萬歲獻帝倚樓問曰卿不候宣詔輒入長安欲何爲也李傕郭汜奏曰董太師乃陛下社稷之臣王允設謀殺之臣等特來報仇非敢造反但見王允臣便退兵王允在帝側聞知奏曰臣本爲社稷之計事已至此臣請見二賊以紓國難帝徘徊不忍允自宣平門樓跳下大呼曰王允在此李傕郭汜拔劍叱之曰董太師有何罪汝謀殺之允曰董賊之罪彌天亘地受誅之日長安士民皆相慶賀得無罪郭汜大怒曰太師有罪我等何罪不蒙赦也將允殺於樓下史官詩贊曰

王允運機籌　奸臣董卓休　心懷安國恨　眉鎖廟堂愁

英氣沖霄漢　忠心貫斗牛　至今魂與魄　猶遶鳳凰樓

王允被害宗族數千人盡斬於市城中老幼知者無不淚下李傕郭汜思到這裡不殺天子奪取漢朝更待幾時二人仗劍欲殺漢帝

雷震卓墓　開棺出屍

李傕郭汜殺樊稠

張濟樊稠曰今便殺之衆諸侯不服且俟為主廝殺諸侯入關先去手足然後殺之天下自然歸我等也李郭從之按兵不退縱容軍士擄掠帝在樓上謂李郭曰王允已死軍馬如何不退李郭曰雖已報仇未蒙恩赦帝隨降赦文又不退帝又問李郭曰臣等力扶漢室未蒙賜爵帝曰任卿所欲何官李傕寫定勑要如此官品帝從之封李傕為車騎將軍池陽侯領司隷校尉郭汜為後將軍美陽侯同秉朝政俱假節鉞（李傕郭汜並無節鉞名分借天子節鉞任其行事也）樊稠為右將軍萬年侯張濟為驃騎將軍平陽侯領兵屯弘農李蒙王方各為校尉衆人方始謝恩恣任劫掠李郭尋董卓尸首得些少皮肉用香木雕成卓形大設祭祀備陳功德盛具棺槨用王者衣冠遷葬郿塢臨葬之夜大雷霹靂震開卓墓提卓尸出棺劈為粉碎李傕收拾再葬是夜又復如此三葬皆被霹靂天地神明乎李郭既掌大權殘害百姓史官有詩歎曰

蛙讓誅來卓又擄　諸侯遠以卓為名
九州鼎沸言誅卓　卓死何曾肯罷兵

馬宇等保奏封馬韓

二賊分布心腹侍帝左右看其動靜如不順已者斬之帝度日如年朝廷官員並由李郭陞降李郭舉朱雋爲太僕卿同領朝政一日探馬報曰自西一路人馬約有十餘萬飛奔長安而來李郭探知乃是西凉州太守馬騰[illegible]（騰字壽成伏波將軍馬援之後扶風茂陵人也）并州刺史韓遂領兵來當日馬韓二人密使人入長安結納侍中馬宇諫議大夫种劭中郎將劉範三人約爲內應三人密奏封馬騰爲征西將軍韓遂爲鎮西將軍勅其討賊却說李傕郭汜商議賈詡曰馬韓二軍遠來利爲速戰若深溝高壘堅守拒之不過百日彼兵糧盡自然退去却引兵追之二將可擒矣李蒙王方出曰此非好計願借精兵萬人立斬馬韓之頭獻於麾下賈詡曰若戰必敗李蒙王方曰吾二人若敗願納六陽會首詡曰如汝得勝吾亦輸汝首級各納下軍令狀詡曰長安之西二百餘里地名盩厔崎嶇山險路峻可以屯兵張樊二將宜堅壁守之令李王領兵於此迎敵長安城中應付錢糧李郭遂點兵一萬五千付李王二人欣喜而去離長安二百八十里扎住人來西凉州兵到兩下擺開陣勢馬韓並

馬超斬李

蒙與王方

纔而出見李蒙王方在門旗下馬騰大罵曰反國之賊誰去擒

騰長子馬超在陣中飛出面如傅粉眼若流星虎體猿臂彪腹狼

腰手挺長鎗坐騎駿馬（按超時年十七歲）出陣交鋒王方欺超年幼橫

刀躍馬逕來迎敵戰到數合刺王方於馬下超亦勒馬回陣李蒙

見搠死王方一騎馬從超背後趕來超已知故意假延蒙舉鎗搠入

來超一踏閃在側邊蒙搠個空馬奔入來兩馬相並被超挾過馬

去軍士無主望風奔竄馬騰乘勢追殺李蒙斬首示眾（按超殺

王方勒馬回陣李蒙從後趕來馬騰大叫有人在後一箭弄倒

見殺李絕李蒙被馬超生擒下馬而回此是馬超第一場斯）

敘史官有詩贊曰

威鎮西涼立大功　渭橋入戰最英雄

未歸荀郡扶先主　先斬王方共李蒙

西京兵得勝直道隘口下寨李郭聞知李蒙王方被殺方信賈詡

有先見之明重用其計只理緊守關防任其叫罵並不出戰果然馬騰

軍未及兩月糧食俱乏商議回軍恰好長安城中馬宇家僮告宇外連

馬騰欲謀內應李郭大怒盡收馬宇种邵劉範三家老小皆斬於

市將三顆首級來馬騰營前號令馬韓商議糧盡軍荒內應已漏

馬騰韓遂

得勝回軍

不如早還一面退軍李傕教張濟一軍趕馬騰樊稠一軍趕韓遂分兵趕身前軍已遠後軍不曾隄防被張樊兩枝生力軍趕來西涼州兵馬大敗超在後死戰張濟不敢去趕樊稠獨力趕韓遂至陳倉韓遂勒回馬對樊稠言曰故鄉之人何無情耶樊稠亦勒馬言曰上命不可違也韓遂曰天地不覆未可知也吾與汝同州之人今為國家而來雖與汝有小失後尚圖大會萬一有不如意還可相見乎樊稠回心拍馬向前與韓遂耳語而別樊稠收軍回寨馬韓回西涼州去了李傕兒子李別跟樊稠見稠和韓遂耳語回報其叔曰樊稠追韓遂到陳倉被韓遂叫鄉人稠便立馬與遂共語不知說甚但見意愛甚密李傕大怒便欲興兵討樊稠賈詡曰目今人心未寧頻動刀兵深為未便但設一宴請樊稠張濟慶功就席間擒而斬之李傕即遣人請張濟樊稠二將欣然赴宴酒將半闌李傕曰韓遂遊吾來言樊稠欲造反何不擒下稠大驚失色口未及言刀斧手出斬稠於案下張濟慌伏於地傕扶起曰樊稠欲圖害吾故先下手殺之君乃吾心腹人何驚懼[illegible]

曹操濟北

大敗賊衆

撥亂濟貧濟難傕回恐發去後人有詩云　龍爭虎鬪戰將摧
朝若貧則落登營　迺互相吞何日了　天教傕子殺樊稠
李傕以賈詡爲尚書僕射（詡字文和武威姑臧人也後爲魏臣）李郭自戰退馬騰諸
侯賈詡與兵詡諫李郭行仁義禮賢士李郭從之獻帝始得稍安
時黃巾又起聚衆百萬頭目不等殺兗州刺史劉岱劫擄良民太
僕朱儁保舉一人可破群賊李郭問儁曰衛要之地非世英雄莫
能撫也今黃巾虐滿誰可安之未知公所舉者誰也

曹操興兵報父仇

朱儁曰要破山東群賊必須得曹孟德方可李傕道今在何處儁
曰自楊州募兵濮陽討賊攻于毒於武陽擊匈奴於內黃乾獲全
勝見領兵於東郡權州事可差人令曹孟德領兗州牧使討山東
群寇可剋日而定也李傕大喜星夜差人齎賞賜命[illegible]太守曹
操濟北相鮑信一同破賊操領了聖旨會合鮑信一同興兵擊賊
於壽陽鮑信殺入重圍被賊所害十首不知何處操追趕賊兵直
到濟北降者數萬操因得賊作可驅兵馬到處無不賓伏百餘日

荀彧荀攸

投拜曹操

州操招安降兵三十餘萬男女百萬餘口選精銳者號爲青州兵其餘百姓盡皆屯田曹操威權日盛四方之士歸順者多是時初平三年冬十二月操使人至長安報捷李傕加操爲鎮東將軍操馳表稱謝操在兖州招納賢士有荀彧荀攸叔姪二人來投拜操一見彧遂與之談當世急務彧對答如流操大喜曰吾之子房也以彧爲行軍司馬以其姪攸爲行軍教授操得此二人朝夕談論不輟彧字文若潁川潁陽人也濟南相荀昆之子人稱王佐之才昔年二十一棄舊從袁紹見紹非成事之人因此棄之○攸字公達亦潁川名士也曾爲黃門侍郎見董卓專權棄官歸鄉里今與叔同來投操荀彧勸操以禮厚幣四方求賢操納之彧曰某聞劉价有一賢士姓程名昱字仲德身長八尺美鬚髯清秀曰乃河東東河人也其才勝某十倍公若今日不知何在操曰吾亦聞名久矣遂遣人於鄉中究問知其在於山中讀書操以安車拜請昱至見操操大喜昱謂荀彧曰某孤陋寡聞公何錯薦公之鄉中有一大賢士不薦於明公彧曰是誰昱曰潁川陽翟人也姓郭名嘉字奉孝彧遽然曰吾幾忘却遂啓操徵聘郭嘉嘉至兖州與操共論天下之事操曰使[illegible]

夏侯惇引

典韋見操

若必此人也嘉亦對人曰此真吾主也郭嘉薦劉曄揚[illegible]

後劉曄字子陽乃光武嫡派子孫南陽人也智勇全備十歲與母報仇殺仇人決然二十餘歲在揚州帝十斫死寔名同淮南曄薦滿寵字伯寧山陽人也呂虔字子恪任城人武勇人也二人操遂請爲軍中從事

之職滿寵呂虔共薦毛玠毛玠字孝先陳留平丘人劉表見其不用遂歸魯陽操請爲

刑曹時有一將引軍數百來投姓于名禁字文則泰山鉅平人也

操見其弓馬熟閑武藝出衆命爲典軍司馬夏侯惇見操[illegible]曰稱

于禁之能遂引一將參見操視其人形貌魁梧身材雄偉驚問曰

此何人也惇曰此人陳留巴吾人也姓典名韋舊跟張邈爲帳下

人不和手殺數人逃於山中射獵遂逐虎過澗其進問之即典韋也

收在軍中久矣今見主公詔選將材某故獻上操曰此人一貌非

俗必有勇力惇曰幼年爲友人劉氏報仇殺李永全家提頭出市

無人敢近所使兩枝鐵戟重八十斤飛馬刺人如同無物操令韋

試之韋挾戟驟馬上下如飛操愕然曰真天神也吾若早知豈沉

溺于時帳下一面大旗風吹欲倒衆人扶之典韋向前喝退衆人

一手能定旗竿立於風中操曰乃古之惡來也惡來紂王時人有勇力者遂

張闓謀殺

曹嵩全家

命爲帳前都尉，解身上細白錦袍及雕鞍駿馬以賜之。曹操勢大威鎮山東，文臣武將扶助左右，共圖進取。謀士有荀彧、荀攸、程昱、郭嘉；文武兼全有劉曄、毛玠、滿寵、呂虔、樂進、李典；武將有夏侯惇、夏侯淵、曹仁、曹洪、于禁、典韋，部下之人更有不及錄者。精兵三十萬，一應錢糧皆任峻管領（峻字伯達，河南中牟人）。曹操領大軍屯札兗州，乃遣泰山太守應劭往瑯琊郡迎父曹嵩，劭帶從者百餘人取曹嵩及操弟曹德等一家老少四十餘口，車百餘輛，望兗州進發。道經徐州，徐州太守陶謙知操勢大，意欲結識，無由得聽，知操父經過，遂出郭迎接，再拜致意，大設筵會，待了兩日。謙差部將張闓領五百兵護送。謙送出郭而回。嵩行到華費間，大雨驟至，投一古寺安宿。寺僧迎嵩於方丈安頓，宅眷於張闓軍馬札於兩廊，兩濕衣裝，軍人皆怨。張闓喚從人於靜處商議曰：「我等本是黃巾餘黨，今在陶謙處無人揪採，你們隨着車仗，若欲得富貴，今夜三更只推有賊，把曹嵩一家老小了，取其財物，同往山中落草，却不是好？」衆皆應允。是夜，曹嵩在

曹操興兵

為父報讎

文中忽聞賊鼓大振曹德提劒出看被衝死於法堂書[illegible]
人方丈後欲過墻躲避妾肥胖不能出只躲於厠中皆被亂軍
殺死劉得脫引數人投奔袁紹張闓殺曹嵩一家取了財物放火燒
了與五百人走往淮南去了內有逃得命的軍士飛報曹操操聽
知全家被殺哭倒於地靜軒先生有詩曰　曹操奸雄世所誇
曾將呂氏殺全家　如今闔戶遭人殺　天理循環報不差
夏侯惇救起曰此是陶謙令人如此可以關畢操切齒曰殺父之
仇如何不報吾欲踏平徐州方雪此恨留荀彧程昱總領三萬人
守鄄城東阿范縣三縣令夏侯惇于禁典韋為先鋒操令但得城
池盡皆殺戮以雪父仇時陳宮為東郡從事知操起兵報仇欲殺
百姓星夜來見曹操操想舊恩請入共坐宮曰聞明公起軍報尊
父之仇所到盡殺百姓某特來求雖且陶謙乃仁人君子非好利
之輩中間必有緣故且百姓與明公無仇殺之不祥望三思後行
宮詫操怒曰汝昔棄我而去今何面目相見陶謙殺吾一家誓剜
其心以祭汝與陶謙自舊故來叫我軍心宮默然而出定馬代[illegible]

陶謙領兵

迎敵曹操

留太守張邈一待宮絛上賓且説曹操大軍到處雞犬不留陶謙在徐州聞曹操起兵報仇仰天哭曰我獲罪于天致使徐州之民受此大难又聞操先殺徐州四下郡縣百姓以孤徐州之勢謙大罵張闓逆賊貪圖財物害吾生靈忽聚衆商議曹豹曰既操兵至豈可束手待死某願助使君破之衆官皆云豹言是也陶謙不得已引軍出迎謙見操軍到時中間湧起灵旛二首一書曹嵩名爵一書曹德灵魂大展报仇雪恨二旗列成陣势曹操縱馬出陣身披素巾含淚揚鞭大罵無端賊徒敢殺吾父陶謙亦於馬上欠身施礼曰謙本意結好明公故差張闓護送不期賊心不改致有此事實不干陶謙之故望明公詳情而恕之操大罵老賊尚敢乱言誰可生擒此賊享祭灵魂夏侯惇應声而出陶謙慌走入陣惇赶來曹豹挺鎗相迎二馬相交忽風大作飛砂走石軍中旗旛盡皆括倒曹豹敵不住夏侯惇回馬便走兩軍皆乱操急收軍車行陶謙收士卒入城謙曰吾觀曹操势大难敵吾當自縛前去操其剮割救徐州一郡百姓之命言未絕別駕糜竺進曰

糜竺二請往

北海求救

徐州人民感德今曹操兵將雖廣未必便能入城府君[illegible]

某雖不才自施小策交曹操死無葬身之地眾人大驚[illegible]

[illegible]

劉玄德北海解圍

陶謙求糜竺問解救之策竺曰某當親往北海郡投托孔融令起兵來救援更得一人往青州田楷處求救二路軍馬在外夾攻操必退兵矣謙大喜遂寫告急書二封命陳登往青州[illegible]糜竺往北海謙率眾守城以備攻擊竺說孔融[illegible]在北海六年甚得民心[illegible]

當日孔融正與客論曹操報仇事人稟徐州糜竺至[illegible]

管亥與太

史慈大戰

請入見畢問曰故人此行必有事焉玄德出陶謙書言曹操攻圍甚急望乞明公垂救融曰吾與陶恭祖有莫逆之交子仲又親到此如何不去只一件曹孟德亦與我無讎其兵先遣人送一書解和如其不然隨即起兵玄德曰曹操倚仗兵威必不以義為重融交一面點起軍馬一面差人送書忽報黃巾餘党管亥領賊十餘萬殺奔前來孔融大驚慌點人馬出城相迎管亥出馬曰吾知汝州粮廣可借一萬石來便退軍士不然打破城池老幼不留孔融叱曰吾乃大漢臣僚守大漢城池豈有粮米應付賊乎管亥大怒直取孔融融驍將宗寶挺鎗迎戰不數合被管亥砍於馬下孔融兵敗入城管亥四面圍城孔融見折一員上將心中鬱悶登城遙望賊勢浩大倍添憂惱忽見城外一人挺鎗躍馬殺入賊陣直到城下大叫開門孔融不識其人不敢開門賊將趕到城邊那員將回身連搠十數箇下馬融急令開門接到城內其人下馬棄鎗拜見孔融融曰願聞壯士姓名對曰某東萊黃縣人也複姓太史名慈字子義老母蒙君恩顧某昨自遼東回家省親聞公被賊

慈臨城老母曰孔北海不嘗識汝嘗患賜於我今日有人之故來報府君養母之恩融大喜慈孝之孔融知太史慈是烈士他明日離城二十里以昌邑居住融常使人送米粟帛以供給之因此母令慈來赴難融重待太史慈贈與衣甲馬匹慈曰願借兵一千出城殺賊融曰汝雖英雄賊眾不可輕出慈再三曰老母感德特遣慈來如不能解此圍慈亦無顏見母矣願決死戰融曰吾聞平原劉玄德乃當世英雄若得他來內外夾攻此圍自解慈曰府君修書某當急往融作書付慈收了擐甲上馬帶弓挽鎗飽食嚴裝城門開處一騎飛出近濠賊將數十騎來戰被慈搠三人下馬透圍而出管亥知人出城料是求救令數百人赶來四面圍定慈拈弓搭箭射死十數人賊皆退回太史慈得脫星夜投平原縣入見玄德呈上孔融書畢德看了問曰子何人也慈曰某東海太史慈也與東海親非骨肉比非鄉党特以名志相好有分憂共患之意今北海被圍危在旦夕以君有仁義之名能救人之急故令慈冒刃突圍求托於君惟君察之玄德聞言驚曰孔北海知世間有劉備耶乃喚關羽張飛點起精兵三千人望北海郡

孔融請問玄

德同解圍

進発管亥見救軍到引兵來迎見玄德軍少心中不懼縱刀橫馬於陣前玄德引関張出馬罵曰無端逆寇敢犯大漢城池管亥大怒直出太史慈知待向前関羽驟馬迎敵管亥数合之中斬管亥於馬下張飛太史慈殺入賊陣掩殺城上孔融望見太史慈等殺到城边亦驅軍突出群賊大敗降者無数餘黨潰散孔融迎接玄德入城中大設筵宴相待糜竺在座孔融指謂玄德曰前者張闓殺曹嵩今曹操縱兵大掠徐州特來求救玄德曰吾知陶恭祖乃誠实君子今受此無辜之冤孔融曰今操不仁倚強欺弱何不同往遏勸陶使君公乃漢室宗親何不同融往救徐州之难玄德曰備非推辭奈兵微將寡恐不敢輕動孔融曰某與陶恭祖一面之交許自傾城救之公乃當世豪傑何不仗義而行玄德曰請文舉先行容備去公孫瓚處再借三五千人馬隨後便至融曰公切勿失信玄德曰公以備爲何等人也孔融麋竺拜謝融交麋竺回报某便收拾起程太史慈拜謝曰慈本母命前來進難今幸無虞前日州刺史刘繇与慈同鄉有書來取不得不去容圖再會融

1386

劉玄德問

伯珪借兵

相酬懲不肯受歸見母母曰我舊汝已報孔北海也怒楊州去了却說玄德投北地來見公孫瓚備言借兵救徐州虐曰曹操與汝無怨何故替人出力備曰其去以言解之瓚曰操倚勢要肯听善言玄德曰備已許人豈可失信瓚曰借汝馬步二千玄德曰更借子龍一行瓚許之玄德引本部三千人馬在前子龍二千軍隨後投徐州來却說糜竺回報陶謙言孔北海又請刘玄德同來陳登亦报青州田楷領兵來救謙心少安孔融田楷兩路軍馬惧怕曹兵勢猛遠遠依山結寨未敢輕進操見兩路軍到亦分了軍勢不敢向前攻城却說刘玄德軍到入見孔融融曰曹操足智多謀行軍或進或退且觀其動靜然後出戰玄德曰但恐城中無粮難以久待備留子龍關羽領兩千軍在文舉部下相助備與張飛殺奔曹營逕投徐州與糜竺商議孔融大喜會田楷為犄角之勢首尾相連左孔融右田楷中間關羽子龍領四千軍兩處救應是日玄德披掛上馬領一千兵張飛騎等在前飛馬殺入曹寨伏路東望影而迎正行之間寨內一聲鼓響當頭于禁立馬大喝

陶謙讓牌

印與玄德

何處四人往那里去張飛更不打話直趕于禁未知勝負如何

呂奉先濮陽大戰

于禁與張飛戰至數合玄德軍勁攻擊于禁敗走張飛追殺到徐
州城下城上望見紅旗白書平原刘玄德陶謙急命開門迎接玄
德入城設宴相待謙見玄德語言如鐘心内大喜急命麋竺取徐
州牌印讓與玄德玄德曰公何意也謙曰今天下擾乱奸臣弄權
公乃漢室宗親正當力扶漢室老夫無德無能朝夕不保公名聞
海宇乃世之豪傑可領徐州謙自爲表申奏望公勿推玄德失地
曰備雖漢朝苗裔功微德薄今在平原亦不稱職今爲大義而來
公何故道此莫非疑備有吞併之心耶若舉此意皇天不祐謙将
牌印再三推讓玄德堅不肯受玄德曰今操兵至此無人解紛備
作一書去操若不從斯殺未遲遂差人賫書送操却説操與衆将
議攻徐州之策人報徐州下戰書操拆緘觀之乃刘備書也書云
備昔關外得拜鈞顔各天一方不及趨侍近者尊父皆因
不仁恭祖誠實君子聞之

劉備斬使人　送書與曹操

矣掃天下大患巨于濟民社稷幸甚天下幸甚願聞之
操看罷大罵曰劉備何人敢以書劝我況中間又有譏諷意
來使即便攻城郭嘉曰主公息怒劉備逆此書者先禮後兵故也
主公亦以好言答之以慢備心然後進兵城可破也操回嗔作喜
曰吾怔劉備久不相見既以書來容我裁答款留來使商議回書
忽流星馬飛报曰呂布自出武關去投袁術術拒而不納投袁紹
紹納之共破張燕於常山布自爲得志傲慢紹手下将士紹欲殺
之布去投張楊楊納之龐舒在長安城中私藏呂布妻小送還呂
布李傕郭汜知之遂斬龐舒寫書與張楊令殺呂布布棄張楊去投張
邈便宮陳宫迎曰今英雄並起天下分崩君以千里之衆當四戰之
地撫劍顧盼足爲人傑而反受制於人不亦鄙乎今曹操東征兖
州空虚呂布乃當世英雄之士若迎之共取兖州觀天下形勢随
機應變霸業可圖矣張邈大喜遂迎呂布起兵襲取兖州令呂布
偕任兖州以據濮陽止有鄄城東阿范縣三處賴荀彧程昱設策
定計守住其餘郡縣皆休矣曹仁累戰不勝特此告急操曰如兖

州有失使君無家可歸郭嘉曰主公正好賣個人情與劉備以退軍去復兗州免致天下恥笑操然之即時答書與備書云

操器世名家父遭荼毒安得不報故勒兵問罪於陶謙意欲圖滅其族以雪大冤玄德公以帝室之冑兼文武之才遣書來慰我以天下之重操敢不從即日班師回守略此以聞別圖後會

曹操拔寨皆起且說來使回徐州入城見謙呈上書劉言操退兵謙大喜差人請孔融田楷關張趙雲赴城大會衆官謙請玄德於高座玄德再三推辭退至數遜謙曰老夫年邁才疏老二子不肖不堪當國家重任玄德公帝室之冑德廣才高可領徐州老夫乞閑養老病曰孔文舉令備以義之故來救徐州今如據守此城人不知者以爲大不義也糜竺曰今漢室陵夷海宇顛覆建功立業正在此時徐州殷富戶口百萬使君不可辭也玄德曰此事決不敢當陳登進曰陶府君誠意關公勿辭備曰袁公路四世三公海內所歸近在壽春何不以州讓之陳登曰袁公路驕奢非治天人今以徐州之地馬步十萬上足匡君下足守境使君

劉玄德送別趙子龍

孔融曰袁術塚中枯骨豈憂國治家者今日之事君若不
堅執不宜謙抱玄德而哭曰君若捨而去吾死不瞑目關羽曰既
使君推意兄且權領州事張飛曰將牌印來我收了不由哥哥不
肯備曰汝等陷我於不義也言訖掣劍欲自刎趙雲奪了佩劍諫
曰如公不從此間有一近邑名曰小沛玄德若肯念我可屯小沛
以保徐州始終救援台意若何玄德從之席散趙雲辭去玄德不
忍相離更留三日孔融田楷各引兵回玄德與子龍臨岐尚不忍
捨子龍拜伏於地曰雲終不敢忘公顧念之德也洒淚上馬而去
玄德與關張在小沛修葺城池招諭居民却說操引軍救兖州來
曹仁接着言呂布勢大已占濮陽等處惟鄄城東阿范縣三處得
荀彧程昱設計守住操曰吾料呂布有勇無謀不足慮也郭嘉曰
主公亦不可欺敵呂布知曹操回兵召副將薛蘭李封曰汝可領
兵一萬堅守兖州吾親去破操二人應諾陳宮知之急入諫曰將軍
棄兖州將欲何往布曰欲屯兵濮陽以成鼎足之勢宮曰非也薛
蘭李封必守兖州不住此去正南一百八十里泰山地名路險可伏

魏續宋憲侯成六將率軍五萬鼓噪大震呂布出馬操

吾與汝從來無仇何故奪吾州郡布曰漢家城池諸人有分

合得何人去擒曹操臧霸應聲而出操令樂進出迎戰到三十合

勝負未分夏侯惇拍馬便出助戰張遼接住厮殺呂布性起提戟

冲出陣來夏侯惇樂進皆走布掩殺曹軍大敗布自收軍操輸一

陣請謀士等商議于禁曰某今日上山觀望濮陽之西布有一寨

約無多軍彼謂我敗必不準備今夜可引兵劫之若得布寨兩下

夾攻破布必矣操從其言帶曹洪李典毛玠呂虔于禁典韋六將

選馬步二軍二萬人連夜從小路進發却說布寨中勞軍陳宮曰西

寨是個緊要去處倘或操襲之奈何布曰今日輸了一陣如何敢

來宮曰操極善用兵須防他攻其無備布撥高順魏續侯成來守

西寨却說操兵到西寨果然兵少四面突入奪了寨柵至四更高

順兵到操自引人馬來迎戰至天明直西鼓聲大振人報呂布大

軍已到操棄寨而走布飛馬趕來于禁樂進雙戰呂布不住操望

北而走山背後一彪軍出左有張遼右有臧霸操使呂虔曹洪

典韋突陣

曹操

之不利操望西而走又逢郝萌曹性成廉宋憲攔住去路衆將當住死戰操在先衝陣箭如飛蝗無計可脫忽典韋提戟飛馬而來大叫主公勿慮下馬剗住双戟取短戟十數枝步行冒戰而去布軍能射者數十騎近前典韋飛戟刺之立殺十餘人衆皆奔走典韋復回飛身上馬挾二鉄戟衝殺郝萌曹成宋四將不能當抵各自逃去典韋殺退敵軍救出曹操後人賛云

鉄戟雙提八十斤　濮陽城外顯功勲
典韋救主傳天下　勇猛當先第一人

典韋救了曹操衆將隨後歸寨天色將晚背後呂布驟馬提戟趕來大叫曹賊休走此時人困馬乏面面相覷各欲逃生

陶恭祖三讓徐州

操正在危急之際得夏侯惇引一彪生力軍來援住布大戰黄昏大雨如注各自收軍操回寨重賞典韋加為領兵都尉陳宮謂布曰城中富戶田氏家僮千百可令田氏詐脩密書與操言呂布殘暴不仁今欲移兵黎陽只有高順在城可連夜進兵我當內應[illegible]誘引入城四門放火外設伏兵曹操雖有經天緯地之才

布然其計密令田氏[illegible]人修書[illegible]到操寨[illegible]濮陽城中空虛萬望速來當為內應城上插白旗書一義字便是暗號操看罷曰天使吾得濮陽也重賞來人命回一面起兵劉曄曰布雖無謀陳宮多計只恐使田氏行反間耳操曰如此設疑大事曄曰此亦當防分軍三隊兩隊伏城外接應一隊入城操曰此見甚是（時興平元年歲在甲戌九月十一日）兵至濮陽城外見城上西門角有義字白旗一個操暗喜是日城門開處侯成高順引軍出戰操便與典韋迎之二人敵典韋不過退入城去數內有軍人乘勢過陣見上密書言今夜初更城上鳴鑼為號便可進兵某自獻門操撥夏侯惇李典樂進典韋四將入城夏侯惇飽食上馬李典曰主公且在城外容某等先入城去操曰吾不自往誰肯向前遂當先引軍臨約初更聽見城上吹螺聲西門上火把撩亂城門大開吊橋放落操爭先拍馬而入直至州衙前不見一人操知是計撥回馬大叫退兵一聲砲響四門烈火中天典韋手執雙戟在操馬前聽得喊聲如雷東巷轉出張遼西巷轉出臧霸夾攻掩殺操走北門門邊

陽出郝萌曹性又殺一陣操急走南門已有高順侯成攔路典韋衝殺
高順侯成倒走出城典韋殺離吊橋回頭不見操復番身殺入城
撞着李典問主公何在典曰吾亦尋覓不見韋曰汝出城催救軍
我入去尋李典出城韋殺將入來又尋不見再殺出城壕邊撞着
樂進進曰主公何在韋曰往復兩遭尋覓不見進曰同殺入去救
主兩個到門邊城上火砲滚下樂進馬不能入韋冒烟突火又
殺入去凡此三遭却說操見四面人馬截來出不得南門再轉北
門火光中見呂布挺戟躍馬迎來用戟在操盔上一擊問曰曹操
何在操急指曰前面騎黃馬者是也布棄了操拍馬去趕前面的
門操撥回馬望東門而走正逢典韋韋大呼曰南門已閉急出東
門韋殺到門傍火焰甚盛遍地迴綠韋用戟撥開飛馬突火殺出
操到門邊城樓上崩下梁木打着操馬後胯操用手托梁木推[illegible]
倒於火中鬚髮盡皆燒毀韋到壕邊正逢夏侯淵兩個[illegible]
救至淵抱操於馬上急殺條大路而走[illegible]
回寨中衆皆稱賀[illegible]

大敗呂布

曹操曰……言已……
馬陵……太…… 坐妻……氏之……半……之布可擒也就曰……
車中許發惡言操已死又相前旨全濮陽說操被火燒……
發喪死布即點兵殺奔馬陵山下一聲鼓響伏兵四起呂布
得脫敗回濮陽兩邊各不進兵是年蝗蟲四起禾稼食盡
境一石穀值五十萬錢人民相食操糧盡引軍回鄄城屯……
歲荒布亦引兵出屯山陽就食自此二處罷兵却說陶謙在徐州
病重請糜竺議事竺曰操棄徐州而去為呂布襲兗州之故今雖
今歲大荒以此罷兵來春必至矣府君兩番讓位與玄德者府君那
時無恙今病沉重可就而與之謙使人請玄德商議軍務備分……
張到徐州謙請入臥內謙曰老夫病篤朝夕難保萬望公以漢家
城池為重受此牌印老夫死亦瞑目矣備曰君有二子何不傳之
謙曰長子商次子應皆非任用之器只可歸農老夫死後望公訓
誨切勿令掌重事備曰某一身安能掌許大城池謙曰某舉此一
孫乾字公祐可使為從事以輔佐公謙又與糜竺曰玄德當世人傑

玄德陳祭

也汝當善事之備尚推托謙以手指心而死衆官舉哀皆推玄德領州事備固辭徐州百姓哭拜於地曰使君若不領此郡我等皆死於賊寇之手也因此玄德領徐州牧糜竺孫乾輔之陳登爲幕官盡召小沛軍馬入城出榜安民一面安排喪事按謙六十三歲玄德與大小三軍盡皆掛孝大設祭儀於靈柩前作文以祭之文曰

嗚呼使君厥垂懿德允武允文賦性剛直守以溫仁令舒及盧遺愛在民牧幽暨徐百姓是賴攘妖寇匪寧不寧惟帝念績爵命以彰既淑且恢啟土謀疆遂升上將受號東都除平國難社稷是扶降年不永奄忽觀五郡生哀心裂膽摧哲人萎矣誰可式符追思靡及仰頌香猶嗚呼哀哉伏惟尚饗

史官有詩贊曰

徐州刺史陶恭祖　聖世巍巍棟梁材
擁國忠心扶漢日　愛民秉政立堯階
知人知己勤三讓　盛德芳名遍九垓
好義不除身已喪　忠良聞說痛傷哀

[illegible]謙遣表申奏朝廷[illegible]

黄巾劉辟

操欲起兵吞徐州荀彧諫曰昔高祖保關中光武據河内皆深根固本以制天下進可勝敵退可堅守故雖有困而終濟大業公將軍之兗州是亦將軍之關中河内也今若取徐州不得將軍將安歸乎今陶謙雖死以事付與劉備城中之民必爲劉備死守此棄此而取徐州是棄本而就末也願將軍熟思之操曰公言極是但今年軍士無糧荀彧曰不如東取陳地使軍就食更汝南潁川黄巾餘黨何儀黄劭等劫掠郡邑多有金帛糧食此等賊徒又容易破可取其錢糧以養三軍操大喜留夏侯惇曹仁守鄄城操自引軍先取陳地次及汝潁黄巾何儀黄劭知操兵到引衆來迎過於羊山操令典韋出馬何儀令副將劉辟接戰戰不三合典韋一戟刺劉辟於馬下乘勢趕過羊山下寨次日黄劭自引軍來陣圓處黄劭副將何曼步行出陣手提鐵棒于陣前搦戰操令李典出馬曹洪曰某願替李將軍擒此賊亦提刀出馬兩個相鬪勝負

葛坡塢許

未分洪許陷何曼趕來洪用拖刀背砍計中何曼大腿洗于[illegible]
塌李典氣馬出陣生擒黃劭掩殺賊眾尽奪首器械粮食降者[illegible]
多向儀勢孤引数百騎望葛坡而走正走之間山背後撞出一
士身長八尺腰大十圍截住去路只一合活捉何儀其餘[illegible]
受縛尽驅入葛坡塢中卻說操令典韋追赶何儀已到[illegible]
趕壯士湧出韋問門汝等非黃巾那壯士曰黃巾[illegible]
中韋曰何不獻吾主人壯士曰[illegible]
怒挺鐵向前大戰定[illegible]
[illegible]迎[illegible]

……敗兗州薛蘭李……出……擄城邑
一鼓可下操軍馬逕奔兗州薛蘭李封慌引
陣列開許褚願請一戰以報丞公不殺之恩操喜
……使盡戟來迎交馬数合許褚斬李封於馬下薛蘭
……橋邊李典攔住薛蘭回馬望鉅野而走被呂虔一
……馬下寨皆崩潰操復得兗州程昱曰請……進兵取濮陽……

驅兵……

與曹公諸將爲先封夏侯惇夏侯淵爲左軍李典樂進爲……

中軍于禁呂虔爲合後兵至濮陽時呂布親將首出自……

出迎陳宮諫曰操兵衆勝而來其鋒正銳可待諸將會齊然後……

……當世之英雄誰敢近我不聽宮言引兵出陣橫戟罵……

……許褚便出鬬二十合不分勝負操令典韋……

……六員將殺得……盡鬬[illegible]……出武在……

明刊湯賓尹校本通俗三國志傳跋

陈翔华

湯賓尹校本《通俗三國志傳》（下略稱《三國志傳》）二十卷二百四十段。端題『新刻湯學士校正古本按鑑演義全像通俗三國志傳』（首行）、『平陽陳壽史傳』（次行）、『東原羅貫中編次』（第三行）、『江夏湯賓尹校正』（第四行，在卷一首段段目下）。板心刻『全像三國志傳』或『全像三國志』，卷二、卷三板心間或又題作『批評三國志傳』。上圖下文，十五行二十五字。

一

湯賓尹校本《三國志傳》現存兩部，一為全二十卷本（其中書葉有破損），一為殘存兩卷本，俱藏於中國國家圖書館。這兩部書的來源，分別是：

全二十卷本，原北京圖書館（即今中國國家圖書館）普通古籍組入藏卡片記載：

新刻湯學士校正古本按鑑演義全像三國志傳二十卷　明羅貫中編次　明刻本　【册】八　【登記號】八二六五六　【來源】屯溪古籍書店購　【價值】三二〇元　【備注】一九五八年一月二日

此書一九五八年購於屯溪，後由普通古籍書庫移入善本書庫。

殘兩卷（存卷一、卷二）本，此書也是在安徽屯溪（黄山市）發現的。中國嘉德國際拍賣有限公司二〇〇五年秋季拍賣會上此書（拍賣號一一九六）流拍後，首都師范大學中國傳統文化數字化研究中心學者周文業先生向北京與日本的有關學者作了通報。二〇〇六年二月，由日本學者金文京先生（京都大學）、中川諭先生（大東文化大學）、上田望先生（金澤大學）、井上泰山先生（關西大學）、二階堂善弘先生（關西大學）、竹內真彦先生（龍谷大學）和周文業先生共同出資五萬元人民幣，從屯溪持書者手中購得。他們還決定無償捐獻，以便於研究者使用。二〇〇七年八月十三日，中國國家圖書館為此舉行捐贈儀式，金文京、中川諭、上田望和周文業等出席儀式並將此書正式捐出，遂入藏於國家圖書館善本書庫。

這兩部今見僅存的湯賓尹校本，都來自安徽屯溪（黄山市）。

二

湯賓尹校本《三國志傳》，與余象斗刊本《音釋補遺按鑑演義全像批評三國志傳》（下稱余象斗刊本《批評三國志傳》）的關係十分密切。《三國志演義》明刊本所寫黄承彦誦《梁父吟》之第十句和《孟德新書》之『刊板』與否諸問題，在文字上存在着可以確切辨識為『古本』（即『舊本』）抑或非古本的顯著區别。湯賓尹校本對這些細節的描述，同余象斗刊本《批评三國志傳》一樣都使用了『古本』文字。余象斗刊本《批评三國志傳》叙述『關索荆州認父』、『張飛關索取閬中』諸故事，湯賓尹校本俱亦如之。甚至反映下文故事情節的上欄圖像内容及其提示性的題句也每每相近或相同，儘管由於每半版所容納文字多寡不同而致使湯賓尹校本上圖的畫幅有所減省或畫面稍具些微異同。今例舉卷九《關索荆州認父》段前幾圖的題句，以見兩本的關係。

余象斗刊本之圖題	湯賓尹校本之圖題
（一）關索入見／關公哭訴（9／22a）	（一）關張叙話／關索哭見（9／23a）
（二）關公夫妻／相會（9／22b）	（有關羽夫婦相會事，但無圖像。）
（三）雲長命關索／拜玄德孔明（9／23a）	（二）雲［長］命關索／拜見玄德（9／23b）
（四）關索挺鎗／刺殺楊齡（9／23b）	（三）關索挺鎗／刺殺楊齡（9／24a）

上表所見，湯賓尹校本除因版面原因而減省『關公夫妻相會』圖外（按下文有其事），其餘畫面基本相同（如『雲［長］命關索拜見玄德』圖及題句雖省略了孔明一人而有稍異，但下面正文仍寫他在場）。可知其與余象斗刊本《批评三國志傳》之間的聯繫非同尋常。

而且，還可以說湯賓尹校本參考或借鑑了余象斗刊本《批评三國志傳》。今見湯賓尹校本《三國志傳》部份書葉板心別題『批评三國志傳』（見全二十卷本之卷二第一至十八葉，卷三第一、二葉。按全二十卷本還有些書葉板心破損或漶漫，未知是否題『批評三國志傳』。再查殘兩卷本板心多破損，但其卷二第十一葉板心尚殘存『批』字，亦當為『批評三國志傳』首字之遺留）。這裏透露出重要消息：湯賓尹校本是依從《批評三國志傳》參訂整理而來的。據今所知，此前只見余象斗刊本以略稱《批評三國志傳》（見端題）為其書名，而且乃是第一部公然標榜『批評』的《三國志演義》明刊本。不過湯賓尹校本與之不同的是，删去其『批評』文字，將總目之段目整理成七言句（如湯賓尹校本卷九之正文段目《關索荆州認父》六言，乃同於余象斗刊本《批评三國志傳》之總目與正文目，但其卷前總目則整理作《關索荆州認關羽》七言）；又在正文上，將出場人物的介紹文字改為小字註，還對書中一些行文有所刪改。

三

湯賓尹校本既然是在余象斗刊本《批評三國志傳》的基礎上『校正』整理出來的，而《批評三國志傳》刊行於明萬曆二十年，那么湯賓尹校本的成書則必在其後。

今見此書首卷端題『湯學士校正』云云。『湯學士』者，即指『湯賓尹』也（見首卷題署）。湯賓尹，字嘉賓，號睡庵，別號霍林，甯國府宣城（今屬安徽省）人。明隆慶三年（一五六九）生。萬曆二十三年（一五九五）榜眼及第，授翰林院編修，官至南京國子監祭酒。

萬曆三十八年庚戌（一六一〇），湯賓尹爲會試同考官。後來因科場舞弊案發，罷官家居。明許重熙《憲章外史續編》卷十一載萬曆四十年壬子（一六一二）閏十一月：『禮部會議庚戌科場事。榜首韓敬係湯賓尹別房搜取，關節顯然。知貢舉吴道南即欲發之，以語向高（按即大學士葉向高），謂碍王圖、蕭雲舉乃止。及廷試，［韓］敬復從第三改榜首。人益不平。科臣孫振基等發之。湯［賓尹］、韓［敬］繇是坐廢。』湯賓尹雖居林下，但仍『貽書長安（即指北京）』。其卒年未詳。至萬曆四十五年（一六一七），『六月，御史駱駸曾薦起湯賓尹』（《憲章外史續編》卷十二），未果。可見湯賓尹是時尚在世。

按湯賓尹釋褐授編修，後任侍讀，皆為翰林官。查明代制度，翰林官的遷轉，通常經由詹事府（掌輔導太子事）及其春坊、司經局，《明史》卷七十三職官二詹事府條云：『本府坊（春坊）局（司經局）僅為翰林官遷轉之階』。春坊，設有庶子、諭德、中允諸官。湯賓尹出翰林院（離院前任正六品侍讀）至南京國子監祭酒（從四品）

間，曾官春坊之庶子（正五品）。《明史》卷七十選舉二載：『［萬曆］三十八年會試，庶子湯賓尹為同考官』。此年（一六一〇）他正以庶子而為全國會試的同考官，並帶有『侍讀學士』（或『侍講學士』）之銜。《明史》記載『詹事府暨坊、局官，視其品級，必帶本（翰林）院銜』。下註又有云：『春坊大學士不常設，庶子、諭德、中允、贊善、洗馬等則帶講、讀學士以下至編（修）、檢（討）銜』（卷七十三職官二）。由此循『視其品級』之例，湯賓尹以正五品的庶子當時『必帶』『侍讀學士』或『侍講學士』（從五品）銜，故而正式便有『湯學士』之稱。此時當其受差會試同考官的萬曆三十八年之前不數年間。

這部《三國志傳》無論是書坊的託名作偽還是湯賓尹本人確實參與其事，既然標榜『湯學士校正』以招徠讀者，當在他官春坊庶子正式帶『侍讀學士』（或『侍講學士』）銜之際（按翰林院六品『侍讀』，也可以非正式地被人敬稱『學士』）。這就是說，湯賓尹校本刊行的上限時間在萬曆三十八年（一六一〇）前不數年之際，而決不會早到余象斗《批評三國志傳》刊刻之萬曆二十年（一五九二），因為此前他尚還是一名白身士子。周兆新先生曾經推測道：『估計湯賓尹本《三國志傳》出版的時間，當在公元一六一一年之後』（見《湯賓尹校本〈三國志傳〉略說》）。此亦可聊備一說。

二〇一〇年春夏間改畢於望京東園

［後記］

余象斗刊本《批评三國志傳》雖然早出，但是存本卷帙有缺軼，而湯賓尹校本《三國志傳》基本完整，故此彌足珍貴。今將僅見的湯賓尹校本全二十卷本與殘存兩卷本合編影印，以供學者研究參考。

湯賓尹校本全二十卷本之原藏本，在裝訂上有錯簡（如卷一第七葉倒置在第十八葉前，卷四第十六葉A與第十五葉A互换位置等），今影印時予以訂正，希讀者察之。

國家圖書館出版社簡介

國家圖書館出版社，原名書目文獻出版社，一九七九年成立。一九九六年更名為北京圖書館出版社，二〇〇八年改為現名。

本社是文化部主管、國家圖書館主辦的中央級出版社。二〇〇九年八月新聞出版總署首次經營性圖書出版單位等級評估定為一級出版社，並授予『全國百佳出版單位』稱號。

建社三十年來，依託國家圖書館的豐富館藏，並與各圖書館密切合作，形成了兩大專業出版特色：一是編輯出版圖書館學和資訊管理科學著譯作，出版各種書目索引等中文工具書。二是整理影印中文古籍等各種稀見歷史文獻；此外還編輯出版各種文史著作和傳統文化普及讀物。

國家圖書館出版社設有社長總編辦公室、財務部、營銷策劃部、古籍影印編輯室、圖書館學情報學編輯室、綜合編輯室、文史編輯室、中華再造善本編輯室、發行部、儲運部等部門。